완역
성리대전
❽

이 저서는 2010년 정부(교육과학기술부)의 재원으로 한국연구재단의 지원을 받아 수행된 연구임(NRF-2010-322-A00065)

완역
성리대전 ⑧

윤용남·이충구·김재열·윤원현
추기연·이철승·심의용·김형석
이치억·김현경 역주

學

學古房

성리대전 총목차

性理大全書目錄 성리대전서 목록

學五 학 5

存養 持敬 靜附 보존과 함양[1] 지경과 정을 덧붙였다.

[47-1-1]

南軒張氏曰：“持敬, 乃是切要工夫. 然要將簡敬來治心, 則不可. 蓋主一之所謂敬, 敬, 是敬此也. 只敬便在此. 若謂敬爲一物, 將一物治一物, 非惟無益而反有害. 乃孟子所謂必有事焉而正之, 卒爲助長之病.”[2] 以下論持敬.

남헌 장씨南軒張氏[張栻][3]가 말했다. “경敬을 지니는 것은 절실한 공부이다. 그러나 경敬을 가지고 마음을 다스리려고 한다면 옳지 않다. 대체로 하나에 집중하는 것이 경敬이니, 경敬은 이것을 경敬하는 것이다. 단지 경하면 여기에 있게 된다. 만약 경敬을 하나의 사물로 생각하여 하나의 사물로 하나의 사물을 다스린다면, 무익할 뿐 아니라 오히려 해가 될 뿐이다. 맹자가 말한 반드시 일삼으면서 효과를 기대하려고 하는 것으로[4] 결국에는 조장하는 병통이 될 뿐이다.” 이하는 경을 지키는 것을 논했다.

....

1 보존과 함양 : 이는 存心養性을 의미한다. 즉, 본심을 보존하고 性을 함양한다. 보존함과 함양함으로 풀이한다.

2 『南軒集』 권26 「書 · 答曾致虛」

3 南軒張氏[張栻] : 張栻(1133~1180)은 四川 綿竹人으로 자는 敬夫이고 또 다른 자는 樂齋이고 호는 南軒이다. 남송 시대 유명한 유학자이고, 岳麓書院의 창시자이다. 승상 張浚의 아들이고, 어려서부터 胡宏으로부터 사사를 받고 이학을 전수받았다. 후에 長沙의 城南書院과 악록서원을 오랫동안 맡고서 주희와 여조겸과 함께 ‘東南三賢’이라고 칭해진다. 右文殿修撰을 지냈으며 저서에 『南軒全集』이 있다.

4 일삼으면서 효과를 … 것으로 : 『孟子』 「公孫丑」, “그 氣됨이 지극히 크고 지극히 강하니, 정직함으로써 잘 기르고 해침이 없으면, 호연지기가 천지의 사이에 꽉 차게 된다. 그 기됨이 義와 道에 배합되니, 이것이 없으면 굶주리게 된다. 이 호연지기는 義理를 많이 축적하여 생겨나는 것이다. 義가 하루아침에 갑자기 엄습하여 취해지는 것은 아니니, 행하고서 마음에 부족하게 여기는 바가 있으면 굶주리게 된다. 내 그러므로 ‘告子가 일찍이 義를 알지 못한다.’고 말한 것이니, 이는 義를 밖이라고 하기 때문이다. 반드시 호연지기를 기름에 종사하고, 효과를 미리 기대하지 말아서 마음에 잊지도 말며 억지로 助長하지도 말아서, 宋나라 사람과 같이

[47-1-2]

"誠者天之道, 敬者人事之本. 敬道之成, 則誠而天矣. 然則君子之學, 始終乎敬者也. 人之有是心也, 其知素具也. 意亂而欲汨之, 紛擾臬兀, 不得須臾以寧, 而正理益以蔽塞, 萬事失其統矣. 於此有道焉, 其惟敬而已乎? 伊川先生曰, 主一之謂敬. 又曰, 無適之謂一. 夫所謂一者, 豈有可玩而執者哉? 無適乃一也. 蓋不越乎此而已. 嘗試於平居暇日深體其所謂無適者, 則庶乎可識於言意之表矣. 故儼若思雖非敬之道, 而於此時可以體敬焉. 即是而存之, 由是以察之, 則事事物物不得遁焉. 涵泳不舍, 思慮將日以清明, 而其知不蔽矣. 知不蔽, 則敬之意味無窮, 而功用日新矣. 天地之心, 其在玆與! 學者舍是而求入聖賢之門難矣哉! 至於所進有淺深, 則存乎其人用力敏勇與緩急之不同耳."[5]

(남헌 장씨가 말했다.) "성誠은 천天의 도이고, 경敬은 인간사의 근본이다. 경敬의 도가 이루어지면 성으로서 천天이 되는 경지에 이른다. 그러나 군자의 학문은 처음부터 끝까지 경이다. 사람이 이 마음을 지녔으니 그 앎은 본래 구비되어 있다. 의意가 혼란해지고 욕심에 빠지게 되면, 혼란스럽고 동요하여 안정을 이루지 못하고 잠시라도 편안함을 얻지 못해 정리正理가 더욱 가리고 막혀 모든 일에 그 원칙을 잃는다. 이러할 때 방도가 있으니 오직 경敬할 뿐이다! 이천伊川 선생이 '하나에 집중하는 것이 경敬이다.' 라고 했고, 또 '다른 것에 마음 쓰지 않는 것을 하나라고 한다.'[6]라고 했다. 대저 이른바 하나라는 것은 어찌 장난삼아 잡을 수 있는 것이겠는가? 다른 것에 마음을 쓰지 않는 것이 바로 하나이니, 대체로 여기서 벗어나지 않을 뿐이다. 시험 삼아 평상시 한가한 날에 다른 것에 마음 쓰는 것이 없다는 것을 깊이 체인해 보면 거의 말 너머에서 알 수 있을 것이다. 엄숙하기를 마치 사려하는 듯 하는 것은[7] 경敬의

하지 말아야 한다. 송나라 사람 중에 벼 싹이 자라지 못함을 안타깝게 여겨 뽑아놓은 자가 있었다. 그는 아무 것도 모르고 돌아와서 집안사람들에게 말하기를 '오늘 나는 매우 피곤하다. 내가 벼 싹이 자라도록 도왔다.' 하자, 그 아들이 달려가서 보았더니, 벼 싹은 말라 있었다. 천하에 벼 싹이 자라도록 억지로 助長하지 않는 자가 적으니, 유익함이 없다 해서 버려두는 자는 비유하면 벼 싹을 김매지 않는 자요, 억지로 助長하는 자는 벼 싹을 뽑아놓는 자이니, 이는 비단 유익함이 없을 뿐만 아니라, 도리어 해치는 것이다.(其爲氣也, 至大至剛, 以直養而無害, 則塞于天地之間. 其爲氣也, 配義與道, 無是, 餒也. 是集義所生者, 非義襲而取之也. 行有不慊於心, 則餒矣. 我故曰, 告子未嘗知義, 以其外之也. 必有事焉而勿正, 心勿忘, 勿助長也, 無若宋人然. 宋人, 有閔其苗之不長而揠之者, 芒芒然歸, 謂其人曰, 今日, 病矣. 予助苗長矣. 其子趨而往視之, 苗則槁矣. 天下之不助苗長者寡矣, 以爲無益而舍之者, 不耘苗者也, 助之長者, 揠苗者也. 非徒無益, 而又害之.)"

5 『南軒集』 권35 「題跋・書瞻吳教授」
6 『河南程氏遺書』 권15 : "敬이라고 하는 것은 하나로 집중하는 것을 경이라고 한다. 하나라는 것은 어디로 가는 것이 없음을 하나라고 한다. 또한 하나로 집중하는 뜻을 함양하려고 하여, 하나가 되면 둘 셋은 없게 된다. 敬이라고 하는 것은 성인의 말만한 것이 없다. 『易』에서 '敬하여 안을 곧게 하고, 義하여 밖을 바르게 한다.'고 했는데, 반드시 안을 바르게 해야 하나로 집중하는 뜻이 된다. 감히 속이지 않고, 태만하지 않으며, 방 깊은 곳에서 부끄러움이 없는 것에 이르는 것이 모두 敬의 일이다. 단 이것을 보존하여 함양하되, 오래되면 저절로 天理가 밝아진다.(所謂敬者, 主一之謂敬. 所謂一者, 無適之謂一. 且欲涵泳主一之義, 一則無二三矣. 言敬, 無如聖人之言. 易所謂敬以直內, 義以方外. 須是直內, 乃是主一之義. 至於不敢欺, 不敢慢, 尙不愧于屋漏, 皆是敬之事也.)"

도는 아니지만 이때에 경敬을 체인할 수가 있다. 이것에 따라서 보존하고 이것에 바탕하여 살피면, 모든 사물은 도망갈 수가 없다. 그 속에 젖어 지내며 쉬지 않으면 사려가 날로 청명하여 그 앎이 가리지 않는다. 그 앎이 가리지 않으면 경敬의 의미가 끝이 없고, 기능이 날로 새로워질 것이다. 천지의 마음이 여기에 있으니, 배우는 사람이 이것을 버리고 성현聖賢의 문에 들어가기란 어렵다! 나아감에 얕고 깊음이 있는 것은 그 사람이 힘을 쓰는 것에 민첩하고 용기있는 것과 느리고 조급한 것의 차이에 달려 있을 뿐이다."

[47-1-3]
答潘叔昌曰: "所謂思慮時擾之患, 此最是合理會處. 其要莫若主一. 遺書中論此處甚多. 須反復玩味, 據目下看底意思用工. 譬如汲井, 漸汲漸淸. 如所謂未應事前此事先在, 既應之後此事尙存, 正緣主一工夫未到之故. 須是思此事時只思此事, 做此事時只做此事, 莫教別底交互出來, 久久自別. 看時似乎淺近, 做時極難."[8]

又曰: "所論收斂則失於拘迫, 從容則失於悠緩, 此學者之通患. 於是二者之間必有事焉, 其惟敬乎? 拘迫, 則非敬也, 悠緩, 則非敬也. 但當常存乎此, 本原深厚, 則發見必多. 而發見之際, 察之亦必精矣. 若謂先識所謂一者, 而後可以用力, 則用力未篤. 所謂一者, 只是想象, 何由意味深長乎?"[9]

(남헌 장씨가) 반숙창潘叔昌에게 답하여 말했다. "이른 바 사려할 때 마음이 흔들리는 것에 대한 근심이 있다고 하는 것은 가장 이해해야 할 곳이다. 그 요체는 하나에 집중하는 것만 한 것이 없다. 『하남정씨유서』에서는 이 문제를 논한 것이 매우 많다. 반드시 반복해서 음미하며 현재 본 것의 의미에 의거하여 힘을 써야 한다. 비유하면 우물물을 기르는데 천천히 기르면 점차 맑아지는 것과 같다. 일에 응하기 이전에 어떤 일이 먼저 가슴에 남아 있고, 일이 응한 후에도 여전히 이 일이 남아있는 것은 바로 하나에 집중하는 공부가 지극하지 못했기 때문이다. 반드시 이 일을 생각할 때는 단지 이 일만을 생각하고, 이 일을 할 때에는 단지 이 일만을 해서, 다른 것이 번갈아 나오지 않도록 해야 하니, 이렇게 오래하다 보면 저절로 전과 구별될 것이다. 볼 때에는 얕고 비근해 보지만, 할 때에는 지극히 어렵다."

또 말했다. "말씀하신 수렴하려고 하면 얽매이고 급박해지는 실수가 있고, 그대로 두면 늘어지고 느려지는 실수가 있다고 말한 것은 배우는 사람들의 공통된 근심이다. 이 두 가지 사이에 반드시 일삼는 것이 있어야 하니, 오직 경敬하는 것이다! 얽매이고 급박해지면 경이 아니고, 늘어지고 느려지면 경이 아니다. 단지 마땅히 항상 이것을 보존하여 본원이 깊고 두터워지면 발현되는 것이 반드시 많다. 그러나 발현할

---

7 엄숙하기를 마치 … 것은: 『禮記』「曲禮上」에 "敬하지 않는 것이 없으며, 엄숙하기를 마치 사려하는 듯이 하고, 말을 안정되게 한다면, 백성을 편안하게 할 수 있을 것이다.(毋不敬, 儼若思, 安定辭, 安民哉.)"라고 하였다.
8 『南軒集』 권27 「書 · 答潘叔昌」
9 『南軒集』 권27 「書 · 答潘叔昌」

때에 살피는 것이 또한 반드시 정밀해야만 한다. 만약 하나라고 하는 것을 먼저 깨달은 뒤에 힘을 쓸 수 있다고 말한다면, 힘쓰는 것이 두텁지 못하다. 하나라고 하는 것은 단지 상상일 뿐인데 어떻게 의미가 깊을 수 있겠는가?"

[47-1-4]
勉齋黃氏曰: "敬是束得箇虛靈知覺住. 如火炬束得緊時那燄頭直上, 不束則散滅了."
면재 황씨勉齋黃氏[黃榦][10]가 말했다. "경은 허령 지각을 묶는 것이다. 비유하자면 횃불은 묶는 것이 단단했을 때 불길이 위로 타오르고, 묶지 않으면 흩어져 꺼지는 것과 같다."

[47-1-5]
"主敬致知, 兩事互爲經緯. 但言敬而不能有所見者, 恐亦於此有所未思耳."[11]
(면재 황씨가 말했다.) "경을 위주로 하는 것과 앎을 지극히 하는 것, 두 가지는 서로 날줄과 씨줄이 된다. 그러나 경을 말하면서도 식견이 없는 것은 아마도 또한 여기에서 사려하지 못한 바가 있기 때문이다."

[47-1-6]
"持守之方, 無出主敬. 前輩所謂常惺惺法, 已是將持敬人心胸內事摸寫出了. 更要去上面生支節, 只恐支離, 無緣脫灑."[12]
(면재 황씨가 말했다.) "잡아 지키는 방도는 경을 위주로 하는 것에서 벗어나지 않는다. 선배들의 이른바 항상 깨어있는 법은 경敬을 잡는 마음속 일을 묘사해낸 것이다. 다시 그 위에 지엽적인 것을 만드는 것은 지리支離하여 화통할 수 없다."

[47-1-7]
問: "前輩說主一無適, 是說得已發時敬. 如惺惺收歛是說得未發時敬."
曰: "未須要辨未發已發, 且就自家心一息之間, 幾番已發未發, 雖數千萬變, 豈無可辨認? 且如一箇大鏡相似, 恁地光皎在這裏, 人來照着, 便隨他賦形, 人過去後, 這光皎者自若."
幾番
물었다. "선배들이 말하는 하나로 집중하여 다른 데에 마음씀이 없다는 것은 이발已發의 때에 경敬이다.

··················
10 勉齋黃氏[黃榦]: 黃榦(1152~1221)은 자는 直卿이고, 호는 勉齋이다. 송대 福州閩縣(현 복건성 福州) 사람으로 주희의 고족제자인 동시에 사위이다. 주희의 蔭補로 漢陽軍·安慶府 등을 역임하였다. 저서는 『書說』·『六經講義』·『勉齋集』 등이 있고, 『朱子行狀』을 집필했다.
11 『勉齋集』「書·復胡伯量書」
12 『勉齋集』「書·復胡伯量書」

깨어 수렴하는 것은 미발未發할 때에 경敬을 말하는 것인가."

답했다. "반드시 미발과 이발을 구별할 필요는 없으니, 우선 또한 자기 마음의 한 순간에서 몇 번이고 이발이고 미발인지 살펴야 한다. 비록 수 천 만 번 변화하더라도 어찌 구별하여 인식하지 않을 수 있겠는가? 마치 하나의 큰 거울과 같아서 저와 같이 밝은 빛이 거울 속에 있다가 사람이 찾아와 비춰보면 바로 그것에 따라 형태를 부여하지만, 사람이 지나간 뒤에 그 빛의 밝음은 그대로인 것과 같다."

[47-1-8]

"敬是人之本體. 人惟胡思亂想, 便失了本然之體. 恐懼警畏, 正欲收拾他依元恁地."

(면재 황씨가 말했다.) "경敬은 인간의 본래 체體이다. 사람은 오직 생각이 혼란할 때 그 본연의 체體를 잃는다. 두려워하고 근심하고 경계하는 것이 바로 그것을 원래대로 수습하려는 것이다."

[47-1-9]

"人稟陰陽五行之氣以生. 其爲是氣也, 莫不各有是理. 人得是氣以爲體, 則亦具是理以爲性. 又必有虛靈知覺者存乎其間以爲心. 事物未接, 思慮未萌, 虛靈知覺者感而遂通. 一寂一感, 而是理亦爲之寂感焉. 使夫虛靈知覺者常肅然而不亂, 炯然而不昏, 則寂而理之體無不存, 感而理之用無不行矣. 惟夫虛靈知覺旣不能不囿於氣, 而又不能不動於欲也. 則將爲氣所昏, 爲欲所亂, 而理之體用亦隨之而昏且亂矣. 此敬之說所由以立也.

虛靈知覺我所有也. 吾惟慢忽而無以檢之, 則爲氣所昏, 爲欲所亂矣. 惕然悚然, 常若鬼神父師之臨其上, 常若深淵薄氷之處其下, 則虛靈知覺者自不容於昏且亂矣. 故嘗聞之先師曰, '敬字之說, 惟畏爲近之. 誠能以所謂畏者驗之, 則不昏不亂可見矣.' 曰, '然則諸說之不同, 何也?' 曰, '惺惺者, 不昏之謂也, 主於一而不容一物撓亂之謂也. 整齊嚴肅, 則制於外以養其中也. 是皆可以體夫敬之意矣. 然而不昏不亂者, 必先敬而後能如此. 制於外以養其中者, 必如此而後能敬. 以之體敬之義. 必欲眞見夫所謂敬者, 惟畏爲近之也. 蓋畏卽敬也. 能敬則能整齊嚴肅, 整齊嚴肅則能敬, 能敬則不昏不亂矣.' 此朱子不得不取夫諸說以明夫敬, 而又以畏字爲最近也."[13]

(면재 황씨가 말했다.) "사람은 음양 오행의 기氣를 품수받아 생겨났다. 이 기는 각각 그 리理가 있지 않음이 없다. 사람이 이 기를 얻어 체體를 삼으니 또한 이 리理가 갖추어져 성性이 된다. 또 반드시 허령 지각이 있어 그 사이에 보존되어 심心이 된다. 사물이 아직 접촉하지 않아, 사려가 싹트지 않다가, 허령 지각이 느낌을 받았을 때 비로소 통한다. 한 번 고요하고 한 번 느낌을 받을 적에 이 리理도 고요하고 느낌을 받는다. 허령 지각이 항상 숙연하여 혼란하지 않게 하고, 빛나서 어둡지 않게 하면, 고요하여 리理의 체體가 보존되지 않음이 없고, 감동하여 리理의 용用이 행하지 않음이 없다. 오직 허령 지각은

13 『勉齋集』 권3 「經說·敬說」

기氣에 구애받지 않을 수 없고, 또 욕심에 움직이지 않을 수 없으니, 기가 어두워지고 욕심이 혼란해져서 리理의 체용體用 역시 그것에 따라서 어두워지고 혼란해진다. 이 경敬의 학설은 이것 때문에 성립되었다. 허령 지각은 내가 가지고 있는 것이다. 내가 태만하여 그것을 단속하지 않는다면 기에 의해서 어두워지고 욕심에 의해서 혼란해진다. 두려워하여 항상 머리 위에 귀신과 아버지와 스승이 임한 듯이 하고, 항상 그 아래에 깊은 연못과 얇은 빙판이 있는 듯이 한다면 허령 지각이 저절로 어둡고 혼란스러워지지 않게 될 것이다. 그러므로 선생이 이렇게 말하는 것을 항상 들었다. '경敬이라는 글자에 대한 설명은 오직 두려워하는 것이 가깝다. 실로 두려움으로 증험해 보면 어두워지지 않고 혼란스러워지지 않은 뜻을 알 수 있을 것이다.' 물었다. '그렇다면 여러 말이 같지 않음은 왜 그러한가?' 답했다. '깨어있는 것은 어둡지 않은 것을 이르니, 하나에 집중하여 다른 하나가 마음을 요란하지 않게 하는 것을 말한다. 정제엄숙整齊嚴肅은 밖을 제어하여 마음을 기른다. 이것은 모두 경敬을 체험하는 것이다. 그러나 어두워지지 않고 혼란스러워지지 않는 것은 반드시 먼저 경敬하고 난 뒤에 이와 같이 할 수 있다. 밖을 제어하여 그 마음을 기르는 것은 반드시 이렇게 한 뒤에 경敬이라 할 수 있으니, 이것으로 경의 뜻을 체험할 수 있다. 반드시 이른바 경을 참으로 보고자 한다면 오직 두려워하는 것에 가깝다. 두려움이 곧 경이니, 경敬할 수 있다면 정제엄숙할 수 있고, 정제엄숙하면 경할 수 있고, 경하면 어두워지지 않고 혼란스럽지 않다.' 이것이 주자가 여러 학설을 취하여 경을 밝히지 않을 수 없었던 것이고, 또 두려워하는 것이 가장 가깝다고 할 수 있는 까닭이다."

[47-1-10]

北溪陳氏曰: "程子謂主一之謂敬, 無適之謂一. 文公合而言之曰, 主一無適之謂敬, 尤分曉. 敬一字從前經書說處儘多, 只把做閑慢說過. 到二程方拈出來就學者做工夫處說, 見得這道理尤緊切, 所關最大. 敬字本是箇虛字, 與畏懼等字相似. 今把做實工夫, 主意重了, 似箇實物一般."[14]

북계 진씨北溪陳氏[陳淳][15]가 말했다. "정자程子가 '하나에 집중하는 것이 경敬이고, 다른 데에 마음 쓰지 않는 것이 없는 것이 하나이다.'[16]라고 했다. 문공文公은 합하여 '하나에 집중하여 다른 곳에 가지 않는 것을 경이다.'라고 했으니 더욱 분명하다. 경敬이라는 한 글자는 이전에 경서에서 말한 곳이 제법 많지만, 단지 대수롭지 않은 것으로 말했을 뿐이다. 이정二程에 이르러 비로소 이끌어내어 배우는 사람이 공부하는 곳으로 말했으니, 이 도리가 더욱 긴요하고 절실하게 되어 관계되는 것이 가장 크다. 경敬은 본래

- -

14 『北溪字義』 권上 「敬」

15 北溪陳氏[陳淳] : 陳淳(1159~1223)의 자는 安卿이고, 호는 北溪이다. 송대 龍溪 사람으로 주희가 장주 지사일 때 제자가 되어, 주희에게 '남쪽에 와서 나의 도가 진순 한 사람을 얻었다.'라는 칭찬을 받았다. 시호는 文安이다. 저서는 『字義詳講』·『論孟學庸口義』·『北溪大全集』 등이 있다.

16 '하나에 집중하는 … 하나이다.' : 『河南程氏遺書』 권15에 "敬이라고 하는 것은 하나로 집중하는 것을 경이라고 한다. 하나라는 것은 어디로 가는 것이 없음을 하나라고 한다.(所謂敬者, 主一之謂敬. 所謂一者, 無適之謂一.)"

허虛자의 뜻으로 두렵다는 뜻과 비슷하다. 지금 실제로 공부하는 것을 더욱 중요하게 주목했으니, 실제적인 것이나 매한가지이다."

[47-1-11]

"人心妙不可測, 出入無時莫知其鄉. 惟敬便存在這裏. 所謂敬者無他, 只是此心常存在這裏, 不走作, 不散漫, 常惺地惺惺便是敬."

(북계 진씨가 말했다.) "사람의 마음은 신묘하여 측정할 수 없으니, '나가고 들어옴에 정해진 때가 없고, 그 방향을 알 수 없다.'[17] 오직 경하게 되면 문득 여기에 마음이 있게 된다. 경이라고 하는 것은 다른 것이 아니라, 단지 이 마음이 항상 여기에 보존되어, 달아나지 않고 산만하지 않아서, 항상 이렇게 깨어 있는 것이 경敬이다."

[47-1-12]

"上蔡所謂常惺惺, 却是就心地上做工夫處, 說得亦親切. 蓋心常醒在這裏, 便常惺惺恁地活. 若不在便死了. 心纏在這裏, 則萬理森然於其中, 古人謂敬德之聚, 正如此."

(북계 진씨가 말했다.) "상채上蔡[謝良佐][18]가 말한 항상 깨어 있다는 것은 마음자리에서 공부하는 것이니

. . . .

17 '나가고 들어옴에 … 없다.' : 『孟子』「告子上」, "牛山의 나무가 일찍이 아름다웠었는데, 大國의 郊外이기 때문에 도끼와 자귀로 매일 나무를 베어가니, 아름답게 될 수 있겠는가. 그 밤에 자라나는 것과 비와 이슬이 적셔주는 것에 싹이 나오는 것이 없지 않지만, 소와 양이 또 따라서 방목되므로, 이 때문에 저와 같이 거칠게 되었다. 사람들은 그 거칠게 된 것만을 보고는 일찍이 훌륭한 재목이 있은 적이 없다고 여기니, 이것이 어찌 山의 性이겠는가? 비록 사람에게 보존된 것인들 어찌 仁義의 마음이 없겠는가만 그 良心을 잃어버린 것이 또한 도끼와 자귀가 나무에 대해서 아침마다 베어 가는 것과 같으니, 이렇게 하고서도 아름답게 될 수 있겠는가? 밤에 자라나는 것과 새벽의 맑은 기운에 그 좋아하고 미워함이 남들과 서로 가까운 것이 얼마 되지 않는데, 낮에 하는 소행이 이것을 梏亡하니, 梏亡하기를 반복하면 夜氣가 족히 보존될 수 없고, 夜氣가 보존될 수 없으면 禽獸와 거리가 멀지 않게 된다. 사람들은 그 禽獸와 같은 행실만 보고는 일찍이 훌륭한 자질이 있지 않았다고 여기니, 이것이 어찌 사람의 實情이겠는가.? 그러므로 만일 그 배양을 잘 얻으면 물건마다 자라지 못함이 없고, 만일 그 배양을 잃으면 물건마다 사라지지 않음이 없는 것이다. 공자가 '잡으면 보존되고 놓으면 잃어서, 나가고 들어옴이 정한 때가 없으며, 그 방향을 알 수 없는 것은 오직 사람의 마음을 두고 말한 것이다.'라고 했다.(牛山之木, 嘗美矣, 以其郊於大國也, 斧斤伐之, 可以爲美乎? 是其日夜之所息, 雨露之所潤, 非無萌蘖之生焉, 牛羊又從而牧之, 是以若彼濯濯也, 人見其濯濯也, 以爲未嘗有材焉, 此豈山之性也哉? 雖存乎人者, 豈無仁義之心哉, 其所以放其良心者, 亦猶斧斤之於木也, 旦旦而伐之, 可以爲美乎? 其日夜之所息, 平旦之氣, 其好惡與人相近也者幾希, 則其旦晝之所爲, 有梏亡之矣, 梏之反覆, 則其夜氣不足以存, 夜氣不足以存, 則其違禽獸不遠矣, 人見其禽獸也, 而以爲未嘗有才者, 是豈人之情也哉? 故苟得其養, 無物不長, 苟失其養, 無物不消, 孔子曰, '操則存, 舍則亡, 出入無時, 莫知其鄉, 惟心之謂與.')"

18 上蔡[謝良佐] : 북송 蔡州 上蔡 사람이다. 자는 顯道고, 시호는 文肅이다. 二程의 문하에서 배웠다. 游酢, 呂大臨, 楊時와 함께 '程門四先生'으로 알려졌다. 上蔡學派의 비조이며 上蔡先生으로 불렸다. 仁을 覺, 生意로, 誠을 實理로, 敬을 常惺惺으로, 窮理를 求是라고 주장했다. 그의 사상은 다분히 禪佛敎의 내용을 포함하고 있어 주자로부터 비판을 받았다. 저서에 『上蔡語錄』과 『論語說』이 있다.

말이 또한 매우 친절하다. 마음이 항상 깨어서 여기에 있으면 문득 항상 깨어있어서 그대로 살아있게 된다. 만약 이렇지 않다면 죽은 것이다. 마음이 여기에 있으면 모든 리理가 그 속에 가득하게 되니, 옛사람들이 '경敬은 덕이 모이는 것이다.'[19]라고 한 것이 바로 이것이다."

[47-1-13]
"禮謂執虛如執盈, 入虛如有人, 只就此二句體認持敬底工夫意象最親切. 且如人捧簡至盈底物, 心若不在這上, 纔移一步便傾了. 惟執之拳拳, 心常在這上, 雖行到那裏也不傾倒. 入虛如有人, 雖無人境界, 此心常嚴肅如對大賓然, 此便是主一無適底意."

(북계 진씨가 말했다.) "『예기』에서 '빈 것을 잡은 것을 마치 가득 찬 것을 잡은 듯이 하고, 빈 곳을 들어가는 것을 사람이 있는 듯이 하라.'[20]고 했는데, 이 두 구절에서 경敬을 지키는 공부의 뜻을 체인하는 것이 가장 좋다. 어떤 사람이 가득 찬 것을 잡고서 마음이 그곳에 없다면 한 걸음을 옮기자마자 넘어질 것이다. 오직 정성껏 잡고서 마음이 항상 그곳에 있다면 멀리 저쪽까지 가더라도 넘어지지 않을 것이다. 빈 곳에 들어가는 것을 사람이 있는 듯이 하는 것은 비록 사람이 없는 곳일지라도 이 마음은 항상 엄숙하게 마치 큰 손님을 대접하는 듯이 하는 것이니, 이것이 하나에 집중하여 다른 곳으로 가는 것이 없다는 뜻이다."

[47-1-14]
"格物致知也須敬. 正心誠意也須敬. 齊家治國平天下也須敬. 敬者, 一心之主宰, 萬事之根本."

(북계 진씨가 말했다.) "격물치지格物致知하는 데에는 반드시 경敬해야 한다. 정심성의正心誠意하는 데에도 경敬해야 한다. 가정을 다스리고 나라를 다스리고 천하를 화평하게 하는 데에도 경敬해야 한다. 경敬이라는 것은 하나의 마음의 주재이고 모든 일의 근본이다."

[47-1-15]
"程子說人心做工夫處, 特注意此字. 蓋以此道理貫動靜, 徹表裏, 一始終, 本無界限. 閑靜無事時也用敬, 應事接物時也用敬. 心在裏面也如此, 動出外來做事也如此. 初頭做事也如此, 做到末稍也如此. 此心常無間斷, 纔間斷便不敬."

(북계 진씨가 말했다.) "정자程子는 사람의 마음을 공부하는 데에 특히 이 경이라는 글자에 주의해야 한다고 했다. 왜냐하면 이 도리는 움직임과 고요함에 관통하고 겉과 속에 관철되며 시작과 끝에 일관되어 본래 경계가 없기 때문이다. 고요하여 아무런 일이 없을 때에도 경敬하고, 일에 반응하고 사물을

．．．．．．．．．．．．．．．

19 '敬은 덕이 … 것이다.' : 『春秋左傳』「僖公 33년」, '晉人陳人鄭人伐許' 조목
20 '빈 것을 … 하라.' : 『禮記』「少儀」에 "執虛如執盈, 入虛如有人. 凡祭於室中堂上無跣, 燕則有之. 未嘗不食新."라고 하였다.

처리할 때에도 경敬한다. 마음이 여기에 있을 때에도 이러해야 하고, 밖으로 움직여 일을 할 때에도 이러해야 한다. 처음 일을 할 때에도 이러해야 하고 하는 일이 끝에 이르렀을 때에도 이러해야 한다. 이 마음은 항상 끊임이 없어야 하니 끊임이 있으면 경하지 않은 것이다."

[47-1-16]
西山眞氏曰: "伊川先生言主一之謂敬, 又恐人未曉一字之義."
又曰: "無適之謂一. 適, 往也. 主於此事則不移於他事, 是之謂無適也. 主者, 存主之義. 伊川又云主一之謂敬, 一者之謂誠. 主則有意. 在學者用功, 須當主於一. 主者, 念念守此而不離之意也. 及其涵養既熟, 此心湛然, 自然無二無雜, 則不待主而自一矣. 不待主而自一, 即所謂誠也. 敬是人事之本, 學者用功之要, 至於誠, 則達乎天道矣. 此又誠敬之分也."[21]

서산 진씨西山眞氏[眞德秀][22]가 말했다. "이천伊川선생이 하나로 집중하는 것이 경敬이라 했는데, 또 아마 사람들이 하나라는 글자의 의미를 이해하지 못했다."

또 말했다. "'어디로 가는 것이 없는 것이 하나이다.'라고 했다. 적適이란 간다는 것이다. 이 일에 집중하면 다른 일에 주의가 가지 않으니 이것이 어디로 가는 것이 없는 것이다. 주主란 보존하여 주재한다는 뜻이다. 이천은 또 하나로 집중하는 것을 경敬이라 했는데, 하나란 성誠을 말한다. 집중하면 뜻이 있다. 배우는 사람은 힘을 써야 할 것이니 반드시 하나에 집중해야 한다. 집중한다는 것은 모든 생각에 이것을 지켜서 떠나지 않는다는 뜻이다. 함양이 익숙해져서 이 마음이 맑아지면 저절로 둘이 없고 잡됨이 없으니 집중하지 않아도 저절로 하나가 된다. 집중하지 않고 저절로 하나가 되는 것이 성誠이라고 한다. 경敬은 모든 일의 근본이고, 배우는 사람이 힘을 써야할 요체이니, 성誠에 이르면 천도天道에 도달한다. 이것은 또한 성誠과 경敬의 구분이다."

[47-1-17]
"所謂主一者, 靜時要一, 動時亦要一. 平居暇日未有作爲, 此心亦要主於一, 此是靜時敬. 應事接物有所作爲, 此心亦要主於一, 此是動時敬. 靜時能敬, 則無思慮紛紜之患, 動時能敬, 則無擧措煩擾之患. 如此, 則本心常存而不失. 爲學之要, 莫先於此."[23]

(서산 진씨가 말했다.) "하나에 집중한다는 것은 고요할 때에 하나가 되는 것이고, 움직일 때에도 역시 하나로 되는 것이다. 평상시 한가하여 어떤 일을 하지 않을 때 이 마음 역시 하나에 집중하려고 하니,

· ·

21 『西山文集』 권31 「問答·問敬字」
22 西山眞氏[眞德秀]: 眞德秀(1178~1235)이다. 자는 希元·景元·景希이고, 호는 西山이며, 시호는 文忠이다. 송대 浦城(복건성 蒲城) 사람으로 1199년에 진사에 급제하여 太學正·參知政事에 이르렀다. 어려서는 주희의 문인인 詹體仁에게 배우고, 스스로 '주희를 사숙하여 얻은 것이 있다.'라고 하였다. 특히 『大學』을 중시하여 '窮理·持敬'을 강조하였다. 저서는 『大學衍義』·『四書集篇』·『讀書記』·『文章正宗』·『唐書考疑』·『西山文集』 등이 있다.
23 『西山文集』 권31 「問答·問敬字」

이것이 고요할 때의 경敬이다. 어떤 일을 대응하고 사물을 접촉하여 해야할 일이 있을 때 이 마음 역시 하나에 집중하려고 하니, 이것이 움직일 때의 경敬이다. 고요할 때 경敬할 수 있다면 사려가 혼란스럽게 일어나는 근심이 없고, 움직일 때 경敬할 수 있다면 행동거지를 번잡스럽게 하는 근심이 없다. 이와 같으면 본심本心이 항상 보존되어 잃지 않는다. 학문의 요체는 이것보다 먼저인 것은 없다."

[47-1-18]

"端莊靜一, 乃存養工夫. 端莊主容貌而言. 靜一主心而言. 蓋表裏交正之功. 合而言之則敬而已."[24]

(서산 진씨가 말했다.) "단정하고 장중하며 고요하고 하나인 것이 곧 보존하고 함양하는 공부이다. 단정하고 장엄한 것은 주로 용모를 가지고 말한 것이고, 고요하고 하나인 것은 주로 마음을 가지고 말한 것이다. 안과 밖에 서로 바르게 하는 공이기 때문이다. 합하여 말한다면 경敬일 뿐이다."

[47-1-19]

"秦漢以下諸儒皆不知敬爲學問之本. 自程子始指以示人, 而朱子又發明之極其切至. 二先生有功於聖門, 此其最大者也."[25]

(서산 진씨가 말했다.) "진한秦漢 이래 유학자들은 모두 경敬이 학문의 근본임을 알지 못하였다. 정자程子로부터 비로소 이를 가리켜 사람들에게 보였고, 주자도 그 뜻을 밝힌 극진함이 절실하다. 두 선생은 성인 문하에 공이 있으니, 이것이 가장 크다."

[47-1-20]

"往昔百聖相傳, 敬之一言, 實其心法. 蓋天下之理惟中爲至正, 惟誠爲至極. 然敬所以中, 不敬則無中也. 敬而後能誠, 非敬則無以爲誠也. 氣之決驟軼於奔駟, 敬則其銜轡也. 情之橫放甚於潰川, 敬則其隄防也. 故周子主靜之言, 程子主一之訓, 皆其爲人最切者. 而子朱子又丁寧反復之, 學者倘於是而知勉焉, 戒於思慮之未萌, 恭於事物之既接, 無少間斷, 則德全而欲泯矣."[26]

(서산 진씨가 말했다.) "지난 옛날 수백의 성인이 서로 전했으니, 경敬이라는 한 글자가 실제로 그 심법心法이다. 천하의 리理는 오직 중中이 지극히 올바르고, 오직 성誠만이 지극히 궁극적이다. 그러나 경敬이 중中할 수 있는 근거이니, 경敬하지 않으면 중中이 없다. 경敬한 뒤에 성誠할 수 있고, 경敬하지 않으면 성誠할 수 있는 것이 없다. 기가 흩어지고 모이는 것은 네 마리 말이 내달리는 것보다 빠른데, 경敬은 그것을 제어하는 고삐이다. 정은 멋대로 방종하는 것은 하천이 터지는 것보다 심한데, 경은 그것을 막아

---

24 『西山文集』 권31 「問答・端莊靜一乃存養工夫」
25 『西山讀書記』 권19 「敬」
26 『西山文集』 권26 「記・南雄州學四先生祠堂記」

주는 제방이다. 그러므로 주자周子가 주정主靜을 말했고, 정자程子가 주일主一을 말했으니, 모두 사람들에게 가장 절실한 것이다. 주자朱子도 그것을 자세히 반복했으니, 배우는 사람들은 이에 힘써야 할 것을 알고 사려가 싹트기 이전에 경계하고 사물과 접촉하고 나서 공경하여 조금의 단절도 없다면 덕이 온전하고 욕심이 없어질 것이다."

[47-1-21]

鶴山魏氏答張大監曰: "敬字之義甚大. 孔門說仁處, 大抵多有敬意. 如四勿二如之類是也. 左傳敬德之聚, 能敬必有德, 此義極精. 自聖學不傳, 人多以擎跽曲拳正坐拱嘿之類爲敬. 至周程以後, 如誠字敬字仁字, 方得聖賢本指. 其所謂主一無適之謂敬, 此最精切."[27]

학산 위씨鶴山魏氏[魏了翁][28]가 장대감張大監에게 답하여 말했다. "경敬이라는 글자의 의미는 매우 중대하다. 공자 문하에서 인을 말한 곳은 대체로 경敬의 뜻이 많다. 예를 들어 '사물四勿'[29]과 '이여二如'[30] 같은 종류가 그것이다. 『좌전』에서 '경敬은 덕이 모이는 것이다.'[31]라고 했는데 경할 수 있으면 반드시 덕이 있으니, 이 뜻이 가장 정밀하다. 그러나 성학聖學이 전해지지 않은 이래로 사람들이 절을 하면서 무릎을 꿇고 몸을 조아리며[32] 똑바로 앉아 두 손을 맞잡고 침묵하는 것과 같은 종류를 경敬이라고 생각한다. 그러나 주자周子와 정자程子 이후로 성誠이라는 글자, 경敬이라는 글자, 인仁이라는 글자가 비로소 성현聖賢의 본래 뜻을 얻었다. '하나로 집중하여 어디로 가는 것이 없는 것이 경敬이다.'[33]라고 한 말이 가장 정밀하고 절실하다."

----

27 『鶴山集』 권34 「書·答張大監」

28 鶴山魏氏[魏了翁]: 魏了翁(1178~1237)의 자는 華父이고 호는 鶴山이며, 邛州蒲江(현 사천성 소속) 사람이다. 시호는 文靖이다. 벼슬은 知漢州·知眉州 등 사천성 지역에서 17년간의 지방관을 거쳐 同簽書樞院事와 資政殿大學士에 이르렀다. 그는 소옹의 선천역학을 신봉하여 「하도」와 「낙서」의 존재를 믿었으며 소옹이 말한 선천도도 옛날부터 있었던 것이라고 굳게 믿었다. 저술은 『周易要義』를 비롯한 『九經要義』가 있다.

29 '四勿': 『論語』「顏淵」에 "顏淵이 말했다. '그 조목을 묻겠습니다.' 공자가 말했다. '禮가 아니면 보지 말며[勿], 예가 아니면 듣지 말며[勿], 예가 아니면 말하지 말고[勿], 예가 아니면 움직이지 않는[勿] 것이다.' 안연이 말하였다. '제가 비록 불민하지만, 청컨대 이 말씀을 따르겠습니다.'(顏淵曰, '請問其目.' 子曰, '非禮勿視, 非禮勿聽, 非禮勿言, 非禮勿動.' 顏淵曰, '回雖不敏, 請事斯語矣.')"라고 하였다.

30 '二如': 『論語』「顏淵」에 "문을 나가서는 큰 손님을 만난 것처럼[如] 사람을 대하고, 백성을 부릴 때에는 큰 제사를 받드는 것처럼 한다.(出門如見大賓, 使民如承大祭.)"라고 하였다.

31 '敬은 덕이 … 것이다.': 『春秋左傳』「僖公 33년」, '晉人陳人鄭人伐許' 조목

32 절을 하면서 … 조아리는: 擎跽曲拳은 절을 하면서 무릎을 꿇는 예를 말한다. 『莊子』「人間世」에 "절을 하면서 무릎을 꿇고 몸을 조아리는 것은 신하의 예이다. 사람들이 모두 그렇게 하는데 나는 그렇게 하지 않겠다!(擎跽曲拳, 人臣之禮也. 人皆爲之, 吾敢不爲邪!)"라고 하였다.

33 '하나로 집중하여 … 敬이다.': 『河南程氏遺書』 권15에 "敬이라고 하는 것은 하나로 집중하는 것을 경이라고 한다. 하나라는 것은 어디로 가는 것이 없음을 하나라고 한다.(所謂敬者, 主一之謂敬. 所謂一者, 無適之謂一.)"라고 하였다.

[47-1-22]

魯齋許氏曰 : "聖人之心, 如明鏡止水, 物來不亂, 物去不留, 用工夫主一也. 主一, 是持敬也."[34]

노재 허씨魯齋許氏(許衡)[35]가 말했다. "성인의 마음은 명경지수明鏡止水와 같아서 사물이 오면 혼란해지지 않고, 사물이 지나가면 흔적을 남기지 않으니, 공부하는 것이 하나로 집중하는 것이다. 하나로 집중하는 것은 경敬을 지키는 것이다."

[47-1-23]

"東萊嘗云, 南軒言心在焉則謂之敬. 且如方對客談論而他有所思, 雖思之善, 亦不敬也. 才有間斷便是不敬."[36]

(노재 허씨가 말했다.) "동래東萊(呂祖謙)[37]가 '남헌南軒(張栻)[38]이 마음이 있으면 경이라고 말했다.'고 했다. 또 손님과 담론하는데 그에게 다른 생각이 있다면 그 생각이 좋은 것일지라도 또한 경敬한 것이 아니다. 끊김이 있으면 경敬하지 않는 것이다."

[47-1-24]

臨川吳氏曰 : "易書詩禮之言敬者非一. 及夫子答子路之問則其辭重以專, 而子路莫之悟也. 再問三問, 意若有所不足, 聖人語以堯舜猶病, 雖能已其問, 而子路猶未悟也. 嗚呼! 子路聖門高第弟子也, 果於從人, 勇於治己, 當時許其升堂, 後人尊之爲百世之師, 親承修己以敬之誨於夫子而未能心受也. 況後聖人千數百載而掇拾其遺言者乎? 伊洛大儒, 嗣聖傳於已絶, 提敬之一字爲作聖之梯階, 漢唐諸儒所不得而聞也. 新安大儒繼之, 直指此爲一心之主宰, 萬事之根本, 其示學者切矣. 夫人之一身, 心爲之主, 人之一心, 敬爲之主, 主於敬, 則心常虛. 虛者, 物不入也. 主於敬, 則心常實, 實者, 我不出也. 敬也者, 當若何而用力耶? 必有事焉, 非但守此一言而可得也."[39]

---

34 『魯齋遺書』권1「語錄上」

35 魯齋許氏(許衡) : 許衡(1209~1281)은 원나라 懷孟 河內 사람이다. 자는 仲平이고, 호는 魯齋며, 시호는 文正이다. 憲宗 4년(1254) 忽必烈이 불러 京兆提學과 國子祭酒 등의 요직을 맡았다. 集賢殿 大學士와 領太史院事 등을 지냈다. 저서는 『讀易私言』·『魯齋心法』·『魯齋遺書』·『許文正公遺書』·『許魯齋集』 등이 있다.

36 『魯齋遺書』권1「語錄上」

37 東萊呂祖謙 : 呂祖謙(1137~1181)으로 자는 伯恭, 호는 東萊先生이다. 婺州 金華 사람이다. 太學博士, 秘書郎, 直秘閣著作郎 겸 國史院編修官을 역임했다. 朱熹, 張栻과 더불어 명성을 떨쳤으며, 당시에 '東南三賢'으로 불렸다. 저서로는 『東萊集』·『呂氏家塾讀書記』·『東萊左傳博議』 등이 있다.

38 南軒張栻 : 張栻(1133~1180)은 四川 綿竹人으로 자는 敬夫이고 이름은 樂齋이고 호는 南軒이다. 남송 시대 유명한 유학자이고, 岳麓書院의 창시자이다. 승상 張浚의 아들이고, 어려서부터 胡宏으로부터 사사를 받고 이학을 전수받았다. 후에 長沙의 城南書院과 악록서원을 오랫동안 맡고서 주희와 여조겸과 함께 '東南三賢'이라고 칭해진다. 右文殿修撰을 지냈으며 『南軒全集』이 있다.

임천 오씨臨川吳氏[吳澄][40]가 말했다. "『역易』, 『서書』, 『시詩』, 『예禮』에서 경을 말한 것은 한 가지가 아니다. 공자가 자로의 질문에 답한 것은[41] 그 말이 진중하여 집중되어 있었는데, 자로가 깨닫지 못했다. 두 번 세 번 물으니 뜻이 부족한 것이 있는 듯하지만, 성인이 요순도 병통으로 생각했다고 말해서 그 질문을 그치게 할 수 있었지만, 자로는 아직 깨닫지 못했다. 아! 자로는 성인 문하의 최고의 제자라서 사람을 따르는 것에 과감하고 자신을 다스리는 데에 용감하여, 당시에 승당昇堂의 경지라고 인정을 받았고, 후세사람들이 백세의 스승으로 존경했으며, 친히 공자로부터 경敬으로 자신을 수양하는 가르침을 받았는데 마음으로 받아들이지 못했다. 하물며 후에 성인으로부터 수천 년이 흐른 뒤에 그 유연遺言을 주워모은 사람이야 어떻겠는가? 이락伊洛[42]의 대유大儒들은 이미 끊어진 데에서 성인이 전한 것을 이어받고서, 경敬이라는 한 글자를 성인이 되는 계단으로 삼았으니, 한당漢唐 시대 유학자들이 알지 못한 것이다. 신안新安의 대유大儒가 그것을 계승하여 직접 이것을 가리켜서 한 마음의 주재이고 모든 일의 근본이라고 했으니 배우는 사람들에게 보여준 것이 절실하다. 사람의 한 몸에서 마음이 주인이 되고, 사람의 한 마음에서 경敬이 주인이 되니, 경에 집중하면 마음은 항상 텅 빈다. 빈 것은 사물이 들어오지 않은 것이다. 경에 집중하면 마음이 항상 꽉 차니, 꽉 찬 것은 내가 밖으로 나가지 않은 것이다. 경敬은 마땅히 어떻게 해서 힘을 써야 하는가? 반드시 일삼음이 있되, 단지 이 말을 지켜서 얻을 수 있는 것은 아니다."

[47-1-25]

"仁義禮智之得於天者謂之德. 是德也, 雖同得於有生之初, 而或失於有生之後. 能得其所得而不失者, 君子也. 蓋德具於心者也, 欲不失其心, 豈有他術哉? 敬以持之而已矣. 昔子路問君子, 夫子以修己以敬爲答. 敬也者, 所以成君子之德也. 堯舜禹之欽, 卽敬也. 傳之於湯爲日躋之敬, 傳之於文王爲緝熙之敬. 夫子修己以敬之言, 傳自堯舜禹湯文王, 而傳之於顏曾子思孟子者也. 至於程子遂以敬字該聖功之始終. 敬之法, 主一無適也. 學者遽聞主一無適之說,

. . . .

39 『吳文正集』 권5 「說·主敬堂說」

40 臨川吳氏[吳澄]: 吳澄(1249~1333)의 字는 幼淸이고 만년에 伯淸으로 바꾸었다. 풀로 만든 집에 거주하면서 '草廬'라고 이름지었기 때문에 사람들은 습관적으로 그를 초려 선생이라고 불렀다. 撫州 崇仁 사람이다. 송나라와 원나라 사이 유학자이며 경학자이며 이학자이다. 주자의 재전 제자인 饒魯의 문인인 程若庸에게서 배워 주희의 후학이며 요노의 제전 제자가 되었다. 저작으로는 『五經纂言』·『草廬精語』·『道德經注』·『三禮考注』 등이 있고, 『草廬吳文正公文集』이 있다.

41 자로의 질문에 … 것은: 『論語』 「憲問」에 "자로가 군자를 물으니, 공자가 말했다. '敬으로써 자신을 수양하는 것이다.' 자로가 물었다. '이와 같을 뿐입니까?' 공자가 답했다. '자신을 수양하여 사람을 편안하게 하는 것이다.' 자로가 다시 물었다. '이와 같을 뿐입니까?' 공자가 답했다. '자신을 수양하여 백성을 편안하게 하는 것이니, 자신을 수양하여 백성을 편안하게 하는 것은 堯舜도 오히려 부족하게 여겼다.'(子路問君子, 子曰, '修己以敬.' 曰, '如斯而已乎?' 曰, '修己以安人.' 曰, '如斯而已乎?' 曰, '修己以安百姓, 修己以安百姓, 堯舜, 其猶病諸.')"라고 하였다.

42 伊洛: 程顥와 程頤의 理學을 말한다. 정씨 형제는 낙양사람으로 이수와 낙수 사이에서 강학했기 때문에 이렇게 부르게 되었다.

儻未之能, 且當由謹畏入. 事事知所謹, 而於所不當爲者有不肯爲. 念念知所畏, 而於所不當爲者有不敢爲. 充不肯爲不敢爲之心而進退焉, 凡事主於一而不二乎彼, 凡念無所適而專在乎此, 程子敬字之法不過如是. 敬則心存, 心存而一靜一動皆出於正, 仁義禮智之得於天者, 庶其得於心而不失矣乎!"[43]

(임천 오씨가 말했다.) "인의예지仁義禮智를 하늘에서 얻은 것이 덕德이다. 이 덕은 태어날 초기에는 동일하게 얻었지만, 태어난 후에 혹 잃게 된다. 그 얻은 것을 얻어서 잃지 않을 수 있는 자가 군자이다. 덕은 마음에 갖추어져 있는 것이니, 그 마음을 잃지 않으려고 한다면, 어찌 다른 기술이 있겠는가! 경敬으로 그것을 잡을 뿐이다. 옛날에 자로가 군자를 물었을 때 공자는 '경敬으로 자신을 수양하라.'고 답했다.[44] 경敬은 군자의 덕을 이룰 수 있는 근거이다. 요堯·순舜·우禹가 말한 흠欽이 경敬이다. 탕에게 그것을 전하니, '날로 오르는'[45] 경敬이 되고, 그것을 문왕에게 전하니, '이어 밝힌'[46] 경敬이 되었다. 공자가 '경敬으로 자신을 수양하라는 말은 요·순·우·탕·문왕으로부터 전해진 것이고 그것을 안회·자사·맹자에게 전한 것이다. 정자程子에 이르러 비로소 경敬이라는 글자가 성인의 공의 시작과 끝을 아우르게 되었다. 경敬의 방법은 하나로 집중하여 어디로 가는 것이 없는 것이다. 배우는 사람은 하나로 집중하여 어디로 가는 것이 없다는 말을 갑자기 듣고서는 능히 할 수가 없다. 또한 마땅히 조심하고 두려워하는 것으로부터 시작해야 한다. 모든 일에서 조심해야 하는 것을 알고, 마땅히 해서는 안 되는 것을 하지 말아야 한다. 모든 생각에서 두려운 것을 알고, 마땅히 하지 말아야 할 것을 감히 하지 않는다. 기꺼이 해서는 안 되는 것과 감히 하지 말아야 한다는 마음을 가득 채우고 나아가고 물러나서, 모든 일에 하나에 집중하여 다른 데에 마음을 나누지 않고, 모든 생각에 다른 곳으로 가지 않고 이것에 오로지 있게 하는 것이니, 정자程子가 말하는 경敬하는 방법은 이와 같은 것에 불과하다. 경敬하면 마음이 보존되고, 마음이 보존되면 한 번 고요하고 한 번 움직이는 것이 모두 올바름에서 나오니, 하늘로부터 얻은 인의예지가 거의 마음에서 얻어 잃지 않게 될 것이다!"

· ·

43 『吳文正集』 권10 「字説·陳幼德思敬字」

44 자로가 군자를 … 수양하라.'고 답했다. : 『論語』 「憲問」에 "자로가 군자를 물으니, 공자가 말했다. '敬으로써 자신을 수양하는 것이다.' 자로가 물었다. '이와 같은 뿐입니까?' 공자가 답했다. '자신을 수양하여 사람을 편안하게 하는 것이다.' 자로가 다시 물었다. '이와 같을 뿐입니까?' 공자가 답했다. '자신을 수양하여 백성을 편안하게 하는 것이니, 자신을 수양하여 백성을 편안하게 하는 것은 堯舜도 오히려 부족하게 여겼다.'(子路問君子, 子曰, '修己以敬.' 曰, '如斯而已乎? 曰, '修己以安人.' 曰, '如斯而已乎? 曰, '修己以安百姓, 修己以安百姓, 堯舜, 其猶病諸.')"라고 하였다.

45 '날로 오르는': 『詩經』 「商頌·長發」, "上帝의 命이 어그러지지 아니하여, 湯임금에 이르러 부합되니, 탕임금의 誕降이 늦지 않으시며, 聖敬이 날로 올라가, 하늘에 밝게 이름을 오래하고, 오래하여 상제를 이에 공경하시니, 상제께서 명하셔서 九圍에 모범이 되게 하시니라.(帝命不違, 至于湯齊, 湯降不遲, 聖敬日躋, 昭假遲遲, 上帝是祗, 帝命式于九圍.)"

46 '이어 밝힌': 『詩經』 「周頌·閔予小子之什·敬之」, "나 小子가 총명하지 못하여 공경하지 못하나, 날로 나아가며 달로 진전하여, 배움이 이어 밝혀서 광명함에 이르려 하며, 이 맡은 짐을 도와주어, 나에게 드러난 덕행을 보여줄지어다.(維予小子, 不聰敬止, 日就月將, 學有緝熙于光明, 佛時仔肩, 示我顯德行)"

[47-2-1]

程子曰: "惟靜者可以爲學.[47]"[48] 以下論靜

(정자가 말했다.) "오직 고요한 자라야 배울 수 있다."[49] 이하 정靜을 논했다.

[47-2-2]

"學者患心慮紛亂不能寧靜, 此則天下公病. 學者只要立簡心, 此上頭儘有商量."[50]

(정자가 말했다.) "배우는 사람은 마음이 혼란하여 안정을 이룰 수 없는 것이 근심이니, 이것이 천하의 공통된 병통이다. 배우는 사람은 단지 마음을 세워야 할 뿐이니, 그리하면 이 이상은 헤아리는 것이 있다."[51]

[47-2-3]

尹和靖, 孟敦夫, 張思叔侍坐, 伊川指面前水盆語曰: "淸靜中一物不可著. 纔著物便搖動."[52]

윤화정尹和靖,[53] 맹돈부孟敦夫, 장사숙張思叔이 모시고 앉았는데, 이천伊川이 눈앞의 물그릇을 가리키면서 말했다. "맑고 고요한 가운데에는 어떤 것도 접촉할 수 없다. 어떤 사물이 접촉하면 요동한다."

[47-2-4]

張子曰: "靜有言得大處, 有小處. 如仁者靜, 大也, 靜而能慮, 則小也. 始學者亦要靜以入德, 至成德亦只是靜."[54]

· · · · · · · · · · · · · · · · · · · ·

47 惟靜者可以爲學. : 『河南程氏遺書』에서는 惟가 性으로 되어 있다.

48 『河南程氏遺書』 권1

49 葉采는 『近思錄』에서 다음과 같이 설명한다. "지혜는 고요함으로써 밝고, 행동은 고요함을 주된 것으로 한다.(智以靜而明, 行以靜爲主.)"

50 『河南程氏遺書』 권15

51 葉采는 『近思錄集解』에서 주희의 다음과 같은 말을 덧붙였다. "주자가 말했다. '배우는 사람은 먼저 마음을 세우지 않으면 마치 집을 짓는데 기초가 없는 것과 같다. 지금 이 마음을 구하는 데에 바로 기초를 세우려는 것이다. 마음을 얻으면 보존하여 주재하는 곳이 있게 되니, 배우는 데에 귀착점이 있어 힘을 쓸 수 있다.'(朱子曰, 學者不先立簡心, 恰似作室, 無基址. 今求此心, 正爲要立基址. 得心有簡存主處, 爲學便有歸著可以用功.)" 歸安 茅星來는 『近思錄集註에서 다음과 같이 설명한다. "마음을 세우는 것은 敬하고 조심하고 잡고 지켜서 사물에 의해서 요동하여 뺏기지 않는 것이니 그렇게 하면 저절로 혼란스러워 안정을 이루지 못하는 근심이 없다. '그리하면 이 이상은 헤아리는 것이 있다.'는 말은 배워서 도에 나갈 수 있다는 말이다.(立簡心者, 謂敬謹操持, 不爲事物所搖奪, 則自無紛亂不能寧靜之患矣. 此上頭儘有商量者, 言可爲學以進於道也.)"

52 『河南程氏外書』 권12

53 尹和靖 : 尹焞(1071~1142)이다. 자는 彦明 · 德充이고, 호는 三畏齋와 황제가 하사한 호인 和靖處士가 있으며, 시호는 肅公이다. 송대 洛陽(현 하남성 낙양) 사람으로 과거에 응시하지 않았으나, 천거에 의해 崇政殿說書 겸 侍講을 역임하였다. 어려서부터 程頤에게 사사하여 스승의 학설을 가장 돈독하게 이어받았다고 한다. 저서는 『論語解』 · 『孟子解』 · 『和靖集』 등이 있다.

장자張子가 말했다. "고요함에는 큰 것을 얻었다고 하는 곳이 있고 작은 것을 얻었다고 하는 곳이 있다. 인仁한 사람은 고요하다는 것은 크다는 것이고, 고요하여 생각할 수 있다는 것은 작은 것이다. 배움을 시작하는 사람은 또한 고요함으로 덕에 들어가야 하지만, 덕을 이룬 경지에 도달해서도 또한 단지 고요할 뿐이다."

[47-2-5]

上蔡謝氏曰 : "近道莫如靜. 齋戒以神明其德, 天下之至靜也."[55]

상채 사씨上蔡謝氏[謝良佐][56]가 말했다. "도에 가까운 것은 고요함만 한 것이 없다. 재계齋戒하여 그 덕을 신명神明하게 하니, 천하의 지극한 고요함이다."

[47-2-6]

延平李氏答朱晦翁書曰 : "某曩時從羅先生學問, 終日相對靜坐, 只說文字, 未嘗及一雜語. 先生極好靜坐. 某時未有知, 退入室中亦只靜坐而已. 先生令靜中看喜怒哀樂未發之謂中, 未發時作何氣象. 此意不唯於進學有力, 兼亦是養心之要."[57]

연평 이씨延平李氏[李侗][58]가 주회옹朱晦翁에게 답한 편지에서 말했다. "내가 이전에 나선생羅先生[羅從彦][59]에게 학문할 때 종일토록 상대하며 정좌靜坐하면서 문자文字만 말할 뿐 잡스러운 말은 한 글자도 언급한 적이 없었다. 선생은 정좌를 매우 좋아했다. 나는 그 때 그 의미를 알지 못하고, 방에서 물러나거나 들어갈 때에도 단지 정좌할 뿐이었다. 선생은 고요한 가운데에서 '희노애락이 미발한 것을 중이라고 하니'[60] 미발할 때 어떤 기상을 짓는지 살펴보게 하였다. 이 뜻은 오직 배움을 증진하는 데에 힘을 쏟는

---

54 『張子全書』 권7 「學大原下」

55 『上蔡語錄』 권1

56 上蔡謝氏[謝良佐] : 謝良佐(1050~1103)를 말한다. 사량좌는 북송 蔡州 上蔡 사람으로 자는 顯道이고, 시호는 文肅이다. 二程의 문하에서 배웠다. 游酢 · 呂大臨 · 楊時와 함께 '程門四先生'으로 불렸다. 上蔡學派의 비조이며 上蔡先生으로 불렸다. 神宗 元豊 8년(1085) 進士가 되고, 應城縣令 등을 지냈다. 徽宗 때 西京 竹林場을 감독하다 말에 연좌되어 투옥된 뒤 평민으로 떨어졌다. 그의 사상은 다분히 禪佛敎의 내용을 포함하고 있어 주자로부터 비판을 받았다. 저서에 『上蔡語錄』과 『論語說』이 있다.

57 『延平答問』 「庚辰五月八日書」

58 延平李氏[李侗] : 李侗(1093~1163)은 자는 愿中이고, 세칭 延平先生이라 하며, 시호는 文靖이다. 송대 南劍州 劍浦(현 복건성 南平) 사람으로 楊時 · 羅從彦과 함께 '南劍三先生'이라 불리운다. 나종언에게서 二程의 학문을 배우고, 40여 년간 세속을 끊고 연구한 뒤에 '理一分殊' 등 이정의 학문을 주희에게 전수해 주었다. 저서는 『延平文集』이 있다.

59 羅先生[羅從彦] : 羅從彦(1072~1135)은 자는 仲素이고 세상 사람들이 豫章先生이라 불렀다. 宋 熙宁 5년(1072)에 南平 羅源里에서 태어났다. 理學의 대가인 楊時의 제자이다. 宋나라 政和 6년(1116)에 주희의 아버지 朱松과 李侗은 모두 나종언 문하의 제자였다. 주희는 이통으로부터 배우고 이통은 나종언으로부터 배우고, 나종언은 양시로부터 배우고, 양시는 程頤로부터 배웠다. 송대 理學 발전에 심대한 영향을 미쳤다.

60 『中庸』 1장

것 뿐만 아니라 아울러 또한 마음을 기르는 요체이다."

[47-2-7]

朱子曰：“明道教人靜坐, 李先生亦教人靜坐. 蓋精神不定, 則道理無湊泊處.”

又云：“須是靜坐, 方能收欽.”[61]

주자가 말했다. "명도明道程顥는 사람들에게 정좌를 가르쳤는데, 이선생 역시 사람들에게 정좌를 가르쳤다. 대체로 정신이 안정을 이루지 못하면 도리가 응집할 곳이 없다."

또 말했다. "반드시 정좌해야만 비로소 수렴할 수 있다.

[47-2-8]

“靜坐無閑雜思慮, 則養得來便條暢.”[62]

(주자가 말했다.) "정좌하여 나태하고 잡스러운 사려가 없으면 함양하여 자유롭고 활달해진다."

[47-2-9]

或問：“不拘靜坐與應事皆要專一否?”

曰：“靜坐, 非是要如坐禪入定斷絕思慮, 只收欽此心莫令走作閑思慮, 則此心湛然無事, 自然專一. 及其有事, 則隨事而應, 事已, 則復湛然矣. 不要因一事而惹出三件兩件, 如此則雜然無頭項, 何以得他專一! 只觀文王雝雝在宮, 肅肅在廟, 不顯亦臨, 無射亦保, 便可見敬只是如. 此古人自少小時便做了這工夫, 故方其洒掃時加帚之禮, 至於學詩學樂舞學弦誦, 皆要專一. 且如學射時, 心若不在, 何以能中? 學御時, 心若不在, 何以使得他馬? 書數皆然. 今既自小不會做得, 不奈何, 須著從今做去方得. 若不做這工夫, 却要讀書看義理, 恰似要立屋無基地, 且無安頓屋柱處. 今且說那營營底心會與道理相入否, 會與聖賢之心相契否. 今求此心正爲要立箇基址, 得此心光明有箇存主處, 然後爲學便有歸著不錯. 若心雜然昏亂, 自無頭當, 却學從那頭去, 又何處是收功處. 故程先生須令就敬字上做工夫, 正爲此也.”[63]

어떤 사람이 물었다. "정좌하거나 사물에 응대하거나 상관없이 모두 하나로 집중해야 하는 것입니까?"

(주자가) 답했다. "정좌靜坐는 좌선坐禪하여 입정入定하는 것처럼 모든 사려를 끊어야 하는 것은 아니고 단지 이 마음을 수렴하여 나태한 사려가 일어나지 않도록 하는 것이니, 이 마음이 깨끗하여 아무런 일이 없으면 저절로 하나로 집중한다. 일이 생기면 일에 따라서 대응하고 일이 끝나면 다시 맑게 된다. 하나의 일 때문에 두 세 가지 일을 야기할 필요는 없다. 이와 같다면 혼잡하게 되어 두서가 없게 되니

....

61 『朱子語類』 권12, 137조목
62 『朱子語類』 권12, 138조목
63 『朱子語類』 권12, 141조목

어떻게 하나로 집중할 수 있겠는가! 문왕이 '조화하고 조화하여 궁 안에 계시며, 공경하고 공경하면서 사당에 계시며, 나타내지 아니하여도 또한 옆에 계신듯하며, 싫어함이 없어도 또한 보전하시니라.'[64]라고 한 것을 보면 경敬이란 단지 이와 같음을 볼 수 있다. 옛 사람들은 어려서부터 이러한 공부를 했기 때문에 청소할 때에도 청소도구를 잡는 예를 다했고, 시詩를 배우고, 음악과 춤을 배우고, 현을 타면서 노래하는 법[65]을 배우는 것은 모두 하나로 집중해야 한다. 또한 활쏘기를 배울 때에 마음이 있지 않으면 어떻게 적중할 수 있겠는가? 수레를 모는 것을 배울 때에 마음이 없다면 어떻게 그 말을 몰 수 있겠는가? 글씨 쓰는 것과 숫자를 배우는 것도 모두 그러하다. 지금 어릴 때부터 할 줄 몰랐으니, 어찌할 수 없지만 반드시 지금부터라도 해나가야 한다. 만약 이 공부를 하지 않으면 책을 읽고 의리를 보려고 해도 마치 집을 세우는 데에 기초가 없는 것과 같고, 또 안정할 수 있는 기둥이 없는 것과 같다. 지금 끊임없이 왕래하는 마음이 도리와 서로 상입相入할 수 있는가? 성인의 마음과 서로 결합될 수 있는가? 지금 이 마음을 구하는 것이 바로 기초를 세우는 것이니, 이 마음이 빛나게 되면 보존하여 주재하는 곳이 있게 되어, 그런 뒤에야 배워서 어지럽지 않게 귀착점이 있게 된다. 만약 이 마음이 혼잡하게 혼란하면 저절로 두서가 없게 되니, 배우는 데에 어디로부터 나아가겠는가? 또 어느 곳이 공을 거두는 곳인가? 그러므로 정선생은 반드시 경이라는 글자에서 공부해야 한다고 했으니 바로 이 때문이다."

[47-2-10]
"人也有靜坐無思念底時節, 也有思量道理底時節, 豈可畫爲兩途說? 靜坐時與讀書時工夫迥然不同. 當靜坐涵養時, 正要體察思繹道理, 只此便是涵養, 不是說喚醒提撕, 將道理去却那邪思妄念. 只自家思量道理時自然邪念不作. 言忠信, 行篤敬, 立則見其參於前, 在輿則見其倚於衡, 只是常常見這忠信篤敬在眼前, 自然邪妄無自而入, 非是要存這忠信篤敬去除那不忠不敬底心. 今人之病, 正在於靜坐讀書時二者工夫不一, 所以差."[66]
(주자가 말했다.) "사람은 정좌靜坐하고 사념이 없을 때도 있고 도리를 생각하는 때도 있는데 어찌 두 가지로 나누어 말할 수 있겠는가? 정좌할 때와 독서할 때의 공부는 분명하게 다르다. 정좌하고 독서할 때 도리를 체찰하고 생각해야하니, 단지 이것이 함양이지 깨우쳐서 도리를 가지고 이 사특한 생각과 망념을 없애는 것을 말하는 것이 아니다. 스스로 도리를 생각할 때 저절로 사특한 생각들은 일어나지 않는다. '말이 충직하고 미더우며 행실이 독실하고 경敬하고', '일어서면 그것이 앞에 참여함을 볼 수

· ·

64 '조화하고 조화하여 … 보전하시니라.': 『詩經』 「大雅·文王之什·思齊」
65 현을 타면서 … 법: 『禮記』 「文王世子」에 "봄에는 독송하고, 여름에는 현을 켰다.(春誦, 夏弦.)"라고 하였는데, 그에 대해 鄭玄은 이렇게 설명하다. "誦이란 노래를 부르는 것이고, 弦이란 현을 켜면서 시를 부르는 것이다. (誦謂歌樂也, 弦謂以絲播詩.)" 여기서 더해 孔穎達은 이렇게 설명한다. "誦은 노래를 부르는 것이고, 입으로 음악의 편장을 부르는데 琴瑟을 써서 노래를 부르지 않는다. '현은 현을 켜면서 시를 부르는 것이다.'라고 한 것은 금슬을 가지고 시의 음절을 부르는 것이니 시는 음이고 음악은 장이다.(誦謂歌樂者, 謂口誦歌樂之篇章, 不以琴瑟歌也. 云弦謂以絲播詩者, 謂以琴瑟播彼詩之音節, 詩音則樂章也.)"
66 『朱子語類』 권12, 142조목

있고, 수레에 있으면 그것이 멍에에 기댐을 볼 수 있어야 한다.'67고 했으니, 단지 항상 이 충직하고 미더우며 독실하고 경敬하는 것이 눈앞에 있으면, 저절로 사특하고 망령된 것들이 들어올 수가 없는 것이지, 이 충직하고 미더우며 독실하고 경하는 것을 보존하여 충직하지 못하고 경敬하지 못한 마음을 제거하는 것은 아니다. 지금 사람들의 병통은 정좌靜坐하고 독서할 때 두 가지 공부가 하나로 일치하지 못하기 때문에 어그러진다."

[47-2-11]

問: "存養多用靜否?"

曰: "不必然. 孔子却都就用處教人做工夫. 今雖說主靜, 然亦非棄事物以求靜. 既爲人, 自然用事君親, 交朋友, 撫妻子, 御僮僕. 不成捐棄了只閉門靜坐. 事物之來, 且曰'候我存養', 又不可只茫茫隨他事物中走. 二者須有箇思量倒斷始得."

물었다. "보존하고 함양하는 데에 고요함을 많이 사용합니까?"

(주자가) 답했다. "반드시 그렇지는 않다. 공자는 오히려 모두 작용하는 곳에서 공부를 가르쳤다. 지금 비록 주정主靜을 말하지만, 또한 사물을 버리고 고요함을 구하는 것은 아니다. 사람이라면 저절로 군주를 섬기고 부모를 섬기며 친구와 교제하고 처와 자식을 보살피고 하인들을 부린다. 이 모든 것을 포기하고 문을 닫아걸고 정좌해야 한다고 말해서는 안 된다. 사물이 오면 또한 '내가 존양하기를 기다리라.'고 해야 하고, 또 멍하게 사물에 따라 휘둘리면 안 된다. 두 가지는 반드시 생각하고 판단해야 비로소 얻는다."

頃之復曰: "動時, 靜便在這裏, 動時也有靜, 順理而應, 則雖動亦靜也. 故曰知止而后有定, 定而后能靜. 事物之來, 若不順理而應, 則雖塊然不交於物以求靜, 心亦不能得靜. 惟動時能順理, 則無事時能靜. 靜時能存則動時得力. 須是動時也做工夫, 靜時也做工夫, 兩莫相靠, 使工夫無間斷始得. 若無間斷, 靜時固靜, 動時心亦不動, 動亦靜也. 若無工夫, 則動時固動, 靜時雖欲求靜亦不可得而靜, 靜亦動也. 動靜如船之在水, 潮至則動, 潮退則止, 有事則動, 無事則靜. 一云事來則動, 事過了靜. 如潮頭高船也高, 潮頭下船也下. 雖然動靜無端, 亦無截然爲動爲靜之理. 如人之氣吸則靜, 噓則動. 又問答之際, 答則動也, 止則靜矣. 凡事皆然. 且如涵養致知亦何所始, 但學者須自截從一處做去. 程子謂學莫先於致知, 是知在先. 又曰, 未有致知而不在敬者, 則敬也在先, 從此推去, 只管恁地."68

· ·

67 '일어서면 그것이 … 한다.': 『論語』「衛靈公」, "子張이 行을 물었다. 공자가 말했다. '말이 충직하고 미더우며 행실이 독실하고 敬하면, 비록 오랑캐의 나라라 하더라도 행해질 수 있거니와 말이 忠信하지 못하고 행실이 篤敬하지 못하면 고을에서 행하더라도 행해질 수 있겠는가? 일어서면 그것이 앞에 참여함을 볼 수 있고, 수레에 있으면 그것이 멍에에 기댐을 볼 수 있어야 하니, 이와 같은 뒤에야 행해질 수 있는 것이다.' 子張이 이 말을 띠에 썼다.(子張問行. 子曰, '言忠信, 行篤敬, 雖蠻貊之邦, 行矣, 言不忠信, 行不篤敬, 雖州里, 行乎哉? 立則見其參於前也. 在輿則見其倚於衡也, 夫然後行.' 子張, 書諸紳.)"

잠시 후 다시 (주자가) 말했다. "움직일 때 고요함은 거기에 있으니, 움직일 때도 고요함이 있어서 리理를 따라서 호응하면 움직이더라도 또한 고요함이다. 그러므로 '그칠 데를 안 뒤에야 정해진 곳이 있고, 정해진 곳이 있은 뒤에야 고요할 수 있다.'[69]고 했다. 사물이 오는 데에 리理를 따라 반응하지 못하면, 묵묵히 사물과 교접하지 않고 고요함을 구하더라도 마음은 또한 고요할 수가 없다. 오직 움직일 때 리理를 따를 수가 있다면 일이 없을 때 고요할 수가 있다. 고요할 때 보존할 수 있다면 움직일 때 힘을 얻는다. 반드시 움직일 때도 공부를 하고 고요할 때도 공부를 해서 두 가지가 서로 어긋나지 않게 하고, 공부가 단절되지 않게 하면 비로소 얻는다. 만약 단절이 없다면 고요할 때는 분명 고요하지만, 움직일 때 역시 마음이 요동하지 않으니, 움직일 때 역시 고요함이다. 만약 공부가 없다면 움직일 때는 분명 마음이 요동하여 고요할 때 고요함을 구하려고 해도 고요할 수가 없으니, 고요할 때도 역시 움직인다. 움직임과 고요함은 마치 배가 바다에 있을 때 파도가 밀려오면 움직이고 파도가 물러나면 멈추는 것과 같으니, 일이 있으면 움직이고 일이 없으면 고요하다. 다른 곳에서는 이렇게도 말한다. '한 편으로는 일이 오면 움직이고, 일이 지나가면 고요하다. 파도가 높으면 배도 높고 파도가 낮으면 배도 낮다.' 비록 그렇더라도 '움직임과 고요함은 단서가 없으니' 또한 완전히 갈라져 움직임이 되고 고요함이 될 이치는 없다. 마치 사람의 기가 들어 마실 때는 고요하고 내쉴 때는 움직이는 것과 같다. 또 묻고 답할 때에 답하는 것은 움직이는 것이고 멈추면 고요하다. 모든 일이 그러하다. 또한 함양涵養과 치지致知는 또한 시작하는 바가 무엇인가? 단지 배우는 사람은 단지 한 곳으로부터 시작해 나가야 한다. 정자程子가 '배움은 치지致知보다 앞선 것은 없다.'[70]고 했으니, 앎이 먼저이고, 또 '치지致知하면서 경敬에 있지 않은 경우란 없다.'[71]고 했으니 경敬이 또한 먼저이다. 이것으로부터 추론해가면 이와 같을 뿐이다."

· · · · · · · · · · · · · ·

68 『朱子語類』권12, 143조목
69 '그칠 데를 … 있다.' : 『大學』1장에서 "그칠 데를 안 뒤에야 정해진 곳이 있고, 정해진 곳이 있은 뒤에야 고요할 수 있고, 고요할 수 있은 뒤에야 안정될 수 있고, 안정될 수 있은 뒤에야 사려할 수 있고, 사려한 뒤에야 얻을 수 있다.(知止而后有定, 定而后能靜, 靜而后能安, 安而后能慮, 慮而后能得.)"라고 하였는데, 주희는 이렇게 설명한다. "止는 마땅히 그쳐야 할 곳이니, 바로 지극한 선이 있는 곳이다. 이것을 안다면, 뜻이 정해진 방향이 있을 것이다. 靜은 마음이 망령되게 움직이지 않는 것이고, 安은 처한 바에 편안함을 말하고, 慮는 일을 처리하는 데에 정밀하고 상세한 것을 말하고, 得은 그 그칠 바를 얻는 것을 말한다.(止者, 所當止之地, 卽至善之所在也, 知之, 則志有定向. 靜, 謂心不妄動, 安, 謂所處而安, 慮, 謂處事精詳, 得, 謂得其所止.)"
70 '배움은 致知보다 … 없다.' : 『河南程氏遺書』권17에 "배움은 致知보다 중대한 것은 없고 마음을 함양하는 것은 禮와 義보다 중대한 것은 없다. 옛날 사람들은 함양하는 곳이 많았다. 음악 소리로 귀를 함양하고 춤으로 그 혈맥을 함양했다. 그러나 오늘날 사람들은 이런 것이 없이 단지 義理를 함양할 뿐이지만, 사람이 또한 구하는 방법을 알지 못한다.(學莫大於致知, 養心莫大於禮義. 古人所養處多, 若聲音以養其耳, 舞蹈以養其血脈. 今人都無, 只是簡義理之養, 人又不知.)"라고 하였다.
71 '致知하면서 敬에 … 없다.' : 『河南程氏遺書』권3에 "도에 들어가는 데에는 敬만한 것이 없으니 致知할 수 있으면서도 敬에 있지 않은 경우란 없다. 지금 사람들은 마음을 집중하는 데에 안정을 이루지 못하여, 마음을 보는 것을 도적처럼 해서 제어할 수가 없으니, 이는 일이 마음을 얽매게 하는 것이 아니라, 마음이 일에 얽매이는 것이다. 당연히 천하에 하나의 사물이라도 마땅히 없어야 할 것은 없으니, 미워해서는 안 된다는 점을 알아야 한다.(入道莫如敬, 未有能致知而不在敬者. 今人主心不定, 視心如寇賊而不可制, 不是事累心, 乃是心累事. 當知天下無一物是合少得者, 不可惡也.)"라고 하였다.

[47-2-12]

"心於未遇事時須是靜, 及至臨事方用, 便有氣力. 如當靜時不靜, 思慮散亂及至臨事先已倦了. 伊川解靜專處云, 不專一則不能直遂. 閑時須是收歛定, 做得事便有精神."[72]

(주자가 말했다.) "마음이 일을 만나지 않았을 때 반드시 고요해야 하니, 일에 임하여 바야흐로 작동할 때에 기력이 있게 된다. 고요할 때를 당하여 고요하지 않아 사려가 흩어져 혼란하다가 일에 임하면 이미 먼저 지친다. 이천伊川이 '고요할 때는 하나로 집중되어 있다.'[73]는 말을 해석한 곳에서 '하나에 집중하지 않으면 곧게 수행할 수 없다.'[74]고 했다. 한가할 때는 수렴하여 안정하고, 일을 할 때에는 정신精神이 있다."

[47-2-13]

"心要精一, 方靜時, 須湛然在此, 不得困頓, 如鏡樣明, 遇事時方好. 心要收拾得緊, 如顏子'請事斯語', 便直下承當, 及'犯而不校却別.'"[75]

(주자가 말했다.) "마음은 정밀하고 하나로 집중해야 비로소 고요할 때에는 담담하게 여기에 있어서 곤란을 겪지 않아, 마치 거울처럼 밝아야만 일이 닥칠 때에 비로소 좋다. 마음은 단단하게 수습해야 하니, 안연이 '이 말씀을 따르겠습니다.'라고 하여[76] 곧바로 승낙하여 감당한 것과 '자신에게 잘못을 범하여도 따지지 않았다.'[77]라고 한 것과 같다."

....

72 『朱子語類』 권12, 144조목
73 『周易』「繫辭上」: "易이 넓고 크다. 먼 것을 말하자면 다함이 없고, 가까운 것을 말하자면 고요하여 바르고, 天地의 사이를 말하면 모두 갖추어져 있다. 乾은 그 고요함이 하나로 집중되어 있고, 움직임이 곧다. 그래서 큼이 생긴다. 坤은 그 고요함이 응취하고 그 움직임이 발산한다. 그래서 넓음이 생긴다. 넓고 큼은 천지에 배합하고, 變通은 사계절에 배합하고, 陰陽의 뜻은 日月에 배합하고, 易簡의 善은 至德에 배합한다.(夫易, 廣矣大矣. 以言乎遠則不禦, 以言乎邇則靜而正, 以言乎天地之間則備矣. 夫乾, 其靜也專, 其動也直. 是以大生焉. 夫坤, 其靜也翕, 其動也闢. 是以廣生焉. 廣大, 配天地, 變通, 配四時, 陰陽之義, 配日月, 易簡之善, 配至德.)"
74 『河南程氏遺書』 권11 : "乾은 陽이다. 움직이지 않으면 강하지 않다. '고요할 때는 하나로 집중되어 있지만, 움직이면 곧다.' 하나로 집중하지 않으면 곧게 수행할 수 없다. 坤은 陰이다. 고요하지 않으면 유하지 않다. '고요할 때는 응취되어 있지만, 움직이면 發散한다.' 응취하지 않으면 발산할 수 없다.(乾, 陽也, 不動則不剛 ; '其靜也專, 其動也直.' 不專一則不能直遂. 坤, 陰也, 不靜則不柔 ; '其靜也翕, 其動也闢.' 不翕聚則不能發散.)"
75 『朱子語類』 권12, 145조목
76 안연이 '이 … 하여 : 『論語』「顏淵」에 "顏淵이 말했다. '그 조목을 묻겠습니다.' 공자가 말했다. '禮가 아니면 보지 말며, 예가 아니면 듣지 말며, 예가 아니면 말하지 말며, 예가 아니면 움직이지 않는 것이다.' 안연이 말하였다. '제가 비록 불민하지만, 청컨대 이 말씀을 따르겠습니다.'(顏淵曰, '請問其目.' 子曰, '非禮勿視, 非禮勿聽, 非禮勿言, 非禮勿動.' 顏淵曰, '回雖不敏, 請事斯語矣.')"라고 하였다.
77 '자신에게 잘못을 … 않았다.' : 『論語』「泰伯」에 "曾子가 말했다. '능하면서 능하지 못한 이에게 물으며, 학식이 많으면서 적은 이에게 물으며, 있어도 없는 것처럼 여기고, 가득해도 빈 것처럼 여기며, 자신에게 잘못을 범하여도 따지지 않는 것을, 옛적에 내 벗이 일찍이 이 일에 종사하였었다.(曾子曰, '以能問於不能, 以多問於寡, 有若無, 實若虛, 犯而不校, 昔者, 吾友嘗從事於斯矣.')"라고 하였다.

[47-2-14]

"靜便定, 熟便透."[78]

(주자가 말했다.) "고요하면 지향점이 정해지고 익숙하면 투철해진다."

[47-2-15]

"靜爲主. 動爲客. 靜如家舍, 動如道路."[79]

(주자가 말했다.) "고요함이 주인이고 움직임이 손님이다. 고요한 것은 집에 머무는 것과 같고, 움직이는 것은 도로에 있는 것과 같다."

[47-2-16]

"靜中動, 起念時. 動中靜, 是物各付物."[80]

(주자가 말했다.) "고요한 가운데 움직임이 있으니, 염두가 일어날 때이다. 움직임 가운데 고요한 것은 사물 각각의 원리에 따라 처리하는 것이다."[81]

[47-2-17]

"人身只有箇動靜. 靜者, 養動之根, 動者, 所以行其靜. 動中有靜, 如發而皆中節處, 便是動中之靜."[82]

(주자가 말했다.) "사람의 몸은 단지 움직임과 고요함이 있다. 고요함은 움직임을 배양하는 뿌리이고, 움직임은 그 고요함을 실행하는 것이다. 움직임 가운데에 고요함이 있으니, 마치 발현하여 모두 절도에

· · · · · · · · · · · · ·

78 『朱子語類』 권12, 146조목
79 『朱子語類』 권12, 147조목
80 『朱子語類』 권12, 149조목
81 사물 각각의 … 것이다. : 物各付物을 해석한 것이다. 이 말은 정이천이 자주 쓰는 말이다. 『河南程氏遺書』 15권, "사람은 사려가 많아서 편안할 수가 없는 것은 그 마음의 주인이 지향점을 정하지 못했기 때문이다. 만약 마음의 주인이 지향점을 얻으려고 한다면 오직 그 일에 그쳐야 한다. 군자는 仁에 그쳐야 한다는 종류가 그러하다. 순이 四凶을 주살했을 때 사흉은 이미 악행을 저질렀고 순은 그것을 따라서 주살했다. 순이 어떻게 간여했겠는가? 사람이 주어진 일에 그치지 않고 다른 일을 염두해 두면 사물 각각의 원리에 따라 처리할 수가 없게 된다. 사물 각각의 원리에 따라 처리하면 사물을 부리는 것이다. 사물에 부림을 당하면 사물에 휘둘리는 것이다. 사물에는 반드시 법칙이 있다. 반드시 그 일에 그쳐야 한다.(人多思慮不能自寧, 只是做他心主不定. 要作得心主定, 惟是止於事. 爲人君止於仁之類. 如舜之誅四凶, 四凶已作惡, 舜從而誅之. 舜何與焉? 人不止於事, 只是攬他事, 不能使各物各付物. 物各付物. 則是役物. 爲物所役, 則是役於物. 有物必有則. 須是止於事.)" 葉采는 『近思錄集解』에서 '物各付物'을 이렇게 설명한다. "'物各付物'이라는 것은 사물이 와서 반응하되, 그 법칙을 벗어나지 않고, 사물이 가서 없어지면 흔적을 남기지 않는 것이니, 이것이 사물을 부리는 것이고 사물에 의해서 휘둘리지 않는 것이다.(所謂物各付物者, 物來而應, 不過其則, 物往而化, 不滯其迹, 是則役物而不爲物所役.)"
82 『朱子語類』 권12, 150조목

맞는 것이 움직임 가운데 고요함이다."

[47-2-18]

問: "動靜兩字, 人日間靜時煞少, 動時常多."

曰: "若聖人動時, 亦未嘗不靜. 至衆人動時, 却是攪擾亂了. 如今人欲爲一, 事未嘗能專此一事, 處之從容不亂. 其思慮之發, 旣欲爲此, 又欲爲彼, 此是動時却無那靜也."[83]

물었다. "움직임과 고요함 두 가지에서 사람이 매일의 일상생활에서 고요할 때가 극히 드물고 움직일 때가 항상 많습니다."

(주자가) 답했다. "성인의 경우 움직일 때 역시 고요하지 않은 적이 없다. 보통사람들이 움직일 때는 요란하다. 오늘날 사람들은 하나로 집중하려고 하지만 이 한 가지 일에 집중하여 그것을 처리하는 데에 조용하게 혼란하지 않게 할 수가 없다. 그 사려가 일어났을 때, 이것을 하려고 하면서 또 저것을 하려고 하니, 이것이 움직일 때 고요함이 없는 것이다."

[47-2-19]

"'爲人君止於仁, 爲人臣止於敬', 止於仁敬者, 靜也. 要止於仁與敬者, 便是動. 只管是一動一靜循環無端, 所以謂動極復靜, 靜極復動. 如人噓吸, 若噓而不吸則須絶, 吸而不噓亦必壅, 滯著不得. 噓者, 所以爲吸之基. '尺蠖之屈, 以求信也, 龍蛇之蟄, 以存身也, 精義入神, 以致用也, 利用安身, 以崇德也.' 大凡這簡都是一屈一信, 一消一息, 一往一來, 一闔一闢, 大底有大底闔闢消息, 小底有小底闔闢消息, 皆只是這道理."[84]

(주자가 말한다.) "'군주는 仁에 그치고, 신하는 경敬에 그친다.'[85]고 했는데, 인과 경에 그친다는 것이 고요함이고, 인仁과 경敬에 그치려고 하는 것이 움직임이다. 단지 한번 움직이고 한번 고요해서 순환하여 단서가 없으니, '움직임이 극에 이르면 다시 고요하고, 고요함이 극에 이르면 움직인다.'[86]는 것이다. 사람이 호흡하는 것과 같으니, 만약 내쉬고 들이마시지 않으면 반드시 끊어지고, 들이마시고 내쉬지 않으면 또한 반드시 막혀서 숨 쉴 수가 없다. 내쉬는 것은 들어 마시는 것의 기초이다. '자벌레가 몸을

---

83 『朱子語類』 권12, 151조목
84 『朱子語類』 권12, 152조목
85 '군주는 仁에 … 그친다.': 『大學章句』 3장, 『詩經』에 이르기를 '穆穆하신 文王이여, 아! 계속하여 밝혀서 공경하여 그쳤다.' 하였으니, 인군이 되어서는 仁에 그치시고, 人臣이 되어서는 敬에 그치시고, 人子가 되어서는 孝에 그치시고, 人父가 되어서는 慈에 그치시고, 國人과 더불어 사귐엔 信에 그치셨다.(詩云, 穆穆文王, 於緝熙敬止, 爲人君, 止於仁, 爲人臣, 止於敬, 爲人子, 止於孝, 爲人父, 止於慈, 與國人交, 止於信.)"
86 '움직임이 극에 … 움직인다.': 주렴계 『太極圖說』에 "태극이 움직이면 양이 생겨나고, 움직임이 극에 이르면 고요하며, 고요하면 음이 생겨나고, 고요함이 극에 이르면 움직인다. 한번 움직이고 한번 고요하여 서로 뿌리를 이루며, 음으로 나뉘고 양으로 나뉘어 兩儀가 세워진다.(太極動而生陽, 動極而靜, 靜而生陰, 靜極復動. 一動一靜, 互爲其根, 分陰分陽, 兩儀立焉.)"라고 하였다.

굽힘은 폄을 구하기 위해서고, 용과 뱀이 칩거함은 몸을 보존하기 위해서고, 의義를 정밀히 하여 신묘한 경지에 들어감은 작용을 지극히 하기 위해서고, 작용을 날카롭게 하고 몸을 편안히 하는 것은 덕德을 높이기 위해서이다.'[87] 대체로 이것은 모두 한번 굽히고 한번 펼치며 한번 줄어들고 한번 늘어나고 한번 가고 한번 가고 한번 닫고 한번 여는 것이다. 큰 것에는 큰 열림과 닫힘, 줄어듦과 늘어남이 있고 작은 것에는 작은 열림과 닫힘, 줄어듦과 늘어남이 있으니 모두 단지 이 도리일 뿐이다."

[47-2-20]

問: "伊川常教人靜坐, 如何?"

曰: "亦是他見人要多思慮, 且以此教人收拾此心耳. 若初學者亦當如此."[88]

물었다. "이천이 항상 사람들에게 정좌靜坐를 가르친 것은 어째서입니까?"

(주자가) 답했다. "그는 사람들이 많이 사려하려고 하는 것을 보았기 때문에 이렇게 사람들이 마음을 수습하도록 했을 뿐이다. 초학자라면 또한 마땅히 이와 같아야 한다."

[47-2-21]

"主敬存養雖說必有事焉, 然未有思慮作爲, 亦靜而已. 所謂靜者, 固非槁木死灰之謂. 而所謂必有事者, 亦豈求中之謂哉?"[89]

(주자가 말했다.) "주경主敬과 존양存養에 대해서는 비록 '반드시 일삼음이 있다.'[90]고 했지만, 사려나 작위作爲가 있지 않으니, 또한 고요할 뿐이다. 이른바 '고요함'이란 것은 말라 죽은 나무나 죽은 재를 말하는

....

87 『周易』「繫辭下」
88 『朱子語類』 119권, 12조목
89 『朱文公文集』 권40 「書·答何叔京」
90 '반드시 일삼음이 있다.': 『孟子』「公孫丑」, "그 氣됨이 지극히 크고 지극히 강하니, 정직함으로써 잘 기르고 해침이 없으면, 호연지기가 천지의 사이에 꽉 차게 된다. 그 기됨이 義와 道에 배합되니, 이것이 없으면 굶주리게 된다. 이 호연지기는 義理를 많이 축적하여 생겨나는 것이다. 義가 하루아침에 갑자기 엄습하여 취해지는 것은 아니니, 행하고서 마음에 부족하게 여기는 바가 있으면 굶주리게 된다. 내 그러므로 '告子가 일찍이 義를 알지 못한다.'고 말한 것이니, 이는 義를 밖이라고 하기 때문이다. 반드시 호연지기를 기름에 종사하고, 효과를 미리 기대하지 말아서 마음에 잊지도 말며 억지로 助長하지도 말아서, 宋나라 사람과 같이 하지 말아야 한다. 송나라 사람 중에 벼 싹이 자라지 못함을 안타깝게 여겨 뽑아놓은 자가 있었다. 그는 아무 것도 모르고 돌아와서 집안사람들에게 말하기를 '오늘 나는 매우 피곤하다. 내가 벼 싹이 자라도록 도왔다.'하자, 그 아들이 달려가서 보았더니, 벼 싹은 말라 있었다. 천하에 벼 싹이 자라도록 억지로 助長하지 않는 자가 적으니, 유익함이 없다 해서 버려두는 자는 비유하면 벼 싹을 김매지 않는 자요, 억지로 助長하는 자는 벼 싹을 뽑아놓는 자이니, 이는 비단 유익함이 없을 뿐만 아니라, 도리어 해치는 것이다.(其爲氣也, 至大至剛, 以直養而無害, 則塞于天地之間. 其爲氣也, 配義與道, 無是, 餒也. 是集義所生者, 非義襲而取之也, 行有不慊於心, 則餒矣. 我故曰, 告子未嘗知義, 以其外之也. 必有事焉而勿正, 心勿忘, 勿助長也, 無若宋人然. 宋人, 有閔其苗之不長而揠之者, 芒芒然歸, 謂其人曰, 今日, 病矣. 予助苗長矣. 其子趨而往視之, 苗則槁矣. 天下之不助苗長者寡矣, 以爲無益而舍之者, 不耘苗者也, 助之長者, 揠苗者也. 非徒無益. 而又害之.)"

것이 아니다. '반드시 일삼음이 있다'고 한 것이 또한 어찌 중中을 구하는 것을 말하겠는가?"

[47-2-22]

答吳伯豐書曰 : "學問臨事不得力, 固是靜中欠却工夫. 然欲舍動求靜, 又無此理. 蓋人之身心, 動靜二字循環反覆, 無時不然. 但常存此心勿令忘失, 則隨動隨靜無處不是用力處矣."[91]

오백풍吳伯豐의 편지에 답하여 (주자가 말했다.) "학문을 닦고 일에 임했을 때 효력을 얻지 못한 것은 진실로 그 고요함 가운데의 공부가 부족하기 때문이다. 그러나 움직임을 버리고 고요함을 구하려고 하면 또 그렇게 될 리는 없다. 대체로 사람의 몸과 마음에는 움직임과 고요함이라는 두 가지가 순환하며 반복하고 있으니 그렇지 않은 때가 없다. 다만 항상 그 마음을 보존하여 잊고 잃어버리지 않도록 해야 하니, 그렇게 하면 움직일 때나 고요할 때나 힘써야 하지 않을 곳이 없다."

[47-2-23]

"明道在扶溝時, 謝游諸公皆在彼問學. 明道一日曰, '諸公在此, 只是學某說話, 何不去力行?' 二公云, '某等無可行者.' 明道曰, '無可行時, 且去靜坐.' 蓋靜坐時, 便涵養得本原稍定. 雖是不免逐物, 及自覺而收欲歸來, 也有箇着落. 譬如人出外去, 才歸家時, 便自有箇着身處. 若是不會存養得箇本原, 茫茫然逐物在外, 便要收欲歸來, 也無箇着身處也."[92]

(주자가 말했다.) "명도明道가 부구扶溝에 있을 때, 사상채謝上蔡[93]와 유초游酢[94] 두 사람이 모두 거기에서 배움을 물었다. 명도가 하루는 '여러분들이 여기에서 단지 내가 말하는 것만 배우고, 어찌 힘써 행하지 않는가?'라고 물었는데, 두 사람이 '행할 것이 없습니다.'라고 답하자, 명도가 '행할 것이 없을 때에는 정좌靜坐하라.'고 했다. 정좌할 때에는 함양하여 본원이 다소 안정된다. 비록 사물에 휩쓸리는 것을 면하지 못하더라도 스스로 깨달아 수렴하여 돌아오게 되어서는 또 귀착할 곳이 있다. 비유하자면 사람이 밖에 나가서 집으로 돌아올 때, 저절로 몸을 둘 곳이 있는 것과 같다. 만약 본원을 보존하고 함양하지 못한다면 멍하게 밖에서 사물에 휘둘려서, 수렴하여 돌아오려고 해도 몸을 둘 곳이 없다."

[47-2-24]

"伊川見人靜坐, 如何便歎其善學?"

. . . .

91 『朱文公文集』 권52 「書·答吳伯豐」

92 『朱子大全』 권96, 56조목

93 謝上蔡 : 북송 蔡州 上蔡 사람이다. 자는 顯道고, 시호는 文肅이다. 二程의 문하에서 배웠다. 游酢, 呂大臨, 楊時와 함께 '程門四先生'으로 알려졌다. 上蔡學派의 비조이며 上蔡先生으로 불렸다. 仁을 覺, 生意로, 誠을 實理로, 敬을 常惺惺으로, 窮理를 求是라고 주장했다. 그의 사상은 다분히 禪佛敎의 내용을 포함하고 있어 주자로부터 비판을 받았다. 저서에 『上蔡語錄』과 『論語說』이 있다.

94 游酢 : 자는 定夫이고 建州 建陽 사람이다. 二程의 문하에서 배웠다. 游酢, 呂大臨, 楊時와 함께 '程門四先生'으로 알려졌다. 정이천이 그를 보고 자질이 도에 나갈 수 있다고 평했다.

曰: "這却是一箇總要處."[95]

물었다. "이천이 어떤 사람이 정좌靜坐하는 것을 보고, 어째서 그가 배움을 잘한다고 탄식했습니까?" (주자가) 답했다. "이것이 총괄적인 곳이기 때문이다."

[47-2-25]

問: "而今看道理不出, 只是心不虛靜否?"

曰: "也是不會去看. 會看底, 就看處自虛靜, 這箇互相發."[96]

물었다. "지금 도리를 볼 수 없는 것은 단지 마음이 텅 비고 고요하지 않아서 입니까?" (주자가) 답했다. "볼 수 없었기 때문이다. 볼 수 있다면 본 곳에서 저절로 텅 비고 고요해지니, 이것이 서로 발명하는 것이다."

[47-2-26]

問汪長孺: "所讀何書?" 長孺誦大學所疑.

曰: "只是輕率. 公不惟讀聖賢之書如此, 凡說話及論人物亦如此, 只是不敬."

又云: "長孺氣粗, 故不子細. 爲今工夫須要靜, 靜多不妨. 今人只是動多了靜. 靜亦自有說話. 程子曰, 爲學須是靜."

又曰: "靜多不妨, 才靜事都見得, 然總亦只是一箇敬."[97]

(주자가) 왕장유汪長孺에게 물었다. "읽고 있는 책은 무슨 책인가?" 왕장유가 『대학』에서 의심스러운 바를 외우고 있었다."

(주자가) 말했다. "경솔할 뿐이다. 그대는 성현의 책을 이렇게 읽을 뿐만 아니라, 대화하고 인물人物을 언급하는 것 역시 이와 같으니, 경敬하는 것이 아니다."

또 말했다. "왕장유의 기가 조잡하므로 자세하지 않다. 지금 공부를 위해서 반드시 고요해야만 하니, 고요함이 많아도 방해받지 않는다. 지금 사람들은 움직임이 많고 나서야 고요하다. 고요함 역시 본래 이야기가 있다. 정자程子는 '배우는 데에 반드시 고요해야 한다.'고 했다."

또 말했다. "고요함이 많아도 방해받지 않는다. 고요해야 비로소 일들을 모두 볼 수 있지만 결국에는 역시 하나의 경敬일 뿐이다."

[47-2-27]

問: "初學精神, 易散, 靜坐如何?"

曰: "此亦好, 但不專在靜處做工夫, 動作亦當體驗. 聖賢教人, 豈專在打坐上? 要是隨處着力,

· ·
95 『朱子語類』 권96, 57조목
96 『朱子語類』 권116, 29조목
97 『朱子語類』 권119, 29조목

如讀書, 如待人處事, 若動若靜, 若語若黙, 皆當存此. 無事時只合靜心息念. 且未說做他事, 只自家心如何令把捉不定? 恣其散亂走作, 何有於學? 孟子謂學問之道無他, 求其放心而已矣. 不然, 精神不收拾, 則讀書無滋味, 應事多齟齬, 豈能求益乎?"⁹⁸

물었다. "초학자들의 정신은 쉽게 흩어지는데 정좌靜坐는 어떠합니까?"

(주자가) 답했다. "이것 역시 좋지만, 단지 고요한 곳에서 공부하는 것에만 있는 것이 아니라, 움직이고 일을 할 때에도 역시 체험해야 한다. 성현이 사람들을 가르치는 것이 어찌 오로지 앉는 것에만 있었겠는가? 곳곳에서 힘을 써야만 하니, 예를 들어 독서를 하고, 사람을 대하고 일을 처리하며, 움직이는 데와 고요한 데, 말하는 데와 침묵하는 데 모두 마땅히 이것을 보존해야만 한다. 일이 없을 때는 마음을 고요하게 하고 사념을 없앤다. 또한 다른 일을 말하지 않고 자신의 마음을 어떻게 잡아서 안정시키지 않게 하겠는가? 마음을 혼란하고 달아나게 해서 어떻게 배움에 있겠는가? 맹자가 '학문의 도는 다른 것이 아니라, 흩어진 마음을 구할 뿐이다.'⁹⁹라고 했다. 그렇지 않아서 정신이 수습되지 않으면 독서가 재미가 없고, 일을 대응하는 데에 어긋남이 많으니, 어찌 보탬을 구할 수 있겠는가?"

[47-2-28]

問伯羽 : "如何用功?"

曰 : "且學靜坐痛抑思慮."

曰 : "痛抑也不得, 只是放退可也. 若全閉眼而坐, 却有思慮矣."

又言 : "也不可全無思慮, 無邪思耳."¹⁰⁰

(주자가) 백우伯羽에게 물었다. "어떻게 공부하는가?"

(백우가) 답했다. "우선 정좌를 배워 사려를 힘써 억누릅니다."

(주자가) 말했다. "힘써 억눌러서는 안 되고, 단지 내려놓고 물러나는 것이 좋다. 만약 완전히 눈을 감고 앉아 있어도, 오히려 사려가 있다."

또 말했다. "또 완전히 사려가 없어서는 안 되고, 사특한 사려를 없앨 뿐이다."

[47-2-29]

問 : "滕德粹近作何工夫?"

德粹云 : "靜坐而已."

<hr />

98 『朱子語類』 권115, 31조목

99 '학문의 도는 … 뿐이다.' : 『孟子』「告子上」의 글이다. "仁은 사람의 마음이고, 義는 사람의 길이다. 그 길을 버리고 따르지 않으며, 그 마음을 잃어버리고 찾을 줄을 모르니, 애처롭다. 사람이 닭과 개가 도망가면 찾을 줄을 알지만, 마음을 잃고서는 찾을 줄을 알지 못하니, 학문하는 도는 다른 것이 아니라, 그 흩어진 마음을 찾는 것일 뿐이다.(仁, 人心也, 義, 人路也. 舍其路而不由, 放其心而不知求, 哀哉! 人有鷄犬放, 則知求之, 有放心而不知求. 學問之道, 無他, 求其放心而已矣.)"

100 『朱子語類』 권118, 1조목

曰 : "橫渠云, '言有教, 動有法, 晝有爲, 宵有得, 息有養, 瞬有存.' 此語極好. 君子終日乾乾, 不可食息閑. 亦不必終日讀書. 或靜坐存養亦是. 天地之生物, 以四時運動. 春生夏長固是不息, 及至秋冬凋落, 亦只藏於其中, 故明年復生. 若使至秋冬已絕, 則來春無緣復有生意. 學者常喚令此心不死, 則日有進."[101]

(주자가) 물었다. "등덕수滕德粹는 근래 어떤 공부를 했는가?"

덕수가 말했다. "정좌靜坐를 했을 뿐입니다."

(주자가) 말했다. "횡거가 '말에는 (따라야 할) 가르침이 있고, 행동에는 (따라야 할) 법도가 있고, 낮에는 행함이 있고, 밤에는 얻음이 있고, 숨 쉴 동안에도 수양함이 있고, 눈 깜박일 순간에도 보존함이 있다.'고 했는데, 이 말은 지극히 좋다. 군자는 종일토록 부지런히 노력하여, 밥 먹을 때나 숨 쉴 때에도 끊어져서는 안 된다. 또한 반드시 종일토록 독서할 필요도 없다. 어떤 때는 정좌하여 보존하고 기르는 것이 또한 옳다. 천지가 만물을 낳는 것은 사계절이 운행하기 때문이다. 봄에 태어나고 여름에 자라는 것은 물론 쉬지 않는 것이지만, 가을과 겨울에 시들어 떨어지는 것에 이르러서도, 또한 다만 그 가운데 간직되어 있는 것이니, 그러므로 다음 해에 다시 태어나는 것이다. 만약 가을과 겨울에 끊어져 버린다면, 다가올 봄에는 다시 생의生意를 가지게 될 길이 없게 된다. 배우는 자들이 항상 환기하여 이 마음이 사라지지 않도록 한다면, 날마다 진보함이 있게 될 것이다."

[47-2-30]

問武侯寧靜致遠之說.

曰 : "靜便養得根本深固, 自可致遠."[102]

무후武侯[103]의 '편안하고 고요하여 뜻을 멀리 이른다.'[104]는 학설에 대해 물었다.

- - - - - - - - - - - - - - - -

101 『朱子語類』 권118, 40조목
102 『朱子語類』 권136, 17조목
103 武侯 : 무후는 諸葛亮(181~234)의 시호이다. 제갈량은 중국 삼국시대 촉한의 謀臣이다. 자는 孔明이며, 별호는 臥龍 또는 伏龍이다. 후한 말 군웅인 劉備를 도와 蜀漢을 건국하는 제업을 이루었다. 207년 동오의 군벌 孫權과의 연합을 이끌어내 적벽에서 당대 최강의 군벌이었던 曹操를 격파하였고, 이후 형주 남부 4군을 발판으로 유비를 도왔다. 221년 유비가 제위에 오르자, 승상에 취임하였고, 유비 사후 劉禪을 보좌하여 촉한의 정치를 주장하였다. 227년부터 지속적인 北伐을 일으켜 8년 동안 5번에 걸쳐 魏나라의 옹·양주 지역을 공략하였다. 234년 5차 북벌 중 五丈原 진중에서 54세의 나이로 병사하였다. 중국 역사상 지략과 충의의 전략가로 많은 이들의 추앙을 받았다. 그가 북벌을 시작하면서 유선에게 올린 出師表는 현재까지 전해 내려오며, 이를 보고 울지 않으면 충신이 아니라고 평하는 명문으로 꼽히고 있다.
104 '편안하고 고요하여 … 이른다.' : 『諸葛忠武書』 권7 「遺事·誡子」에 "무릇 군자의 행실은 고요함으로 몸을 닦고 알뜰함으로써 덕을 길러야 한다. 마음이 담백하지 않으면 뜻이 밝을 수가 없고, 편안하고 고요하지 않으면 뜻을 멀리 이룰 수가 없다. 배움이란 반드시 고요한 마음으로 임해야 하며, 재능은 반드시 배움을 필요로 한다. 배우지 않는다면 재능을 넓힐 수 없고, 뜻이 없다면 학문을 이룰 수 없다. 마음이 태만해지면 정밀한 이치를 깨칠 수 없고, 조급함에 빠진다면 심성을 다스릴 수 없다.(夫君子之行, 靜以修身, 儉以養德,

(주자가) 말했다. "고요하면 근본을 깊고 견고하게 함양할 수 있으니, 저절로 멀리 이를 수 있다."

[47-2-31]

問：“宋傑尋常覺得資質昏愚, 但持敬則此心虛靜覺得好. 若敬心稍不存, 則裏面固是昏雜, 而發於外亦鶻突, 所以專於敬而無失上用功.”

曰：“這裏未消說敬與不敬在. 蓋敬是第二節事, 而今便把來夾雜說則鶻突了, 愈難理會. 且只要識得那一是一, 二是二. 便是虛靜, 也要識得這物事. 不虛靜, 也要識得這物事. 如未識得這物事時, 則所謂虛靜, 亦是箇黑底虛靜, 不是白底虛靜. 而今須是要打破那黑底虛靜, 換做箇白淨底虛, 靜則八窗玲瓏, 無不融通. 不然則守定那裏底虛靜, 終身黑淬淬地, 莫之通曉也.”[105]

물었다. "송걸심宋傑尋은 항상 자질이 어둡고 어리석다고 느꼈는데, 단지 경敬을 지키면 이 마음이 텅 비고 고요하여 좋게 느꼈습니다. 만약 경敬한 마음이 조금이라도 보존되지 못하면 내면이 분명 어둡고 잡스러워 밖으로 발현된 것이 흐릿하니, 그래서 '경敬하면서 잃음이 없는'[106] 곳에서 공을 들여야 합니다." (주자가) 말했다. "여기서 반드시 경敬과 경하지 않는 것에 있다고 말할 필요가 없다. 왜냐하면 경敬은 두 번째 일인데, 지금 혼잡하게 말하니 흐릿하여 더욱 이해하기 어렵다. 이 하나가 하나이고 둘이 둘인 것을 알아야 한다. 텅 비고 고요할 때에도 이것을 알아야 하고, 텅 비고 고요하지 않을 때에도 이것을 알아야 한다. 이것을 알지 못했을 때라면 텅 비고 고요한 것은 또한 어두운 텅 비고 고요한 것이지 밝은 텅 비고 고요한 것이 아니다. 지금 반드시 어두운 텅 비고 고요한 것을 타파하고 밝은 텅 비고 고요한 것으로 바꾸면 팔방의 창이 영롱하여 융통融通하지 않음이 없다. 그렇지 않으면 이 내면의 텅 비고 고요한 것을 지키는 것은 죽을 때까지 검무튀튀해서 밝게 통하지 못할 것이다."

[47-2-32]

問：“每日暇時畧靜坐以養心, 但覺意自然紛起, 要靜越不靜.”

曰：“程子謂心自是活底物事, 如何窒定教他不思? 只是不可胡亂思. 繞着箇要靜底意思, 便是添了多少思慮. 且不要恁地拘迫他, 須自有寧息時.”

非淡泊无以明志, 非寧靜无以致遠. 夫學須靜也, 才須學也. 非學无以廣才, 非志无以成學, 怠慢則不能勵精, 險躁則不能治性.)”라고 하였다.

105 『朱子語類』 권120, 95조목

106 '敬하면서 잃음이 없는': 정이천의 말이다. "경하면서 잃음이 없는 것은 희노애락이 미발할 때를 중이라고 하는 것이다. 경이 中이라고 말할 수 있지만, 경하면서 잃음이 없는 것은 중할 수 있는 까닭이다.(敬而無失, 便是喜怒哀樂未發謂之中. 敬不可謂中, 但敬而無失, 卽所以爲中也.)”(『河南程氏遺書』 권2상) 섭채는 『近思錄集解』에서 이 구절을 이렇게 설명한다. "이 말은 靜하면서 敬을 위주로 하면 사물이 아직 교접하지 않았을 때 마음이 경을 주된 것으로 해서 치우치고 편벽된 것이 없으면 미발의 중이라는 것이다. 경은 중이 아니지만 경은 그 중을 기르는 것이다.(此言靜而主敬, 事物未交, 心主乎敬, 不偏不倚, 卽所謂未發之中. 敬非中, 敬所以養其中也.)”

又曰: "要靜, 便是先獲, 便是助長, 便是正."[107]

물었다. "매일 한가할 때 정좌靜坐하여 마음을 기르는데, 다만 뜻이 저절로 어지럽게 일어나 고요하려고 하면 더욱 고요하지 못합니다."

(주자가) 답했다. "정자程子가 '마음은 살아 있는 것이니 어떻게 막아서 그것이 생각하지 않게 할 수 있겠는가? 단지 혼란하게 생각해서는 안 된다.'고 했다. 고요하려고 하는 의도가 있으면 더 많은 사려가 덧붙여진다. 우선 이와 같이 마음을 압박하려 해서는 안 되니 그리하면 반드시 저절로 편안할 때가 있다."

또 말했다. "고요하려고 한다면 먼저 얻으려는 것이고, 조장하려는 것이고, 기필하는 것이다."

[47-2-33]

問: "延平先生靜坐之說, 如何?"

曰: "這事難說. 靜坐理會道理自不妨, 只是討要靜坐則不可. 理會得道理明透, 自然是靜. 今人都是討靜坐以省事則不可. 蓋心下熱鬧, 如何看得道理出? 須是靜方看得出. 所謂靜坐, 只是打疊得心下無事, 則道理始出. 道理既出, 則心下愈明靜矣."[108]

물었다. "연평延平[李侗][109] 선생의 정좌靜坐에 대한 말은 어떠합니까?"

(주자가) 답했다. "이 일은 말하기 어렵다. 정좌는 도리를 이해하는 데에 원래 방해가 되지 않지만, 단지 정좌를 하려고 요구해서는 안 된다. 도리를 분명하게 이해했다면 저절로 고요해진다. 지금 사람들은 모두 정좌를 억지로 해서 일을 살피려고 하는데 이는 옳지 않다. 마음이 요란스럽다면 어떻게 도리를 볼 수 있겠는가? 반드시 고요하게 되고 나서 도리를 볼 수 있다. 정좌靜坐라는 것은 마음이 아무런 일이 없게 하는 것이니 그리하면 도리가 비로소 나오는 것이다. 도리가 나왔다면 마음은 더욱더 밝고 고요해진다."

[47-2-34]

勉齋黃氏曰: "寂然不動, 心之體也. 事物未接, 思慮未萌, 湛然純一, 如水之止, 如衡之平, 則

---

107 『朱子語類』 권118, 79조목

108 『朱子語類』 권103, 11조목. 『朱子語類』의 내용과는 다소 상이하다. 본문은 이러하다. "或問, '近見廖子晦言, 今年見先生, 問延平先生靜坐之說, 先生頗不以爲然, 不知如何? 曰, '這事難說. 靜坐理會道理, 自不妨. 只是討要靜坐, 則不可. 理會得道理明透, 自然是靜. 今人都是討靜坐以省事, 則不可. 嘗見李先生說「舊見羅先生說春秋, 頗覺不甚好. 不知羅浮靜極後, 又理會得如何.」是時羅已死. 某心常疑之. 以今觀之, 是如此. 蓋心下熱鬧, 如何看得道理出? 須是靜, 方看得出. 所謂靜坐, 只是打疊得心下無事, 則道理始出; 道理既出, 則心下愈明靜矣.'"

109 延平[李侗]: 李侗(1093~1163)이다. 자는 願中이고, 延平先生이라고 불린다. 송대 南劍州劍浦(현재 복건성 南平) 사람으로 楊時·羅從彦과 함께 '南劍三先生'이라 불린다. 나종언에게서 二程의 학문을 배우고, 40여 년 간 세속을 끊고 연구한 뒤에 '理一分殊' 등 이정의 학문을 주희에게 전수해 주었다. 저서는 『延平文集』이 있다.

其本靜矣. 蔽交於前, 其中則遷, 情慾熾而益蕩. 感物而動者既失其節, 寂然不動者亦且紛紜膠擾而不能以頃刻寧. 動靜相因展轉迷亂, 天理日微, 人欲日肆矣. 故主靜者所以制乎動, 無欲者所以全乎靜, 此周子之意而亦有所自來也. 艮其背不獲其身, 行其庭不見其人, 主乎靜也. 旦晝之梏亡, 則夜氣不足以存. 無欲則靜也."[110]

면재 황씨勉齋黃氏[黃榦][111]가 말했다. "적연하여 움직이지 않는 것은 마음의 체體이다. 사물과 아직 접촉하지 않고, 사려가 아직 싹트지 않아서는 담백하게 순일하여, 마치 물이 멈춘 것 같고, 저울추가 평형인 것과 같으니, 그것은 본래 고요하다. 앞에서 가로막아 마음이 옮겨지면, 정욕이 타올라 더욱더 방탕하게 된다. 그리하여 사물에 자극을 받아 움직이는 것은 이미 그 절도를 잃게 되고, 적연하여 움직이지 않는 것도 어지럽게 요동하여 조금이라도 안정될 수가 없다. 움직임과 고요함이 서로 원인이 되어 더욱 혼란하게 되니, 천리天理가 날로 미세하게 되고 인욕은 날로 방자해진다. 그러므로 고요함에 집중하는 것은 움직임을 제어하는 것이고, 무욕無欲은 고요함을 온전히 하는 것이다. 이것이 주자周子[周廉溪]의 뜻인데 또한 유래하는 바가 있는 것이다. '등에서 멈추면 몸을 얻지 못하며, 뜰에 가면서도 사람을 보지 못한다.'[112]는 것은 고요함에 집중함이다. 만일 낮 사이에 곡망梏亡시킨다면 야기夜氣를 보존시키기에는 부족하다.[113] 무욕하면 고요하게 된다."

- - - - - - - - - - - - - -
110 『勉齋集』 권2 「記二 · 家本仲無欲齋記」

111 勉齋黃氏[黃榦] : 黃榦(1152~1221)은 자는 直卿이고, 호는 勉齋이다. 송대 福州閩縣(현 복건성 福州) 사람으로 주희의 고족제자인 동시에 사위이다. 주희의 蔭補로 漢陽軍 · 安慶府 등을 역임하였다. 저서는 『書說』 · 『六經講義』 · 『勉齋集』 등이 있고, 『朱子行狀』을 집필했다.

112 '등에서 멈추면 … 못한다.' : 『周易』「艮卦」 괘사

113 夜氣를 보존시키기에는 부족하다. : 『孟子』「告子上」, "牛山의 나무가 일찍이 아름다웠었는데, 큰 나라의 교외이기 때문에 도끼와 자귀로 매일 나무를 베어가니, 아름답게 될 수 있겠는가? 그 밤에 자라나는 것과 비와 이슬이 적셔주는 것에 싹이 나오는 것이 없지 않지만, 소와 양이 또 따라서 방목되므로, 이 때문에 저와 같이 濯濯하게 되었다. 사람들은 그 濯濯한 것만 보고는 일찍이 훌륭한 재목이 있은 적이 없다고 여기니, 이것이 어찌 산의 性이겠는가! 비록 사람에게 보존된 것인들 어찌 仁義의 마음이 없겠는가? 그 양심을 잃어버림이 또한 도끼와 자귀가 나무에 대해서 아침마다 베어 가는 것과 같으니, 이렇게 하고서도 아름답게 될 수 있겠는가? 밤에 자라나는 것과 새벽의 맑은 기운에 그 좋아하고 미워함이 남들과 서로 가까운 것이 얼마 되지 않는데, 낮에 하는 소행이 이것을 梏亡하니, 梏亡하기를 반복하면 夜氣가 족히 보존될 수 없고, 夜氣가 보존될 수 없으면 금수와 거리가 멀지 않게 된다. 사람들은 그 금수같은 행실만 보고는 일찍이 훌륭한 材質이 있지 않았다고 여기니, 이것이 어찌 사람의 實情이겠는가?(牛山之木, 이 嘗美矣, 以其郊於大國也, 斧斤伐之, 可以爲美乎? 是其日夜之所息, 雨露之所潤, 非無萌蘖之生焉, 牛羊又從而牧之, 是以若彼濯濯也, 人見其濯濯也, 以爲未嘗有材焉, 此豈山之性也哉! 雖存乎人者, 豈無仁義之心哉! 其所以放其良心者, 亦猶斧斤之於木也, 旦旦而伐之, 可以爲美乎! 其日夜之所息, 平旦之氣, 其好惡與人相近也者幾希, 則其旦晝之所爲, 有梏亡之矣, 梏之反覆, 則其夜氣不足以存, 夜氣不足以存, 則其違禽獸, 不遠矣, 人見其禽獸也, 而以爲未嘗有才焉者, 是豈人之情也哉!)"

[47-2-35]

問 : "程子云, 靜後見萬物皆有春意如何? 此還是指聖賢而言否?"

潛室陳氏曰 : "觀物內會, 靜者能之, 固是聖賢如此. 吾人胥次, 豈可不見此境界? 靜却不分聖賢."[114]

물었다. "정자程子가 '고요한 뒤에 만물이 모두 춘의春意가 있음을 본다.'고 했는데 어떠합니까? 이것은 성현을 가리켜서 말한 것입니까?"

잠실 진씨潛室陳氏(陳埴)[115]가 말했다. "사물을 보고 마음으로 이해하는 것은 고요한 자만이 능할 수 있으니, 분명 성인이 이와 같다. 그러나 우리들 마음이라고 어찌 이 경계를 볼 수 없겠는가? 고요하면 성현과 구분되지 않는다."

省察 성찰

[47-3-1]

程子曰 : "人爲不善於幽隱之中者, 謂人莫己知也. 而天理不可欺, 何顯如之?"

或曰 : "是猶楊震所謂四知者乎?"

曰 : "幾之矣. 然人我知之猶有分也, 天地則無二知也."[116]

정자程子가 말했다. "사람이 불선한 행동을 몰래 하는 것을 자기를 알지 못한다고 한다. 그러나 천리天理는 속일 수가 없으니, 어찌 이보다 더 드러난 것이 있겠는가?"

어떤 사람이 말했다. "이는 양진楊震[117]이 말하는 4가지가 안다[118]는 것입니까?"

....

114 『木鍾集』 권10 「近思雜問附」
115 潛室陳氏(陳埴) : 陳埴은 器之이고, 호는 木鍾이며, 세칭 潛室先生이라 하였다. 송대 永嘉(현 절강성 溫州) 사람으로 通直郎을 역임하였다. 어려서는 葉適에게 배우고 나중에는 주희에게서 배웠다. 저서는 『木鍾集』·『禹貢辨』·『洪範解』 등이 있다.
116 『二程粹言』 상 「論道篇」
117 楊震 : 楊震(54~124)은 後漢 弘農 華陰 사람이다. 자는 伯起이다. 桓榮에게 尙書歐陽氏學을 익혔고, 경전에 밝고 박람해서 당시 '關西孔子楊伯起'라 불렸다. 나이 쉰에 비로소 茂才로 천거되어 荊州刺史와 東萊太守를 지냈다. 安帝 元初 4년(117) 太僕이 된 뒤 太常를 거쳐 延光 2년(123) 太尉에 올랐다. 당시 황제의 유모 王聖이 환관 樊豐 등과 탐욕을 부리며 교만과 사치를 저지르자 글을 올려 강력하게 간언했는데, 번풍의 모함을 받아 免官되자 자살했다.
118 4가지가 안다 : 四知는 天知, 神知, 我知, 子知를 말한다. 하늘이 알고 귀신이 알고 내가 알고 그대가 안다는 말이다. 『後漢書』 54卷에는 淸白吏 楊震에 관한 일화가 나온다. 이전에 그에 의해 荊州茂才로 천거를 받은 王密이 昌邑令이 되었는데, 밤에 몰래 찾아와 금 10근을 주면서 늦은 밤이라 아무도 모른다고 말했다. 그러자 양진이 "하늘이 알고 귀신이 알며, 내가 알고 그대가 안다."고 대답하면서 거절했다고 한다. 이를 四知라

정자가 말했다. "거의 비슷하다. 그러나 남과 내가 아는 것에는 오히려 구분이 있다. 천지는 앎에 차이가 없다."

[47-3-2]

"尸居却龍見, 淵黙却雷聲."[119]

(정자가 말했다.) "아무것도 안 하고 있을 때에도 오히려 용이 드러나고, 깊은 연못처럼 침묵할 때에도 우레 소리가 난다."[120]

[47-3-3]

"妄動由有欲. 妄動而得者, 其必妄動而失, 一失也. 其得之, 必失之, 二失也. 況有凶咎隨之乎? 是故妄得之福, 災亦隨焉, 妄得之得, 失亦繼焉. 苟或知此, 亦庶幾乎不由欲而動矣."[121]

(정자가 말했다.) "망령되이 움직이는 것은 욕심이 있기 때문이다. 망령되이 움직여서 얻은 것은 반드시 망령되이 움직여서 잃으니, 첫 번째 잃음이다. 그것을 얻으면 반드시 잃으니, 두 번째 잃음이다. 하물며 흉함과 허물이 그것에 따라오니 더 말할 것이 있겠는가? 그러므로 망령되이 얻은 복은 재앙 역시 따라오고, 망령되이 얻은 소득은 잃음 역시 이어진다. 진실로 이것을 한다면 또한 거의 욕심 때문에 움직이지 않을 것이다."

[47-3-4]

"學始於不欺闇室."[122]

(정자가 말했다.) "배움은 어두운 방에서 자신을 속이지 않는 것에서 시작한다."

⋯⋯⋯⋯⋯⋯⋯⋯⋯⋯

한다.

119 『河南程氏遺書』권3

120 "아무것도 안 ⋯ 난다.": 이 말은 원래 『莊子』「在宥」편에 나온 말이다. "그러므로 군자가 어쩔 수 없이 천하를 다스리게 되었다면 아무런 작위도 가하지 않는 무위보다 더 좋은 것은 없다. 아무런 작위도 가하지 않아야만 사람의 본성과 운명의 진실함에 편안할 수가 있는 것이다. 그러므로 그의 몸을 천하를 다스리는 것보다 귀하게 여기는 사람에게는 천하를 맡겨도 괜찮다. 그러므로 군자는 진실로 오장을 해부하지 않고 자신의 총명을 끄집어 내지 않을 수 있다면, 직무를 방기하고 가만히 있어도 용처럼 자유롭게 출현할 수 있을 것이며, 깊은 연못처럼 침묵하고 있어도 천둥 같은 소리를 낼 수 있을 것이며, 정신이 움직이면 천지가 따라서 조용히 아무 하는 일 없어도 만물이 저절로 생육될 것이니, 그런데도 천하를 다스릴 필요가 있겠는가?(故君子不得已而臨莅天下, 莫若无爲. 无爲也而後安其性命之情. 故貴以身爲天下, 則可以託天下. 愛以身爲天下, 則可以寄天下. 故君子苟能无解其五藏, 无擢其聰明. 尸居而龍見, 淵黙而雷聲, 神動而天隨, 從容无爲而萬物炊累焉. 吾又何暇治天下哉!)" 장자의 말과는 다른 맥락에서 정이천은 말하고 있는 듯하다.

121 『二程粹言』상 「論道篇」

122 『河南程氏外書』권1

[47-3-5]

張子曰: "求養之道, 心只求是而已. 蓋心弘則是, 不弘則不是, 心大則百物皆通, 心小則百物皆病. 悟後心常弘, 觸理皆在吾術內. 觀一物又敲點着此心, 臨一事又記着此心, 常不爲物所牽引去. 視燈燭亦足以警道大. 率因一事長一智, 只爲持得術博, 凡物常不能出博大之中."[123]

장자張子[張載]가 말했다. "함양을 구하는 도는 마음이 옳은 것을 구하는 것일 뿐이다. 마음이 넓으면 옳고 넓지 않다면 옳지 않으며 마음이 크면 모든 것이 통하고 마음이 작으면 모든 것이 병통이다. 깨달은 뒤에 마음이 항상 넓으니, 리理를 이해하는 것이 모두 나의 술수 안에 있다. 한 사물을 보면 또 이 마음을 일으키고, 한 가지 일에 임하면 또 이 마음을 기억해서, 항상 사물에 이끌려가지 않아야 한다. 그리하면 등불을 보아도 또한 충분하게 도가 크다는 것을 깨우친다. 한 가지 일에 따라서 한 가지 지혜가 늘어나니, 술수를 넓게 유지하면 모든 사물이 항상 이 넓은 것 가운데서 벗어날 수가 없다."

[47-3-6]

"愼喜怒, 此只矯其末而不知治其本, 宜矯輕警惰."[124]

(장자가 말했다.) "기쁨과 분노를 삼가는 것, 이것은 단지 그 말단을 교정하고 그 근본을 다스릴 줄 모르는 것이니, 마땅히 경솔한 것을 교정하고 나태한 것을 경계한다."

[47-3-7]

廣平游氏曰: "曾子云三省其身, 若夫學者之所省, 又不止此. 事親有不足於孝, 事長有不足於敬歟? 行或愧於心, 而言或浮於行歟? 慾有所未窒, 而忿有所未懲歟? 推是類而日省之, 則曾子之誠身庶乎可以跂及矣."[125]

광평 유씨廣平游氏[游酢][126]가 말했다. "증자가 하루에 세 가지로 자신을 반성한다고 했는데,[127] 배우는

---

123 『張載集』「經學理窟 · 氣質」

124 『張載集』「經學理窟 · 氣質」

125 『游廌山集』권1 「論語雜解」

126 廣平游氏[游酢]: 游酢(1053~1123)의 자는 定夫 · 子通이고, 호는 山 · 廣平이며, 시호는 文肅이다. 建陽(福建省) 사람이다. 북송 때 경학가이다. 1083년에 진사가 되어 太學博士, 監察御使 등을 지냈다. 형 游醇과 함께 학문과 행실로 알려져서 당시 知扶溝縣으로 있던 程顥의 부름을 받아 學事를 맡게 되었고, 그때부터 정호 형제를 사사하였다. 謝良佐, 楊時, 呂大臨과 함께 '程門四先生'으로 일컬어졌다. '도'를 천지 만물 속에 있는 보편적 존재로 인식하여 자연의 도가 바로 인륜의 이치라고 주장하였다. 『周易』을 중시하여 그 책 속에 우주 만물의 이치가 포함되어 있다고 보았다. 만년에 禪에 몰입하여 유가가 불가를 배척할 것이 아니라 서로 보완적인 관계가 되어야 한다고 주장하여 후대 학자인 胡宏으로부터 '정자 문하의 죄인'이라고 혹평을 받기도 하였다. 저술로 『易說』 · 『中庸義』 · 『論語孟子雜解』 · 『詩二南義』 등이 있었지만 모두 잃어버렸고, 남은 글을 모아 후세 사람이 엮은 『游廌山集』이 남아 있다.

127 세 가지로 … 했는데: 『論語』「學而」에 "나는 날마다 세 가지로 내 몸을 반성한다. 남을 위하여 일을 도모하는 데에 충성스럽지 못했는가? 친구와 더불어 사귀는 데에 성실하지 못했는가? 전수받은 것을 익히지 않았는

사람이 반성하는 것은 또 이것에 그치지 않는다. 부모를 섬기는 데에 효에 부족한 점이 있거나, 어른을 섬기는 데에 경敬에 부족하지는 않았는가? 행하는 데에 혹 마음에 부끄러운 점이 있거나 말하는 데에 혹 행동보다 떠버리지 않았는가? 욕심을 막지 못한 점이 있거나 분노를 징계하지 못한 점이 있지 않은가? 이러한 부류를 미루어 날마다 반성하면 증자가 몸을 성실하게 한 경지에 거의 발돋음하여 미쳤을 것이다."

[47-3-8]
"人所不睹, 可謂隱矣. 而心獨見之, 不亦見乎? 人所不聞, 可謂微矣. 而心獨聞之, 不亦顯乎? 知莫見乎隱, 莫顯乎微, 而不能愼獨, 是自欺也. 其離道遠矣."128

(광평 유씨가 말했다.) "사람이 보지 못하는 것을 감추어진 것[隱]이라 할 수 있다. 그러나 마음이 혼자 보니 또한 드러나지 않았는가? 사람이 듣지 못하는 것을 은미한 것[微]이라 할 수 있다. 그러나 마음이 홀로 들으니 또한 드러나지 않았는가? 감추어진 것보다 드러나는 것은 없고, 은미한 것보다 나타나는 것은 없다는 것을 알고서 홀로 아는 것을 삼갈 수 없다면129 이는 스스로를 기만하는 것이다. 그것은 도에서 아주 멀리 벗어났다."

[47-3-9]
和靖尹氏曰: "莫大之禍, 起於須臾之不忍, 不可不謹."

화정 윤씨和靖尹氏[尹焞]130가 말했다. "가장 큰 재앙은 순간에 참지 못한 것으로부터 일어나니, 삼가지 않을 수 없다."

[47-3-10]
延平李氏曰: "凡蹈危者慮深而獲全, 居安者患生於所忽, 此人之常情也."

연평 이씨延平李氏[李侗]131가 말했다. "위험을 당한 사람은 깊게 생각하여 안전을 얻지만, 편안함에 거한

가?(曾子曰, 吾日三省吾身. 爲人謀而不忠乎? 與朋友交而不信乎? 傳不習乎?)"라고 하였다.

128 『游廌山集』 권1 「論語雜解」

129 감추어진 것보다 … 없다면 : 이 말은 『中庸』의 다음과 같은 말에 대한 설명이다. "감추어진 것이 없고, 은미한 것보다 나타나는 것은 없으니, 군자는 홀로 아는 것을 삼간다.(莫見乎隱, 莫顯乎微, 故君子, 愼其獨也.)"

130 和靖尹氏[尹焞] : 尹焞(1071~1142)은 송나라 河南 사람. 자는 彦明이고, 德充이라고도 한다. 尹源의 손자이다. 어릴 적부터 정이를 스승으로 섬겼다. 과거에 응시했다가 시험문제가 元祐의 여러 신하를 주살한 일을 논의하라는 것이 나와 답하지 않고 나와서 평생토록 과거시험을 보지 않았다. 欽宗 靖康 초에 서울에 불려가서 和靖處士라는 호를 받았다. 高宗 때에 숭정전설서, 예부시랑겸시강을 역임했다. 『論語解』・『和靖集』이 있다.

131 延平李氏[李侗] : 李侗(1039~1163)은 남송시대의 학자로 자는 愿中이다. 南劍 사람이다. 사람들이 延平 선생이라고 불렀다. 楊時, 羅從彦, 朱熹와 더불어 '延平四賢'이라고 한다. 나종언으로부터 학문을 시작하였고

사람은 근심이 소홀함에서 생겨나니, 이것이 인지상정이다."

[47-3-11]

朱子曰：“要知天之與我者, 只如孟子說'無惻隱之心非人也, 無羞惡之心非人也, 無是非之心非人也, 無辭讓之心非人也.' 今人非無惻隱羞惡是非辭讓發見處, 只是不省察了. 若於日用間試省察此四端者分明迸賛出來, 就此便操存涵養將去, 便是下手處. 只爲從前不省察了, 此端纔見, 又被物欲汩了. 所以秉彛不可磨滅處雖在, 而終不能光明正大如其本然."[132]

주자가 말했다. "하늘이 나에게 준 것을 알려고 하면 단지 맹자가 '측은지심惻隱之心이 없으면 사람이 아니고, 수오지심羞惡之心이 없으면 사람이 아니고, 시비지심是非之心의 마음이 없으면 사람이 아니고, 사양지심辭讓之心이 없으면 사람이 아니다.'[133]고 말한 것과 같을 뿐이다. 지금 사람들은 측은지심과 수오지심과 시비지심과 사양지심이 발현되는 곳이 없지 않은데 단지 성찰하지 않을 뿐이다. 만약 일상생활 속에서 이 사단을 성찰하면 발현되어 나오니 여기에서 이것을 잡아 보존하고 함양해 나가는 것이 손을

. . . .

후에 산속에 은거하며 학문을 가르쳤다. 『宋元學案』 권3 「豫章學案」에서는 "李侗은 24세에 군에 있던 羅仲素라는 사람이 河洛의 학문을 楊龜山으로부터 전해 배웠다는 말을 듣고 그에게 가서 배웠다. 나중소는 세상에서 알려지지 않았으나 선생은 홀로 깨우쳤다. 후에 물러나 은거하여 세상과 인연을 끊어 40여년 동안 가난하게 살면서 기쁘게 유유자적하였다."라고 하였다.

132 『朱子語類』 권118, 35조목

133 '측은지심이 없으면 … 아니다.' : 『孟子』 「公孫丑上」의 글이다. "사람들은 모두 사람을 차마 해치지 못하는 마음을 가지고 있다. 先王이 사람을 차마 해치지 못하는 마음을 두어, 사람을 차마 해치지 못하는 정사를 시행하셨으니, 사람을 차마 해치지 못하는 마음으로 사람을 차마 해치지 못하는 정사를 행한다면, 천하를 다스림은 손바닥 위에 놓고 움직일 수 있을 것이다. 사람들이 모두 사람을 차마 해치지 못하는 마음을 가지고 있다고 말하는 까닭은, 지금에 사람들이 갑자기 어린아이가 장차 우물로 들어가려는 것을 보고는 모두 깜짝 놀라고 惻隱해 하는 마음을 가지니, 이것은 어린아이의 부모와 교분을 맺으려고 해서도 아니며, 동네사람과 친구들에게 명예를 구해서도 아니며, 잔인하다는 악명을 싫어해서 그러한 것도 아니다. 이로 말미암아 본다면 惻隱之心이 없으면 사람이 아니며, 羞惡之心이 없으면 사람이 아니며, 辭讓之心이 없으면 사람이 아니며, 是非之心이 없으면 사람이 아니다. 惻隱之心은 仁의 단서요, 羞惡之心은 義의 단서요, 辭讓之心은 禮의 단서요, 是非之心은 智의 단서이다. 사람이 이 四端을 가지고 있는 것은 四體를 가지고 있는 것과 같으니, 사단을 가지고 있으면서도 스스로 仁義를 행할 수 없다고 말하는 자는 자신을 해치는 자이고, 자기 군주가 仁義를 행할 수 없다고 말하는 자는 군주를 해치는 자이다. 무릇 四端이 나에게 있는 것을 다 넓혀서 채울 줄 알면, 마치 불이 처음 타오르며 샘물이 처음 나오는 것과 같을 것이니, 만일 능히 이것을 채운다면 족히 四海를 보호할 수 있고, 만일 채우지 못한다면 부모도 섬길 수 없을 것이다.(人皆有不忍人之心. 先王有不忍人之心, 斯有不忍人之政矣, 以不忍人之心, 行不忍人之政, 治天下, 可運之掌上. 所以謂人皆有不忍人之心者, 今人乍見孺子將入於井, 皆有怵惕惻隱之心, 非所以內交於孺子之父母也, 非所以要譽於鄕黨朋友也, 非惡其聲而然也. 由是觀之, 無惻隱之心, 非人也, 無羞惡之心, 非人也, 無辭讓之心, 非人也, 無是非之心, 非人也. 惻隱之心, 仁之端也, 羞惡之心, 義之端也, 辭讓之心, 禮之端也, 是非之心, 知之端也. 人之有是四端也, 猶其有四體也. 有是四端而自謂不能者, 自賊者也, 謂其君不能者, 賊其君者也. 凡有四端於我者, 知皆擴而充之矣, 若火之始然, 泉之始達, 苟能充之, 足以保四海, 苟不充之, 不足以事父母.)"

써야할 곳이다. 종전처럼 성찰하지 않다가, 이 사단이 발현되어 또 물욕에 휩쓸린다. 그래서 마멸될 수 없는 떳떳한 본성이 있더라도, 결국에는 그 본연本然처럼 광명정대할 수가 없을 것이다."

[47-3-12]
"就日用間實下持敬工夫, 求取放心, 然後却看自家本性元是善與不善, 自家與堯舜元是同與 不同. 若信得及, 意思自然開明, 持守亦不費力矣."[134]
(주자가 말했다.) "일상생활에서 실제로 경敬을 유지하는 공부를 해서, 흩어진 마음을 구하여 취한 뒤에 자신의 본성이 원래 선한지 불선한지, 자신이 원래 요순과 같은지 다른지를 보아야 한다. 그리하여 그것을 믿을 수 있다면 생각이 저절로 열어 밝혀지고, 지키는 것도 힘을 쓰지 않는다."

[47-3-13]
"道體流行, 初無間斷, 是以無所不致其戒懼. 非謂獨戒懼乎隱微, 而忽畧其顯著也."[135]
(주자가 말했다.) "도의 본체는 유행하여 애초부터 단절이 없으니, 그래서 어느 곳에서나 경계하고 두려워하지 않아야 한다. 이는 은밀하고 미세한 곳에서만 경계하고 두려워할 뿐, 훤히 드러나는 곳에서는 소홀하게 대충하는 것을 말하는 것이 아니다."

[47-3-14]
"天下之事, 非艱難多事之可憂, 而宴安酖毒之可畏. 政使功成治定無一事之可爲, 尙當朝兢 夕惕, 居安慮危, 而不可以少怠."[136]
(주자가 말했다.) "천하의 일은 힘들고 많은 것이 걱정할 것이 아니고, 안일함이 짐독酖毒처럼 되는 것이 두려운 것이다. 설사 공업이 이루어지고 정치가 안정되어 할 수 있을 만한 일이 하나도 없더라도 오히려 마땅히 밤낮없이 전전긍긍하며 편안한 데에 머무르면서 위태로움을 걱정하면서 조금이라도 태만해서는 안 된다."

[47-3-15]
"審微於未形, 御變於將來, 非知道者孰能."[137]
(주자가 말했다.) "아직 드러나지 않은 곳에서 기미를 살피고, 미래에 닥칠 변화를 제어하는 것은 도를 아는 자가 아니라면 누가 능하겠는가?"

· ·
134 『朱文公文集』 권50 「書·答周舜弼」
135 『朱文公文集』 권60 「書·答許生」
136 『朱文公文集』 권11 「封事·戊申封事」
137 『朱子語類』 권108, 29조목

[47-3-16]

"人不自知其病者, 是未嘗去體察警省也."[138]

(주자가 말했다.) "사람이 그 병을 스스로 알지 못하는 것은 체찰하고 반성하지 않았기 때문이다."

[47-3-17]

"古人瞽史誦詩之類, 是規戒警誨之意. 有時不然. 便被他恁地炒, 自是使人住不着. 大抵學問須是警省."[139]

(주자가 말했다.) "고인이 고사瞽史[140]로 하여금 송시誦詩하게 한 부류는 경계하고 가르치는 뜻이었다. 어떤 때는 그렇지 않아서, 그들에 의해서 시끄럽게 되어, 사람들이 안정할 수 없게 하였다. 대체로 학문은 반드시 경계하고 반성해야만 한다."

[47-3-18]

"今說求放心, 吾輩却要得此心主宰得定, 方賴此做事業. 如中庸說天命之謂性, 即此心也, 率性之謂道, 亦此心也, 修道之謂教, 亦此心也, 以至於致中和, 贊化育, 亦只此心也. 致知, 即心知也. 格物, 即心格也. 克己, 即心克也. 非禮勿視聽言動, 勿與不勿, 只爭毫髮地爾. 所以明道說聖賢千言萬語, 只是欲人將已放之心收拾入身來, 自能尋向上去. 今且須就心上做得主定, 方驗得聖賢之言有歸着, 自然有契. 如中庸所謂尊德性, 致廣大, 極高明, 蓋此心本自如此廣大, 但爲物欲隔塞, 故其廣大有虧, 本自高明, 但爲物欲係累, 故於高明有蔽. 若能常自省察警覺, 則高明廣大者常自若, 非有所增損之也. 其道問學, 盡精微, 道中庸等工夫, 皆自此做, 儘有商量也. 若此心上工夫, 則不待商量睹當. 即今見得如此, 則更無閑時, 行時, 坐時, 讀書時, 應事接物時, 皆有着力處. 大抵只要見得, 收之甚易而不難也."[141]

(주자가 말했다.) "지금 흩어진 마음을 구하는 것[142]을 말하는 데에 우리들은 이 마음을 주재하여 안정시켜서 이것에 의지해서 사업을 하고자 한다.[143] 『중용』에서 '천명天命을 성性이라고 한다.'는 것도 이 마음

• •

138 『朱子語類』 권12, 22조목

139 『朱子語類』 권12, 15조목

140 瞽史 : 樂師와 史官을 말한다. 『周禮』「秋官・大行人」에 "九歲屬瞽史, 諭書名, 聽聲音."이라 하고, 『國語』「周語上」에 "瞽史教誨, 耆艾修之."라 하였다. 韋昭는 "瞽는 樂太師이고 史는 太史이다.(瞽, 樂太師, 史, 太史也.)"라고 주석하고 있다.

141 『朱子語類』 권12, 33조목

142 흩어진 마음을 … 것 : 맹자가 말하는 求放心을 말한다.

143 지금 흩어진 … 한다. : 『朱子語類』에 나온 원문은 불교와 도교를 비교하여 유학자들이 말하는 차이를 설명한다. "지금 흩어진 마음을 구하는 것을 말하는 데에 설왕설래 하지만, 불교와 도교에서 말하는 入定과 유사하게 말한다. 그러나 이에 이르면 죽은 것이니, 우리 선배들은 이 마음의 주재를 안정시켜야, 이것에 의지하여 사업을 한다고 하니, 그래서 다르다.(今說求放心, 說來說去, 却似釋老說入定一般. 但彼到此便死

이고, '성性을 따르는 것을 도라고 한다.'는 것도 이 마음이고, '도를 수양하는 것을 가르침이라 한다.'는 것도 이 마음이고, '중화中和에 이르고 화육化育에 참여한다.'는 것도 또한 이 마음이다. 『대학』에서 말하는 '치지致知'는 이 마음을 아는 것이고, '격물格物'은 이 마음을 격格하는 것이다. 『논어』에서 말하는 '극기克己'[144]는 이 마음을 극하는 것이다. '예가 아니면 보지도 말고 듣지도 말고 말하지도 말고 행하지도 말라.'[145]는 것에서 하느냐 하지 않느냐는 털끝만한 것을 다투는 것일 뿐이다. 그래서 명도明道는 '성현의 수천만 가지 말은 단지 사람이 이미 흩어진 마음을 자신에게서도 수습하여, 스스로 위로 향하여 나아갈 수 있게 하고자 한 것이다.'[146] 하였다. 지금 반드시 마음에서 집중하고 안정을 이루어야 성현의 말씀에 귀착점이 있음을 징험하여 절로 성인과 계합함이 있게 된다. 『중용』에서 '덕성을 높이고, 학문을 말미암고, 광대함을 지극히 하고 고명함을 다한다.'[147]고 했다. 이 마음은 본래 이와 같이 광대하지만, 물욕에 막히기 때문에 광대함에 어그러짐이 있으며, 본래 고명하지만, 물욕에 얽매이므로 고명함에 가려짐이 있다. 만약 항상 스스로 성찰하고 경계하여 깨닫는다면 고명함과 광대함이 항상 그러하여 덧붙이고 덜어내는 것이 있지 않다. 그 학문을 말미암고, 정미함을 다하고 중용을 따르는 등의 공부는 모두 이것을 하는 것이니, 조금 생각해 볼 것이 있다. 이 마음에서 공부하는 것으로 말하면 생각할 것도 없이 합당하다. 지금 이와 같음을 볼 수 있으면 다시 한가할 때나 행할 때나 앉을 때나 독서할 때나 막론하고 사물을 응접할 때에 모두 힘을 쓸 곳이 있다. 대체로 이와 같음을 볼 수 있다면 수렴하는 것이 매우 쉽고 어렵지 않다."

· · · · · · · · · · · · · · · · · · · ·

了, 吾輩却要得此心主宰得定, 方賴此做事業, 所以不同也.)"

144 '克己': 『論語』「顏淵」에 "안연이 仁에 대해 묻자, 공자 말했다. '자신의 사욕을 극복하여 禮를 돌아가는 것이 仁을 실천하는 것이니, 하루 동안이라도 사욕을 이겨 禮로 돌아가면 세상 사람들이 仁하다고 인정해 줄 것이다.'(顏淵問仁, 子曰, '克己復禮爲仁, 一日克己復禮, 天下歸仁焉.')"

145 '예가 아니면 … 말라.': 『論語』「顏淵」에 "顏淵이 말했다. '그 조목을 묻겠습니다.' 공자가 말했다. '禮가 아니면 보지 말며, 예가 아니면 듣지 말며, 예가 아니면 말하지 말며, 예가 아니면 움직이지 않는 것이다.' 안연이 말하였다. '제가 비록 불민하지만, 청컨대 이 말씀을 따르겠습니다.'(顏淵曰, '請問其目.' 子曰, '非禮勿視, 非禮勿聽, 非禮勿言, 非禮勿動.' 顏淵曰, '回雖不敏, 請事斯語矣.')"라고 하였다.

146 '성인의 수천만 … 것이다.': 『河南程氏遺書』권1 이 구절에 대해서 葉采는 『近思錄集解』에서 이렇게 설명하고 있다. "성현의 가르침은 여러 가지 단서에서 그 귀착점을 구하는 것이니, 이 마음을 보존하려고 하는 것일 뿐이다. 마음이 밖으로 내달리지 않으면 학문이 날로 고명한 경지에 나아간다.(聖賢垂訓, 多端求其指歸, 則不過欲存此心而已. 心不外馳, 則學問日進於高明矣.)" 주희는 이렇게 말한다. "맹자가 말하는 흩어진 마음을 구한다는 것은 절실한 것을 보여준 말이다. 정자는 또 그 뜻을 곡진하게 밝혔다. 배우는 사람은 마땅히 가슴에 간직하여 잃지 말아야 한다.(孟子求放心, 乃開示要切之言. 程子又發明之曲盡其旨. 學者宜服膺而勿失也.)"

147 '덕성을 높이고 … 다한다.': 『中庸』27장에 "군자는 德性을 높이고 學問을 말미암으니, 광대함을 지극히 하고 精微함을 다하며, 고명함을 다하고 中庸을 따르며, 옛 것을 잊지 않고 새로운 것을 알며, 후덕함을 돈독히 하고 禮를 높이는 것이다.(故君子, 尊德性而道問學, 致廣大而盡精微, 極高明而道中庸, 溫故而知新, 敦厚以崇禮.)"

[47-3-19]

“學者須是求放心, 然後識得此性之善. 人性無不善, 只緣自放其心, 遂流於惡. 天命之謂性, 即天命在人, 便無不善處. 發而中節亦是善, 不中節便是惡. 人之一性完然具足, 二氣五行之所稟賦, 何嘗有不善? 人自不向善上去, 玆其所以爲惡爾. 韓愈論孟子之後不得其傳, 只爲後世學者不去心上理會. 堯舜相傳, 不過論人心道心精一執中而已. 天下只是善惡兩端. 譬如陰陽在天地間, 風和日暖, 萬物發生, 此是善底意思, 及羣陰用事, 則萬物彫瘁. 惡之在人亦然. 天地之理, 固是抑遏陰氣, 勿使常勝. 學者之於善惡, 亦要於兩夾岸處攔截分曉, 勿使纖惡. 間絶善端, 動靜日用, 時加體察持養, 久之自然成熟.”[148]

(주자가 말했다.) “배우는 사람은 반드시 흩어진 마음을 구한 뒤에 이 성性의 선함을 깨달을 수 있다. 사람의 성性은 선하지 않음이 없지만 스스로 그 마음을 놓아버려서 악으로 흐른다. '천명天命을 성性이라고 한다.'고 하니 천명이 사람에게 있어서, 선하지 않음이 없다. 발현하여 절도에 적중하면 또한 선이고 절도에 적중하지 않으면 악이다. 사람에게서 하나의 성이 완전히 구비되었고 이기二氣 오행五行을 품부받은 것이 어찌 선하지 않음이 있겠는가? 사람이 스스로 선을 향하여 나아가지 않아서 악하게 될 뿐이다. 한유韓愈는 맹자 이후에 그것이 전해지지 않은 것은 단지 후세의 배우는 사람들이 마음에서 이해하지 않았기 때문이라고 논했다. 요와 순이 서로 전한 것은 '인심은 위태롭고 도심은 은미하니, 정밀하게 하고 하나로 집중하여 중中을 잡으라'는 것일 뿐이다. 천하는 선과 악 두 단서일 뿐이다. 비유하자면 음양陰陽이 천지 사이에 있어서 바람이 온화하고 해가 따뜻하여 만물이 발생하니, 이것이 선한 뜻이고, 여러 음기가 작용하면 만물이 초췌해진다. 악이 사람에게 있는 것도 이와 같다. 천지의 리理는 음기를 억눌러서 계속해서 이기지 않게 하는 것이다. 배우는 사람은 선악에 대해서 또한 두 가지를 양단으로 완전히 분간해내어, 조그마한 악도 선한 단서를 끊지 않게 하는 것이다. 매일의 동정動靜에서 때때로 체찰體察하고, 함양하여 오래되면 저절로 성숙할 것이다.”

[47-3-20]

“許多言語雖隨處說得有淺深大小, 然而下工夫只一般. 如存其心與持其志, 亦不甚爭. 存其心語雖大, 却寬, 持其志語雖小, 却緊. 只持其志, 便收歛. 只持其志, 便內外肅然.”

又曰: “持其志, 是心之方漲處便持着.”[149]

(주자가 말했다.) “수많은 말에는 비록 장소에 따라서 말하는 것이 깊고 얕고 크고 작은 차이가 있지만 공부하는 것은 마찬가지이다. 예를 들어 그 마음을 보존하는 것과 그 뜻을 유지하는 것은 또한 크게 다투지 않는다. 그 마음을 보존하는 것은 그 말이 크지만 오히려 관대하고, 그 뜻을 유지하는 것은 말이 비록 작지만 오히려 굳다. 다만 그 뜻을 유지하면 곧 수렴하는 것이다. 다만 그 뜻을 유지하면 안과 밖이 숙연하게 된다.”

· ·

148 『朱子語類』 권12, 34조목
149 『朱子語類』 권12, 36조목

또 말했다. "그 뜻을 유지하는 것은 마음이 늘어지는 것을 잡는 것이다."

[47-3-21]

問存心.

曰: "非是別將事物存心. 一云非是活捉一物來存着 孔子曰, 居處恭, 執事敬, 與人忠, 便是存心之法. 如說話覺得不是便莫說, 做事覺得不是便莫做, 亦是養心之法."[150]

마음을 보존하는 것에 대해서 물었다.

(주자가) 말했다. "따로 어떤 것을 가지고 마음을 보존하는 것은 아니다. 어떤 판본에서는 한 가지 것을 생생하게 잡아서 보존하는 것은 아니다고 했다. 공자가 '거처할 때 공손히 하며, 일을 할 때 공경하며, 사람을 대할 때 충직하게 해야 한다.'[151]고 했으니, 이것이 마음을 보존하는 방법이다. 말을 하는 데 옳지 않다고 느꼈다면 말하지 말고, 일을 하는 데에 옳지 않다고 느꼈다면 하지 않는 것 역시 마음을 함양하는 방법이다."

[47-3-22]

"靜中私意橫生, 此學者之通患. 能自省察至此, 甚不易得. 此當以敬爲主, 而深察私意之萌多爲何事, 就其重處痛加懲窒, 久之純熟, 自當見效. 不可計功於旦暮而多爲說以亂之也."[152]

(주자가 말했다.) "고요한 가운데서 사사로운 뜻이 멋대로 생겨나는데, 이것은 배우는 사람들의 공통된 근심이다. 스스로 이것을 성찰省察하는 것은 쉽게 얻을 수 없다. 마땅히 경敬을 위주로 하고, 사사로운 뜻이 싹트는 것이 대부분 무슨 일 때문인지를 깊이 살펴, 그 중요한 곳에 나아가서 징계하여 막아 나가기를 오래도록 순수하고 익숙하게 하면 저절로 마땅히 효과를 보게 된다. 하루아침에 공을 헤아리거나 많은 이야기를 하여 어지럽게 해서는 안 된다."

[47-3-23]

"文字講說得行, 而意味未深者, 正要本源上加功, 須是持敬. 持敬以靜爲主, 此意須要於不做工夫時頻頻體察, 久而自熟. 但是着實自做工夫, 不干別人事. 爲仁由己而由人乎哉? 此語的當. 更看有何病痛, 知有此病, 必去其病, 此便是療之之藥. 如覺言語多, 便用簡黙, 意思疎闊, 便加細密. 覺得輕浮淺易, 便須深沉重厚. 程先生所謂'矯輕警惰',[153] 蓋如此."[154]

---

150 『朱子語類』 권12, 37조목

151 '거처할 때 … 한다.': 『論語』 「子路」, "번지가 仁을 묻자, 공자가 답했다. '거처할 때 공손히 하며, 일을 할 때 공경하며, 사람을 대할 때 충직하게 해야한다. 이것은 비록 오랑캐의 나라에 가더라도 버려서는 안 된다.' (樊遲問仁, 子曰, '居處恭, 執事敬, 與人忠, 雖之夷狄, 不可棄也.')"

152 『朱文公文集』 권44 「書‧答任伯起」

153 程先生所謂'矯輕警惰': '矯輕警惰'는 장횡거의 말인데 程先生이라고 하고 있다. 『朱子語類』에는 張先生으로 되어 있다.

(주자가 말했다.) "문자를 강설했는데도 의미가 깊지 않은 것은 본원本原에서 공을 들여야 하니, 반드시 경敬을 유지해야만 한다. 경敬을 유지하는 것은 정靜을 위주로 한다. 이 뜻은 반드시 공부를 하지 않았을 때에도 빈번하게 체찰體察해야 하니 오래되면 저절로 익숙해진다. 단지 착실하게 스스로 공부하여 다른 일에 간여하지 않는다. 공자가 '인仁을 하는 것은 자기에 달려 있으니, 남에게 달려있는 것이겠는가?[155] 라고 하였으니 이 말이 적당하다. 어떤 병통이 있는지를 다시 보고 이 병이 있음을 알면, 반드시 그 병을 제거해야 하니, 이것이 치료하는 약이다. 예를 들어 말이 많다고 느끼면 침묵하고, 의미가 소홀하다고 느끼면 세밀하게 한다. 경솔하고 천박하다고 느끼면, 반드시 깊이 있고 중후하게 해야 한다. 장선생張先生[張載]이 '경솔함을 고치고 나태함을 경계한다.'[156]고 했는데 이와 같기 때문이다."

[47-3-24]

"人有此心, 便知有此身. 人昏昧不知有此心, 便如人困睡不知有此身. 人雖困睡, 得人喚覺, 則此身自在. 心亦如此. 方其昏蔽得人警覺, 則此心便在這裏."[157]

(주자가 말했다.) "사람은 이 마음이 있으면, 이 몸이 있음을 안다. 사람이 어리석고 어두우면 이 마음이 있는지 모르니, 이는 마치 사람이 잠을 자면서 이 몸이 있는지 알지 못하는 것과 같다. 사람이 잠을 자다가도 사람이 불러서 깨어나면 이 몸이 그대로 있다. 마음 역시 이와 같다. 어리석고 어두웠다가 사람이 경계하여 깨우쳐주면 이 마음은 여기에 있다."

[47-3-25]

"學者工夫只在喚醒上."

問: "人放縱時自去收歛, 便是喚醒否?"

曰: "放縱, 只爲昏昧之故. 能喚醒, 則自不昏昧. 不昏昧, 則自不放縱矣."[158]

(주자가 말했다.) "배우는 사람의 공부는 단지 불러 깨우는 데에 있다."

물었다. "사람이 방심하여 늘어질 때 스스로 수렴하면 불러 깨우는 것입니까?"

154 『朱子語類』 권9, 24조목
155 '仁을 하는 … 것이겠는가?' : 『論語』「顏淵」, "안연이 仁을 묻자, 공자가 말했다. '자기의 사욕을 이겨 禮에 돌아감이 仁을 하는 것이니, 하루 동안이라도 사욕을 이겨 禮에 돌아가면 천하가 仁을 허여하는 것이다. 仁을 하는 것은 자기에 달려 있으니, 남에게 달려있는 것이겠는가?(顏淵問仁, 子曰, 克己復禮爲仁, 一日克己復禮, 天下歸仁焉, 爲仁由己, 而由人乎哉?)"
156 '경솔함을 고치고 … 경계한다.' : 『張載集』「經學理窟·氣質」. 葉采는 『近思錄集解』에서 이 말에 대해 이렇게 설명한다. "경솔하면 조급하고 게으르면 늘어진다. 두 가지는 배우는 사람의 큰 병통이다. 그러나 경솔하면 반드시 게으르니, 두 가지 병통은 서로 원인이 된다. 나아감이 빠른 자는 물러남이 빠르니, 경솔함과 게으름을 말한다.(輕, 則浮躁, 惰則弛慢. 二者, 爲學者大患. 然輕, 必惰, 雖二病而實相因. 其進銳者, 其退速, 輕與惰之謂也.)"
157 『朱子語類』 권12, 17조목
158 『朱子語類』 권12, 18조목

(주자가) 말했다. "방심하여 늘어지는 것은 어둡기 때문이다. 불러 깨울 수 있다면 저절로 어둡지 않다. 어둡지 않다면 저절로 방심하여 늘어지지 않는다."

[47-3-26]

"心只是一箇心, 非是以一箇心治一箇心. 所謂存, 所謂收, 只是喚醒."[159]

(주자가 말했다.) "마음은 단지 하나의 마음이지 하나의 마음으로 하나의 마음을 다스리는 것은 아니다. 보존한다는 것이나 수렴한다는 것은 단지 불러 깨우는 것이다."

[47-3-27]

"人心常炯炯在此, 則四體不待覊束而自入規矩. 只爲人心有散緩時, 故立許多規矩來維持之. 但常常提警教身入規矩內, 則此心不放逸而炯然在矣. 心旣常惺惺, 又以規矩繩檢之, 此內外交相養之道也."[160]

(주자가 말했다.) "사람의 마음은 항상 여기에서 밝게 빛나면 사체四體를 구속할 필요가 없이 저절로 법도에 맞게 된다. 단지 사람의 마음이 흩어져 늘어질 때 수많은 법도를 세워서 유지한다. 단지 항상 일깨워 경계해서 몸에 법도에 맞게 하면 이 마음은 흩어져 게으르지 않고 밝게 여기에 있다. 마음이 항상 성성하게 깨어있고, 또 법도로 단속하니, 이것이 안과 밖이 서로 함양하는 방도이다."

[47-3-28]

"心不專靜純一, 故思慮不精明. 要須養得此心令虛明專靜, 使道理從裏面流出便好."
問: "何以能如此? 莫只在靜坐否?"
曰: "自去檢點. 且一日間試看此幾箇時在內, 幾箇時在外. 小說中載趙公以黑白豆記善惡之起, 此是古人做工夫處. 如此檢點則自見矣."

(주자가 말했다.) "마음이 오롯하고 고요하며 순일하지 않으므로, 사려가 정밀하고 밝지 못하다. 이 마음을 함양하여 허명虛明하고 오롯하고 고요하게 해서 도리가 내면에서 나오도록 해야 좋다."
물었다. "어떻게 해야 이렇게 할 수 있습니까? 정좌靜坐에 달려 있지 않습니까?"
(주자가) 말했다. "스스로 점검해 나가야 한다. 우선 하루 사이에 이것이 안에서 몇 번이고 밖에서 몇 번인지를 시험 삼아 살펴보라. 소설 가운데 조공趙公이 검은 콩과 흰 콩에 선악이 일어나는 것을 기록했다고 적혀 있는데, 이것이 옛 사람들이 하는 공부이다. 이와 같이 점검하면 저절로 드러난다."

[47-3-29]

"李先生嘗云, '人之念慮, 若是於顯然過惡萌動, 此却易見易除. 却怕於匹似閑底事爆起來纏

159 『朱子語類』 권12, 19조목
160 『朱子語類』 권12, 13조목

繞思念將去不能除, 此尤害事.' 某向來亦是如此."[161]

(주자가 말했다.) "이선생李先生이 '사람의 염려에서 만약 분명하게 죄악이 싹터 움직이면 이것은 오히려 쉽게 보고 쉽게 제거한다. 오히려 평상시에 갑작스럽게 일어나서 사념을 속박시켜 제거할 수 없으니, 이것이 더욱 해로운 일이다.'라고 하였다. 나도 이전에 이와 같았다."

[47-3-30]

問: "凡人之心不存則亡, 而無不存不亡之時. 故一息之頃不加提省之力, 則淪於亡而不自覺. 天下之事不是則非, 而無不是不非之處. 故一事之微, 不加精察之功, 則陷於惡而不自知. 近見如此, 不知如何?"

曰: "道理固是如此, 然初學後亦未能便如此也."[162]

물었다. "사람의 마음은 보존하지 않으면 없어지니, 보존하지 않고 없어지지 않는 때가 없습니다. 그러므로 한 순간에도 일깨워 살피는 노력을 가하지 않으면 없어지게 되는 데도 스스로 알지 못합니다. 세상의 일은 옳지 않으면 그르니, 옳지 않고 그르지 않은 곳이 없습니다. 그러므로 한 가지 일의 미세함에도 정밀하게 살피는 노력을 가하지 않으면 악에 빠지면서도 스스로 알지 못합니다. 근래 견해가 이와 같은데 어떠한지 모르겠습니다."

(주자가) 답했다. "도리는 분명 이와 같지만 처음 배운 뒤에는 또한 이와 같이 될 수가 없다."

[47-3-31]

問進德之方.

曰: "大率要修身窮理. 若修身上未有工夫, 亦無窮理處."

又問: "修身如何?"

曰: "且先收放心. 如心不在, 無下手處. 要去體察你平日用心是爲己爲人. 若讀書計較利祿便是爲人."[163]

덕을 증진시키는 방도를 물었다.

(주자가) 말했다. "대체로 몸을 수양하고 이치를 궁구해야 한다. 만약 몸을 수양하는 데에 공부가 없으면 또한 이치를 궁구하는 곳도 없다."

물었다. "몸을 수양하는 것은 어떻게 합니까?"

(주자가) 말했다. "먼서 흩어진 마음을 수습해야 한다. 마음이 있지 않으면 착수할 곳이 없다. 너의 평상시 마음씀이 자신을 위한 것인지 타인을 위한 것인지를 체찰해야 한다. 만약 독서를 하면서 이득과 녹봉을 헤아린다면 이는 타인을 위한 것이다."

· ·

161 『朱子語類』 권103, 22조
162 『朱子語類』 권117, 14조목
163 『朱子語類』 권116, 35조목

[47-3-32]

問: "發於思慮, 則有善不善. 看來不善之發有二. 有自思慮上不知不覺自發出來者, 有因外誘然後引動此思慮者. 閑邪之道當無所不用其力. 於思慮上發時便加省察, 更不使形於事爲. 於物誘之際, 又當於視聽言動上理會取. 然其要又只在持敬. 惟敬則身心内外肅然. 交致其功, 則自無二者之病."

曰: "謂發處有兩端固是. 然畢竟從思慮上發者, 也只是外來底. 天理渾是一箇. 只不善, 便是不從天理出來. 不從天理出來, 便是出外底了. 視聽言動該貫内外, 亦不可謂專是外面功夫. 若以爲在内自有一件功夫, 在外又有一件功夫, 則内外支離, 無此道理. 須是'誠之於思, 守之於爲.' 内外交致其功可也."[164]

물었다. "사려에서 발현되면 선과 불선이 있습니다. 불선함이 발하는 것을 보면 두 가지입니다. 사려에서 자신도 모르게 발현해 나오는 것이 있고, 외적인 유혹 때문에 이 사려가 이끌려 움직이는 경우도 있습니다. 사특함을 막는 방도는 마땅히 힘을 쓰지 않는 바가 없습니다. 사려에서 발현했을 경우는 성찰省察을 해서 일에서 드러나지 않도록 해야 합니다. 사물이 유혹할 때에는 또한 보고 듣고 말하고 움직이는 데에서 이해해야 합니다. 그러나 그 요체는 또 경敬을 유지하는 데에 있습니다. 오직 경敬하면 몸과 마음 안과 밖이 숙연해집니다. 그 공부를 아울러 하게 되면 저절로 두 가지 병통이 없습니다."

(주자가) 말했다. "발현하는 것이 두 가지 단서가 있다는 것은 분명 옳다. 그러나 사려에서 발현되는 것도 결국 밖에서 온 것이다. 천리天理는 혼연하게 하나일 뿐이다. 불선한 것은 천리를 따라 나오지 않은 것이다. 천리를 따라 나오지 않으면 밖에서 나온 것이다. 보고 듣고 말하고 움직이는 것은 안과 밖을 모두 포함하니, 또한 오로지 외면의 공부만이라고 말할 수는 없다. 만약 안에서 스스로 한 가지 공부가 있고, 밖에서도 또 한 가지 공부가 있다고 생각하면 안과 밖이 지리번잡하니 이러한 도리는 없다. 반드시 '사려에서 진실하고, 행위에서 지켜야 하니'[165] 안과 밖에서 공부를 아울러 해야만 옳다."

[47-3-33]

問: "人之手動足履, 須還是都覺得始得. 看來不是處, 都是心不在後挫過了."

曰: "須是見得他合當是恁地."

問: "立則見其參於前, 在輿則見其倚於衡, 只是熟後自然見得否?"

曰: "也只是隨處見得那忠信篤敬是合當如此."

又問: "舊見敬齋箴中云, 擇地而蹈, 折旋蟻封, 遂欲如行步時, 要步步覺得他移動. 要之無此道理. 只是常常提撕."

....

164 『朱子語類』 권95, 90조목
165 '사려에서 진실하고, … 하니': 『二程粹言』 하 「人物篇」에 "哲人은 기미를 아니, 사려에서 진실한 것이다! 志士는 행동을 힘쓰니, 행위에서 지키는 것이다! 리를 따르면 여유롭고 욕심을 따르면 위태롭다!(哲人知幾, 誠之於思乎! 志士勵行, 守之於爲乎! 順理則裕, 而從欲則危乎!)"라고 하였다.

曰：“這箇病痛須一一識得方得. 且如事父母, 方在那奉養時, 又自著. 注脚解說道這箇是孝. 如事兄長, 方在那順承時, 又自著. 注脚解說道這箇是弟. 便是兩箇了.”

問：“只是如事父母當勞苦有倦心之際, 却須自省覺說這箇是當然.”[166]

曰：“是如此.”

물었다. "사람의 팔이 움직이고 발로 밟는 것은 반드시 모두 느껴야 인지할 수 있습니다. 옳지 않는 곳을 보면 모두 마음이 있지 않은 뒤에 걸려 든 것입니다."

(주자가) 답했다. "반드시 그것이 마땅히 이와 같음을 보아야 한다."

물었다. "일어서면 그것이 앞에 참여함을 볼 수 있고, 수레에 있으면 그것이 멍에에 기댐을 볼 수 있어야 한다.'[167]고 했는데 익숙하게 된 뒤에 저절로 볼 수 있습니까?"

(주자가) 말했다. "가는 곳마다 충직하고 미더우며 독실하고 경敬한 것이 마땅히 이와 같음을 보아야 한다."

물었다. "예전에 경재잠敬齋箴을 보니 '땅은 가려 밟고, 개미집도 돌아서 가라.'[168]고 하였습니다. 길을 걸을 때 발걸음마다 그것이 이동하는 것을 느끼려고 하였습니다. 요컨대 이러한 도리가 없으니, 항상 일깨워야 합니다."

(주자가) 말했다. "이러한 병통은 반드시 하나하나 깨우쳐야 좋다. 예컨대 부모를 섬김에 봉양할 때

. . . .

166 『朱子語類』권118, 80조목

167 '일어서면 그것이 … 한다.' : 『論語』「衛靈公」에 "子張이 行을 물었다. 공자가 말했다. '말이 충직하고 미더우며 행실이 독실하고 敬하면, 비록 오랑캐의 나라라 하더라도 행해질 수 있거니와 말이 忠信하지 못하고 행실이 篤敬하지 못하면 고을에서 행하더라도 행해질 수 있겠는가? 일어서면 그것이 앞에 참여함을 볼 수 있고, 수레에 있으면 그것이 멍에에 기댐을 볼 수 있어야 하니, 이와 같은 뒤에야 행해질 수 있는 것이다.' 子張이 이 말을 띠에 썼다.(子張問行. 子曰, "言忠信, 行篤敬, 雖蠻貊之邦, 行矣, 言不忠信, 行不篤敬, 雖州里, 行乎哉? 立則見其參於前也. 在輿則見其倚於衡也, 夫然後行." 子張, 書諸紳.)라고 하였다.

168 '땅은 가려 … 가라.' : 『朱子全書』권85「銘箴贊表疏啓婚書上梁文·敬齋箴」, "의관을 바르게, 눈매를 존엄하게 하고, 마음을 가라앉혀 마치 상제를 대하듯 하라.(正其衣冠尊其瞻視, 潛心以居對越上帝) 발가짐은 반드시 무겁게 하고, 손가짐은 반드시 공손하게 하여, 땅은 가려서 밟고 개미집까지도 밟지 말고 돌아가라.(足容必重手容必恭, 擇地而蹈折旋蟻封) 문을 나설 때는 손님을 뵙듯 해야 하며, 일을 할 때는 제사를 지내듯 조심하여, 혹시라도 안이하게 함이 없도록 해야 한다.(出門如賓承事如祭, 戰戰兢兢罔敢或易) 입 다물기를 병마개 막듯 하고 잡념 막기를 성같이 하여, 성실하고 진실하여 경솔함이 없도록 하라.(守口如瓶防意如城, 洞洞屬屬罔敢或輕) 서쪽을 가지고 동쪽으로 가지 말고, 북쪽을 가지고 남쪽으로 가지 말며, 일에는 그 일에만 마음을 두고 그 마음 씀을 다른 데에 두지 마라.(不東以西不南以北, 當事而存靡他其適.) 두 가지, 세 가지 일로 마음을 두 갈래 세 갈래 내는 일이 없도록 하고, 오직 마음이 하나가 되도록, 만 가지 변화를 살피도록 하라.(弗貳以二弗參以三, 惟心惟一萬變是監) 이러한 것을 따르는 것을 곧 持敬이라 하니, 動靜이 어그러짐이 없고, 겉과 속을 서로 바로잡아 주도록 하라.(從事於斯曰持敬, 動靜弗違表裏交正) 잠시라도 틈이 벌어지면 사욕은 만 가지로 일어나고, 불 없이도 뜨거워지고 얼음 없이 차가워진다.(須臾有間私欲萬端, 不火以熱不冰以寒) 털끝만큼이라도 어긋남이 있으면, 하늘과 땅이 바뀌고, 三綱이 멸하여지고 九法 또한 못 쓰게 된다.(毫釐有差天壤易處, 三綱旣淪九法亦斁) 아! 아이들이여, 마음에 새겨 두고 공경하라. 먹을 갈아 경계하는 글을 씀으로써 감히 靈臺에 고하노라.(於乎小子念哉敬哉, 墨卿司戒敢告靈臺)"

또 스스로 이것이 효라고 해석하고 설명하며, 형과 어른을 섬김에 순종하고 받들 때도 이것이 제(弟)라고 해석하고 설명한다면, 이것은 두 가지이다."

물었다. "부모를 섬기면서 힘들어 게으른 마음이 있을 때에 스스로 생각하여 이것은 당연히 해야 하는 것이라고 말해야 합니다."

(주자가) 말했다. "그렇다."

[47-3-34]

問: "居常苦私意紛擾. 雖即覺悟而痛抑之, 然竟不能得潔靜不起."

曰: "惟其此心無主宰, 故爲私意所勝. 若常加省察, 使良心常在, 見破了這私意只是從外面入. 縱饒有所發動, 只是以主待客, 以逸待勞, 自家這裏亦容他不得. 此事須是平日著工夫, 若待他起後方省察, 殊不濟事."[169]

물었다. "평상시에 사사로운 뜻이 요란하게 일어나서 고통스럽습니다. 즉시 깨닫고 통렬하게 억누르지만, 결국에는 고요하게 아무런 일도 일어나지 않게 할 수 없습니다."

(주자가) 말했다. "오직 이 마음에 주재가 없기 때문에 사사로운 뜻이 이기게 된다. 만약 항상 성찰(省察)하여 양심이 항상 있게 하면 이 사사로운 뜻이 밖에서 들어오는 것을 간파할 수 있다. 설령 발하여 움직이는 것이 있을지라도, 단지 주인이 손님을 대하고, 편안함이 수고로움을 대하듯이 하여 자신이 여기에서 또한 그것을 허용하지 않게 된다. 이 일은 반드시 평상시에 공부해야 하지, 그것이 일어난 뒤에 성찰하면, 해결할 수가 없다."

[47-3-35]

問: "不敬之念, 非出於心. 如忿慾之萌, 學者固當自克. 雖聖賢亦無如之何. 至於思慮妄發, 欲制之而不能."

曰: "纔覺恁地, 自家便挈起了. 但莫先去防他. 然此只是自家見理不透, 做主不定, 所以如此. 大學曰, '物格而后知至, 知至而后意誠,' 纔意誠則自然無此病."[170]

물었다. "경(敬)하지 않은 생각은 마음에서 나오는 것이 아닙니다. 분노와 욕심의 싹과 같은 것은 배우는 사람이 당연히 스스로 극복해야 합니다. 성현일지라도 어떻게 할 수 없습니다. 사려가 망령되이 일어나는 것에 이르러서 제지하려고 해도 할 수 없습니다."

(주자가) 말했다. "그대로 느끼면 자신이 단절한다. 단지 먼저 그것을 막아서는 안 된다. 그러나 이것은 자신이 리(理)를 투철하게 보지 못하여 안정되지 못해서 이와 같은 것이다. 『대학』에서 '사물을 격(格)한 뒤에 지(知)에 이르고 지에 이른 뒤에 의(意)가 진실해진다.'[171]고 했으니, 의(意)가 진실해지면 저절로 이러한

---

169 『朱子語類』 권120, 61조목
170 『朱子語類』 권12, 125조목
171 '사물을 格한 … 진실해진다.': 『大學』 1장에 "사물을 格한 뒤에 앎이 이르고, 앎이 이른 뒤에 뜻이 성실해지

병통은 없다."

[47-3-36]

問: "橫渠先生謂范巽之云, 吾輩不及古人, 病源何在? 巽之請問, 橫渠云, 此非難悟. 設此語者, 蓋欲學者存之不妄, 庶游心浸熟, 有一日脫然如大寐之得醒耳."

曰: "橫渠先生之意, 正要學者將此題目時時省察, 使之積久, 貫熟而自得之耳, 非謂只要如此說殺也."[172]

물었다. "횡거선생橫渠先生[張載]이 범선지范巽之[范育][173]에게 '우리들이 옛 사람에 미치지 못하는 것은 병의 근원이 어디에 있는가?'라고 말했다. 선지가 다시 물었을 때 횡거선생은 '이것은 깨닫기 어려운 것이 아니다. 내가 이 말을 하는 것은 학자들이 뜻을 보존하는 것을 망령되지 않게 하고, 마음이 푹 젖어들도록 거기에 노닐어서, 어느 날 갑자기 큰 잠에서 깨어난 것처럼 되기를 바란 것일 뿐이다.'라고 했다."[174] (주자가) 말했다. "횡거선생은 뜻은 바로 배우는 사람이 이런 제목으로 시시때때로 성찰해서, 오래 쌓이고, 관통하고 익숙하게 되어 스스로 터득하기를 바란 것 일뿐이지, 이와 같이 말하려고만 한 것은 아니다."

[47-3-37]

或曰: "每常處事或思慮之發, 覺得發之正者心常安, 其不正者心常不安. 然義理不足以勝私欲之心, 少間安者却容忍, 不安者却依舊被私欲牽將去. 及至事過又却悔. 悔時依舊是本心發處否?"

曰: "然. 只那安不安處, 便是本心之德. 孔子曰, 志士仁人, 無求生以害仁, 有殺身以成仁. 求生如何便害仁. 殺身如何便成仁. 只是簡安與不安而已."

又曰: "不待接事時方流入於私欲, 只那未接物時此心已自流了. 須是未接物時, 也常別抉此心教他分明. 少間接事便不至於流. 上蔡解爲人謀而不忠云, 爲人謀而忠, 非特臨事而謀. 至於平居靜慮思所以處人者, 一有不盡, 則非忠矣. 此雖於本文說得來太過, 然却如此. 今人未

고, 뜻이 성실해진 뒤에 마음이 바루어지고, 마음이 바루어진 뒤에 몸이 닦아지고, 몸이 닦아진 뒤에 집안이 가지런해지고, 집안이 가지런한 뒤에 나라가 다스려지고, 나라가 다스려진 뒤에 천하가 가지런해진다.(物格而后知至, 知至而后意誠, 意誠而后心正, 心正而后身修, 身修而后家齊, 家齊而后國治, 國治而后天下平.)"라고 하였다.

172 『朱文公文集』 권58 「書 · 答鄧衛老」

173 范巽之范育: 范育은 장재의 제자이고, 巽之는 그의 자이다. 진사시에 합격해서 涇陽令이 되었으나 부모를 모시기 위해 사양했고, 장재를 따라 학문을 배웠다. 천거에 의해 崇文校書가 되었고, 원우 연간에 知熙州를 거쳐 戶部侍郞으로 벼슬을 마쳤다. 소흥 연간에 寶文閣學士로 증직되었다.

174 "횡거선생이 범선지에게 … 했다.": 『張載集』의 「近思錄拾遺」에 나온 말이다.

到爲人謀時方不忠. 只平居靜慮閒思念時, 便自懷一箇利便於己, 將不好處推與人之心矣. 須是於此處常常照管得分明方得."[175]

어떤 사람이 물었다. "매일 항상 일을 처리하는 데에 사려가 일어날 때, 일어난 사려가 올바름을 느끼면 마음이 항상 편안하고 그것이 올바르지 않으면 마음이 항상 불안합니다. 그러나 의리는 사욕의 마음을 이기기에는 부족합니다. 잠시 동안 편안한 것은 참지만 편치 않은 것은 오히려 그대로 사욕에 의해서 이끌려 갑니다. 일이 지나가고 나서 또 후회를 합니다. 후회할 때 변함없이 본심이 일어난 것입니까?" (주자가) 대답했다. "그렇다. 편안한 것과 편안하지 않은 것이 본심의 덕이다. 공자는 '지사志士와 인인仁人은 삶을 구하여 인仁을 해침이 없고, 몸을 죽여 인仁을 이루는 경우는 있다.'[176]고 했으니, 삶을 구하는 것이 어찌 인을 해치는 것이고, 몸을 죽이는 것이 어째서 인을 이루는 것인가? 단지 편안하냐 편치 못하느냐일 뿐이다."

또 말했다. "일에 접촉하지 않았는데 사욕에 빠지니 아직 사물에 접촉하지 않았을 때 이 마음은 이미 빠져 버린 것이다. 반드시 사물에 접촉하지 않았을 때에도 이 마음을 척결하여 그것을 분명하게 해서, 잠시 일에 접촉했을 때 사욕에 빠지지 않게 한다. 상채上蔡謝良佐[177]가 공자의 말인 '사람을 위해 도모할 때 충심으로 하지 않는가?'[178]를 해석하여 다음과 같이 말했다. '사람을 위해 도모하는 데에 충심으로 한다는 것은 단지 일에 임하여 도모하는 것만이 아니라, 평상시에 고요하게 사려하여 남을 대하는 것에 하나라도 다하지 않은 것이 있다면 충심이 아니다.'[179] 이것은 본문에 대해서 지나치게 말한 것이지만,

---

175 『朱子語類』권121, 66조목
176 '志士와 仁人은 … 있다.' : 『論語』「衛靈公」, "志士와 仁人은 삶을 구하여 仁을 해침이 없고, 몸을 죽여 仁을 이루는 경우는 있다.(子曰, 志士仁人, 無求生以害仁, 有殺身以成仁.)" 주희는 이 말에 대해서 이렇게 설명하고 있다. "의리상 마땅히 죽어야 할 때에 삶을 구한다면, 그 마음에 편치 못한 점이 있으니, 이것은 그 마음의 德을 해치는 것이다. 마땅히 죽어야 할 경우에 죽는다면 마음이 편안하고 덕이 온전할 것이다.(理當死而求生, 則於其心, 有不安矣, 是害其心之德也. 當死而死, 則心安而德全矣.)" 정이천은 이렇게 말하고 있다. "實理를 마음에 얻으면 스스로 분별이 되니, 實理란 옳음을 실제로 보고, 그름을 실제로 보는 것이다. 옛사람은 몸을 버리고 목숨을 바친 자가 있었으니, 만일 실제로 보지 않았다면 어찌 능히 이와 같을 수 있겠는가? 모름지기 삶이 의리보다 중하지 못하고, 삶이 죽음보다 편안치 못함을 실제로 보았다. 그러므로 몸을 죽여서 仁을 이루는 경우가 있었으니, 이것은 다만 이 하나의 옳음을 성취할 뿐인 것이다.(實理, 得之於心, 自別, 實理者, 實見得是, 實見得非也. 古人有捐軀隕命者, 若不實見得, 惡能如此? 須是實見得生不重於義, 生不安於死也. 故有殺身以成仁者, 只是成就一箇是而已.)"
177 上蔡謝良佐 : 謝良佐(1050~1103)의 자는 顯道이고 蔡州의 上蔡 사람이다. 程顥와 程頤의 학문을 배웠고 游酢와 呂大臨, 楊時와 더불어 程門四先生이라고 불린다. 1085년 진사가 되어 知應城縣을 지냈다. 사량좌는 上蔡學派를 창시하여 심학의 터를 닦은 인물이며 湖湘學派의 鼻祖이다. 仁을 覺이나 生意로 해석하고, 誠을 實理로, 敬을 常惺惺으로, 窮理를 求是로 해석했다. 그의 주장은 선불교적 색채가 강하여 주희로부터 비판을 받았다.
178 『論語』「學而」: "曾子가 말했다. '나는 날마다 세 가지로 내 몸을 살핀다. 남을 위하여 일을 도모하는 데에 충심으로 하는가? 친구와 더불어 사귀는 데에 성실하지 못한가? 전수받은 것을 복습하지 않는가?(曾子曰, 吾日三省吾身, 爲人謀而不忠乎? 與朋友交而不信乎? 傳不習乎?)"
179 충심이 아니다. : 상채의 이 말은 『上蔡語錄』에서는 찾을 수 없고, 주희가 편찬한 『論語精義』에 나와 있다.

그러나 이와 같다. 지금 사람들은 사람을 위해 도모할 때 비로소 충심으로 하지 않은 것이 아니다. 단지 평상시에 고요하게 생각할 때 스스로 자신에게 편리한 것을 마음에 품고서, 좋지 않은 것을 남에게 주려는 마음이 있다. 반드시 이러한 곳에서 항상 분명하게 단속해야 한다."

[47-3-38]

問: "於私欲未能無之. 但此意萌動時, 却知用力克除. 覺方寸累省頗勝前日, 更當如何?"

曰: "此只是強自降伏. 若未得天理純熟, 一旦失覺察, 病痛出來, 不可知也."[180]

問: "五峯所謂天理人欲同行異情, 莫須這裏要分別否."

曰: "同行異情, 只如飢食渴飮等事, 在聖賢無非天理, 在小人無非私慾, 所謂同行異情者如此. 此事若不會尋著本領, 只是說得他名義而已. 說得明, 義儘分曉, 畢竟無與我事. 須就自家身上實見得私欲萌動時如何? 天理發見時如何? 其間正有好用功夫處. 蓋天理在人, 亘古今而不泯. 選甚如何蔽錮,[181] 而天理常自若, 無時不自私意中發出, 但人不自覺. 正如明珠大貝混雜沙礫中, 零零星星逐時出來. 但只於這箇道理發見處. 當下認取, 打合零星漸成片段. 到得自家好底意思日長月益, 則天理自然純固. 向之所謂私欲者自然消磨退散, 久之不復萌動矣. 若專務克治私欲而不能充長善端, 則吾心所謂私欲者日相鬪敵. 縱一時按伏得下, 又當復作矣. 初不道隔去私欲後, 別尋一箇道理主執而行. 纔如此, 又只是自家私意. 只如一件事見得如此爲是, 如此爲非, 便從是處行將去, 不可只恁休. 誤了一事必須知悔. 只這知悔處便是天理. 孟子說'牛山之木,' 既曰'若此其濯濯也', 又曰'萌蘗生焉', 既曰'旦晝梏亡', 又曰'夜氣所存.' 如說求放心, 心既放了, 如何又求得? 只爲這些道理根於一性者渾然至善. 故發於日用者多是善底道理, 只要人自識得. 雖至惡人亦只患他頑然不知省悟. 若心裏稍知不穩, 便從這裏改過, 亦豈不可做好人. 孟子曰, '人之所以異於禽獸者幾希, 庶民去之, 君子存之.' 去只是去著這些子. 存只是存得這些子. 學者所當深察也."[182]

물었다. "사욕이 없을 수는 없습니다. 단지 이 의도가 싹이 터서 일어날 때 힘을 써서 없앨 줄 알아야 합니다. 마음에 자주 성찰하는 것이 전날보다 자못 낫습니다. 다시 어떻게 해야 합니까?"

(주자가) 말했다. "이것은 억지로 스스로 억누르는 것이다. 만약 천리를 순수하고 익숙하게 얻지 못하여, 하루아침에 살피지 못하면, 병통이 나오게 되니 알지 않을 수 없다."

물었다. "오봉五峯(胡宏)[183]이 '천리와 인욕은 같이 행하지만 다른 정이다.'라고 했는데 반드시 여기서 분별

---

180 病痛出來, 不可知也.: 『朱子語類』에는 '不可不知也'로 되어 있다. 『朱子語類』에 따라 번역했다.

181 選甚如何蔽錮: 『朱子語類』에는 '任其如何蔽錮'로 되어 있다.

182 『朱子語類』 권117, 7조목

183 五峯(胡宏): 호오봉으로 宋대 胡安國의 아들인 胡宏(1106~1161)이다. 建寧 崇安(복건성) 사람으로 자는 仲仁이고, 호는 五峰이다. 湖湘學派의 개창자로서, 어린 시절 楊時와 侯仲良에게 배웠다. 謝良佐 · 胡安國 · 호굉

해야 하지 않습니까?"

(주자가) 말했다. "'같이 행하지만 다른 정이다.'는 것은 배고프면 먹고 목마르면 물을 마시는 등과 같은 일이니 성현聖賢에게서는 천리가 아님이 없지만, 소인에게는 사욕이 아님이 없어서, 같이 행하지만 다른 정이라는 것이 이와 같다. 이 일은 반드시 본령을 찾지 않으면 단지 그 이름의 뜻만 말할 뿐이다. 이름의 뜻을 분명하게 말하더라도 필경 나와 관여된 일이 없다. 반드시 자신의 몸에서 사욕이 싹터 일어날 때 어떠한지, 천리가 발현될 때 어떠한지를 실제로 보아야 하니, 그 사이에 바로 좋은 공부처가 있다. 천리는 사람에게서 만 년이 지나도 없어지지 않는데 어떻게 가려 막히겠는가. 천리는 항상 그대로여서 사사로운 뜻으로부터 나오지 않는 때가 없는데, 단지 사람들이 스스로 알지 못하는 것이다. 이는 마치 명주明珠와 큰 조개가 모래 속에 섞여 있다가 가끔씩 때때로 나오는 것과 같다. 단지 이 도리가 발현되는 곳에서 마땅히 깨달아, 조금씩 모아 점차 덩어리가 되어 자신의 좋은 생각이 날로 자라나고 덧붙여지면 천리는 저절로 순수하고 견고해지며, 지난번에 말한 사욕은 저절로 소멸되어 물러나 흩어져서 오래되면 다시 싹터서 일어나지 않는다. 만약 사욕을 극복하고 다스리는 데에만 힘쓰고 선한 단서를 확충시킬 수 없다면 나의 마음에서 사욕이라는 것이 날로 서로 다투고, 일시에 잠복해 있었던 것이 또 다시 일어난다. 애초에 사욕을 막지 않고 따로 하나의 도리를 찾아 주재하고 잡아 행한다. 이렇게 하면 또 자신의 사사로운 뜻일 뿐이다. 한 가지 일에서 이러한 것이 옳고 이러한 것이 그르다는 것을 알고서, 옳은 것에서 행해 나가되, 그대로 멈춰서는 안 된다. 한 가지 일이 잘못되면 반드시 후회를 안다. 이 후회를 아는 곳이 바로 천리이다. 맹자가 '우산의 나무'를 말하고, '이 때문에 저와 같이 탁탁濯濯하게 되었다.'라고 말했고, 또 '싹이 나오는 것이 없지 않다.'[184]라고 했으며, '낮에 하는 소행이 이것을 곡망梏亡한다.'고 하고, 또 '야기夜氣가 보존된다.'[185]고 했다. '흩어진 마음을 구한다.'[186]는 것을 말할 때, 마음이

을 이른바 '湖湘學派'라고 한다.

184 '싹이 나오는 … 않다.' : 『孟子』「告子上」, "牛山의 나무가 일찍이 아름다웠었는데, 큰 나라의 郊外이기 때문에 도끼와 자귀로 매일 나무를 베어가니, 아름답게 될 수 있겠는가? 그 밤에 자라나는 것과 비와 이슬이 적셔주는 것에 싹이 나오는 것이 없지 않지만, 소와 양이 또 따라서 방목되므로, 이 때문에 저와 같이 濯濯하게 되었다. 사람들은 그 濯濯한 것만을 보고는 일찍이 훌륭한 재목이 있은 적이 없다고 여기니, 이것이 어찌 그 산의 본성이겠는가?(牛山之木, 嘗美矣, 以其郊於大國也, 斧斤伐之, 可以爲美乎? 是其日夜之所息, 雨露之所潤, 非無萌蘖之生焉, 牛羊又從而牧之, 是以若彼濯濯也, 人見其濯濯也, 以爲未嘗有材焉, 此豈山之性也哉?)"

185 '夜氣가 보존된다.' : 『孟子』「告子上」, "비록 사람에게 보존된 것인들 어찌 仁義의 마음이 없겠냐만, 그 良心을 잃어버림이 또한 도끼와 자귀가 나무에 대해서 아침마다 베어 가는 것과 같으니, 이렇게 하고서도 아름답게 될 수 있겠는가? 밤낮으로 자라는 것과 平旦의 맑은 기운에 그 좋아하고 미워함이 남들과 서로 가까운 것이 얼마 되지 않는데, 낮에 하는 소행이 이것을 梏亡하니, 梏亡하기를 반복하면 夜氣가 족히 보존될 수 없고, 夜氣가 보존될 수 없으면 금수와 거리가 멀지 않게 된다. 사람들은 그 금수 같은 행실만 보고는 일찍이 훌륭한 材質이 있지 않았다고 여기니, 이것이 어찌 사람의 實情이겠는가?(雖存乎人者, 豈無仁義之心哉, 其所以放其良心者, 亦猶斧斤之於木也, 旦旦而伐之, 可以爲美乎? 其日夜之所息, 平旦之氣, 其好惡與人相近也者幾希, 則其旦晝之所爲, 有梏亡之矣, 梏之反覆, 則其夜氣不足以存, 夜氣不足以存, 則其違禽獸不遠矣, 人見其禽獸也, 而以爲未嘗有才焉者, 是豈人之情也哉?)"

186 '흩어진 마음을 구한다.' : 『孟子』「告子上」, "仁은 사람의 마음이요, 義는 사람의 길이다. 그 길을 버리고

이미 흩어졌는데, 어떻게 다시 구하여 얻겠는가? 이 도리가 하나의 성에 뿌리내린 것이 혼연하게 지극히 선하다. 그러므로 일상생활에서 발현된 것이 선한 도리가 많으니, 단지 사람이 스스로 깨달아야 한다. 지극히 악한 사람 역시 그가 완고하게 살펴서 깨달을 줄 모르는 것을 근심할 뿐이다. 만약 마음 속에 편치 않다는 것을 조금이라도 알게 되어 거기에서부터 잘못을 고쳐나가면, 어찌하여 좋은 사람이 될 수 없겠는가? 맹자가 '사람이 금수禽獸와 다른 것이 얼마 안 되니, 보통 사람은 이것을 버리고, 군자는 이것을 보존한다.'[187]고 했다. 버린다는 것은 단지 이러한 것을 버리는 것이고, 보존하는 것은 이러한 것을 보존하는 것이다. 배우는 사람이 마땅히 깊게 살펴야 하는 것이다."

[47-3-39]

吳晦叔言省克二字不可廢.

南軒張氏曰: "然纔省了便克, 旣克了又省, 當如循環然."

오회숙吳晦叔이 성찰하고 극복한다省克는 두 글자는 없앨 수 없다고 말했다.

남헌장씨南軒張氏[張栻][188]가 말했다. "그러나 성찰한 뒤에 극복해야 하고, 극복하고서 또 성찰하여 마땅히 순환하는 것처럼 해야 한다."

[47-3-40]

范陽張氏曰: "一念之善, 則天神地祇, 祥風和氣, 皆在於此. 一念之惡, 則妖星癘鬼, 凶荒札瘥, 皆在於此. 是以君子愼其獨."

범양 장씨范陽張氏[張九成][189]가 말했다. "한 생각의 선함은 천신天神과 지지地祇 그리고 상서로운 바람과 조화로운 기운이 모두 여기에 있다. 한 생각의 악함은 요사스런 별과 염병할 귀신 그리고 흉한 재앙과 질병이 모두 여기에 있다. 그래서 군자는 그 홀로 아는 것을 삼가조심한다."

따르지 않으며, 그 마음을 잃어버리고 찾을 줄을 모르니, 애처롭다. 사람이 닭과 개가 도망가면 찾을 줄을 알되, 마음을 잃고서는 찾을 줄을 알지 못하니, 학문하는 방법은 다른 것이 없다. 그 흩어진 마음放心을 찾는 것일 뿐이다.(仁, 人心也, 義, 人路也. 舍其路而不由, 放其心而不知求, 哀哉! 人有鷄犬放, 則知求之, 有放心而不知求, 學問之道, 無他, 求其放心而已矣.)"

187 '사람이 禽獸와 … 보존한다.': 『孟子』「離婁下」에 "사람이 禽獸와 다른 것이 얼마 안 되니, 보통 사람은 이것을 버리고, 군자는 이것을 보존한다.(人之所以異於禽獸者幾希, 庶民, 去之, 君子, 存之.)"라고 하였다.

188 南軒張氏[張栻]: 張栻(1133~1180)은 四川 綿竹人으로 자는 敬夫이고 또 다른 자는 樂齋이고 호는 南軒이다. 남송 시대 유명한 유학자이고, 岳麓書院의 창시자이다. 승상 張浚의 아들이고, 어려서부터 胡宏으로부터 사사를 받고 이학을 전수받았다. 후에 長沙의 城南書院과 악록서원을 오랫동안 맡고서 주희와 여조겸과 함께 '東南三賢'이라고 칭해진다. 右文殿修撰을 지냈으며 저서에 『南軒全集』이 있다.

189 范陽張氏[張九成]: 宋 錢塘의 張九成을 말한다. 자는 子韶이고, 호는 橫浦居士이다. 시호는 文忠이며, 楊時의 제자다. 저서로 『橫浦集』・『尙書說』・『中庸說』 등이 있다.(『宋史』 권374, 『宋元學案』 권40)

[47-3-41]

象山陸氏曰: "人之資禀不同, 有沉滯者, 有輕揚者. 古人有韋弦之義, 固當自覺, 不待人言. 但有恣縱而不能自克者, 有能自克而用功不深者."[190]

상산 육씨象山陸氏[陸九淵][191]가 말했다. "사람의 품수받은 자질은 다르지만 침착한 사람도 있고, 가벼운 사람도 있다. 옛 사람들에게 위현韋弦[192]의 뜻이 있었으니 마땅히 스스로 깨달아야지 다른 사람의 말을 기다려서는 안 된다. 단지 방종하여 스스로 극복할 수 없는 자가 있고, 스스로 극복할 수 있으나 노력이 깊지 않은 자가 있다."

[47-3-42]

"念慮之正不正, 在頃刻之間. 念慮之不正者頃刻而知之, 即可以正. 念慮之正者頃刻而失之, 即是不正. 此事皆在其心. 書曰, 惟聖罔念作狂. 惟狂克念作聖."[193]

(상산 육씨가 말했다.) "사념의 올바름과 올바르지 않음은 경각의 차이에 있다. 사념이 올바르지 않은 것을 순간에 알면 올바르게 할 수 있다. 사념이 올바른 것을 순간에 잃으면 올바르지 않게 된다. 이 일은 모두 그 마음에 달려 있다. 『서경』에서 '성인이라도 생각하지 않으면 광인狂人이 되고, 광인狂人이라도 능히 생각하면 성인이 된다.'[194]고 했다."

[47-3-43]

勉齋黃氏曰: "理義之精微, 心術之隱奧, 所差甚微, 而天理人欲之分, 君子小人之判, 自此而決, 不可不察也."

면재 황씨勉齋黃氏[黃榦][195]가 말했다. "리의理義의 정미함과 심술心術의 은미함에 매우 미세한 잘못이 있더

---

190 『象山集』「象山語錄」 권4

191 象山陸氏[陸九淵] : 陸九淵(1139~1192)은 江西 金谿 사람으로 字는 子靜이고, 號는 象山이다. 兄인 陸九韶 · 陸九齡 등과 함께 '三陸子'라고 일컬어진다. '마음이 곧 이치[心卽理]'라고 주장하여 주희와는 다르다. 그의 심즉리설은 王陽明이 실천에 중점을 두는 心學, 즉 知行合一說로 계승됨으로써 陸王學派로 성립되었다. 저서에 『陸象山全集』이 있다.

192 韋弦 : 韋弦은 부드러운 가죽과 활시위를 말한다. 『韓非子』「觀行」, "서남표는 성질이 급해서 부드러운 가죽을 차고 다니면서 스스로 다스렸고, 동안우는 성질이 느긋하여, 활시위를 차고 다니면서 스스로 긴장했다. 그러므로 여유있는 것으로 부족한 것을 보충했고, 장점을 가지고 단점을 보충한 것을 현명한 군주라고 한다.(西門豹之性急, 故佩韋以自緩, 董安於之性緩, 故佩弦以自急. 故以有餘補不足, 以長續短之謂明主.)" 후에 韋弦은 스스로 경계하는 것을 비유하게 되었다.

193 『象山集』 권22 「雜著」

194 '성인이라도 생각하지 … 된다.' : 『書經』「周書 · 多方」의 글이다. "성인이라도 생각하지 않으면 狂人이 되고, 狂人이라도 능히 생각하면 성인이 되니, 하늘이 5년 동안 자손에게 기다리고 여가를 주어, 크게 백성의 군주가 되게 하였으나 생각하고 듣는 것만 한 것이 없었다.(惟聖罔念, 作狂, 惟狂克念, 作聖, 天惟五年, 須暇之子孫, 誕作民主, 罔可念聽.)"

라도, 천리天理와 인욕人欲의 구분과 군자와 소인의 판별은 이로부터 결정되니, 살피지 않을 수가 없다."

[47-3-44]

魯齋許氏曰: "凡事一一省察, 不要逐物去了, 雖在千萬人中, 常知有已. 此持敬大畧也."[196]

노재 허씨魯齋許氏[許衡][197]가 말했다. "모든 일들을 하나하나 성찰하되, 사물에 흘러가서는 안 되니, 천만 사람 가운데 있지만 항상 그침이 있음을 알아야 한다. 이것이 경敬을 유지하는 대략이다."

[47-3-45]

"日用間若不自加提策, 則怠惰之心生焉. 怠惰心生, 不止於悠悠無所成, 而放僻邪侈隨至矣."[198]

(노재 허씨가 말했다.) "일상생활 사이에서 스스로 단속하지 않으면 나태한 마음이 생긴다. 나태한 마음이 생기면 일을 이루지 못할 뿐 아니라 방자하고 편벽되며 사특하고 사치한 마음이 그에 따라 이른다."

[47-3-46]

"耳目聞見與心之所發, 各以類應, 如有種焉. 今日之所出者, 即前日之所入也. 同聲相應, 同氣相求, 未嘗少差. 不可不慎也."

(노재 허씨가 말했다.) "귀가 듣고 눈이 보는 것과 마음이 일어나는 것은 각각 같은 부류에 호응하여 마치 종류가 있는 것 같다. 오늘 일어난 것은 어제 들어온 것이다. 같은 소리가 서로 호응하고 같은 기운이 서로 구하여 작은 차이가 나지 않으니 신중하지 않을 수가 없다."

[47-3-47]

"庸人之目, 見利而不見害, 見得而不見失, 以縱情極欲爲益已, 以存心養性爲桎梏, 不喪德殞身而不已. 惟君子爲能見微而知著, 遏人欲於將萌."

(노재 허씨가 말했다.) "보통사람의 눈은 이로움을 보면서 해로움은 보지 못하고, 얻음을 보면서 잃음을 보지 못하여, 감정을 따르고 욕심을 극대화하는 것을 자신에게 유익하다고 생각하고 마음을 보존하고 성性을 기르는 것을 질곡이라고 여겨서, 덕을 잃고 몸을 잃지 않으면 그치지 않는다. 오직 군자만이 미세한 것을 보고 드러난 것을 알 수 있고, 인욕人欲이 싹트려는 것을 막을 수 있다."

. . . .

195 勉齋黃氏[黃榦]: 黃榦(1152~1221)은 자는 直卿이고, 호는 勉齋이다. 송대 福州閩縣(현 복건성 福州) 사람으로 주희의 고족제자인 동시에 사위이다. 주희의 蔭補로 漢陽軍·安慶府 등을 역임하였다. 저서는 『書說』·『六經講義』·『勉齋集』 등이 있고, 『朱子行狀』을 집필했다.

196 『魯齋遺書』 권1 「語錄上」

197 魯齋許氏[許衡]: 許衡(1209~1281)은 원나라 懷孟 河內 사람이다. 자는 仲平이고, 호는 魯齋며, 시호는 文正이다. 憲宗 4년(1254) 忽必烈이 불러 京兆提學과 國子祭酒 등의 요직을 맡았다. 集賢殿 大學士와 領太史院事 등을 지냈다. 『讀易私言』·『魯齋心法』·『魯齋遺書』·『許文正公遺書』·『許魯齋集』 등이 있다.

198 『魯齋遺書』 권1 「語錄上」

[47-3-48]

臨川吳氏曰：“夫易以溺人汚人者, 色與貨也. 非禮非義之事, 雖甚不良之人, 往往畏人之知而不敢肆. 苟人所不知之地, 一時不勝其利欲之私, 則於所不當爲, 能保其不爲之乎? 若顏叔子之達旦秉燭, 若楊伯起之暮夜却金, 若司馬君實趙閱道之所爲, 無一不可與人言, 無一不可與天知, 眞能愼獨者也.”[199]

임천 오씨臨川吳氏[吳澄][200]가 말했다. “쉽게 사람을 빠뜨리고 사람을 오염시키는 것은 여색과 돈이다. 예가 아니고 의롭지 않은 일은 매우 불량한 사람일지라도 왕왕히 다른 사람이 아는 것을 두려워해서 감히 방자하게 행하지 않는다. 진실로 사람이 알지 못하는 곳에서 한 순간에 이욕利欲의 사사로움을 이길 수가 없으면, 마땅히 하지 않아야 할 것에 대해서 하지 않는 것을 보존할 수 있겠는가? 안숙자顏叔子[201]가 밤을 지새우며 촛불을 잡았다는 일화와 양백기楊伯起[202]가 밤에 금을 물리친 일화와 사마군실司馬

- - - - - - - - - - - -

199 『吳文正集』 권5 「說·愼獨齋說」

200 臨川吳氏[吳澄] : 吳澄(1249~1333)의 字는 幼淸이고 만년에 伯淸으로 바꾸었다. 풀로 만든 집게 거주하면서 '草廬'라고 이름지었기 때문에 사람들은 습관적으로 그를 초려 선생이라고 불렀다. 撫州 崇仁 사람이다. 송나라와 원나라 사이 유학자이며 경학자이며 이학자이다. 주자의 재전 제자인 饒魯의 문인인 程若庸에게서 배워 주희의 후학이며 요노의 제전 제자가 되었다. 저작으로는 『五經纂言』·『草廬精語』·『道德經注』·『三禮考注』, 등이 있고, 『草廬吳文正公文集』이 있다.

201 顏叔子 : 顏叔秉燭이라는 말로 유명하다. 이 일화는 『蒙求』라는 책에 나오지만, 출처는 毛公의 『詩傳』에 근거한다. 옛날 顏叔子는 혼자 살고 있었고, 이웃집에 과부 또한 혼자 살고 있었다. 그런데 밤에 바람이 사납게 불어 집이 무너지자 부인이 종종 걸음으로 달려왔다. 안 숙자는 부인을 받아 들였지만, 촛불을 들게 하여 새벽에 이르렀다. 그 촛불이 다하자 지붕의 나무개비를 뽑아서 횃불을 밝혀서 스스로 수상쩍다는 혐의를 피하고자 하였으나, 그래도 자신이 오해를 사지 않는데 충분하지 않다고 생각했다. 만일 그것을 옳게 밝히려고 한다면 魯나라 사람처럼 해야 할 것이다. 노나라에 한 사내가 살고 있었다. 그리고 이웃집에 과부 또한 혼자 살고 있었다. 밤에 비바람이 사납게 불어 집이 무너지자 부인은 종종 걸음으로 뛰어와서 몸을 의탁하였지만, 사내는 문을 닫고 들이지 않으며 말했다. 내 들건대 남녀는 60세가 아니면 함께 있지 못하거늘, 지금 그대는 젊고 나 또한 젊으니, 그대를 들일수가 없소. 부인이 말하였다. 그대는 어째서 柳下惠와 같이 하지 않습니까? 갈 곳 없는 여자를 따뜻하게 해주었는데도 그 나라 사람들은 난잡하다고 하지 않았습니다. 그러나 사내가 말하였다. 유하혜는 떳떳할 수 있으나 나는 그렇지 못하오. 나는 그렇지 못 한 것으로써 유하혜의 옳은 것을 배우려는 것이오. 이를 듣고 孔子가 말하였다. 유하혜를 배우고자 하는 자 가운데 같은 태도를 취한 사람은 없었다.

202 楊伯起 : 却金暮夜로 유명한 고사이다. 각금모야는 밤에 금을 물리친다는 뜻으로 관리로서 청렴한 것을 비유한다. 어둠 속에서 아는 사람이라곤 건네는 사람과 받는 사람 두 사람뿐인데도 하늘이 알고 땅이 안다며 거절한 데서 의롭지 못한 재물을 멀리하는 청백리의 모습이 뚜렷이 드러난다. 『後漢書』 권54 「楊震列傳」에 나온 고사이다. 後漢 楊震은 字가 伯起인데 고조가 공을 세워 赤泉侯에 봉해졌다. 양진은 어려서부터 학문을 좋아하여 경서에 밝고 두루 보아 막힘이 없었다. 많은 선비들이 그를 두고 關西孔子楊伯起라고 하였다. 대장군 등즐은 양진이 어질다는 이야기를 듣고 그를 茂才로 천거했다. 양진은 네 번 옮겨 荊州刺史 東萊太守가 되었다. 양진이 동래태수가 되어 임지로 가면서 昌邑을 지나게 되었다. 양진이 천거했던 형주 무재 王密이 창읍령으로 있었는데 양진을 보러 왔다. 왕밀은 밤이 되자 금 十斤을 양진에게 건네주려고 했다. 양진이 꾸짖었다. “나는 그대를 아는데 그대는 나를 모르는구나.” 이에 왕밀이 “날이 저물어 아무도 아는 자가 없습

君實과 조예도趙閱道가 한 일 같은 것은 사람과 함께 말하지 못할 일이 하나도 없고, 하늘과 함께 알지 못할 일도 하나도 없으니 진실로 능히 홀로를 삼가는 자라고 하겠는가!"

<hr>

니다."라고 했다. 그러자 양진이 말한다. "하늘이 알고 신이 알고 내가 알고 그대가 아는데 어찌 모른다고 하는가!(天知, 神知, 我知, 子知. 何謂無知)" 왕밀이 부끄러워하며 나갔다. 후에 탁군태수로 옮겨간 양진은 성품이 공평하고 청렴하여 사사로운 부탁을 받지 않았다.

學六 학 6

知行 言行附　앎과 행동 말과 행동을 덧붙임

[48-1-1]

程子曰: "須是識在所行之先. 譬如行路, 須得光照."[1]

지식이 행하는 것보다 먼저 있어야 한다.

[48-1-2]

"力行, 先須要知. 非特行難, 知亦難也."[2]

(정자가 말했다.) "힘써 행하는 것은 반드시 먼저 알아야 한다. 행하는 것이 유독 어려운 것이 아니라, 앎 또한 어렵다."

[48-1-3]

"君子以識爲本, 行次之. 今有人焉, 力能行之而識不足以知之, 則有異端者出, 彼將流蕩而不知反. 內不知好惡, 外不知是非, 雖有尾生之信, 吾弗貴矣."[3]

(정자가 말했다.) "군자는 지식을 근본으로 하고 행위는 그 다음이다. 지금 어떤 사람이 힘은 행할 수 있지만 지식은 그것을 알기에 부족하면 이단異端이 나올 것이니, 이런 사람은 제멋대로 하면서 돌아올 줄 모른다. 안으로 좋고 싫음을 알지 못하고 밖으로 옳고 그름을 알지 못하면, 미생尾生의 미더움[4]이

- -

1 『河南程氏遺書』 권3
2 『河南程氏遺書』 권18
3 『河南程氏遺書』 권25
4 尾生의 미더움: 『莊子』「盜跖」, "세상에서 말하는 현사로는 백이와 숙제만한 이 없는데, 고죽의 임금자리를 사양하고 수양산에서 굶어 죽었다. 그들의 시체는 아무도 장사를 치뤄주지 않았다. 포초라는 사람은 자기의

있을지라도 나는 귀하게 여기지 않을 것이다."

[48-1-4]

"如眼前諸人要特立獨行, 然不難得. 只是要一箇知見難. 人只被這箇知見不通透. 人謂要力行, 亦只是淺近語. 人既能知見, 豈有不能行? 一切事皆所當爲, 不必待著意做, 纔著意做, 便是有箇私心. 這一點意氣能得幾時了."[5]

(정자가 말했다.) "마치 눈앞의 여러 사람들이 세속을 따르지 않고 스스로 서고 홀로 행동하려고 하지만,[6] 행하기 어렵지 않다. 단지 하나의 앎을 아는 것이 어렵다. 사람들이 이러한 앎에 의해서 투명하게

....

행동을 꾸미고 세상을 비난하다가 나무를 끌어안고 죽었다. 신도적은 임금에게 간했으나 들어주지 않자 돌을 지고 스스로 황하에 몸을 던져 물고기와 자라의 밥이 되었다. 개자추는 충성을 다해 자기의 넓적다리 살을 베어 문공에게 먹였으나, 뒤에 문공이 그를 배반하자, 그는 노하여 진나라를 떠나 살다 나무를 껴안은 채 타 죽었다. 미생은 여자와 다리 밑에서 만나기로 약속을 했으나 여자가 오지 않자 물이 불어도 떠나지 않고 있다가 다리 기둥을 끌어안은 채 죽었다. 이 여섯 사람은 잡기 위해 매달아 놓은 개나, 제물로 강물에 던져진 돼지나 표주박을 들고 구걸을 하러 다니는 자나 다를 것이 없다. 모두가 자기의 명분에 얽매이어 죽음을 가볍게 여기고, 근본으로 돌아가 수명을 보양하려 하지 않은 자들이다. 세상에서 말하는 충신으로는 비간이나 오자서만한 사람이 없다. 그러나 오자서는 처형을 당해 시체가 강물에 던져졌고, 비간은 가슴을 찢겨 심장이 드러내졌다. 이 두 사람은 천하에서 말하는 충신들이다. 그러나 마침내는 천하의 비웃음거리가 되고 말았다. 위에서부터 살펴 보건데, 자서나 비간까지 모두 귀하다고 할 만한 것이 못되는 것이다. 네가 나를 설득시키는 방법으로 내게 귀신 얘기를 한다면 나 또한 능히 알 수 있으나, 사람에 관한 일을 가지고 얘기한다면 여기서 벗어나지 못할 것이다. 그것들은 모두 내가 알고 있는 일들이기 때문이다.(世之所謂賢士, 莫若伯夷叔齊. 伯夷叔齊辭孤竹之君, 而餓死於首陽之山, 骨肉不葬. 鮑焦飾行非世, 抱木而死. 申徒狄諫而不聽, 負石自投於河, 爲魚鼈所食. 介子推至忠也, 自割其股以食文公, 文公後背之, 子推怒而去, 抱木而燔死. 尾生與女子期於梁下, 女子不來, 水至不去, 抱梁柱而死. 此六者, 無異於磔犬流豕操瓢而乞者, 皆離名輕死, 不念本養壽命者也. 世之所謂忠臣者, 莫若王子比干伍子胥. 子胥沈江, 比干剖心, 此二子者, 世謂忠臣也, 然卒爲天下笑. 自上觀之, 至于子胥比干, 皆不足貴. 丘之所以說我者, 若告我以鬼事, 則我不能知也. 若告我以人事者, 不過此矣, 皆吾所聞知也.)"

5 『河南程氏遺書』권17
6 스스로 서고 … 하지만 : 特立獨行을 해석한 말이다. 『禮記』「儒行」에 特立이라는 표현이 나온다. "유자는 재화를 맡겨 그 즐거움에 빠지게 하더라도, 이익을 보고 義를 저버리지 않는다. 군중이 몰려와서 겁을 주고 병사를 풀어 막을지라도, 비록 죽음을 보고 자신이 지키는 것을 바꾸지 않는다. 맹수들이 후려쳐도 용기를 헤아리며 따지지 않는다. 무거운 것으로 끌어당겨도 그 힘을 헤아려 따지지 않는다. 지나간 일에 대해서는 후회하지 않고, 다가올 미래의 일들은 미리 예단하지 않는다. 잘못된 말은 다시 하지 않고, 떠도는 말은 추궁하지 않는다. 그 위엄을 단절시키지 않고 지속하며 그 도모함을 미리 연습하지 않는다. 그 스스로 선 모습이 이와 같다.(儒有委之以貨財, 淹之以樂好, 見利不虧其義. 劫之以衆, 沮之以兵, 見死不更其守. 鷙蟲攫搏不程勇者. 引重鼎不程其力. 往者不悔, 來者不豫. 過言不再, 流言不極. 不斷其威, 不習其謀. 其特立有如此者.)" 또한 特立獨行이라는 표현도 있다. "선비는 몸을 씻고 덕으로 목욕을 한다. 진언을 하고는 명을 기다리지만, 고요하고 바르게 하니; 위에서는 이를 의식하지 못한다. 임금에게 허물을 들어 밝게 간언하되, 또한 급하지 않게 한다. 깊은 데에 임하여 그 높음을 나타내지 않고, 적은 데 더해서 많다고 하지 않으며, 세상이 잘 다스려진다

통하지 못한다. 사람들이 힘써 행하려 한다고 하지만 또한 천박한 말일 뿐이다. 사람이 알 수 있었다면 어찌 행할 수 없었겠는가? 모든 일들은 모두 당연히 해야 하는 것이지만, 반드시 의도를 가지고 하지는 않으니, 의도를 가지고 행하면 사사로운 욕심이 있는 것이다. 이 한 점의 사사로운 욕심의 기운이 얼마나 가겠는가?"[7]

[48-1-5]

"始於致知, 智之事也, 行所知而極其至, 聖之事也."[8]

(정자가 말했다.) "앎에 이르는 것에서 시작하는 것은 지智의 일이고, 아는 것을 행하여 그 지극함에 이르는 것은 성聖의 일[9]이다."

[48-1-6]

"古人言知之非艱者, 吾謂知之亦未易也. 今有人欲之京師, 必知所出之門, 所由之道, 然後可往. 未嘗知也, 雖有欲往之心, 其能進乎? 後世非無美材能力行者, 然鮮能明道, 蓋知之者難也."[10]

. . . .

고 경망스럽게 행동하지 않으며 세상이 어지럽다고 해서 스스로를 억지로 막지 않는다. 같다고 해서 어울리지 않고 다르다고 해서 이를 아니라고 비난하지 않는다. 선비가 스스로 서고 홀로 행동하는 것이 바로 이와 같다.(儒有澡身而浴德, 陳言而伏. 靜而正之, 上弗知也. 麤而翹之, 又不急爲也. 不臨深而爲高, 不加少而爲多. 世治不輕, 世亂不沮. 同弗與也, 異弗非也. 其特立獨行有如此者.)"

7 사람들이 힘써 … 가겠는가?: 이 구절은 『近思錄』에 나온 말이다. 葉采는 『近思錄集解』에서 이렇게 설명한다. "일의 당연함을 진실로 안다면 사사로운 뜻을 덧붙이지 않아도 저절로 그만둘 수가 없으니, 사사로운 의도를 덧붙여 한다면 이미 사사로운 욕심이다. 이른바 사사롭다는 것은 천리의 자연을 편안하게 여기지 않고, 사람의 힘이 그렇게 하는 데에서 나오는 것이다. 한갓 사사로운 의도의 기운이 그렇게 한다면 반드시 오래가지 못한다. 그러므로 군자는 앎에 이르는 것보다 시급한 일은 없다.(眞知事之當然, 則不待著意, 自不容已, 著意爲之, 已是私心. 所謂私者, 非安乎天理之自然, 而出乎人力之使然也. 徒以其意氣之使然, 則亦必不能久. 故君子莫急於致知.)"
8 『二程粹言』「論學篇」
9 聖의 일: 지의 일과 성의 일은 『孟子』「萬章下」에 나온 말들과 관련된다. "공자를 集大成이라 이르는 것이니, 집대성이란 金으로 소리를 퍼뜨리고, 玉으로 거두는 것이다. 금으로 소리를 퍼뜨린다는 것은 條理를 시작함이요, 옥으로 거둔다는 것은 조리를 끝냄이니, 조리를 시작하는 것은 智의 일이요, 조리를 끝내는 것은 聖의 일이다. 智를 비유하면 공교함이요, 聖을 비유하면 힘이니, 百步의 밖에서 활을 쏘는 것과 같으니, 과녁이 있는 곳에 이르는 것은 너의 힘이거니와 과녁에 맞는 것은 너의 힘이 아니다.(孔子之謂集大成, 集大成也者, 金聲而玉振之也. 金聲也者, 始條理也, 玉振之也者, 終條理也, 始條理者, 智之事也, 終條理者, 聖之事也. 智, 譬則巧也, 聖, 譬則力也, 由射於百步之外也, 其至, 爾力也, 其中, 非爾力也.)"
10 『二程粹言』「論學篇」. 『河南程氏遺書』권18에는 이렇게 말하고 있다. "어떤 사람이 물었다. '사람들이 나에게 배우는 자는 반드시 도의 큰 근본을 알아야 한다고 하는데, 도의 큰 근본은 어떻게 구합니까?라고 묻는다. 나는 그들에게 군신과 부자와 부부와 형제 사이에서 즐거움을 행하는 것이 바로 그것이라고 알려주었습니다.' 이천이 말했다. '이것은 분명 그렇다. 그러나 어떻게 즐거움이 생겨나는가? 억지로 힘써서 즐거움을 얻을

(정자가 말했다.) "옛사람들이 앎은 어렵지 않다고 말했지만, 나는 앎 역시 쉽지 않다고 말한다. 지금 어떤 사람이 경사京師에 가려고 한다면 반드시 나가는 문과 경유하는 길을 안 뒤에야 그곳에 갈 수 있다. 알지 못하고 가려고 하는 마음만 있다면 어떻게 그곳에 나아갈 수 있겠는가? 후세 사람들은 힘써 행할 수 있는 아름다운 재능이 없는 것은 아니지만, 도를 밝힐 수 있는 자가 드문 것은 아는 것이 어렵기 때문이다."

[48-1-7]

"未有知之而不能行者, 謂知之而未能行, 是知之未至也."[11]

(정자가 말했다.) "알면서도 행할 수 없는 자는 없으니, 알고서 행하지 않는 자는 앎이 지극하지 않기 때문이다."

[48-1-8]

"能明善, 斯可謂明也已. 能守善, 斯可謂誠也已."

(정자가 말했다.) "선을 밝힐 수 있는 것, 이것을 밝다고 말할 수 있다. 선을 지킬 수 있는 것, 이것을 성誠하다고 할 수 있다."

[48-1-9]

"學者識得仁體實有諸己, 只要義理栽培. 如求經義, 皆栽培之意."[12]

(정자가 말했다.) "배우는 사람은 인仁의 체體를 의식하여 실제로 자신에게 내면화할 수 있으니, 단지 의리를 배양할 뿐이다. 경전의 의미를 구하는 것은 모두 배양의 뜻이다."[13]

· ·

수는 없으니, 반드시 앎을 얻어야 비로소 즐거움을 얻을 수 있다. 그러므로 사람이 힘써 행하는 데에 반드시 먼저 알아야 한다. 유독 행하는 것이 어려운 것이 아니라, 아는 것도 어렵다. 『書經』에서「아는 것은 어렵지 않다. 행하는 것이 어렵다.」고 했는데 이것은 분명 그렇지만, 그러나 아는 것도 본래 어렵다. 비유하자면 지금 어떤 사람이 京師에 가려고 한다면 반드시 나가는 문과 가는 길을 안 뒤에야 그곳에 갈 수 있다. 알지 못하고 가려고 하는 마음만 있다면 어떻게 그곳에 나아갈 수 있겠는가? 예로부터 힘써 행할 수 있는 아름다운 재능이 없는 것은 아니지만, 도를 밝힐 수 있는 자가 드무니 이로부터 아는 것 역시 어렵다는 점을 알 수 있다.'(或曰, '人問某以學者當先識道之大本, 道之大本如何求? 某告之以君臣父子夫婦兄弟朋友, 於此五者上行樂處便是.' 曰, '此固是. 然怎生地樂? 勉强樂不得, 須是知得了, 方能樂得. 故人力行, 先須要知. 非特行難, 知亦難也. 書曰, 「知之非艱, 行之惟艱.」此固是也, 然知之亦自艱. 譬如人欲往京師, 必知是出那門, 行那路, 然後可往. 如不知, 雖有欲往之心, 其將何之? 自古非無美材能力行者, 然鮮能明道, 以此見知知亦難也.)"

11 『二程粹言』「論學篇」
12 『河南程氏遺書』권2상
13 이 구절에 대해서 섭채는 『近思錄集解』에서 이렇게 설명하고 있다. "인은 천리의 生理이고, 인간의 마음의 온전한 덕이다. 그 체는 마음에 구비되어 실로 사람이 본래 가지고 있는 것이다. 그러나 반드시 안으로 자신을 반성하여 정밀하게 살피고 두텁게 길러야 인의 온전한 체를 보아서 실제로 자신이 소유하게 되니, 나의 마음에 보존된 것이 천리 아닌 것이 없게 된 뒤에 의리를 널리 구하여 재배한다면 生理가 날로 충만하여 인을

[48-1-10]

問: "學者於聖人之門, 非願其有異也, 惟其不能知之, 是以流於不同. 敢問持正之道."

曰: "知之而後可守. 無所知, 則何所守也. 故學莫先乎致知. 窮理格物, 則知無不盡. 知之既盡, 則守無不固."[14]

물었다. "배우는 사람은 성인의 문에 대해서 차이가 있기를 원하지 않지만, 오직 그것을 알지 못하여, 그래서 다른 곳으로 흘러갑니다. 감히 올바름을 지키는 도리를 묻고자 합니다."

(정자가) 말했다. "그것을 알고 난 뒤에야 지킬 수 있다. 아는 바가 없다면 무엇을 지키겠는가? 그러므로 배움에는 앎에 이르는 것보다 먼저인 것은 없다. 리理를 궁구하고 사물을 격格하면 앎을 다하지 않음이 없다. 앎을 다했다면 지키는 일이 견고하지 않음이 없다."

[48-1-11]

問: "致知力行, 其功並進乎?"

曰: "人謂非禮勿爲則必強勉而從之. 至於言穿窬不可爲, 不必強勉而後能也. 故知有淺深, 則行有遠近, 此進學之效也. 循理而至於樂, 則己與理一, 殆非勉強之可能也."[15]

· · · · · · · · · · · · · · · · · · · ·

이루 다 쓸 수 없다.(仁者, 天地之生理, 人心之全德也. 其體具於心, 固人之所本有. 然必內反諸己, 察之精, 養之厚, 有以見夫仁之全體, 實爲己有, 則吾心所存, 無非天理而後, 博求義理以封殖之, 則生理日以充長, 而仁不可勝用矣.)"

주희는 『朱子語類』에서 이 구절에 대해 이렇게 설명하고 있다. 『朱子語類』95 : 126 問, "明道說'學者識得仁體, 實有諸己, 只要義理栽培'一段, 只緣他源頭是箇不忍之心, 生生不窮, 故人得以生者, 其流動發生之機亦未嘗息. 故推其愛, 則視夫天地萬物均受此氣, 均得此理, 則無所不當愛." 曰, "這道理只熟看, 久之自見如此, 硬椿定說不得. 如云從他源頭上便有箇不忍之心, 生生不窮, 此語有病. 他源頭上未有物可不忍在, 未說到不忍在. 只有箇陰陽五行, 有闔闢, 有動靜; 自是用生, 不是要生. 到得說生物時, 又是流行已後. 旣是此氣流行不息, 自是生物, 自是愛. 假使天地之間淨盡無一物, 只留得這一箇物事, 他也自愛. 如云均受此氣, 均得此理, 所以須用愛, 也未說得這裏在. 此又是說後來事. 此理之愛, 如春之溫, 天生自然如此. 如火相似, 炙著底自然熱, 不是使他熱也."

14 『二程粹言』「論學篇」

15 『二程粹言』「論學篇」. 『河南程氏遺書』권18에는 이렇게 나온다. "물었다. '배움은 어떻게 해서 깨달음에 이릅니까?' 답했다. '앎에 이르는 것보다 먼저인 것은 없다. 앎에 이를 수 있다면 하루를 생각하면 할수록 하루가 밝아져서 오래되어 깨달음이 있다. 배워서 깨달음이 없다면 무슨 소용이겠는가? 또 무엇 때문에 배우겠는가? 주렴계가 「사려하는 것이 밝음이고 예가 聖을 이룬다.」고 했는데 사려하면 곧 밝아져서 성인에 이르니 또한 한 가지 사려일 뿐이다. 그러므로 「힘써 학문하면 듣고 보는 것이 넓어져서 지혜가 더욱 밝아진다.」고 했다.' 또 물었다. '앎에 이르는 것과 힘써 행하는 것은 겸할 수 없습니까?' 답했다. '보통사람들을 위해서는 예가 아니면 행해서는 안 되는 것을 알아서 반드시 힘써 노력하고, 담을 뚫어 도둑질하는 것을 해서는 안 된다는 점을 아는 데 이르러서는 힘써 노력할 필요가 없다고 하니, 앎 또한 깊고 얕음이 있다. 옛 사람들은 理를 즐겁게 따르는 것을 군자라고 한다. 만약 힘써 노력하면 단지 理를 따르는 것을 알 뿐이지 즐거워하는 것은 아니다. 즐거움에 이를 때 理를 따르는 것이 즐겁고, 리를 따르지 않는 것이 즐겁지 않으니 어째서 힘들게 리를 따르지 않겠는가? 원래 애써 노력할 필요가 없다. 만약 성인이 애써 노력하지 않아도 중도에 맞고 사려

물었다. "앎에 이르는 것과 힘써 행하는 것은 그 효과가 함께 진전될 수 있습니까?"
(정자가) 답했다. "사람들은 예가 아니면 행해서는 안 된다고 말하며 반드시 애써 힘써 노력하여 따른다. 그러나 담을 뚫어 도둑질을 해서는 안 된다고 말하는 데에 이르러서는 반드시 애써 노력한 뒤에 능할 필요가 없다. 그러므로 앎 또한 깊고 얕음이 있으면 행하는 것에는 멀고 가까움이 있으니, 이것이 학문이 진전되는 효과이다. 리理를 따르되 즐거움에 이르면 자신과 리理가 하나이니, 힘써 노력하여 가능한 것은 아니다."

[48-1-12]

張子曰 : "尊其所聞則高明, 行其所知則光大. 凡未理會至實處, 如空中立, 終不曾踏著實地."[16]
장자가 말했다. "들은 바를 높이면 고명高明하고, 아는 바를 행하면 광대光大하다.[17] 지극히 실한 곳을 이해하지 못하면 마치 허공 가운데 서 있는 것과 같아서 결국에는 실제 땅을 밟을 수가 없다."

[48-1-13]

"盡得天下之物, 方要窮理. 窮得理, 又須要實到. 孟子曰, 萬物皆備於我矣. 反身而誠, 樂莫大焉. 實到其間, 方可言知. 未知者, 方且言識之而已. 既知之, 又行之惟艱. 萬物皆備於我矣. 又却要強恕而行, 求仁爲近."[18]

<hr>

하지 않아도 얻는다는 것과 같다. 이것은 또 한 등급 높은 일이다.'(問, '學何以有至覺悟處?.' 曰, '莫先致知. 能致知, 則思一日愈明一日, 久而後有覺也. 學而無覺, 則何益矣? 又奚學爲? 「思曰睿, 睿作聖.」 纔思便睿, 以至作聖, 亦是一箇思. 故曰, 「勉強學問, 則聞見博而智益明.」' 又問, '莫致知與力行兼否.' 曰, '爲常人言纔知得非禮不可爲, 須用勉強, 至於知穿窬不可爲, 則不待勉強, 是知亦有深淺也. 古人言樂循理之謂君子. 若勉強, 只是知循理, 非是樂也. 纔到樂時, 便是循理爲樂, 不循理爲不樂, 何苦而不循理. 自不須勉強也. 若夫聖人不勉而中, 不思而得. 此又上一等事.')"

16 『張載集』「經學理窟‧義理」: "그 들은 바를 높이면 高明하고, 그 아는 바를 행하면 光大하다. 지극히 실한 곳을 이해하지 못하면 마치 허공 가운데 서 있는 것과 같아서 결국에는 실제 땅을 밟을 수가 없다. 성질이 강한 자는 쉽게 서고, 조화로운 자는 쉽게 달하지만, 사람은 단지 서거나 달할 뿐이다. 자신이 서고 싶으면 남을 세워주고 자신이 달하고 싶으면 남을 달하게 해준다. 그러나 강하고 조화로운 것은 하나의 편벽된 것과 같으니 오직 크게 달하면 반드시 서고, 크게 서면 반드시 달한다.(尊其所聞, 則高明行其所知則光大, 凡未理會至實處, 如空中立, 終不曾踏著實地. 性剛者易立, 和者易達, 人只有立與達. 已欲立而立人, 已欲達而達人. 然則剛與和猶是一偏, 惟大達則必立, 大立則必達.)"

17 들은 바를 … 光大하다. : 이 말은 曾子의 말이다.(『曾子全書』「外篇晉楚」第九)

18 『張載集』「張子語錄下」. 원래의 문장은 이렇다. "세상의 사물을 다하여 理를 궁구해야 한다. 理를 궁하고 또 실제로 이르러야 한다. 맹자가 '만물은 모두 나에게 갖추어 있으니, 몸을 돌이켜 진실하면 즐거움은 이보다 더 큰 것은 없다.'고 했다. 실제로 그 사이에 이르면 비로소 앎을 말할 수 있다. 알지 못하는 자는 그것을 의식했다고 말할 뿐이다. 이미 알았다면 또 그것을 행하는 것이 오직 어렵다. 만물이 모두 나에게 갖추어져 있으니, 또한 힘써 恕하여 행하면 仁을 구하는 것이 가깝다. 禮는 밖에서 만들기 때문에 文이니, 맹자의 義가 안에 있다는 말과는 서로 다르다. 맹자는 비로소 그것을 구별했으므로, 스스로 깊이 만들었다고 말했다. 만들고 기억하는 자는 반드시 안을 알지 못하니 또한 성급하게 얕은 앎을 취한 것이다.(盡得天下之物, 方要窮

(장자가 말했다.) "세상의 사물을 다하여 리理를 궁구해야 한다. 리理를 궁구하고 또 실제로 이르러야한다. 맹자가 '만물은 모두 나에게 갖추어 있으니, 몸을 돌이켜 진실하면 즐거움이 이보다 더 큰 것은 없다.'[19]고 했다. 실제로 그 사이에 이르면 비로소 앎을 말할 수 있다. 알지 못하는 자는 그것을 의식했다고 말할 뿐이다. 이미 알았다면 또 그것을 행하는 것이 오직 어렵다. 만물이 모두 나에게 갖추어져 있으니, 또한 힘써 서恕하여 행하면 인仁을 구하는 것이 가깝다."

[48-1-14]

和靖尹氏曰 : "觀理須要通會得一件, 便與行一件."

화정 윤씨和靖尹氏[尹焞][20]가 말했다. "리理를 보는 데 반드시 한 가지 일에서 회통하면 곧 함께 한 가지일을 행한다."

[48-1-15]

朱子曰 : "學之之博, 未若知之之要. 知之之要, 未若行之之實."[21]

주자가 말했다. "배움이 넓은 것은 앎이 집약된 것만 못하다. 앎이 집약된 것은 행함이 진실한 것만못하다."

[48-1-16]

"知行常相須, 如目無足不行, 足無目不見. 論先後, 知爲先, 論輕重, 行爲重."[22]

(주자가 말했다.) "앎과 행동은 항상 서로 의지하니, 눈은 다리가 없으면 갈 수 없고, 다리는 눈이 없으면볼 수 없는 것과 같다. 선후를 논하면 앎이 먼저이고, 경중을 논하자면 행동이 중하다."

· ·

理. 窮得理, 又須要實到. 孟子曰萬物皆備於我矣. 反身而誠, 樂莫大焉實到其間方可言知未知者方且言識之而己既知之又行之惟難. 萬物皆備於我矣. 又卻要强恕而行求仁爲近. 禮自外作故文, 與孟子義內之說如相違. 孟子方言辨道, 故言自得深造. 作記者必不知內, 且據掠淺知.)"

19 '만물은 모두 … 없다.' : 『孟子』「盡心上」의 글이다. "만물이 모두 나에게 갖추어져 있으니, 몸에 돌이켜 진실하면 즐거움이 이보다 더 큰 것은 없고, 恕를 힘써서 행하면 仁을 구함이 이보다 가까울 수 없다.(萬物, 皆備於我矣, 反身而誠, 樂莫大焉, 强恕而行, 求仁, 莫近焉.)" 이에 대해서 주희는 이렇게 말한다. "이는 理의 本然을 말한 것이다. 크게는 군신 사이와 부자 사이이고 작게는 사물의 미세한 것에 그 당연한 이치가 한 가지도 性分의 안에 갖추어지지 않은 것이 없다.(此言理之本然也, 大則君臣父子, 小則事物細微, 其當然之理, 無一不具於性分之內也.)"

20 和靖尹氏[尹焞] : 尹焞(1071~1142)은 송나라 河南 사람. 자는 彦明이고, 德充이라고도 한다. 尹源의 손자이다. 어릴 적부터 정이를 스승으로 섬겼다. 과거에 응시했다가 元祐의 여러 신하를 주살한 일을 논의하라는 시험 문제가 나와 답하지 않고 나와서 평생토록 과거시험을 보지 않았다. 欽宗 靖康 초에 서울에 불려가서 和靖處士라는 호를 받았다. 高宗 때에 숭정전설서, 예부시랑겸시강을 역임했다. 『論語解』 · 『和靖集』이 있다.

21 『朱子語類』 권13, 1조목
22 『朱子語類』 권9, 1조목

[48-1-17]

論知之與行.

曰: "方其知之而行未及之, 則知尚淺. 旣親歷其域, 則知之益明, 非前日之意味."[23]

앎과 행함을 논했다.

(주자가 말했다.) "그것을 알았는데도 행함이 미치지 못했다면 앎이 얕은 것이다. 그 영역을 직접 경험했다면 앎은 더욱 밝아서 어제의 의미가 아니다."

[48-1-18]

"聖賢說知, 便說行. 大學說如切如磋道學也, 便說如琢如磨自脩也. 中庸說學問思辨, 便說篤行. 顏子說博我以文, 謂致知格物, 約我以禮, 謂克己復禮."[24]

(주자가 말했다.) "성현이 앎을 말하면 곧 행함을 말했다. 『대학』에서 '잘라놓은 듯하고, 간 듯하며[如切如磋]는 학문을 말한 것이다.'라고 말한 것은 '쪼아놓은 듯하고, 간듯하다[如琢如磨]는 스스로 행실을 닦는 것'을 말한 것이다.[25] 『중용』에서 '배우며, 물으며, 생각하며, 분별한다.'고 말한 것은 '독실하게 행한다.'고 말한 것이다.[26] 안자가 '문文으로써 나의 지식을 넓혀주었다.'[27]고 한 것은 『대학』에서 말하는 '치지격물致知格物'을 말하고, '예禮로써 나의 행동을 요약하게 해주셨다.'고 한 것은 '극기복례克己復禮'를 말한다."

[48-1-19]

"致知力行, 用功不可偏. 偏過一邊, 則一邊受病. 如程子云, 涵養須用敬, 進學則在致知, 分明

. . . .

23 『朱子語類』 권9, 2조목

24 『朱子語類』 권9, 3조목

25 『大學』 3장: "『詩經』에서 '저 淇水 모퉁이를 보니, 푸른 대나무가 무성하구나! 문채 나는 군자여, 잘라놓은 듯하고, 간 듯하며, 쪼아놓은 듯하고, 간 듯하다. 엄밀하고 굳세며, 빛나고 점잖으니, 문채가 나는 군자여, 끝내 잊을 수 없다.' 하였으니, '잘라놓은 듯하고, 간 듯하며[如切如磋]'는 학문을 말한 것이고, '쪼아놓은 듯하고, 간 듯하다[如琢如磨].'는 스스로 행실을 닦음이고, 엄밀하고 굳세며[瑟兮僩兮]는 마음이 두려워함이고, 빛나고 점잖으니[赫兮喧兮]는 겉으로 드러나는 威儀이고, 문채가 나는 군자여 끝내 잊을 수 없다는 것은 盛德과 至善을 백성이 능히 잊지 못함을 말한 것이다.(詩云, 瞻彼淇澳, 菉竹猗猗, 有斐君子, 如切如磋, 如琢如磨. 瑟兮僩兮, 赫兮喧兮, 有斐君子, 終不可喧兮. 如切如磋者, 道學也, 如琢如磨者, 自修也, 瑟兮僩兮者, 恂慄也, 赫兮喧兮者, 威儀也, 有斐君子終不可喧兮者, 道盛德至善, 民之不能忘也.)"

26 『中庸』 20장: "넓게 배우며, 자세히 물으며, 신중히 생각하며, 밝게 분별하며, 독실하게 행하여야 한다.(博學之, 審問之, 愼思之, 明辨之, 篤行之.)"

27 『論語』 「子罕」: "顏淵이 크게 탄식하며 말하였다. '우러러볼수록 더욱 높고, 뚫을수록 더욱 견고하며, 바라봄에 앞에 있더니 홀연히 뒤에 있다. 공자께서 차근차근히 사람을 잘 이끄시어 文으로써 나의 지식을 넓혀주시고 禮로써 나의 행동을 요약하게 해주셨다. 그만두고자 해도 그만둘 수 없어 이미 나의 재능을 다하니, 내 앞에 우뚝 서있는 듯하다. 그리하여 그를 따르고자 하나 어디로부터 시작해야 할지 모르겠다.'(顏淵, 喟然歎曰, '仰之彌高, 鑽之彌堅, 瞻之在前, 忽焉在後. 夫子循循然善誘人, 博我以文, 約我以禮. 欲罷不能, 旣竭吾才, 如有所立卓爾, 雖欲從之, 末由也已.')"

自作兩脚說."28

(주자가 말했다.) "앎에 이르고 힘써 행하는 것에서 노력을 하는 것은 편벽될 수가 없다. 한 쪽에 지나치게 편벽되면 한 쪽에서 병들게 된다. 정자가 '함양하는 데에는 경敬으로 하고 배움을 진전시키는 것은 앎에 이르는 데에 있다.'29고 했으니, 분명하게 스스로 두 다리를 만들어 말했다."

[48-1-20]

問: "須是先知後行否?"

曰: "不成未明理, 便都不持守了. 且如曾點與曾子便是兩箇樣子. 曾點便是理會得底而行有不掩, 曾子便是合下持守, 旋旋明理, 到一唯處."30

물었다. "반드시 먼저 앎을 이른 후에 행해야 합니까?"

(주자가) 말했다. "리理를 밝히지 못했다고 모두 잡고 지키지 못하는 것이라고 할 수는 없다. 예를 들어 증점曾點과 증자曾子는 두 가지 모습이다. 증점은 이해하였지만 행함에 가리지 못한 것이 있고, 증자는 원래 잡아 지켰으니, 점차로 리理를 밝히면 하나의 곳에 이른다."

[48-1-21]

"聖賢千言萬語, 只是要知得守得."31

(주자가 말했다.) "성현의 천 마디 만 마디 말들은 단지 앎을 이루어야 지키는 것이다."

[48-1-22]

"學者以玩索踐履爲先."32

又曰: "操存與窮格, 不解一上做了. 如窮格工夫, 亦須銖積寸累. 工夫到後, 自然貫通. 若操存工夫, 豈便能常操? 其始也操得一霎, 旋旋到一食時, 或有走作, 亦無如之何. 能常常警覺, 久久自能常存自然光明矣."33

- - - - - - - - - - - - - - - - - - -

28 『朱子語類』권9, 4조목: "앎에 이르고 힘써 행하는 것에서 노력을 하는 것은 편벽될 수가 없다. 한쪽에 지나치게 편벽되면 한쪽에서 병들게 된다. 정자가 '함양하는 데에는 敬으로 하고 배움을 진전시키는 것은 앎에 이르는 데에 있다.'고 했으니, 분명하게 스스로 두 다리를 만들어 말했다. 그러나 선후와 경중을 가지고 말해야 한다. 선후를 말하면 당연하게 앎에 이르는 것이 먼저이고, 경중을 논하면 힘써 행하는 것이 중요하다.(致知·力行, 用功不可偏. 偏過一邊, 則一邊受病. 如程子云, '涵養須用敬, 進學則在致知.' 分明自作兩脚說, 但只要分先後輕重. 論先後, 當以致知爲先, 論輕重, 當以力行爲重.)"

29 『河南程氏遺書』권18

30 『朱子語類』권9, 6조목

31 『朱子語類』권9, 7조목

32 『朱子語類』권9, 9조목

33 『朱子語類』권9, 10조목

(주자가 말했다.) "배우는 사람은 사색하고 실천하는 것을 우선시 한다."

또 말했다. "붙잡아 보존하는 것과 궁리하는 것은 한 번 했다고 풀리지 않는다. 예를 들어 궁리하는 공부는 또한 반드시 하나하나 점차로 누적해 나가야 한다. 공부가 이룬 뒤에는 저절로 하나로 관통한다. 그러나 붙잡아 보존하는 공부는 어찌 항상 잡고 있을 수 있겠는가? 그 시작은 하나를 잡았다가 점차로 밥 먹을 때에 이르고, 혹 걸어가는 것에도 어찌 할 수가 없게 된다. 항상 경계하고 깨어 있을 수 있어서 오래되면 저절로 항상 보존되고 저절로 밝게 빛난다."

[48-1-23]

"操存涵養, 則不可不緊. 進學致知, 則不可不寬."[34]

(주자가 말했다.) "잡아 보존하고 함양하면 긴장하지 않을 수 없다. 배움을 전진시키고 앎에 이르면 여유롭지 않을 수 없다."

[48-1-24]

"涵養中自有窮理工夫, 窮其所養之理. 窮理中自有涵養工夫, 養其所窮之理. 兩項都不相離. 纔見成兩處便不得."[35]

(주자가 말했다.) "함양 가운데에 본래 궁리의 공부가 있으니, 그 함양하는 이치를 궁리한다. 궁리 가운데에는 본래 함양의 공부가 있으니, 그 궁리한 이치를 함양한다. 두 가지 사항은 모두 서로 떨어질 수 없다. 두 가지를 곧바로 이룰 수는 없다."

[48-1-25]

"思索義理, 涵養本原."[36]

(주자가 말했다.) "의리義理를 사색하고, 본원을 함양한다."

[48-1-26]

"所謂窮理, 大底也窮, 小底也窮, 少間都成一箇物事. 所謂持守者, 人不能不牽於物欲, 纔覺得便收將來, 久之自然成熟. 非謂截然今日爲始也."[37]

(주자가 말했다.) "궁리라고 하는 것은 큰 것도 궁리하고 작은 것도 궁리하는 것이니, 어느 순간 모두 하나의 사물을 이룬다. 붙잡아 지키는 것은 사람이 물욕에 빠지지 않을 수 없으므로 깨우쳐서 수습하는 것이니, 오래되면 저절로 익숙해진다. 딱 잘라서 오늘 시작되는 것은 아니다."

. . . .

34 『朱子語類』 권9, 11조목
35 『朱子語類』 권9, 15조목
36 『朱子語類』 권9, 14조목
37 『朱子語類』 권9, 12조목

"人之爲學, 如今雨下相似. 雨既下後到處濕潤, 其氣易得蒸鬱. 纔略晴, 被日頭暑照, 又蒸得雨來. 前日亢旱時, 只緣久無雨下, 四面乾枯, 縱有些少都滋潤不得, 故更不能蒸鬱得成. 人之於義理若見得後, 又有涵養底工夫, 日日在這裏面, 便意思自好, 理義也容易得見, 正如雨蒸鬱得成後底意思. 若是都不去用力, 日間只恁悠悠都不曾有涵養工夫, 設或理會得些小道理, 也滋潤他不得, 少間私欲起來又間斷去, 正如亢旱不能得雨相似也."[38]

(주자가 말했다.) "사람의 배움은 오늘 비가 내리는 것과 비슷하다. 비가 내린 뒤에는 곳곳이 물기가 가득하고, 그 기운이 찜통이 된다. 맑게 게이고, 해가 비추고 또 찜통과 같이 비가 내린다. 어제 가뭄이 들었을 때 오랫 동안 비가 내리지 않아서 서쪽에는 마른 나무들이 있고 결국에는 조금도 물기를 얻을 수 없으므로, 다시 찜통을 이루지 못한다. 사람이 의리에 대해서 만약 의리를 보고 난 뒤에 또 함양하는 공부가 있고, 날마다 여기에 있어서 생각이 저절로 좋아지고, 의리도 쉽게 볼 수 있으니, 마치 비가 끓어올라 내린 뒤의 뜻과 같다. 만약 모두 힘을 써가지 않으면 날마다 단지 게을러 함양의 공부가 있지 않다. 설령 작은 도리를 이해했다고 해도 그것이 몸에 촉촉이 젖어들지 않아서 순간에 사사로운 욕심이 일어나 또 다시 단절되니, 마치 가뭄이 비를 내리지 못하는 것과 같다."

[48-1-28]

"學者工夫, 唯在居敬窮理, 此二事互相發. 能窮理, 則居敬工夫日益進. 能居敬, 則窮理工夫日益密. 譬如人之兩足, 左足行則右足止, 右足行則左足止. 又如一物懸空中, 右抑則左昂, 左抑則右昂. 其實只是一事."[39]

(주자가 말했다.) "배우는 사람의 공부는 오직 경敬에 있으면서 리理를 궁구하는 것에 있으니 이 두 가지 일은 서로 발전시킨다. 리理를 궁구할 수 있으면 경敬에 있는 공부가 날마다 더욱 증진된다. 경敬에 있을 수 있으면 리理를 궁구하는 공부가 날마다 더욱 정밀해진다. 비유하자면 사람의 두 다리가 왼쪽 다리가 걸으면 오른쪽 다리가 멈추고, 오른쪽 다리가 걸으면 왼쪽 다리가 멈추는 것과 같다. 또 하나의 사물이 공중에 걸려 있어, 오른쪽을 누르면 왼쪽이 올라가고, 왼쪽을 누르면 오른쪽이 올라가는 것과 같다. 실은 단지 하나의 일이다."

[48-1-29]

"人須做工夫方有礙.[40] 初做工夫時, 欲做此一事, 又礙彼一事. 只如居敬窮理兩事, 居敬是箇收斂執持底道理, 窮理是箇推尋究竟底道理, 此二者便是相妨. 若是熟時, 則自不相礙矣."[41]

---

38 『朱子語類』 권9, 17조목
39 『朱子語類』 권9, 18조목
40 方有礙, 『朱子語類』에는 '方有疑'로 되어 있다. 『朱子語類』에 따라서 번역했다.
41 『朱子語類』 권9, 19조목

(주자가 말했다.) "사람은 반드시 공부를 해야 비로소 의심이 있다. 처음 공부할 때 이 일을 하려고 하는데 또 저 일이 막힌다. 예를 들어 경敬에 자리하고 리理를 궁리하는 두 가지 일에서 경敬에 자리하는 것은 잡아 지키는 도리를 수렴하는 것이고, 리理를 궁리하는 것은 궁극의 도리를 추론하는 것이니, 이 두 가지는 서로 방해가 된다. 만약 익숙해질 때는 서로 장애가 되지 않는다."

[48-1-30]

"持敬, 是窮理之本. 窮得理明, 又是養心之助."[42]

(주자가 말했다.) "경敬을 유지하는 것은 리理를 궁리하는 근본이다. 리理를 밝게 궁리하는 것은 또 마음을 기르는 도움이다."

[48-1-31]

"學者若不窮理, 又見不得道理. 然去窮理, 不持敬又不得. 不持敬, 看道理便都散不聚在這裏."[43]

(주자가 말했다.) "배우는 사람이 만약 리理를 궁구하지 않으면 또 도리를 보지 못한다. 그러나 리理를 궁구하면서 경敬을 유지하지 않으면 또 안 된다. 경敬을 유지하지 않으면 도리를 보고서도 모두 흩어져 여기에 모이지 않는다."

[48-1-32]

"致知, 敬, 克己, 此三事以一家譬之, 敬是守門戶之人, 克己則是拒盜, 致知却是去推察自家與外來底事. 伊川言涵養須用敬, 進學則在致知. 不言克己, 蓋敬勝百邪便自有克. 如誠則便不消言閑邪之意. 猶善守門戶, 則與拒盜便是一等事, 不消更言別有拒盜底. 若以涵養對克己言之, 則各作一事亦可. 涵養則譬將息, 克己則譬如服藥去病. 蓋將息不到, 然後服藥. 將息到, 則自無病, 何消服藥? 能純於敬, 則自無邪僻, 何用克己? 若有邪僻, 只是敬心不純, 只可責敬. 故敬則無己可克, 乃敬之效. 若初學則須是工夫都到, 無所不用其極."[44]

(주자가 말했다.) "앎에 이르는 것과 경敬과 자기를 극복하는 것, 이 세 가지 일을 한 집안으로 비유한다면, 경敬이란 문을 지키는 사람이고, 자신을 극복하는 것은 도둑을 막는 것이고, 앎에 이르는 것은 자신과 밖에서 온 일을 미루어 살피는 것이다. 이천은 '함양하는 데에 반드시 경敬을 쓰고, 배움을 증진시키는 것은 앎에 이르는 데에 있다.'[45]라고 했다. 여기서 자신을 극복하는 것을 말하지 않은 것은 경敬이 백 가지 사특함을 이기면 저절로 극복하기 때문이다. 성誠하다면 사특함을 막는다는 뜻을 말할 필요가 없는

42 『朱子語類』 권9, 21조목
43 『朱子語類』 권9, 22조목
44 『朱子語類』 권9, 26조목
45 『河南程氏遺書』 권18

것과 같다. 문을 잘 지킨다면 도둑을 막는 것과 동일한 일이니 따로 도둑을 막는 것이 있다고 말할 필요가 없다. 만약 함양을 자신을 극복하는 것과 짝지어 말한다면 각각 한 가지 일을 만드는 것 역시 가능하다. 함양은 비유하자면 휴식을 취하는 것과 같고, 자신을 극복하는 것은 약을 복용해서 병을 물리치는 것과 같다. 휴식을 잘 취하지 못하면 그런 뒤에 약을 복용하게 된다. 휴식을 잘 취했다면 저절로 병이 없으니 어찌 약을 복용할 필요가 있겠는가? 순전히 경敬할 수 있다면 저절로 사특함과 편벽됨이 없어지니 어찌 자신을 극복할 필요가 있겠는가? 만약 사특함과 편벽됨이 있다면 경敬한 마음이 순전하지 못한 것이니 단지 경敬하기를 요구할 수 있다. 그러므로 경敬하면 극복해야 할 자기가 없으니, 경敬의 효과이다. 처음 배울 때에는 반드시 공부가 모두 이르러야 하니, 그 궁극을 사용하지 않는 것이 없다."

[48-1-33]

"見不可謂之虛見. 見無虛實, 行有虛實. 見只是見. 見了後, 却有行有不行. 若不見後只要硬做, 便所成者窄狹."[46]

(주자가 말했다.) "본다는 것은 헛되이 본다고 말할 수 없다. 본다는 것에는 허虛와 실實의 차이가 없지만, 행하는 데에는 허와 실의 차이가 있다. 본다는 것은 단지 보는 것이다. 보고 난 뒤에 행하는 것이 있고, 행하지 않는 것이 있다. 만약 보지 않은 뒤에 단지 강경하게 하려고 한다면 이룬 것이 협애하고 좁다."

[48-1-34]

"士患不知學. 知學矣, 而知所擇之爲難. 能擇矣, 而勇足以行之, 內不顧於私己, 外不牽於俗習, 此又難也."[47]

(주자가 말했다.) "사대부는 배움을 알지 못하는 것을 근심한다. 배움을 알고서 택하는 것을 아는 것이 어렵다. 택할 수 있다면 용기가 그것을 행하기에 충분하여 안으로 사사로운 자기를 개의치 않고 밖으로 세속의 습속에 이끌리지 않으니, 이것이 또한 어렵다."

[48-1-35]

"程子言'學者識得仁體實有諸己, 只要義理栽培.' 識得與實有, 須做兩句看. 識得, 是知之也. 實有, 是得之也. 若只識得, 只是知有此物. 却須實有諸己, 方是己物也."[48]

(주자가 말했다.) "정자程子는 '배우는 사람은 인仁의 체體를 의식하여 실제로 자신에게 내면화해서 가지니, 단지 의리를 배양할 뿐이다.'[49] 의식하는 것과 실제로 가지는 것은 반드시 두 구절로 보아야 한다.

---

46 『朱子語類』권9, 36조목
47 『朱文公文集』권90 「墓表·程君正思墓表」
48 『朱子語類』권95, 125조목
49 이 구절에 대해서 섭채는 『近思錄』에서 이렇게 설명하고 있다. "인은 천리의 生理이고, 인간의 마음의 온전한 덕이다. 그 체가 마음에 구비되어 실로 사람이 본래 가지고 있는 것이다. 그러나 반드시 안으로 자신을 반성하여 정밀하게 살피고 두텁게 길러야 인의 온전한 체를 보아서 실제로 자신이 소유하게 되니, 나의 마음이

의식하는 것은 그것을 아는 것이고, 실제로 가지는 것은 그것을 얻는 것이다. 만약 의식하기만 하면 단지 이것이 있다는 것을 알 뿐이다. 반드시 자신에게 내면화해서 가져야 비로소 자신의 것이다."

[48-1-36]

問 : "大抵學便要踐履如何?"

曰 : "固然是, 易云, '學以聚之, 問以辨之.' 旣探討得是, 當又且放頓寬大田地, 待觸類自然有會合處, 故曰寬以居之, 何嘗便說仁以行之?"[50]

물었다. "대체로 배움은 실천해야 하니 어떻습니까?"

(주자가) 말했다. "분명 그러하다. 『역』에서 '배워서 지식을 모으고, 물어서 분별한다.'[51]고 했다. 이미 탐구하고 토론하여 옳음을 얻었으니, 마땅히 또 관대한 곳에 놓아 같은 부류에 접촉하여 저절로 회합하는 곳이 있기를 기다린다. 그러므로 '너그러움에 거한다.'고 했고, 어찌 '인仁으로 행한다.'고 말했겠는가!"

[48-1-37]

答吳晦叔書曰 : "夫泛論知行之理而就一事之中以觀之, 則知之爲先, 行之爲後, 無可疑者. 如孟子所謂知皆擴而充之, 程子所謂譬如行路須得光照, 及易文言所知至至之, 知終終之之類, 是也. 然合夫知之淺深, 行之大小而言, 則非有以先成乎其小, 亦將何以馴致乎其大者哉? 如子夏敎人以洒掃應對進退爲先, 程子謂未有致知而不在敬者, 又易文言知至知終皆在忠信脩辭之後之類, 是也.

오회숙吳晦叔에게 답하는 편지에서 주자가 말했다. "대체로 앎과 행함의 이치를 논하는 데에 하나의 일 가운데에서 본다면, 앎이 먼저이고 행함이 나중이라는 것은 의심할 수 없다. 맹자가 말한 "모두 넓혀서 채울 줄 안다."[52]라는 것과, 정자가 말한 "비유하자면 길을 걸을 때 반드시 빛을 비추어야 하는 것과 같다."[53]라는

· · · · · · · · · · · · · · · ·

보존한 것이 천리 아닌 것이 없게 된 뒤에 의리를 널리 구하여 재배한다면 生理가 날로 충만하여 인을 이루다 쓸 수 없다.(仁者, 天地之生理, 人心之全德也, 其體具於心, 固人之所本有, 然必內反諸己, 察之精, 養之厚, 有以見夫仁之全體, 實爲己有, 則吾心所存, 無非天理而後, 博求義理以封殖之, 則生理日以充長, 而仁不可勝用矣.)"

50 『朱子語類』권13, 8조목

51 '배워서 지식을 … 판별한다.' : 『易』「乾卦‧文言傳」의 글이다. "군자는 덕을 이룬 것을 행실로 삼으니, 날마다 볼 수 있는 것이 행실이다. 潛이란 말은 숨어서 나타나지 않으며 행실이 아직 이루어지지 않은 것이다. 이 때문에 군자가 쓰지 않는 것이다. 군자가 배워서 지식을 모으고, 물어서 분별하며, 너그러움으로 거하고, 仁으로써 행한다. 『易』에 이르기를 '나타난 龍이 밭에 있으니 大人을 만나봄이 이롭다.'고 하니, 이는 군주의 덕이다.(君子以成德爲行, 日可見之行也. 潛之爲言也, 隱而未見, 行而未成. 是以君子弗用也. 君子學以聚之, 問以辨之, 寬以居之, 仁以行之. 易曰'見龍在田利見大人', 君德也.)"

52 "모두 넓혀서 … 안다." : 『孟子』「公孫丑上」, "사람들은 모두 사람을 차마 해치지 못하는 마음을 가지고 있다. 先王이 사람을 차마 해치지 못하는 마음을 두어, 사람을 차마 해치지 못하는 정사를 시행했으니, 사람을 차마 해치지 못하는 마음으로 사람을 차마 해치지 못하는 정사를 행한다면, 천하를 다스리는 일을 손바닥 위에 놓고 운용할 수 있을 것이다. 사람들이 모두 사람을 차마 해치지 못하는 마음을 가지고 있다고 말하는

것과 『주역』「문언전」에서 말한 "이를 데를 알아 그것을 이르고, 마칠 데를 알아 마친다."[54]라고 하는 것 등이 그것이다. 그러나 앎의 깊고 얕음과 행함의 크고 작음을 합쳐서 말한다면, 그 작은 것을 먼저 이루지 않고서, 또한 장차 어떻게 그 큰 것을 따라 이룰 수 있겠는가? 자하가 사람을 가르칠 때 물 뿌리고 비질하고 응대하고 나아가고 물러나는 것[55] 등을 먼저 한 것과, 정자가 "치지致知하면서 경敬에 있지 않은 경우란 없다."[56]라고 말한

....

까닭은, 지금에 사람들이 갑자기 어린아이가 장차 우물로 들어가려는 것을 보고는 모두 깜짝 놀라고 惻隱해하는 마음을 가지니, 이것은 어린아이의 부모와 교분을 맺으려고 해서도 아니며, 마을과 친구들에게 명예를 구해서도 아니며, 잔인하다는 악명을 싫어해서 그러한 것도 아니다. 이로 말미암아 본다면 惻隱之心이 없으면 사람이 아니며, 羞惡之心이 없으면 사람이 아니며, 辭讓之心이 없으면 사람이 아니며, 是非之心이 없으면 사람이 아니다. 측은지심은 仁의 단서이고, 수오지심은 義의 단서이고, 사양지심은 禮의 단서이고, 시비지심은 智의 단서이다. 사람이 이 四端을 가지고 있는 것은 四體를 가지고 있는 것과 같으니, 이 사단을 가지고 있으면서도 스스로 仁義를 행할 수 없다고 말하는 자는 자신을 해치는 자이고, 자기 군주가 仁義를 행할 수 없다고 말하는 자는 군주를 해치는 자이다. 무릇 사단이 나에게 있는 것을 모두 넓혀서 채울 줄 알면, 마치 불이 처음 타오르며 샘물이 처음 나오는 것과 같을 것이니, 만일 능히 이것을 채운다면 족히 四海를 보호할 수 있고, 만일 채우지 못한다면 부모도 섬길 수 없을 것이다.(人皆有不忍人之心. 先王有不忍人之心, 斯有不忍人之政矣. 以不忍人之心, 行不忍人之政, 治天下可運於掌上. 所以謂人皆有不忍人之心者, 今人乍見孺子將入於井, 皆有怵惕惻隱之心――非所以內交於孺子之父母也, 非所以要譽於鄕黨朋友也, 非惡其聲而然也. 由是觀之, 無惻隱之心, 非人也, 無羞惡之心, 非人也, 無辭讓之心, 非人也, 無是非之心, 非人也. 惻隱之心, 仁之端也, 羞惡之心, 義之端也, 辭讓之心, 禮之端也, 是非之心, 智之端也. 人之有是四端也, 猶其有四體也. 有是四端而自謂不能者, 自賊者也, 謂其君不能者, 賊其君者也. 凡有四端於我者, 知皆擴而充之矣, 若火之始然, 泉之始達. 苟能充之, 足以保四海, 苟不充之, 不足以事父母.)"

53 "비유하자면 길을 … 같다." : 『河南程氏遺書』 권3

54 "이를 데를 … 마친다." : 『周易』「乾卦・文言傳」, "九三에 말하기를 '군자가 종일토록 힘쓰고 힘써 저녁까지도 두려워하면 위태로우나 허물이 없다.'는 것은 무슨 말인가? 공자가 말했다. '군자는 德을 증진시키고 공업을 닦으니, 忠과 信이 덕을 증진시키는 것이고, 말을 닦아서 그 성실함을 세우는 것이 공업을 가지는 것이다. 이를 데를 알아 이르므로, 더불어 기미를 알 수 있고, 마칠 데를 알아 마치므로 더불어 義를 보존할 수 있다. 이 때문에 윗자리에 있어도 교만하지 않고 아랫자리에 있어도 근심하지 않는 것이다. 그러므로 힘쓰고 힘써 때에 따라 두려워하면 비록 위태로우나 허물이 없는 것이다.(九三曰, 君子終日乾乾夕惕若厲无咎, 何謂也? 子曰, 君子進德修業, 忠信, 所以進德也, 修辭立其誠, 所以居業也. 知至至之, 可與幾也, 知終終之, 可與存義也, 是故, 居上位而不驕, 在下位而不憂, 故乾乾, 因其時而惕, 雖危, 无咎矣.)"

55 물 뿌리고 … 것 : 『論語』「子張」, "子游가 말했다. '子夏의 제자들은 물 뿌리고 청소하며, 응대하고 進退하는 예절에 당면해서는 좋지만, 이는 말단이고, 근본적인 것은 없으니, 어찌하겠는가?' 子夏가 이 말을 듣고서 말했다. '아! 言游의 말이 지나치다. 군자의 道에 어느 것을 먼저라 하여 전수하며, 어느 것을 뒤라 하여 게을리 하겠는가? 草木에 비유하면 구역으로 구별되는 것과 같으니, 군자의 道가 어찌 이처럼 속이겠는가? 처음과 끝을 구비한 것은 오직 성인이다.!(子游曰, '子夏之門人小子當灑掃, 應對, 進退則可矣, 抑末也, 本之則無, 如之何?' 子夏聞之曰, "噫! 言游過矣. 君子之道孰先傳焉, 孰後倦焉? 譬諸草木, 區以別矣, 君子之道焉可誣也? 有始有卒者, 其惟聖人乎!')"

56 "致知하면서 敬에 … 없다." : 『河南程氏遺書』 권3에 "도에 들어가는 데에는 敬만한 것이 없으니 致知할 수 있으면서도 敬에 있지 않은 경우란 없다. 지금 사람들은 마음을 집중하는 데에 안정을 이루지 못하여, 마음을 보는 것을 도적처럼 해서 제어할 수가 없으니, 이는 일이 마음을 얽매게 하는 것이 아니라, 마음이 일에

것과 『주역』「문언전」에서 "이를 데를 알고 마칠 데를 아는 것은 모두 충忠과 신信 그리고 말을 닦는 것 뒤에 있다고 한 것 등이 이것이다.

蓋古人之教, 自其孩幼而教之以孝弟誠敬之實, 及其少長而博之以詩書禮樂之文, 皆所以使之即夫一事一物之間, 各有以知其義理之所在而致涵養踐履之功也. 此小學之事, 知之淺而行之小者也. 及其十五成童學於大學, 則其洒掃應對之間, 禮樂射御之際, 所以涵養踐履之者畧已小成矣. 於是不離乎此而教之以格物以致其知焉.

대개 옛 사람의 가르침은 어린 아이서부터 효제孝悌와 성경誠敬의 실제로써 가르쳤고, 조금 더 자라면 『시』,『서』,『예』,『악』 등의 글로써 넓혀 주었으니, 모두 다 그들로 하여금 하나의 일과 하나의 사물에 나아가 각각 그 의리가 있는 곳을 알아서 함양涵養하고 실천하는 공부를 이루도록 한 것이다. 이는 『소학小學』의 일이니, 앎 중에서 얕은 것이고 실천 중에서 작은 것이다. 열다섯 살에 이르러 어린이가 되면 대학大學에서 배웠으니, 물 뿌리고 비질하고 응대하는 동안과 예, 악, 활쏘기, 수레몰기 등을 익히는 때에 함양하고 실천하는 것을 이미 조금 이루었기 때문에, 그래서 여기서[57] 벗어나지 않고 사물을 격格하여 앎을 이루는 것을 가르친다.

致知云者, 因其所已知者推而致之以及其所未知者而極其至也. 是必至於舉天地萬物之理而一以貫之, 然後爲知之至. 而所謂誠意正心脩身齊家治國平天下者, 至是而無所不盡其道焉. 此大學之道, 知之深而行之大者也. 今就其一事之中而論之, 則先知後行固各有其序矣. 誠欲因夫小學之成以進夫大學之始, 則非涵養踐履之有素, 亦豈能居然以去雜亂紛糾之心而格物以致其知哉?

앎을 이루는 것은 이미 알고 있는 것을 바탕으로 해서 미루어 나아가 아직 모르는 것에 미쳐서 지극함을 다하는 것이다. 반드시 천지 만물의 이치를 열거하는 데에 이르러 하나로 꿰뚫은 뒤에 앎의 지극함을 이룬다. 성의誠意, 정심正心, 수신修身, 제가齊家, 치국治國, 평천하平天下라고 하는 것은 앎을 지극히 하는 것에 이르고 그 도道를 다하지 않는 것이 없는 것이다. 이는 『대학大學』의 도로서, 앎 가운데 깊은 것이고 행함 가운데 큰 것이다. 이제 한 가지 일 가운데 나아가 논한다면, 앎이 먼저이고 행함이 나중인 것은 각각 그 순서가 있는 것이다. 진실로 『소학』의 완성을 바탕으로 해서 『대학』의 시작으로 나아가려고 한다면, 함양과 실천의 바탕이 없고서야 또한 어찌 편안하게 혼잡하고 어지러운 마음을 제거해서 사물을 격格하고 앎을 이루어서 사물에 나아가 앎을 이룰 수 있겠는가?

....

얽매이는 것이다. 당연히 천하에 하나의 사물이라도 마땅히 없어야 할 것은 없으니, 미워해서는 안 된다는 점을 알아야 한다.(入道莫如敬, 未有能致知而不在敬者. 今人主心不定, 視心如寇賊而不可制, 不是事累心, 乃是心累事. 當知天下無一物是合少得者, 不可惡也.)"라고 하였다.

57 여기서 : 소학을 가리킨다.

且易之所謂忠信修辭者, 聖學之實事, 貫始終而言者也. 以其淺而小者言之, 則自其常視毋誑, 男唯女俞之時, 固已知而能之矣. 知至至之, 則由行此而又知其所至也, 此知之深者也. 知終終之, 則由知至而又進以終之也, 此行之大者也. 故大學之物雖以格物致知爲用力之始, 然非謂初不涵養履踐而直從事於此也.

또한 『주역』에서 말한 충忠과 신信과 말을 닦는 일[58]은 성학聖學의 실제적인 일로 처음과 끝을 꿰뚫어 말한 것이다. 그 얕고 작은 측면에서 말한다면 '항상 속이지 않는 모습을 보여 주어야 한다.'[59]는 것과 '남자는 빨리 대답하고 여자는 느리게 대답하게 한다.'[60]고 했을 때 진실로 이미 알고서 할 수 있는 것이다. '이를 데를 알아 그것에 이르는 것'은 이것을 행함으로써 또 그것이 이를 데를 아는 것이니, 이것은 앎 가운데에서 깊은 것이다. '마칠 데를 알아 마치는 것'은 앎이 이르는 것에서부터 진전시켜 마치는 것이니, 이것은 행함 가운데에서 큰 것이다. 그래서 『대학』이란 책에서 비록 격물格物과 치지致知를 공부의 처음으로 삼고 있지만, 애초부터 함양涵養하고 실천하여 곧바로 일에 종사하라는 말이 아니다.

又非謂物未格, 知未至, 則意可以不誠, 心可以不正, 身可以不脩, 家不以不齊也. 但以爲必知之至, 然後所以治己治人者, 始有以盡其道耳. 若曰必俟知至而後可行, 則夫事親從兄, 承上接下, 乃人生之所不能一日廢者, 豈可謂吾知未至而暫輟以俟其至而後行哉? 抑聖賢所謂知者, 雖有淺深, 然不過如前所論二端而已. 但至廓然貫通, 則內外精粗自無二致也."[61]

또한 아직 사물을 격格하지 못하여 앎이 이르지 않았다면, 뜻을 진실하게 하지 않아도 되고, 마음을 바로 잡지 않아도 되고, 몸을 바로 잡지 않아도 되고, 집을 가지런히 하지 않아도 된다는 말은 아니다. 단지 반드시 앎이 이른 뒤라야 자기를 다스리고 남을 다스리는 데에 비로소 그 도를 다할 수 있을 뿐이다. 만약 '반드시 앎이 이르기를 기다린 뒤에라야 행할 수 있다.'고 말한다면, 어버이를 섬기고 형을 따르고 윗사람을 받들고 아랫사람을 접하는 일은 인생에서 하루도 버려 둘 수 없는 것들인데, 어찌 나의 앎이 아직 이르지 않았다고 하면서 잠시 제쳐두었다가 그 앎이 이르기를 기다린 뒤에 행할 수 있겠는가? 성현이 말한 앎에는 비록 얕고 깊음이 있을지라도 전에 논의한 두 가지 단서에 지나지 않을 뿐이다. 다만 확연하게 관통한다면 안과 밖, 정밀함과 조야함이 본디 두 가지가 아니다."

· ·

58 忠과 信과 … 일: 『周易』「乾卦 · 文言傳」에 "군자는 德을 증진시키고 공업을 닦으니, 忠과 信이 덕을 증진시키는 것이고, 말을 닦아서 그 성실함을 세우는 것이 공업을 가지는 것이다.(君子進德修業, 忠信, 所以進德也, 修辭立其誠, 所以居業也.)"라고 하였다.

59 '항상 속이지 … 한다.': 『禮記』「曲禮上」에 "어린자식들에게는 항상 속이지 않는 모습을 보여 주어야 하고, 설 때는 반드시 방향을 바르게 하며, 엿듣지 않게 해야 한다.(幼子, 常視毋誑, 立必正方, 不傾聽.)"라고 하였다.

60 '남자는 빨리 … 한다.': 『禮記』「內則」에 "자식이 제 스스로 밥을 먹거든 오른손을 쓰도록 가르치며, 말을 하거든 남자는 빨리 대답하고 여자는 느리게 대답하게 하며 남자는 띠를 가죽으로 하고 여자는 띠를 실로 한다.(子能食食, 敎以右手, 能言, 男唯女俞, 男鞶革, 女鞶絲.)"라고 하였다.

61 『朱文公文集』 권42 「書 · 答吳晦叔」

[48-1-38]

答程允夫書曰 : "窮理之要不必深求, 此語有大病, 殊駭聞聽. 行得卽是, 固爲至論. 然窮理不深, 則安知所行之可否哉? 宰予以短喪爲安, 是以不可爲可也. 子路以正名爲迂, 是以可爲不可也. 彼親見聖人, 日聞善誘, 猶有是失. 況於餘人, 恐但不如此而已. 窮理旣明, 則理之所在動必由之, 無論高而不可行之理. 但世俗以苟且淺近之見謂之不可行耳.

정윤부程允夫에게 답하는 편지에서 말했다. "'리理를 궁구하는 요점은 반드시 깊이 구할 필요는 없다.'라는 말에는 큰 병이 있어 듣고 깜짝 놀랐다. '행하여 터득하면 옳다.'라는 것은 지극한 논의이다. 그러나 리理를 궁구하는 것이 깊지 못하면 어찌 행하는 것이 옳은지 않은지를 알 수 있겠는가? 재여宰予가 삼년상을 줄이는 것을 편안하게 여겼는데,62 이는 하지 말아야 할 것을 해야 할 것으로 여긴 것이다. 자로子路는 이름을 바로 잡는 것을 우활迂闊하다고 했으니,63 이는 해야 할 것을 하지 말아야 할 것으로 여긴 것이다. 저 두 사람은 성인이었던 공자를 직접 만나서 매일 가르침을 듣고 잘 인도받았으면서도 오히려 이런 과실이 있었는데, 하물며 나머지 사람들은 이 정도에서 그치지 않을 것이다. 리理에 대한 궁구가 밝아지면 행동할 때 반드시 리理가 있는 곳으로부터 연유하니, 고원해서 행하지 못할 이치란 없다. 다만 세속에서 구차하고 얕은 견해로써 행할 수 없다고 말할 뿐이다.

· ·

62 삼년상을 줄이는 … 여겼는데 : 『論語』「陽貨」에 "宰我가 말하였다. '三年喪은 期年만 해도 너무 오래입니다. 묵은 곡식이 다 없어지고 새 곡식이 오르며, 불씨 만드는 나무도 바뀌니, 1년이면 그칠 만한 것입니다.' 공자가 말했다. '쌀밥을 먹고 비단옷을 입는 것이 너에게는 편안한가?' 재아가 답했다. '편안합니다.' 공자가 말했다. '네가 편안하면 그리해라. 군자가 居喪할 때에 맛있는 것을 먹어도 달지 않으며, 음악을 들어도 즐겁지 않으며, 거처함에 편안하지 않기 때문에 하지 않는 것이니, 네가 편안하면 그리해라.' 재아가 밖으로 나가자, 공자가 말했다. '재아가 인하지 못하구나! 자식이 태어나서 3년이 지난 뒤에야 부모의 품을 벗어나게 된다. 三年喪은 온천하의 공통된 喪이니, 재여는 3년의 사랑이 그 부모에게 있었는가?(宰我問, '三年之喪, 期已久矣. 舊穀旣沒, 新穀旣升, 鑽燧改火, 期可已矣.' 子曰, '食夫稻, 衣夫錦, 於女安乎?' 曰, '安.' '女安則爲之, 夫君子之居喪, 食旨不甘, 聞樂不樂, 居處不安, 故不爲也. 今女安則爲之.' 宰我出, 子曰, '予之不仁也, 子生三年然後, 免於父母之懷, 夫三年之喪, 天下之通喪也, 予也有三年之愛於其父母乎?')"라고 하였다.

63 이름을 바로 … 했으니 : 『論語』「子路」에 "子路가 말하였다. '衛나라 군주가 선생님을 기다려 정사를 하려고 하십니다. 선생께서는 장차 무엇을 가장 먼저 하시겠습니까?' 공자가 말했다. '반드시 명분을 바로잡겠다.' 자로가 말하였다. '이러하십니다. 선생님의 우활하심이여! 어떻게 바로잡을 수 있겠습니까?' 공자가 말했다. '비루하구나, 由여! 군자는 자기가 알지 못하는 것에는 말하지 않고, 가만히 있는 것이다. 명분이 바르지 못하면 말이 이치에 순하지 못하고, 말이 이치에 순하지 못하면, 일이 이루어지지 못하고, 일이 이루어지지 못하면 禮樂이 일어나지 못하고, 예악이 일어나지 못하면 刑罰이 알맞지 못하고, 형벌이 알맞지 못하면 백성들이 손발을 둘 곳이 없어진다. 그러므로 군자가 이름을 붙이면 반드시 말할 수 있으며, 말할 수 있으면 반드시 행할 수 있는 것이니, 군자는 그 말에 대하여 구차히 함이 없을 뿐이다.'(子路, '衛君, 待子而爲政, 子將奚先?' 子曰, '必也正名乎.' 子路曰, '有是哉, 子之迂也, 奚其正?' 子曰, '野哉, 由也, 君子於其所不知, 蓋闕如也, 名不正, 則言不順, 言不順, 則事不成, 事不成, 則禮樂不興, 禮樂不興, 則刑罰不中, 刑罰不中, 則民無所措手足. 故君子名之, 必可言也, 言之, 必可行也, 君子於其言, 無所苟而已矣.')"라고 하였다.

如行不由徑, 固世俗之所謂迂, 不行私謁, 固世俗之所謂矯. 又豈知理之所在, 言之雖若甚高而未嘗不可行哉? 理之所在, 卽是中道. 惟窮之不深, 則無所準則而有過不及之患. 未有窮理旣深而反有此患也. 易曰精義入神以致用也, 蓋惟如此然後可以應務. 未至於此, 則凡所作爲, 皆出於私意之鑿冥行而已."[64]

예를 들어 '길을 다닐 적에 지름길을 따르지 않는다.'[65]는 것을 세상 사람들이 우활하다고 여기고, '사사로이 알현하는 짓을 하지 않는다.'[66]는 것을 세상 사람들이 바로잡았다고 여기는 것과 같다. 또 어찌 이치가 있는 곳을 알더라도, 말하는 것이 매우 고원하다고 해서 행할 수 없는 것은 없다고 하겠는가? 이치가 있는 곳이란 곧 중도中道이다. 오직 깊게 궁구하지 못하면, 기준이 없고 과불급過不及의 우환이 있다. 이치를 깊이 궁구했는데 이런 근심이 있는 경우는 없다. 『주역』에서, '의리를 정밀히 하여 신묘한 경지에 들어감은 작용을 지극히 하기 위해서이다.'[67]라고 했는데, 오직 이렇게 한 뒤에라야 가히 일에 응할 수가 있다. 아직 이런 경지에 이르지 못하였다면, 모든 하는 일이 사사로운 뜻의 천착에서 나와 몰래 행하는 것일 뿐이다."

[48-1-39]
問: "致知後須持養方力行?"

曰: "如是則今日致知, 明日持養, 後日力行. 只持養便是行. 正心誠意豈不是行? 但行有遠近.

．．．．．．．．．．．．．．．．．．．．
64 『朱文公文集』 권41 「書·答程允夫」
65 '길을 다닐 … 않는다.': 『論語』 「雍也」에 "子游가 武城의 邑宰가 되었다. 공자가 말했다. '너는 인물을 얻었느냐? 자유가 대답하였다. 澹臺滅明이라는 자가 있는데, 길을 다닐 적에 지름길을 따르지 않으며, 公的인 일이 아니면 일찍이 저의 집에 이른 적이 없습니다.'(子游爲武城宰, 子曰, '女得人焉爾乎?' 曰, '有澹臺滅明者, 行不由徑, 非公事, 未嘗至於偃之室也.')"라고 하였다.
66 '사사로이 알현하는 … 않는다.': '不行私謁'을 번역한 말이다. 私謁이란 사적인 일을 가지고 알현하여 청탁하는 것을 말한다. 『詩』 「周南·卷耳序」에 "內有進賢之志, 而無險詖私謁之心."라고 하였다.
67 '의리를 정밀히 … 위해서이다.': 『周易』 「繫辭下」, 『易』에서 말했다. '자주 왕래하면 벗만이 네 생각을 따를 것이다.' 공자가 말했다. '천하에 무엇을 생각하며 무엇을 생각하겠는가? 천하는 같은 곳으로 돌아가지만 길이 다르며, 이치는 하나이나 생각은 백 가지이니, 천하에 무엇을 생각하고 무엇을 생각하겠는가. 해가 가면 달이 오고 달이 가면 해가 와서 해와 달이 서로 미루어서 밝음이 생기며, 추위가 가면 더위가 오고 더위가 가면 추위가 와서 추위와 더위가 서로 미루어 해가 이루어진다. 가는 것은 굽히는 것이고 오는 것은 펼쳐지는 것이니, 굽히는 것과 펼쳐지는 것이 서로 감동함에 이로움이 생긴다. 자벌레가 몸을 굽히는 것은 펴기 위해서이고, 용과 뱀이 칩거하는 것은 몸을 보존하기 위해서이고, 의리를 정밀히 하여 신묘한 경지에 들어감은 작용을 지극히 하기 위해서이고, 작용을 이롭게 하여 몸을 편안히 하는 것은 덕을 높이기 위해서이니, 이를 지난 이후는 혹 알 수 없으니, 神을 궁구하여 조화를 하는 것이 덕의 성대함이다.'(易曰, '憧憧往來, 朋從爾思.' 子曰, '天下何思何慮, 天下同歸而殊塗, 一致而百慮, 天下何思何慮. 日往則月來, 月往則日來, 日月相推而明生焉, 寒往則暑來, 暑往則寒來, 寒暑相推而歲成焉, 往者, 屈也, 來者, 信也, 屈信相感而利生焉. 尺蠖之屈, 以求信也, 龍蛇之蟄, 以存身也, 精義入神, 以致用也, 利用安身, 以崇德也, 過此以往, 未之或知也, 窮神知化, 德之盛也.')"

治國平天下, 則行之遠耳."[68]

물었다. "앎에 이른 뒤에 반드시 붙잡고 함양하고 비로소 힘써 행합니까?"

(주자가) 대답했다. "그렇다면 오늘 앎에 이르고, 내일 붙잡고 함양하며, 그 다음날 힘써 행하겠는가? 단지 붙잡고 함양하는 것이 곧 행함이다. 마음을 바르게 하고 뜻을 진실하게 하는 것이 어찌 행함이 아니겠는가? 단 행함에는 멀고 가까운 것이 있다. 나라를 다스리고 천하를 평정하는 것은 행함이 먼 것일 뿐이다."

[48-1-40]

"程子言涵養須用敬, 進學則在致知, 下須字在字, 便是皆要齊頭著力, 不可道知得了方始行. 有一般人儘聰明, 知得而行不及, 是資質弱, 又有一般人儘行得而知不得."[69]

(주자가 말했다.) "정자가 '함양은 경敬을 쓰고 배움을 증진하는 것은 앎에 이르는 것에 달려 있다.'[70]고 했는데, '반드시'라는 글자인 수須라는 글자와 '달려 있다'는 재在라는 글자를 둔 것은 모두 고르게 힘쓰려는 것이니, 앎을 얻고 난 뒤에 비로소 행한다고 말해서는 안 된다. 어떤 사람들은 총명해서 앎을 얻지만 행함은 미치지 못하니, 이는 자질이 약한 것이며, 또 어떤 사람들은 행하지만 앎을 얻지 못한 경우도 있다."

[48-1-41]

問: "南軒云, 致知力行互相發."

曰: "未須理會相發, 且各項做將去. 若知有未至, 則就知上理會. 行有未至, 則就行上理會. 少間自是互相發."[71]

---

68 『朱子語類』권118, 8조목

69 『朱子語類』권117, 27조목: "'맹자가 말한 선을 택하여 고집한다는 것은 致知와 格物에 달려 있고, 誠意와 正心과 修身은 고집하는 것이니 이것은 두 가지일 뿐이다.' 淳이 남헌을 거론하며 말했다. '앎과 행함은 서로 발현합니다.' 말했다. '앎과 행함은 고르게 해야 비로소 서로 발현할 수가 있다. 정자가 「함양은 敬을 쓰고 배움을 증진하는 것은 앎에 이르는 데에 달려 있다.」고 했는데, 반드시라는 글자인 須라는 글자를 달려 있다는 在라는 글자 앞에 놓아야 비로소 모두 고르게 힘쓰려는 것이니, 앎을 얻고 난 뒤에 비로소 행한다고 말해서는 안 된다. 어떤 사람들은 총명함을 가지고 있어서 앎을 얻지만 행함은 미치지 못하니, 이는 자질이 약한 것이며, 또 어떤 사람들은 행하지만 앎을 얻지 못한 경우도 있다.'('擇善而固執之, 如致知·格物, 便是擇善; 誠意·正心·修身, 便是固執; 只此二事而已.' 淳擧南軒謂, '知與行互相發.' 曰, '知與行須是齊頭做, 方能互相發. 程子曰「涵養須用敬, 進學則在致知」, 下須字在字, 便是皆要齊頭著力, 不可道知得了方始行. 有一般人儘聰明, 知得而行不及, 是資質弱; 又有一般人儘行得而知不得.' 因問, 淳資質懦弱, 行意常緩於知, 克己不嚴, 進道不勇, 不審何以能嚴能勇?' 曰, '大綱亦只是適間所說. 於那根原來處眞能透徹, 這簡自都了.')"

70 『河南程氏遺書』권18

71 『朱子語類』권9, 5조목: "물었다. '南軒張栻이 앎에 이르는 것과 힘써 행하는 것은 서로 발현한다고 했습니다.' 대답했다. '반드시 서로 발현한다고 이해할 것도 없고 똑 각각이 행해나간다고 이해할 것도 없다. 만약

물었다. "남헌南軒張栻[72]이 앎에 이르는 것과 힘써 행하는 것은 서로 발현한다고 했습니다."
(주자가) 대답했다. "반드시 서로 발현한다고 이해할 것도 없고 또 각각이 행해나간다고 이해할 것도 없다. 만약 앎이 아직 이르지 않았다면 앎에서 이해하고, 행함이 이르지 않았다면 행함에서 이해한다. 그러면 순간 저절로 서로 발현한다."

[48-1-42]

"未能博學, 便要約禮. 窮理處不曾用功, 守約處豈免有差? 若差之毫忽, 便有不可勝言之弊."[73]
(주자가 말했다.) "널리 배우지 못했으면서 바로 예로써 집약하려고 한다. 리理를 궁리하는 곳에 공을 들이려고 하지 않으니, 지키고 집약하는 곳에 어찌 과실이 있음을 면하겠는가? 만약 털끝만한 차이가 있다면 그 폐단을 말로 다할 수가 없다."

· ·

앎이 아직 이르지 않았다면 앎에서 이해하고, 행함이 이르지 않았다면 행함에서 이해한다. 그러면 순간 저절로 서로 발현한다. 지금 사람들은 앎을 얻지 못하고 나의 행함도 이르지 못했다고 추론하여 말하고, 옳지 않은 것을 행하면 나의 앎이 이르지 못했다고 말하지만, 단지 서로 추론한 것이지, 길러나 나아가지는 않는다.'(問, '南軒云, 致知·力行互相發.' 曰, '未須理會相發, 且各項做將去. 若知有未至, 則就知上理會, 行有未至, 則就行上理會, 少間自是互相發. 今人知不得, 便推說我行未到, 行得不是, 便說我知未至, 只管相推, 沒長進.')"

72 南軒張栻 : 張栻(1133~1180)은 四川 綿竹人으로 자는 敬夫이고 또 다른 자는 樂齋이고 호는 南軒이다. 남송 시대 유명한 유학자이고, 岳麓書院의 창시자이다. 승상 張浚의 아들이고, 어려서부터 胡宏으로부터 사사를 받고 이학을 전수받았다. 후에 長沙의 城南書院과 악록서원을 오랫동안 맡고서 주희와 여조겸과 함께 '東南三賢'이라고 칭해진다. 右文殿修撰을 지냈으며 저서에 『南軒全集』이 있다.

73 『朱子語類』 권116, 50조목 : "선생이 말했다. '공은 도를 향하는 데에 매우 절실하여 禪을 배운 적이 있다.' 말했다. '선을 배웠을 뿐 아니라 노자와 장자 그리고 불교의 경전도 모두 섭렵했다. 법화경의 지극한 요체는 이 법은 사량하여 분별해서 이해될 수 있는 것이 아니라는 한 구절에 있다고 설법했다.' 선생이 말했다. '나는 바로 사량하고 분별하려고 한다. 사량하고 분별할 수 있으면 활연관통하는 理가 있다. 공의 학문과 같은 것은 쉽지 않다.' 이어서 손으로 서원을 가리키면서 말했다. '이러한 집과 유사하니, 중간은 청결한데 네 귀퉁이에는 있지 않다. 널리 배우지 못했으면서 바로 예로써 집약하려고 한다. 理를 궁리하는 곳에 공을 들이려고 하지 않으니, 지키고 집약하는 곳에 어찌 과실이 있음을 면하겠는가? 만약 털끝만한 차이가 있다면 그 폐단을 말로 다할 수가 없다.' 또 같은 집을 돌아보면서 말했다. '德元은 이러한 이치를 거의 이해했지만, 많은 책을 읽지 못한 것이 애석하다.' 또 友仁을 가리켜 말했다. '반드시 더욱더 독서 공부를 통렬하게 해야 좋다. 공은 지금 『大學惑問』의 격물치지를 보고 있는데, 정자가 말한 많은 말들을 하나하나 기억해야 비로소 사색하고 완미할 수 있다.'(先生曰, '公向道甚切, 也曾學禪來.' 曰, '非惟學禪, 如老莊及釋氏敎典, 亦曾涉獵. 自說法華經至要處乃在是法非思量分別之所能解一句.' 先生曰, '我這裏正要思量分別, 能思量分別, 方有豁然貫通之理. 如公之學也不易.' 因以手指書院曰, '如此屋相似, 只中間潔淨, 四邊也未在. 未能博學, 便要約禮. 窮理處不曾用工, 守約處豈免有差? 若差之毫忽, 便有不可勝言之弊.' 又顧同舍曰, '德元卻於此理見得彷彿, 惜乎不曾多讀得書.' 卻謂友仁曰, '更須痛下工夫讀書始得. 公今所看大學或問格物致知傳, 程子所說許多說話, 都一一記得, 方有可思索玩味.')"

[48-1-43]

南軒張氏曰：“致知力行互相發也. 然知常在先. 博學審問愼思明辨, 皆致知之道. 學者要當據所知便體而行之, 由粗而至精, 由著而至微也.”[74]

남헌 장씨南軒張氏張栻가 말했다. “앎에 이르는 것과 힘써 행하는 것은 서로 발현한다. 그러나 앎은 항상 먼저 있다. '널리 배우고 살펴 묻고 신중하고 사려하고 분명하게 분별하는 것'[75] 모두 앎에 이르는 도이다. 배우는 사람은 마땅히 아는 것이 체득한 것에 근거하고 행하니, 조야한 것에서부터 정밀한 것에 이르고, 드러난 것에서 지극히 미세한 것에 이른다.”

[48-1-44]

答吳晦叔書曰：“所謂知之在先, 此固不可易之論. 但只一箇知字用處不同, 蓋有輕重也. 如云知有是事則用得輕, 匹夫匹婦可以與知之類是也. 如說知底事則用得重, 知至至之之知是也. 在未識大體者, 且當據所與知者爲之, 則漸有進步處. 工夫若到, 則知至. 知至矣, 當至之. 知終矣, 當終之, 則工夫愈有所施而無窮矣. 所示有云譬如行路, 須識路頭, 誠是也. 然要識路頭, 親去路口尋求方得. 只端坐于室, 想象跋而曰日吾識之矣, 則無是理也. 元晦所論知字, 乃是謂知至之知. 要之此非躬行實踐, 則莫有至. 但所謂躬行實踐者, 先須隨所見端確爲之. 此謂之知常在先, 則可也.”[76]

오회숙吳晦叔에 답하는 편지에서 (남헌장씨가) 말했다. “앎이 먼저라고 하는 것은 분명 바꿀 수 없는 논의이다. 그러나 하나의 앎이라는 글자는 사용처가 다르니 경중이 있기 때문이다. 이러한 일이 있다는 점을 안다고 했다면 그 쓰임이 가벼우니, 필부匹夫와 필부匹婦가 함께 알 수 있는 것[77]이라고 말한 것이 이것이다. 앎에 관한 일을 말한다고 했다면 그 쓰임이 무거우니, '이를 데를 알아 그것에 이른다.'[78]는

· · · · · · · · · · · · · · · · · · · ·

74 『南軒集』 권15 「序·送鍾尉序」

75 '널리 배우고 … 것': 『中庸』 20장에 “넓게 배우며, 자세히 물으며, 신중히 생각하며, 밝게 분별하며, 독실하게 행하여야 한다.(博學之, 審問之, 愼思之, 明辨之, 篤行之.)”라고 하였다.

76 『南軒集』 권19 「書·答吳晦叔」

77 匹夫와 匹婦가 … 것: 『中庸』 12장에 “군자의 道는 費하고 隱微하다. 夫婦의 어리석음으로도 참여하여 알 수 있으되, 그 지극함에 이르러는 비록 성인이라도 또한 알지 못하는 바가 있으며, 부부의 不肖함으로도 능히 행할 수 있으되, 그 지극함에 이르러는 비록 성인이라도 또한 능하지 못한 바가 있으며, 天地의 큼으로도 사람이 오히려 恨하는 바가 있는 것이다. 그러므로 군자가 큰 것을 말할진대 천하가 능히 싣지 못하며, 작은 것을 말할진대 천하가 능히 깨뜨리지 못한다.(君子之道, 費而隱. 夫婦之愚, 可以與知焉, 及其至也, 雖聖人亦有所不知焉. 夫婦之不肖, 可以能行焉, 及其至也, 雖聖人亦有所不能焉. 天地之大也, 人猶有所憾. 故君子語大, 天下莫能載焉, 語小, 天下莫能破焉.)”라고 하였다.

78 '이를 데를 … 이른다.': 『周易』 「乾卦·文言傳」에 “九三에 말하기를 '군자가 종일토록 힘쓰고 힘써 저녁까지도 두려워하면 위태로우나 허물이 없다.'는 것은 무슨 말인가? 공자가 말했다. '군자는 德을 증진시키고 공업을 닦으니, 忠과 信이 덕을 증진시키는 것이고, 말을 닦아서 그 성실함을 세우는 것이 공업을 가지는 것이다. 이를 데를 알아 이르므로, 더불어 기미를 알 수 있고, 마칠 데를 알아 마치므로 더불어 義를 보존할 수 있다.

말의 안다는 것이 이것이다. 대체大體를 의식하지 못한 것은 마땅히 주어진 앎에 근거하여 행해야만 하니, 그러면 점차로 진보하는 곳이 있다. 공부가 이르렀다면 이를 데를 안다. 이를 데를 알았다면 마땅히 그것에 이르러야 한다. 마칠 데를 알았다면 마땅히 거기서 마쳐야 하니, 그러면 공부가 더욱 베풀어져서 끝이 없다. 보내주신 글에 길을 가는 것[79]에 비유한 것이 있는데, 반드시 길을 의식해야만 하니, 분명 그렇다. 그러나 길을 의식하려고 한다면 직접 길을 가서 찾아야 옳지, 집안에 앉아서 상상으로 길을 찾아 내가 길을 알아내었다고 말한다면 이러한 이치는 없다. 원회元晦가 논하는 앎이라는 글자는 곧 이를 데를 안다고 했을 때의 앎을 말한다. 요컨대 이것은 몸소 행하는 실천이 아니라면 이를 데가 있지 못하다. 단지 몸소 행하는 실천이라고 말한 것은 우선 반드시 확실하게 안 것을 따라서 행하기 때문이다. 이것이 앎이 항상 먼저라고 말하면 좋은 것이다."

[48-1-45]

"知有精粗. 行有淺深. 然知常在先, 固有知之而不能行者矣, 未有不知而能行者也. 語所謂知及之, 仁不能守之, 是知而不能行者也, 所謂知之者不如好之者, 好之者不如樂之者, 是不知則無由能好而樂也. 且以孝於親一事論之, 自其粗者, 知有冬溫, 夏淸, 昏定, 晨省, 則當行溫淸定省行之, 而又知其有進於此者, 則又從而行之. 知之進, 則行愈有所施. 行之力, 則知愈有所進. 以至於聖人人倫之至, 其等級固遠, 其曲折固多, 然亦必由是而循循可至焉耳. 蓋致知力行, 此兩者工夫互相發也.

(남헌 장씨가 말했다.) "앎에는 정밀하고 조야함이 있고, 행함에는 얕고 깊음의 차이가 있다. 그러나 앎이 항상 먼저이니, 알면서 행할 수 없는 경우는 있지만, 알지 못하면서 행할 수 있는 경우는 없다. 『논어』에서 '앎이 거기에 미치더라도, 인仁이 능히 그것을 지켜내지 못한 것'[80]은 알면서 행할 수 없는 경우이고, '아는 자가 좋아하는 자만 못하고, 좋아하는 자가 즐거워하는 자만 못하다.'[81]는 것은 알지

이 때문에 윗자리에 있어도 교만하지 않고 아랫자리에 있어도 근심하지 않는 것이다. 그러므로 힘쓰고 힘써 때에 따라 두려워하면 비록 위태로우나 허물이 없는 것이다.(九三曰, 君子終日乾乾夕惕若厲无咎, 何謂也? 子曰, 君子進德修業, 忠信, 所以進德也, 修辭立其誠, 所以居業也. 知至至之, 可與幾也, 知終終之, 可與存義也, 是故, 居上位而不驕, 在下位而不憂, 故乾乾, 因其時而惕, 雖危, 无咎矣.)"라고 하였다.

79 길을 가는 것: 이것은 정이천이 비유한 것이다. 『河南程氏遺書』권3에 "분명히 의식이 행위하는 것 앞에 있다. 비유하자면 길을 걸을 때 반드시 빛을 비추어야 하는 것과 같다.(須是識在所行之先. 譬如行路, 須得光照.)"라고 하였다.

80 '앎이 거기에 … 것': 『論語』「衛靈公」에 "앎이 거기에 미치더라도, 仁이 능히 그것을 지켜내지 못하면, 비록 얻더라도 반드시 잃는다. 앎이 거기에 미치며 仁이 능히 그것을 지키더라도, 장엄함으로써 백성들에게 임하지 않으면, 백성들이 그를 공경하지 않는다. 앎이 미치며 仁이 능히 지켜내며, 장엄함으로써 백성들에게 임하더라도, 백성들을 예로써 감동시키지 않는다면 최선이 아니다.(知及之, 仁不能守之, 雖得之, 必失之. 知及之, 仁能守之, 不莊以涖之, 則民不敬. 知及之, 仁能守之, 莊以涖之, 動之不以禮, 未善也.)"라고 하였다.

81 '아는 자가 … 못하다.': 『論語』「雍也」에 "아는 자가 좋아하는 자만 못하고, 좋아하는 자가 즐거워하는 자만 못하다.(知之者不如好之者, 好之者不如樂之者.)"라고 하였다.

못하면 좋아하여 즐길 수 있는 이유가 없는 것이다. 또한 부모님께 효도하는 한 가지 일로 논하자면, 그 조야한 것부터 겨울에는 따뜻하게 하고 여름에는 시원하게 하고 저녁에는 잠자리를 살피고 새벽에는 문안을 여쭙는 것을 아는 것이니, 알면 알수록 나아가는 바가 있다. 성인과 인륜의 지극함에 이르러서는 그 등급이 실로 고원하고 그 곡절이 실로 많지만, 또한 반드시 이것으로부터 순순하게 이를 수 있을 뿐이다. 왜냐하면 앎에 이르는 것과 힘써 행하는 것, 두 가지 공부는 서로 발현하기 때문이다.

尋常與朋友講論, 欲其據所知者而行之, 行而思之, 庶幾所踐之實而思慮之開明. 不然, 貪高慕遠, 莫能有之, 果何爲哉? 然有所謂知之至者, 則其行自不能已. 然須致知力行工夫至到而後及此, 如顔子是也. 彼所謂欲罷不能者, 知之至而自不能以已爾也. 若學者以想象臆度, 或一知半解爲知道, 而曰知之則無不能行, 是妄而已. 曾晳詠歸之語, 亦可謂見道體矣, 而孟子猶以其行不掩爲狂, 而況下此者哉?"[82]

평상시에 친구와 강론할 때 알고 있는 것에 근거하여 행하려고 하고, 행하고 나서 사려하려고 한다면 거의 실천의 실제이고 사려가 개명한다. 그렇지 않으면 탐욕이 높고 바라는 것이 높아서 실천의 실제와 사려가 개명하는 것이 있을 수가 없으니, 과연 무엇을 하겠는가? 앎의 지극함이라는 것이 있으면 그 행함을 저절로 그칠 수가 없다. 그러나 반드시 앎에 이르고 힘써 행하는 공부가 이른 뒤에 여기에 미치니, 안자와 같은 사람이 그러하다. 그는 '그만두고자 해도 그만둘 수 없다.'[83]라고 하였으니, 앎의 지극함에 이르러 스스로 그칠 수가 없었다. 만약 배우는 자가 상상하고 억측하여 혹 하나를 알고 반을 이해한 것을 도를 알았다고 여기고 알았으니 행할 수 없는 것이 없다고 말한다면 망령된 것일 뿐이다. 증석이 '노래를 부르며 돌아오겠다.'[84]는 말 역시 도체를 보았다고 할 수 있고, 맹자는 오히려 '행실이 말을 가리

82 『南軒集』 권19 「書·寄周子充尙書」
83 '그만두고자 해도 … 없다.': 『論語』 「子罕」에 "顔淵이 크게 탄식하며 말하였다. '우러러볼수록 더욱 높고, 뚫을수록 더욱 견고하며, 바라봄에 앞에 있더니 홀연히 뒤에 있다. 부자께서 차근차근히 사람을 잘 이끄시어 文으로써 나의 지식을 넓혀주시고 禮로써 나의 행동을 집약하게 해주셨다. 그래서 그만두고자 해도 그만둘 수 없어 이미 나의 재능을 다하니, 夫子의 道가 내 앞에 우뚝 서있는 듯하다. 그리하여 그를 따르고자 하나 어디로부터 시작해야 할지 모르겠다.'(顔淵, 喟然歎曰, "仰之彌高, 鑽之彌堅, 瞻之在前, 忽焉在後. 夫子循循然善誘人, 博我以文, 約我以禮. 欲罷不能, 旣竭吾才, 如有所立卓爾. 雖欲從之, 末由也已.")"라고 하였다.
84 '노래를 부르며 돌아오겠다.': 『論語』 「先進」, "子路와 曾晳과 冉有와 公西華가 공자를 모시고 앉았었는데, 공자가 말했다. '내 나이가 너희들보다 다소 많다 하여 나 때문에 어렵게 여기지 말라. 너희들이 평소에 자신을 알아주지 못한다고 했는데, 만일 혹시라도 너희들을 알아준다면 어찌 하겠는가?' 자로가 경솔히 대답하였다. '千乘의 제후국이 大國의 사이에서 속박을 받아 전쟁이 일어나고 따라서 饑饉이 들어도 제가 다스릴 경우, 3년에 이르면 백성들을 용맹하게 할 수 있고 또 의로움으로 향할 줄 알게 할 수 있습니다.' 공자가 빙그레 웃었다. '求야! 너는 어떻게 하겠느냐?' 염구가 말했다. '사방 60, 70리 혹은 50, 60리 쯤 되는 작은 나라를 제가 다스릴 경우, 3년에 이르면 백성들을 풍족하게 할 수 있고, 그 禮樂으로 말하면 군자를 기다리겠습니다.' 공자가 '赤아 너는 어떻게 하겠느냐?'고 하자, 대답하였다. '제가 능하다는 말이 아니오라, 배우기를 원합니다. 宗廟의 일과 또는 제후들이 會同할 때에 玄端服을 입고 章甫冠을 쓰고 작은 執禮者가 되기를 원하옵니다.' 공자가 '點아 너는 어떻게 하겠느냐?'라고 하자, 그는 드문드문 비파를 타더니, 쨍그렁 하고 비파를

지 못하는 자를 광狂자로 여긴 것'[85]이니, 하물며 그 아래 사람들이야 어찌하겠는가?"

[48-1-46]
問: "呂伯恭說近日士人只務聞見, 不務踐履, 須是去踐履上做工夫."

曰: "此言雖好, 只是少精神. 須是致知力行互相發明始得. 若不致知, 將人欲做天理亦不可知, 安知所謂私而去之? 須是知而後能行, 行而後有所知, 互相發明方可."

물었다. "여백공呂伯恭呂祖謙[86]이 근래 사대부는 단지 문견聞見에만 힘쓰고 실천에는 힘쓰지 않으니, 반드시 실천에서 공부해야 한다고 했다."

(남헌 장씨가) 말했다. "이 말은 좋지만 단지 정신이 조금이다. 반드시 앎에 이르고 힘써 행하는 것이 서로 발현해서 밝혀야 비로소 좋다. 만약 앎에 이르지 못하면 인욕人欲을 천리天理라고 행하고도 알 수가 없으니, 어찌 사사로움이라고 하는 것을 알아서 제거하겠는가? 반드시 알고 난 뒤에 행할 수 있고

- -

놓으며 일어나 대답하였다. '세 사람이 갖고 있는 것과는 다릅니다.' 공자가 '무엇이 나쁘겠는가? 또한 각기 자기의 뜻을 말하는 것이다.'라고 하자, 대답하였다. '늦봄에 봄옷이 이미 만들어지면 冠을 쓴 어른 5, 6명과 童子 6, 7명과 함께 沂水에서 목욕하고 舞雩에서 바람 쐬고 노래하면서 돌아오겠습니다.' 공자가 감탄하며 '나는 點을 인정한다.'고 했다.(子路曾晳冉有公西華侍坐, 子曰, '以吾一日, 長乎爾, 毋吾以也. 居則曰不吾知也, 如或知爾, 則何以哉?' 子路率爾而對曰, '千乘之國, 攝乎大國之間, 加之以師旅, 因之以饑饉, 由也爲之, 比及三年, 可使有勇, 且知方也.' 夫子哂之, '求, 爾, 何如?' 對曰, '方六七十, 如五六十, 求也爲之, 比及三年, 可使足民, 如其禮樂, 以俟君子.' '赤, 爾, 何如?' 對曰, '非曰能之, 願學焉, 宗廟之事, 如會同, 端章甫, 願爲小相焉.' '點, 爾, 何如?' 鼓瑟希, 鏗爾舍瑟而作, 對曰, '異乎三子者之撰.' 子曰, '何傷乎? 亦各言其志也.' 曰, '莫春者, 春服旣成, 冠者五六人, 童子六七人, 浴乎沂, 風乎舞雩, 詠而歸.' 夫子, 喟然嘆曰, '吾與點也.')"

85 '행실이 말을 … 것': 『孟子』「萬章上」, "萬章이 물었다. '공자가 陳나라에 계시면서 「어찌 돌아가지 않겠는가. 나의 붕당의 선비가 狂簡하여 진취적이되, 그 처음을 버리지 못한다.」고 했으니 공자가 진나라에 있으면서 어찌하여 魯나라의 狂士들을 생각하셨습니까? 맹자가 말했다. '공자는 「中道의 인물을 얻어 함께하지 못한다면 반드시 狂狷을 택할 것이다! 狂者는 진취적이요, 狷者는 하지 않는 바가 있다.」고 했으니, 공자가 어찌 中道의 인물을 얻기를 원하지 않겠냐만, 반드시 얻을 수는 없기 때문에 그 다음의 인물을 생각하신 것이다.' '감히 묻겠습니다. 어떠하여야 狂이라 이를 수 있습니까?' '琴張과 曾晳과 牧皮와 같은 자가 공자가 말하는 狂이라는 것이다.' '어찌하여 狂이라 이릅니까?' '그 뜻이 높고 커서 말하기를 「옛사람이여, 옛사람이여!」하되, 평소에 그의 행실을 살펴보면 행실이 말을 가리지 못하는 자이기 때문이다. 狂者를 또 얻지 못하거든, 不潔한 것을 좋게 여기지 않는 선비를 얻어서 함께 하고자 했으니, 이가 狷이니, 이는 또 그 다음인 것이다.'(萬章問曰, '孔子在陳, 曰, 盍歸乎來, 吾黨之士狂簡, 進取, 不忘其初. 孔子在陳, 何思魯之狂士?' 孟子曰, '孔子不得中道而與之, 必也狂狷乎, 狂者, 進取, 狷者, 有所不爲也, 孔子豈不欲中道哉, 不可必得. 故思其次.' '敢問何如, 斯可謂狂矣.' '如琴張曾晳牧皮者孔子之所謂狂矣.' '何以謂之狂也?' 曰, '其志嘐嘐然曰, 古之人, 古之人, 夷考其行而不掩焉者也. 狂者, 又不可得, 欲得不屑不潔之士而與之, 是狷也, 是又其次也.')"

86 呂伯恭呂祖謙: 呂祖謙(1137~1181)을 말한다. 자는 伯恭이고, 세칭 東萊先生이라 한다. 송대 金華(현 절강성 소속) 사람으로 주희·張栻과 함께 '東南三賢'으로 불리었다. 直秘閣著作郎·國史院編修·實錄院檢討를 역임하였다. 『詩』·『書』·『春秋』에 대하여 많은 古義를 궁구했다. 1175년 주희와 『近思錄』을 편찬하였고, 信州(현 강서성 上饒) 鵝湖寺에 주희와 육구연을 초청하여 두 사람의 논쟁을 중재하려 하였다. 저서는 『古周易』·『東萊左氏博議』·『東萊集』 등이 있다.

행하고 난 뒤에 앎이 있어서 서로 발현하고 밝혀야 비로소 옳다."

[48-1-47]

問: "聖門當學誰?"

曰: "學顔子爲有準的. 顔子爲人, 聖人敎之不過博文約禮. 博文, 所謂致知也, 約禮, 所謂力行也."

又問: "向上一節如何?"

曰: "只恐不能致知力行耳. 果能致知力行, 久而不息, 當自知之. 譬如登山, 只說得從此處去. 至此山上, 則在人努力耳. 如眞箇到山上, 則許多景致自見得, 不待先說也."

물었다. "성인 문하에서는 마땅히 누구를 배워야 합니까?"

(남헌 장씨가) 말했다. "안자를 배우는 것이 기준이 된다. 안자라는 사람은 성인이 그를 가르침에 문文으로 넓히고 예禮로 집약했을 뿐이다. 문으로 넓히는 것이 앎에 이르는 것이고, 예로 집약하는 것이 힘써 행하는 것이다."

또 물었다. "위로 한 등급 향상하는 것은 어떻습니까?"

(남헌 장씨가) 말했다. "아마도 앎에 이르고 힘써 행할 수 없을 뿐이다. 과연 앎에 이르고 힘써 행할 수 있다면, 오래되어 쉬지 않아서 당연히 저절로 알 것이다. 산에 오르는 것에 비유하자면 단지 여기에서부터 가는 것이라고 말할 수 있으니, 이 산의 정상에 오르는 것은 사람의 노력에 달려 있을 뿐이다. 진실로 산의 정산에 올랐다면 허다한 풍경이 저절로 보이게 되니 먼저 말할 필요가 없다."

[48-1-48]

"致知力行, 要須自近步步踏實地, 乃有所進. 不然. 貪慕高遠, 終恐無益."[87]

(남헌 장씨가 말했다.) "앎에 이르고 힘써 행하는 것은 반드시 가까운 곳으로부터 차근차근 실제의 땅을 밟아나가야 증진되는 것이 있다. 그렇지 않다면 탐욕하고 바라는 것이 높고 멀어서 결국에는 유익하지 않다."

[48-1-49]

勉齋黃氏曰: "蓋嘗求其所以爲學之綱領者, 曰致知, 曰力行而已. 大學曰, 物格而後知至, 知至而後意誠, 意誠而後心正, 心正而後身修. 物格知至者, 知之事也, 意誠心正者, 行之事也. 中庸曰, 博學之, 審問之, 愼思之, 明辨之, 篤行之. 學問思辨者, 知之事, 篤行者, 行之事也.

면재 황씨勉齋黃氏[黃幹][88]가 말했다. "일찍이 학문의 강령을 구하는 것을 앎에 이른다고 하고 힘써 행한다

87 『南軒集』 권27 「書・答潘端叔」

88 勉齋黃氏[黃幹]: 黃幹(1152~1221)은 자는 直卿이고, 호는 勉齋이다. 송대 福州閩縣(현 복건성 福州) 사람으로 주희의 고족제자인 동시에 사위이다. 주희의 蔭補로 漢陽軍・安慶府 등에서 관직을 역임하였다. 저서는 『書說』・

고 말했을 뿐이다. 『대학』에서 '사물을 격格한 뒤에 앎에 이르고, 앎에 이른 뒤에 뜻이 진실해지고, 뜻이 진실해진 뒤에 마음이 바르게 되고, 마음이 바르게 된 뒤에 몸을 닦는다.'[89]고 했다. 물을 격格하고 앎에 이르는 것은 앎의 일이고, 뜻을 진실하게 하고 마음을 바르게 하는 것은 행함의 일이다. 『중용』에서 '넓게 배우며, 자세히 물으며, 신중히 생각하며, 밝게 분별하며, 독실하게 행하여야 한다.'[90]고 했다. 배우고 묻고 생각하고 분별하는 것은 앎의 일이고, 독실하게 행하는 것은 행함의 일이다.

書之所謂惟精惟一, 易之所謂知崇禮卑, 論語之所謂知及仁守, 孟子所謂始終條理, 無非始之以致知, 終之以力行. 蓋始之以致知, 則天下之理洞然於吾心而無所蔽, 終之以力行, 則天下之理渾然於吾身而無所虧. 知之不至, 則如摘埴索塗而有可南可北之疑. 行之不力, 則如弊車羸馬而有中道而廢之患. 然則有志於聖賢之域者, 致知力行之外無他道也."[91]

『서경』에서 '오직 정밀하게 하고 오직 하나로 집중한다.'[92]고 했고, 『주역』에서는 '앎은 드높되 예는 낮

· · · · · · · · · · · · · · · ·

『六經講義』·『勉齋集』 등이 있고, 『朱子行狀』을 집필했다.

89 『大學』: "사물을 格한 뒤에 앎에 이르고, 앎에 이른 뒤에 뜻이 진실해지고, 뜻이 진실해진 뒤에 마음이 바르게 되고, 마음이 바르게 된 뒤에 몸을 닦고, 몸이 닦인 뒤에 집안이 가지런해지고, 집안이 가지런한 뒤에 나라가 다스려지고, 나라가 다스려진 뒤에 천하가 평정된다.(物格而后知至, 知至而后意誠, 意誠而后心正, 心正而后身修, 身修而后家齊, 家齊而后國治, 國治而后天下平.)"
주희는 이렇게 주석하고 있다. "格物은 사물의 이치의 지극한 곳이 이르지 않음이 없는 것이고, 至知는 내 마음의 아는 바가 극진하지 않음이 없는 것이다. 앎이 이미 극진해지면 뜻이 진실해질 수 있고, 뜻이 이미 진실해지면 마음이 바르게 될 수 있다. 修身 이상은 明明德의 일이고, 齊家 이하는 新民의 일이다. 格物과 至知는 그칠 바를 아는 것이요, 誠意 이하는 모두 그칠 바를 얻는 차례이다.(物格者, 物理之極處, 無不到也, 知至者, 吾心之所知, 無不盡也. 知旣盡, 則意可得而實矣, 意旣實, 則心可得而正矣. 修身以上, 明明德之事也, 齊家以下, 新民之事也, 物格知至, 則知所止矣, 意誠以下, 則皆得所止之序也.)"

90 『中庸』 20장: "넓게 배우며, 자세히 물으며, 신중히 생각하며, 밝게 분별하며, 독실하게 행하여야 한다.(博學之, 審問之, 愼思之, 明辨之, 篤行之.)"

91 『勉齋集』 권1 「講義·新淦縣學」

92 '오직 정밀하게 … 집중한다.': 『書經』「虞書·大禹謨」에 "人心은 위태롭고 道心은 은미하니, 오직 정밀하게 하고, 오직 하나로 집중해야, 진실로 그 中道를 잡을 것이다.(人心惟危, 道心惟微, 惟精惟一, 允執厥中.)"라고 하였다.
채침은 『書經集傳』에서 이렇게 주석을 달고 있다. "心은 사람의 지각이니, 마음속에서 주인이 되어 밖에 응하는 것이다. 形氣에서 나온 것을 가리켜 말하면 人心이라 이르고, 義理에서 나온 것을 가리켜 말하면 道心이라 하니, 人心은 사사롭기는 쉽고 공정하기는 어려우므로 위태롭다고 한 것이고, 道心은 밝히기는 어렵고 어두워지기는 쉬우므로 은미하다고 한 것이다. 오직 정밀하게 살펴서 形氣의 사사로움에 섞이지 않게 하고, 하나로 집중해서 지켜서 의리의 바름을 순수하게 하여, 道心이 항상 주체가 되게 하여 人心이 명령을 따르면 위태로운 것이 편안해지고 은미한 것이 드러나서, 動靜과 말하고 행하는 것이 저절로 過·不及의 잘못이 없어서 진실로 그 中道를 잡게 될 것이다.(心者, 人之知覺, 主於中而應於外者也. 指其發於形氣者而言, 則謂之人心, 指其發於義理者而言, 則謂之道心, 人心, 易私而難公, 故危, 道心, 難明而易昧, 故微. 惟能精以察之, 而不雜形氣之私, 一以守之, 而純乎義理之正, 道心, 常爲之主, 而人心, 聽命焉, 則危者安, 微者著, 動靜云爲

다.'[93]고 했고, 『논어』에서는 '앎이 미치고 인으로 지킨다.'[94]고 했고, 『맹자』에서는 '조리를 시작하고 조리를 끝낸다.'[95]고 했으니 시작하는 데에 앎에 이르는 것으로부터 시작하고, 끝마침에 힘써 행하는 것으로 하지 않는 것이 없다. 시작하는 데에 앎에 이르는 것으로부터 하면, 천하의 리理가 나의 마음속에서 분명하여 가려지는 것이 없고, 끝마침에 힘써 행하는 것으로부터 하면, 천하의 리理가 나의 몸에 혼연일체가 되어 어그러짐이 없다. 앎이 이르지 않으면 장님이 지팡이로 길을 찾는 것과[96] 같아서 남쪽인지 북쪽인지 하는 의심이 있다. 행함에 힘써 하지 않으면 망가진 수레와 지친 말과[97] 같아서 중도에서 그만둘 근심이 있다. 그러나 성현의 영역에 뜻을 둔 사람이라면 앎에 이르고 힘써 행하는 것 이외에

• • • • • • • • • • • • • • • • • • • •

自無過不及之差, 而信能執其中矣.)"

[93] '앎은 드높되 … 낮다.' : 知崇禮卑를 번역한 말이다. 『周易』「繫辭下」에 "공자가 말했다. '易은 지극하다. 易은 성인이 德을 높이고 業을 넓힌 것이다. 앎은 드높고 禮는 낮으니, 높음은 하늘을 본받고 낮음은 땅을 본받은 것이다. 天地가 자리를 베풀면 易이 그 가운데 행해지니, 이루어진 性에 보존하고 보존함이 道義의 문이다. (子曰, 易, 其至矣乎! 夫易, 聖人所以崇德而廣業也. 知崇禮卑, 崇, 效天, 卑, 法地. 天地設位, 而易, 行乎其中矣, 成性存存, 道義之門.)"라고 하였다.

주희는 이렇게 설명한다. "理를 궁구하면 앎이 높아짐이 하늘과 같아 德이 높아지고, 理를 따르면 禮로 낮춤이 땅과 같아 業이 넓어진다. … 天地가 자리를 베풀면 변화가 행해진다는 것은 앎과 禮가 性에 보존되어 道義가 나오는 것과 같은 것이다. '成性'은 본래 이루어진 性이요 '存存'은 보존하고 또 보존함을 이르니, 그치지 않는 뜻을 말한 것이다. (窮理則知崇如天而德崇이요 循理則禮卑如地而業廣. … 天地設位而變化行, 猶知禮存性而道義出也. 成性, 本成之性也, 存存, 謂存而又存, 不已之意也.)"

[94] '앎이 미치고 … 지킨다.' : 『論語』「衞靈公」에 "앎이 거기에 미치더라도, 仁이 능히 그것을 지켜내지 못하면, 비록 얻더라도 반드시 잃는다. 앎이 거기에 미치며 仁히 능히 그것을 지키더라도, 장엄함으로써 백성들에게 임하지 않으면, 백성들이 그를 공경하지 않는다. 앎이 미치며 仁이 능히 지켜내며, 장엄함으로써 백성들을 임하더라도, 백성들을 예로써 감동시키지 않는다면 최선이 아니다.(知及之, 仁不能守之, 雖得之, 必失之. 知及之, 仁能守之, 不莊以涖之, 則民不敬. 知及之, 仁能守之, 莊以涖之, 動之不以禮, 未善也.)"라고 하였다.

[95] '조리를 시작하고 … 끝낸다.' : 『孟子』「萬章下」에 "공자를 集大成이라 이르는 것이니, 집대성이란 金으로 소리를 퍼뜨리고, 玉으로 거두는 것이다. 금으로 소리를 퍼뜨린다는 것은 條理를 시작함이요, 옥으로 거둔다는 것은 조리를 끝냄이니, 조리를 시작하는 것은 智의 일이요, 조리를 끝내는 것은 聖의 일이다. 智를 비유하면 공교함이요, 聖을 비유하면 힘이니, 百步의 밖에서 활을 쏘는 것과 같으니, 과녁이 있는 곳에 이르는 것은 너의 힘이거니와 과녁에 맞는 것은 너의 힘이 아니다.(孔子之謂集大成, 集大成也者, 金聲而玉振之也. 金聲也者, 始條理也, 玉振之也者, 終條理也, 始條理者, 智之事也, 終條理者, 聖之事也. 智, 譬則巧也, 聖, 譬則力也, 由射於百步之外也. 其至, 爾力也, 其中, 非爾力也.)"라고 하였다.

[96] 장님이 지팡이로 … 것 : 擿埴索塗를 번역한 말이다. 이는 맹인이 지팡이를 짚고 길을 두드리며 길을 찾는 것을 말한다. 암중모색하는 것이다. 揚雄의 『法言』「修身」에 "擿埴索塗, 冥行而已矣."라는 구절이 나오는데 李軌는 이렇게 주석을 달고 있다. "埴은 땅이다. 맹인이 지팡이로 땅을 두드리며 길을 찾는 것을 말한다. 이는 한낮인데도 밤에 길을 찾는 것과 다르지 않다.(埴, 土也. 盲人以杖摘地而求道, 雖用白日, 無異夜行.)"

[97] 망가진 수레와 … 말 : 破車瘦馬를 번역한 말이다. 『三國志』「吳志·劉繇傳」의 "繇伯父 寵이 한나라 태위가 되었다.(繇伯父寵爲漢太尉.)"라고 한 것에 裴松은 司馬彪의 『續漢書』를 인용하면서 이렇게 말하고 있다. "寵은 전후로 二郡을 역임하고, 九列에 여덟 번 자리하고, 三事에 네 번 올랐다. 집안에 뇌물을 감추지 않았고, 중요한 보물들이 없어서, 항상 거친 음식을 먹고, 얇은 의복을 입고, 수레가 망가지고 말은 지쳤으니, 별명이 寠陋였다.(寵前後歷二郡, 八居九列, 四登三事. 家不藏賄, 無重寶器, 恆菲飲食, 薄衣服, 弊車羸馬, 號爲寠陋.)"

다른 길이 없다."

[48-1-50]

"學問之道, 知與行而已. 自昔聖人繼天立極, 不曰知而曰精, 不曰行而曰一. 知不精, 行不一, 猶不知不行也. 聖賢相傳, 啓悟後學, 言知必曰知至, 言意必曰意誠, 至則事物之理無不通. 誠則念慮之發無不實. 曰至與誠, 其精一之謂歟. 知與行者, 學之塗轍, 至與誠者, 學之歸宿. 有志於道者, 可不孳孳求止於是歟?"[98]

(면재 황씨가 말했다.) "배우고 묻는 도리는 앎과 행함일 뿐이다. 옛날부터 성인이 하늘을 잇고 기준점을 세우는 데에 앎이라고 말하지 않고 정밀함이라고 했고, 행함이라고 하지 않고 하나로 집중함이라고 했다.[99] 아는 데에 정밀하지 못하고, 행하는 데에 하나에 집중하지 못하면 오히려 알지 못하고 행하지 않는 것과 같다. 성현들이 서로 전하여 후학들을 깨우치게 했으니 앎을 말하는 데에 반드시 '앎에 이른다[知至].'이라 했고, 뜻을 말하는 데에 '뜻을 진실하게 한다[意誠].'고 했으니, 앎에 이르면 사물의 리理에 통하지 않음이 없고, 진실하게 되면 염려의 발함이 진실하지 않음이 없다. 이르고 진실하게 한다고 말한 것은 정밀하게 하고 하나로 집중한다는 것을 말한 것이! 앎과 행함은 학문의 도철塗轍[100]이고, 이르고 진실하게 하는 것은 학문의 귀결처이다. 도에 뜻을 둔 자라면 이것을 힘써 노력하여 구하지 않을 수 있겠는가?'

[48-1-51]

"聖賢一言一字皆可師法. 從之則吉. 違之則凶. 緊要一著, 只要信得篤行得力耳."[101]

(면재 황씨가 말했다.) "성현의 한 마디 한 글자는 모두 모범으로 본받을 만 하다. 따르면 길하고 어기면 흉하다. 중요한 것은 단지 돈독하게 믿고 힘써 행하는 것일 뿐이다."

[48-1-52]

魯齋許氏曰 : "二程子以格物致知爲學, 朱子亦然, 此所以度越諸子. 大學孔氏之遺書也, 其要在此. 凡行之所以不力, 只爲知之不眞. 果能眞知, 行之安有不力者手? 博學之, 審問之, 愼思之, 明辨之, 只是一箇知得眞, 然後道篤行之一句."[102]

노재 허씨魯齋許氏[許衡][103]가 말했다. "이정자二程子는 격물치지格物致知를 배움이라고 여겼고, 주자 또한

----

98 『勉齋集』 권20 「記二・李德進母自欺齋記」

99 앎이라고 말하지 … 했다. : 앎은 知이고 행함은 行이고, 정밀함은 精이고 하나로 집중함은 一이다. 『書經』에 나온 '惟精惟一'을 말한다.

100 塗轍 : 길 가운데 생긴 수레 발자국이다. 비유하여 길을 의미한다.

101 『勉齋集』 권16 「書十三・與李貫之兵部書」

102 『魯齋遺書』 권1 「語錄上」

103 魯齋許氏[許衡] : 許衡(1209~1281)은 원나라 懷孟 河內 사람이다. 자는 仲平이고, 호는 魯齋며, 시호는 文正

그러하니 이것이 여러 제자諸子를 뛰어넘는 것이다. 『대학』은 공자 문하의 유서遺書이니, 그 요체는 바로 여기에 있다. 행하는 데에 힘써 애쓰지 않는 것은 단지 그 앎이 진실하지 않기 때문이다. 실로 진실하게 알 수 있었다면, 행하는 데에 어찌 힘쓰지 않을 수가 있겠는가? '넓게 배우며, 자세히 물으며, 신중히 생각하며, 밝게 분별한다.'[104]는 것은 진실하게 아는 것이니, 그런 뒤에 돈독하게 행한다는 한 구절을 말한 것이다."

[48-1-53]

"聖人敎人, 只是兩字. 從學而時習爲始, 便只是說知與行兩字. 不惑, 知命, 耳順, 是簡知字, 只是精粗淺深之別耳. 耳順是並無逆於心者, 到此則何思何慮, 不思而得也. 從心不踰矩, 則不勉而中."[105]

(노재 허씨가 말했다.) "성인이 사람들을 가르치니, 단지 두 가지 글자이다. '배우고 때로 익힌다.'는 말로 시작했으니, 앎과 행함이라는 두 글자를 말했을 뿐이다. '미혹되지 않고 명을 알고 귀로 들으면 그대로 이해되었다.'[106]는 말은 앎이라는 것이니, 단지 정밀하고 조야하고 얕고 깊은 구별이 있을 뿐이다. 귀로 들으면 그대로 이해되었다는 것은 마음에 거슬리는 것이 없는 것이니, 이것에 이르면 '무엇을 생각하고 무엇을 사려하겠는가?'[107] '사려하지 않아도 안다.'[108]는 것이다. '마음에 하고자 하는 바를 좇아

이다. 憲宗 4년(1254) 忽必烈이 불러 京兆提學과 國子祭酒 등의 요직을 맡았다. 集賢殿 大學士와 領太史院 事 등을 지냈다. 『讀易私言』·『魯齋心法』·『魯齋遺書』·『許文正公遺書』·『許魯齋集』 등이 있다.

104 『中庸』 20장 : "넓게 배우며, 자세히 물으며, 신중히 생각하며, 밝게 분별하며, 독실하게 행하여야 한다.(博學之, 審問之, 愼思之, 明辨之, 篤行之.)"

105 『魯齋遺書』 권1 「語錄上」

106 '미혹되지 않고 … 이해되었다.' : 『論語』 「爲政」, "나는 열다섯 살에 학문에 뜻을 두었고, 서른 살에 자립하였고, 마흔 살에 미혹되지 않았고, 쉰 살에 天命을 알았고, 예순 살에 귀로 들으면 그대로 이해되었고, 일흔 살에 마음에 하고자 하는 바를 좇아도 法度에 넘지 않았다.(吾十有五而志于學, 三十而立, 四十而不惑, 五十而知天命, 六十而耳順, 七十而從心所欲, 不踰矩.) 주희는 '불혹'에 대해서 "사물의 당연한 도리에 대하여 미혹되는 것이 없다면 아는 것이 분명하여 지키는 일을 할 필요가 없을 것이다.(於事物之所當然, 皆無所疑, 則知之明而無所事守矣)"라고 하였고, '천명을 아는 것'에 대해서는 "천명은 天道가 流行하여 사물에 부여한 것이니, 바로 사물에 당연한 도리의 所以然이다. 이것을 알면 아는 것이 지극히 정밀하여 의혹하지 않는 것은 굳이 말할 것이 못될 것이다.(天命, 卽天道之流行而賦於物者, 乃事物所以當然之故也. 知此則知極其精而不惑, 又不足言矣.)"라고 하였고, '이순'에 대해서는 "소리가 들어오면 마음이 깨달아져서 어긋나거나 걸림이 없는 것이니, 앎이 지극하여 생각하지 않아도 깨달아지는 것이다.(聲入心通, 無所違逆, 知之之至, 不思而得也.)라고 말하고 있다."

107 '무엇을 생각하고 … 사려하겠는가?' : 『周易』 「繫辭下」, "『易』에서 말했다. '자주 왕래하면 벗만이 네 생각을 따를 것이다.' 공자가 말했다. '천하에 무엇을 생각하며 무엇을 생각하겠는가? 천하는 같은 곳으로 돌아가지만 길이 다르며, 이치는 하나이나 생각은 백 가지이니, 천하에 무엇을 생각하고 무엇을 생각하겠는가. 해가 가면 달이 오고 달이 가면 해가 와서 해와 달이 서로 미룸에 밝음이 생기며, 추위가 가면 더위가 오고 더위가 가면 추위가 와서 추위와 더위가 서로 미룸에 해가 이루어지니, 가는 것은 굽히는 것이고 오는 것은 펼쳐지는 것이니, 굽힘과 펼쳐짐이 서로 감동함에 이로움이 생긴다. 자벌레가 몸을 굽히는 것은 펴기 위해서이고,

도 법도法度에 넘지 않았다.'는 것은 '힘쓰지 않아도 중도에 맞았다.'[109]는 것이다."

[48-2-1]

程子曰：“聖人之言, 冲一作中和之氣也, 貫徹上下.”[110] 以下論言行

정자가 말했다. “성인의 말은 중화中和의 기이니 위와 아래에 관철되었다.”[111] 이하 언행을 논한다.

[48-2-2]

“聖人之言, 遠如天, 近如地. 其遠也, 若不可得而及, 其近也, 亦可得而行. 揚子曰, 聖人之言遠如天, 賢人之言, 近如地, 非也.”

(정자가 말했다.) “성인의 말은 고원하기가 하늘과 같고 가깝기가 땅과 같다. 고원하여 마치 미치지 못할 듯하지만, 가까우니 또한 행할 수 있다. 양자揚子[揚雄][112]가 '성인의 말은 고원하기가 하늘과 같고

· ·

용과 뱀이 칩거하는 것은 몸을 보존하기 위해서이고, 의리를 정밀히 하여 신묘한 경지에 들어가는 것은 작용을 지극히 하기 위해서이고, 작용을 이롭게 하여 몸을 편안히 하는 것은 덕을 높이기 위해서이니, 이를 지난 이후는 혹 알 수 없으니, 神을 궁구하여 조화를 하는 것이 덕의 성대함이다.'(易曰, “憧憧往來, 朋從爾思.” 子曰, “天下何思何慮, 天下同歸而殊塗, 一致而百慮, 天下何思何慮. 日往則月來, 月往則日來, 日月相推而明生焉, 寒往則暑來, 暑往則寒來, 寒暑相推而歲成焉, 往者, 屈也, 來者, 信也, 屈信相感而利生焉. 尺蠖之屈, 以求信也, 龍蛇之蟄, 以存身也, 精義入神, 以致用也, 利用安身, 以崇德也, 過此以往, 未之或知也, 窮神知化, 德之盛也.')

108 '사려하지 않아도 안다.'：『中庸』에 “성실한 것은 하늘의 도요, 성실히 하려는 것은 사람의 도이니, 성실한 것은 힘쓰지 않고도 도에 맞으며, 생각하지 않고도 알아서 조용히 도에 맞으니, 성인이고, 성실히 하려는 자는 善을 택하여 굳게 잡는 자이다.(誠者, 天之道也, 誠之者, 人之道也, 誠者, 不勉而中, 不思而得, 從容中道, 聖人也, 誠之者, 擇善而固執之者也.)”라고 하였다.

109 '힘쓰지 않아도 … 맞았다.'：『中庸』에 “성실한 것은 하늘의 도요, 성실히 하려는 것은 사람의 도이니, 성실한 것은 힘쓰지 않고도 도에 맞으며, 생각하지 않고도 알아서 조용히 도에 맞으니, 성인이고, 성실히 하려는 자는 善을 택하여 굳게 잡는 자이다.(誠者, 天之道也, 誠之者, 人之道也, 誠者, 不勉而中, 不思而得, 從容中道, 聖人也, 誠之者, 擇善而固執之者也.)”라고 하였다.

110 『河南程氏遺書』 권11

111 이 정이천의 말에 대해서 淡若水는 『格物通』 권2「愼言動下」에서 다음과 같이 설명하고 있다. “성인의 말이 위와 아래에 관철되었다는 것은 어째서인가? 그것은 中和하기 때문이다. 中和하므로 그 이치가 하나이고, 덕이 성대하다. 그래서 덕이 있는 사람은 반드시 말이 있으나, 현인은 그렇지 못하다. 말은 뿌리이고 남긴 것은 말단이고, 말은 정밀하지만 남긴 것은 조야하다. 어찌 중화로 관철된 것이 있겠는가?(遺聖人之言, 貫徹上下者, 何也? 以其中和也. 中和故其理一也, 德之盛也. 是故有德者必有言也, 賢人則不然. 語本而遺末, 語精而遺粗也. 何中和貫徹之有?)”

112 揚子[揚雄]：揚雄(B.C.53~18)을 말한다. 자는 子雲이다. 서한시대 城都(현 사천성 성도) 사람으로 成帝때 給事黃門郎이 되고 王莽때는 校書天祿閣으로 대부의 반열에 올랐다. 王莽이 정권을 찬탈한 뒤 새 정권을 찬미하는 문장을 썼고 괴뢰정권에 협조하였기 때문에, 지조가 없는 사람으로 宋學 이후에는 비난의 대상이 되기도 하지만 그의 식견은 漢나라를 대표한다. 사람의 본성에 대해서는 '性善惡混說'을 주장하였다. 초기에는 형식상 司馬相如를 모방하여 『甘泉』, 『河東』, 『羽獵』, 『長楊』 四賦를 지었으나, 후기에는 『易』을 본떠서

현인의 말은 가깝기가 땅과 같다.'[113]고 했는데 잘못이다."[114]

[48-2-3]

"有有德之言, 有造道之言, 有迷事之言. 有德者, 止言己分事. 造道之言, 如顏子言孔子, 孟子言堯舜, 止是造道之深, 所見如是."[115]

(정자가 말했다.) "덕이 있는 말이 있고, 도에 나가는 말이 있고, 일에 미혹된 말이 있다. 덕이 있는 말은 단지 자신의 분수에 맞는 일만을 말할 뿐이고, 도에 나가는 말은 안자가 공자를 말하고 맹자가 요순을 말하는 것과 같아서, 단지 도에 나가는 깊이니 그 본 것이 이와 같다."

∙ ∙ ∙ ∙ ∙ ∙ ∙ ∙ ∙ ∙ ∙ ∙ ∙ ∙ ∙ ∙ ∙ ∙ ∙

『太玄』을 짓고 『論語』를 본떠서 『法言』을 지었다.

113 '성인의 말은 … 같다.': 『揚子法言』 권6 「五百篇」에서 유종원(유종원)은 이렇게 설명하고 있다. "하늘은 상이 달려 있어 밝음을 드러내지만 사람이 관찰할수 없고, 성인은 가르침을 세워 명령을 시행하지만 사람이 궁구할 수 없다. 산천과 澤田의 형태는 살필 수 있다.(天懸象著明而人不能察, 聖人設教施令而人不能究. 山川澤田之形, 可得而鑒.)" 이에 대해 사마광은 이렇게 덧붙인다. "하늘은 고원하여 미칠 수 없고, 땅은 가깝지만 하늘을 이어서 때에 맞게 행한다.(天高遠不可及, 地雖近, 亦承天而時行.)"

114 이 정이천의 말에 대해서 葉采는 『近思錄』에서 이렇게 설명하고 있다. "그것이 멀다는 것은 자공일지라도 쉽게 얻어들을 수 없는 것이고, 가깝다는 것은 비루한 사람이라도 다할 수 있다는 것이다. 어떤 사람은 성인의 말은 다하지 않은 것이 없는 것을 포함하고 있어서 말이 가깝지만 먼 것을 버리지 않고 말이 멀지만 가까운 것을 버리지 않기 때문에 그 먼 것은 하늘과 같고, 가까운 것은 땅과 같다고 하여 단지 고원하기만 한 것은 아니라고 한다. 내가 생각하기에 이 단락은 본래 사람이 평심하게 책을 보아서 함부로 생각하지 말고 천착하지 말게 하려고 한 것이고, 또 성인의 말은 본래 고원한 곳에 있지만 본래 그 가까운 것이 이러한 것이니, 그 말이 가깝지만 먼 것을 버리지 않는다는 것은 의미가 본래 다르니, 앞의 말이 옳다.(其遠者, 雖子貢猶未易得而聞, 其近者雖鄙夫可得而竭也. 或曰聖人之言, 包蓄無所不盡, 語近而不遺乎遠, 語遠而不遺乎近, 故曰其遠如天其, 近如地. 非但高遠而已. 愚按此段, 本欲人平心以觀書不可妄生穿鑿, 又謂聖人之言, 自有遠處, 自有近處如此, 則謂語近而不遺乎遠者, 意自不同也, 前說爲是.)"

115 『河南程氏遺書』 권2상. 이 구절은 『河南程氏遺書』 권11에 "덕이 있는 말이 있고, 도에 나아가는 말이 있는데 맹자가 자신의 뜻을 말한 것은 덕이 있는 말이고, 성인의 일을 말한 것은 도에 나아가는 말이다.(有有德之言, 有造道之言, 孟子言己志者, 有德之言也, 言聖人之事, 造道之言也.)"라는 구절이 있고, 또 『河南程氏遺書』 권18에는 이렇게 표현되어 있다. "물었다. 「서명」은 어떻습니까? 대답했다. '이것은 橫渠張載 문장 가운데 순수한 것이다.' 물었다. '모두 실천할 때에는 어떻습니까? 대답했다. '성인이다.' (물었다.) 횡거는 모두 실천할 수 있었습니까? 대답했다. '말에는 두 종류가 있다. 덕이 있는 말도 있고, 도에 나아가는 말도 있다. 덕이 있는 말은 자기의 일을 말하는 것이니, 성인이 성인의 일을 말하는 것과 같다. 도에 나아가는 말은 지혜가 이것을 충분히 아는 것이니, 현인이 성인의 일을 말하는 것과 같다. 횡거의 경우 도는 매우 높고, 말은 매우 순수했다. 맹자 이후에는 유학자들이 모두 그와 같은 식견을 갖춘 자가 없었다.(問, '「西銘」如何? 曰, '此橫渠文之粹者也.' 曰, '充得盡時如何? 曰, '聖人也.' '橫渠能充盡否? 曰, '言有兩端, 有有德之言, 有造道之言. 有德之言, 說自己事, 如聖人言聖人事也. 造道之言, 則知足以知此, 如賢人說聖人事也. 橫渠道儘高, 言儘醇. 自孟子後, 儒者都無他見識.)"

[48-2-4]

問 : "人言語緊急, 莫是氣不定否?"

曰 : "此亦當習. 習到言語自然緩時, 便是氣質變也. 學至氣質變, 方是有功."[116]

물었다. "사람의 말이 급박한 것은 기가 안정되지 않았기 때문입니까?"

(정자가) 대답했다. "이것도 당연히 습관이다. 습관화된 언어가 저절로 느긋해질 때 기질은 변화한다. 학문은 기질이 변화해야 비로소 공이 있다."

[48-2-5]

"德盛者言傳. 文盛者言亦傳."[117]

(정자가 말했다.) "덕이 융성한 자의 말은 전해지지만, 문이 융성한 사람의 말도 역시 전해진다."

[48-2-6]

"凡立言欲涵蓄意思, 不使知德者厭, 無德者惑."[118]

(정자가 말했다.) "말을 세우는 것은 의미를 함축해서 덕이 있는 자는 싫증내지 않고, 덕이 없는 자는 미혹되지 않게 하려는 것이다."[119]

[48-2-7]

"言愈多, 於道未必明, 故言以簡爲貴."[120]

(정자가 말했다.) "말이 많으면 많을수록 반드시 도에 관해서는 밝지 못하므로 말이 간략한 것을 귀하게 여긴다."

· · · · · · · · · · · · · · · · · · · ·

116 『河南程氏遺書』 권18. 전체의 내용은 다음과 같다. "사람의 말이 급박한 것은 기가 안정되지 않았기 때문입니까?' 대답했다. '이것도 당연히 습관이다. 습관화된 언어가 저절로 느긋해질 때 기질은 변화한다. 학문은 기질이 변화해야 비로소 공이 있다. 사람은 하나의 습관일 뿐이다. 지금 儒臣에게는 유신다운 일반적인 기상이 있고 武臣에게는 무신다운 일반적인 기상이 있고, 貴戚에게는 귀척다운 일반적인 기상이 있다. 이는 원래 이렇다고 말할 수는 없다. 단지 습관이다. 나는 옛날에 주상과 태모에게 상소를 올려서 하루 가운데 현자와 사대부들을 만나는 때를 많게 하고 환관과 궁인들을 만나는 때를 줄이라고 했던 적이 있는데 그것은 기질을 함양하고 덕성을 훈도하게 하려는 것이었다.'(人語言緊急, 莫是氣不定否? 曰, "此亦當習. 習到言語自然緩時, 便是氣質變也. 學至氣質變, 方是有功. 人只是一箇習. 今觀儒臣自有一般氣象, 武臣自有一般氣象, 貴戚自有一般氣象. 不成生來便如此. 只是習也. 某舊嘗進說於主上及太母, 欲令上於一日之中親賢士大夫之時多, 親宦官宮人之時少, 所以涵養氣質, 薰陶德性.")

117 『河南程氏遺書』 권25

118 『河南程氏遺書』 권2상

119 덕이 있는 … 것이다. : 葉采는 『近思錄』에서 이 구절을 이렇게 설명한다. "덕이 있는 자는 그 의미를 완미하여 싫증내지 않고, 덕이 없는 자는 그 말을 지켜서 미혹되지 않는다.(知德者, 玩其意而不厭, 無德者守其說而不惑.)

120 『二程粹言』 권하 「心性篇」

[48-2-8]

"言而不行, 自欺孰甚焉."[121]

(정자가 말했다.) "말하고 행하지 않는 것은 스스로를 기만하는 것이니, 무엇이 이것보다 심하겠는가?"

[48-2-9]

"言行不足以動人, 臨事而倦且怠, 皆誠不至也."[122]

(정자가 말했다.) "말과 행함이 사람들을 감동시키기에 부족하고, 일에 임해서 나태하고 게으른 것은 성誠이 이르지 않는 것이다."

[48-2-10]

"行踐其言而人不信者有矣. 未有不踐言而人信之者."[123]

(정자가 말했다.) "그 말을 행하고 실천하였는데 사람들이 믿지 않는 경우는 있지만, 그 말을 실천하지 않았는데 사람들이 믿는 경우는 없다."

[48-2-11]

"凡諫說於君, 論辯於人, 理勝則事明, 氣忿則招拂."[124]

(정자가 말했다.) "군주에게 간언하고 사람들과 논변할 때 리理가 우세하면 일들이 명백하고, 기세가 분노하면 반발을 부른다."[125]

[48-2-12]

張子曰 : "天地之道, 要一言而道盡亦可. 有終日善言而只在一物者. 當識其要, 總其大體, 一言而乃盡爾."[126]

장자가 말했다. "천지의 도는 한마디로 도를 다하려고 해도 좋다. 종일토록 잘 말하는 것은 단지 한 가지 사물에 있다. 마땅히 그 요체를 알아야 하고 그 대체를 총괄해야 하니, 한마디면 곧 다할 뿐이다."

· · · · · · · · · · · ·

121 『二程粹言』 권상 「論學篇」
122 『二程粹言』 권상 「論學篇」
123 『二程粹言』 권상 「論學篇」
124 『二程粹言』 권하 「君臣篇」
125 理가 우세하면 … 부른다. : 섭채는 『近思錄』에서 "凡爲人言者, 理勝則事明, 氣忿則招拂"이라고 한 이 구절을 이렇게 설명한다. "리가 우세하고 기가 평온하면, 사람들이 쉽게 깨닫고 듣고 따르지만, 혹시 理가 분명하더라도 분노의 기운을 가지고 일에 임한다면 도리어 거부감을 부를 것이다.(理勝而氣平, 則人易曉而聽亦順, 或者理雖明, 而挾忿氣以臨之, 則反致扞格矣.)"
126 『張載集』「經學理窟·義理」

[48-2-13]

涑水司馬氏曰: "言不可不重也. 子不見鐘鼓乎? 夫鐘鼓叩之然後鳴, 鏗訇鏜䡄, 人不以爲異也. 若不叩自鳴, 人孰不謂之妖邪? 可以言而不言, 猶叩之而不鳴也, 亦爲廢鐘鼓矣."[127]

속수 사마씨涑水司馬氏[司馬光][128]이 말했다. "말은 진중하지 않을 수 없다. 당신은 종과 북을 보지 않았는가? 종과 북은 때린 뒤에 소리가 나서, 땡, 쿵의 소리가 나더라도 사람들은 괴이하게 여기지 않는다. 그러나 때리지도 않았는데 저절로 소리를 낸다면 사람들이 어찌 요사하고 사특하다고 말하지 않겠는가? 말할 만한데 말하지 않는 것은 때렸는데도 소리를 내지 않는 것이니 또한 종과 북이 망가진 것이다."

[48-2-14]

"言而無益, 不若勿言. 爲而無益, 不若勿爲. 余久知之, 病未能行也."[129]

(속수 사마씨가 말했다.) "말했는데 무익하다면 말하지 않은 것만 못하다. 행했는데 무익하다면 행하지 않은 것만 못하다. 내가 오래전에 이를 알았지만 그것을 행할 수 없었던 것이 병통이었다."

[48-2-15]

五峯胡氏曰: "先道而後言, 故無不信之言, 先義而後行, 故無不果之行."[130]

오봉 호씨五峯胡氏[胡宏][131]이 말했다. "도를 먼저 하고 말을 뒤에 하므로 믿지 않는 말이 없고, 의義를 먼저 하고 행함을 나중에 하므로 과감하지 않은 행함이 없다."

[48-2-16]

"行愼則能堅其志, 言愼則能崇其德."[132]

(오봉 호씨가 말했다.) "행함을 신중히 하면 그 뜻을 견고하게 할 수 있고, 말을 신중하게 하면 그 덕을 숭고하게 할 수 있다."

---

127 『傳家集』 권7 「迂書 · 言戒」

128 涑水司馬氏[司馬光]: 司馬君實 혹은 司馬光(1019~1086)을 말한다. 자는 君實이고, 호는 迂夫, 迂叟이며, 시호는 文正이다. 세칭 司馬太師 · 溫國公 · 涑水先生이라 한다. 송대 夏縣 涑水鄉(현 산서성 夏縣) 사람으로 翰林侍讀 · 權御使中丞 · 門下侍郎 등을 역임하였다. 왕안석의 신법에 반대하여 퇴출되었다가 재상으로 복직하여 신법을 폐지하였다. 저서는 『文集』과 『資治通鑑』 · 『稽古錄』 · 『易說』 · 『潛虛』 등이 있다.

129 『傳家集』 권7 「迂書 · 無益」

130 『知言』 권1

131 五峯胡氏[胡宏]: 호굉을 말한다. 자는 오봉이다. 宋대 胡安國의 아들인 胡宏(1106~1161)이다. 建寧 崇安(복건성) 사람으로 자는 仲仁이고, 호는 五峰이다. 湖湘學派의 개창자로서, 어린 시절 楊時와 侯仲良에게 배웠다. 謝良佐 · 胡安國 · 호굉을 이른바 '湖湘學派'라고 한다.

132 『知言』 권3

[48-2-17]

延平李氏曰: "古之德人言句皆自胷襟流出, 非從額頰拾來, 如人平居談話不慮而發. 後之學者, 譬如鸚鵡學人語言, 所不學者則不能耳."

연평 이씨延平李氏[李侗][133]가 말했다. "옛날 덕이 있는 사람들의 말들은 모두 흉금에서 나왔지 입에서 나오지 않았으니, 마치 사람이 평상시에 이야기를 나누는데 생각하지 않고서 나오는 것과 같다. 후대의 학자들은 비유하자면 앵무새처럼 배운 사람들의 말을 떠들고 있으니 배우지 않는 것은 그렇게 할 수 없을 뿐이다."

[48-2-18]

朱子曰: "夫子云, 不學詩無以言. 先儒以爲心平氣和則能言. 易繫辭曰, 易其心然後語, 謂平易其心而後語也. 明道先生曰, 凡爲人言者, 理勝則事明, 氣忿則招拂. 告子云, 不得於言, 勿求於心, 孟子以爲不可. 孟子之意, 以言有不順理不自得處, 卽是心有不順理不自得處. 故不得於言, 須求之於心, 就心上理會也. 心氣和, 則言順理矣. 然亦須就言上做工夫始得. 伊川曰, 發禁躁妄, 内斯静專. 是也. 内外表裏照管無少空闕, 始得相應."

주자가 말했다. "공자가 '시를 배우지 않으면 말을 할 수가 없다.'[134]라고 했다. 이 말을 선유先儒들은 마음이 평안하고 기운이 조화되면 능히 말을 할 수가 있다고 생각했다. 『역』에서 '마음을 편안하게 한 뒤에야 말한다.'[135]라고 했는데, 이 말은 그 마음을 평온하고 편안하게 한 뒤에 말한다는 것이다. 명도明

· · · · · · · · · · · · · · · · · · · ·

133 延平李氏[李侗]: 李侗(1093~1161)은 남송 시대 학자로 남쪽 劍州 劍浦 사람이다. 字는 願中이며 사람들은 延平先生이라고 불렀다. 程頤(1033~1107)의 再傳弟子로서 젊은 시절 楊時(1053~1135)와 羅從彦(1072~1135)을 스승으로 삼아 『春秋』·『論語』·『孟子』·『中庸』을 배웠다. 주희는 그의 문하에 공부하면서 그의 어록인 『延平答問』을 편집했다. 주희는 二程의 '洛學'을 이어받았을 뿐 아니라 북송 대가들의 사상을 종합하여 학설의 기초를 세웠다. 저서로는 『李延平集』이 있다.

134 '詩를 배우지 … 없다.': 『論語』「季氏」, "陳亢이 伯魚에게 물었다. '그대는 역시 특이한 것을 들었는가?' 백어가 답했다. '없었다. 일찍이 홀로 서 계실 때에 내가 빨리 걸어 뜰을 지나는데,「詩를 배웠느냐?」하고 물으시기에「못하였습니다.」하고 대답했더니,「詩를 배우지 않으면 말을 할 수 없다.」고 하시므로 내가 물러가 시를 배웠다. 다른 날에 또 홀로 서 계실 때에 내가 빨리 걸어 뜰을 지나는데,「禮를 배웠느냐?」하고 물으시기에「못하였습니다.」하고 대답하였더니,「禮를 배우지 않으면 설 수 없다.」고 하셔서 내가 물러 나와 禮를 배웠다. 이 두 가지를 들었다.' 진항이 물러 나와 기뻐하면서 말하였다. '하나를 물어서 셋을 들었으니, 詩를 듣고 禮를 들었으며, 또 군자가 그 아들을 멀리하는 것을 들었다.'(陳亢, 問於伯魚曰, '子亦有異聞乎?' 對曰, '未也. 嘗獨立, 鯉趨而過庭, 曰學詩乎? 對曰, 未也. 不學詩, 無以言. 鯉退而學詩. 他日, 又獨立, 鯉趨而過庭, 曰學禮乎? 對曰未也. 不學禮, 無以立. 鯉退而學禮. 聞斯二者.' 陳亢, 退而喜曰, '問一得三, 聞詩聞禮, 又聞君子之遠其子也.')"

135 『周易』「繫辭下」: "군자는 몸을 편안히 한 뒤에 움직이며, 마음을 평안하게 한 뒤에 말하며, 사귐을 정한 뒤에 구하니, 군자는 이 세 가지를 닦으므로 온전한 것이다. 위태롭게 움직이면 백성들이 더불어 함께 하지 않고, 두려워하면서 말하면 백성들이 호응하지 않고, 사귀지 않으면서 구하면 백성들이 친하지 않으니, 친하지 않으면 해롭게 하는 자가 이를 것이다.(君子安其身而後動, 易其心而後語, 定其交而後求, 君子修此三者,

道는 '무릇 사람이 말을 할 때 리理가 우세하면 일들이 명백하고, 기세가 분노하면 반발을 부른다.'[136]고 했다. 고자告子는 '말에서 이해되지 않거든 마음에서 구하지 말라.'[137]고 했는데, 맹자는 이 말이 옳지 않다고 생각했다. 맹자의 생각은 '말이 이치에 순조롭지 않으며 자득한 것이 없다면, 곧 마음 역시 이치에 순조롭지 못한 점이 있으며, 또 자득하지 못한 곳이 있다. 그러므로 말에서 이치를 터득하지 못했으면 모름지기 이 사람의 마음에서 그 이유를 추구해 보아야 한다.'는 것이니, 마음에 나아가서 말을 이해해야 한다는 말이다. 심기心氣가 조화되면 말이 저절로 이치에 따른다. 그러나 또한 반드시 말에 나아가서 공부해야만 한다. 이천伊川이 '말을 할 때 조급하거나 경망스러워지는 것을 막아서, 안으로 고요하고 한결같이 한다.'[138]고 한 것이 바로 이것이다. 안과 바깥 그리고 겉과 속을 잘 살펴서 조금도 비거나 빠진 곳이 없어야 비로소 상응하게 된다."

[48-2-19]

臨川吳氏曰: "言, 心聲也. 故知言者, 觀言以知其心. 世亦有巧僞之言, 險也而言易, 躁也而

故全也, 危以動, 則民不與也, 懼以語, 則民不應也, 无交而求, 則民不與也, 莫之與, 則傷之者至矣.)"

136 기세가 분노하면 … 부른다.: 『二程粹言』 권하 「君臣篇」. 섭채는 『近思錄』에서 이 구절을 이렇게 설명한다. "리가 우세하고 기가 평온하면, 사람들이 쉽게 깨닫고 듣고 따르지만, 혹시 理가 분명하더라도 분노의 기운을 가지고 일에 임한다면 도리어 거부감을 부를 것이다.(理勝而氣平, 則人易曉而聽亦順, 或者理雖明, 而挾忿氣以臨之, 則反致扞格矣.)"

137 『孟子』 「公孫丑上」: "'감히 묻겠습니다. 당신의 不動心과 告子의 부동심을 들을 수 있겠습니까? 맹자가 말했다. '고자는 「말에서 이해되지 못하거든 마음에 알려고 구하지 말며, 마음에 얻지 못하거든 기운에 도움을 구하지 말라.'고 하였으니, 마음에 얻지 못하거든 기운에 도움을 구하지 말라는 것은 옳지만, 말에 이해되지 못하거든 마음에 알려고 구하지 말라는 것은 옳지 않다. 意志는 氣의 將帥이고, 氣는 몸에 꽉 차 있는 것이니, 의지가 최고이고, 기가 그 다음이다. 그러므로 「그 의지를 잘 잡고 또 그 기를 포악하게 하지 말라.」고 했다. 물었다. '이미 의지가 최고요 기가 그 다음이라 했고, 또 그 의지를 잘 잡고도 그 기를 포악하게 하지 말라고 하신 것은 무슨 말씀입니까?' 답했다. '의지가 한결같으면 기를 움직이게 하고 기가 한결같으면 意志를 움직이게 하는 것이니, 지금 넘어지는 자와 달리는 자는 이것은 기이지만 도리어 그 마음을 움직이게 한다.'(曰, '敢問夫子之不動心, 與告子之不動心, 可得聞與?' '告子曰不得於言, 勿求於心, 不得於心, 勿求於氣. 不得於心, 勿求於氣, 可, 不得於言, 勿求於心, 不可. 夫志, 氣之帥也, 氣, 體之充也, 夫志至焉, 氣次焉. 故曰持其志, 無暴其氣.' '旣曰志至焉, 氣次焉, 又曰持其志, 無暴其氣者, 何也?' 曰, '志壹則動氣, 氣壹則動志也, 今夫蹶者趨者, 是氣也而反動其心.')"

138 '말을 할 … 한다.': 이 말은 정이천의 四箴가운데 言箴이다. 『河南程氏文集』 「四箴 · 言箴」에 "마음의 움직임은 말을 근거로 하여 밖으로 드러나니, 말을 할 때 조급하거나 경망스러워지는 것을 막아서, 안으로 고요하고 한결같이 한다. 하물며 이것은 사람들의 중요한 계기를 만드는 것이니, 전쟁을 일으키기도 하고 우호로 나아가게도 하는 것이다. 사람의 길흉과 영욕은 오직 말이 불러들이는 것들인 것이다. 말을 지나치게 쉽게 하면 불성실하게 되고, 지나치게 번거로이 하면 지리멸렬하게 되고, 자기 멋대로 말하면 사물과 어긋나게 되고, 도리에 어긋나는 말을 하면 위배된 보답이 오게 되니, 법도에 어긋나는 것은 말하지 말고, 이 말을 공경하라.(人心之動, 因言以宣, 發禁躁妄, 內斯靜專, 矧是樞機, 興戎出好, 吉凶榮辱, 惟其所召, 傷易則誕, 傷煩則支, 已肆物忤, 出悖來違, 非法不道, 欽哉訓辭.)"라고 하였다.

言澹, 貪戀也而言閑適. 意其言之可以欺人也. 然人觀其易澹閑適之言而洞照其險躁貪戀之心, 則人不可欺也, 而言豈可僞哉?"[139]

임천 오씨臨川吳氏[吳澄][140]가 말했다. "말은 마음의 소리이다. 그러므로 말을 아는 자는 말을 보고서 그 마음을 안다. 세상에는 교묘하고 거짓된 말이 있는데, 음험하면서도 그 말이 편안하고, 조급하면서도 그 말이 담백하며, 탐욕하면서도 그 말이 한가롭다. 생각건대 그 말이 사람을 속일 수 있다. 그러나 사람이 편안하고 담백하고 한가로운 말을 살펴보고서 그 음험하고 조급하고 탐욕스러운 마음을 통찰하면 사람은 속일 수 없으니, 말이 어찌 거짓될 수 있겠는가?"

致知 치지

[48-3-1]

程子曰 : "致知則有知, 有知則能擇."[141]

정자가 말했다. "치지致知하면[142] 앎이 있고, 앎이 있으면 선택할 수 있다."

[48-3-2]

"知者吾之所固有, 然不致則不能得之, 而致之必有道, 故曰致知在格物."[143]

(정자가 말했다.) "앎이란 내가 본래 가진 것이지만, 지극하지 못하면 얻을 수가 없고, 지극하게 하는 데에는 반드시 방도가 있으므로 '치지致知는 격물格物에 있다.'[144]고 했다."

. . . .

139 『吳文正集』 권60 「題跋·跋張蔡國題黃處士秋江釣月圖詩」

140 臨川吳氏[吳澄] : 吳澄(1249~1333)의 字는 幼淸이고 만년에 伯淸으로 바꾸었다. 풀로 만든 집에 거주하면서 '草廬라고 이름 지었기 때문에 사람들은 습관적으로 그를 초려 선생이라고 불렀다. 撫州 崇仁 사람이다. 송나라와 원나라 사이 유학자이며 경학자이며 이학자이다. 주자의 재전 제자인 饒魯의 문인인 程若庸에게서 배워 주희의 후학이며 요노의 제전 제자가 되었다. 저작으로는 『五經纂言』·『草廬精語』·『道德經注』·『三禮考注』 등이 있고, 『草廬吳文正公文集』이 있다.

141 『河南程氏遺書』 권15

142 致知하면 : '致知'는 『大學』에 나온 말이다. 정이천은 치지를 盡知라고 해석한다. 주희는 이렇게 주석하고 있다. "致는 미루어 지극히 함이고, 知는 識과 같으니, 나의 知識을 미루어 지극히 하여, 그 아는 바가 다하지 않음이 없고자 하는 것이다.(致, 推極也, 知, 猶識也, 推極吾之知識, 欲其所知無不盡也.)" 치지는 앎을 지극히 하고 다하는 것을 의미한다. 이후로 치지라고 번역한다.

143 『河南程氏遺書』 권25

144 '致知는 格物에 있다.' : 『大學』, "옛날에 明德을 천하에 밝히고자 하는 자는 먼저 그 나라를 다스리고, 그 나라를 다스리고자 하는 자는 먼저 그 집안을 가지런히 하고, 그 집안을 가지런히 하고자 하는 자는 먼저 그 몸을 닦고, 그 몸을 닦고자 하는 자는 먼저 그 마음을 바르게 하고, 그 마음을 바르게 하고자 하는 자는 먼저 그 뜻을 성실히 하고, 그 뜻을 성실히 하고자 하는 자는 먼저 그 앎을 지극히 하였으니, 앎을 지극히

[48-3-3]

問 : "人之學非願有差, 只爲不知之, 故遂流於不同. 不知如何持守."

曰 : "且未說到持守. 持守甚事? 須先在致知, 致知, 盡知也. 窮理格物, 便是致知."[145]

물었다. "사람들의 배움은 성인과 차이가 나기를 원하지 않지만, 단지 성인을 알지 못하기 때문에 그러므로 같지 않은 데로 흐릅니다. 어떻게 지켜야 할지 모르겠습니다."

(정자가) 말했다. "지키는 것까지 말할 필요가 없다. 무엇을 지키는 것인가? 반드시 먼저 치지致知가 있고, 치지致知는 앎을 다하는 것이다. 리理를 궁구하고 사물의 리理에 이르는 것이[146] 곧 치지이다."[147]

[48-3-4]

問 : "今有志於學, 而知識蒙蔽, 力不能勝其任, 則如之何?"

曰 : "致知則明, 明則無不勝其任者, 在勉強而已."[148]

물었다. "지금 배움에 뜻을 두었으나 지식知識이 애매하고 힘이 그 일을 감당할 수 없다면 어떻게 해야 합니까?"

(정자가) 말했다. "치지致知하면 밝아지고 밝아지면 그 일을 감당하지 못함이 없으니, 힘써 노력하는 데에 달려 있을 뿐이다."

[48-3-5]

問 : "學者多流於釋氏之說, 何也?"

曰 : "不致知也. 知之既至, 孰得而移之? 知玉之爲寶, 則人不能以石亂之矣, 知醴之爲甘, 則人不能以蘗亂之矣. 知聖人之爲大中至正, 則釋氏不能以說惑之矣."[149]

물었다. "배우는 사람이 불교의 학설에 빠지는 경우가 많은 것은 무엇 때문입니까?"

함은 物을 格하는 데에 있다.(古之欲明明德於天下者, 先治其國, 欲治其國者, 先齊其家, 欲齊其家者, 先修其身, 欲修其身者, 先正其心, 欲正其心者, 先誠其意, 欲誠其意者, 先致其知, 致知在格物.)"

145 『河南程氏遺書』 권15

146 『河南程氏遺書』 권22 : "又問, '如何是格物?' 先生曰, '格, 至也, 言窮至物理也.' 又問, '如何可以格物?' 曰, '但立誠意去格物, 其遲速卻在人明暗也. 明者格物速, 暗者格物遲.'"

147 이 단락의 내용은 『二程粹言』에 동일한 내용이 나온다. "방강자가 물었다. '배우는 사람은 성인의 문하에 대해서 차이가 있기를 원하지 않습니다. 오직 그것이 어떤 것인지를 알 수 없기 때문에 그래서 같지 않은 데로 흐릅니다. 감히 올바름을 유지하는 방도를 묻겠습니다.' 이천이 말했다. '알고 난 뒤에 지킬 수 있으니 아는 것이 없는데 무엇을 지키겠는가? 그러므로 배움은 먼저 앎을 지극히 한다. 리를 궁구하고 格物하면 앎을 다하지 않음이 없다. 앎을 다했다면 견고하지 않음이 없다.'(潘康仲問, '學者於聖人之門, 非願其有異也, 惟不能知之, 是以流於不同. 敢問持正之道.' 子曰, '知之而後可守, 無所知則何所守也? 故學莫先乎致知. 窮理格物則知無不盡. 知之既盡, 則無不固.')"

148 『二程粹言』 「論學篇」

149 『二程粹言』 「論學篇」

(정자가) 말했다. "치지致知하지 못해서 이다. 앎을 지극히 했다면 누가 바꿀 수 있겠는가? 옥이 보배라는 것을 알면 남들이 돌을 가지고 혼란에 빠트릴 수 없고, 단술이 달다는 것을 알면 남들이 누룩으로 혼란에 빠트릴 수가 없다. 성인이 크게 중中하고 지극히 정正하다는 것을 알면 불교가 그 주장으로 미혹시킬 수 없다."

[48-3-6]
"無物無理, 惟格物可以盡理."[150]

(정자가 말했다.) "어떤 사물도 리가 없는 것은 없으니, 오직 격물格物해야 리理를 다할 수 있다."

[48-3-7]
"人要明理. 若止一物上明之, 亦未濟事. 須是集衆理, 然後脫然自有悟處."[151]

(정자가 말했다.) "사람은 리理를 밝혀야 한다. 만약 단지 한 가지 사물에서만 그것을 밝힌다면 또한 일을 이룰 수 없다. 반드시 여러 리理를 모은 뒤에 시원스럽게 저절로 깨닫는 곳이 있다."

[48-3-8]
"閱天下之事至於無可疑, 亦足樂矣."[152]

(정자가 말했다.) "천하의 일들을 살펴서 의심할 만한 것이 없는 데에 이르면 또한 충분히 즐거울 것이다."

[48-3-9]
"人於事有少自快, 則其喜懌之意, 猶浹洽於心, 而發見於外. 至於窮理切切焉而不得其所可悅者, 則亦何以養心也?"[153]

(정자가 말했다.) "사람이 일에 대해서 조금이라도 스스로 상쾌한 것이 있으면 그 기쁨의 뜻이 오히려 마음에 젖어 들어서 밖으로 드러난다. 리理를 궁구하는 데에 급급해서 그 기뻐할 수 있는 것을 얻지 못했다면 또한 어떻게 마음을 함양할 수 있겠는가?"

[48-3-10]
"多識於鳥獸草木之名, 所以明理也."[154]

- - - - - - - - - - - - - - - - -

150 『二程粹言』「人物篇」
151 『河南程氏遺書』 권17
152 『二程粹言』「論事篇」
153 『二程粹言』「論學篇」
154 『河南程氏遺書』 권25

(정자가 말했다.) "새와 짐승 그리고 풀과 나무의 이름을 많이 아는 것은 리理를 밝히는 것이다."

[48-3-11]

"至顯者莫如事, 至微者莫如理, 而事理一致, 微顯一源. 古之君子所以善學者, 以其能通於此而已."[155]

(정자가 말했다.) "지극하게 현저한 것은 일만 한 것이 없고, 지극하게 은미한 것은 리理 만한 것이 없지만, 일과 리理는 하나로 일치하고, 은미한 것과 현저한 것은 근원이 하나이다. 옛 군자가 배움을 잘한 것은 이것에 통할 수 있었기 때문일 뿐이다."

[48-3-12]

"世之人務窮天地萬物之理, 不知反之一身五臟六腑毛髮筋骨之所存, 鮮或知之. 善學者取諸身而已. 自一身以觀天地."[156]

(정자가 말했다.) "세상 사람들이 천지 만물의 리理를 궁구하는 데에는 힘쓰지만 자신의 몸의 오장육부와 털과 피부와 근육과 뼈에 보존된 것을 반성하는 일은 알지 못하며 아는 사람이 드물다. 배움이 훌륭한 자는 자신의 몸에서 취할 뿐이다. 한 몸에서부터 천지를 본다."

[48-3-13]

問: "格物是外物, 是性分中物?"

曰: "不拘. 凡眼前無非是物, 物物皆有理. 如火之所以熱, 水之所以寒, 至於君臣父子間皆是理."

又問: "只窮一物, 見此一物便還見得諸理否?"

曰: "須是徧求. 雖顔子亦只能聞一知十. 若到後來達理了, 雖億萬亦可通."[157]

물었다. "격물格物하는 것은 외부의 사물입니까, 본성에 내재한 것입니까?"

(정자가) 말했다. "구애될 것 없다. 눈앞의 것은 이 사물이 아닌 것이 없고, 각각의 사물마다 모두 리理가 있다. 예를 들어 불이 뜨겁고 물이 차가운 것에서부터 군신君臣과 부자父子 사이의 관계도 모두 이 리理이다."

또 물었다. "단지 하나의 사물을 궁구하여, 이 하나의 사물의 이치를 알게 되면 여러 리理를 다 알게 되는 것입니까?"

(정자가) 말했다. "반드시 두루 구해야 한다. 안자顔子라 하더라도 단지 하나를 들어서 열을 알 뿐이었다. 만약 후에 리理를 통달하는 경지에 이른다면 억만 가지일지라도 통할 수 있다."

155 『河南程氏遺書』 권25
156 『河南程氏外書』 권11
157 『河南程氏遺書』 권19

[48-3-14]

"造道深處,¹⁵⁸ 雖聞常人語言淺近事, 莫非義理."¹⁵⁹

(정자가 말했다.) "도의 깊은 곳에 이르면 보통 사람들의 말과 얕고 비근한 일들을 듣고서도 의리義理가 아닌 것이 없게 된다."

[48-3-15]

張子曰: "知德斯知言. 己嘗自知其德, 然後能識言也. 人雖言之, 己未嘗知其德, 豈識其言? 須知己知是德,¹⁶⁰ 然後能識是言. 猶曰知孝之德, 則知孝之言也."¹⁶¹

장자張子가 말했다. "덕을 알면 곧 말을 안다. 자신이 일찍이 스스로 덕을 안 뒤에라야 그에 관한 말을 알 수 있다. 사람이 말을 하더라도 자신이 그 덕을 알지 못한다면 어찌 그 말을 알겠는가? 반드시 자신이 이 덕을 안다는 것을 안 뒤에야 이 말을 알 수가 있다는 것을 알아야 한다. 이는 마치 효의 덕을 안다면 효의 말을 아는 것과 같다."

[48-3-16]

"窮理亦當有漸. 見物多, 窮理多, 如此可盡物之性."¹⁶²

(장자가 말했다.) "리理를 궁구하는 것은 마땅히 점진적이어야 한다. 사물을 많이 보면 리理를 궁구하는 것이 많으니 이렇게 해야 사물의 성性을 다할 수 있다."

[48-3-17]

上蔡謝氏曰: "聞見之知, 非眞知也. 知水火自然不蹈, 眞知故也. 眞知, 自然行之不難, 不眞知而行, 未免有意. 意有盡時."¹⁶³

상채 사씨上蔡謝氏[謝良佐]¹⁶⁴가 말했다. "듣고 보아서 아는 것은 진정한 앎이 아니다. 물과 불은 저절로 밟지 않는 것이라는 점을 아는 것은 진정으로 알기 때문이다. 진정한 앎은 저절로 행해서 어렵지 않고, 진정으로 알지 못하고 행하는 것은 의도가 있음을 면하지 못한다. 의도함은 끝나는 때가 있다."

· ·

158 『河南程氏遺書』에는 "造道深後"로 되어 있음

159 『河南程氏遺書』 권17

160 『張載集』에는 "須知己知是德"이 "須是己知是德"으로 되어 있다.

161 『張載集』「義理」

162 『張載集』「語錄」

163 『上蔡語錄』 권2

164 上蔡謝氏[謝良佐]: 謝良佐(1050~1103)를 말한다. 자는 顯道이고 蔡州의 上蔡 사람이다. 程顥와 程頤의 학문을 배웠고 游酢, 呂大臨, 楊時와 더불어 程門四先生이라고 불린다. 1085년 진사가 되어 知應城縣을 지냈다. 上蔡學派를 창시하여 심학의 터를 닦은 인물이며 湖湘學派의 鼻祖이다. 仁을 覺이나 生意로 해석하고, 誠을 實理로, 敬을 常惺惺으로, 窮理를 求是로 해석했다. 그의 주장은 선불교적 색채가 강하여 주희로부터 비판을 받았다.

[48-3-18]

"學者須是且窮理, 物物皆有理, 窮理則能知天之所爲. 知天之所爲, 則與天爲一. 與天爲一,
無往而非理也. 窮理則是尋箇是處."[165]

(상채 사씨가) 말했다. "배우는 사람은 반드시 우선 리理를 궁구해야만 하니 모든 사물마다 리理가 있어
서 리理를 궁구하면 천天이 하는 일을 알 수가 있다. 천天이 하는 일을 알게 되면 천天과 하나가 된다.
천天과 하나가 되면 하는 일마다 리理가 아닌 것이 없다. 리理를 궁구하는 것은 옳음을 찾는 것이다."

[48-3-19]

問 : "天下多少事, 如何見得是處?"
曰 : "窮理便見得, 事不勝窮, 理則一也."[166]

물었다. "천하의 수많은 일에서 어떻게 옳음을 볼 수 있습니까?"
(상채 사씨가 말했다.) "리理를 궁구하면 알 수 있으니, 수많은 일들은 이루 다 궁구할 수 없지만, 리理는
하나이다."

[48-3-20]

"所謂有知識, 須是窮物理. 只如黃金, 天下至寶, 先須辨認得他體性始得. 不然, 被人將鍮石
來喚作黃金, 辨認不過, 便生疑惑, 便執不定. 故經曰物格而後知至, 知至而後意誠."

(상채 사씨가 말했다.) "지식知識이 있다고 말하는 것은 반드시 물리物理를 궁구해야 한다. 예컨대 황금은
천하의 지극한 보물이지만, 반드시 먼저 그것의 체성體性을 식별해야 한다. 그렇지 않으면 다른 사람이
놋쇠를 황금이라고 하는데도 식별하지 못하여 의혹을 일으키고 확정하지 못한다. 그러므로 경전에서
격물格物한 뒤에 앎이 지극해지고, 앎이 지극해진 뒤에 의意가 진실해진다고 했다."

[48-3-21]

龜山楊氏曰 : "學者以致知格物爲先. 知之未至, 雖欲擇善而固執之, 未必當於道也. 夫鼎鑊陷
阱之不可蹈, 人皆知之也. 世之人未有蹈鼎鑊陷阱者, 以其知之審故也. 致身下流, 天下之惡皆
歸焉, 固無異於鼎鑊陷阱也, 而士或蹈之而莫之避, 以其未嘗眞知故也. 使其眞知爲不善如蹈
鼎鑊陷阱, 則人孰有爲不善耶? 若夫物格而知至, 則目無全牛, 游刃自有餘地矣."[167]

구산 양씨龜山楊氏[楊時][168]가 말했다. "배우는 사람은 치지격물致知格物을 우선으로 해야 한다. 앎을 지극

165 『上蔡語錄』 권2
166 『上蔡語錄』 권3
167 『龜山集』 권21 「書・答胡處梅」
168 龜山楊氏[楊時] : 楊時(1053~1135)이다. 자는 中立이고 호는 龜山이다. 북송 將樂(현 복건성 장락현) 사람이
다. 程顥・程頤 형제에게 師事했는데, 특히 형 정호의 신임을 받았다. 그는 오래 살면서 二程(程顥・程頤)의

히 하지 않으면 선을 택하여 고집하려고 해도[169] 반드시 도에 합당하지는 않는다. 물 끓는 가마솥과 함정은 밟아서는 안 된다는 것을 사람들은 모두 알고 있다. 세상 사람들이 물 끓는 가마솥에 발을 담그지 않고 함정에 빠지지 않는 것은 그 앎이 자세하기 때문이다. 몸을 하류에 두면 천하의 악이 모두 귀결되니,[170] 이것은 가마솥이나 함정과 다르지 않은데, 선비가 혹 그것을 밟고 피하지 않는 것은 진정으로 알지 못하기 때문이다. 만약 불선不善을 행하는 것이 마치 가마솥을 밟고 함정에 빠지는 것과 같다는 것을 진정으로 안다면 사람들이 어찌 불선을 행하겠는가? 만약 사물의 리理가 이르고 앎이 지극하게 되면 눈앞에 온전한 소[171]가 보이지 않으면서도 칼을 휘두르며 저절로 여지가 있게 될 것이다."[172]

[48-3-22]

致堂胡氏曰: "君子之知貴乎至. 知之至者, 如知水之濕, 知火之熱, 知美色之可愛, 知惡臭之可惡. 雖不幸瞽而瞍, 此知不可亂也. 知之不至者, 猶士而言學, 言善, 言道, 言中, 言誠, 言性, 言仁, 言恕, 言鬼神, 得其形影之似而已. 斷學以記誦, 斷善以柔弱, 斷道以玄妙, 斷中以隨俗, 斷誠以椎朴, 斷性以靜, 斷仁以愛, 斷恕以寬宥, 斷鬼神以幽冥, 是皆形影之似而非其至也. 窮理不至, 則在我者有蔽而不盡. 在我者有蔽而不盡, 在人者安能洞達而無惑乎?"

치당 호씨致堂胡氏[胡寅][173]가 말했다. "군자의 앎은 지극함을 귀하게 여긴다. 앎이 지극한 것은 물이 축축하다는 것을 알고, 불이 뜨겁다는 것을 알며, 미색美色이 사랑스럽고, 악취가 싫다는 것을 아는 것과 같다. 불행한 소경일지라도 이 앎을 혼란시킬 수 없다. 앎이 지극하지 못한 자는 선비처럼 배움을 말하고 선을 말하고 도를 말하고 중中을 말하고 성誠을 말하고 성性을 말하며 인仁을 말하고 서恕를 말하고 귀신鬼神을 말할지라도 그 형체와 그림자의 비슷한 것을 얻은 것과 같을 뿐이다. 배움을 암기로 단정하고, 선을 유약함으로 단정하며, 도를 현묘한 것으로 단정하고, 중中을 세속을 따르는 것으로 단정하며, 성誠을 소박함[174]으로 단정하고, 성性을 고요함으로 단정하고, 인仁을 사랑으로 단정하고, 서恕를 관대함

도학을 전하여 洛學(이정의 학파)의 大宗이 되었으며, 그 學系에서는 주희·張栻·呂祖謙 등 뛰어난 학자가 많이 배출되었다. 저서에 『龜山集』·『龜山語錄』·『二程粹言』 등이 있다.

169 『中庸』: "誠은 하늘의 도이고, 성하려고 하는 것은 사람의 도이니, 성은 힘쓰지 않고도 道에 맞으며, 생각하지 않고도 알아서 從容히 道에 맞으니 성인이고, 성하려고 하는 것은 선을 택하여 굳게 잡는 자이다.(誠者, 天之道也, 誠之者, 人之道也, 誠者, 不勉而中, 不思而得, 從容中道, 聖人也, 誠之者, 擇善而固執之者也.)"

170 『論語』「子張」: "子貢이 말하였다. '紂王의 不善이 이처럼 심하지는 않았으니, 이 때문에 군자는 下流에 처하는 것을 싫어한다. 천하의 惡行이 모두 모여들기 때문이다.'(子貢曰, 紂之不善, 不如是之甚也. 是以君子惡居下流, 天下之惡, 皆歸焉.)"

171 온전한 소: 장자의 포정해우에 따르면 소 전체가 통째로 보이는 것이 아니라 뼈 틈새가 보인다는 말이다.

172 저절로 여지가 … 것이다.: 『莊子』「養生主」에 나오는 庖丁解牛의 고사에 나온 말들이다.

173 致堂胡氏[胡寅]: 胡寅(1098~1156)은 자가 明仲이고 학자들이 치당 선생이라고 불렀다. 建州 崇安 사람이다. 후에 衡陽으로 옮겼다. 胡安國의 조카이다. 저서로는 『論語詳說』·『讀史管見』·『斐然集』 등이 있다.

174 소박함: 椎朴에 대한 번역이다. 추박은 우둔함과 세련되지 못한 것을 의미한다. 그래서 소박하고 질박한 것을 뜻한다.

으로 단정하며, 귀신을 현묘한 것으로 단정하는 것은 모두 형체와 그림자의 비슷한 것일 뿐 그 지극함이 아니다. 리理를 궁구하여 지극함에 이르지 못하면 나에게 있는 것이 가려져 다하지 못한다. 나에게 있는 것이 가려져 다하지 못하는데 다른 사람에게 있는 것을 어떻게 통찰하여 미혹이 없을 수 있겠는가?"

[48-3-23]
朱子曰 : "爲學先要知得分曉."[175]
주자가 말했다. "배움은 먼저 분명하게 알아야만 한다."

[48-3-24]
"致知格物, 只是一事, 非是今日格物, 明日又致知. 格物以理言, 致知以心言."[176]
(주자가 말했다.) "치지致知와 격물格物은 하나의 일일 뿐이지, 오늘 격물하고 내일 또 치지하는 것은 아니다. 격물은 리理로 말한 것이고 치지는 심心으로 말한 것이다."

[48-3-25]
"致知工夫, 亦既且據所已知者, 玩索推廣將去. 具於心者, 本自無不足也."[177]
(주자가 말했다.) "치지致知 공부는 또한 이미 아는 것에 근거하여 완미하고 사색하여 넓게 미루어나가는 것이다. 또 마음에 갖춘 것은 본래 부족한 것이 없다."

[48-3-26]
問致知涵養先後.
曰 : "須先致知而後涵養."
問 : "伊川言'未有致知而不在敬', 如何?"
曰 : "此是大綱說. 要窮理須是著意. 不著意, 如何會理會得分曉?"[178]
치지致知와 함양涵養의 선후 관계를 물었다.

---

175 『朱子語類』 권9, 28조목
176 『朱子語類』 권15, 49조목 : "곽숙운이 물었다. '배움의 처음은 격물에 달렸습니다. 각각 사물마다 理가 있으나 기품이 어리석어서 그 理를 격하여 지극하게 할 수 없습니다.' 답했다. '사람에게는 각각 앎이 있어서 모두 무지하다고 할 수 없고, 단지 미루어 이르지 못할 뿐이다.' 또 말했다. '致知와 格物은 하나의 일일 뿐이지, 오늘 격물하고 내일 또 치지하는 것은 아니다. 격물은 理로 말한 것이고 치지는 마음으로 말한 것이다.(郭叔雲問, '爲學之初, 在乎格物. 物物有理, 第恐氣稟昏愚, 不能格至其理.' 曰, '人簡簡有知, 不成都無知, 但不能推而致之耳. 格物理至徹底處.' 又云, '致知・格物, 只是一事, 非是今日格物, 明日又致知. 格物, 以理言也 ; 致知, 以心言也.')"
177 『朱子語類』 권15, 6조목 : "致知工夫, 亦只是且據所已知者, 玩索推廣將去. 具於心者, 本無不足也."
178 『朱子語類』 권9, 29조목

(주자가) 답했다. "반드시 치지를 먼저 하고 함양을 나중에 해야 한다."

물었다. "정이천은 '치지致知할 수 있으면서도 경敬에 있지 않은 경우란 없다.'[179]고 했는데 어떻습니까?"

(주자가) 답했다. "이것은 대강을 말한 것이다. 리理를 궁구하려면 반드시 마음[意]을 두어야 한다. 마음[意]을 두지 않고서 어떻게 분명하게 이해할 수 있겠는가?"

[48-3-27]

"學聚, 問辯, 明善, 擇善, 盡心, 知性, 此皆是知, 皆始學之功也. 人爲學須是要知箇是處. 千定萬定知得這箇徹底是, 那箇徹底不是, 方是見得徹. 見得是, 則這心裏方有所主. 且如人學射, 若志在紅心上, 少間有時只射得那帖上. 志在帖上, 少間有時只射得那垛上. 志在垛上, 少間都射在別處去了."[180]

(주자가 말했다.) "배워서 모으고 물어서 판별하며,[181] 선을 밝히고 선을 택하며, 마음을 다하고 성性을 아는 것, 이것들은 모두 앎에 해당하는 것이니 모두 처음 배우는 일이다. 사람이 배우는 데에 반드시 옳은 것을 알아야만 한다. 천 번 만 번 정하더라도 이것이 분명하게 옳고 저것이 분명하게 그르다는 것을 알아야 비로소 본 것이 분명하다. 본 것이 옳으면, 이 마음에 주재하는 것이 있다. 예를 들어 활쏘기를 배울 때 만약 지향이 과녁의 홍심紅心에 있다면, 어떨 때 단지 화살이 과녁판에 맞는다. 지향이 과녁판에 있다면, 어떨 때에 단지 화살이 살받이에 맞는다. 지향이 살받이에 있다면 모두 다른 곳으로 날아간다."

[48-3-28]

"只爭箇知與不知, 爭箇知得切與不切. 且如人要做好事, 到得見不好事, 也似乎可做. 方要做好事, 又似乎有箇做不好事底心從後面牽轉去, 這只是知不切."[182]

(주자가 말했다.) "아느냐 알지 못하느냐를 다투는 것은 절실하게 아느냐 절실하지 않게 아느냐를 다툴 뿐이다. 예를 들어 어떤 사람이 좋은 일을 하려고 했는데 좋지 않은 일을 보았어도 할 만한 것 같다고 하는 것과 같다. 그러나 좋은 일을 하려고 하는데 또 좋지 않은 일을 해야 하는 마음이 있어 끝에서

---

179 '致知할 수 … 없다.' : 『河南程氏遺書』 권3, "도에 들어가는 데에는 敬만한 것이 없으니 致知할 수 있으면서도 敬에 있지 않은 경우란 없다. 지금 사람들은 마음을 집중하는 데에 안정을 이루지 못하여, 마음을 보는 것을 도적처럼 해서 제어할 수가 없으니, 이는 일이 마음을 얽매게 하는 것이 아니라, 마음이 일에 얽매이는 것이다. 당연히 천하에 하나의 사물이라도 마땅히 없어야 할 것은 없으니, 미워해서는 안 된다는 점을 알아야 한다.(入道莫如敬, 未有能致知而不在敬者. 今人主心不定, 視心如寇賊而不可制, 不是事累心, 乃是心累事. 當知天下無一物是合少得者, 不可惡也.)"

180 『朱子語類』 권9, 38, 39조목

181 배워서 모으고 … 판별하며 『周易』「乾卦・文言傳」에 "군자는 배워서 모으고, 물어서 판별하고 관대함으로 거하고 인으로 행한다. 『易』에서 '드러난 용이 밭에 있으니 대인을 보는 것이 이롭다.'고 했으니 군주의 덕이다.(君子學以聚之, 問以辯之, 寬以居之, 仁以行之. 易曰'見龍在田, 利見大人', 君德也.)"

182 『朱子語類』 권9, 40조목

잡아당기면, 이것은 앎이 절실하지 않은 것이다."

[48-3-29]

"學者須常存此心, 漸將義理只管去灌漑. 若卒乍未有進, 卽且把見成在底道理將去看認. 認來認去更莫放著, 便只是自家底. 緣這道理不是外來物事, 只是自家本來合有底. 只是常常要點檢."[183]

(주자가 말했다.) "배우는 사람은 반드시 항상 이 마음을 보존해야만 하니, 점차로 의리義理를 가지고 물을 주듯이 기른다. 만약 잠깐이라도 진전이 없으면, 이미 알고 있는 도리를 가지고 알아 나간다. 이리 저리 알아보고 다시 놓아버리지 않으면 자신의 것이 될 뿐이다. 이 도리는 밖에서 온 것이 아니라 다만 자신이 본래 가지고 있는 것이기 때문이다. 단지 항상 점검해야만 한다."

[48-3-30]

"聖賢敎人雖以恭敬持守爲先, 而於其中又必使之卽事卽物, 考古驗今, 體會推尋, 內外參合. 蓋必如此然後見得此心之眞, 此理之正, 而於世間萬事一切言語, 無不洞然了其黑白. 大學所謂知至意誠, 孟子所謂知言養氣, 正謂此也."[184]

(주자가 말했다.) "성현이 사람을 가르치는 데 비록 공경恭敬과 지수持守를 우선시하지만 그 가운데 또 반드시 사물事物에 나아가 고금古今을 상고하고 징험하여, 몸소 이해하고 미루어 찾아서, 내외內外가 부합되도록 했다. 반드시 이와 같이 한 뒤에야 이 마음이 참되고 이 이치가 바름을 알아서, 세상의 모든 일과 일체의 말들에서 그 흑백黑白을 분명하게 알지 못하는 것이 없게 된다. 『대학』에서 말하는 '앎에 지극하고 뜻이 진실하다.'는 것과 『맹자』에서 말하는 '말을 알고 기를 기른다.'는 것이 바로 이것을 말한다."

[48-3-31]

問 : "窮理莫如隨事致察以求其當然之則."

曰 : "是如此."

問 : "人固有非意於爲過而終陷於過者. 此則不知之失. 然當不知之時, 正私意物欲方蔽固, 切恐雖欲致察而不得其眞."

曰 : "却恁地兩相擔閣不得, 須是察."

問 : "程子所謂'涵養須用敬, 進學則在致知,' 不可除一句."

曰 : "如此方始是."

---

183 『朱子語類』 권9, 37조목
184 『朱文公文集』 권54 「書·答項平父」

又曰：“知與敬, 是先立底根脚.”[185]

물었다. "리理를 궁구하는 것은 일마다 살펴서 그 당연한 법칙을 구하는 것만 한 것은 없습니다."

(주자가) 답했다. "이와 같다."

물었다. "사람은 분명히 잘못을 저지르고자 하지 않는데 결국에는 잘못에 빠지는 경우가 있습니다. 이것은 알지 못하는 잘못입니다. 그러나 알지 못할 때에는 사사로운 의도와 물욕이 굳게 가려져 있어서 살피려고 해도 그 참됨을 얻지 못할 것 같습니다."

(주자가) 말했다. "그대로 그 두 가지를 두어서는 안 되고 반드시 살펴야 한다."

물었다. "정자程子가 말한 '함양涵養은 반드시 경敬으로 하고, 학문의 진전은 치지致知에 있다.'는 것은 한 구절도 없앨 수가 없습니다."

(주자가) 말했다. "이와 같이 해야 비로소 옳다."

또 말했다. "앎과 경敬은 먼저 서야 할 기초이다."

[48-3-32]

問：“窮理集義孰先?”

曰：“窮理爲先, 然亦不是截然有先後.”

曰：“窮是窮在物之理, 集是集處物之義否?”

曰：“是.”[186]

물었다. "리理를 궁구하는 것과 의義를 축적하는 것은 어느 것을 먼저 합니까?"

(주자가) 말했다. "리理를 궁구하는 것이 먼저이지만, 또한 칼로 자르듯이 선후가 있는 것은 아니다."

물었다. "궁구하는 것은 사물에 있는 리理를 궁구하는 것이고, 축적하는 것은 사물에 대처하는 의義를 축적하는 것입니까?"

(주자가) 말했다. "그렇다."

[48-3-33]

“萬事皆在窮理後. 經不正, 理不明, 看如何地持守? 也只是空.”[187]

(주자가 말했다.) "모든 일은 리理를 궁구한 뒤에 있는 것이다. 원칙이 올바르지 못하고 리理가 밝지 못하면 어떻게 지킬지를 알겠는가? 단지 공허할 뿐이다."

[48-3-34]

“痛理會一番, 如血戰相似, 然後涵養將去.”

· ·
185 『朱子語類』 권119, 37조목
186 『朱子語類』 권9, 30조목
187 『朱子語類』 권9, 31조목

因自云: "某如今雖便靜坐, 道理自見得. 未能識得, 涵養箇甚?"[188]

(주자가 말했다.) "통렬하게 한 번 이해하기를 마치 혈전血戰을 하듯이 한 뒤에야 함양涵養해 나갈 수 있다."

이어서 스스로 말했다. "내가 지금 정좌靜坐하더라도, 도리가 저절로 보인다. 만약 도리를 인식할 수 없다면 무엇을 함양하겠는가?"

[48-3-35]

問: "或有只教人踐履者."

曰: "義理不明, 如何踐履?"

曰: "他說行得便見得."

曰: "如人行路, 不見便如何行? 今人多教人踐履, 皆是自立標致去教人. 自有一般資質好底人, 便不須窮理格物致知. 聖人作箇大學, 便使人齊入於聖賢之域. 若講得道理明時, 自是事親不得不孝, 事兄不得不弟, 交朋友不得不信."[189]

물었다. "어떤 사람은 사람들에게 단지 실천하는 것을 가르치는 경우가 있습니다."

(주자가) 말했다. "의리義理를 밝게 알지 못하는데 어떻게 실천하겠는가?"

물었다. "그는 행하는 것이 바로 의리를 보는 것이라고 말합니다."

(주자가) 말했다. "사람이 길을 가는 것과 같으니, 길을 알지 못하면 어떻게 길을 가겠는가? 요즘 사람들이 사람들에게 실천을 가르치는 경우가 많은 것은 모두 스스로 표준의 극치를 세워놓고 사람들을 가르치는 것이다. 원래 자질이 좋은 사람은 반드시 궁리窮理하고 격물格物하고 치지致知하지는 않는다. 성인이 『대학』을 지은 것은 사람들이 성현의 영역에 모두 들어가게 하기 위해서이다. 만약 도리를 강구하여 밝게 알았을 때에는 저절로 부모를 섬기는 데에 효도하지 않을 수 없고, 형을 섬기는 데에 공경하지 않을 수 없고, 친구를 사귀는 데에 믿음직스럽지 않을 수 없다."

[48-3-36]

"心包萬理, 萬理具於一心. 不能存得心, 不能窮得理. 不能窮得理, 不能盡得心."[190]

(주자가 말했다.) "마음은 만 가지 리理를 포함하고 있고, 만 가지 리理는 한 마음에 구비되어 있다. 마음을 보존할 수가 없으면 리理를 궁구할 수 없다. 리理를 궁구할 수 없다면 마음을 다할 수 없다."

[48-3-37]

"窮理以虛心靜慮爲本,[191] 而今看道理不見, 不是不知, 只是爲物塞了. 而今粗法, 須是打疊了

188 『朱子語類』 권9, 32조목
189 『朱子語類』 권9, 34조목
190 『朱子語類』 권9, 45조목

胷中許多惡雜方可. 張子云, '義理有疑, 則濯去舊見以來新意.' 人多是被那箇舊見戀不肯舍. 除是大故聰明, 見得不是, 便翻了."[192]

(주자가 말했다.) "리理를 궁구하는 것은 마음을 비우고 사려를 고요히 하는 것을 근본으로 하니, 지금 도리를 보지 못하는 것은 알지 못하는 것이 아니라, 단지 어떤 것에 의해서 막혔기 때문이다. 지금 거친 방법은 반드시 마음속의 수많은 악하고 잡된 것을 정돈하면 가능하다. 장자張子가 '의리義理에 의심이 있으면 옛 견해를 깨끗이 제거하여 새로운 생각이 나게 한다.'[193]고 했다. 사람들은 대부분 옛 견해에 의해 집착하여 버리려 하지 않는다. 그래서 특별히 총명한 사람만이 잘못된 것을 보면, 바로 생각을 바꾼다."

[48-3-38]

"理不是在面前別爲一物, 卽在吾心. 人須是體察得此物誠實在我方可. 譬如修養家所謂鉛汞龍虎, 皆是我身內之物, 非在外也."[194]

(주자가 말했다.) "리理는 눈앞에 있는 다른 어떤 것이 아니고, 바로 나의 마음에 있다. 사람은 반드시 이것이 진실로 내 안에 있다는 것을 체찰體察해야 비로소 좋다. 비유하자면 내단內丹 수양가들이 말하는 연홍鉛汞이나 용호龍虎는 모두 내 몸 안에 있는 것이니 밖에 있는 것이 아니라고 하는 것과 같다."

[48-3-39]

問: "窮事物之理, 還當窮究箇總會處, 如何?"

曰: "不消說總會. 凡是眼前底都是事物. 只管恁地逐段窮教到極至處, 漸漸多自貫通. 然爲之總會者, 心也."[195]

물었다. "사물의 리理를 궁구하는 것은 결국 통괄처를 궁구하는 것으로 하면 어떠합니까?"

(주자가) 말했다. "통괄처라고 말할 필요가 없다. 눈앞에 있는 것은 모두 사물이다. 단지 그렇게 하나하나 궁구하여 궁극점에 이르도록 하면, 점차로 많아서 저절로 관통된다. 그러나 그것을 통괄하는 것은 마음이다."

. . . .

191 『朱子語類』 권9, 46조목
192 『朱子語類』 권9, 49조목
193 『張載集』 권7 「學大原下」 전체 문장은 다음과 같다. "義理에 의심이 있으면 옛 견해를 깨끗이 제거하여 새로운 생각이 나오게 한다. 마음속에 깨달아 아는 것이 있으면 즉시 기록하여야 하니, 생각하지 않으면 다시 막힌다. 그리고 다시 친구들의 도움을 얻어야 한다.(義理有疑, 則濯去舊見, 以來新意, 心中苟有所開, 即便劄記, 不思則還塞之矣. 更須得朋友之助.)"
194 『朱子語類』 권9, 50조목
195 『朱子語類』 권9, 52조목

[48-3-40]

"今之學者自是不知爲學之要. 只要窮得這道理, 便是天理. 雖聖人不作, 這天理自在天地間. '天高地下, 萬物散殊, 流而不息, 合同而化,' 天地間只是這箇道理流行周徧. 不應說道聖人不言, 這道理便不在. 這道理自是常在天地間, 只借聖人來說一遍過. 且如易, 只是一箇陰陽之理而已. 伏羲始畫, 只是畫此理. 文王孔子, 皆是發明此理. 吉凶悔吝, 亦是從此推出. 孔子言之則曰, '君子居其室, 出其言善, 則千里之外應之, 出其言不善, 則千里之外違之. 言行, 君子之樞機, 樞機之發, 榮辱之至也.[196] 言行, 君子之所以動天地也. 可不愼乎?' 聖人只要人如此. 且如書載堯舜禹許多事業與夫都俞吁咈之言, 無非是至理."[197]

(주자가 말했다.) "지금 배우는 사람들은 학문을 하는 요체를 알지 못할 뿐이다. 단지 이 도리를 궁구하면 곧 천리이다. 비록 성인이 나오지 않아도 이 천리는 본래 천지 사이에 있다. '하늘은 높이 있고 땅은 아래에 있으므로 만물이 흩어져 다르며, 만물이 흘러서 멈추지 않으므로 합해져서 변화하니,'[198] 하늘과 땅 사이에는 이 도리가 두루 유행할 뿐이다. 성인이 말하지 않으면 이 도리는 있지 않다고 말해서는 안 된다. 이 도리는 원래 항상 하늘과 땅 사이에 있었으니 단지 성인을 빌려서 한번 말했을 뿐이다. 예를 들어 『역易』은 하나의 음양의 리理일 뿐이다. 복희가 처음 8괘를 그은 것은 단지 이 리理를 표현했을 뿐이다. 문왕과 공자는 모두 이 리理를 밝혔다. 길흉회린吉凶悔吝은 또한 이로부터 추출된다. 공자는 '군자가 방에 있으면서 내뱉은 그 말이 선하다면 천 리 밖의 사람들이 호응할 것이고, 내뱉은 그 말이 불선하면 천 리 밖의 사람들이 거스를 것이다. 언행言行은 군자의 지도리이니, 지도리를 어떻게 발현시키는가가 영예와 치욕의 주인이다. 언행은 군자가 하늘과 땅을 진작시키는 것이니 삼가지 않을 수 있겠는가!'[199]라고 말했다. 성인은 단지 사람들이 이와 같기를 바랐을 뿐이다. 또한 『서書』에 기재된 요순우堯舜禹의 여러 가지 사업과 군주와 신하가 정사를 논하면서 하는 말들은[200] 이 지극한 리理가 아님이 없다."

---

196 榮辱之至 : 『朱子語類』에는 '榮辱之主'로 되어 있다.

197 『朱子語類』 권9, 54조목

198 『禮記』 「樂記」: "하늘은 높이 있고 땅은 아래에 있으므로, 만물이 흩어져 다르니, 禮가 제작되어 시행된다. 만물이 유행하여 멈추지 않으므로, 합해져서 변화하니, 樂이 일어난다. 봄에 일어나고 여름에 성장하는 것이 仁이다. 가을에 수렴하고 겨울에 저장하는 것이 義이다. 인은 樂에 가깝고 義는 禮에 가깝다. 악은 두텁게 화합하니 神을 따라서 하늘을 따른다. 예는 구별하여 마땅하게 하니 鬼에 자리하여 땅을 따른다. 그러므로 성인은 악을 지어서 하늘에 호응하고, 예를 제작하여 땅에 배당한다.(天高地下, 萬物散殊, 而禮制行矣. 流而不息, 合同而化, 而樂興焉. 春作夏長, 仁也. 秋斂冬藏, 義也. 仁近於樂, 義近於禮. 樂者敦和, 率神而從天. 禮者別宜, 居鬼而從地. 故聖人作樂以應天, 制禮以配地.)"

199 『周易』 「繫辭上」 8

200 군주와 신하가 … 말들은 : '都俞吁咈之言'을 번역한 말이다. 『書』 「益稷」에서 "禹曰, '都! 帝, 愼乃在位.' 帝曰, '俞!'"라고 했고 「堯典」에서 "帝曰, 吁, 咈哉!"라고 했다. 이것은 요순우 왕들이 신하들과 정치를 논하면서 하는 말들이다. 吁는 동의하지 않는 말이고, 咈은 반대하는 말이고 都는 찬미하는 말이고, 俞는 동의하는 말이다. 나중에 군주와 신하가 정사를 논하면서 화합하는 것을 찬미하는 말로 사용된다.

[48-3-41]

"這道理若見得到, 只是合當如此. 如穿牛鼻, 絡馬首, 這也是天理合當如此. 若絡牛首, 穿馬鼻, 定是不得. 如說克己, 伊川只說簡敬. 今人也知道敬, 只是不常如此. 常常如此, 少間自見得是非道理分明. 若心下有些子不安穩, 便不做. 到得更有一項心下習熟底事, 却自以爲安, 外來卒未相入底, 却有不安. 這便著將前賢所說道理, 做樣子看教心下是非分明."[201]

(주자가 말했다.) "이 도리를 보았다면 단지 마땅히 이와 같이 해야 할 뿐이다. 예를 들어 소의 코를 뚫고, 말의 머리에 굴레를 씌우는 것,[202] 이것도 천리가 마땅히 이와 같을 뿐이다. 만약 소의 머리에 굴레를 씌우고, 말의 코뚜레를 뚫었다면 결코 이렇게 해서는 안 된다. 예를 들어 극기克己에 대해서 말하자면, 이천은 단지 경敬을 말했다. 지금 사람들도 경敬을 알고 있지만 단지 이와 같이 오래 지속하지 못할 뿐이다. 이처럼 오래 지속할 수 있다면 잠깐 동안이라도 저절로 시비是非의 도리를 분명하게 알 수 있을 것이다. 만약 마음속에 조금이라도 불안정한 것이 있다면 하지 못한다. 다시 마음속에 익숙한 일이 있으면 오히려 저절로 안정되지만 밖에서 끝내 맞아떨어지지 못하면 또 오히려 불안하다. 이것은 이전 성인들이 말한 도리이니, 이 모습이 마음의 시비를 분명하게 보게 한다."

[48-3-42]

"心熟後自然有見理處. 熟則心精微. 不見理, 只緣是心粗."[203]

(주자가 말했다.) "마음이 익숙해진 뒤에 저절로 리理를 보는 곳이 있다. 익숙해지면 마음이 정치하고 미세해진다. 리理를 보지 못하는 것은 단지 이 마음이 조야하기 때문이다."

[48-3-43]

"學者理會道理當深沉潛思,[204] 不可去名上理會, 須求其所以然."[205]

(주자가 말했다.) "배우는 사람이 도리를 이해하려면 마땅히 깊이 가라앉아 조용히 사색해야만 하니, 이름에서 이해해서는 안 되고, 반드시 그 소이연을 구해야 한다."

· ·

201 『朱子語類』 권9, 55조목
202 소의 코를 … 것: 『莊子』「秋水」에 "하백이 말했다. '무엇을 천성이라 하고 무엇을 인위라고 합니까?' 북해약이 말했다. '소와 말에 네 개의 발이 있는 것을 천성이라 하고, 말 머리에 굴레를 씌우고 소의 코뚜레를 뚫는 것을 인위라고 한다. 그 때문에 인위로 천성을 없애지 말아야 하며, 고의적인 의도로 천명을 없애지 말아야 하며, 이득을 위해서 명예를 죽이지 말아야 하니, 신중하게 지켜서 잃지 않는 것을 그 진짜 본성으로 돌아간다고 말한다.'(河伯曰, '何謂天? 何謂人?' 北海若曰, '牛馬四足, 是謂天. 駱落馬首, 穿牛鼻, 是謂人. 故曰, 无以人滅天, 无以故滅命, 无以得殉名, 謹守而勿失, 是謂反其眞.')"라고 하였다.
203 『朱子語類』 권9, 57조목
204 『朱子語類』 권9, 59조목
205 『朱子語類』 권9, 81조목

[48-3-44]

"義理儘無窮. 前人恁地說亦未必盡. 須是自把來橫看豎看, 儘入深儘有在."[206]

(주자가 말했다.) "의리는 무궁하다. 이전 사람들이 말한 것 역시 반드시 그 의리를 다하지 못했다. 반드시 스스로 가로로 보고 세로로 보아야 하니, 깊이 들어가면 모두 있다."

[48-3-45]

"道理既知縫罅, 但當窮而又窮, 不可安於小成而遽止也."[207]

(주자가 말했다.) "도리에 틈새가 있음을 알았다면 단지 마땅히 궁리하고 또 궁리해야지, 작은 성취에 안주하여 급작스럽게 멈춰서는 안 된다."

[48-3-46]

"大凡義理積得多後貫通了, 自然見效. 不是今日理會得一件, 便要做一件用. 譬如富人積財積得多了, 自無不如意. 又如人學作文, 亦須廣看多後自然成文可觀. 不是讀得這一件, 却將來排湊做. 韓昌黎論爲文, 便也要讀書涵咏多後自然好. 柳子厚云, 本之於六經之意, 便是要將這一件做那一件, 便不及韓."[208]

(주자가 말했다.) "대체로 의리義理가 많이 누적된 뒤에 관통하여 저절로 효험이 드러난다. 오늘 하나를 이해하고 하나를 사용하는 것이 아니다. 비유하면 부자가 재물을 쌓되, 많이 쌓고 나서 저절로 뜻대로 되지 않는 것이 없는 것과 같다. 또 사람이 글쓰기를 배울 때 또 반드시 많이 본 뒤에 저절로 글 쓰는 것이 볼 만하다. 그렇지 않고, 하나를 읽고 배열하는 것은 아니다. 한창려韓昌黎[韓愈]가 글쓰기를 논한 것도 독서와 함양을 많이 한 뒤에 저절로 좋다는 것이다. 유자후柳子厚[柳宗元]는 육경의 뜻에 근본한다고 운운했는데, 이 하나를 가지고 저 하나를 하려는 것이니 한창려에게 미치지 못한다."

[48-3-47]

"大著心胷, 不可因一說相礙, 看教平闊, 四方八面都見."[209]

(주자 말했다.) "마음의 흉중을 크게 하는 데에 한 가지 학설로 서로 막혀서는 안 되니, 확트이게 하면 사방팔면이 모두 보인다."

[48-3-48]

"理會道理到紛然處, 却好定著. 精神看一看."[210]

206 『朱子語類』권9, 60조목
207 『朱子語類』권9, 61조목
208 『朱子語類』권9, 69조목
209 『朱子語類』권9, 67조목

(주자가 말했다.) "도리를 이해하는 데에 논란이 분분한 곳에 이르면 오히려 잘 안정된다. 정신 차려 보아라."

[48-3-49]

"看道理須是見得實, 方是有功劾處. 若於上面添些玄妙奇特, 便是見他實理未透.[211] 今之學者不曾親切見得而臆度揣摸爲說, 皆助長之病也. 道理止平看, 意思自見. 不須先立說."[212]

(주자가 말했다.) "도리를 보는 데에 반드시 실제적으로 보아야 비로소 효과가 있다. 만약 그 위에 현묘하고 기이한 것을 덧붙이면 그 실리實理를 투명하게 보지 못한다. 오늘날 배우는 사람은 몸소 절실하게 보지 않고 억측하고 추측하여 학설을 만드니 모두 조장하는 병이다. 도리는 단지 평심하게 보아야 생각이 저절로 드러난다. 반드시 먼저 학설을 세워서는 안 된다."

[48-3-50]

"看義理難, 又要寬著心, 又要緊著心. 這心不寬, 則不足以見其規模之大, 不緊, 則不足以察其文理―作義之細密. 若拘滯於文義, 少間又不見他大規模處."[213]

(주자가 말했다.) "의리義理를 보는 것이 어렵지만 마음을 너그럽게 하면서 또 마음을 긴장해야 한다. 이 마음이 너그럽지 않으면 그 규모의 큼을 보기에 부족하고, 긴장하지 않으면 그 문리文理 어떤 판본에서는 義라고 되어 있다. 의 세밀함을 보기에 부족하다. 만약 문장의 뜻에 얽매이면 작은 순간에도 그 큰 규모를 보지 못한다."

[48-3-51]

"以聖賢之意觀聖賢之書, 以天下之理觀天下之事. 人多以私見自去求理, 只是你自家所見, 去聖賢之心尚遠在."[214]

(주자가 말했다.) "성현의 뜻으로 성현의 책을 보고, 천하의 리理로 천하의 일을 본다. 사람들은 많은 경우 사적인 견해로 리理를 구하려 하니 단지 자신의 견해일 뿐이니, 성현의 마음과는 멀다."

[48-3-52]

"自家既有此身, 必有主宰. 理會得主宰, 然後隨自家力量窮理格物, 而合做底事不可放過些子." 因引程子言如行兵, 當先做活計.[215]

. . . .

210 『朱子語類』 권9, 68조목
211 『朱子語類』 권9, 73조목
212 『朱子語類』 권9, 76조목
213 『朱子語類』 권9, 77조목
214 『朱子語類』 권9, 78조목
215 『朱子語類』 권9, 79조목

(주자가 말했다.) "자신에게 이 몸이 있으니 반드시 주재가 있다. 주재를 이해한 뒤에 자신의 역량에 따라서 리理를 궁리하고 사물을 격格하여 합당한 일을 조금이라도 방기해서는 안 된다." 이어서 정자程子가 "병사를 행하는 것과 같으니 마땅히 먼저 살아 있는 전략을 세운다."216는 말을 인용했다.

[48-3-53]

"思索, 譬如穿井, 不解便得清水, 先亦須是濁, 漸漸刮將去却自會清."217
(주자가 말했다.) "사색은 우물을 파는 것과 같으니, 이해하지 못하면 맑은 물을 얻는다. 그러나 먼저 또한 반드시 혼탁한 물이 있지만 점차로 파나가면 저절로 맑은 물을 얻는다."

[48-3-54]

"只是見不透, 所以千言萬語費盡心力, 終不得聖人之意. 大學說格物, 都只是要人見得透. 且如楊氏爲我, 墨氏兼愛, 他欲以此教人, 他豈知道是不是? 只是見不透. 此學所以貴窮理也."218
(주자가 말했다.) "단지 투철하게 보지 못하기 때문에 천만가지 언어를 마음과 힘을 다하지만 결국에는 성인의 뜻을 파악하지 못한다. 『대학』에서 격물格物을 말한 것은 모두 사람들이 투철하게 보도록 하려는 것이다. 예를 들어 양씨楊氏[楊朱]의 위아설爲我說과 묵씨墨氏[墨翟]의 겸애설兼愛說은 이러한 것으로 사람을 가르치려고 하는 것이니 어찌 옳고 그름을 알 수 있겠는가? 단지 투철하게 보지 못한 것이다. 이것이 배움에서 궁리窮理를 귀하게 여기는 까닭이다."

[48-3-55]

"務反求者以博觀爲外馳. 務博觀者以内省爲狹隘. 墮於一偏, 此皆學者之大病也."219
(주자가 말했다.) "안으로 구하려는 것에 힘쓰는 자는 널리 살펴보는 것을 밖으로 치닫는 것으로 여기고, 널리 살펴보는 것에 힘쓰는 자는 안으로 반성하는 것을 협애하다고 여기니 모두 한 편에 치우친 것이다. 이것은 모두 배우는 자들의 크나큰 병이다."

[48-3-56]

"窮理者, 欲知事物之所以然, 與其所當然而已. 知其所以然, 故志不惑, 知其所當然, 故行不謬. 非謂取彼之理而歸諸此也. 程子所謂物我一理, 纔明彼卽曉此."220
(주자가 말했다.) "리理를 궁구하는 것은 사물의 소이연所以然과 그 소당연所當然을 알려고 하는 것일

216 『二程集』에는 동일한 말은 없다. 유사한 말이 있다. "병사를 행하는 데에 반드시 家計를 잃어서는 안 된다. (行兵須不失家計.)"
217 『朱子語類』 권9, 83조목
218 『朱子語類』 권9, 85조목
219 『朱子語類』 권9, 88조목
220 『朱文公文集』 권64 「答或人・察於天行樂循理也」

뿐이다. 그 소이연을 알기 때문에 뜻이 미혹되지 않고, 그 소당연을 알기 때문에 행함이 어긋나지 않는다. 이는 저것의 리理를 취하여 이것에 귀결시키는 것을 말하는 것이 아니다. 정자程子가 '사물과 나는 하나의 리理이니, 저것을 밝히는 것이 곧 이것을 깨닫는 것이다.'[221]라고 말한 것이다."

[48-3-57]

"須是事事從心上理會起. 舉止動步, 事事有箇道理. 一豪不然, 便是欠闕了他道理. 固是天下事無不當理會, 只是有先後緩急之序. 須先立其本, 方以次推及其餘."[222]

(주자가 말했다.) "반드시 모든 일마다 마음에서 이해해 나가야 한다. 행동거지와 걸음걸이 등 모든 일에는 도리가 있다. 조금이라도 그렇지 않으면 그 도리를 빼뜨리는 것이다. 세상의 일들은 이해하지 못할 것이 없으니 단지 선후와 완급의 순서가 있다. 반드시 먼저 그 근본을 세워 차례에 따라서 그 나머지 것들을 미루어나가야 한다."

[48-3-58]

"世上萬般皆下品. 若見得這道理高, 見世間萬般皆低. 故這一段緊要處, 只在先明諸心上. 蓋先明諸心了, 方知得聖之可學, 有下手處, 方就這裏做工夫. 若不就此, 如何地做?"[223]

(주자가 말했다.) "세상의 모든 것은 하품下品이다. 만약 이 도리가 높다는 것을 알면 세상의 모든 것이 낮다는 것을 본다. 그러므로 긴요한 곳은 단지 먼저 마음에서 깨닫는 것이다. 마음에서 깨달았다면 비로소 성인은 배워 이룰 수 있다는 점을 알게 되고, 착수할 곳이 있어야 비로소 여기서 공부하게 된다. 만약 이것을 취하지 않는다면 어떻게 할 수 있겠는가?'

[48-3-59]

"明諸心知所徃, 窮理之事也. 力行求至, 踐履之事也. 窮理非是要專明在外之理. 如何而爲孝弟, 如何而爲忠信, 推此類通之, 求處至當, 卽窮理之事也."[224]

· · · · · · · · · · · · · · · ·

221 '사물과 나는 … 것이다.' : 『河南程氏遺書』 권18 전체 내용은 다음과 같다. "물었다. '사물을 관찰하고 자신을 살피는 것은 사물을 보는 것을 바탕으로 해서 자신에게 돌이켜 구하는 것입니까?' 답했다. '그렇게 말할 필요가 없다. 사물과 나는 하나의 理이니, 저것을 밝히는 것이 곧 이것을 깨닫는 것이다. 안과 밖을 합하는 도이다. 그 큰 것을 말하자면 천지의 높고 두터움에 이르고, 작은 것을 말하자면 한 사물의 소이연에까지 이른다. 배우는 사람은 모두 마땅히 이것을 이해해야 한다.' 또 물었다. '앎에 이르는 것은 먼저 四端을 구하는 것입니다. 어떠합니까?' 답했다. '그것을 性情에서 구하는 것이 분명 자신의 몸에 절실한 것이다. 그러나 하나의 풀과 나무에도 모두 理가 있으니, 반드시 살펴야 한다.'(問, '觀物察己, 還因見物, 反求諸身否?' 曰, '不必如此說. 物我一理, 纔明彼卽曉此, 合內外之道也. 語其大, 至天地之高厚, 語其小, 至一物之所以然. 學者皆當理會.' 又問, '致知, 先求之四端, 如何?' 曰, '求之性情, 固是切於身. 然一草一木皆有理, 須是察.')"
222 『朱子語類』 권116, 45조목
223 『朱子語類』 권95, 100조목
224 『朱子語類』 권30, 56조목

(주자가 말했다.) "'마음에서 밝히고 그 마음이 나가는 것을 안다.'[225]는 것은 리理를 궁리하는 일이고, '힘써 행하여 지극한 곳에 이르는 것이다.'는 것은 실천하는 일이다. 궁리는 오로지 밖에 있는 리理를 밝히는 것만은 아니다. 어떻게 하면 효제孝悌를 실천하고, 어떻게 하면 충신忠信을 이루는지, 이러한 종류를 미루어 통달하여 지극히 당연한 곳을 구하는 것이 곧 리理를 궁리하는 일이다."

[48-3-60]

問："所謂窮理, 不知是反己求之於心, 惟復逐物而求於物."

曰："不是如此. 事事物物, 皆有箇道理. 窮得十分盡, 方是格物. 不是此心, 如何去窮理? 不成物自有箇道理, 心又有箇道理. 枯槁其心全與物不接, 却使此理自見, 萬無是事. 不用自家心, 如何別向物上求一般道理? 不知物上道理誰去窮得."[226]

물었다. "리理를 궁리한다는 것이 자신을 반성하여 마음에서 구하는 것인지 오직 사물에 나아가 사물에서 구하는 것인지 모르겠습니다."

(주자가) 말했다. "그러한 것이 아니다. 모든 사물에는 도리가 있다. 궁리하여 100퍼센트 다해야 격물格物이다. 이 마음이 아니라면 어떻게 리理를 궁리해 나가겠는가? 사물에는 원래 도리가 있고 마음에 또 도리가 있다고 해서는 안 된다. 그 마음을 말라 비틀어지게 하여 전혀 사물과 접촉하지 않으면서 이 리理가 저절로 드러나게 하는 일이란 만에 하나라도 이런 일은 없다. 자신의 마음을 쓰지 않고 어떻게 따로 사물에서 도리를 구하겠는가? 사물의 도리를 누가 궁리해 나가는지를 모르겠다."

· · · · · · · · · · · · · · · · · · · ·

225 이 구절은 정이천이 쓴 「顏子所好何學論」에 나오는 구절이다. 그 부분은 다음과 같다. "'성인은 배워서 이를 수 있습니까?' 말했다. '그렇다.' 배우는 방법은 어떤 것입니까?' 답했다. 하늘과 땅이 정기를 쌓아 오행의 뛰어난 것을 얻는 것이 사람이다. 그 뿌리는 참되고 고요하여 그것이 아직 발현되지 않은 상태에 五性이 갖추어져 있으니, 仁義禮智信이라고 한다. 형체가 생겨나서 외물과 그 형체가 접촉하면 마음속에서 움직임이 일어난다. 그 가운데 움직임이 일어나면 七情이 드러나니, 喜怒哀樂愛惡欲이다. 그 정이 불타올라서 더욱더 격렬해지면 그 성은 해를 입는다. 그래서 깨달은 자는 그 정을 단속하여 中에 합치하도록 하고, 마음을 바로잡고, 그 성을 배양한다. 그러므로 그 정을 본성화 시킨다고 한다. 어리석은 사람은 정을 제어하지 못하고 정에 이끌려서 거짓되고 편벽한 것에 이르러 그 성을 막아버리고 망각한다. 그러므로 그 본성을 감정화 시킨다고 한다. 배움의 도리는 그 마음을 바르게 하고 그 성을 배양할 뿐이다. 中正을 이루고 誠하면 성인이다. 군자의 학문은 반드시 마음에서 밝히고 그 마음이 나가는 것을 안 뒤에 힘써 행하여 지극한 곳에 이르는 것이다. 이것이 마음을 밝히는 것에서 誠하게 되는 것이다. 그러므로 배움은 반드시 그 마음을 다해야 한다. 마음을 다하면 그 性을 알고, 그 성을 알면 반성하여 誠하려고 하니 성인이다.(聖人可學而至歟? 曰, 然. 學之道如何? 曰, 天地儲精, 得五行之秀者爲人. 其本也眞而靜, 其未發也五性具焉. 曰, 仁義禮智信. 形旣生矣, 外物觸其形而動於中矣. 其中動而七情出焉. 曰, 喜怒哀樂愛惡欲. 情旣熾而益蕩, 其性鑿矣. 是故覺者約其情使合於中, 正其心, 養其性. 故曰性其情. 愚者則不知制之, 縱其情而至於邪僻, 梏其性而亡之. 故曰情其性. 凡學之道, 正其心, 養其性而已. 中正而誠, 則聖矣. 君子之學, 必先明諸心, 知所往, 然後力行以求至. 所謂自明而誠也. 故學必盡其心. 盡其心, 則知其性, 知其性, 反而誠之, 聖人也.)"

226 『朱子語類』 권121, 80조목

[48-3-61]

"窮理就事物上看. 窮得這箇道理到底了, 又却窮那箇道理. 如此積之以久, 窮理益多, 自然貫通. 窮理須是窮得到底方始是."

問: "莫致知在格物否?"

曰: "固是. 大學論治國平天下許多事, 却歸在格物上. 凡事事物物, 各有一箇道理, 若能窮得道理, 則施之事物莫不各當其位. 如人君止於仁, 人臣止於敬之類, 各有一至極道理."

又曰: "凡萬物莫不各有一道理. 若窮理, 則萬物之理皆不出此."

問: "此是萬物皆備於我."

曰: "極是."[227]

말했다. "리理를 궁리하는 것은 사물에서 살펴보는 것입니다. 이 도리를 궁극에까지 궁리해내고, 또 저 도리를 궁리해 냅니다. 이와 같이 오랫동안 누적하여 리理를 궁리한 것이 더욱 많아지면 저절로 관통하게 됩니다. 리理를 궁리하는 데에 반드시 궁극에까지 궁리해나가야 비로소 옳습니다.

물었다. "앎에 이르는 것은 격물格物에 달려 있지 않습니까?"

(주자가) 답했다. "분명 그러하다. 『대학』에서 논하는 치국평천하治國平天下 등 많은 일들은 격물에 귀결된다. 모든 사물에는 각각 도리가 있으니, 만약 이 도리를 궁리할 수 있다면 그것을 사물들에 시행하여 각각 그 합당한 자리에 있지 않음이 없다. 예를 들어 군주는 인仁에 머물고, 신하는 경敬에 머무는 것과 같은 종류이니, 각각 하나의 지극한 도리가 있다."

또 (주자가) 말했다. "만물에게는 각가 하나의 도리가 있지 않음이 없다. 만약 리理를 궁리하면 만물의 리理가 여기에서 벗어나지 않는다."

물었다. "이것이 맹자가 만물이 나에게 갖추어져 있다는 것입니다."

(주자가) 답했다. "분명 그렇다."

[48-3-62]

"未嘗隨事以觀理, 故天下之理多所未察. 未嘗卽理以應事, 故天下之事多所未明."[228]

(주자가 말했다.) "일에 따라서 리理를 관찰하지 않았기 때문에 천하의 리理를 많은 경우 살피지 못했고, 리理에 근거해서 일에 대응하지 못했기 때문에 천하의 일들을 많은 경우 밝히지 못했다."

[48-3-63]

"無事時此理存, 有事時此理亡, 無他, 只是把事作等閑. 須是於事上窮理方可. 理於事本無二. 今見事來別把做一般看, 自然錯了."[229]

227 『朱子語類』 권119, 35조목
228 『朱文公文集』 권13 「奏劄·癸未垂拱奏劄一」
229 『朱子語類』 권120, 9조목

(주자가 말했다.) "일이 없을 때는 이 리理가 보존되고, 일이 생길 때는 이 리理가 없어지는 것은 다른 것이 아니라, 단지 일을 등한시 했기 때문이다. 반드시 일에서 리理를 구해야 비로소 옳다. 리理는 일에서 본래 다르지 않다. 지금 일이 생겼는데 따로 일반적으로 보면 저절로 잘못된다."

[48-3-64]

"凡看道理, 須要求箇根源來處. 如爲人父如何便止於慈, 爲人子如何便止於孝, 爲人君爲人臣, 如何便止於仁止於敬? 如論孝須窮箇孝根源來處, 慈須窮箇慈根源來處. 仁敬亦然. 凡道理皆剉根源來處窮究, 方見得確定, 不可只道我操守踐履便了."

又曰: "道理要見得眞, 須是表裏首末極其透徹無有不盡, 眞見得是如此決然不可移易始得. 不可只窺見一斑半點, 便以爲是. 如爲人父, 須眞知是決然止於慈而不可易, 爲人子, 須眞知是決然止於孝而不可易. 善須眞見得是善, 方始決然必做, 惡須眞見得是惡, 方始決然必不做. 如看不好底文字固是不好, 須自家眞見得不好. 好底文字固是好, 須自家眞見得是好. 聖賢言語, 須是眞看得十分透徹, 如從他肚裏穿過, 一字或輕或重移易不得始是. 看理徹, 則我與理一. 然一下未能徹, 須是浹洽始得. 這道理甚活, 其體渾然而其中粲然. 上下數千年, 眞是昭昭在天地間. 前聖後聖相傳, 所以斷然而不疑. 夫子之所敎者, 敎乎此也. 顔子之所樂者, 樂乎此也. 圓轉處儘圓轉. 直截處儘直截. 先知所以覺後知, 先覺所以覺後覺."

問: "顔子之樂, 只是天地間至富至貴底道理樂去, 樂可求之否?"

曰: "非也. 此一下未可便知, 須是窮究萬理要令極徹. 程子謂將這身來放在萬物中一例看, 大小大快活. 又謂人於天地間須是直窮到底, 至纖至悉, 十分透徹無所不盡, 則與萬物爲一無所窒礙, 胷中泰然, 豈有不樂?"[230]

(주자가 말했다.) "도리를 보는 데에 반드시 근원처에서 궁리해야 한다. 예를 들어 아버지라면 어떻게 해야 자애로움에서 멈추고, 자식이라면 어떻게 하면 효에서 멈추며, 군주나 신하라면 어떻게 하면 인仁에서 멈추고, 경敬에서 멈출까? 효를 논하자면 반드시 효의 근원처에서 궁리해야만 하고, 자애로움을 논하자면 자애로움의 근원처에서 궁리해야 한다. 인仁과 경敬 또한 그러하다. 도리는 모두 근원처에서 궁구해야 비로소 정확하게 알 수 있지, 단지 내가 잡고 지키고 실천하면 된다고 말할 수는 없다." 또 말했다. "도리는 진실하게 보아야 하는데, 반드시 겉과 속, 시작과 끝을 지극히 투철하게 하고 다하지 않음이 없어야 하고 이렇게 진실하게 보아서 결연하게 바뀌지 않아야 비로소 된다. 단지 조금만 보고서 옳다고 여겨서는 안 된다. 예를 들어 아버지는 반드시 결연하게 자애로움에 멈춰 바꿀 수 없다는 것을 진실하게 알아야 하고, 자식은 반드시 결연하게 효에 멈추어 바꿀 수 없음을 알아야 한다. 선善이란 반드시 이것이 선한 것이라는 점을 진실하게 알아야 비로소 결연하게 반드시 실행하고, 악은 반드시 이것이 악한 것이라는 점을 진실하게 알아야, 비로소 결연하게 반드시 실행하지 않는다. 예를 들어 좋지

· ·
230 『朱子語類』 권117, 25조목

않은 글자를 보고 분명 좋지 않은 것은 분명 자신이 좋지 않다는 것을 진실하게 아는 것이고, 좋은 문자가 좋은 것은 분명 자신이 진실하게 좋다는 것을 아는 것이다. 성현의 언어는 반드시 매우 진실하게 보아 매우 투철해야 하니, 예를 들어 가슴속으로부터 뚫고 나와, 한 글자라도 혹 가볍고 혹 무거워 바뀌지 않아야 비로소 옳다. 리理를 투철하게 보면 나와 리理가 하나가 된다. 그러나 잠시라도 투철할 수가 없다면 반드시 몸에 젖어들어야 비로소 얻는다. 이 도리는 매우 활발하여 그 체體는 혼연渾然하고 그 가운데는 찬연粲然하다. 위아래 수 천년 동안 진실로 천지 사이에서 밝게 빛났고, 이전 성인과 이후 성인이 서로 전하여 분명하게 의심하지 않았다. 공자가 가르친 것은 이것을 가르쳤고, 안자가 즐거워했던 것은 이것을 즐거워했던 것이다. 원만한 곳은 원만함을 다하고 직절한 곳은 직절함을 다한다. 그래서 먼저 안 사람이 나중 안 사람을 깨우치고, 먼저 깨달은 자가 나중 깨달은 자를 깨우친다."

물었다. "안자顔子의 즐거움은 단지 천지 사이에서 지극한 부와 지극한 귀함의 도리를 즐거워하는 것입니다. 즐거움을 구할 수 있습니까?"

(주자가) 말했다. "아니다. 이것은 즉시 알 수 있는 것이 아니다. 반드시 만 가지 리理를 궁구하여 철저하게 해야 한다. 정자程子가 '이 몸을 놓아서 모두 만물 가운데에 놓아 일례로 동일하게 보면 큰 것이나 작은 것이나 매우 쾌활한 것이다.'[231]라고 했고, 또 '사람이 천지 사이에서 반드시 진실로 궁극에까지 궁리하여 지극히 섬세하고 지극히 다하여 매우 투철하게 파악해서 남김이 없다면 만물과 하나가 되어 막히는 곳이 없어서 가슴속이 태연하니 어찌 즐겁지 않겠는가?'[232]라고 했다."

• • • • • • • • • • • • • • • •

231 『河南程氏遺書』권2. 전체 내용은 이러하다. "만물 일체라고 하는 까닭은 모든 것에 이 리가 있고 단지 여기서 나오기 때문이다. '낳고 낳는 것을 易이라 한다.'고 했는데 낳으면 일시에 낳으니 모두 이 理를 완전히 갖추고 있다. 그러나 사람은 추론할 수 있고 사물은 기가 혼탁하여 추론할 수 없지만, 그 사물이 함께 이 理를 소유하지 않는다고 말할 수는 없다. 사람은 단지 이기적이고, 자신의 몸에서 생각을 일으키기 때문에 도리를 보는 것이 작다. 이 몸을 놓아서 모두 만물 가운데 놓아 일례로 동일하게 보면 크고 작은 것이나 매우 쾌활한 것이다. 불교는 이것을 알지 못하고 그 몸에서 생각을 일으키면서 그 몸을 어떻게 할지를 모른다. 그래서 혐오하고, 六根과 六塵을 제거하려고 하지만, 마음의 근원이 안정을 이루지 못하므로, 마치 마른 나무와 불 꺼진 재처럼 되려고 한다. 그러나 이러한 理는 없으니, 이러한 리가 있더라도 오직 죽는 것일 뿐이다. 불교는 실제로 자신의 몸을 아끼면서 내려놓지 못하기 때문에 허다한 말이 있다. 비유하자면, 물건을 지고 가는 벌레가 이미 무겁게 짊어져 일어날 수 없는데 오히려 다시 물건을 몸에 취하려고 하는 것과 같으며, 또 돌을 안고 강물에 투신할 경우 무겁기 때문에 더욱 가라앉는데도 끝내 돌덩이를 놓지 못하고 오직 그 무거운 것을 혐오하는 것과 같다.(所以謂萬物一體者, 皆有此理, 只爲從那裏來. '生生之謂易', 生則一時生, 皆完此理. 人則能推, 物則氣昏, 推不得, 不可道他物不與有也. 人只爲自私, 將自家軀殼上頭起意, 故看得道理小了佗底. 放這身來, 都在萬物中一例看, 大小大快活. 釋氏以不知此, 去佗身上起意思, 奈何那身不得, 故却厭惡, 要得去盡根塵, 爲心原不定, 故要得如枯木死灰. 然沒此理, 要有此理, 除是死也. 釋氏其實是愛身, 放不得, 故說許多. 譬如負販之蟲, 已載不起, 猶自更取物在身. 又如抱石沉河, 以其重愈沉, 終不道放下石頭, 惟嫌重也.)"

232 『河南程氏遺書』권15

[48-3-65]

"看道理若只恁地說過一遍, 則都不濟事. 須是常常把來思量始得. 看過了後無時無候又把起來思量一遍. 十分思量不透又且放下, 待意思好時又把來看, 恁地將久自然解透徹. 延平先生嘗言'道理須是日中理會, 夜裏却去靜處坐地思量, 方始有得.' 某依此說去做, 眞個是不同."233

(주자가 말했다.) "도리를 보는 데에 만약 그대로 한 번 말하고 끝내면 모두 일을 해결할 수가 없다. 반드시 항상 그것을 가지고 헤아려 보아야 비로소 얻는다. 도리를 보고 난 후에 때도 없고 징후도 없다고 해도 또 그것을 가지고 한 번 헤아려 보아야 한다. 힘써 헤아렸는데 분명하지 못하면 또 내려놓고, 생각이 좋을 때 또 그것을 가지고 보고, 그렇게 해서 오래 지나면 저절로 풀려서 투철하게 된다. 연평 선생延平先生[李侗]이 말했다. '도리는 반드시 낮에 이해해야 하고, 밤에는 오히려 고요한 곳에 정좌하여 헤아려야 비로소 얻음이 있다.'고 했다. 나는 이 학설에 의해서 해나갔는데, 정말 달랐다."

[48-3-66]

"這道理須是見得是如此了, 驗之於物又如此, 驗之吾身又如此, 以至見天下道理皆端的如此了方得. 如某所見所言, 又非自會說出來, 亦是當初聖賢與二程所說推之, 而又驗之於己, 見得眞實如此."234

(주자가 말했다.) "이 도리는 반드시 이것이 이렇다는 점을 보고, 사물에 증험해 보아도 이렇고, 자신의 몸에 증험해 보아도 이러하고, 천하의 도리가 모두 단적으로 이와 같다는 점을 보아야 비로소 얻는다. 나의 견해와 말들은 같은 것은 또 내가 말 할 수 있는 것이 아닐지라도 또 당초에 성현과 이정二程의 말에서 추론해 내고, 또 자신에게서 증험해 내어 진실로 이와 같음을 본 것이다."

[48-3-67]

"窮理亦無他法, 只日間讀書應事處每事理會便是. 雖若無大頭段增益, 然亦只是積累久後不覺自浹洽貫通. 正欲速不得也."235

(주자가 말했다.) "리理를 궁리하는 것도 다른 방법은 없으니, 단지 매일 책을 읽고 일을 대응하는 곳에서 모든 일을 이해하는 것이 바로 그것이다. 비록 대단히 큰 이익은 없지만 또한 축적하는 것이 오래된 뒤에 자신도 모르게 푹 젖어 관통하게 된다. 빨리 하고자 하면 얻지 못한다."

[48-3-68]

答王欽之書曰: "所謂窮理不必泥古人言句, 固是也. 然亦豈可盡捨古人言句哉? 程夫子曰, 窮理亦多端, 或讀書講明道理, 或論古今人物別其是非, 或應事接物求其當否, 皆窮理也. 夫講

....

233 『朱子語類』 권104, 25조목
234 『朱子語類』 권104, 34조목
235 『朱文公文集』 권61 「書·答林德久」

道明理別是非, 而察之於應接事物之際以克去己私, 求乎天理. 循循而進, 無迫切陵節之弊, 則亦何患夫與古人背馳也. 若欲盡舍古人言句, 道理之不明, 是非之不別, 泛然無所決擇. 雖欲惟出處語默之察, 譬之適越者不知東西南北之殊, 而僕僕然奔走於途, 其不北入燕, 則東入齊西入秦耳."[236]

왕흠지에게 답하는 편지에서 말했다. "리理를 궁리하는 데 반드시 옛사람의 말과 구절에 구애받을 필요가 없다고 했는데 분명 그렇습니다. 그러나 또한 어찌 옛사람의 말과 구절을 모두 버릴 수가 있겠습니까? 정부자程夫子는 '리理를 궁리하는 것도 여러 가지 단서가 있다. 독서를 통해 도리道理를 강구하여 밝히기도 하고, 고금古今의 인물을 논하여 그들의 옳고 그름을 분별하기도 하며, 어떤 일에 대응하고 사물을 접할 때 마땅한가 아닌가를 구하는 것이 모두 리理를 궁리하는 것이다.'[237]라고 했습니다. 도리를 강구하여 밝히고 옳고 그름을 분별하며, 일에 대응하고 사물을 접하는 데에서 잘 살펴서 자신의 사사로움을 극복하여 천리天理를 추구합니다. 순서에 따라 나아가되, 박절하게 서두르거나 단계를 뛰어넘는 폐단이 없다면, 또한 옛사람과 배치될 것을 어찌하여 근심하겠습니까? 만약 옛사람의 말과 구절을 다 버리려고 한다면 도리는 밝혀지지 않고 옳고 그름도 분별되지 않아, 대충 결단하고 택하는 것이 없습니다. 그래서 나아가거나 처하거나, 말하거나 침묵하는 문제를 살피려고 할 때에 비유하자면 이것은 남쪽에 있는 월越나라를 가는 사람이 동서남북의 차이도 모르고서 혼란스럽게 길에서 우왕좌왕하며 분주하게 다니는 것과 같으니, 그 사람은 북쪽 연燕나라로 들어가지 않는다면 동쪽 제齊나라로 가거나 서쪽 진秦나라로 갈 뿐입니다."

[48-3-69]

"道理無形影, 唯因事物言語乃可見得是非. 理會極子細, 卽道理極精微. 古人所謂物格知至者, 不過是就此下工夫. 近日學者說得太高了, 意思都不確實, 不曾見理會得一書一事徹頭徹尾. 東邊綽得幾句, 西邊綽得幾句, 都不曾貫穿浹洽, 此是大病. 有志之士, 尤不可以不深戒也."[238]

(주자가 말했다.) "도리는 형체와 그림자가 없으니 오직 사물과 언어를 통해서 그 옳음과 그름을 볼 수 있다. 매우 자세하게 이해하면 곧 도리가 매우 정미해진다. 옛 사람이 말하는 격물치지格物致知라는 것은 이것을 통해서 공부하는 것에 불과하다. 최근에 학자들은 매우 고원하게 말하여 생각이 모두 확실하지 않으니, 한 가지 책이나 한 가지 일을 철두철미하게 이해하지 못한다. 동쪽에서 몇 구절을 보고 서쪽에서 몇 구절을 보고서 모두 관통하여 젖어들지 못하니 이것이 큰 병이다. 뜻이 있는 선비는 더욱 깊이 경계하지 않을 수 없다."

236 『朱文公文集』 권58 「書・答王欽之」
237 『河南程氏遺書』 권18
238 『朱文公文集』 권53 「書・答胡季隨」

[48-3-70]

問以類而推之說.

曰 : "是從已理會得處推將去, 如此便不隔越. 若遠去尋討, 則不切於己."[239]

부류로써 유추하는 학설을 물었다.

(주자가) 대답했다. "이미 이해하고 있는 곳에서 유추해서 나가는 것이다. 이와 같이 하면 막히지 않는다. 만약 멀리에서 찾아 논의하면 자신에게 절실하지 않다."

[48-3-71]

問 : "程子言覺悟便是信, 如何?"

曰 : "未覺悟時, 不能無疑, 便半信半不信. 已覺悟了, 別無所疑卽是信."[240]

물었다. "정자程子가 '깨닫는 곳이 곧 믿음이다.'[241]라고 했는데 어떠합니까?"

(주자가) 답했다. "깨닫지 못했을 때는 의심이 없을 수 없어서 반신반의한다. 그러나 깨달았다면 따로 의심하는 것이 없으니 곧 믿음이다."

[48-3-72]

"聖賢所謂博學, 無所不學也. 自吾身所謂大經大本以至天下之事事物物, 甚而一字半字之義, 莫不在所當窮而未始有不消理會者. 雖曰不能盡究, 然亦只得隨吾聰明力量理會將去, 久久須有所至, 豈不勝全不理會者手? 若截然不理會者, 雖物過乎前不識其名, 彼亦不管, 豈窮理之學哉?"[242]

(주자가 말했다.) "성현聖賢이 말하는 박학博學은 배우지 않음이 없는 것이다. 나 자신이 대경大經과 대본大本이라고 말하는 것으로부터 천하의 모든 사물, 심지어 한 글자 반 글자의 뜻도 당연히 궁리해야 하는 바에 있지 않음이 없어서 애초부터 이해할 필요가 없는 것이 있지 않았다. 비록 완전하게 궁구할 수 없다고는 해도 그러나 단지 나의 총명함과 역량으로 이해해 나가서 오래되면 반드시 이르는 것이 있으니, 어찌 온전히 이해하지 못할 것인가? 만약 확실하게 이해하지 못하는 것이 앞에서 지나가고 그 이름을 모를 지라도 그것을 또한 관여하지 않는다면 어찌 리理를 궁리하는 학문이겠는가!"

[48-3-73]

象山陸氏曰 : "凡人之病, 患不能知. 若眞知之, 病自去矣. 亦不待費力驅除. 眞知之, 却知說得勿忘兩字. 所以要講論者, 乃是辨明其未知處耳."[243]

239 『朱子語類』 권18, 96조목
240 『朱子語類』 권97, 56조목
241 『河南程氏遺書』 권6
242 『朱子語類』 권64, 153조목

상산 육씨象山陸氏[陸九淵]이 말했다. "사람들의 병통은 알 수 없는 것을 근심한다. 만약 진실하게 안다면 병은 저절로 없어진다. 또한 힘을 써서 제거할 필요가 없다. 진실하게 알면 오히려 잊지 말라는 두 글자를 말할 줄 안다. 그래서 강론하는 사람들은 곧 그 알지 못하는 곳을 분별하여 밝힐 뿐이다."

[48-3-74]

勉齋黃氏曰: "致知乃入道之方, 而致知非易事. 要須黙認實體, 方見端的. 不然, 則只是講論文字終日諛諛, 而眞實體段元不曾識, 故其說易差而其見不實. 動靜表裏有未能合一, 則雖曰爲善, 而卒不免於自欺也."[244]

면제 황씨勉齋黃氏[黃榦][245]이 말했다. "치지致知는 도에 들어가는 방도이지만 치지致知는 쉬운 일이 아니다. 반드시 실체를 묵묵히 의식하여야 비로소 단적으로 보인다. 그렇지 않으면 단지 문자를 강론하며 종일토록 떠들어도 진실한 실체는 깨닫지 못하므로 그 말들이 쉽게 어긋나고 그 본 것은 실제적이지 못하다. 동정動靜과 표리表裏가 하나로 합일할 수 없다면 비록 선을 행한다고 말해도 결국에는 자기기만에서 벗어날 수가 없다."

[48-3-75]

問: "伊川謂'致知在所養, 養知莫過於寡慾二字.' 徃徃寡慾, 則知無不盡如何?"

潛室陳氏曰: "程子以持敬爲入德之門, 蓋欲格物致知, 須是心常存在方可. 所以有寡慾之說, 恐引出心向外去也."[246]

물었다. "이천伊川이 '치지致知는 배양하는 것에 달렸고, 앎을 배양하는 것은 욕심을 줄이라는 두 글자에 불과하다.'[247] 자주 욕심을 줄이면 앎이 다하지 않음이 없으니 어떠합니까?"

잠실 진씨潛室陳氏[陳埴][248]가 말했다. "정자는 경敬을 유지하는 것을 덕으로 들어가는 문이라고 생각했으

. . . .

243 『象山集』 권5 「書·與平平甫」

244 『勉齋集』 권15 「書·答陳泰之書」

245 勉齋黃氏[黃榦]: 黃榦(1152~1221)은 자는 直卿이고, 호는 勉齋이다. 송대 福州閩縣(현 복건성 福州) 사람으로 주희의 고족제자인 동시에 사위이다. 주희의 蔭補로 漢陽軍·安慶府 등에서 관직을 역임하였다. 저서는 『書說』·『六經講義』·『勉齋集』 등이 있고, 『朱子行狀』을 집필했다.

246 『木鍾集』 권10 「近思雜問附」

247 『河南程氏外書』 권2 "致知는 格物에 있다. 格은 이른다는 뜻이고, 物은 事이다. 사건에는 모두 理가 있다. 그 理를 이르게 하면 곧 격물이다. 致知는 배양하는 것에 달렸고, 앎을 배양하는 것은 욕심을 줄이라는 두 글자에 불과하다.(致知在格物. 格, 至也, 物, 事也. 事皆有理. 至其理, 乃格物也. 然致知在所養, 養知莫過於寡欲二字.)"

248 潛室陳氏[陳埴]: 陳埴(1176~1232)의 자는 器之이고, 호는 木鍾이다. 송대 永嘉(현 절강성 溫州) 사람이다. 어려서는 葉適에게 배우고 나중에는 주희에게서 배웠다. 송 寧宗 嘉定 7년(1214)에 진사에 급제하여 通直郎을 역임하였다. 嘉定 연간(1208~1224)에 明道書院의 講席을 주재했으며, 그를 따르는 많은 학자들이 潛室先生이라고 불렀다. 저술은 『木鍾集』·『禹貢辨』·『洪範解』 등이 있다.

니 격물格物하고 치지致知하려고 한다면 반드시 마음을 항상 보존해야만 비로소 좋다. 그래서 욕심을 줄이라는 말이 있는 것이니 아마도 마음에서 벗어나 밖으로 가는 것을 근심한 것이다."

[48-3-76]

問: "伊川言'窮理非必盡窮天下之理', 又謂'非窮得一理便到.' 又云'格物者非必謂欲盡格天下之物, 但於一物上窮得盡, 其他可以類推,' 如何?"

曰: "只格一物便是致知, 雖曾顏不敢如此道. 晦翁云, 日格一物, 積久自有豁然貫通處, 此道儘著玩索. 日格一物, 豈是只格一物? 積久貫通, 到此境界卽明審洞照, 不待物物盡窮矣."[249]

물었다. "이천伊川이 '리理를 궁리하는 것은 반드시 천하의 리理를 모두 궁리하는 것은 아니다.'라고 했고, 또 '하나의 리理를 궁리하여 바로 얻는 것은 아니다.'라고 했다. 또 '격물格物이란 반드시 천하의 리理를 모두 다 격格하는 것을 말하지 않으니, 단지 하나의 사물에서 완전히 다하면 그 밖의 것들은 유추할 수 있다.'[250]고 했는데, 어떠합니까?"

(잠실 진씨가) 말했다. "단지 하나의 사물을 격格하면 앎에 이르는 것은, 증자와 안연일지라도 이러한 도리는 감히 하지 못했다. 회옹晦翁[朱熹]가 말하기를 '하나의 사물을 격格하여 오래도록 지속하면 저절로 활연관통하는 곳이 있다.'고 했으니, 이러한 도리를 완미하여 사색해야 한다. 하루에 하나의 사물을 격格하는 것이 어찌 단지 하나의 사물을 격格하는 것이겠는가? 오래도록 누적하여 관통해서 이러한 경계에 이르면 분명하게 통찰하여 비출 수 있으니, 모든 사물을 다 궁리할 필요는 없다."

[48-3-77]

問: "窮理至於天下之物, 必有所以然之故, 與其所當然之則, 所謂理也."

魯齋許氏曰: "博學審問愼思明辨, 此解說箇窮字. 其所以然與其所當然, 此說箇理字. 所以然者是本原也, 所當然者是末流也. 所以然者是命也, 所當然者是義也. 每一事每一物, 須有所以然與所當然"[251]

물었다. "리理를 궁리하여 천하의 사물에 이르면 반드시 소이연所以然의 원인과 소당연所當然의 준칙이 있으니, 리理라고 하는 것입니다."

노재 허씨魯齋許氏[許衡][252]가 말했다. "널리 배우고 살펴서 묻고 신중하게 사려하고 분명하게 분별하는 것, 이것이 궁리한다는 말을 해설한 것이다. 그 소이연과 소당연, 이것은 리理라는 말을 말한 것이다. 소이연은 본원本原이고 소당연은 말류末流이다. 소이연은 명命이고 소당연은 의義이다. 모든 일들과 모든

---

249 『木鍾集』 권10 「近思雜問附」
250 『河南程氏遺書』 권15
251 『魯齋遺書』 권1 「語錄上」
252 魯齋許氏許衡: 許衡(1209~1281)은 원나라 懷孟 河內 사람이다. 자는 仲平이고, 호는 魯齋이며, 시호는 文正이다. 憲宗 4년(1254) 忽必烈이 불러 京兆提學과 國子祭酒 등의 요직을 맡았다. 集賢殿 大學士와 領太史院事 등을 지냈다. 『讀易私言』·『魯齋心法』·『魯齋遺書』·『許文正公遺書』·『許魯齋集』 등이 있다.

사물에는 반드시 소이연과 소당연이 반드시 있다."

[48-3-78]
臨川吳氏曰: "夫見聞者, 所以致其知也. 夫子曰, '多聞闕疑, 多見闕殆.' 又曰, '多聞擇其善者
而從之, 多見而識之.' 蓋聞見雖得於外, 而所聞所見之理則具於心, 故外之物格, 則内之知至.
此儒者内外合一之學. 故非如記誦之徒, 博覽於外而無得於内, 亦非如釋氏之徒, 專求於内而
無事於外也."[253]

임천 오씨臨川吳氏[吳澄][254]가 말했다. "보고 듣는 것은 그 앎을 이르게 하는 근거이다. 공자가 '많이 듣고서
의심나는 것을 빼버리고, 많이 보고서 위태로운 것을 빼버린다.'[255]고 했고, 또 '많이 듣고서 그 좋은
것을 가려서 따르며, 많이 보고서 기억해 둔다.'[256]고 했다. 보고 듣는 것은 비록 밖에서 얻는 것이지만
듣고 보는 리理는 마음에 구비되어 있으므로, 밖으로는 사물을 격하는 것이지만, 안으로는 앎이 이르는
것이다. 이것은 유학자들의 내외합일内外合一의 학문이다. 그러므로 암기하는 무리들처럼 밖으로 널리
살피지만 안으로는 터득하는 것이 없는 것이 아니고, 또 불교의 무리들처럼 오로지 안에서만 구하고
밖으로는 일삼지 않는 것도 아니다."

----

253 『吳文正集』권2「答問·答張恒問孝經」
254 臨川吳氏[吳澄 : 吳澄(1249~1333)의 字는 幼淸이고 만년에 伯淸으로 바꾸었다. 풀로 만든 집에 거주하면서
'草廬'라고 이름 지었기 때문에 사람들은 습관적으로 그를 초려 선생이라고 불렀다. 抚州 崇仁 사람이다.
송나라와 원나라 사이 유학자이며 경학자이며 이학자이다. 주자의 재전 제자인 饒魯의 문인인 程若庸에게서
배워 주희의 후학이며 요노의 재전 제자가 되었다. 저작으로는 『五經纂言』·『草廬精語』·『道德經注』·『三
禮考注』 등이 있고, 『草廬吳文正公文集』이 있다.
255 『論語』「爲政」: "많이 듣고서 의심나는 것을 빼버리고, 그 나머지를 삼가서 말하면 허물이 적어지며, 많이
보고서 위태로운 것을 빼버리고 그 나머지를 삼가서 행하면, 후회하는 일이 적어질 것이니, 말에 허물이
적으며 행실에 후회할 일이 적으면 祿이 그 가운데에 있는 것이다.(子曰, "多聞闕疑, 愼言其餘則寡尤, 多見闕
殆, 愼行其餘則寡悔, 言寡尤, 行寡悔, 祿在其中矣.)"
256 『論語』「述而」: "알지 못하면서 함부로 행동하는 것이 있는가? 나는 이러한 일이 없다. 많이 듣고서 그 좋은
것을 가려서 따르며, 많이 보고서 기억해 둔다면, 이것이 아는 것의 다음이 된다.(子曰, "蓋有不知而作之者?
我無是也. 多聞, 擇其善者而從之, 多見而識之, 知之次也.)"

學七 학 7

力行 克己, 改過, 雜論處心立事附　역행 사욕을 이김, 잘못을 고침, 마음 씀씀이와 일처리에 대한 잡다한 논의 등을 부록함

[49-1-1]

程子曰 : "居之以正, 行之以和."[1]

정자가 말했다. "거처할 때에는 바르게[正] 하고, 실행할 때에는 화합[和]한다."

[49-1-2]

"言而不行, 是欺也. 君子欺乎哉? 不欺也."[2]

(정자가 말했다.) "말하고도 행하지 않는 것, 이것은 속이는 것[欺][3]이다. 군자는 속이는가? 속이지 않는다."

[49-1-3]

"知過而能改, 聞善而能用, 克己以從義, 其剛明者乎."[4]

(정자가 말했다.) "잘못을 알면 고칠 수 있고, 선을 들으면 쓸 수 있으며, 자기의 사욕을 이겨서 의를 따르면, 강직하고 밝은 자일 것이다."

· · · · · · · · · · · · · · · · · · ·

1 『河南程氏遺書』 권11
2 『河南程氏遺書』 권6
3 속이는 것[欺] : 『大學』 제6장에 "이른바 그 뜻을 성실히 한다는 것은 스스로 속이지 않는 것이다.(所謂誠其意者, 毋自欺也.)"라고 되어 있다.
4 『二程粹言』 권상 「論學篇」

[49-1-4]

上蔡謝氏曰 : "人須識其眞心. 見孺子將入井時, 是眞心也, 非思而得也, 非勉而中也. 予嘗學射, 到一把處難去, 半把處尤難去, 則恁地放了底多. 昔有一人學射, 摸得鏃與把齊然後放. 學者纔有些所得便住. 人多易住, 唯顏子善學, 故孔子有見其進未見其止之歎. 須是百尺竿頭更進始得."⁵

상채 사씨上蔡謝氏[謝良佐]가 말했다. "사람은 반드시 그 참마음[眞心]을 알아야 한다. 어린아이가 우물로 빠지려 하는 것을 볼 때의 마음이 참마음[眞心]이니, 생각을 해서 얻는 것도 아니고, 애써서 적중하는 것도 아니다. 내가 예전에 활쏘기를 배운 적이 있는데, 줌통(활의 정중앙에 있는 손으로 잡는 곳. 궁파弓把 또는 궁파弓靶라고도 함) 한 곳을 붙잡아도 쏘기 어렵고, 줌통의 반만 붙잡으면 더욱 쏘기 어려웠는데, 이와 같이 쏜 것이 여러 발이었다. 옛날에 활쏘기를 배울 때는 화살촉을 더듬어 줌통과 나란하게 한 다음에 쏘았다. 학자들은 겨우 어느 정도 체득한 것이 있으면, 곧 멈추어버린다. 사람들은 대부분 쉽게 멈추어 버리지만, 오직 안자顏子만이 학문을 좋아했으므로, 공자가 '그가 전진하는 것만 보았고 그가 중지하는 것은 아직 보지 못했다.'⁶라는 찬탄을 하게 된 것이다. 반드시 백척간두에서 다시 나아가야 되는 것이다."

[49-1-5]

和靖尹氏曰 : "學貴力行, 不貴空言."⁷

화정 윤씨和靖尹氏[尹焞]가 말했다. "학문에서는 힘써 행하는 것을 귀하게 여기지, 빈 말은 귀하게 여기지 않는다."

[49-1-6]

東平馬氏曰 : "吾志在行道. 使吾以富貴爲心, 則爲富貴所累 ; 使吾以妻子爲念, 則爲妻子所累. 是道不可行也."⁸

동평 마씨東平馬氏[馬伸]⁹가 말했다. "나는 도를 행하는 데 뜻을 두고 있다. 만일 내가 부귀에 마음을 둔다

· ·

5 『上蔡語錄』 권2
6 '그가 전진하는 … 못했다.' : 『論語』 「子罕」
7 『和靖集』 권5
8 『宋名臣言行錄』 「外集」 권9 「馬伸·東平先生」
9 東平馬氏(馬伸, ?~?) : 이름은 伸이고 字는 時中이며, 북송 東平 사람이다. 紹聖 4년(1097) 진사가 되었고, 成都郫縣縣丞, 監察禦史 등을 역임했으며, 紹興 초에 諫議大夫로 추증되었다. 숭녕 초에 范致虛가 程頤를 사악한 학설로 몰아 그 문인들을 모두 내쫓았다. 마신은 당시 정이의 문하에 들어가고자 하여 張繹을 통해 만나뵙기를 청했으나 정이가 굳이 사양하였다. 마신이 관직을 쉬고 찾아오려 하자 정이가 '요즘 시론이 수상하여 그대에게 누를 끼칠까 두려운데, 그대가 관직을 버리고 찾아오니, 반드시 관직을 버릴 필요는 없습니다.'라고 했다. 마신은 '제게 도를 깨우쳐 주신다면 죽어도 유감이 없을 텐데, 하물며 죽을 필요가 없는 경우야 말할 것도 없습니다.'라고 답하자 정이가 그의 뜻에 탄복하여 문하에 들어오게 했다.(『宋史』 권455 「마신열전」)

면 부귀에 의해 얽매이게 될 것이고, 만일 내가 처자식을 염두에 두고 있다면 처자식에 의해 얽매이게 될 것이다. 이렇게 되면 도를 행할 수 없다."

[49-1-7]

朱子曰: "善在那裏, 自家却去行他. 行之久, 則與自家爲一. 爲一, 則得之在我. 未能行, 善自善, 我自我."[10]

주자가 말했다. "선善이 저기에 있기 때문에 내가 가서 그것을 행하는 것이다. 오래 행하면 (선이) 나와 하나가 된다. 하나가 되면 그것을 나에게서 얻을 수 있다. 행하지 않으면 선은 별도로 선이고, 나는 별도로 나일 뿐이다."

[49-1-8]

"凡日用之間, 動止語默, 皆是行處. 且須於行處警省, 須是戰戰兢兢方可. 若悠悠泛泛地過, 則又不可."[11]

(주자가 말했다.) "일상생활 속에서 행동하고 그치고 말하고 침묵하는 것이 모두 실천하는 장소이다. 실천하는 곳에서 반드시 경계하고 반성해야 하며, 반드시 두려워하고 조심스러워야만 된다. 만약 여유를 부리거나 대강 지나치면 또 안 된다."

[49-1-9]

"若不用躬行, 只是說得便了, 則七十子之從孔子, 只用兩日說便盡, 何用許多年隨著孔子不去. 不然, 則孔門諸子皆是獃無能底人矣? 恐不然也. 古人只是日夜皇皇汲汲去理會這簡身心, 到得做事業時, 只隨自家分量以應之. 如由之果, 賜之達, 冉求之藝, 只此便可以從政, 不用他求. 若是大底功業便用大聖賢做, 小底功業便用小底賢人做, 各隨他分量做出來, 如何強得?"[12]

(주자가 말했다.) "만약 직접 실천하지 않고 다만 말만 할 뿐이라면, 70명의 제자들이 공자를 따라다니면서 다만 이틀 정도 말을 하면 다일 텐데 무엇 때문에 그렇게 오랜 세월을 공자를 따르며 떠나지 않았겠는가? 그렇지 않다면 공자 문하의 여러 제자들이 모두 어리석고 무능한 사람들이란 말인가? 아마도 그렇지는 않을 것이다. 옛사람은 다만 밤낮으로 황급하게 이 마음을 이해하려고 했으며, 일을 할 때에는 다만 자신의 역량에 따라 대응했을 뿐이다. 예를 들면 자로의 과감함, 자공의 통달함, 염구의 다재다능함 등은 다만 그것으로 정치를 담당할 수 있었으니, 다른 것을 구할 필요가 없었다.[13] 큰일은 큰 성현이

10 『朱子語類』 권13, 2조목
11 『朱子語類』 권13, 3조목
12 『朱子語類』 권13, 4조목
13 자로의 과감함 … 없었다. : 『論語』「雍也」에서는 "계강자가 물었다. '仲由(子路)는 정사에 종사할 만합니까?'

처리하고 작은 일은 작은 현인이 처리하여, 각각 자신의 역량에 따라 처리했으니 어찌 강요할 수 있겠는가?"

[49-1-10]

"人於道理不能行, 只是在我之道理有未盡耳. 不當咎其不可行, 當反而求盡其道."[14]

(주자가 말했다.) "사람들이 도리를 행하지 못하는 것은 단지 자신에게 있는 도리에 미진한 것이 있기 때문이다. 행하지 못하는 것을 탓하지 말고, 반성하여 그 도리를 극진하게 할 방법을 찾아야 한다."

[49-1-11]

"爲學就其偏處著工夫, 亦是, 其平正道理自在. 若一向矯枉過直, 又成偏去. 如人偏於柔自可見, 只就這裏用工, 須存平正底道理. 雖要致知, 然不可恃. 書曰知之非艱, 行之惟艱, 工夫全在行上."[15]

(주자가 말했다.) "학문을 할 때는 치우친 곳에 나아가 공부하는 것이 또한 옳으니, 공평하고 올바른 도리가 스스로 존재한다. 만약 줄곧 굽은 것을 바로잡다가 곧은 것을 지나쳐버리면 또한 치우치게 된다. 예를 들어 사람이 유약함에 치우쳐 있는 것을 스스로 안다면, 다만 여기에 나아가 공부하여 반드시 공평하고 올바른 도리를 보존하도록 해야 한다. 비록 치지致知를 해야 하지만, 그러나 거기에 의지해서는 안 된다. 『서경』에서 '아는 것은 어렵지 않은데 행하는 것이 어렵다.'[16]고 했으니, 공부는 온전히 실행에 달려 있다."

[49-1-12]

嘗誨學者曰: "某此間講說時少, 踐履時多. 事事都用人自去理會,[17] 自去體察, 自去涵養, 書用自去讀,[18] 道理用自去究索.[19] 某只是做得箇引路底人, 做得箇證明底人, 有疑難處同商量而已."[20]

. . . .

공자가 말했다. '由는 과단성이 있으니 정사에 종사하는 데 무슨 어려움이 있겠는가!' '賜(子貢)는 정사에 종사할 만합니까?' 하고 물으니, '賜는 사리에 통달했으니 정사에 종사하는 데 무슨 어려움이 있겠는가!'라고 했다. '冉求는 정사에 종사하게 할 만합니까?' 하고 물으니, '求는 다재다능하니 정사에 종사하는 데 무슨 어려움이 있겠는가!'라고 했다.(季康子問, '仲由可使從政也與?' 子曰, '由也果, 於從政乎, 何有?' 曰, '賜也可使從政也與?' 曰, '賜也達, 於從政乎, 何有?' 求也可使從政也與?' 曰, '求也藝, 於從政乎, 何有?')"라고 하였다.

14 『朱子語類』권13, 6조목
15 『朱子語類』권13, 7조목
16 '아는 것은 … 어렵다.': 『書經』「說命」에서는 "아는 것이 어려운 것이 아니라 행하는 것이 어려운 것입니다. (非知之艱, 行之惟艱.)"라고 하였다.
17 事事都用人自去理會: 『朱子語類』권13, 9조목에는 '人'이 '你'로 되어 있다.
18 書用自去讀: 『朱子語類』권13, 9조목에는 "書用你自去讀"으로 되어 있다.
19 道理用自去究索.: 『朱子語類』권13, 9조목에는 "道理用你自去究索"으로 되어 있다.

(주자가) 일찍이 학자들을 가르치며 말했다. "나는 요즘 강론하는 시간은 적고 실천하는 시간은 많다. 모든 일에 대해서 사람들이 스스로 이해하고, 스스로 살펴야 하며, 스스로 함양해야 하고, 책에 대해서도 스스로 읽어야 하며, 도리에 대해서도 스스로 궁구해야 한다. 나는 다만 길을 인도해주는 일을 하는 사람이고, 증명해주는 일을 하는 사람이니, 의심나거나 어려운 점이 있으면 함께 의논할 뿐이다."

[49-1-13]

"人所以易得流轉, 立不定者, 只是脚跟不點地."[21] 點平聲.

(주자가 말했다.) "사람들이 쉽게 떠돌면서, 수립한 것이 안정되지 못한 까닭은, 다만 발뒤꿈치를 땅에 붙이고 있지 않기 때문이다." 점點은 평성平聲이다.

[49-1-14]

"問學如登塔, 逐一層登將去. 上面一層, 雖不問人亦自見得. 若不去實踏過, 却懸空妄想, 便和最下底層不曾理會得."[22]

(주자가 말했다.) "학문은 탑에 오르는 것과 같으니, 한 계단씩 올라서 가게 된다. 가장 위에 있는 계단은 비록 사람들에게 묻지 않아도 스스로 알 수 있다. 만약 착실하게 밟아 가지 않고 공허하게 망상이나 한다면, 가장 아래층조차도 이해할 수 없을 것이다."

[49-1-15]

"學問亦無簡一超直入之理, 直是銖積寸累做將去. 某是如此喫辛苦從漸做來. 若要得知, 亦須是喫辛苦了做, 不是可以坐談僥倖而得."[23]

(주자가 말했다.) "학문에는 또한 한번에 초월하여 곧장 들어가는 이치가 없으니, 끊임없이 조금씩 축적하여 가는 것이다. 나도 이와 같이 고생하면서 점차적으로 해왔다. 만약 알고자 한다면, 반드시 어려움을 겪으면서 하는 것이지, 편안히 앉아 담소나 하면서 요행으로 얻는 것이 아니다."

[49-1-16]

問 : "向因子夏大德小德之說, 遂只知於事之大者致察, 而於小者苟且放過. 德之不脩, 實此爲病. 張子云, '纖惡必除善斯成性矣, 察惡未盡雖善必粗矣.' 學者須是毫髮不得放過, 德乃可進." 曰 : "若能如此, 善莫大焉. 以小惡爲無傷, 是誠不可."[24]

20 『朱子語類』 권13, 9조목
21 『朱子語類』 권13, 12조목
22 『朱子語類』 권13, 13조목
23 『朱子語類』 권115, 10조목
24 『朱子語類』 권117, 18조목

물었다. "지난번 자하의 '대덕大德·소덕小德'의 설25로 인하여, 마침내 다만 일의 큰 것에 대해서는 세밀하게 관찰하면서도 작은 부분에 대해서는 대강대강 지나쳐버리는 것을 알았습니다. 덕이 닦이지 않는 것에는 사실 이것이 병통이 됩니다. 장자張子는 '작은 악이라도 반드시 제거하면 선은 성性을 이루고, 악을 살피는 것을 다하지 않으면 비록 선이라도 반드시 거칠어진다.'26고 했으니, 학자는 반드시 아주 작은 것이라도 그냥 지나쳐버리지 않아야 덕이 진보할 수 있을 것입니다."

(주자가) 대답했다. "만약 이와 같이 할 수 있다면 선이 이보다 더 큰 것이 없다. 작은 악이라고 하여 문제 되지 않는다고 여기는 것은 진실로 안 된다."

[49-1-17]

"而今只理會下手做工夫處,27 莫問他氣稟與習. 只是是底便做, 不是底莫做, 一直做將去. 任你氣稟物欲, 我只是不恁地. 如此則雖愚必明, 雖柔必強, 氣習不期變而變矣."28

(주자가 말했다.) "그대가 지금 다만 공부에 착수하는 지점을 이해하였다면, 그 기품과 습성은 묻지 마라. 다만 옳은 것은 하고, 옳지 않은 것은 하지 않고 계속해서 해나가라. 기품과 물욕이 어떻든 나는 다만 이와 같이 하지 않는다. 이렇게 하면 '비록 어리석더라도 반드시 밝아질 것이며, 비록 유약하더라도 반드시 강하여질 것이니'29 기질과 습관이 변하기를 기다리지 않아도 변하게 된다."

[49-1-18]

"人之一身, 應事接物, 無非義理之所在. 人雖不能盡知, 然要在力行其所已知,30 而勉求其所未至, 則自近及遠, 由粗至精, 循循有序而日有可見之功矣."31

(주자가 말했다.) "사람의 일신이 일에 대응하고 사물을 접할 때 의리義理가 있지 않은 곳이 없다. 사람이 비록 철저히 알지는 못한다 하더라도 그러나 요점은 그 이미 알고 있는 것을 힘써 행하면서 그 이르지 못한 것을 노력하여 구하는 것이니, 이렇게 하면 가까운 데에서 먼 곳에 이르고 거친 데에서 정밀한 데로 이르는 것이 순서가 있어서 날마다 드러난 공효가 있을 것이다."

---

25 자하의 '大德·小德'의 설: 『論語』「子張」에서는 "자하가 말하였다. 큰 덕이 한계를 넘지 않으면 작은 덕은 넘나들어도 괜찮다.(子夏曰, 大德不踰閑, 小德出入可也.)"라고 하였다.

26 '작은 악이라도 … 거칠어진다.': 『正夢』 제6 「誠明篇」

27 而今只理會下手做工夫處: 『朱子語類』 권119, 18조목에는 "而"가 "先生謂陳廷秀曰"로 되어 있다.

28 『朱子語類』 권119, 18조목

29 '비록 어리석더라도 … 것이니': 『中庸』 제20장

30 然要在力行其所已知: 『朱文公文集』 권64 「答姚㮚」에는 然 다음에 "其大端宜亦無不聞者.(그 큰 실마리에 대해서는 듣지 않은 이가 없다.)"라는 문장이 더 있다.

31 『朱文公文集』 권64 「答姚㮚」

[49-1-19]

問 : "力行如何說是淺近語?"

曰 : "不明道理, 只是硬行."

又問 : "何以爲淺近?"

曰 : "他只是見聖賢所爲, 心下愛, 硬依他行. 這是私意, 不是當行. 若見得道理時, 皆是當恁地行."[32]

물었다. : "'힘써 행함[力行]'을 어째서 천근[淺近]한 말이라고 합니까?"[33]

(주자가) 대답했다. "도리에 밝지 못하면서 다만 억지로 행하려고만 할 뿐이기 때문이다."

또 물었다. "어째서 '천근함'이 되는 것입니까?

(주자가) 대답했다. "그는 다만 성현들이 한 것만을 보고서 마음속에서 좋아하여 억지로 그것에 따라서 행하는 것이다. 이것은 곧 사사로운 뜻이니, 마땅히 행해야 할 것이 아니다. 도리를 이해했을 때에 모두 마땅히 이처럼 행해야 하는 것이다."

[49-1-20]

"學者實下工夫, 須是日日爲之, 就事親從兄接物處事理會. 取其有未能, 益加勉行. 如此之久, 則日化而不自知, 遂只如常事做將去."[34]

(주자가 말했다.) "배우는 사람은 실제로 공부할 때에 반드시 날마다 실천하며, 부모를 섬기고 형을 따르며 외물과 접하고 일을 대처하는 곳에서 이해해야 한다. 아직 잘하지 못하는 것에 대해서는 더욱 힘써 실천해야 한다. 이와 같이 오랫동안 행하면, 날마다 변화하여 자신도 모르는 사이에 드디어 일상적인 일처럼 해나가게 된다."

[49-1-21]

"務實一事, 觀今日學者不能進步, 病痛全在此處. 但就實做工夫, 自然有得, 未須遽責效驗也."[35]

(주자가 말했다.) "'실질에 힘씀[務實]'이라고 했으니, 오늘날 학자들이 발전할 수 없는 것을 보면 병통이

---

32 『朱子語類』 권95, 168조목

33 '힘써 행함[力行]'을 … 합니까?: 『河南程氏遺書』 권17에 "사람들은 힘써 행해야 한다고 하지만 이 또한 淺近한 말일 뿐이다. 사람이 알 수 있다면 어떻게 행하지 못하는 것이 있겠는가? 모든 일에 모두 마땅히 해야 할 것이라면 마음을 써서 하기를 기다릴 필요가 없다. 마음을 써서 하면 곧바로 私心이 있게 된다. 이러한 뜻과 기운으로 얼마나 갈 수 있겠는가?(如眼前諸人, 要特立獨行, 煞不難得, 只是要一簡知見難. 人只被這簡知見不通透. 人謂要力行, 亦只是淺近語. 人旣能知見, 豈有不能行? 一切事皆所當爲, 不必待著意做. 纔著意做, 便是有簡私心. 這一點意氣, 能得幾時了?)"라고 하였다.

34 『朱子語類』 권13, 66조목

35 『朱文公文集』 권50 「答周舜弼」

모두 여기에 있다. 다만 실질에 나아가서 공부를 하면 자연히 얻는 것이 있으니, 반드시 급히 효험을 요구해서는 안 된다."

[49-1-22]

東萊呂氏曰 : "賢士大夫, 蓋有學甚正, 識甚明, 而其道終不能孚格遠近者, 只爲實地欠工夫耳."[36]

동래 여씨東萊呂氏[呂祖謙]가 말했다. "어진 사대부가 대체로 학문이 매우 바르고 식견이 매우 밝으나, 그 도가 끝내 믿음이 먼 곳과 가까운 곳에 이르지 못하는 것은 다만 실제에서 공부에 결함이 있기 때문이다."

[49-1-23]

南軒張氏曰 : "學貴力行. 然所謂力行者煞有事. 聖門教人, 循循有序, 始終條理, 一毫老草不得,[37] 工夫蓋無窮也."[38]

남헌 장씨南軒張氏[張栻]가 말했다. "학문은 힘써 행함[力行]을 귀하게 여긴다. 그러나 이른바 힘써 행한다는 것은 일삼아야 할 것이 너무 많다. 성인 문하에서 사람을 가르칠 때에는 차근차근 순서가 있으니, 처음부터 끝까지 조리가 털끝 하나만큼의 난잡함도 없다. 공부는 끝이 없는 것이다."

[49-1-24]

"學者若能務實, 便有所得."

或問務實之說.

曰 : "於踐履中求之. 仁之實事親是也, 義之實從兄是也, 日用常行之際無非實用."

(남헌 장씨가 말했다.) "학자가 만약 실질에 힘쓸[務實] 수 있다면 곧 얻는 바가 있을 것이다."
어떤 사람이 '실질에 힘씀[務實]'의 설에 대해 물었다.
(남헌 장씨가) 대답했다. "실천하는 가운데 구하라. 인의 실제는 어버이를 섬기는 것이고, 의의 실제는 형을 따르는 것이니, 일상생활 속에서 실제로 사용하지 않는 것이 없다."

[49-1-25]

象山陸氏曰 : "聖人教人, 只是就人日用處開端. 如孟子言徐行後長者, 可爲堯舜. 不成在長者後行, 便是堯舜, 怎生做得堯舜樣事, 須是就上面著工夫."[39]

. . . .

36 『東萊外集』 권6 「與陳正已」
37 一毫老草不得 : 『南軒集』 권27 「答周穎叔」에는 "一毫源草不得"으로 되어 있다.
38 『南軒集』 권27 「答周穎叔」
39 『象山語録』 권3

상산 육씨象山陸氏[陸九淵]가 말했다. "성인이 사람들을 가르치는 것은 다만 일상 생활에서 시작하였다. 예를 들면 맹자가 천천히 걸어서 연장자보다 뒤에 가는 것이 요순이 되는 것[40]이라고 했다. 연장자보다 뒤에서 간다고 하여 곧바로 요순인 것은 아니지만, 어떻게 하면 요순과 같은 일을 할 수 있는지, 반드시 이 위에서 공부해야 한다."

[49-2-1]

程子曰 : "難勝莫如己私. 學者能克之, 非大勇乎!"[41] 以下論克己.

정자가 말했다. "이기기 어려운 것은 자신의 사사로움만 한 것이 없다. 배우는 자들이 이것을 이길 수 있다면 용勇이 아니겠는가!" 이하는 극기克己를 논의했다.

[49-2-2]

"多驚多怒多憂, 只去一事所偏處自克. 克得一件, 其餘自正."[42]

(정자가 말했다.) "많이 놀라거나, 많이 성내거나, 많이 근심한다면 다만 치우친 한 가지 일에 대해 스스로 극복하면 된다. 한 가지를 극복하면 그 나머지는 저절로 올발라진다."

[49-2-3]

"目畏尖物. 此事不得放過, 便與克下. 室中率置尖物, 須以理勝他, 尖必不刺人也, 何畏之有."[43]

(정자가 말했다.) "눈은 날카로운 물건을 두려워한다. 이 일은 지나쳐버려서는 안 되고, 곧바로 이겨내야 한다. 방 안에 날카로운 물건을 가져다 두고, 반드시 이치로써 그것을 이겨야 한다. 날카로운 것이 반드시 사람을 찌르는 것은 아니니, 무슨 두려워할 것이 있겠는가."

[49-2-4]

張子曰 : "凡所當爲, 一事意不過則推類, 如此善也. 一事意得過, 以爲且休, 則百事廢, 其病常在. 謂之病者, 爲其不虛心也. 病根不去, 隨所居所接而長. 人須一事事消了病則常勝, 故要克己. 克己, 下學也. 下學上達交相養. 蓋不行, 則成何德行哉?"[44]

장자張子가 말했다. "마땅히 해야 하는 것에서 어떤 한 가지 일이 마음에 걸리면,[45] 같은 종류의 것을

---

40 천천히 걸어서 … 것: 『孟子』「告子下」에서는 "천천히 걸어서 연장자보다 뒤에 가는 것을 '공경한다'고 하고, 빨리 걸어서 연장자보다 앞서가는 것을 '공경하지 않는다'고 하니, 천천히 걸어가는 것이 어찌 사람들이 할 수 없는 것이겠는가? 자기가 하지 않는 것이니, 堯舜의 道는 효제일 뿐이다.(徐行後長者, 謂之弟 ; 疾行先長者, 謂之不弟. 夫徐行者, 豈人所不能? 所不爲也, 堯舜之道, 孝弟而已矣.)"라고 하였다.

41 『二程粹言』 권상 「論學篇」

42 『河南程氏遺書』 권6

43 『河南程氏遺書』 권2하

44 『張子全書』 권7 「學大原下」

미루어볼 것이니, 이같이 하는 것이 좋다. 한 가지 일이 마음에서 해결되었다고 하여 또 쉽게 되면 수많은 일들이 무너지게 되니, 그 병통이 항상 있게 된다. 병통이라고 말한 것은 그 마음을 비우지 않았기 때문이다. 병통의 뿌리가 제거되지 않으면, 머무는 곳이나 접하는 것에 따라 (병통이) 자라나게 될 것이다. 사람이 반드시 하나의 일마다 병통을 소거해버리면 항상 이길 것이니, 그러므로 자신(의 사욕)을 극복해야 하는 것이다. 자신을 극복하는 것은 아래로부터 배우는 것[下學]이다. 아래로부터 배우는 것과 위에 이르는 것은 서로를 기르는 것이다. 실행하지 않는다면 무슨 덕행을 이룰 것인가?"

[49-2-5]

"人當平物我, 合內外. 如是以身鑒物便偏見. 以天理中鑒, 則人與己皆見. 猶持鏡在此, 但可鑒彼, 於己莫能見也. 以鏡居中則盡照, 只爲天理常在, 身與物均見則自不私. 己亦是一物, 人常脫去己身則自明. 然身與心常相隨. 不奈何有此身假以接物,⁴⁶ 則擧措須要是. 今見人意我固必以爲當絶, 於己乃不能絶, 卽是私己. 是以大人正己而物正, 須待自己者皆是, 著見於人物自然而正. 以誠而明者, 旣實而行之明也, 明則民斯信矣. 己未正而正人, 便是有意我固必. 鑒己與物皆見, 則自然心洪而公平. 意我固必, 只爲有身便有此."⁴⁷

(장자張子가 말했다.) "사람은 마땅히 남과 나를 평등하게 여기고, 안과 밖을 합해야 한다. 만일 자신의 입장을 가지고 남을 비추어 보면 곧 편벽되게 보게 된다. 천리를 가지고 안[中]에서 비추어 보면 남과 나를 모두 다 보게 된다. 거울을 가지고 여기에 있으면 다만 상대방을 비출 수 있고, 자신에 대해서는 볼 수 없는 것과 같다. 거울을 가지고 안[中]에 머무르면 다 비추어볼 수 있으니, 다만 천리가 항상 존재하기 때문에 자신과 남을 균등하게 보아서, 스스로 사사롭지 않게 되는 것이다. 자신도 또한 하나의 존재이니, 사람이 항상 자신의 몸을 벗어나면 스스로 밝아질 것이다. 그러나 몸과 마음은 항상 서로를 따른다. 어떻게 이 몸으로만 임시로 사물과 접할 수 있는 방법은 없으니, 행동거지를 반드시 올바르게 해야 한다. 지금 다른 사람의 사사로운 뜻[意]과 자신만을 내세우려는 이기심[我]과 집착하는 마음[固]과 기필하는 마음[必]⁴⁸을 보면서는 마땅히 끊어버려야 할 것이라고 여기지만, 자신에 대해서는 그런 것들을 끊지 못하는 것은 바로 자신을 사사롭게 여기는 것이다. 이런 까닭에 대인은 자신을 올바르게 하여서 남이 올바르게 되는 것⁴⁹이니, 자기에게 달려 있는 것이 모두 옳으면 남에게서 드러나는 것들은 자연히 올바

· ·

45 어떤 한 … 걸리면 : 茅星來의 『近思錄集註』 권5에서는 "'마음에 걸린다[意不過]'는 마음속에 편안하지 않은 것이 있다는 말이다.('意不過謂心有所未安也.)라고 주해하였다.

46 不奈何有此身假以接物 : 『張子全書』 권7 「學大原下」에는 "不奈何"가 "無奈何"로 되어 있다.

47 『張子全書』 권7 「學大原下」

48 사사로운 뜻[意]과 … 마음 : 『論語』 「子罕」에서는 "공자는 네 가지의 마음이 전혀 없으셨으니, 사사로운 뜻이 없으셨으며, 기필하는 마음이 없으셨으며, 집착하는 마음이 없으셨으며, 자신만을 내세우려는 이기심이 없으셨다.(子絶四, 毋意, 毋必, 毋固, 毋我)"라고 했다.

49 대인은 자신을 … 것 : 『孟子』 「盡心上」에서는 "大人인 자가 있으니, 자기 몸을 바르게 함에 남이 바르게 되는 자이다.(有大人者, 正己而物正者也.)"라고 했다.

르게 된다. 성誠으로 말미암아 밝아지는 것[50]은 이미 실재하니 그것을 행하면 밝아지고, 밝아지면 백성들이 믿게 된다. 자신이 아직 올바르지 않은데도 남을 올바르게 하는 것은 곧 사사로운 뜻[意]과 자신만을 내세우려는 이기심[我]과 집착하는 마음[固]과 기필하는 마음[必]이다. 자신과 남을 비추어보아 모두 보이면, 자연히 마음이 넓어지고 공평할 것이다. 사사로운 뜻[意]과 자신만을 내세우려는 이기심[我]과 집착하는 마음[固]과 기필하는 마음[必]은 다만 자기가 있기 때문에 이러한 것이 있게 되는 것이다."

[49-2-6]
上蔡謝氏曰 : "某與伊川別一年, 往見之. 伊川曰, '別又一年, 做得甚工夫?' 曰, '也只是去箇「矜」字.' 曰, '何故?' 曰, '子細點檢得來, 病痛盡在這裏. 若按伏得這箇罪過, 方有向進處.' 伊川點頭, 因語在坐同志者曰, '此人爲學, 切問近思者也.' 或問, 「矜」字罪過, 何故恁地大?' 曰, '今人做事, 只管要誇耀別人耳目, 渾不關自家受用事. 有底人食前方丈, 便向人前喫, 只蔬食菜羹, 却去房裏喫, 爲甚恁地.'"[51]

상채 사씨上蔡謝氏[謝良佐]가 말했다. "내가 이천과 이별한 지 1년이 되어, 가서 뵈었다. 이천이 물었다. '이별한 지 또 1년이 되었는데, 무슨 공부를 하였는가?' (내가) 대답했다. '또한 다만 「자랑함[矜]」을 버리고자 합니다.' (이천이) 물었다. '무슨 까닭인가?' (내가) 대답했다. '자세히 점검해보니, 병통이 다 이 속에 있었습니다. 만약 이 죄과를 눌러 굴복시킬 수 있다면, 비로소 진보할 수 있겠습니다.' 이천이 고개를 끄덕이며, 이에 따라 앉아 있는 문인들에게 말했다. '이 사람은 학문을 하는 데에 있어 절실히 묻고 가까이에서 생각하는 자이다.' 어떤 사람이 물었다. 「자랑함[矜]」의 죄과가 어찌하여 이렇게 큽니까?' (이천이) 대답했다. '요즘 사람들이 일을 할 때, 오직 다른 사람의 눈과 귀에 자랑하려고만 하고, 순전하게 스스로 누리는 일은 상관하지 않는다. 어떤 사람이 한 길 사방에 요리를 차리면 곧 남이 보는 앞에서 먹고, 다만 나물밥과 나물국이면 도리어 방 안에 들어가 먹으니, 심하기가 이러하다.'"

[49-2-7]
和靖尹氏曰 : "克己唯在克其所好, 便是下手處. 然人未有不自知所好處而能克之者. 若不自知, 却克箇甚. 如好財, 卽於財上克 ; 好酒, 卽於酒上克. 今人只爲事事皆好, 便沒下手處. 然須擇其偏好甚處先克."

화정 윤씨和靖尹氏[尹焞]가 말했다. "극기克己는 오직 자기가 좋아하는 것을 극복하는 데에 있으니, 이것이 착수할 곳이다. 그러나 사람이 좋아하는 곳을 스스로 알지 못하면서 극복할 수 있는 자는 아직 없었다. 만약 스스로 알지 못하면 도리어 무엇을 극복할 것인가. 예를 들어 재물을 좋아하면 재물 위에서 극복할

. . . .

50 誠으로 말미암아 … 것 : 『中庸』 제21장에서는 "誠으로 말미암아 밝아짐을 性이라 이르고, 明으로 말미암아 성실해짐을 敎라 이르니, 성실하면 밝아지고, 밝아지면 성실해진다.(自誠明, 謂之性 ; 自明誠, 謂之敎, 誠則明矣, 明則誠矣)"라고 하였다.
51 『上蔡語錄』 권1

것이고, 술을 좋아하면 술 위에서 극복할 것이다. 지금 사람들이 다만 일마다 다 좋아하기 때문에, 곧 착수할 곳이 없는 것이다. 그러나 반드시 그 치우쳐 심히 좋아하는 곳을 가려서 먼저 극복해야 한다."

[49-2-8]

五峯胡氏曰："自反則裕, 責人則蔽. 君子不臨事而恕己, 然後有自反之功. 自反者, 修身之本也. 本得則用無不利."[52]

오봉 호씨五峯胡氏[胡宏]가 말했다. "스스로 돌이키면 넉넉하고, 남에게 요구하면 가리어진다. 군자가 일에 임하여 자기를 용서하지 않은 이후에야 스스로 돌이키는 공이 있게 된다. 스스로 돌이키는 것은 자기를 수양하는 근본이다. 근본이 얻어지면 이로써 이롭지 않은 것이 없을 것이다."

[49-2-9]

朱子曰："克己亦別無巧法. 譬如孤軍猝遇彊敵, 只得盡力舍死向前而已. 尚何問哉!"[53]

주자가 말했다. "극기克己에는 또한 별다른 비법이 없다. 비유하자면 고립된 군대가 갑자기 강적을 만났을 때와 같이, 다만 힘을 다하며 죽기를 각오하여 앞으로 나아갈 뿐이니, 더욱이 무엇을 묻겠는가!"

[49-2-10]

"克己固學者之急務, 亦須見得一切道理了了分明, 方見日用之間一言一動, 何者是正, 何者是邪. 便於此處立定脚跟, 凡是己私, 不是天理者, 便克將去."[54]

(주자가 말했다.) "극기克己는 학자들의 급한 일이지만 또한 일체의 도리를 명명백백하게 이해해야 비로소 일상생활 중의 말 한마디 동작 하나가 어떤 것이 올바른 것이고 어떤 것이 잘못된 것인지 알게 된다. 이곳에서 똑바로 서서, 자기의 사사로운 것으로 천리가 아닌 것을 제거해가야 한다."

[49-2-11]

問："明道曰, 目畏尖物, 某未曉其說."

曰："人有目畏尖物者, 明道先生教以室中率置尖物, 便見之熟而知尖之不刺人也. 則知畏者妄而不復畏矣."[55]

물었다. "명도가 '눈은 날카로운 물건을 두려워한다.'[56]라고 했는데, 저는 그 이론을 아직 이해할 수 없습

· · · · · · · · · · · · · · · · · · · ·
52 『知言』 권1
53 『朱子語類』 권41, 6조목 ; 『朱文公文集』 권50 「答周舜弼」
54 『朱文公文集』 권60 「答杜叔高」
55 『朱文公文集』 권61 「答曾光祖」
56 '눈은 날카로운 … 두려워한다.' : 『河南程氏遺書』 권2하. [49-2-3]을 참조. 『朱文公文集』 권61 「답증광조」에는 '눈은 날카로운 물건을 두려워한다. 이 일은 지나쳐 버려서는 안 되고, 곧바로 이겨내야 한다. 방 안에 날카로운 물건을 가져다 두고, 반드시 이치로써 그것을 이겨야 한다. 날카로운 것이 반드시 사람을 찌르는 것은

니다."

(주자가) 대답했다. "사람들 중에 눈으로 날카로운 물건을 두려워하는 경우가 있는데, 명도선생은 방 안에 날카로운 물건을 가져다 두면, 익숙하게 보게 되어 날카로운 것이 사람을 찌르지 않는다는 것을 알게 된다는 것이다. 그러면, 두려워하던 것이 망령된 것임을 알고 다시는 두려워하지 않게 된다는 것이다."

[49-2-12]

問: "前輩說治懼, 室中率置尖物."

曰: "那箇本不能害人. 心下要恁地懼, 且習教不如此妄怕."

問: "習在危堦上行底亦此意否?"

曰: "那箇却分明是危, 只教習教不怕著."

問: "習得不怕, 少間到危疑之際, 心亦不動否?"

曰: "是如此."[57]

물었다. "선배들은 두려움을 다스리기 위해 방 안에 뾰족한 물건을 가져다 둔다고 말했습니다."

(주자가) 대답했다. "그것은 본래 사람을 해칠 수 없는 것이다. 마음속으로 이처럼 두려워한다면, 우선 익숙해져서 이처럼 망령되게 두려워하지 않도록 한 것이다."

물었다. "위험한 계단 위를 다니는 것에 익숙해지도록 했다[58]는 것도 또한 이런 뜻입니까?"

(주자가) 대답했다. "그것은 오히려 명백하게 위험한 것이니, 다만 교련하여 두려워하지 않도록 한 것이다."

물었다. "두려워하지 않도록 습관을 들이면, 조금 후에 위험한 때가 이르더라도 마음이 또한 움직이지 않는 것입니까?"

(주자가) 대답했다. "이와 같다."

[49-2-13]

問: "克己功夫, 要當自日月至焉推而上之, 至終食之間, 以至造次, 以至顚沛, 一節密一節去, 庶幾持養純熟而三月不違可學而至. 不學則已, 欲學聖人, 則純亦不已. 如此做功夫可否?"

曰: "下學之功, 誠當如此. 其資質之高明者, 自應不在此限. 但我未之見耳."[59]

물었다. "극기克己 공부는 마땅히 '하루나 한 달에 한 번 이르는 것'[60]에서부터 미루어 올라가서, 밥 먹는

아니니, 무슨 두려워할 것이 있겠는가.(目畏尖物, 此事不得放過, 便與克下. 室中率置尖物, 須以理勝它, 尖必不刺人也, 何畏之有?)"라고 전문이 모두 실려 있다.

57 『朱子語類』 권96, 59조목

58 위험한 계단 … 했다: 『伊洛淵源錄』 권9 「謝學士・遺事」와 『宋名臣言行錄』(外集) 권7 「謝良佐・上蔡先生」에서는 "예전에 두려움이 많아서 항상 위험한 계단에서 익숙해지도록 하였다.(舊多恐懼, 常於危階上習.)"라고 했다.

59 『朱文公文集』 권50 「答周舜弼」

60 '하루나 한 … 것': 『論語』 「雍也」에서는 "顔回는 그 마음이 3개월 동안 仁을 떠나지 않았고, 그 나머지 사람들

동안에까지 이르고, 잠깐 사이에까지 이르고, 엎어지는 사이[61]에까지 이르러야 하는 것이니, 한마디 한 마디씩 치밀해져가면, 거의 붙잡아 기르는 것이 순수하고 익숙해져서 '3개월 동안 떠나지 않는' 경지에도 배워 이를 수 있는 것입니다. 배우지 않는다면 그만이지만 성인聖人 되기를 배우고자 한다면, 순수함이 또한 그치지 않아야 합니다. 이와 같이 공부를 하면 되는 것입니까?'

(주자가) 대답했다. "아래로부터 배우는下學 공부는 진실로 마땅히 이와 같아야 한다. 자질이 고명한 사람은 본래 응당 이런 한계가 있지 않을 것이다. 그러나 나는 아직 그런 사람을 보지 못했을 뿐이다."

[49-2-14]

問: "某欲克己而患未能."

曰: "此更無商量. 人患不知耳, 旣已知之, 便合下手做, 更有甚商量. 爲仁由己, 而由人乎哉?"[62]

물었다. "저는 극기克己를 하고자 하지만 잘할 수 없을까 걱정입니다."

(주자가) 대답했다. "이는 다시 의논할 필요도 없다. 사람은 알지 못하는 것을 걱정할 뿐이니 이미 그것을 알았다면 곧 즉시 실행할 것이지, 다시 무슨 의논이 있겠는가. '인을 하는 것이 자기에게 달려 있지 남에게 달려 있겠는가?'"[63]

[49-2-15]

問: "每常遇事時也分明知得理之是非, 這是天理, 那是人欲. 然到做處, 又却爲人欲引去. 及至做了又却悔. 此是如何?"

曰: "此便是無克己工夫. 這樣處極要與他掃除打疊. 如一條大路又有一條小路, 自家也知得合行大路, 然被小路有簡物事引著, 不知不覺走從小路去, 及至前面荊棘蕪穢, 又却生悔. 此便是天理人欲交戰之機. 須是遇事時便與克下, 不得苟且放過. 明理以先之, 勇猛以行之. 若是上智聖人底資質, 他不用著力, 自然循天理而行, 不流於人欲. 若賢人之資次於聖人者, 到得遇事時固不曾錯, 只是先也用分別敎是而後行之. 若是中人之資, 須大段著力, 無一時一刻不照管克治始得. 曾子曰, '「仁以爲己任, 不亦重乎! 死而後已, 不亦遠乎!」 須是如此做工夫. 其言曰, 戰戰兢兢, 如臨深淵, 如履薄氷, 而今而後, 吾知免夫, 小子!' 直是恁地用功方得."[64]

물었다. "매번 일을 맞닥뜨릴 때마다 또한 분명히 이치[理]의 옳고 그름을 알 수 있으니 어떤 것이 천리이

은 하루나 한 달에 한 번 인에 이를 뿐이다.(回也, 其心三月不違仁, 其餘則日月至焉而已矣)"라고 했다.

61 밥 먹는 … 사이: 『論語』 「里仁」에 "군자가 仁을 떠나면 어찌 이름을 이룰 수 있겠는가? 군자는 밥을 먹는 동안이라도 仁을 떠나지 않으니, 경황 중에도 반드시 仁을 하며, 엎어지는 위급한 상황에서도 반드시 仁을 하는 것이다.(君子去仁, 惡乎成名? 君子無終食之間違仁, 造次必於是, 顚沛必於是.)"라고 했다.

62 『朱子語類』 권121, 55조목

63 '인을 하는 … 있겠는가?': 『論語』 「顔淵」

64 『朱子語類』 권119, 24조목

고 어떤 것이 인욕인지 압니다. 그러나 실행하는 곳에 이르러서는 또 도리어 인욕에 끌려가버려 행하고 난 다음에는 또 도리어 후회하게 됩니다. 이는 어떠한 것입니까?"

(주자가) 대답했다. "이것은 바로 극기의 공부가 없어서이다. 이러한 곳은 그것을 완전히 제거하여 정리해야 한다. 예를 들어 큰길이 있고 작은 길도 있는데, 스스로 또한 큰길로 가는 것이 합당하다는 것을 알지만, 작은 길에 있는 사물에 이끌려서 부지불식간에 작은 길을 따라 가다가, 눈앞에 가시덤불이 무성한 곳에 이르러서 또 도리어 후회가 생겨나게 되는 것과 같다. 이것이 곧 천리와 인욕이 서로 싸우는 계기이다. 반드시 일을 만날 때 극복을 해내어서, 구차하게 지나쳐버리지 않아야 한다. 이치[理]를 밝히는 것을 먼저 하고 용맹하게 그것을 행해야 한다. 만약 최상의 지혜를 지닌 성인의 자질이라면, 그가 힘을 쓸 필요도 없이, 자연히 천리를 따라 행하여 인욕으로 흐르지 않는다. 만약 현인의 자질로 성인에 다음가는 자라면, 일을 만났을 때 진실로 잘못하였던 적이 없는데, 다만 먼저 또한 분별하여 이것을 가르친 다음에 행한다. 만약 중인의 자질이라면 반드시 크게 힘을 써서 한순간도 살펴 이겨내어 다스리지 않음이 없어야 한다. 증자가 '인을 자기의 책임으로 삼으니 또한 막중하지 않은가! 죽은 후에야 끝이 나니 또한 멀지 않은가!'[65]라고 했으니, 반드시 이와 같이 공부를 하여야 한다. 그의 말에 「전전긍긍하여 깊은 못을 굽어보듯이 하고 살얼음을 밟듯이 하라.」 했으니, 이제야 나는 (이 몸을 손상시킬까 하는 근심에서) 면한 것을 알겠구나, 제자들이여!'[66]라고 하였으니 줄곧 이렇게 공부를 해야 된다."

[49-2-16]

問: "子張云,[67] '以心克己, 卽是復性, 復性便是行仁義.' 竊謂克己, 便是克去私心, 却云'以心克己,' 莫剩却'以心'兩字否?"

曰: "克己便是此心克之. 公但看'爲仁由己而由人乎哉', 非心而何? '言忠信, 行篤敬, 立則見其參於前, 在輿則見其倚於衡.' 這不是心是甚麽? 凡此等皆心所爲, 但不必更著'心'字. 所以夫子不言心, 但只說在這裏教人做."

又問[68]: "復性便是行仁義. 復是方復得此性, 如何便說行得?"

曰: "旣復得此性, 便恁地行. 纔去得不仁不義, 則所行便是仁義. 那得一箇在不仁不義與仁義之中底物事? 不是人欲, 便是天理; 不是天理, 便是人欲. 所以謂欲知舜與蹠之分者無他, 利與善之間也. 所隔甚不多. 但聖賢把得這界定爾."[69]

물었다. "장자張子[70]는 '마음으로 자기를 이기는 것이 바로 복성復性(성을 회복하는 것)이니, 복성은 바로

· · · · · · · · · · · · · · · · · ·
65 '인을 자기의 … 않은가!' : 『論語』「泰伯」
66 「전전긍긍하여 깊은 … 제자들이여!' : 『論語』「泰伯」
67 子張云 : 『朱子語類』 권99, 55조목에는 子張이 張子로 되어 있다. 내용상 張子로 보는 것이 타당하다.
68 但只說在這裏教人做. 又問 : 『朱子語類』 권99, 55조목에는 이 사이에 "如喫飯須是口, 寫字須是手, 更不用說口喫手寫."가 더 있다.
69 『朱子語類』 권99, 55조목
70 張子 : 『性理大全書』에는 '子張'으로 되어 있지만, 『朱子語類』 권99, 55조목에 의해 '張子'로 고쳤다.

인의를 행하는 것이다.'라고 하였습니다. 제가 생각하기에 자기를 이기는 것은 바로 사심私心을 이겨 제거하는 것인데, 도리어 '마음으로 자기를 이긴다'고 하니, 혹시 '마음으로'라는 말이 불필요한 것이 아닙니까?"

(주자가) 대답했다. "자기를 이기는 것은 바로 이 마음이 이기는 것이다. 그대는 다만 '인을 행하는 것이 나로 말미암은 것이니 남에 달려있는 것이겠는가?'71라는 것을 보면, 이것이 마음이 아니면 무엇이겠는 가? '말을 충성스럽게 하고 믿음직스럽게 하며, 행동을 독실하게 하고 공경스럽게 하며, 일어서면 그것이 앞에 참여함을 볼 수 있고, 수레에 있으면 그것이 멍에에 기댐을 볼 수 있다.'72라는 것을 보면, 이것이 마음이 아니면 무엇이겠는가? 이러한 것들은 모두 마음이 한 것이지만, 그러나 '마음心'이라는 글자를 재삼 드러낼 필요가 없는 것이다. 그래서 공자가 마음心을 말하지 않았지만, 그 내용이 내재되어 있어 사람들에게 행하도록 하였다."

또 물었다. "'복성復性은 인의를 행하는 것이다'라고 한 것에서 '복復'은 이제 이 성性을 회복한 것인데, 어떻게 (인의를) 행한다는 것을 말합니까?"

(주자가) 대답했다. "이미 이 성을 회복했으면, 이렇게 행하는 것이다. 불인不仁과 불의不義를 없애기만 하면, 행하는 것은 바로 인과 의이다. 불인·불의와 인·의의 중간에 존재하는 것이 하나라도 있을 수 있겠는가? 인욕人欲이 아니면 곧 천리天理이고, 천리가 아니면 곧 인욕이다. 그래서 '순임금과 도척盜蹠의 분별을 알고자 한다면 다른 것이 없다. 이로움과 선함의 사이인 것이다.'73라고 한 것이다. 그 차이가 많이 벌어진 것은 아니지만, 성현은 이 경계를 확정 지으신 것이다."

[49-2-17]

南軒張氏曰 : "克己之偏之難, 當用大壯之力. 然而力貴於壯而工夫貴於密. 若工夫不密, 雖勝 於暫而終不能持於久而銷其端. 觀諸顏子沈潛積習之功爲如何哉. 有不善未嘗不知, 知之未 嘗復行, 非工夫篤至久且熟, 也其能若是乎?"74

남씨 장씨南軒氏張栻가 말했다. "자기의 치우침을 극복하는 것은 어려우니, 마땅히 크게 씩씩한 대장大 壯괘의 힘을 써야 할 것이다. 그러나 힘은 씩씩한 것을 귀하게 여기고, 공부는 꼼꼼한 것을 귀하게 여긴 다. 만약 공부가 꼼꼼하지 않으면, 비록 잠시 동안 뛰어나더라도 끝내 오랫동안 지속할 수 없어 그 단서 를 사라지게 할 것이다. 안자顏子가 침잠沈潛하고 되풀이 하여 쌓아나가는 공이 어떠한 것인가 관찰하라. 불선함이 있으면 알지 않은 적이 없고, 알았으면 다시 실천하지 않은 적이 없었으니, 공부가 돈독하여 오래되고 또 익숙해지지 않고서는 또한 이와 같을 수가 있겠는가?"

---

71 '인을 행하는 … 것이겠는가?' : 『論語』「顏淵」
72 '말을 충성스럽게 … 있다.' : 『論語』「衛靈公」
73 '순임금과 盜蹠의… 것이다.' : 『孟子』「盡心上」
74 『南軒集』 권27 「答喬德瞻」

[49-2-18]

魯齋許氏曰 : "責得人深者必自恕. 責得己深者必薄責於人, 蓋亦不暇責人也. 自責以至於聖賢地面, 何暇有工夫責人! 見人有片善早去做學他, 蓋不見其人之可責, 惟責己也, 顔子有之. 以衆人望人則皆可 ; 以聖賢望人則無完人矣. '子曰, 賜也賢乎哉, 夫我則不暇.'"[75]

노재 허씨魯齋許氏許衡가 말했다. "남을 심하게 나무라는 사람은 반드시 스스로에게 너그럽다. 자기 자신을 심하게 나무라는 사람은 반드시 남에게 조금 나무라니, 아마도 또한 남을 나무랄 겨를이 없기 때문일 것이다. 스스로를 나무라서 성현의 경지에 이르도록 요구한다면, 어느 겨를에 남을 나무랄 공부를 하겠는가! 남에게 한 조각의 선함이 있는 것을 보면 일찌감치 달려가 그를 본받아 배우니, 아마도 그 사람에게 나무랄 만한 것을 보지 않고, 오직 자기 자신을 나무라는 것은 안자顔子가 지닌 점이다. 일반인의 기준으로 남에게 바라면 모두 괜찮지만, 성현의 기준으로 남에게 바란다면 완전한 사람이 없다. '공자가 「사賜子貢는 현명한가 보다. 나는 그럴 겨를이 없구나.」라고 하셨다.'"[76]

[49-2-19]

"責己者可以成人之善. 責人者適以長己之惡."[77]

(노재 허씨가 말했다.) "자기를 나무라는 자는 남의 선함을 완성시켜줄 수 있다. 남을 나무라는 자는 자기의 악함을 키울 뿐이다."

[49-2-20]

"喜怒哀樂愛惡欲一有動於心, 則氣便不平. 氣旣不平, 則發言多失. 七者之中惟怒爲難治, 又偏招患難. 須於盛怒時堅忍不動, 俟心氣平時, 審而應之, 庶幾無失. 忿氣劇炎火焚如徒自傷. 觸來勿與競. 事過心淸涼."[78]

(노재 허씨가 말했다.) "희노애락애오욕은 한 번 마음에서 움직임이 있어서 기氣가 평온하지 못한 것이다. 기가 평온하지 못하면 말로 나오는 것에 잘못이 많다. 7가지 중에서 오직 노怒만이 다스리기 어렵고, 또 치우쳐 있어 환난을 초래한다. 반드시 노怒가 왕성할 때에 굳게 참아내어 동요되지 않으며, 심기心氣가 평온할 때를 기다려 상세히 살펴 거기에 응한다면 거의 잘못이 없을 것이다. 분기忿氣가 심해지면 격렬한 감정이 세차게 타오르는 불과 같아 공연히 스스로를 해칠 뿐이다. 그런 감정을 만나면 다투지 말라. 일이 지나가면 마음은 맑아질 것이다."

· · · · · · · · · · · · · · · · · · · ·

75 『魯齋遺書』 권1 「語錄上」
76 '공자가 「賜子貢는 … 하셨다.' : 『論語』 「憲問」 에는 "자공이 인물을 비교하니, 공자가 '사(자공)는 현명한가보다. 나는 그럴 겨를이 없구나.'라고 말했다.(子貢方人. 子曰, '賜也賢乎哉, 夫我則不暇.')"라고 되어 있다.
77 『魯齋遺書』 권1 「語錄上」
78 『魯齋遺書』 권1 「語錄上」

[49-3-1]

程子曰 : “凡夫之過多矣, 改改之者猶無過也.⁷⁹ 惟格趣汙下之人,⁸⁰ 其改之爲最難, 故其過最甚.” 以下論改過⁸¹

정자가 말했다. “범부凡夫는 과실이 많지만, 그것을 고치고 고치는 자는 오히려 과실이 없어질 것이다. 오직 분별력이 떨어지는 사람의 경우에는 그것을 고치는 것이 가장 어려우므로 그 과실이 가장 심하다.” 이하는 잘못을 고치는 것[改過]에 대해 논한다.

[49-3-2]

“行之失莫甚於惡, 則亦改之而已矣. 事之失莫甚於亂, 則亦治之而已矣. 苟非自暴自棄者, 孰不可與爲君子!”⁸²

(정자가 말했다.) “행위의 잘못은 악함보다 심한 것은 없으니 또한 그것을 고칠 뿐이다. 일의 잘못은 어지러움[亂]보다 심한 것은 없으니 또한 그것을 다스릴 뿐이다. 스스로 해치고 스스로 버리는 자⁸³가 아니라면 누군들 함께 군자가 될 수 없겠는가!”

[49-3-3]

“有過必改, 罪己是也. 改而已矣. 常有歉悔之意, 則反爲心害.”⁸⁴

(정자가 말했다.) “잘못이 있으면 반드시 고쳐야 하니, 자기를 탓하는 것이 옳다. (잘못을) 고칠 뿐이다. 항상 부족해하고 뉘우치는 마음을 가지면 도리어 마음에 해가 된다.”

[49-3-4]

“罪己責躬不可無, 然亦不當長留在心胸爲悔.”⁸⁵

(정자가 말했다.) “자기를 탓하고 스스로를 나무라는 것은 없어서는 안 되지만, 또한 오랫동안 마음속에 후회를 담아두어서는 안 된다”

. . . .

79 改改之者猶無過也. : 『二程粹言』 권상 「論學篇」에는 “能改之者猶無過也”로 되어 있다.

80 惟格趣汙下之人 : 『二程粹言』 권상 「論學篇」에는 ‘格’이 ‘識’으로 되어 있다.

81 『二程粹言』 권상 「論學篇」

82 『河南程氏遺書』 권4

83 스스로 해치고 … 자 : 『孟子』 「離婁上」에 “스스로 해치는 자는 그와 함께 말할 수 없고, 스스로 버리는 자는 그와 함께 일할 수 없다. 말할 때에 禮義를 비방하는 것을 自暴라 하고, 내 몸은 仁에 居하고 義를 따를 수 없다 하는 것을 自棄라고 한다.(自暴者, 不可與有言也 ; 自棄者, 不可與有爲也. 言非禮義, 謂之自暴也 ; 吾身不能居仁由義, 謂之自棄也.)”라고 하였다.

84 『二程粹言』 권상 「論學篇」

85 『河南程氏遺書』 권3

[49-3-5]

涑水司馬氏曰: “去惡而從善, 捨非而從是, 人或知之而不能徙, 以爲如制駻馬, 如斡磻石之難也. 靜而思之, 在我而已, 如轉戶樞, 何難之有?”[86]

속수 사마씨涑水司馬氏(司馬光)가 말했다. “악을 제거하고 선을 따르며, 잘못을 버리고 옳음을 따라야 한다는 것을 사람들은 간혹 알지만 실행하지 못하면서, 마치 사나운 말을 제어하는 것과 같고, 큰 바위를 돌리는 어려움과 같다고 생각한다. (그러나) 고요히 그것을 생각해보면, 나에게 있을 뿐이니, 문지도리를 돌리듯이 하면 무슨 어려움이 있겠는가?”

[49-3-6]

朱子曰: “知得如此是病, 卽便不如此是藥, 若更問何由得如此, 則是騎驢覓驢, 只成一場閒說話矣.”[87]

주자가 말했다. “이렇게 하는 것이 병이며 곧 이렇게 하지 않는 것이 약임을 알고서도, 만약 다시 무엇 때문에 이렇게 하는지를 묻는다면 이는 나귀를 타고서 나귀를 찾는 격이니, 다만 한 바탕 쓸데없는 소리가 될 뿐이다.”

[49-3-7]

答蔡季通書曰: “所謂一劒兩段者, 改過之勇固當如此. 改過貴勇而防患貴怯, 二者相須, 然後眞可以脩慝辨惑而成徙義崇德之功. 自今以往,[88] 設使眞能一劒兩段, 亦不可以此自恃. 而平居無事常存祗畏警懼之心以防其源, 則庶乎其可耳.”[89]

(주자가) 「답채계통서答蔡季通書」에서 말했다. “이른바 ‘한 칼로 두 동강이를 낸다.’는 것은 잘못을 고치는 용기가 진실로 이와 같아야 한다는 것이다. 잘못을 고치는 데에는 용기가 귀한 것이지만, 환난을 막는 데에는 겁내는 것이 귀한 것이니, 이 둘이 서로 조화한 뒤에야 진실로 간특함을 수양하고 미혹을 분별하여, 의義에 옮기고 덕을 높이는[90] 공을 이룰 수 있다. 지금 이후로 설사 참으로 한 칼로 두 동강이를

---

86 『傳家集』권74 「迃書・回心」

87 『朱文公文集』권64 「答或人」

88 然後眞可以脩慝辨惑而成徙義崇德之功. 自今以往: 『朱文公文集』권44 「答蔡季通」에는 이 사이에 “不然, 則向來竊聆悔過之言, 非不切至, 而前日之書, 頓至於此, 亦可驗矣.(그렇게 하지 않으면, 지난번에 잘못을 후회하는 말을 내가 들었는데, 간절하고 지극하지 않음이 없었지만, 전날의 편지에서 문득 여기에 이르렀다는 것을 또한 증험할 수 있다.)”라는 글이 더 있다.

89 『朱文公文集』권44 「答蔡季通」

90 간특함을 수양하고 … 높이는: 『論語』「顔淵」에 “자장이 덕을 높이며, 미혹을 분별함을 묻자, 공자가 대답했다. ‘忠信을 주장하며 義에 옮김이 덕을 높이는 것이다. 사랑할 때에는 그것이 살기를 바라고, 미워할 때에는 그것이 죽기를 바라니, 이미 살기를 바랐다가 또 죽기를 바라는 것이 이것이 의혹이다. 진실로 부유하게도 하지 못하고, 또한 다만 이상함만 취할 뿐이다.’(子張問崇德辨惑, 子曰, ‘主忠信, 徙義, 崇德也. 愛之欲其生, 惡之欲其死, 旣欲其生, 又欲其死, 是惑也. 誠不以富, 亦祗以異.’)”라고 하였다. 또한 『論語』「顔淵」에 “번지가

낼 수 있다 하더라도 또한 이것을 자부하지 말라. 평상시 일이 없을 때 항상 공경하고 두려워하며 경계하는 마음을 보존하여 그 (잘못의) 근원을 막는다면 아마도 괜찮을 것이다."

[49-3-8]

問: "氣質昏蒙, 作事多悔. 有當下便悔時. 有過後思量得不是方悔時. 或經久所爲因事機觸得悔時. 方悔之際, 惘然自失, 此身若無所容, 有時恚恨至於成疾, 不知何由可以免此."

曰: "旣知悔時, 第二次莫恁地便了, 不消得常常地放在心下. 那'未見能見其過而內自訟'底, 便是不悔底. 今若信意做去, 後蕩然不知悔, 固不得; 若旣知悔, 後次改便了, 何必常常恁地悔?"

又曰: "悔字難說, 旣不可常存在胸中以爲悔, 又不可不悔. 若只說不悔, 則今番做錯且休, 明番做錯又休, 不成說話."

問: "如何是著中底道理?"

曰: "不得不悔, 但不可留滯. 旣做錯此事, 他時更遇此事或與此事相類, 便須懲戒, 不可再做錯了."[91]

물었다. "기질이 우매하여 일을 하면 후회하는 경우가 많습니다. 곧바로 후회할 때도 있고, 잘못한 다음에 옳지 않은 것을 생각해내어 후회할 때도 있습니다. 어떤 때는 오랜 시간이 흐른 뒤에 행했던 일의 시기 때문에 후회를 느낄 때도 있습니다. 후회될 때에는 망연자실하여 나 자신이 마치 쓸모없는 것 같고, 때로는 분하고 원통해서 병이 나는 지경에 이르기도 합니다. 어떻게 해야 여기에서 벗어날 수 있는지 모르겠습니다."

(주자가) 대답했다. "후회될 때 알았다면, 두 번째에는 그렇게 하지 않으면 그만이지, 항상 마음속에 담아 둘 필요는 없다. '자신의 잘못을 보고서 마음속으로 자책하는 자를 아직 보지 못하였다.'[92]는 것은 후회하지 않는 것이다. 만약 마음대로 행동하고 나중에도 전혀 후회할 줄 모른다면 물론 안 되지만, 만약 이미 후회할 줄 알고 다음번에 고쳤으면 그만이니, 어찌 그와 같이 항상 후회할 필요가 있겠는가?"

(주자가) 또 말했다. "'후회한다'는 말은 설명하기 어려우니, 마음속에 항상 품고서 후회한다고 여겨서도 안 되지만, 또 후회하지 않아도 안 되는 것이다. 만약 다만 후회하지 않는다고 한다면 지금 잘못을 저질렀을 때에도 편안하고, 다음번에 잘못을 저질렀을 때에도 또 편안할 것이니, 말이 되지 않는다."

· ·

공자를 따라서 무우의 아래에 노닐다가, '감히 덕을 높이며, 간특함을 수양하며, 미혹을 분별함을 묻겠습니다.' 라고 하였다. 공자가 대답했다. '훌륭하구나, 질문이여. 일을 먼저 하고 얻는 것을 나중에 하는 것이 덕을 숭상하는 것이 아니겠는가! 자기의 나쁜 점은 공격하면서 다른 사람의 나쁜 점을 공격하지 않는 것이 간특함을 수양하여 고치는 것이 아니겠는가! 하루아침의 화로 인해서 그 몸을 잊어 버려 그 어버이에게까지 미치는 것이 미혹이 아니겠는가!'("樊遲從遊於舞雩之下, 曰, '敢問崇德修慝辨惑.' 子曰, '善哉問. 先事後得, 非崇德與! 攻其惡, 無攻人之惡, 非修慝與! 一朝之忿, 忘其身, 以及其親, 非惑與!')라고 하였다.

91　問: "氣質昏蒙, … 何必常常恁地悔?"는 『朱子語類』 권116, 3조목의 글이고 "悔字難說, … 不可再做錯了."는 『朱子語類』 권13, 136조목의 글이다.

92　'자신의 잘못을 … 못하였다.': 『論語』 「公冶長」

물었다. "어떻게 하면 중中의 도리를 드러낼 수 있겠습니까?"

(주자가) 대답했다. "후회하지 않을 수 없지만, 그렇다고 (후회에) 머물러 있어서는 안 된다. 이미 어떤 일을 잘못했으면, 다른 때에 다시 이런 일 혹은 이 일과 비슷한 일을 만났을 때, 곧 반드시 경계하고 주의하여 다시는 잘못을 반복하지 말아야 한다."

[49-3-9]

南軒張氏曰: "著是去非, 改過遷善, 此經語也. 非不去, 安能著是; 過不改, 安能遷善? 不知其非, 安能去非; 不知其過, 安能改過? 自謂知非而不能去非, 是不知非也. 自謂知過而不能改過, 是不知過也. 眞知非, 則無不能去; 眞知過, 則無不能改. 人之患在不知其非, 不知其過而已. 所貴乎學者, 在致其知改其過也."[93]

남헌 장씨南軒張氏[張栻]가 말했다.[94] "옳음은 드러내고 그릇됨은 제거하며, 잘못을 고쳐서 선으로 옮겨가라는 이 말은 경전의 말씀이다. 그릇됨이 제거되지 않으면 어찌 옳음이 드러날 수 있겠으며, 잘못이 고쳐지지 않으면 어찌 선으로 옮겨갈 수 있겠는가? 그것이 그릇됨을 알지 못하면 어찌 그릇됨을 제거할 수 있겠으며, 그것이 잘못인 줄 알지 못하면 어찌 잘못을 고칠 수 있겠는가? 스스로 그릇된 것을 안다고 하면서 그릇된 것을 제거할 수 없는 것은, 이는 그릇됨을 알지 못한 것이다. 스스로 잘못인 줄 안다고 하면서 잘못을 고치지 못하는 것은, 이는 잘못을 알지 못한 것이다. 진실로 그릇됨을 안다면 제거하지 않을 수 없고, 진실로 잘못임을 안다면 고치지 않을 수 없는 것이다. 사람의 근심은 그것이 그릇된 것인 줄 모르는데 있으며, 그것이 잘못된 것인 줄 모르는 데 있을 뿐이다. 배우는 자에게 귀하게 여겨지는 것은 그 잘못을 고칠 줄을 지극히 깨달아 아는 데에 있다."

[49-3-10]

象山陸氏曰: "學者不長進, 只是好己勝. 出一言, 做一事, 便道全是, 豈有此理? 古人惟貴知過則改, 見善則遷. 今各自執己是, 被人點破便愕然, 所以不如古人."[95]

상산 육씨象山陸氏[陸九淵]가 말했다. "배우는 자가 오랫동안 진보하지 못하는 것은 다만 자신이 이기기를 좋아해서이다. 말 한 마디를 하거나 일 한 가지를 행할 때면 곧 완전히 옳다고 말하지만, 어찌 이런 이치가 있겠는가? 옛사람들은 오직 잘못을 알면 고치는 것과 선을 보면 옮기는 것을 귀하게 여겼다. 지금은 각자 자기가 옳다고 고집하다가, 남에게 지적을 당하면 깜짝 놀라니, 그래서 옛사람만 못한 것이다."

[49-3-11]

西山眞氏曰: "過雖聖賢不能無. 蓋過者, 過誤之謂也. 知其爲過而速改, 則無過矣. 故『論語』曰,

∙∙∙∙∙∙∙∙∙∙∙∙∙∙∙∙∙∙∙∙∙∙∙∙∙∙∙∙∙∙

93 『商山集』 권14 「與羅章夫」
94 南軒張氏[張栻]가 말했다: 『商山集』 권14 「與羅章夫」에 실려 있는 것으로 보아, 육구연의 글로 보인다.
95 『商山集』「象山語錄」 권3

'過而不改, 是謂過矣'. 『左傳』曰, '人誰無過, 過而能改, 善孰大焉.' 子貢曰, '君子之過, 如日月之食焉, 過也人皆見之, 更也人皆仰之.' 孟子曰, '古之君子, 過則改之. 今之君子, 過則順之.' 成湯之聖, 猶且'改過不吝'; 顏子之賢, 猶曰'不貳過.' 以此可見雖聖賢必以改過爲貴. 若知其爲過不肯速改, 則是文過遂非而流於惡矣. 蓋無心而誤則謂之過, 有心而爲則謂之惡. 不待別爲不善方謂之惡, 只知過不改是有心便謂之惡. 『易』曰, '風雷益, 君子以見善則遷, 有過則改.' 天下之至迅疾者莫如風雷, 故聖人以此爲遷善改過之象. 此卽過勿憚改之意也."[96]

서산 진씨西山眞氏[眞德秀]가 말했다. "잘못은 비록 성현이라 하더라도 없을 수 없는 것이다. 잘못이란 과오를 말한다. 잘못을 알고서 신속히 고치면 잘못이 없게 된다. 그러므로 『논어』에 '잘못이 있어도 고치지 않는 것을 이것을 진짜 잘못이라고 한다.'[97]라고 하였고, 『좌전』에 '사람은 누구든 잘못이 없겠는가만 잘못을 저지르고 나서 고칠 수 있다면 이보다 더 큰 착함은 없다.'[98]라고 하였으며, 자공이 '군자의 잘못은 일식·월식과 같아 잘못이 있으면 사람들이 모두 볼 수가 있고, 잘못을 고쳤을 때에는 사람들이 우러러본다.'[99]라고 말했고, 맹자는 '옛날의 군자들은 잘못이 있으면 고쳤는데, 지금의 군자들은 잘못이 있으면 그것을 이루는구나!'[100]라고 하였다. 탕왕湯王의 성스러움으로도 오히려 또 '잘못을 고치는 데 인색하지 않았고,'[101] 안자의 어짊으로도 오히려 '잘못을 두 번 다시 저지르지 않았다.'[102]고 했으니, 이로써 비록 성현이라 하더라도 반드시 잘못을 고치는 것을 귀하게 여긴다는 것을 알 수 있다. 만약 잘못을 저질렀다는 것을 알고도 신속히 고치려 들지 않는다면, 이는 잘못을 치장하고 그릇됨을 완성하여 악으로 흐르게 되는 것이다. 무심결에 그르치는 것은 잘못[過]이라고 하고, 마음속으로 알면서 행하는 것은 악함[惡]이라고 한다. 분별하려 하지 않고 불선을 행하는 것을 악함이라고 하고, 다만 잘못인 줄 알면서 고치지 않는 것은 마음이 개입된 것이니 악함이라고 한다. 『주역』에 '바람과 우레가 익益이니, 군자가 보고서 선을 보면 옮겨가고 잘못이 있으면 고친다.'[103]라고 하였는데, 천하에서 지극히 신속한 것은 바람과 우레만 한 것이 없으니 그러므로 성인은 이것을 본받아서 선으로 옮겨가고 잘못을 고치는 상象으로 삼았다. 이것이 바로 잘못은 고치기를 꺼려하지 말아야 한다[104]는 뜻이다."

[49-4-1]

程子曰: "欲當大任, 須是篤實." 以下雜論處心立事.

. . . .

96 『西山文集』 권30 「問過則勿憚改」

97 '잘못이 있어도 … 한다.': 『論語』「衛靈公」

98 '사람은 누구든 … 없다.': 『左傳』「宣公 2年」

99 '군자의 잘못은 … 우러러본다.': 『論語』「子張」

100 '옛날의 군자들은 … 그것을 이루는구나!': 『孟子』「公孫丑下」

101 '잘못을 고치는 … 않았고': 『書經』「仲虺之誥」 제5장

102 '잘못을 두 … 않았다.': 『論語』「雍也」

103 '바람과 우레가 … 고친다.': 『周易』「益卦·大象傳」

104 잘못은 고치기를 꺼려하지 말아야 한다.: 『論語』「學而」에는 "過則勿憚改"로 되어 있다.

정자가 말했다. "큰 임무를 감당하려고 한다면, 반드시 독실해야 한다." 이하는 마음을 두고 일을 확고히 하는 것을 섞어 논의했다.

[49-4-2]

"有志之士, 不以天下萬物撓己, 己立矣, 則運天下濟萬物, 必有餘裕."[105]

(정자가 말했다.) "뜻을 지니고 있는 선비는 천하만물 때문에 자신을 어지럽히지 않으니, 자신이 서면 천하를 운용하여 만물을 구제하는 데에도 반드시 여유가 있다."

[49-4-3]

"厚責於吾所感, 薄責於人所應, 惟君子能之."[106]

(정자가 말했다.) "내가 느끼는[感] 마음에 대해서는 두텁게 요구[責]하고, 남들이 대응하는[應] 태도에는 엷게 요구[責]하는 것, 이는 오직 군자만이 할 수 있는 것이다."

[49-4-4]

"天下之事, 苟善處之, 雖悔可以成功 ; 不善處之, 雖利反以爲害"[107]

(정자가 말했다.) "천하의 일은 선으로 대처한다면 비록 후회스러울지라도 공을 이룰 수 있지만, 불선으로 대처하면 비록 이롭더라도 도리어 해롭게 된다."

[49-4-5]

"人當審己如何, 不必恤浮議. 志在浮議, 則心不在內, 不可應卒處事."[108]

(정자가 말했다.) "사람이 마땅히 자신을 어떻게 성찰하여야 하겠는가, 헛된 논의로 속 태울 필요가 없다. 뜻이 헛된 논의에 있으면 마음이 내면에 있지 않게 되니, 급한 대로 대응하여 일을 처리해서는 안 된다."

[49-4-6]

"大凡利害禍福, 亦須致命始得. 致之爲言,[109] 直如人以力自致之謂也. 得之不得, 命固已定. 君子須知他命方得. 不知命, 無以爲君子. 蓋命苟不知, 無所不至. 故君子於困窮之時, 須致命便遂得志. 其得禍得福, 皆以自致, 只要申其志而已."[110]

· ·

105 『二程粹言』 권하
106 『二程粹言』 권하
107 『二程粹言』 권상
108 『河南程氏遺書』 권7
109 亦須致命始得. 致之爲言 : 『河南程氏遺書』 권2上에는 "亦須致命. 須得致之爲言"으로 되어 있다.
110 『河南程氏遺書』 권2上

(정자가 말했다.) "대개 이로움과 해로움과 화와 복은 또한 반드시 명命을 다해야 한다. 다해야 한다는 말은 곧 마치 사람이 스스로 있는 힘을 다한다는 것과 같다. 얻음과 얻지 못함에는 명命이 이미 정해져 있다. 군자는 반드시 그 명을 알아야 한다. 명을 알지 못하면 군자가 될 수가 없다. 명을 진실로 알지 못하면 힘쓰지 않는 곳이 없을 것이다. 그러므로 군자는 곤궁할 때에 반드시 명을 다하여 끝내 뜻을 얻는다. 화를 얻고 복을 얻는 것은 모두 스스로 부른 것이니, 다만 그 뜻을 펼치기만 할 뿐이다."

[49-4-7]

"人之於患難只有一箇處置. 盡人謀之後, 却須泰然處之. 有人遇一事, 則心心念念不肯捨, 畢竟何益! 若不會處置了放下, 便是無義無命也."[111]

(정자가 말했다.) "사람이 환난에서 다만 한 가지의 처치만 있다. 사람의 지략을 다하고 나서는 도리어 태연히 대처해야 한다. 어떤 사람이 한 가지 일을 만나면 마음속으로 내려놓으려 하지 않는다면 끝내 무슨 이로움이 있겠는가! 만약 처치하고 내려놓지 못한다면 곧 의가 없고 명이 없는 것이다."[112]

[49-4-8]

"人莫不知命之不可遷也. 臨患難而能不懼, 處貧賤而能不變, 視富貴而能不慕者, 吾未見其人也."[113]

(정자가 말했다.) "사람이 명을 옮길 수 없는 것임을 모르는 것은 아니다. (그러나) 환난에 임해서 두려워하지 않을 수 있고, 빈천함에 처하여 변하지 않을 수 있으며, 부귀를 바라보면서 사모하지 않을 수 있는 자를, 나는 아직 보지 못하였다."

[49-4-9]

"處患難, 知其無可奈何, 遂放意而不反, 非安於義命者."[114]

(정자가 말했다.) "환난에 처하여 어찌할 수 없는 것임을 알고서는 끝내 뜻을 제멋대로 하고 돌이키지 않는 것은 의와 명을 편안히 받아들이는 자가 아니다."

---

111 『河南程氏遺書』 권2上
112 葉采는 『近思錄』에서 "사람이 환난을 만났을 때 다만 마땅히 그것을 대처해야 할 방도를 살펴보아야 하니, 이른바 의이다. 만약 처치한 다음에 나에게 빠뜨린 것이 없다면 또한 편안해 할 뿐이다. 성공과 실패와 날카로움과 둔함은 또한 어찌할 것이 없으니, 이른바 명이다. 간혹 일을 만나서 처치하지 못하는 것은 의가 없는 것이다. 간혹 처치했는데, 내려놓지 못하는 것은 이는 명이 없는 것이다.(人遇患難, 但當審所以處之之道, 所謂義也. 若夫處置之後, 在己無闕, 則亦安之而已. 成敗利鈍, 亦無如之何, 所謂命也. 或遇事而不能處, 是無義也. 或處置了而不能放下, 是無命也.)"라고 주해하였다.
113 『二程粹言』 권하
114 『二程粹言』 권상. 『伊川易傳』 권4 「未濟卦」에는 "人之處患難, 知其无可奈何而放意不反者, 豈安於義命者哉!"라고 되어 있다.

[49-4-10]

"當爲國之時, 旣盡其防慮之道矣, 而猶不免則命也. 苟惟致其命, 安其然, 則危塞險難, 無足以動其心者, 行吾義而已, 斯可謂之君子."115

(정자가 말했다.) "나라를 다스릴 때에는 이미 방비하고 염려하는 도리를 다하고서도 오히려 (곤궁함을) 면하지 못하면 명命이다. 진실로 오직 그 명을 다하고, 그 본래 그러함을 편안히 받아들인다면, 위험과 막힘과 험함과 어려움이 그 마음을 동요시킬 수 있는 것이 없으니, 나의 의를 행할 뿐인데, 이러한 자를 군자라고 할 수 있다."

[49-4-11]

"儒者只合言人事, 不得言有數. 直到不得已處, 然後歸之於命可也."116

(정자가 말했다.) "유자儒者는 다만 마땅히 인사를 말할 뿐이지, 운수數가 있다고 말해서는 안 된다. 곧바로 부득이한 곳에 도달한 다음에야 명으로 돌리는 것은 괜찮다."

[49-4-12]

或謂: "人莫不知和柔寬緩, 然臨事則反至於暴厲."

曰: "只是志不勝氣, 氣反動其心也."

又曰: "事以急而敗者十常七八."117

어떤 사람이 물었다. "사람이 온화함과 부드러움과 관대함과 너그러움을 모르는 것은 아니지만, 일에 임하게 되면 도리어 난폭하고 사나워집니다."

(정자가) 대답했다. "다만 뜻이 기운을 이기지 못하고, 기운이 도리어 그 마음을 움직인 것일 뿐이다."

(정자가) 또 말했다. "일은 서두르기 때문에 실패하는 것이 열 중 일고여덟이다."

[49-4-13]

"君子不欲才過德, 不欲名過實, 不欲文過質. 才過德者不祥, 名過實者有殃, 文過質者莫與之長."118

· ·

115 『二程粹言』권하. 『伊川易傳』권4「坤卦」에는 "군자가 곤궁한 때를 당하여 이미 방비하고 염려하는 道를 다하였는데도 면할 수 없다면 이는 命이니, 마땅히 그 명을 미루어 지극히 하여 뜻을 이루어야 한다. 명의 當然함을 알았다면 窮塞과 禍患에 마음을 동요하지 않고 자신의 義를 행할 뿐이다.(君子當困窮之時, 旣盡其防慮之道而不得免, 則命也. 當推致其命, 以遂其志. 知命之當然也, 則窮塞禍患, 不以動其心, 行吾義而已.)"라고 되어 있다.

116 『河南程氏外書』권6

117 "或謂人莫不知和柔寬緩, 然臨事則反至於暴厲. 曰只是志不勝氣, 氣反動其心也."는 『河南程氏遺書』권17의 글이고, "又曰事以急而敗者十常七八."은 『二程粹言』권상의 글이다.

118 『河南程氏遺書』권25

(정자가 말했다.) "군자는 재주가 덕을 넘는 것을 원하지 않고, 이름이 실질을 넘는 것을 원하지 않으며, 문文이 질質을 넘는 것을 원하지 않는다. 재주가 덕을 넘는 자는 상서롭지 못하고, 이름이 실질을 넘는 자에게는 재앙이 있으며, 문이 질을 넘는 자는 그와 함께 오래 할 수 없다."

[49-4-14]

"有實則有名, 名實一物也. 若夫好名者, 則徇名爲虛矣. 如君子疾沒世而名不稱, 謂無善可稱耳, 非徇名也."[119]

(정자가 말했다.) "실질이 있으면 이름이 있으니, 이름과 실질은 하나이다. 이름을 좋아하는 자의 경우에는 이름을 위해 목숨을 거니 헛된 짓을 하는 것이다. 군자의 경우, 죽을 때까지 이름이 칭송되지 않는 것을 미워한다는 것은 칭송할 만한 선함이 없는 것을 말한 것이지, 이름을 위해서 목숨을 건다는 것이 아니다."

[49-4-15]

張子曰 : "天下事大患只是畏人非笑. 不養車馬, 食粗衣惡, 居貧賤, 皆恐人非笑. 不知當生則生, 當死卽死. 今日萬鐘, 明日棄之, 今日富貴, 明日饑餓, 亦不卹, 惟義所在."[120]

장자가 말했다. "천하의 일에서 큰 근심거리는 다만 남이 비웃을까 두려워하는 것이다. 수레와 말을 기르지 않고, 거친 음식을 먹고 누추한 옷을 입으며, 빈천한 곳에 사는 것 등은 모두 남들이 비웃을까 두려워하는 것들이다. (이러한 자들은) 마땅히 살아야 하면 살고, 마땅히 죽어야 하면 죽을 줄 모르는 것이다. 오늘 만종의 녹을 가지고 있다가 내일 내버리고, 오늘 부귀했다가 내일 굶주리는 것도 또한 걱정하지 않으니, 오직 의義가 있는 대로 하는 것이다."[121]

[49-4-16]

"欲事立, 須是心立. 心不敬, 則怠惰, 事無由立. 況聖人誠立, 故事無不立也. 道義之功甚大, 又極是尊貴之事."[122]

(장자가 말했다.) "일을 수립하고자 하면 반드시 마음을 수립해야 한다. 마음이 경敬하지 않으면 게을러서 일이 수립될 수 없다. 하물며 성인이 성誠을 수립함에 있어서랴, 그러므로 일이 수립되지 않는 것이 없다. 도의의 공이 매우 크며 또 지극히 존귀한 일이다."

· ·
119 『河南程氏遺書』권11
120 『張子全書』권7 「自道」
121 오직 義가… 것이다. : 『孟子』「離婁下」에 "대인이란 말은 믿게 하기를 기필하지 않으며, 행실은 과단성 있게 하기를 기필하지 않고, 오직 의가 있는 대로 하는 것이다.(大人者, 言不必信, 行不必果, 惟義所在.)"라고 하였다.
122 『張子全書』권5 「氣質」

[49-4-17]

"某平生於公勇, 於私怯, 於公道有義, 眞是無所懼. 大凡事不惟於法有不得, 更有義之不可, 尤所當避."[123]

(장자가 말했다.) "내가 평생 공적인 용기와 사적인 겁냄과 공적인 도의에 의義를 간직했더니, 진실로 두려워할 것이 없었다. 대개 일은 오직 법도상에서만 할 수 없는 것이 있는 게 아니라, 의리에서도 해서는 안 되는 것이 있는 것이니, 더욱 마땅히 피해야 할 것이다."

[49-4-18]

上蔡謝氏曰 : "懷固蔽自欺之心, 長虛驕自大之氣, 皆好名之故."[124]

상채 사씨上蔡謝氏[謝良佐]가 말했다. "완고하고 꽉 막혀 스스로를 속이는 마음을 품고 있는 것이나, 근거 없이 교만하여 스스로를 위대하다고 여기는 기운을 기르는 것은 모두 이름을 좋아하기 때문이다."

[49-4-19]

龜山楊氏曰 : "物有圭角, 多刺人眼目, 亦易玷缺. 故君子處世, 當渾然天成, 則人不厭棄矣"[125]

구산 양씨龜山楊氏[楊時]가 말했다. "사물에 모난 각이 있으면 대부분 사람들의 안목을 자극하니, 또한 이지러지기 쉽다. 그러므로 군자가 세상에 대처할 때 마땅히 혼연히 자연스럽게 이루면 사람들이 싫다고 내버리지 않는다."

[49-4-20]

"士不患無名, 患實之不至."[126]

(구산 양씨가 말했다.) "선비는 이름이 없는 것을 근심하지 않고 실질이 (그 이름에) 이르지 못하는 것을 근심한다."

[49-4-21]

和靖尹氏曰 : "後世人臨事多錯, 只爲不知事. 若知道了, 臨事安得錯."

화정 윤씨和靖尹氏[尹焞]가 말했다. "후세 사람들이 일에 임하여 실수가 많은 것은 다만 일을 알지 못하기 때문이다. 만일 안다면 일에 임해서 어찌 실수하겠는가!"

123 『張子全書』 권7 「自道」
124 『上蔡語錄』 권3
125 『龜山集』 권10 「語錄」
126 『龜山集』 권26 「跋道卿帖」

[49-4-22]

人有避事欲不爲者.

曰: "事當爲者豈可不爲? 廢事便是廢人道. 莊子猶曰, '匿而不可不爲者事也.'"[127]

사람 중에 일을 피하고 하지 않으려고 하는 자가 있었다.

(화정 윤씨가) 말했다. "일을 마땅히 해야 하는 것이라면 어찌 하지 않을 수 있겠는가? 일을 그만두어버리면 곧 사람의 도리를 그만두는 것이다. 장자는 '번거롭지만 하지 않을 수 없는 것이 일이다.'[128]라고 하였다."

[49-4-23]

五峯胡氏曰: "一身之利無謀也, 而利天下者則謀之. 一時之利無謀也, 而利萬物者則謀之."[129]

오봉 호씨五峯胡氏[胡宏]가 말했다. "일신의 이익은 도모할 것이 없으며, 천하를 이롭게 하는 것을 도모해야 한다. 한때의 이익은 도모할 것이 없고, 만물을 이롭게 하는 것은 도모해야 한다."

[49-4-24]

"處己有道, 則行艱難險危之中無所不利. 失其道, 則有不能堪而忿慾興矣. 是以君子貴有德也."[130]

(오봉 호씨가 말했다.) "자신을 대하는 데에 도가 있으면, 어렵고 위험한 가운데 행하여도 이롭지 않은 것이 없다. 그 도를 상실하면, 견뎌내지 못하고 분함과 욕심이 일어나게 된다. 그러므로 군자는 덕이 있는 것을 귀하게 여긴다."

[49-4-25]

延平李氏曰: "受形天地, 各有定數. 治亂窮通, 斷非人力, 惟當守吾之正而已. 然而愛身明道, 修己俟時, 則不可一日忘於心. 此聖賢傳心之要法. 或者放肆自佚, 惟責之人不責之己, 非也."[131]

연평 이씨延平李氏[李侗]가 말했다. "몸은 천지에서 받은 것으로 각각 정해진 운수가 있다. 다스려지거나 혼란스러워지거나 궁하거나 통하거나 하는 것들은 결코 사람의 힘에 달린 것이 아니니, 오직 나의 올바름을 지켜야 할 뿐이다. 그러나 자신을 사랑하고 도를 밝히며, 자기를 수양하여 때를 기다리는 것은 하루라도 마음에서 잊어서는 안 되는 것이다. 이는 성현이 전하신 마음의 긴요한 법도이다. 어떤 사람은 제멋대로 방탕하며, 오직 남을 책망하고 자기를 책망하지 않는데, 이는 그릇된 것이다."

· · · · · · · · · · · · · · · · · · · ·

127 尹焞의 4전 제자인 林希逸의 『竹溪鬳齋十一藁續集』 권28 「學記」에 실려 있다.
128 '번거롭지만 하지 … 일이다.' : 『莊子』 「在宥」
129 『知言』 권3
130 『知言』 권2
131 『閩中理學淵源考』 권5 「答問下」

[49-4-26]

朱子曰: "耳目口鼻之在人, 尚各有攸司, 況人在天地間! 自農商工賈等而上之, 不知其幾階. 其所當盡者, 小大雖異, 界限截然.[132] 本分當爲者, 一事有闕, 便廢天職. '居處恭, 執事敬, 與人忠,' 推是心以盡其職者, 此固爲不易之論. 但必知夫所處之職乃天職之自然, 而非出於人爲, 則各司其職以辨其事,[133] 不出於勉強不得已之意矣."[134]

주자가 말했다. "눈과 코와 귀와 입이 사람에게 있는 것에도 오히려 각기 맡은 역할이 있는데, 하물며 사람이 천지 사이에 존재함에 있어서랴! 농업과 상업과 공업과 장사치 등에서부터 그 위로 이르기까지 단계를 헤아릴 수가 없다. 그 마땅히 다해야 하는 것은 크거나 작은 차이가 있지만 한계가 분명하다. 마땅히 수행해야 하는 본분이 한 가지 일이라도 빠진다면, 곧 천직天職을 망치는 것이다. '거처할 때 공손히 하고, 일을 집행할 때 경건히 하며, 사람을 대할 때 충실하게 한다.'[135]고 하니, 이 마음을 미루어서 자기 직분을 다해야 한다는 것은 진실로 변할 수 없는 논의이다. 다만 반드시 자신이 맡은 직분이 바로 천직의 자연이지, 인위적인 데에서 나온 것이 아니라는 것을 알아야 하니, (그러면) 각각 자기 직분을 맡아서 자기 일을 처리하는 데에 있어 억지로 부득이하게 한다는 생각은 생기지 않을 것이다."

[49-4-27]

"有是理, 方有這物事. 如草木有箇種子, 方生出草木. 如人有此心去做這事, 方始成這事, 若無此心, 如何會成這事!"[136]

(주자가 말했다.) "어떤 이치가 있어야 비로소 어떤 사물이 있다. 예를 들어 초목은 씨앗이 있어야 비로소 초목을 생성해낸다. 예를 들어 사람이 이 일을 하려는 마음이 있어야 비로소 이 일을 완성할 수 있으니, 만약 이 마음이 없다면, 어떻게 이 일을 완성할 수 있겠는가!"

[49-4-28]

"世事無緊要底不要做.[137] 先去其粗, 却去其精, 磨去一重, 又磨一重. 天下事都是如此. 且如『

132　不知其幾階. 其所當盡者, 小大雖異, 界限截然.: 『朱子語類』권13, 83조목에는 '階'가 '皆'로 되어 있다. 이 경우 "헤아릴 수 없는 일들이 있기 때문에 모두 그 역할을 마땅히 해야 한다. 크고 작은 것이 비록 다르지만, 그 영역은 분명하게 한계가 정해져 있다.(不知其幾, 皆其所當盡者, 小大雖異, 界限截然.)"라고 해석될 수 있다.

133　則各司其職以辨其事: 『朱子語類』권13, 83조목에는 "則各司其職以辨其事者"로 되어 있다.

134　『朱子語類』권13, 83조목

135　'거처할 때 … 한다.': 『論語』「子路」

136　『朱子語類』권13, 84조목

137　世事無緊要底不要做.: 『朱子語類』권13, 86조목에는 "세상의 일은 언제나 끝난 적이 없다. 커다란 일 중에서 긴요하지 않은 것을 골라내어 실행하지 말고, 또한 점차 자잘한 일 중에서 긴요하지 않은 것을 골라내어 실행하지 말아라.(世事無時是了. 且揀大段無甚緊要底事, 不要做; 又逐旋就小者又揀出無緊要底, 不要做.)"라고 되어 있다.

中庸』說‘戒愼乎其所不睹, 恐懼乎其不聞,’ 先且就睹處與聞處做了, 然後就不睹不聞處用工, 方能細密. 而今人每每跳過一重做事. 睹處與聞處元不曾有工夫, 却便去不睹不聞處做, 可知是做不成, 下梢一齊擔閣. 且如屋漏暗室中工夫, 如何便做得? 須從‘十目所視, 十手所指’處做起, 方得.”[138]

(주자가 말했다.) “세상의 일 중에서 긴요하지 않은 것은 하지 말아라. 먼저 거친 것부터 처리하고 정밀한 것을 처리하며, 한 겹 갈아내고 또 한 겹 갈아라. 세상의 일이 모두 이와 같다. 예컨대 『중용』에서는 ‘보이지 않는 것에 대해서도 경계하고 삼가며, 들리지 않는 것에 대해서도 두려워한다.’[139]고 하였으니 우선 보이는 것, 들리는 것부터 처리하고, 그러한 뒤에 보이지 않는 것과 들리지 않는 것에 대해 힘써 공부해야 비로소 세밀해질 수 있다. 그런데 오늘날 사람들은 매번 한 겹을 건너뛰어 일을 처리한다. 보이는 것과 들리는 것은 원래부터 공부했던 적도 없으면서 도리어 보이지 않는 것과 들리지 않는 것을 처리하려고 하니, 해낼 수도 없고 결국 동시에 시간만 허비하게 된다는 것을 알 수 있다. 마치 비가 새는 집과 캄캄한 방에서 공부하는 것과 같으니, 어떻게 가능하겠는가? 반드시 ‘열 사람의 눈이 지켜보고 열 사람의 손가락이 가리키는’[140] 곳에서부터 해내야 비로소 된다.”

[49-4-29]

“且須立箇粗底根脚, 却正好著細處工夫. 今人於無義理底言語儘說了, 無義理底事儘做了, 是於粗底根脚猶未立, 却求深微. 縱理會得, 干己甚事!”[141]

(주자가 말했다.) “반드시 거칠게나마 기초를 수립해야 오히려 세밀한 공부를 하기에 딱 좋다. 요즈음 사람들은 의리가 없는 말만 떠들고, 의리가 없는 일만 행하니, 이것은 거친 기초가 아직 수립되지도 않았는데 오히려 깊고 은미한 것을 추구하는 것이다. 설사 이해할 수 있더라도 자신과 무슨 관계가 있겠는가!”

[49-4-30]

“人多是要求濟事, 而不知自身己不立, 事決不能成. 人自心若一毫私意未盡, 皆足以敗事. 如上有一毫差,[142] 下便有尋丈差. 今若見得十分透徹, 待下梢遇事轉移, 也只做得五六分. 若今便只就第四五著理會, 下梢如何?”[143]

(주자가 말했다.) “사람들은 대부분 일을 이루려고 하지만, 자기 자신이 수립되지 않으면 일을 결코 완성

---

138 『朱子語類』 권13, 86조목
139 ‘보이지 않는 … 두려워한다.’ : 『中庸』 제1장
140 ‘열 사람의 … 가리키는’ : 『大學』 전문6장
141 『朱子語類』 권13, 87조목
142 皆足以敗事. 如上有一毫差 : 『朱子語類』 권13, 88조목에는 이 사이에 “만약 처음에 검은 것이 조금 있다면 나중에는 온통 검게 되고(如上有一點黑, 下便有一撲黑)”가 더 있다.
143 『朱子語類』 권13, 88조목

할 수 없다는 것을 알지 못한다. 사람이 자기 마음에 만약 털끝만 한 사사로운 뜻이라도 미진하다면 모두 일을 망치기에 충분하다. 만약 처음에 털끝만 한 차이가 있으면 나중에는 80척의 차이가 생긴다. 지금 만약 전부 투철하게 이해했다고 하더라도 나중에 일을 만나서 옮겨가게 되면 또한 단지 5에서 6할만 할 수 있을 뿐이다. 만약 지금 다만 4에서 5할 정도에서 이해한다면 나중에는 어떻게 되겠는가?"

[49-4-31]

"常先難而後易. 不然, 則難將至矣. 如樂毅用兵, 始常懼難, 乃心謹畏, 不敢忽易. 故戰則雖大國堅城無不破者. 及至勝, 則自驕膽大, 而恃兵強, 因去攻二城亦攻不下."[144]

(주자가 말했다.) "항상 어려운 것을 먼저하고 쉬운 것을 뒤에 하라. 그렇지 않으면 어려움이 장차 이를 것이다. 예컨대 악의樂毅[145]가 군대를 운용할 때 처음에는 항상 조심하며 어렵게 여겨서 마음으로 삼가고 두려워하며 감히 경솔하게 하지 않았다. 그렇기 때문에 싸울 때는 비록 큰 나라의 견고한 성도 함락시키지 못하는 것이 없었다. (그러나) 승리한 다음에는 스스로 교만해지고 대담해져서 강한 군사력을 자부했으니, 이로 인해 두 개의 성을 공격했지만 또한 함락시키지 못했다."

[49-4-32]

"作事若顧利害, 其終未有不陷於害也."[146]

(주자가 말했다.) "일을 하면서 만약 이로움과 해로움을 고려한다면, 결국은 해로움에 빠지지 않을 수 없다."

[49-4-33]

"古人臨事所以要回互時, 是一般國家大事, 係死生存亡之際, 有不可直情徑行處, 便要權其輕重而行之. 今則事事用此一向回互, 至於'枉尋直尺而利, 亦可爲歟!' 是甚意思?"[147]

(주자가 말했다.) "옛 사람이 일에 임하여 이리저리 고민해보았던 때는 일종의 국가의 대사로서 생사와 존망이 달려 있는 때였으므로 감정대로 경솔하게 행동할 수 없는 경우였던 것이니, 곧 경중을 헤아려보고 시행하려고 하였던 것이다. 그런데 요즘은 일마다 이렇게 줄곧 이리저리 고민하니, '한 길을 굽혀서 한 자를 펴 이롭다면 또한 하겠는가!'[148]에 이르면, 이것이 무슨 의미겠는가?"

---

144 『朱子語類』 권13, 93조목
145 樂毅(?~?) : 姓은 子이고, 氏는 樂이며, 이름은 毅이고 字는 永霸이다. 전국시대 후기 中山 靈壽(지금의 하북성 영수) 사람이다. 燕나라의 上將軍이 되었다가 昌國君에 봉해졌으며, 연나라 昭王을 보좌하여 연나라를 진흥시켰다. 기원전 284년 연나라 등 5개국의 연합군을 이끌고 齊나라를 공격하여 70여개의 성을 함락시켰지만, 후에 연나라 惠王의 시기를 받아 趙나라로 망명하였다.
146 『朱子語類』 권13, 96조목
147 『朱子語類』 권13, 98조목
148 '한 길을 … 하겠는가!' : 『孟子』 「滕文公下」에서는 "또 한 자를 굽혀서 한 길을 편다는 것은 이로움으로써

[49-4-34]

問 : “學者講明義理之外, 亦須理會時政. 凡事要一一講明, 使先有一定之說, 庶他日臨事不至墻面.”

曰 : “學者若得胸中義理明, 從此去量度事物, 自然泛應曲當. 人若有堯舜許多聰明, 自做得堯舜許得事業.[149] 若要一一理會, 則事變無窮, 難以逆料, 隨機應變, 不可預定. 今世文人才士, 開口便說國家利害, 把筆便述時政得失, 終濟得甚事? 只是講明義理以淑人心, 使世間識義理之人多, 則何患政治之不舉耶!”[150]

물었다. “배우는 사람은 의리를 강론하여 밝히는 것 외에도 또한 당대의 정치를 이해해야 합니다. 모든 일을 하나하나 강론하여 밝혀서 먼저 일정한 이론을 가지고 있도록 해야 다른 날 일에 임했을 때 ‘담장을 정면으로 마주하는 것’[151]에 이르지 않게 될 것입니다.”

(주자가) 대답했다. “배우는 사람이 만약 가슴속에 의리가 밝아져서 여기에서부터 사물들을 헤아려 나갈 수 있다면, 자연히 폭넓게 적용되면서 모두 적절하게 된다. 사람들이 만약 요순처럼 뛰어난 총명함을 가지고 있다면 저절로 요순처럼 뛰어난 일을 할 수 있을 것이다. 만약 일일이 이해하려고 한다면 일의 변화가 무궁하여 예측하기 어려우니, 임기응변하며 미리 결정하지 않아야 한다. 요즈음 세상의 문인과 재사들은 입만 열면 국가의 이해를 논하고, 붓만 들면 당대 정치의 득실을 논술하지만, 결국 무슨 일을 이룰 수 있겠는가? 다만 의리를 강론하고 밝혀서 사람의 마음을 착하게 하여, 세상에 의리를 아는 사람이 많아지도록 한다면, 어찌 정치를 거론하지 못하는 것을 근심하겠는가!”

[49-4-35]

“某看人也須是剛. 雖則是偏, 然較之柔不同. 易以陽剛爲君子, 陰柔爲小人. 若是柔弱不剛之質, 少間都不會振奮, 只困倒了.”[152]

(주자가 말했다.) “내 생각에 사람은 반드시 강건해야 한다. 비록 이것도 치우치긴 했지만 유약한 것과 비교하면, 같지 않다. 『주역』에서도 양의 강건함을 군자로 보고 음의 유약함을 소인으로 보았다. 만약 유약하고 강건하지 못한 기질이라면, 잠시라도 떨쳐 일어나지 못하고 다만 지쳐 쓰러지게 될 것이다.”

....

말한 것이다. 만일 이로움으로써 한다면, 한 길을 굽혀서 한 자를 펴 이로움이 있을지라도 또한 하겠는가!(且夫枉尺而直尋者, 以利言也. 如以利, 則枉尋直尺而利, 亦可爲與!)라고 했다.

149 自做得堯舜許得事業. : 『朱子語類』 권13, 99조목에는 ‘得’이 ‘多’로 되어 있다.

150 『朱子語類』 권13, 99조목

151 ‘담장을 정면으로 … 것’ : 『論語』 「陽貨」에서는 “사람으로서 周南과 召南을 배우지 않으면 담장을 정면으로 마주하고 서 있는 것과 같을 것이다.(人而不爲周南召南, 其猶正牆面而立也與.)”라고 했고, 주자는 『集註』에서 이에 대해 “담장을 정면으로 마주하고 선다는 것은 지극히 가까운 곳에 나가서도 한 물건도 보이는 것이 없고 한 걸음도 나아갈 수 없음을 말씀한 것이다.(正牆面而立, 言卽其至近之地, 而一物無所見, 一步不可行.)”라고 주해하였다.

152 『朱子語類』 권13, 101조목

[49-4-36]

"天下事亦要得危言者, 亦要得寬緩者, 皆不可少. 隨其人所見, 看其人議論. 如狄梁公, 辭雖緩, 意甚懇切. 如中邊皆緩, 則不可. '翕受敷施, 九德咸事', 聖人便如此做."[153]

(주자가 말했다.) "천하의 일에는 말을 높게 하는[154] 사람도 얻어야 하고, 너그러운 사람도 얻어야 하니, 어느 것이나 부족해서는 안 된다. 그 사람의 견해에 따라서 그 사람의 논의를 살펴보면, 가령 적량공狄梁公[155]은 말은 비록 너그러웠지만 그 의지는 매우 간절하였다. 만약 겉모습과 속마음이 모두 너그럽다면 안 된다. '모아서 받고 펴서 베풀면 아홉 가지 덕德을 가진 사람들이 다 일하니',[156] 성인은 곧 이와 같이 하였다."

[49-4-37]

"今人大抵皆先自立一箇意見. 若其性寬大, 便只管一向見得一箇寬大底路；若性嚴毅底人, 便只管見得一箇廉介底路, 更不平其心. 看事物, 自有箇合寬大處, 合嚴毅處."[157]

(주자가 말했다.) "요즈음 사람들은 대체로 보았을 때 모두 먼저 스스로 하나의 견해를 수립한다. 만약 그 성품이 관대하다면 곧 한결같이 관대한 길을 보기만 하고, 만약 성품이 엄격한 사람이라면 곧 청렴결백한 길을 보기만 하니, 더욱 그 마음을 공평하게 하지 못한다. 사물을 보면 본래 관대하게 대처하는 것이 마땅한 경우가 있고 엄격하게 대처하는 것이 마땅한 경우가 있다."

[49-4-38]

"人最不可曉. 有人奉身儉嗇之甚, 充其操'上食槁壤, 下飮黃泉'底, 却只愛官職. 有人奉身淸苦而好色. 他只緣私欲不能克, 臨事只見這箇重, 都不見別箇了."

或云："似此等人分數勝已下底."

曰："不得如此說. 纔有病便不好, 更不可以分數論. 他只愛官職, 便弑父與君也敢."[158]

(주자가 말했다.) "사람이 가장 이해하기 어렵다. 어떤 사람은 자신을 돌보는 데 인색함이 심하며, 지조를 채우려고 '위로는 마른 흙을 먹고 아래로는 흙탕물을 마시면서',[159] 오히려 다만 관직을 탐낼 뿐이다.

---

153 『朱子語類』 권13, 102조목

154 말을 높게 하는：『論語』「憲問」에서는 "나라에 道가 있을 때에는 말을 높게 하고 행실을 높게 하며, 나라에 道가 없을 때에는 행실은 높게 하되 말은 공손하게 하여야 한다.(邦有道, 危言危行；邦無道, 危行言孫.)"라고 하였다.

155 狄梁公(630~700)：자는 懷英이고 이름은 仁傑로, 당나라 並州 太原(지금의 산서성 태원) 사람이다. 일찍이 明經科에 합격하여 여러 벼슬을 거치며 측천무후를 보필하였던 명재상이다. 뒤에 양국공에 봉해져 적량공으로 불렸다.

156 '모아서 받고 … 일하니'：『書經』「虞書·皐陶謨」

157 『朱子語類』 권13, 101조목

158 『朱子語類』 권13, 104조목

어떤 사람은 자신을 돌보는 데 청빈하지만 여색을 좋아한다. 그들은 다만 사욕을 극복하지 못했기 때문에 일에 임했을 때는 다만 그것이 중요하다는 것만 알고 다른 것은 전혀 보지 못했던 것이다."

어떤 사람이 물었다. "이런 사람들의 등급은 가장 저급한 사람보다는 높습니다."

(주자가) 대답했다. "이렇게 말할 수는 없다. 문제점이 있으면 좋지 않은 것이니, 등급으로 논의할 수는 없다. 그런 사람은 다만 관직을 탐내다가 감히 아버지와 임금까지도 죽일 것이다!"

[49-4-39]

"古人尊貴, 奉之者愈備, 則其養德也愈善. 後之奉養備者, 賊之而已矣."[160]

(주자가 말했다.) "옛날 사람은 존귀한 지위에 올랐을 때, 그를 받드는 것이 완비될수록 그의 덕을 기르는 것이 더욱 훌륭해졌다. 후세에는 완비된 봉양이 그를 해칠 뿐이다."

[49-4-40]

"爲血氣所使者, 只是客氣. 惟於性理說話涵泳, 自然臨事有別處."[161]

(주자가 말했다.) "혈기에 의해 부려지는 것은 단지 객쩍게 부리는 기세일 뿐이다. 오직 성리性理의 이론에서 깊이 침잠한다면, 자연히 일에 임하여 달라지는 곳이 있게 된다."

[49-4-41]

"須是慈祥和厚爲本. 如勇決剛果雖不可無, 然用之有處所."[162]

(주자가 말했다.) "반드시 자애로움, 자상함, 온화함, 후덕함을 근본으로 삼아야 한다. 용맹함, 단호함, 강건함, 과감함과 같은 것은 비록 없어서는 안 되지만, 그것을 사용할 때에는 해당하는 적절한 경우가 있어야 한다."

[49-4-42]

"事至於過當便是僞."[163]

- - - - - - - - - - - - - -

159 '위로는 마른 … 마시면서' : 『孟子』「滕文公下」에 "제나라의 선비 중에 내 반드시 仲子를 첫 번째로 여기겠다. 그러나 중자가 어찌 청렴하다 할 수 있겠는가. 중자의 지조를 그대로 채우려면 지렁이가 된 뒤에야 가능할 것이다. 지렁이는 위로 마른 흙을 먹고 아래로 흙탕물을 마시는데, 중자가 거처하는 집은 백이가 건축한 것인가? 아니면 도척이 건축한 것인가? 먹는 곡식은 백이가 심은 것인가? 아니면 도척이 심은 것인가? 이것을 알 수 없구나!(於齊國之士, 吾必以仲子爲巨擘焉. 雖然, 仲子惡能廉? 充仲子之操, 則蚓而後可者也. 夫蚓, 上食槁壤, 下飮黃泉. 仲子所居之室, 伯夷之所築與? 抑亦盜跖之所築與? 所食之粟, 伯夷之所樹與? 抑亦盜跖之所樹與? 是未可知也!)"라고 했다.

160 『朱子語類』 권13, 106조목

161 『朱子語類』 권13, 109조목

162 『朱子語類』 권13, 110조목

163 『朱子語類』 권13, 112조목

(주자가 말했다.) "일이 합당함을 지나친 경우에는 곧 인위적인 것이다."

[49-4-43]

"學常要親細務, 莫令心麤."[164]

(주자가 말했다.) "배움은 항상 직접 섬세하게 힘써야 하니, 마음을 거칠게 하지 말아야 한다."

[49-4-44]

問: "避嫌是否?"

曰: "合避豈可不避? 如'瓜田不納履, 李下不整冠,' 豈可不避? 如'君不與同姓同車, 與異姓同車不同服,' 皆是合避處."[165]

물었다. "혐의를 피하는 것은 옳은 일입니까?"

(주자가) 대답했다. "마땅히 피해야 한다면 어찌 피하지 않을 수 있겠는가? 예컨대 '오이 밭에는 발을 들여놓지 않고, 오얏나무 아래에서는 관을 바로잡지 않는다.'[166]고 했으니, 어찌 피하지 않을 수 있겠는가? 예컨대 '군자는 같은 성씨와는 수레를 함께 타지 않고, 다른 성씨와는 수레는 함께 타지만 복장을 같이 하지 않는다.'[167]고 했는데, 모두 마땅히 피해야 하는 경우이다."

[49-4-45]

問: "程子說'避嫌之事, 賢者且不爲, 況聖人乎?' 若是有一項合委曲而不可以直遂者, 這不可以爲避嫌."

曰: "自是道理合如此. 如避嫌者, 却是又怕人道如何, 這却是私意. 如十起與不起便是私, 這便是避嫌. 只是他見得這意思已是大段做工夫, 大段會省察了. 又如人遺之千里馬, 雖不受, 後來薦人未嘗忘之, 後亦竟不薦. 不薦自是好. 然於心終不忘, 便是喫他取奉意思不過, 這便是私意. 又如如今立朝, 明知這簡是好人當薦擧之, 却緣平日與自家有恩意往來, 遂避嫌不擧他. 又如有某人平日與自家有怨, 到得當官, 彼却有事當治, 却怕人說道因前怨治他, 遂休了. 如此等皆蹉過多了."[168]

물었다. "정자는 '혐의를 피하는 일은 현명한 사람도 하지 않는데, 하물며 성인은 어떻겠는가?'[169]라고 했습니다. 만약 마땅한 곡절이 있어서 있는 그대로 드러낼 수 없는 일이 있다면, 그것은 혐의를 피하는

---

164 『朱子語類』 권13, 113조목

165 『朱子語類』 권13, 116조목

166 '오이 밭에는 … 않는다.': 『文選』 「君子行」

167 '군자는 같은 … 않는다.': 『禮記』 「坊記」

168 『朱子語類』 권13, 117조목

169 '혐의를 피하는 … 어떻겠는가?': 『二程粹言』 권하

것이라고 할 수 없습니다."

(주자가) 대답했다. "본래 도리가 마땅히 이와 같은 것이다. 예컨대 혐의를 피하는 사람은 또한 다른 사람이 어떻게 말할까 두려워하는데, 이것은 도리어 사사로운 생각이다. 예컨대 '형의 자식이 아플 때는 열 번 일어나 살피고, 자기 자식이 아플 때는 살피지 않는 것이 곧 사사로움이다.'[170]라고 했는데, 이것이 곧 혐의를 피하려는 것이다. 다만 제오륜第五倫[171]이 이 뜻을 깨달았으니, 이미 크게 공부한 것이고 크게 성찰할 수 있었다. 또 예를 들면 어떤 사람이 천리마를 보내왔을 때 비록 받지는 않더라도 나중에 사람을 천거할 때마다 항상 그를 잊지 않게 되고, 후에도 끝내 그를 천거하지는 않았다. 천거하지 않은 것은 본래 좋은 일이다. 그러나 마음속에서 끝내 잊지 못한다면 곧 그가 아첨한 뜻을 받은 데 불과하니, 이것이 바로 사사로운 생각이다. 또 예컨대 지금 관직을 맡았을 때 어떤 사람이 훌륭하다는 것을 분명히 알았다면 마땅히 그를 천거해야 하는데, 도리어 평소에 자신과 은혜를 주고받은 사람이라면, 혐의를 피하여 그를 천거하지 않는다. 또 예컨대 어떤 사람이 평소에 자신과 원한이 있었는데, 관직을 맡았을 때 그 사람이 죄를 지어서 마땅히 다스려야 한다면, 오히려 사람들이 이전의 원한 때문에 그를 다스렸다고 말할까 두려워하여 마침내 그만두었다. 이러한 것들은 모두 매우 잘못된 일이다."

[49-4-46]

問 : "人心不可狹小. 其待人接物, 胸中不可先分厚薄, 有所別異否?"

曰 : "惟君子爲能通天下之志. 放令規模寬濶, 使人人各得盡其情, 多少快活!"

問 : "待人接物, 隨其情之厚薄輕重, 而爲酬酢邪, 一切不問而待之以厚邪?"

曰 : "知所以處心持己之道, 則所以接人待物, 自有準則."[172]

물었다. "사람의 마음은 협소하지 않아야 합니다. 사람을 대하고 사물과 접할 때 마음속에서 후하게 할지 박하게 할지 먼저 나누어서 차별을 두어서는 안 되는 것 아닙니까?"

(주자가) 대답했다. "오직 군자만이 세상의 뜻에 통달할 수 있다. (마음의) 규모를 넓혀 놓아서, 사람마다 각각 자신의 감정을 다하게 하니 얼마나 즐겁겠는가!"

물었다. "사람을 대하고 사물과 접할 때 감정의 깊고 엷음이나 가볍고 무거움의 정도에 따라 응해야

170 '형의 자식이 … 사사로움이다.' : 『河南程氏遺書』 권18에 "물었다. '제오륜이 자기 자식이 아플 때와 형의 자식이 아플 때를 다르게 보았고 스스로 사사롭다고 한 것은 어떤 것입니까?' 대답했다. '다만 편안히 잠을 잔 것과 편안히 잠을 자지 않은 것, 다만 일어나지 않은 것과 열 번 일어난 것만이 사사로움인 것은 아니다. 부모 자식의 사랑은 본래 公이다. 이런 마음이 드러나 행하면 곧바로 사사로움이다.'(問, '第五倫視其子之疾, 與兄子之疾不同, 自謂之私, 如何?' 曰, '不特安寢與不安寢, 只不起與十起, 便是私也. 父子之愛本是公. 才著些心做, 便是私也')"라고 하였다.

171 第五倫(?~?) : 후한의 京兆 長陵 사람으로 자는 伯魚이다. 왕망의 신왕조에서 郡吏, 鄕嗇夫가 되었다. 벼슬길이 순탄치 않은 것에 불만을 품고 王伯齊로 성과 이름을 바꿨다. 東漢 建武(25~56) 연간에 主簿가 되었고, 후에 會稽太守를 배수받고, 永平연간에 蜀郡太守에 부임했다.

172 "問人心不可狹小 … 多少快活"은 『朱子語類』 권13, 118조목의 글이고, "問待人接物隨其情之厚薄輕重而爲酬酢邪 … 則所以接人待物自有準則"은 『朱子語類』 권13, 119조목이다.

합니까, 아니면 전혀 상관없이 후하게 대해야 합니까?"

(주자가) 대답했다. "마음을 가라앉히고 자신을 지키는 법을 알면, 사람을 대하고 사물과 접하는 데에 저절로 준칙이 있게 된다."

[49-4-47]

"事有不當耐者, 豈可全學耐事! 學耐事, 其弊至於苟賤不廉."[173]

(주자가 말했다.) "일에는 마땅히 인내할 수 없는 것이 있는데 어찌 일에 대해 참는 것만 전적으로 배울 수 있겠는가! 일에 대해 참는 것만 배운다면, 그 폐단이 구차하고 천박한 것도 꺼리지 않는 지경에 이르게 될 것이다."

[49-4-48]

"學者須要有廉隅牆壁, 便可擔負得大事去. 如子路世間病痛却沒了, 親於其身爲不善, 直是不入. 此大者立也."[174]

(주자가 말했다.) "배우는 사람은 반드시 품행이 바르고 절조가 굳으며 굳건해야만, 큰일을 맡을 수 있다. 예컨대 자로는 세속의 병통을 전혀 가지고 있지 않아서, 스스로 불선을 행하는 사람의 무리에는 들어가지 않았다. 이는 큰 것이 수립된 것[175]이다."

[49-4-49]

"恥有當忍者, 有不當忍者."[176]

(주자가 말했다.) "부끄러움에는 마땅히 참아야 하는 것도 있고 마땅히 참지 말아야 하는 것도 있다."

[49-4-50]

"人須有廉恥. 孟子曰, '恥之於人大矣.' 恥便是羞惡之心. 人有恥, 則能有所不爲. 今有一樣人不能安貧, 其氣銷屈以至立脚不住. 不知廉恥, 亦何所不至?"

因擧呂舍人詩云: "逢人卽有求, 所以百事非. 如『論語』必先說'富與貴, 是人之所欲也, 不以其道得之, 不處也; 貧與賤, 是人之所惡也, 不以其道得之, 不去也', 然後說'君子去仁, 惡乎成名.' 必先教取舍之際界限分明, 然後可做工夫. 不然, 則立脚不定, 安能有進?"

---

173 "事有不當耐者, 豈可全學耐事"는 『朱子語類』 권13, 120조목의 글이고, "學耐事, 其弊至於苟賤不廉."은 『朱子語類』 권13, 121조목의 글이다.

174 『朱子語類』 권13, 122조목

175 큰 것이 … 것: 『孟子』 「告子上」에 "먼저 그 큰 것을 수립하면 그 작은 것이 능히 빼앗지 못할 것이니, 이것이 大人이 되는 이유일 뿐이다.(先立乎其大者, 則其小者弗能奪也. 此爲大人而已矣.)"라고 했다.

176 『朱子語類』 권13, 123조목

又云: "學者不於富貴貧賤上立定, 則是入門便差了也. 人之所以戚戚於貧賤, 汲汲於富貴, 只緣不見這箇道理. 若見得這箇道理, 貧賤不能損得, 富貴不曾添得, 只要知這道理."[177]

(주자가 말했다.) "사람은 반드시 부끄러움이 있어야 한다. 맹자는 '부끄러움이 사람에게 있어 중요한 것이다.'[178]고 했으니, 부끄러움은 바로 수오지심羞惡之心이다. 사람에게 부끄러움이 있다면 하지 못하는 것이 있을 수 있다. 지금 어떤 사람들은 가난을 편안히 여기지 못하여, 기가 죽고 울적하여 확고하게 서 있지도 못하는 지경에 이른다. 염치를 알지 못하면, 또한 어디엔들 이르지 못하겠는가?"

(주자가) 이어서 여사인呂舍人[呂本中][179]의 시를 거론하며 말했다. "사람을 만나면 바로 무엇인가 구하는 것이 있으므로, 그래서 모든 일을 그르친다. 예컨대 『논어』에서는 반드시 먼저 '부유함과 귀함은 사람들이 하고자 하는 것이나 정상적인 방법으로 얻지 않으면 처하지 않아야 하며, 가난함과 천함은 사람들이 싫어하는 것이나 정상적인 방법으로 얻지 않았다 하더라도 버리지 않아야 한다.'[180]라고 말하고 그런 뒤에 '군자가 인을 떠나면 어찌 이름을 이룰 수 있겠는가?'[181]라고 했으니, 반드시 먼저 취하고 버릴 것의 한계를 분명하게 한 다음에 공부를 할 수 있도록 했던 것이다. 그렇지 않으면 확고하게 서 있지도 못하니, 어떻게 향상될 수 있겠는가?"

(주자가) 또 말했다. "배우는 자가 부귀와 빈천에 대해서 확고하게 정하지 못하면 입문부터 틀린 것이다. 사람들이 빈천에 대해 근심하고 부귀에만 급급한 것은 단지 이 도리를 알지 못하기 때문이다. 만약 이 도리를 깨달을 수 있다면, 빈천이 손상시키지도 못하고, 부귀가 보탬이 되지도 못하니 단지 이 도리를 알아야 한다."

[49-4-51]

"學者當常以志士不忘在溝壑爲念, 則道義重而計較死生之心輕矣. 況衣食至微末事, 不得未必死, 亦何用犯義犯分, 役心役志營營以求之邪? 某觀今人因不能咬菜根, 而至於違其本心者衆矣. 可不戒哉?"[182]

(주자가 말했다.) "배우는 사람은 마땅히 항상 '지사는 시신이 구렁텅이에 버려질 것을 잊지 않는다.'[183]

. . . .

177 "人須有廉恥. … 則是入門便差了也."는 『朱子語類』 권13, 124조목의 글이고, "人之所以戚戚於貧賤, … 只要知這道理"는 『朱子語類』 권13, 125조목의 글이다.

178 '부끄러움이 사람에게 … 것이다.': 『孟子』「盡心上」

179 呂舍人(呂本中, 1084~1145): 원래 이름은 大中이고 字는 居仁이며 세칭 東萊先生이라 했고 시호는 文清이며, 송나라 壽州(지금의 安徽 壽縣) 사람이다. 呂公著의 증손이며 呂好問의 아들이다. 조부 呂希哲은 정이를 스승으로 모셨고, 본종은 자주 뵈었는데 조금 자라서 양시, 유초, 윤돈을 따라 배웠다. 元符 중에 主濟陰簿와 秦州士曹掾, 辟大名府帥司幹官을 지냈다. 宣和 6년에 樞密院編修官을 제수받았고, 이후 太常少卿, 中書舍人 등 여러 벼슬을 역임했다. 저서에 『春秋集解』・『紫微詩話』・『東萊先生詩集』・『童蒙訓』・『師友淵源錄』 등이 있다.

180 '부유함과 귀함은 … 한다.': 『論語』「里仁」

181 '군자가 인을 … 있겠는가?': 『論語』「里仁」

182 『朱子語類』 권13, 127조목

는 말을 염두에 두어야 하니, 도의는 중요하고 삶과 죽음을 비교하여 따지는 마음은 가벼운 것이다. 하물며 옷이나 음식처럼 지극히 사소한 것들은 얻지 못하더라도 반드시 죽는 것은 아니니, 또한 무엇 때문에 의로움과 분수를 어기고 마음과 뜻을 부려가며 아득바득 그것을 구하겠는가? 내가 살펴보니, 오늘날 사람들 중에는 가난을 견디지 못하여 자기의 본심을 어기는 지경에 이르는 사람이 많다. 어찌 경계하지 않을 수 있겠는가?"

[49-4-52]

"困厄有輕重；力量有大小. 若能一日十二辰點檢自己, 念慮動作都是合宜, 仰不愧, 俯不怍. 如此而不幸塡溝壑, 喪軀殞命, 有不暇恤, 只得成就一箇是處. 如此則方寸之間, 全是天理, 雖遇大困厄, 有'致命遂志'而已. 亦不知有人之是非向背, 惟其是而已."[184]

(주자가 말했다.) "곤궁함에는 가볍거나 무거운 차이가 있고 역량에는 크거나 작은 차이가 있다. 만약 하루 24시간 동안 자신을 단속할 수 있다면, 생각과 행동이 모두 마땅하여 우러러보아도 부끄럽지 않고 굽어보아도 부끄럽지 않게 될 것이다. 이와 같이 하고서도 불행히 시신이 골짜기를 메우거나 목숨을 잃고 죽는다 하더라도 근심할 겨를도 없이 하나의 옳은 길을 성취할 뿐이다. 이와 같다면 마음속이 모두 천리이니, 비록 큰 곤궁을 만났더라도 '군자가 이를 본받아 목숨을 바쳐 뜻을 이룸'[185]이 있을 뿐이다. 또한 다른 사람들의 시비에 대한 향배에 대해서는 알지 못하고 오직 옳은 것일 뿐이다."

[49-4-53]

問："死生是大關節處, 須是日用間雖小事亦不放過, 一一如此用工夫, 當死之時方打得透."
曰："然."[186]

물었다. "죽고 사는 것은 매우 중요한 지점이니, 반드시 일상생활 속에서 비록 작은 일이라도 간과하지 않고 일일이 이렇게 공부하면 죽음에 직면했을 때 비로소 투철할 수 있습니다."
(주자가) 대답했다. "그렇다."

[49-4-54]

"以利害禍福言之, 此是至粗底, 此處人都信不及, 便講學得待如何, 亦沒安頓處. 今人開口亦解說一飮一啄, 自有定分. 及遇小小利害, 便生趨避計較之心. 古人刀鋸在前, 鼎鑊在後, 視之如無物者, 蓋緣只見得這道理, 不見那刀鋸鼎鑊."[187]

183 '지사는 시신이 … 않는다.'：『孟子』「滕文公下」；「萬章下」
184 『朱子語類』 권13, 128조목
185 '군자가 이를 … 이룸'：『周易』「坤卦·大象傳」
186 『朱子語類』 권13, 130조목
187 『朱子語類』 권107, 26조목

(주자가 말했다.) "이로움과 해로움, 화와 복으로 말한다면, 이는 지극히 조잡한 것이니, 이곳에서 사람들이 전혀 믿지 못한다면 곧 강학을 한다고 하더라도 어떻게 할 것인가, 또한 안정될 곳이 없을 것이다. 오늘날 사람들은 입만 열면 마실 것 하나 먹을 것 하나에도 정해진 분수가 있다고 설명한다. 하지만 작고 작은 이해 관계를 만나면 곧 나아갈지 피할지 비교하여 따지는 마음이 생긴다. 옛사람들이 칼과 톱이 앞에 있고, 솥과 가마가 뒤에 있어도 마치 아무것도 없는 것처럼 보았던 것은, 아마도 다만 이 도리만을 보며 저 칼과 톱, 솥과 가마를 보지 않았기 때문일 것이다."

[49-4-55]

"身勞而心安者爲之. 利少而義多者爲之."[188]

(주자가 말했다.) "몸이 수고롭지만 마음은 편안한 것을 행하고, 이익이 적고 의가 많은 것을 행한다."

[49-4-56]

"惟君子然後, 知義理之所必當爲, 與義理之必可恃. 利害得失, 旣無所入於其心, 而其學又足以應事物之變. 是以氣勇謀明, 無所懾憚, 不幸蹉跌, 死生以之. 小人之心, 一切反是."[189]

(주자가 말했다.) "오직 군자가 된 후에야 의리를 반드시 행해야 하며 의리를 반드시 믿을 만하다는 것을 안다. 이해득실이 이미 그의 마음속에 들어갈 것이 없고, 그 학문이 또 사물의 변화에 대응하기에 충분하다. 이런 까닭에 기운이 용맹하고 지략이 분명해서 두려워하거나 꺼리는 것이 없고, 불행히 일이 실패하더라도 생사를 도외시한다. 소인의 마음은 완전히 이와 반대이다."

[49-4-57]

"人有此身, 便有所以爲人之理, 與生俱生, 乃天之所付, 而非人力之所能爲也. 所以凡爲人者, 只合講明此理而謹守之, 不可昏棄. 若乃身外之事, 榮悴休戚, 卽當一切聽天所爲而無容心焉."[190]

(주자가 말했다.) "사람이 이 몸을 갖게 되면 곧바로 사람됨의 리理가 있게 되는데, 사람이 태어남과 함께 생기는 것으로, 곧 하늘이 부여한 것이지 사람의 힘으로 할 수 있는 것이 아니다. 그래서 사람이 된 자는 다만 마땅히 그 이치를 강구하여 밝혀 삼가 지켜야지 미혹된 채 내버려 두어서는 안 된다. 융성과 쇠퇴, 기쁨과 걱정과 같은 몸 밖의 일은 일체 하늘이 하는 대로 따르고, 사심私心이 개입되지 않도록 한다."

----

188 『朱子語類』 권120, 126조목
189 『朱文公文集』 권13 「垂拱奏劄二」
190 『朱文公文集』 권63 「答葉仁父」

[49-4-58]

問: "事有最難底奈何?"

曰: "亦有數等. 或是外面阻遏做不得, 或是裏面紛亂處不去. 亦有一種紛挐時, 及纖毫委曲微細處難處, 全只在人自去理會. 大槩只是要見得道理分明, 逐事上自有一箇道理. 『易』曰, '探賾索隱.' 賾處不是奧, 是紛亂時. 隱是隱奧也, 全在探索上. 紛亂是他自紛亂, 我若有一定之見, 安能紛亂得我?"[191]

물었다. "일에서 가장 어려운 것은 어떤 것입니까?"

(주자가) 대답했다. "또한 몇 가지 등급이 있다. 어떤 것은 바깥에서 저지하여 행하지 못하고, 어떤 것은 내면이 혼잡하고 어수선하여 처리하지 못한다. 또한 뒤엉켜 있는 시점이나 섬세하고 복잡하여 처리하기 어려운 곳이 있는데, 전적으로 사람들 스스로가 이해하는 데 달려 있다. 대개 도리를 분명히 이해하려면, 일마다 각각 가지고 있는 도리를 분명하게 이해해야 한다. 『역』에 '잡란雜亂한 것을 상고하고 숨은 것을 찾는다.'[192] 하니, 잡란한[賾] 경우는 심오한 것[奧]이 아니라 분란紛亂한 때이다. 숨은 것[隱]은 은밀하고 심오한 것[隱奧]이니 전적으로 탐색하는 데 달려 있다. 분란은 그 자체로 분란한 것이니, 내가 만약 일정한 소견을 가지고 있다면 어떻게 나를 분란하게 할 수 있겠는가?"

[49-4-59]

問: "事來斷制不下, 當何以處之?"

曰: "也只得隨力量做去."

又問: "事有至理, 理有至當. 十分處今已看得七八分, 待窮來窮去, 熟後自解到那分數足處."

曰: "雖未能從容, 只是熟後便自會. 只是熟. 只是熟."[193]

물었다. "일을 가지고 판단하지 못하겠으니 마땅히 어떻게 처해야 합니까?"

(주자가) 대답했다. "또한 다만 역량에 따라 해나가야 한다."

물었다. "일에는 지극한 이치가 있고 이치[理]에는 지극히 당연함이 있습니다. 지금 이미 7에서 8할을 보았다면 이리저리 궁리하여서, 익숙해진 뒤에는 저절로 그 분수가 충족되는 곳을 이해하게 될 것입니다."

(주자가) 대답했다. "비록 조용하게 하지는 못할지라도 다만 익숙해진 뒤에는 곧 스스로 알게 될 뿐이다. 다만 익숙하게 할 뿐이고 익숙하게 할 뿐이다."

[49-4-60]

問: "貧者舉事有費財之浩瀚者, 不能不計度繁約而爲之裁處, 此與'正義不謀利'意相妨否? 竊恐謀利者是作這一事, 更不看道理合當如何, 只論利便於己與不利便於己. 得利便則爲之, 不

---

191 『朱子語類』 권118, 47조목

192 '雜亂한 것을 … 찾는다.': 『周易』「繫辭下」 제11장

193 『朱子語類』 권120, 5조목

得則不爲. 若貧而費財者, 只是目下恐口足不相應, 因斟酌裁處, 而歸之中, 其意自不同否?"

曰: "當爲而力不及者, 量宜處乃是義也. 力可爲而計費吝惜, 則是謀利而非義矣."[194]

물었다. "가난한 사람이 일을 거행할 때 재물을 끝도 없이 많이 소비해야 할 경우가 있으면, 얼마나 많은지 헤아려 처리하지 않을 수 없으니, 이는 '의義를 바르게 하고 이익利을 도모하지 않는다.'[195]는 뜻과 서로 방해가 되는지요? 이익을 도모하는 자는 이 하나의 일을 행하면서 도리에 어떻게 합당한지 여부는 다시 돌아보지 않고, 나에게 이로운지 나에게 불리한지 만을 논할 뿐입니다. 이로움을 얻으면 행하고 얻지 못하면 행하지 않습니다. 가난하지만 재물을 소비해야 하는 경우에 당장 언행이 서로 호응하지 않을까 두려워하는데, 이로 인해 잘 헤아려 처리하는 것을 중간 정도로 귀결시키니, 그 뜻이 본래 다르지 않습니까?"

(주자가) 대답했다. "마땅히 해야 하는 일인데 힘이 부족한 경우에는, 적절한 곳을 헤아리는 것이 바로 의義이다. 자기 힘으로 할 수 있는데도 비용을 계산하여 인색하게 군다면 이는 이익을 꾀하는 것이어서 의義가 아니다."

[49-4-61]

問: "欲窮理而事物紛紜, 未能有灑落處. 近惟見得富貴果不可求, 貧賤果不可逃耳."

曰: "此是就命上理會. 須更就義上看當求與不當求, 當避與不當避. 更看自家分上所以求之避之之心是欲如何. 且其得喪榮辱, 與自家義理之得失利害, 孰爲輕重, 則當有以處此矣."[196]

물었다. "이치를 궁구하고자 하였으나 사물이 분분하게 난삽하여 아직까지 시원스러운 곳灑落處을 두지 못했습니다. 근래에 다만 부귀는 과연 구할 수 없는 것이고 빈천은 과연 피할 수 없는 것임을 알았을 따름입니다."

(주자가) 대답했다. "이는 명命이라는 측면에서 본 것이다. 반드시 다시 의義의 측면에서, 마땅히 구해야 할 것과 구해서는 안 될 것, 마땅히 피해야 할 것과 피해서는 안 될 것을 보아야 한다. 다시 자기 분수의 측면에서 구하고 피하는 마음이 이것이 무엇을 원하는 것인지 보아야 한다. 또 그 얻음과 잃음·영예와 치욕과 스스로의 의리의 득실得失·이해利害 가운데 어느 것이 가볍고 무거운가를 보면, 당연히 이것을 처리할 수 있다."

[49-4-62]

"大抵事只有一箇是非. 是非旣定, 却揀一箇是處行將去. 必欲回互得人人道好, 豈有此理? 然事之是非, 久却自定. 時下須是在我者無慊, 仰不愧, 俯不怍. 別人道好道惡管他!"[197]

· ·

194 『朱文公文集』 권57 「答陳安卿」
195 '義를 바르게 … 않는다.': 『春秋繁露』 권17
196 『朱文公文集』 권56 「答朱飛卿」
197 『朱子語類』 권113, 37조목

(주자가 말했다.) "대체적으로 일에는 하나의 시비가 있다. 시비가 정해지면 하나의 옳은 곳을 가려 실행해야 한다. 반드시 빙 에둘러 사람들마다 좋다고 말하기를 원하는데, 어떻게 이런 이치가 있겠는가? 그러나 일의 시비는 오래되면 오히려 스스로 정해진다. 지금은 반드시 내게 있는 것이 불만스러움이 없어야 하니, 위로 우러러 부끄럽지 않고 아래로 구부려도 부끄럽지 않아야 한다. 다른 사람들이 좋게 말하든 나쁘게 말하든 무슨 상관이겠는가!"

[49-4-63]

"讀書則實究其理, 行己則實踐其迹. 念念鄕前, 不輕自恕, 則在我者雖甚孤高, 然與他人元無干預, 亦何必私憂過計, 而陷於同流合汙之地乎."[198]

(주자가 말했다.) "독서는 실제로 그 이치를 궁구하는 것이고, 스스로의 몸가짐[行己]은 실제로 그 자취를 실행하는 것이다. 생각마다 앞을 향하고, 가볍게 스스로를 용서하지 않는다면, 나에게 있는 것이 비록 매우 고고孤高하다 하더라도, 그러나 다른 사람과는 애초부터 아무 상관이 없는 것이니, 또한 어찌 반드시 혼자서 걱정하고 지나치게 헤아려서, 더러운 세상과 영합하는[199] 지경에 빠지겠습니까?"

[49-4-64]

南軒張氏曰 : "義之所在, 君子蹈之, 如飢之必食, 渴之必飮, 不可改也. 若一毫私意亂之, 則顧藉牽滯, 而卒失其正矣."[200]

남헌 장씨南軒張氏[張栻]가 말했다. "의가 있는 곳을 군자는 실천하는데 마치 굶주린 자가 밥 먹기를 기필하듯이, 목마른 자가 마시기를 기필하듯이 하여, 고칠 수가 없다. 만약 털끝만큼이라도 사사로운 뜻으로 어지럽힌다면, 주저하고 구애되어 끝내 그 올바름을 잃게 될 것이다."

[49-4-65]

論伊川說子貢'貨殖, 便生計較. 纔計較便是不受命.' "只計較便不是." 因言, "人逐日自思量如何是計較處, 纔有計較作爲便不是. 若都不計較, 則是無所爲, 如何應事接物? 要得不計較, 又要得應事接物, 於此可以涵泳本心."

(남헌 장씨가) 이천이 자공에 대해 '재물을 늘린 것은 계교를 만들어낸 것이다. 계교하면 곧 명命을 받지 않는 것이다.'[201]라고 한 것을 논하였다. "다만 계교하면 곧바로 옳지 않은 것이다." 계속해서 말하길, "사람이 날마다 스스로 어떻게 할지 생각하는 것이 계교하는 것이니, 계교하여 작위함이 있으면 곧 옳지

198 『朱文公文集』 권50 「答周舜弼」
199 더러운 세상과 영합하는 : 『孟子』 「盡心下」에 "무너져 흘러내리는 풍속[流俗]과 동화하며 더러운 세상에 영합하다.(同乎流俗, 合乎汙世.)"라고 하였다.
200 『南軒集』 권34 「題跋 · 跋鄭威恚事」
201 '재물을 늘린 … 것이다.' : 『河南程氏遺書』 권19

않은 것이다. 만약 전혀 계교하지 않는다면 이는 할 바가 없는 것인데, 어떻게 사물에 접촉하여 대응하는가? 계교하지 않으려 하면서 또 사물에 대응하려 하면, 여기에서 본심에 침잠할 수 있다."

[49-4-66]

東萊呂氏曰：“大凡人資質各有利鈍, 規模各有大小, 此難以一律齊. 要須常不失故家氣味, 所向者正, 凡聖賢前輩學問操履, 我力雖未能爲, 而心向慕之, 是謂所向者正. 若隨俗輕笑, 以爲世法不須如此, 不當如此, 則所向者不正矣. 所存者實, 如已雖未免有過, 而不敢久飾遮藏. 又如處親戚朋友間, 不敢不用情之類. 信其所當信, 謂以聖賢語言, 前輩教戒爲必可信, 而以世俗苟且便私之論, 爲不可信. 恥其所當恥, 謂以學問操履不如前輩爲恥, 而不以官職不如人, 服飾資用不如人, 巧詐小數不如人爲恥. 持身謙遜而不敢虛驕, 遇事審細而不敢容易. 如此, 則雖所到或遠或近, 要是君子路上人也.”[202]

동래 여씨東萊呂氏[呂祖謙]가 말했다. "대개 사람의 자질에는 각각 날카로움과 둔함이 있고, 규모에 각각 크고 작음이 있으니, 이는 일률적으로 고르게 하기 어렵다. 요컨대 반드시 옛 명가의 성향을 잃지 말도록 하여, 향하는 바를 올바르게 하고, 성현과 선배들의 학문과 품행을 나의 힘으로 비록 잘할 수 없다 하더라도 마음으로 향하고 사모하는 것, 이것을 '향하는 바를 올바르게 한다'라고 말한다. 만약 세속을 따라 가볍게 여기고 비웃으며, 세상의 법도가 이같지 않아야 한다고 생각한다면, 마땅히 이같지 않은 것은 향하는 바가 올바르지 않은 것이다. 간직하는 바는 충실하며, 만약 이미 잘못이 있음을 면하지 못했다 하더라도, 감히 오랫동안 꾸미고 감추지 않는다. 또 만일 친척과 친구 사이를 대처할 때 감히 정으로써 하지 않을 수 없는 것 등이다. 그 마땅히 믿어야 할 바를 믿고, 성현의 말씀과 선배의 가르침을 반드시 믿을 만한 것으로 삼고, 세속의 구차하고 사사로움에 치우친 논의들은 믿을 수 없는 것으로 삼는다는 것을 말한다. 그 마땅히 부끄러워할 바를 부끄러워하고, 학문과 품행이 선배만 못한 것을 부끄러워하고, 관직이 남만 못한 것이나 복식과 재물이 남만 못한 것이나 교묘한 속임수와 작은 술수가 남만 못한 것은 부끄러워하지 말라는 것이다. 몸가짐을 겸손하게 하여 감히 헛되게 교만하지 말며, 일을 만나면 세밀히 살펴서 쉽게 여기지 말라. 이와 같으면 비록 도달하는 곳에 멀거나 가까운 차이가 있더라도 요는 군자가 되는 도상에 있는 사람이다."

[49-4-67]

西山眞氏曰：“一事有一事之理, 人能安定其心, 順其理以應之, 則事旣得所, 心亦不勞苦. 擾擾焉以私心處之, 則事必不得其當, 而其心亦無須臾之寧. 人徒知爲事之累心, 不知乃心之累事也.”[203]

서산 진씨西山眞氏[眞德秀]가 말했다. "한 가지 일에는 한 가지 일의 리理가 있으니, 사람이 자기 마음을 안정시켜 그 리에 순하여 응할 수 있다면 일은 이미 제자리를 얻고 마음 또한 수고롭지 않을 것이다. 소란스럽게 사심으로 대처한다면 일은 반드시 그 마땅함을 얻지 못하고 그 마음 또한 잠깐의 편안함도

202 『東萊別集』 권10 「尺牘四・與內弟曾德寬」
203 『西山讀書記』 권3 「心」

없을 것이다. 사람들은 공연히 일이 마음의 누가 된다는 것만 알고, 마음이 일의 누가 된다는 것은 모른다."

[49-4-68]

魯齋許氏曰 : "天地間當大著心, 不可拘於氣質, 局於一己. 貧賤憂戚, 不可過爲隕穫. 貴爲公相不可驕, 當知有天地國家以來多少聖賢在此位 ; 賤爲匹夫不必恥, 當知古昔志士仁人多少屈伏甘於貧賤者. 無入而不自得也, 何忻戚之有?"[204]

노재 허씨魯齋許氏(許衡)가 말했다. "천지 사이에서 마땅히 마음을 크게 드러내야 하니, 기질에 구속되어 한 몸에 국한되어서는 안 된다. 가난하고 천함과 근심하고 슬퍼함에 지나치게 상심해서는 안 된다. (지위가) 귀하여 공이나 재상이 되었다고 교만해서는 안 되니, 천지 국가가 있은 이래로 얼마나 많은 성현들이 이 지위에 있었는지 알아야 한다. 천하여 필부가 되었다고 수치스러워할 필요가 없으니, 옛날의 지사와 어진 사람들이 얼마나 많이 숨어서 빈천한 것을 감수하였는지 알아야 한다. 어디에서든 자득하지 않음이 없으니, 무엇을 기뻐하고 슬퍼할 것이 있겠는가?"

[49-4-69]

"凡事物之際有兩件, 有由自己的, 有不由自己的. 由自己的有義在, 不由自己的有命在, 歸於義命而已."[205]

(노재 허씨가 말했다.) "사물 중에는 두 가지가 있으니, 자기에게서 말미암는 것이 있고, 자기에게서 말미암지 않는 것이 있다. 자기에게서 말미암는 것에는 의義가 있고, 자기에게서 말미암지 않는 것에는 명命이 있으니, 의와 명으로 돌아갈 뿐이다."

[49-4-70]

"世人懷智挾詐而欲事之善, 豈有此理? 必盡去人僞, 忠厚純一, 然後可善其事. 至於死生禍福, 則一歸之天命而已. 人謀孔臧, 亦可以保天命 ; 人能攝生, 亦可以保神氣, 自暴自棄而有凶禍, 皆自取之也."[206]

(노재 허씨가 말했다.) "세상 사람들은 지혜를 품고 간사한 생각에 의지하여 일을 잘하고자 하지만 어찌 이러한 이치가 있겠는가? 반드시 사람의 거짓을 다 제거해버리고, 충후하고 순일한 다음에야 그 일을 잘할 수 있다. 생사와 화복의 경우에는 한결같이 천명으로 돌릴 뿐이다. 사람의 지모가 매우 착하더라도 또한 천명을 보존할 수 있고, 사람이 잘 섭생해도 또한 신기를 보존할 수 있으니, 스스로를 해치고 스스로를 내버려서[207] 흉함과 화가 있게 되는 것은 모두 스스로 취한 것이다."

- -

204 『魯齋遺書』 권2 「語錄下」
205 『魯齋遺書』 권1 「語錄上」
206 『魯齋遺書』 권1 「語錄上」

[49-4-71]

"巧言令色, 人欲勝, 天理滅矣. 人但當修心自理, 不問與他人合與不合. 果能自修, 天下人皆能合. 若只以巧言令色求合, 則其所合者可知矣."[208]

(노재 허씨가 말했다.) "말을 좋게 하고 얼굴빛을 곱게 하는 것[209]은 인욕이 이기고 천리가 사라진 것이다. 사람은 다만 마땅히 마음을 닦아서 스스로 다스려야지, 남들의 마음에 합하는지 합하지 않는지 여부는 묻지 말아야 한다. 과연 스스로 수양할 수 있다면, 천하 사람들에게 모두 합할 수 있을 것이다. 만약 다만 말을 좋게 하고 얼굴빛을 곱게 하여 합하기를 구한다면, 그것을 남들이 알 수 있다."

[49-4-72]

"汲汲焉毋欲速也, 循循焉毋敢惰也, 非止學問如此. 日用事爲之間, 皆當如此, 乃能有成."[210]

(노재 허씨가 말했다.) "급급하되 속히 하려 하지 말고,[211] 차근차근하되 감히 게을리하지 말 것이니, 비단 학문만 이와 같은 것이 아니다. 매일의 일상사에서도 마땅히 이와 같이 해야 성공할 수 있다."

[49-4-73]

"禍福榮辱, 死生貴賤, 如寒暑晝夜相代之理. 若以私意小智妄爲迎避, 大不可也."[212]

(노재 허씨가 말했다.) "화복과 영욕, 생사와 귀천은 마치 추위와 더위, 낮과 밤이 서로 교대로 바뀌는 이치와 같다. 만약 사사로운 뜻과 작은 지혜를 가지고 망령되게 맞이하거나 회피한다면 크게 잘못된 것이다."

[49-4-74]

"不聽父母命者, 則爲不孝 ; 不聽君命者, 則爲不敬. 其或不聽天命者, 獨無責耶! 君父之命, 或時可否之間, 設敎者猶曰'勿逆勿怠', 況乎天命大公至正無有不善, 何苦而不受命乎?"[213]

(노재 허씨가 말했다.) "부모의 명을 듣지 않는 자는 불효이고, 군주의 명을 듣지 않는 자는 불경이다. 그런데 간혹 천명을 듣지 않는 자만 유독 책임이 없겠는가! 군주와 부모의 명이 간혹 옳거나 그른 사이에

---

207 스스로를 해치고 스스로를 내버려서 : 『孟子』 「離婁上」에 "스스로 해치는 자와 더불어 말할 수 없고, 스스로 버리는 자와 더불어 일할 수 없으니, 말할 때에 禮義를 비방하는 것을 自暴라 이르고, 내 몸은 仁에 居하고 義를 따를 수 없다 하는 것을 自棄라 이른다.(自暴者, 不可與有言也 ; 自棄者, 不可與有爲也. 言非禮義, 謂之自暴也 ; 吾身不能居仁由義, 謂之自棄也.)"라고 했다.

208 『魯齋遺書』 권1 「語錄上」

209 말을 좋게 … 것 : 『論語』 「學而」

210 『魯齋遺書』 권1 「語錄上」

211 속히 하려 … 말고 : 『論語』 「子路」

212 『魯齋遺書』 권1 「語錄上」

213 『魯齋遺書』 권1 「語錄上」

서도 가르치는 자는 오히려 '거스르지 말고 게을리하지 말라.'[214]고 하는데, 하물며 크게 공평하고 지극히 올발라 선하지 않음이 없는 천명의 경우에랴 무엇이 괴로워서 명을 받지 않겠는가!'

[49-4-75]
"毀不可遽, 譽亦不可遽, 喜不可遽, 怒亦不可遽. 處人須要重厚, 待人須要久遠, 顧歲晏何如耳. 一時一暫, 便動搖去從他做毀譽, 後段便難收拾."[215]

(노재 허씨가 말했다.) "비방도 급하게 해서는 안 되고 칭송도 급하게 해서는 안 되며, 기뻐하는 것도 급하게 해서는 안 되고, 성냄도 급히 해서는 안 된다. 사람을 대하는 것은 반드시 중후해야 하고, 사람을 기다리는 것은 반드시 길고 오랫동안 해야 하니, 그의 만년이 어떠한지 돌아볼 뿐이다. 한때 한순간 동요되어 그를 따라 칭송하거나 비방하면 나중에 수습하기가 어렵다."

[49-4-76]
"'有不虞之譽, 有求全之毀.' 不虞之譽, 無故而致譽也. 無實而得譽可乎! 大譽則大毀至, 小譽則小毀至, 必然之理也. 惟聖賢得譽, 則無所可毀. '大名之下難處', 在聖賢則異於是, 無難處者. 無實而得名, 故難處. 名, 美器也, 造物者忌多取, 非忌多取, 忌夫無實而得名者."[216]

(노재 허씨가 말했다.) "'예상치 못한 칭송도 있고, 온전히 하려다가 뜻밖에 받는 비방도 있다.[217] 예상치 못한 칭송은 그럴 만한 이유가 없는데도 칭송이 이른 것이다. 실질이 없는데도 칭송을 얻는 것이 괜찮은 것인가! 크게 칭송하면 큰 비방이 이르고, 작게 칭송하면 작은 비방이 이르는 것이 필연적인 이치이다. 오직 성현만이 칭송을 얻어도 비방할 수 있는 것이 없다. '큰 이름 아래에서는 머물기 어렵다.'[218]고 하지만 성현에게 있어서는 이와 다르니, 머물기 어려운 자가 없다. 실질이 없이 이름을 얻었기 때문에 머무르기 어려운 것이다. 이름은 아름다운 그릇이지만, 조물자가 많이 취하기를 꺼리니, 많이 취하는 것 자체를 꺼리는 것이 아니라, 실질이 없이 이름을 얻는 것을 꺼리는 것이다."

- - - - - - - - - - - - - - - - - - - -

214 '거스르지 말고 … 말라.' : 『禮記』「內則」
215 『魯齋遺書』 권1 「語錄上」
216 『魯齋遺書』 권1 「語錄上」
217 '예상치 못한 … 있다.' : 『孟子』「離婁上」
218 '큰 이름 … 어렵다.' : 『史記』「越王勾踐世家」에서는 "구천이 패업을 이루고 범려를 상장군으로 일컬었다. 나라에 돌아와서 범려가 생각하기를 큰 명성 아래에서는 오래 머물기 어렵고 또 구천의 사람됨이 근심은 함께할 수 있지만, 편안함은 함께 하기 어렵다고 생각하여, 구천에게 글을 올려 사직하였다. … 스스로 자신의 무리들과 함께 배를 타고 바다로 가서 끝내 돌아오지 않았다.(句踐以霸, 而范蠡稱上將軍. 還反國, 范蠡以爲, 大名之下, 難以久居, 且句踐爲人可與同患, 難與處安, 爲書辭句踐曰 … 自與其私徒屬乘舟浮海以行, 終不反.)"라고 했다.

學八 학 8

力行 理欲義利君子小人之辨 論出處附　역행 '리와 욕, 의와 이익, 군자와 소인의 분별'과 '벼슬하고 물러나는 일에 대해 논함'이 첨부되었다.

[50-1-1]
程子曰 : "人心莫不有知. 惟蔽於人欲, 則亡天理也."[1] 以下理欲義利君子小人之辨.
정자가 말했다. "사람의 마음에는 앎[知]이 있지 않을 수가 없다. 오직 인욕人欲에 가려지면 천리天理가 없어지게 된다." 이하는 리理와 욕欲, 의義와 이익[利], 군자君子와 소인小人의 분별이다.

[50-1-2]
"欲利己者, 必損人 ; 欲利財者, 必斂怨."[2]
(정자가 말했다.) "자기를 이롭게 하려는 자는 반드시 남에게 손해를 끼친다. 재물을 이롭게 하려는 자는 반드시 원망을 모은다."

[50-1-3]
"人於天理昏者, 是只爲嗜欲亂著他. 莊子言'其嗜欲深者, 其天機淺', 此言却最是."[3]
(정자가 말했다.) "사람이 천리天理에 어두워지는 것은 다만 기욕嗜欲이 그를 어지럽히고 있기 때문이다. 장자莊子가 '기욕이 깊은 사람은 천기天機(자연의 기틀)가 얕다.'[4]고 했으니, 이 말이 오히려 가장 옳다."

- - - - - - - - - - - - - - - -

1 『河南程氏遺書』 권11
2 『二程粹言』 권下
3 『河南程氏遺書』 권2上
4 '기욕이 깊은 … 얕다.' : 『莊子』「大宗師」

[50-1-4]

“利者, 衆人之所同欲也. 專欲益己, 其害大矣. 貪之甚, 則昏蔽而忘理義. 求之極, 則爭奪而致怨仇.”[5][6]

(정자가 말했다.) “이익이란 일반 사람들이 동일하게 바라는 것이다. 오로지 자기를 이롭게 하려고만 하면, 그 해로움이 크다. 탐내는 것이 심하면 어두워지고 가려져서 의리를 잊게 된다. 구하는 것이 지극하면, 다투어 빼앗아 원망 가득한 원수를 맺게 된다.”

[50-1-5]

“大凡出義則入利, 出利則入義. 天下之事, 惟義利而已.”[7]

(정자가 말했다.) “대체로 의義에서 벗어나면 이익利으로 들어가고, 이익에서 벗어나면 의로 들어간다. 천하의 일은 오직 의와 이익뿐이다.”

[50-1-6]

“孟子辨舜跖之分, 只在義利之間. 言‘間’者, 謂相去不甚遠, 所爭毫末耳. 義與利, 只是箇公與私也. 出義便以利言也. 只那計較, 便是爲有利害. 若無利害, 何用計較? 利害者, 天下之常情也. 人皆知趨利而避害, 聖人則更不論利害, 惟看義當爲不當爲, 便是命在其中也.”[8]

(정자가 말했다.) “맹자는 순임금과 도척의 분별이 다만 의義와 이익利 사이에 있다고 하였다.[9] ‘사이’라고 한 것은 서로의 거리가 너무 멀지 않고, 털끝만큼의 차이를 다투는 것에 불과함을 말한 것이다. 의와 이익은 다만 공公과 사私일 뿐이다. 의에서 벗어난다는 것은 곧 이익으로써 말한 것이다. 다만 그런 생각뿐일지라도 곧 이익과 해로움을 따짐이 있는 것이다. 만일 이익과 해로움에 대한 생각이 없다면 무엇 때문에 따지고 비교하겠는가? 이익과 해로움이라는 것은 세상 사람들의 인지상정이다. 사람들은 모두 다투어 이익을 추구할 줄 알고 해로움을 피할 줄 알지만, 성인은 이익과 해로움을 논하지 않고, 오직 의義에 비추어 마땅히 해야 할 것인지 하지 말아야 할 것인지를 보니, 곧 명命이 그 속에 있는 것이다.”

---

5 則爭奪而致怨仇. : 『二程粹言』에는 “則爭奪而致怨”으로 되어 있고, 『이천역전』에는 “則侵奪而致仇怨”으로 되어 있다.

6 『二程粹言』 卷上 ; 『伊川易傳』 「益·上九爻」

7 『河南程氏遺書』 권11

8 『河南程氏遺書』 권17

9 맹자는 순임금과 … 하였다. : 『孟子』 「盡心上」에서는 “닭이 울면 일어나서 부지런히 부지런히 善行을 하는 자는 舜임금의 무리이다. 닭이 울면 일어나서 부지런히 부지런히 이익을 위한 행위를 하는 자는 盜跖의 무리이다. 순임금과 도척의 분별을 알고자 한다면 다른 것이 없다. 이익과 善의 사이인 것이다.(雞鳴而起, 孳孳爲善者, 舜之徒也. 雞鳴而起, 孳孳爲利者, 跖之徒也. 欲知舜與跖之分, 無他, 利與善之間也.)”라고 했다.

[50-1-7]

"所謂利者, 不獨財利之利, 凡有利心便不可. 如作一事；須尋自家穩便處, 皆利心也. 聖人以義爲利, 義安處便爲利."[10]

(정자가 말했다.) "이른바 이利란 다만 경제적 이득이 되는 이익에만 국한된 것이 아니라, 이익을 탐하는 마음을 가지면 안 되는 것이다. 예를 들면 어떤 일을 할 때, 대개 스스로에게 편리한 곳을 찾으려고 하는 것은 모두 이익을 탐하는 마음이다. 성인은 의義를 이익이라 여기니, 의가 편안한 곳을 곧 이利로 삼는다."

[50-1-8]

"守道當確然而不變. 得正則遠邪, 就非則違是, 無兩從之理."[11]

(정자가 말했다.) "도道를 지키는 것은 마땅히 확고하게 하여 변하지 말아야 한다. 올바름을 얻으면 사악함을 멀리하게 되며, 그릇된 것에 나아가면 옳음을 어기게 되니, 둘을 함께 따르는 이치는 없다."

[50-1-9]

"雖公天下事, 若用私意爲之, 便是私."[12]

(정자가 말했다.) "비록 천하의 일에 공정[公]하더라도, 만약 사사로운 뜻[私意]을 개입하여 행한다면 곧 사사로움[私]이 된다."

[50-1-10]

"人能放這一箇身, 公共放在天地萬物中一般看, 則有甚妨礙！雖萬身曾何傷！"[13]

(정자가 말했다.) "사람이 이 한 몸을 해방하여 공공으로 천지 만물 가운데 하나로서 놓아둔다면 무슨 장애가 있겠는가！비록 수많은 몸이라 하더라도 무엇이 해롭겠는가！"[14]

[50-1-11]

"公則同, 私則異, 同者天心也."[15]

(정자가 말했다.) "공公하면 같고 사私하면 다르니, 같은 것은 하늘의 마음[天心]이다."

---

10 『河南程氏遺書』 권16

11 『二程粹言』 권上

12 『河南程氏遺書』 권5

13 『河南程氏遺書』 권2上

14 비록 수많은 … 해롭겠는가! : 『河南程氏遺書』 권2上에는 이 뒤에 "곧 석가가 六根(眼, 耳, 鼻, 舌, 身, 意)과 六塵(色, 聲, 香, 味, 觸, 法)을 괴롭게 여긴 것은 모두가 사사로운 것 때문임을 알 수 있다.(乃知釋氏苦根塵者, 皆是自私者也.)"라는 구절이 더 있다.

15 『二程粹言』 권下

[50-1-12]

"公則一, 私則萬殊. 至當歸一, 精義無二. 人心不同如面, 只是私心."[16]

(정자가 말했다.) "공은 하나이고, 사는 만 가지로 다른 것[萬殊]이다. 지극한 마땅함[至當]은 하나로 귀결되고 정밀한 의리[精義]에는 둘이 없다. 사람의 마음이 각자 다른 것이 얼굴과 같은 것[17]은 다만 사사로운 마음일 뿐이다."

[50-1-13]

"可欲莫如善, 以有諸己爲貴. 若存若亡焉, 而不爲物所誘, 俗所移者, 吾未之見也."[18]

(정자가 말했다.) "바랄 만한 것으로는 선善만 한 것이 없으니, 선이 자기에게 있는 것을 귀하게 여긴다.[19] 있는 듯 없는 듯하면서도 외물에 의해 유혹되지 않고 세속에 의해 변화되지 않는 것을 나는 보지 못했다."[20]

[50-1-14]

"堯舜之爲善, 與桀跖之爲惡, 其自信一也."[21]

(정자가 말했다.) "요와 순이 선을 행한 것과 걸과 도척이 악을 행한 것이, 그 스스로를 믿은 것은 한 가지이다."

· ·

16 『河南程氏遺書』권15
17 사람의 마음이 … 것 : 『左傳』「襄公 31년」에서는 "자산이 말했다. '사람의 마음이 다른 것이 마치 그 얼굴과 같으니, 내가 어찌 감히 그대의 얼굴이 나의 얼굴과 같다고 할 수 있겠습니까?(子産曰, '人心之不同如其面焉, 吾豈敢謂子面如吾面乎?')"라고 했다.
18 『二程粹言』권上
19 바랄 만한 … 여긴다. : 『孟子』「盡心下」에서는 "'무엇을 善人이라 하며, 무엇을 信人이라 합니까?' 맹자가 말했다. '바랄 만한 것을 善人이라고 하고, 선을 자기 몸에 소유함을 信人이라 한다. 선이 충만하여 가득 참[充實]을 美人이라 하고, 충만하여 가득 차서 찬란하게 빛나는 것을 大人이라 한다.'('何謂善, 何謂信?' 曰, '可欲之謂善, 有諸己之謂信. 充實之謂美, 充實而有光輝之謂大')"라고 했다. 주자는 『集註』에서 "천하의 이치가 선한 자는 반드시 可欲스럽고, 악한 자는 반드시 可憎스러우니, 그 사람됨이 可欲스럽고 可憎스럽지 않다면 善人이라 할 수 있다.(天下之理, 其善者, 必可欲 ; 其惡者, 必可惡, 其爲人也, 可欲而不可惡, 則可謂善人矣.)"라고 주해했다.
20 있는 듯 … 못했다. : 정자는 『河南程氏遺書』권4에서 『孟子』「盡心下」의 이 구절에 대해 "선비가 하기 어려운 것은 善을 자기 몸에 소유함에 있을 뿐이다. 善을 자기 몸에 소유할 수 있다면 居함이 편안하고 이용함이 깊어서 美人과 大人에 점점 이를 수 있게 된다. 헛되이 可欲의 善만 알고, 보존했다 놓쳤다 할 뿐이라면, 세속에 변화를 받지 않을 자가 드물 것이다.(士之所難者, 在有諸己而已. 能有諸己, 則居之安, 資之深, 而美且大可以馴致矣. 徒知可欲之善, 而若存若亡而已, 則能不受變於俗者鮮矣.)"라고 주해하였다.
21 『河南程氏遺書』권25

[50-1-15]

"天下善惡皆天理. 謂之惡者本非惡, 但或過或不及便如此, 如楊墨之類."

又曰: "天理中物須有美惡, 蓋物之不齊, 物之情也. 但當察之, 不可自入於惡, 流於一物."[22]

(정자가 말했다.) "천하의 선과 악은 모두 천리天理이다. 그것을 악이라고 하는 것도 본래는 악이 아니고, 지나치거나 미치지 못한 것이 바로 이와 같을 뿐이니, 예컨대 양주와 묵적의 부류이다."

(정자가) 또 말했다. "천리 가운데 사물에는 반드시 아름다움과 추악함이 있으니, 아마도 사물이 획일적이지 않은 것이 사물의 실정일 것이다. 다만 마땅히 잘 살펴보아서 스스로 악으로 빠져 들어가고 한 가지 사물로 흘러가서는 안 된다."

[50-1-16]

"何以謂之君子, 何以謂之小人? 君子則所見者大且遠,[23] 小人則所見者小且近. 君子之志, 所慮者豈止其一身, 直慮及天下千萬世; 小人之慮, 一朝之忿, 曾不遑恤其身."[24]

(정자가 말했다.) "무엇 때문에 군자라고 하고, 무엇 때문에 소인이라고 하는가? 군자는 소견이 크면서 거시적이지만, 소인은 소견이 작고 근시안적이다. 군자의 지향은 염려하는 것이 한 몸에 그치지 않으니, 곧바로 천하의 천만세를 염려하기에 이른다. 소인의 염려는 하루아침의 분한 마음이니 허둥거리며 자기 몸을 돌보지도 못한다."

[50-1-17]

"天地之間皆有對. 有陰則有陽, 有善則有惡. 君子小人之氣常相停.[25] 但六分君子則治, 六分小人則亂; 七分君子則大治, 七分小人則大亂. 如是則一無此三字, 作雖字 堯舜之世不能無小人. 蓋堯舜之世, 只是以禮樂法度驅而之善, 盡其道而已. 然言'比屋可封'者, 以其有敎, 雖欲爲惡, 不能成其惡."[26]

(정자가 말했다.) "천지 사이에는 모두 상대가 있다. 음이 있으면 양이 있고, 선이 있으면 악이 있다. 군자와 소인의 기운은 항상 정해져 있다. 다만 6할이 군자이면 다스려지고 6할이 소인이면 어지러워진다. 7할이 군자이면 크게 다스려지고 7할이 소인이면 크게 어지러워진다. 이와 같다면, 어떤 판본에는 이 구절이 없고, '비록雖'으로 되어 있다. 요순의 세상에도 소인이 없을 수 없다. 요순의 세상은 다만 예악과 법도를 가지고 사람들을 몰아서 선으로 가게 하여, 그러한 도리를 다하는 것일 뿐이다. 그러나 '집집마다 표창할 만한 인물이 많다.'[27]고 말한 것은 그 교화가 있었기 때문이니, 비록 악을 저지르고자 해도 그

----

22 『河南程氏遺書』권2上

23 君子則所見者大且遠: 『河南程氏遺書』권10에는 "君子則所見者大"로 되어 있다.

24 『河南程氏遺書』권10

25 君子小人之氣常相停: 『河南程氏遺書』권15에는 "君子小人之氣常停, 不可都生君子.(군자와 소인의 기운은 항상 정해져 있어 모조리 군자만 낳을 수는 없다.)"라고 되어 있다.

26 『河南程氏遺書』권15

악을 이룰 수 없었던 것이다."

[50-1-18]

"君子好成物故吉, 小人好敗物故凶."[28]

(정자가 말했다.) "군자는 남을 이루어 주기[29]를 좋아하므로 길하지만, 소인은 재물을 좋아하므로 흉하다."

[50-1-19]

"義理與客氣常相勝. 只看消長分數多少, 爲君子小人之別. 義理所得漸多, 則自然知得客氣消散得漸少. 消盡客氣者是大賢."[30]

(정자가 말했다.) "의리義理와 들뜬 혈기[客氣][31]는 항상 서로를 이긴다. 다만 줄어들고 늘어나는 정해진 한도[分數]가 많고 적음을 보면, 군자와 소인이 구별된다. 의리가 얻는 것이 점점 많아지면 자연히 들뜬 혈기[客氣]는 흩어지고 사라져 점점 작아짐을 알게 된다. 들뜬 혈기[客氣]를 소진하는 자는 대현이다."

[50-1-20]

問 : "君子之與小人處也, 必有侵陵困辱之患, 則如之何?"

曰 : "於是而能反己, 兢謹以遠其禍, 則德益進矣. 詩不曰, '他山之石, 可以攻玉.'"[32]

물었다. "군자가 소인과 함께 거처하면 반드시 침해하여 욕보임과 곤욕을 당하는 근심이 있으니, 어떻게 해야 합니까?"

(정자가 말했다.) "여기에서 자신을 돌이켜보아, 전전긍긍하며 삼감으로써 그 화를 멀리할 수 있다면,

---

27 '집집마다 표창할 … 많다.' : 『前漢書』 권99 「王莽傳上」에는 "명군과 성왕의 세상에는 국가에 현인이 많았던 까닭에 요순의 시절에는 집집마다 표창할 만했다.(明聖之世, 國多賢人, 故唐虞之時, 可比屋而封)"라고 되어 있고, 陸賈의 『新語』 권上 「無爲」에는 "그러므로 '요순의 백성은 집집마다 표창할 만했고, 걸주의 백성은 집집마다 주벌할 만했다.'라고 했으니, 교화가 그렇게 만든 것이다.(故曰, '堯舜之民可比屋而封, 桀紂之民可比屋而誅者, 敎化使然也)"라고 되어 있다.

28 『河南程氏外書』 권2 ; 『二程粹言』 권下

29 남을 이루어 주기 : 『中庸』 제25장에서는 "誠은 스스로 자기만을 이룰 뿐이 아니요, 남을 이루어 주니, 자기를 이룸은 仁이고, 남을 이루어 줌은 智이다.(誠者非自成己而已也, 所以成物也. 成己, 仁也 ; 成物, 知也.)"라고 하였다.

30 『河南程氏遺書』 권1

31 들뜬 혈기[客氣] : 葉采는 『近思錄』 권5에서 "의리는 성명의 본연이고, 객기는 형기가 그렇게 시킨 것이다.(義理者, 性命之本然 ; 客氣者, 形氣之使然)"라고 주해하였고, 茅星來는 『近思錄集註』 권5에서 "객기는 혈기이니, 심성의 본연이 아닌 것이므로 '객기'라고 한 것이다.(客氣者, 血氣也, 以其非心性之本然, 故曰'客氣'.)"라고 주해하였다.

32 『二程粹言』 권下

덕이 더욱 증진될 것이다. 『시경』에서 '타산他山의 돌이 옥을 갈 수 있느니라.'[33]라고 하지 않았는가."[34]

[50-1-21]

張子曰 : "人多言安於貧賤, 其實只是計窮力屈力短,[35] 不能營畫耳. 若稍動得, 恐未肯安之. 須是誠知義理之樂於利欲也乃能."[36]

장자張子張載가 말했다. "사람들이 대부분 빈천을 편안히 받아들인다고 말들은 많이 하지만, 사실은 계책이 궁하고 힘을 잃고 능력이 부족하여 기도하지 못하는 것일 뿐이다. 만약 조금이라도 착수할 수 있다면, 아마도 기꺼이 그것을 편안히 받아들이지 못할 것이다. 반드시 진실로 의리義理가 이욕利欲보다 즐거운 것임을 알아야만 할 수 있는 것이다."

[50-1-22]

"天下之富貴假外者, 皆有窮己. 蓋人欲無饜而外物有限. 惟道義則無爵而貴, 取之無窮矣."[37]

(장자張子가 말했다.) "천하의 부귀는 바깥에서 빌려온 것이니, 모두 다하는 때가 있다. 대체로 인욕에는 싫증 내는 한도가 없지만 외물에는 한도가 있다. 오직 도의道義만은 작위가 없어도 귀하고, 그것을 취해도 다함이 없다."

[50-1-23]

"利, 利於民則可謂利. 利於身, 利於國, 皆非利也. 利之言利, 猶言美之爲美. 利誠難言, 不可以槩而言."[38]

(장자張子가 말했다.) "이익은 백성에게 이로우면 이익이라고 할 수 있다. 자신에게 이롭고, 나라에 이로운 것은 모두 이익이 아니다. 이익을 이롭다고 하는 것은 아름다운 것을 아름답다고 말하는 것과 같다.

33 '他山의 돌이 … 있느니라.' : 『詩經』「小雅·彤弓之什·鶴鳴」

34 여기에서 자신을 … 않았는가. : 『詩經』「小雅·彤弓之什·鶴鳴」에 "他山의 돌이 옥을 갈 수 있느니라.(他山之石, 可以攻玉.)"에 대해서 정자는 "玉의 곱고 윤이 나는 것[溫潤]은 천하에 지극히 아름다운 것이요, 돌의 거친 것은 천하에 지극히 추악한 것이다. 그러나 두 개의 玉을 서로 갈면 그릇을 이룰 수가 없고, 돌로써 옥을 간 뒤에야 玉의 그릇이 이루어질 수 있다. 마치 군자가 소인과 함께 거처할 때 (소인이) 횡포하고 억지스러움[橫逆]으로 침해하여 욕보인 뒤에, (군자가) 수양하고 반성하며 두려워하여 피하고, 마음을 분발하고 성질을 참아서, 부족함을 증익하고 禍亂을 미리 방비하여 義理가 생겨나고 道德이 이루어짐과 같다. 나는 이 말을 邵子(邵康節)에게서 들었노라.(玉之溫潤, 天下之至美也 ; 石之麤, 天下之至惡也. 然兩玉相磨, 不可以成器, 以石磨之然後, 玉之爲器, 得以成焉. 猶君子之與小人處也, 橫逆侵加然後, 脩省畏避, 動心忍性, 增益豫防, 而義理生焉, 道德成焉. 吾聞諸邵子云.)"라고 주해했다.

35 其實只是計窮力屈力短 : 『張子全書』권5「氣質」에는 '力短'이 '才短'으로 되어 있다.

36 『張子全書』권5「氣質」

37 『張子全書』권7「學大原下」

38 『張子全書』권14「性理拾遺」

이익은 진실로 말하기 어려우니, 일괄적으로 말할 수 있는 것이 아니다."

[50-1-24]

藍田呂氏曰："辭受有義, 得不得有命, 皆理之所必然. 有命有義, 是有可得可受之理, 故舜可以受堯之天下. 無命無義, 是無可得可受之理, 故孔子不主彌子以受衛卿. 二者義命有自合之理, 無從而間焉. 有義無命, 雖有可受之義, 而無可得之命, 究其理, 安得而受之! 是謂義合於命, 故益避啓而不受禹之天下. 有命無義, 雖有可得之命, 而無可受之義, 亦安得而受之! 是謂命合於義, 故中國受室, 養弟子以萬鍾, 爲孟子之所辭. 二者義命有正合之理, 時中而已焉."[39]

남전 여씨藍田呂氏[呂大臨][40]가 말했다. "사양하고 받아들이는 것에는 의義가 있고, 얻고 얻지 못하는 것에는 명命이 있으니, 모두 이치[理]상 반드시 그러할 수밖에 없는 것이다. 명命이 있고 의義가 있으면 얻을 수 있고 받을 수 있는 이치[理]가 있으니, 그러므로 순이 요의 천하를 받을 수 있었다. 명命이 없고 의義가 없으면 얻을 수 있고 받을 수 있는 이치[理]가 없으니, 그러므로 공자는 미자彌子를 주인으로 삼아 위나라 경의 자리를 받지 않았다.[41] 두 가지 경우는 의義와 명命에 본래 합당한[自合] 이치[理]가 있으니 틈이 벌어질 수가 없다. 의義가 있고 명命이 없으면 비록 받아들일 수 있는 의義가 있더라도 얻을 수 있는 명命이 없으니, 그 이치[理]를 궁구하면 어찌 받아들일 수 있겠는가! 이것을 의義가 명命에 부합되는 것이라고 하니, 그러므로 익益이 계啓를 피하여 우禹의 천하를 받지 않았던 것이다.[42] 명命이 있고 의義가 없으면 비록 얻을 수 있는 명命이 있더라도 받을 수 있는 의義가 없으니, 또한 어찌 받을 수 있겠는가!

39　朱子,『孟子精義』권9

40　呂大臨(1040~1092) : 자는 與叔이며, 당시 藝閣先生으로 불리었다. 송대 藍田(현 섬서성 소속) 사람으로『呂氏鄕約』을 쓴 呂大鈞의 동생이다. 처음에는 張載를 스승으로 모셨으나, 장재가 죽은 뒤 二程에게 배워 謝良佐ㆍ游酢ㆍ楊時와 함께 '程門四先生'이라 일컫는다. 太學博士ㆍ秘書省正字를 역임하였다. 저서는『禮記傳』ㆍ『考古圖』등이 있다.

41　공자는 彌子를 … 않았다. :『孟子』「萬章上」에서는 "공자는 衛나라에서 顏讐由를 주인으로 삼으셨다. 彌子의 아내는 子路의 아내와 형제간이었다. 미자가 자로에게 '공자께서 나를 주인으로 삼으면 위나라 卿의 자리를 얻을 수 있다.'고 했다. 자로가 이 말을 고하니, 공자는 '天命에 달려 있다.'라고 하셨다. 공자는 나갈 때에 禮로써 하고, 물러날 때에 義로써 하며, 얻고 얻지 못함은 '天命에 달려있다.' 하셨다.(於衛, 主顏讐由. 彌子之妻, 與子路之妻, 兄弟也. 彌子謂子路曰, '孔子主我, 衛卿可得也.' 子路以告, 孔子曰, '有命' 孔子進以禮 退以義 得之不得 曰'有命'.)"라고 했고, 주자는『集註』에서 "'主'는 그 집에 머물러 그를 주인으로 삼는 것을 이른다. … '彌子'는 위나라 靈公의 총애하는 신하인 彌子瑕이다.('主', 謂舍於其家, 以之爲主人也. … '彌子', 衛靈公幸臣彌子瑕也.)"라고 주해하였다.

42　益이 啓를 … 것이다. :『孟子』「萬章上」에는 "禹가 益을 하늘에 천거한 지 7년 만에 禹가 붕어하셨다. 3년상을 마치고 益이 禹의 아들을 피하여 箕山의 북쪽으로 가 있었는데, 조회하고 옥사를 송사 하는 자들이 益에게 가지 않고, 啓에게 가며 '우리 임금님의 아들이다.'라고 하였으며, 德을 謳歌하는 자들이 益을 謳歌하지 않고, 啓를 謳歌하며 '우리 임금님의 아들이다.'라고 하였다.(禹薦益於天, 七年, 禹崩. 三年之喪畢, 益避禹之子於箕山之陰. 朝覲訟獄者不之益而之啓, 曰, '吾君之子也.' 謳歌者不謳歌益而謳歌啓, 曰, '吾君之子也.')"라고 되어 있다.

이것을 명命이 의義에 부합되는 것이라고 하니, 그러므로 서울에 집을 받아 만종萬鍾의 녹으로 제자를 기르는 것을 맹자가 사양한 것[43]이다. 두 가지 경우는 의義와 명命에 정합正合하는 이치[理]가 있으니, 시중時中일 뿐이다."

[50-1-25]
上蔡謝氏曰: "格物窮理, 須是識得天理始得. 所謂天理者, 自然底道理. 今人乍見孺子將入井, 皆有怵惕惻隱之心, 方乍見時, 其心怵惕, 所謂天理也. 要譽於鄕黨朋友, 內交於孺子父母, 惡其聲而然, 卽人欲耳. 天理與人欲相對. 有一分入欲, 卽滅却一分天理; 存一分天理, 卽勝得一分人欲."[44]

상채 사씨上蔡謝氏[謝良佐]가 말했다. "격물格物과 궁리窮理는 반드시 천리天理를 알아야만 된다. 이른바 천리는 저절로 그러한 도리이다. 지금 사람들이 갑자기 어린아이가 우물로 빠지려는 것을 보고 모두 깜짝 놀라 측은해하는 마음을 가지는데, 돌연히 보자마자 마음이 깜짝 놀라는 것이 이른바 천리이다. 마을 사람들과 친구들에게 명예를 구해서 그런 것이거나, 어린아이의 부모와 교분을 맺으려고 해서 그런 것이거나, (잔인하다는) 명성을 싫어해서 그런 것[45]이라면, 인욕일 뿐이다. 천리와 인욕은 서로 대립되는 것이다. 한 푼의 인욕이 있으면, 한 푼의 천리가 소멸되고, 한 푼의 천리를 보존하면 한 푼의 인욕을 이기게 된다."

[50-1-26]
和靖尹氏曰: "君子之心不係於利害, 惟其是而已."[46]

화정 윤씨和靖尹氏[尹焞]가 말했다. "군자의 마음은 이해利害에 매이지 않으니, 오직 옳은 것을 추구할 뿐이다."

<hr>

43 서울에 집을 … 것:『孟子』「公孫丑下」에는 "다른 날에 제나라 왕이 신하인 時子에게 말했다. '나는 맹자에게 서울에 집을 지어 주고 萬鍾의 祿으로 제자들을 길러 여러 대부들과 국민들로 하여금 모두 공경하고 본받는 바가 있게 하려고 한다. 자네는 어찌 나를 위하여 말해주지 않는가?' … 맹자가 말했다. '… 가령 내가 부자가 되고 싶었다면 十萬鍾의 녹을 사양하면서 萬鍾의 녹을 받는 것이 부자가 되고자 하는 짓이겠는가?'(他日, 王謂時子曰, '我欲中國而授孟子室, 養弟子以萬鍾, 使諸大夫國人皆有所矜式. 子盍爲我言之?' … 孟子曰, '… 如使予欲富, 辭十萬而受萬, 是爲欲富乎?')"라고 되어 있다.

44 『上蔡語錄』권1

45 지금 사람들이 … 것:『孟子』「公孫丑上」에는 "사람들이 모두 사람을 차마 해치지 못하는 마음을 가지고 있다고 말하는 까닭은, 지금 사람들이 갑자기 어린아이가 우물로 들어가려는 것을 보고는 모두 깜짝 놀라고 측은해 하는 마음을 가지니, 이것은 어린아이의 부모와 교분을 맺으려고 해서도 아니며, 마을 사람들과 친구들에게 명예를 구해서도 아니며, (잔인하다는) 명성을 싫어해서 그러한 것도 아니다.(所以謂人皆有不忍人之心者, 今人乍見孺子將入於井, 皆有怵惕惻隱之心. 非所以內交於孺子之父母也, 非所以要譽於鄕黨朋友也, 非惡其聲而然也.)"라고 되어 있다.

46 朱子,『孟子精義』권8

[50-1-27]

五峯胡氏曰 : "人欲盛, 則天理昏 ; 天理素明,[47] 則無欲矣. 處富貴與天地同其通, 處貧賤與天地同其否, 安死順生與天地同其變化, 又何宮室妻妾衣服飮食, 存亡得喪而以介意乎?"[48]

오봉 호씨五峯胡氏[胡宏]가 말했다. "인욕이 성하면 천리가 어두워지고, 천리가 본래대로 밝아지면 인욕이 없어진다. 부귀함에 처할 때 천지와 그 형통함을 같이하고, 빈천함에 처할 때 천지와 그 곤궁함을 함께하며, 죽음을 편안히 받아들이고 삶에 순順하여 천지와 그 변화를 같이하니, 또 어찌 궁실과 처첩과 의복과 음식과 존망과 득실에 개의하겠는가?"

[50-1-28]

"君子畏天命順天時, 故不行驚衆駭俗之事而常中 ; 小人不知天命, 以利而動, 肆情妄作, 故行驚衆駭俗之事, 必其無忌憚而然也."[49]

(오봉 호씨가 말했다.) "군자는 천명天命을 두려워하고 천시天時에 순응하므로, 대중을 놀래고 풍속을 혼란스럽게 하는 일을 행하지 않으며 중中을 항구하게 지킨다. 소인은 천명을 알지 못하고 이익 때문에 움직이며 감정에 따라 거리낌 없이 망령되게 행동하여, 대중을 놀래고 풍속을 혼란스럽게 하는 일을 행하니, 필시 그 거리끼는 것이 없어서 그러한 것이다."

[50-1-29]

"知人之道, 驗之以事, 而觀其辭氣. 從人反躬者, 鮮不爲君子 ; 任己蓋非者, 鮮不爲小人."[50]

(오봉 호씨가 말했다.) "다른 사람을 알아보는 방도는 일을 가지고 증험하며 그 말투를 살펴보는 것이다. 다른 사람을 따르면서 스스로를 돌이켜보는 자는 군자가 되지 않는 경우가 드물지만, 자기 하고 싶은 대로 하고 잘못을 덮어버리는 자는 소인이 되지 않는 경우가 드물다."

[50-1-30]

朱子曰 : "有箇天理, 便有箇人欲. 蓋緣這箇天理, 須有箇安頓處. 纔安頓得不恰好, 便有人欲出來."[51]

주자가 말했다. "천리가 있으면 인욕이 있다. 아마도 천리를 따르면 반드시 안정되는 곳이 있을 것이다. 적절하게 안정되지 않으면 곧 인욕이 나온다."

- -

47 天理素明 : 『知言』 권3에는 '天理'가 '理'로 되어 있다.
48 『知言』 권3
49 『知言』 권2
50 『知言』 권1
51 『朱子語類』 권13, 15조목

[50-1-31]

"天理人欲分數有多少. 天理本多, 人欲也便是天理裏面做出來. 雖是人欲, 人欲中自有天理."

問 : "莫是本來全是天理否?"

曰 : "人生都是天理, 人欲却是後來沒巴鼻生底."[52]

(주자가 말했다.) "천리와 인욕의 정해진 한도[分數]에는 많고 적음이 있다. 천리가 본래 많으니, 인욕 역시 곧 천리 속에서 생겨난다. 비록 인욕이라 하더라도, 인욕 가운데 본래 천리가 있다."

물었다. "본래 온통 천리인 것이 아닙니까?"

(주자가) 대답했다. "사람이 날 때는 모두 천리인데, 인욕은 오히려 나중에 근거 없이 생겨난 것이다."

[50-1-32]

"人之一心, 天理存則人欲亡, 人欲勝則天理滅. 未有天理人欲夾雜者. 學者須要於此體認省察之."[53]

(주자가 말했다.) "사람의 한 마음에 천리가 보존되면 인욕은 사라지고, 인욕이 이기면 천리는 사라진다. 천리와 인욕이 뒤섞인 적은 없다. 배우는 자들은 반드시 이것을 체인하고 성찰해야 한다."

[50-1-33]

"大抵人能於天理人欲界分上立得脚住, 則儘長進在."[54]

(주자가 말했다.) "사람이 천리와 인욕의 경계에 대해 분명하게 견해를 세울 수 있다면, 가장 발전이 있게 될 것이다."

[50-1-34]

"天理人欲之分, 只爭些子, 故周先生只管說'幾'字. 然辯之又不可不早. 故橫渠每說'豫'字."[55]

(주자가 말했다.) "천리와 인욕의 구분은 다만 미세한 차이를 다투는 것이므로, 주선생周先生[周敦頤]은 오로지 '기미[幾]'를 말했다. 그러나 분별하기를 또 일찍 하지 않으면 안 된다. 그러므로 횡거橫渠는 매번 '미리 할 것[豫]'을 말했다."

[50-1-35]

"天理人欲, 幾微之間."[56]

· ·

52 『朱子語類』 권13, 16조목
53 『朱子語類』 권13, 17조목
54 『朱子語類』 권13, 18조목
55 『朱子語類』 권13, 19조목
56 『朱子語類』 권13, 20조목

(주자가 말했다.) "천리와 인욕은 미세한 기미 사이에 있다."

[50-1-36]
問 : "飲食之間, 孰爲天理, 孰爲人欲?"
曰 : "飲食者, 天理也 ; 要求美味, 人欲也.[57]
물었다. "먹고 마시는 가운데 어떤 것이 천리이고, 어떤 것이 인욕입니까?"
(주자가) 대답했다. "먹고 마시는 것은 천리이고, 맛있는 것을 요구하는 것은 인욕이다."

[50-1-37]
"不爲物欲所昏, 則渾然天理矣."[58]
(주자가 말했다.) "물욕物欲에 의해 어리석어지지 않으면, 혼연하게 천리이다."

[50-1-38]
"天理人欲, 無硬定底界至, 是兩界上工夫.[59] 這邊工夫多, 那邊不到占過來. 若這邊工夫少, 那邊必侵過來."[60]
(주자가 말했다.) "천리와 인욕에는 경직되게 정해진 경계선이 없으니, 두 경계 위에서 공부하는 것이다. 이쪽 공부가 많으면 저쪽이 와서 (마음을) 점령하지 못한다. 만약 이쪽 공부가 적다면 저쪽이 반드시 침범해 온다."

[50-1-39]
"人只有箇天理人欲, 此勝則彼退, 彼勝則此退, 無中立不進退之理. 凡人不進便退也. 譬如劉項相拒於滎陽成皋間, 彼進得一步則此退一步, 此進一步則彼退一步. 初學者則要牢劄定脚與他捱, 捱得一豪去, 則逐旋捱將去. 此心莫退, 終須有勝時. 勝時甚氣象!"[61]
(주자가 말했다.) "사람에게는 다만 천리天理와 인욕人欲이 있을 뿐이니, 이쪽이 이기면 저쪽은 물러나고 저쪽이 이기면 이쪽은 물러나기에, 가운데 서서 나아가지도 물러나지도 않는 이치는 없다. 대저 사람은 나아가지 않으면 곧 물러나는 것이다. 비유하자면 유방과 항우가 형양滎陽 성고成皋(지금의 하남성 형양 사수현) 사이에서 대치[62]하고 있을 때 저쪽이 한 발자국 전진하면 이쪽은 한 발자국 후퇴하고, 이쪽이

---

57 『朱子語類』 권13, 22조목
58 『朱子語類』 권13, 24조목
59 無硬定底界至, 是兩界上工夫. : 『朱子語類』 권13, 25조목에는 "無硬定底界, 此是兩界分上功夫"로 되어 있다.
60 『朱子語類』 권13, 25조목
61 『朱子語類』 권13, 26조목
62 유방과 항우가 … 대치 : 기원전 205년 5월에서 기원전 203년 8월 사이에 2년 3개월 정도의 기간에 걸쳐 초패왕 항우와 유방 간에 벌어진 전투이다. 전략적 요충지인 滎陽 成皋를 둘러싸고 전개되었으며, 초나라와

한 발자국 전진하면 저쪽은 한 발자국 후퇴했던 것과 같다. 처음 배우는 사람은 굳게 서서 다리를 단단히 붙이고 그것을 막아야 하니, 털끝만큼이라도 막아낼 수 있었다면 점차 막아나가게 된다. 이런 마음이 후퇴하지 않으면 마침내 반드시 이길 때가 있을 것이다. 이길 때 (그것이) 어떤 기상이겠는가!"

[50-1-40]
"人只是此一心. 今日是, 明日非, 不是將不是底換了是底;今日不好, 明日好, 不是將好底換了不好底. 只此一心, 但看天理私欲之消長如何爾. 以至千載之前千載之後, 與天地相爲始終, 只此一心."[63]

(주자가 말했다.) "사람에게는 다만 이 하나의 마음이 있을 뿐이다. 오늘은 옳고 내일은 그르다면 옳지 않은 것을 옳은 것으로 바꾸는 것이 아니고, 오늘은 좋지 않고 내일은 좋다면 좋은 것을 좋지 않은 것으로 바꾸는 것이 아니다. 오직 이 하나의 마음이 있을 뿐이니, 다만 천리天理와 사욕私欲이 자라나거나 사라지는 것이 어떠한지를 볼 뿐이다. 천 년 전에서 천 년 후에 이르기까지 천지와 함께 서로 처음과 끝이 되는 것은 오직 이 하나의 마음일 뿐이다."

[50-1-41]
"學者須是革盡人欲, 復盡天理, 方始是學."
又曰 : "人欲與天理, 此長彼必短, 此短彼必長."[64]

(주자가 말했다.) "배우는 사람은 반드시 인욕을 완전히 제거하고 천리를 완전히 회복해야만 비로소 배운 것이다."
(주자가) 또 말했다. "인욕과 천리는, 이것이 길어지면 저것은 반드시 짧아지고 이것이 짧아지면 저것은 반드시 길어지는 것이다."

[50-1-42]
"未知學問, 此心渾爲人欲. 旣知學問, 天理自然發見, 而人欲漸漸消去者固是好矣. 然克得一層又有一層. 大者固不可有, 而纖微尤要密察."[65]

(주자가 말했다.) "아직 학문을 알지 못할 때는 이 마음이 온통 인욕이 된다. 이미 학문을 알고 나면 천리가 저절로 드러나 인욕이 점점 사라지니 진실로 좋은 것이다. 그러나 한 층을 이기면 또 한 층이 있다. 물론 큰 것을 남겨두어서는 안 되지만, 미세한 것도 더욱 세밀하게 살펴야 한다."

한나라 간 전쟁의 향방을 좌우한 전쟁이다.
63 『朱子語類』 권13, 27조목
64 『朱子語類』 권13, 28조목
65 『朱子語類』 권13, 29조목

"凡一事便有兩端. 是底卽天理之公, 非底乃人欲之私. 須事事與剖判極處, 卽克治擴充工夫隨事著見. 然人之氣稟有偏, 所見亦往往不同. 如氣稟剛底人, 則見剛處多, 而處事必失之太剛；柔底人, 則見柔處多, 而處事必失之太柔. 須先就氣稟偏處克治."[66]

(주자가 말했다.) "한 가지 일에는 양 극단이 있다. 옳은 것은 천리의 공정함이고, 그릇된 것은 인욕의 사사로움이다. 반드시 모든 일마다 극점까지 분석판단해야만, (인욕을) 눌러 다스리고 (천리를) 넓혀 채워가는 공부가 일에 따라 드러나게 된다. 그러나 사람이 품부받은 기질에는 치우침이 있으니 소견이 또한 종종 같지 않다. 예를 들어 품부받은 기질이 강한 사람은 강한 지점을 보는 경우가 많아서, 일을 처리할 때 반드시 너무 강한 데에서 실책을 범한다. 부드러운 사람은 부드러운 지점을 보는 경우가 많아서, 일을 처리할 때에 반드시 너무 부드러운 데에서 실책을 범한다. 반드시 먼저 품부받은 기질의 치우친 곳을 눌러 다스려야 한다."

[50-1-44]

"義理, 身心所自有, 失而不知所以復之；富貴, 身外之物, 求之惟恐不得. 縱使得之, 於身心無分豪之益, 況不可必得乎! 若義理求則得之. 能不喪其所有, 可以爲聖爲賢, 利害甚明. 人心之公, 每爲私欲所蔽, 所以更放不下. 但常常以此兩端體察, 若見得時, 自須猛省急擺脫出來."[67]

(주자가 말했다.) "의리는 자신의 심신心身에 본래 가지고 있는 것인데, 잃어버리고도 회복할 줄을 모른다. 부귀는 몸 바깥에 있는 것인데, 그것을 추구하면서 오직 얻지 못할까 걱정한다. 설사 그것을 얻어도 자신의 심신心身에 털끝만 한 이익도 없는데, 하물며 반드시 얻을 수 있다고 기필할 수도 없는 데 있어서랴! 의리의 경우에는 추구하면 얻게 된다. 그 가지고 있던 것을 잃지 않을 수 있으면 성현이 될 수 있으니, 이로움과 해로움이 매우 분명하다. 사람 마음의 공정함은 매번 사욕에 가려지니 그래서 더욱 내버려 둘 수 없는 것이다. 다만 항상 그 양 끝을 깊이 이해하고 상세히 살펴서 깨닫게 되면, 스스로 반드시 깊이 반성하여 급하게 (사욕에서) 빠져나와야 한다."

[50-1-45]

問："水火, 明知其可畏, 自然畏之, 不待勉強. 若是人欲, 只緣有愛之之意, 雖知之而不能不好之, 奈何?"

曰："此亦未能眞知而已."

又問："眞知者, 還當眞知人欲是不好物事否?"

曰："如'克伐怨欲', 却不是要去就'克伐怨欲'上面要知得到, 只是自就道理這邊看得透, 則那許多不待除而自去. 若實是看得大底道理, 要去求勝做甚麼? 要去矜誇他人做甚麼? '求仁而得

---

66 『朱子語類』권13, 30조목
67 『朱子語類』권13, 31조목

仁又何怨', 怨箇甚麼? 耳目口鼻四肢之欲, 惟分是安, 欲箇甚麼? 見得大處分明, 這許多小小病痛, 都如氷消凍解, 無有痕迹矣."[68]

물었다. "물과 불은 그것을 두려워할 만하다는 것을 분명히 알고, 저절로 두려워하게 되는 것이니 억지로 시킬 필요가 없습니다. 인욕의 경우에는 다만 거기에 애착하는 마음이 있기 때문에 알더라도 좋아하지 않을 수 없는 것이니 어떻게 해야 합니까?"

(주자가) 대답했다. "이는 또한 아직 참으로 알지는 못한 것일 뿐이다."

또 물었다. "참으로 안다는 것은 또한 인욕이 좋지 않은 것이라는 것을 진실로 알아야 한다는 것입니까?"

(주자가) 대답했다. "예를 들어 '이기기를 좋아하고 자기의 공로를 자랑하며 원망하고 탐욕스러운 것'[69]의 경우에는, '이기기를 좋아하고 자기의 공로를 자랑하며 원망하고 탐욕스러운 것'에 나아가서 알아내야 한다는 말이 아니니, 다만 스스로 도리道理를 철저하게 깨닫는다면 그 여러 가지는 제거할 것도 없이 저절로 없어진다. 만약 실제로 큰 도리를 깨달았다면 가서 승리를 구하려고 무엇을 하겠는가? 가서 다른 사람에게 자기 공로를 자랑하려고 무엇을 하겠는가? '인仁을 구하여 인을 얻었으니 또 무엇을 원망하겠는가?'[70]라 하였으니, 무엇을 원망하겠는가? 이목구비와 사지의 욕구가 오직 분수에 편안하니, 무엇을 욕심내겠는가? 큰 곳을 분명하게 깨달았다면, 이 여러 가지 소소한 병통들은 모두 얼음이 녹아 사라지 듯이 흔적도 없어질 것이다."

[50-1-46]

"今人日中所爲, 皆苟而已. 其實只將講學做一件好事, 求異於人. 然其設心依舊只是爲利, 其視不講者, 又何以大相遠! 天下只是善惡兩言而已. 於二者始分之中, 須著意看教分明. 及其流出去, 則善者一向善, 但有淺深爾. 如水淸洽, 便有極淸處, 有稍淸處. 惡者一向惡, 惡有淺深. 如水渾濁, 亦有極渾處, 有稍渾處."

(주자가 말했다.) "지금 사람들이 하루 동안 하는 일들은 모두 구차할 뿐이다. 사실 그들은 다만 강학하는 일을 하나의 훌륭한 일로 여기고서 남들과 다른 것을 구한다. 그러나 그 마음 쓰기는 여전히 이익利만을 위하고 있으니, 강학하지 않는 사람과 비교하더라도 또 무슨 큰 차이가 있겠는가! 천하에는 다만 '선'과 '악' 두 가지가 있을 뿐이다. 두 가지가 처음 나누어질 때 반드시 주의를 기울여 분명하게 해야 한다. 그것이 흘러나오게 되면 선한 것은 계속해서 선한데, 다만 깊고 얕음이 있다. 마치 물이 맑고 깨끗해도 지극히 맑은 곳이 있고, 조금 덜 맑은 곳이 있는 것과 같다. 악한 것은 계속해서 악한데, 악에도 또한 깊고 얕음이 있다. 마치 물이 혼탁해도 지극히 혼탁한 곳이 있고, 조금 덜 혼탁한 곳이 있는 것과 같다."

68 『朱子語類』 권13, 32조목
69 '이기기를 좋아하고 … 것' : 『論語』「憲問」에는 "'이기기를 좋아하고 자기의 공로를 자랑하며 원망하고 탐욕함을 행해지지 않게 한다면 仁이라고 말할 수 있습니까?' 공자가 말했다. '어렵다고 할 수는 있으나, 仁인지는 내 알지 못하겠다.'(克伐怨欲, 不行焉, 可以爲仁矣? 子曰, 可以爲難矣, 仁則吾不知也.)"라고 되어 있다.
70 '仁을 구하여 … 원망하겠는가?' : 『論語』「述而」

問: "此善惡分處, 只是天理之公人欲之私耳."

曰: "此却是已有說後, 方有此名. 只執此爲說, 不濟事. 須要驗之此心, 眞知得如何是天理, 如何是人欲, 幾微間極索理會. 此心常常要惺覺, 莫令頃刻悠悠憒憒."

問: "此只是持敬爲要."

曰: "敬不是閉眼默坐便爲敬, 須是隨事致敬. 方其當格物時, 便敬以格之 ; 當誠意時, 便敬以誠之 ; 以至正心修身以後, 節節常要惺覺執持, 令此心常在, 方是能持敬. 今之言持敬者, 只是說敬, 非是持敬. 若此心常在軀殼中爲主, 便須常如烈火在身, 有不可犯之色. 事物之來, 便成兩畔去, 又何至如是纏繞!"[71]

물었다. "이 선악이 나뉘는 곳은 다만 천리의 공정함과 인욕의 사사로움일 뿐입니다."

(주자가) 대답했다. "이는 오히려 이미 설명이 있은 뒤에 비로소 이러한 이름이 존재하게 된 것이다. 다만 이것에 집착하여 설명하면 해결되지 않는다. 반드시 이 마음에서 징험하여 어떠한 것이 천리이고 어떠한 것이 인욕인지 참으로 알아서 (선악의) 기미 사이에서 끝까지 이해해야 한다. 이 마음은 항상 깨어 있어야 하고, 한순간도 한가하거나 어둡게 하지 않도록 해야 한다."

물었다. "이것은 다만 경을 유지하는 것[持敬]이 요점입니다."

(주자가) 대답했다. "경敬은 눈을 감고 고요히 앉아있는 것이 아니고, 반드시 일마다 경을 해야 한다. 이제 막 사물을 궁구할[格物] 때에는 곧바로 경하여 궁구하고, 뜻을 성실하게 할[誠意] 때에는 곧바로 경하여 성실하게 하며, 마음을 바르게 하는 것[正心]과 몸을 닦는 것[修身] 이후에 이르기까지도, 하나하나 항상 깨어 지켜서 이 마음이 항상 있도록 해야 비로소 경을 유지할 수 있는 것이다. 지금 경을 유지하는 것을 말하는 사람들은 다만 경을 말할 뿐이지 경을 유지하는 것이 아니다. 만약 이 마음이 항상 내 몸의 주인이 된다면, 곧 반드시 항상 맹렬한 불이 몸에 있는 것과 같아서 침범할 수 없는 기색이 있다. 사물이 다가오면 곧바로 (선악의) 두 갈래가 되는 것이지, 또 어찌 이처럼 복잡한 데에 이르겠는가!"

[50-1-47]

"氣不從志處, 乃是天理人欲交戰處也."[72]

(주자가 말했다.) "기氣가 뜻[志]을 따르지 않는 곳이 바로 천리와 인욕이 서로 싸우는 곳이다."

[50-1-48]

"天理人欲並行. 論其本然之妙,[73] 則唯有天理而無人欲. 是以聖人之敎, 必欲其盡去人欲而復

71 『朱子語類』 권13, 33조목
72 『朱子語類』 권140, 131조목
73 天理人欲並行. 論其本然之妙:『朱文公文集』 권36 「答陳同甫」에는 "蓋天理人欲之並行, 其或斷或續, 固宜如此. 至若論其本然之妙, … (대개 천리와 인욕은 병행하니, 그것이 끊어지기도 하고 이어지기도 하는 것이 본래 이처럼 마땅하다. 그런데 그 본연의 묘함[本然之妙]만을 논한다면, …)"로 되어 있다.

全天理. 所謂‘人心惟危, 道心惟微, 惟精惟一, 允執厥中’者, 堯舜禹相傳之密旨也. 夫人自有生而梏於形體之私, 則固不能無人心矣. 然而必有得乎天地之正, 則又不能無道心矣. 日用之間, 二者並行迭爲勝負, 而一身之是非得失, 天下之治亂安危, 莫不係焉. 是以欲其擇之精而不使人心得以雜乎道心, 欲其守之一而不使天理得以流於人欲, 則凡其所行無一事之不得其中, 而於天下國家無所處而不當. 夫豈任人心之自危而以有時而泯者爲當然, 任道心之自微而幸其須臾之不泯也哉?”[74]

(주자가 말했다.) “대개 천리와 인욕은 병행한다. (그러나) 그 본연의 묘함[本然之妙]을 논해보면, 오직 천리만 있고 인욕은 없다. 이런 까닭에 성인의 가르침은 반드시 인욕을 완전히 제거하고 천리를 온전히 회복시키려고 하는 것이다. 이른바 ‘인심은 위태롭고 도심은 은미하니, 오로지 정밀하게 하고 오로지 한결같이 하여 그 중中을 잡으라.’[75]고 하는 것은 요堯·순舜·우禹가 서로 전해준 비밀스런 뜻이다. 사람은 태어나면서부터 형체의 사사로움에 얽매이게 되니, 진실로 인심人心이 없을 수 없다. 그러나 반드시 천지의 바름에서 얻는 것이 있으니 또 도심道心이 없을 수 없다. 일상생활 속에서 이 두 가지가 나란히 행해지며 번갈아서 이기고 지는데, 한 사람의 시비·득실과 천하의 치란治亂·안위安危가 모두 여기에 관련되지 않은 것이 없다. 이런 까닭에 정밀한 것을 택하고자 하여 인심人心을 도심道心에 뒤섞이지 않게 하고자 하고, 한결같음을 지키고자 하여 천리天理가 인욕人欲에 빠지지 않게 하고자 하니, 행하는 것이 하나라도 적중함을 얻지 않는 것이 없고, 천하 국가의 일에 대처하는 것이 합당하지 않은 것이 없다. 어찌 인심이 본래 위태로운 것에 맡겨두어서 때때로 소멸되어 버리는 것을 당연하다고 하겠으며, 어찌 도심이 본래 은미한 것에 맡겨두어서 잠시 동안 소멸하지 않는 것을 다행으로 여기겠는가?”

[50-1-49]

“聖賢千言萬語, 只是明天理, 滅人欲. 天理明, 自不消講學. 人性本明, 如寶珠沈溷水中, 明不可見, 去了溷水, 則寶珠依舊自明. 自家若得知是人欲蔽了, 便是明珠, 只從這上便緊緊著力主定, 一面格物. 今日格一物, 明日格一物, 正如遊兵攻圍拔守, 人欲自消鑠將去. 所以程子說敬字只是謂我自有一箇明底物事在這裏. 把箇敬字抵敵, 常常存箇敬在這裏, 則人欲自然來不得. 夫子曰, 爲仁由己而由人乎哉, 緊要處正在這裏.”[76]

(주자가 말했다.) “성현의 천만 가지 말씀은 다만 천리를 밝히고 인욕을 없애는 것이다. 천리가 밝아지면 저절로 강학할 필요가 없다. 사람의 성性은 본래 밝으니, 마치 보주寶珠(진귀한 구슬)가 혼탁한 물속에 잠겨 있어서 밝음이 드러날 수 없다가, 혼탁한 물을 제거하면 보주가 여전히 스스로 밝은 것과 같다. 만약 자신이 인욕에 가려졌다는 것을 안다면 곧 밝아지게 된다. 다만 여기에서 바짝 힘을 써서 굳게 주관하고, 한편으로는 격물格物한다. 오늘 하나를 격물하고, 내일 하나를 격물하니, 마치 유격대가 에워

---

74 『朱文公文集』 권36 「答陳同甫」 제8서
75 ‘인심은 위태롭고 … 을 잡으라.’ : 『書經』 「虞書·大禹謨」 제15장
76 『朱子語類』 권12, 71조목

싸고 공격하여 수비군을 공략하는 것처럼, 인욕이 저절로 사라져 없어질 것이다. 그래서 정자가 경敬을 설명하면서, 다만 내가 본래 하나의 밝은 사물을 이 속에 가지고 있다고 말한 것이다. 경敬을 가지고 대적하면서, 항상 이 속에 경敬을 보존한다면, 인욕은 자연히 올 수 없게 된다. 공자는 '인을 행하는 것은 자기에게 달린 것이지, 남에게 달린 것이겠는가?[77]라고 했으니, 긴요한 곳이 바로 여기에 있다."

[50-1-50]

問 : "五峯言'天理人欲, 同行而異情, 同體而異用'兩句, 頗疑同體異用之說, 然猶未見眞有未安處. 今者得之,[78] 天理乃自然之理, 人欲乃自欺之情. 不順自然, 卽是私僞. 不是天理, 卽是人欲, 二者面目自別, 發於人心自不同. 常驗之擧動間, 苟出於天理之所當爲, 胷中自是平正無有慊愧, 自是寬泰無有不足. 接人待物, 自是無乖迕. 學者雖不常會如此, 要是此心存時便如此. 此心不存則不如此. 須是讀書講義理, 常令此心不間斷, 則天理常存矣. 若有放慢時節, 任人欲發去, 則胷中自是急迫麤率, 自是不公不正. 爲不善事, 雖不欲人之知, 胷中自是有愧赧, 然亦自不可揜. 如何要去天理中見得人欲, 人欲中見得天理? 二者夐然判別. 恐說'同體'不可. 亦恐無'同行'之理. 若曰心本爲利, 却假以行, 與那眞於爲義者其迹相似, 如此說'同行'猶可. 今下天理人欲字似少分別, 未審是然否."

曰 : "頃與敬夫商量此兩句, 謂'同行異情'者是, '同體異用'者非."[79]

물었다. "오봉五峯[胡宏]은 '천리와 인욕은 행위는 같지만 실정이 다르고, 본체는 같지만 작용이 다르다.'[80]는 두 구절을 말했는데, 본체는 같지만 작용이 다르다는 이론에 대해 상당히 의심스러우면서도, 진실로 타당하지 않은 곳이 있음을 아직까지 발견하지 못했습니다. 지금은 알게 된 것은, 천리는 바로 스스로 그러한 이치이고 인욕은 바로 스스로를 속이는 감정입니다. 스스로 그러함을 따르지 않으면 바로 사사로운 인위입니다. 천리가 아니면 바로 인욕이니, 이 두 가지의 모습이 저절로 구별되어 인심에서 발동하는 것이 본래 다릅니다. 항상 행동거지에서 징험해 보았을 때, 진실로 천리의 당위當爲에서 나오면, 마음속이 자연히 공평무사하여 거리낌이나 부끄러움이 없고, 자연히 너그럽고 편안하여 부족한 것이 없었습니다. 다른 사람이나 사물을 대할 때에는 자연히 어긋나거나 거스르는 것이 없었습니다. 배우는 자는 비록 항상 이와 같을 수는 없겠지만, 만약 이 마음이 보존될 때라면 곧 이와 같이 됩니다. 이 마음이 보존되지 않으면 이와 같이 될 수 없습니다. 반드시 책을 읽고 의리를 강론해야 하며 항상 이 마음이 단절되지 않도록 해야 하니, 그러면 천리는 항상 보존될 것입니다. 만일 방만한 때에 인욕이 발동하는 대로 내맡겨 두면, 마음속이 자연히 다급하고 쫓기듯이 거칠고 경솔하게 되어, 자연히 공정하지 못하게 됩니다. 선하

---

77 '인을 행하는 … 것이겠는가?' : 『論語』「顏淵」
78 今者得之 : 『朱文公文集』 권58 「答徐居甫」에는 "今看得"으로 되어 있다.
79 『朱文公文集』 권58 「答徐居甫」
80 '천리와 인욕은 … 다르다.' : 胡宏의 『知言』 권1에는 "천리와 인욕은 본체는 같지만 작용은 다르며, 행위는 같지만 실정은 다르다.(天理人欲, 同體而異用, 同行而異情.)"로 되어 있다.

지 않은 일을 행하고서, 비록 남이 알기를 바라지 않더라도, 마음속에서 자연히 부끄러움이 일어나지만, 또한 스스로 가릴 수 없습니다. 어떻게 천리 속에 들어가 인욕을 보려고, 인욕 속에 들어가 천리를 보려 하겠습니까? 이 두 가지는 확연히 다른 것입니다. 아마도 '본체가 같다'고 말해도 안 되고 또한 아마도 '행위가 같다'고 할 이치도 없을 것입니다. 만약 마음으로는 본래 이로움을 동기로 하지만 도리어 (의로움을) 가탁해서 행위하는 것과, 진실로 의로움을 동기로 하는 자가 그 자취가 서로 비슷하다고 말한다면, 이와 같은 경우에는 '행위가 같다'고 말하는 게 가능할 것입니다. 지금 (제가) 천리와 인욕을 조금은 분별을 한 듯한데 옳은지는 모르겠습니다."

(주자가) 대답했다. "얼마 전에 경보敬夫[張栻]과 이 두 구절을 서로 논의하면서, '행위는 같고 실정은 다르다'고 한 것은 옳고, '본체는 같고 작용은 다르다'고 한 것은 틀리다고 했다."

[50-1-51]

"學無淺深, 並要辨義利."[81]

(주자가 말했다.) "학문이 얕든 깊든, 반드시 의와 이익을 판별해야 한다."

[50-1-52]

"看道理, 須要就那箇大處看, 須要前面開闊, 不要就那箇壁角裏去. 如今須要天理人欲,[82] 義利公私, 分別得明白, 將自家日用底與他勘驗, 須是漸漸有見處. 若不去那大壇場上行, 理會得一句透, 只是一句, 道理小了."[83]

(주자가 말했다.) "도리道理를 볼 때에는 반드시 저 큰 곳을 보아야 하니, 반드시 앞이 탁 트여야 하며 저 담벼락 구석 같은 곳은 피해야 한다. 이제 반드시 천리와 인욕, 의와 이익, 공과 사를 명백하게 분별하여서, 자신의 일상생활에서 그것과 검증해야 비로소 점점 깨닫는 곳이 있게 될 것이다. 만약 저 공개적인 장소[壇場]에서 (공명정대하게) 그것을 실천하지 않는다면, 한 구절을 투철하게 이해했더라도 단지 한 구절일 뿐이니 도리가 작아질 것이다."

[50-1-53]

"人貴剖判, 心下令其分明, 善理明之, 惡念去之. 若義理,[84] 若善惡, 若是非, 毋使混淆不別於其心. 譬如處一家之事, 取善舍惡；又如處一國之事, 取得舍失；處天下之事, 進賢退不肖. 蓄疑而不決者, 其終不成."[85]

---

81 『朱子語類』 권13, 34조목
82 如今須要天理人欲：『朱子語類』 권13, 35조목에는 '如'가 '而'로 되어 있다.
83 『朱子語類』 권13, 35조목
84 若義理：『朱子語類』 권13, 36조목에는 "若義利"로 되어 있다.
85 『朱子語類』 권13, 36조목

(주자가 말했다.) "사람은 분석하고 판단하는 것을 귀하게 여기니, 마음속을 분명하게 하여 선한 이치[理]는 밝히고 악한 생각은 없애라. 의와 이익, 선과 악, 옳음과 그름 같은 것이 그 마음에 뒤섞여 구별되지 않도록 하지 말라. 비유컨대 한 집안의 일을 대처할 때는 선을 취하고 악을 버리며, 또 한 나라의 일을 대처할 때는 이득을 취하고 손실을 버리며, 천하의 일을 대처할 때는 현명한 사람을 나아가게 하고 어리석은 사람을 물러나게 해야 하는 것과 같다. 의심을 쌓아두고 해결하지 않는 자는 끝내 성공할 수 없다."

[50-1-54]

或問義利之別.

曰："只是爲己爲人之分. 纔爲己, 這許多便自做一邊去. 義也是爲己, 天理也是爲己. 若爲人, 那許多便自做一邊去."[86]

어떤 사람이 의와 이익의 구별에 대해 물었다.

(주자가) 대답했다. "다만 자신을 위하는 것과 남을 위하는 것의 구분[87]일 뿐이다. 자기 수양을 위한다면[爲己], 이 수많은 것들을 곧 저절로 자기를 위하는 방향으로 해나가게 된다. 의 또한 자신을 위한 것이고 천리 또한 자신을 위한 것이다. 만약 남에게 보여주기를 위한다면[爲人], 그 수많은 것들을 곧 저절로 남을 위하는 방향으로 해나가게 된다."

[50-1-55]

"須於日用間, 令所謂義了然明白. 或言心安處便是義. 亦有人安其所不當安, 豈可以安爲義也!"[88]

(주자가 말했다.) "반드시 일상생활 중에서 이른바 의를 분명하게 이해해야 한다. 어떤 사람은 마음이 편안하게 여기는 곳이 바로 의라고 말한다. (그러나) 또한 마땅히 편안하게 여겨서는 안 되는 것을 편안하게 여기는 사람도 있으니, 어찌 편안함을 의로 삼을 수 있겠는가!"

[50-1-56]

"義利之辨, 初時尚相對在. 若少間主義功深後, 那利如何著得! 如小小竊盜, 不勞而却矣."[89]

(주자가 말했다.) "의와 이익의 분간은, 애초에 오히려 서로 대립되어 있는 것이다. 만약 이윽고 의를 위주로 하는 공부가 깊어진 다음이라면, 저 이익이 어찌 드러날 수 있겠는가! 예컨대 사소한 절도[竊盜] 같은 것은 힘쓰지 않아도 없어진다."

- - - - - - - - - - - - - - -

86 『朱子語類』 권13, 37조목
87 자신을 위하는 … 구분：『論語』「憲問」에서는 "옛날에 배우는 자들은 자신을 위한 학문을 하였는데, 지금 배우는 자들은 남을 위한 학문을 한다.(古之學者, 爲己；今之學者, 爲人)"라고 했다.
88 『朱子語類』 권13, 38조목
89 『朱子語類』 권13, 39조목

[50-1-57]

"事無大小, 皆有義利. 今做好底事了, 其間更包得有多少利私在. 所謂以善爲之而不知其道, 皆是也."[90]

(주자가 말했다.) "일에는 크건 작건 모두 의와 이익이 있다. 지금 훌륭한 일을 했어도, 그 사이에는 또 다소간의 이익의 사사로움이 포함되어 있다. 이른바 '선으로 행했지만 그 도를 알지 못한다.'는 것이 모두 이것이다."

[50-1-58]

"纔有欲順適底意思, 卽是利."[91]

(주자가 말했다.) "욕심에 영합하려는 생각이 있기만 하면, 바로 리利이다."

[50-1-59]

"以敬義二字隨處加功, 久久自當得力. 義利之間, 只得著力分別, 不當預以難辨爲憂. 聖門只此便是終身事業."[92]

(주자가 말했다.) "경敬과 의義 두 가지를 가지고 처하는 곳에 따라 공을 더하여, (이것이) 오래되면 저절로 당연히 힘을 얻게 된다. 의와 이익[利] 사이에서는 다만 힘을 들여서 분별해야 할 뿐이지, 미리부터 분별하기 어렵다고 근심해서는 안 된다. 성인의 문하에서는 다만 이것만이 평생의 사업이다."

[50-1-60]

"利, 是那義裏面生出來底. 凡事處制得合宜, 利便隨之, 所以云'利者, 義之和.' 蓋是義便兼得利. 若只理會利, 却是從中間半截做下去, 遺了上面一截義底. 小人只理會後面半截, 君子從頭來."[93]

(주자가 말했다.) "이익[利]은 의義의 이면에서 생겨나는 것이다. 모든 일을 처리하는 것이 알맞으면 이익이 곧 따라오니, 그래서 '이익은 의가 조화를 이룬 것'[94]이라고 했다. 의는 곧 이익을 겸할 수 있다. 만약 이익만 깨달아 이해하면, 중간에서 반을 나누어 위의 반절인 의를 빠뜨린 것이다. 소인은 다만 뒤의 반절만 깨달아 이해하지만, 군자는 처음부터 모두 이해한다."

90 『朱子語類』 권13, 40조목
91 『朱子語類』 권13, 42조목
92 『朱文公文集』 권54 「答毛舜卿」
93 『朱子語類』 권68, 113조목
94 '이익은 의가 … 것': 『周易』 「乾卦·文言傳」

[50-1-61]

問：“程子言義安處便爲利, 只是當然而然, 便安否?”

曰：“是. 也只萬物各得其分便是利. 君得其爲君, 臣得其爲臣, 父得其爲父, 子得其爲子, 何利如之! 此利字, 卽易所謂‘利者義之和’, 利便是義之和處. 義初似不和而却和.⁹⁵ 截然不可犯, 似不和；分別後, 萬物各得其所, 便是和. 不和生於不義, 義則和而無不利矣.一云 ‘義則無不和, 和則無不利矣.’”⁹⁶

물었다. “정자가 ‘의義가 편안한 곳이 이익[利]이 된다.’⁹⁷고 했는데, 마땅히 그러해야 해서 그러한 것이 바로 편안함입니까?”

(주자가) 대답했다. “옳다. 또한 만물이 각각 그 분수를 얻은 것이 바로 이익이다. 임금은 그 임금됨을 얻고, 신하는 그 신하됨을 얻으며, 부모는 그 부모됨을 얻고, 자식은 그 자식됨을 얻으니, 어떤 이익이 이와 같은가! 이 ‘이익[利]’은 곧 『역』에서 이른바 ‘이익은 의에 조화함이다.’⁹⁸라고 했던 것이니, 이익은 바로 의가 조화를 이룬 곳이다. 의는 처음에는 마치 조화를 이루지 않는 듯하지만 도리어 조화롭다. 전혀 침범할 수 없어 마치 조화를 이루지 않는 것 같은데, 분별한 다음에는 만물이 각기 제자리를 얻으니 바로 조화롭다. 조화롭지 못함은 의롭지 못함에서 생겨나니, 의로우면 조화로우면서 이롭지 않음이 없다. 어떤 판본에는 ‘의로우면 조화롭지 않음이 없고, 조화로우면 이롭지 않음이 없다.’고 하였다.”

[50-1-62]

“學者做切己工夫, 要得不差, 先須辨義利所在. 如思一事, 非特財利利欲, 只每事求自家安利處便是. 推此便不可入堯舜之道. 切須勤勤提省, 察之於纖微豪忽之間, 不得放過. 如此便不會錯用工夫.”⁹⁹

(주자가 말했다.) “배우는 자는 자기에게 절실히 필요한 공부를 하면서 어긋남이 없어야 하니, 먼저 반드시 의와 이익의 소재를 판별해야 한다. 예를 들어 한 가지 일을 생각할 때, 비단 재리財利나 이욕利欲뿐만 아니라, 다만 매사에 스스로 편안하고 이로운 곳을 추구하는 것이 바로 이것이다. 이것을 미루어가면, 곧 요순의 도에 들어갈 수 없다. 반드시 부지런히 깨어 있도록 하고 털끝만큼 미세한 사이도 살펴서,

---

95 利便是義之和處. 義初似不和而却和 : 이 두 문장 사이에 『朱子語類』 권68, 114조목에는 “程子當時此處解得亦未親切, 不似這語却親切, 正好去解‘利者義之和’句”가 더 있고, 『朱子語類』 권96, 63조목에는 “然那句解得不似此語却親切, 正好去解那句.”가 더 있다.

96 『朱子語類』 권96, 63조목；『朱子語類』 권68, 114조목

97 ‘義가 편안한 … 된다.’ : 『河南程氏遺書』 권16

98 ‘이익은 의에 조화함이다.’ : 『周易』「乾卦·文言傳」. 주자는 이 구절에 대해 『周易本義』에서 “이익은 生物의 이룸이니, 사물이 각기 마땅함을 얻어 서로 방해하지 않는다. 그러므로 때에 있어서는 가을이 되고 사람에게 있어서는 義가 되어 그 분수의 조화함을 얻게 된다.(利者, 生物之遂, 物各得宜, 不相妨害. 故於時爲秋, 於人則爲義而得其分之和.)”라고 주해하였다.

99 『朱子語類』 권13, 34조목

놓아 버리지 않도록 해야 한다. 이렇게 하면, 공부가 잘못되지 않을 것이다."

[50-1-63]

"人只有一箇公私. 天下只有一箇邪正."[100]

(주자가 말했다.) "사람에게는 다만 하나의 공公과 사私가 있을 뿐이고, 천하에는 다만 하나의 사악함邪과 올바름正이 있을 뿐이다."

[50-1-64]

"將天下正大底道理去處置事, 便公 ; 以自家私意去處之, 便私."[101]

(주자가 말했다.) "천하의 올바르고 큰 도리를 가지고 일을 처리하면 곧 공정하고, 자신의 사사로운 뜻을 가지고 그것을 처리하면 곧 사사롭다."

[50-1-65]

"凡事只去看箇是非. 假如今日做得一件事, 自心安而無疑, 便是是處 ; 一事自不信, 便是非處."[102]

(주자가 말했다.) "일에서는 다만 시비를 볼 뿐이다. 가령 오늘 어떤 일을 했을 때, 스스로 마음이 편안하여 아무 의심이 없다면 곧 옳은 것이다. 어떤 일에 대해 스스로 확신이 없다면 곧 잘못된 것이다."

[50-1-66]

"閑居無事, 且試自思之. 其行事有於所當是而非, 當非而是, 當好而惡, 當惡而好, 自察而知之, 亦是工夫."[103]

(주자가 말했다.) "한가하게 아무 일이 없을 때도 또 스스로 생각해 보아라. 그 일처리 가운데는 마땅히 옳은데도 잘못이라 여기고, 마땅히 잘못인데도 옳다고 여기며, 마땅히 좋아해야 하는데도 싫어하고, 마땅히 싫어해야 하는데도 좋아하는 것이 있는지, 스스로 살펴서 그러한 것을 아는 것 또한 공부이다."

[50-1-67]

"講學固不可無, 須是更去自己分上做工夫. 若只管說, 不過一兩日都說盡了. 只是工夫難. 且如人雖知此事不是不可爲, 忽然無事又自起此念. 又如臨事時雖知其不義, 不要做, 又却不知不覺自去做了, 是如何? 又如好事, 初心本自要做, 又却終不肯做, 是如何? 蓋人心本善, 方其

100 『朱子語類』 권13, 44조목
101 『朱子語類』 권13, 45조목
102 『朱子語類』 권13, 48조목
103 『朱子語類』 권13, 49조목

見善欲爲之時, 此是眞心發見之端. 然纔發, 便被氣稟物欲隨卽蔽固之, 不教他發. 此須自去體察存養, 看得此最是一件大工夫."[104]

(주자가 말했다.) "강학은 진실로 없어서는 안 되는 것이지만, 반드시 다시 자기의 본분에 나아가 공부해야 한다. 만약 말로만 한다면 불과 하루 이틀이면 모두 다 말해버릴 수 있다. 다만 공부하는 것이 어려운 것이다. 가령 사람은 비록 어떤 일이 옳지 않고 해서는 안 된다는 것을 알지만, 갑자기 까닭 없이 저절로 이런 생각이 생겨난다. 또 예컨대 일에 임할 때도 비록 그 일이 의롭지 않고 하지 말아야 한다는 것을 알지만, 부지불식간에 스스로 가서 해버리니, 이것은 왜 그런가? 또 예컨대 좋은 일의 경우에 처음에는 마음속으로 본래 스스로 하려고 했는데 또 도리어 끝내 기꺼이 하지 않으려고 하니, 이것은 왜 그런가? 사람의 마음은 본래 선하니, 그 선함을 보고 행하려고 할 때, 이것이 진실한 마음이 드러나 보이는 실마리이다. 그러나 드러나자마자 곧 부여받은 기질과 물욕에 의해 끌려가면 덮여 가려지니 그것이 드러나지 못하게 된다. 이는 반드시 스스로 깊이 살피고 존양해야 하니, 이것을 아는 것이 가장 큰 공부이다."

[50-1-68]

"學者工夫, 只求一箇是. 天下之理, 不過是與非兩端而已. 從其是則爲善, 徇其非則爲惡. 事親須是孝, 不然, 則非事親之道. 事君須是忠, 不然, 則非事君之道. 凡事皆用審箇是非, 擇其是而行之. 聖人教人諄諄不已, 只是發明此理."[105]

(주자가 말했다.) "배우는 사람의 공부는 단지 옳은 것을 추구하는 것뿐이다. 천하의 이치[理]는 옳음과 그름이라는 양단에 불과할 뿐이다. 옳음을 따르면 선이 되고, 그름을 따르면 악이 된다. 부모를 섬길 때는 반드시 효도해야 하니, 그렇지 않으면 부모를 섬기는 도리가 아니다. 임금을 섬길 때는 반드시 충성스러워야 하니, 그렇지 않으면 임금을 섬기는 도리가 아니다. 일에서는 모두 옳고 그름을 살펴서 그 옳은 것을 선택하여 행해야 한다. 성인이 남을 가르치는데 정성스럽게 쉬지 않았던 것은 다만 이 이치[理]를 드러내어 밝히는 일이었다."

[50-1-69]

"事事物物上都有箇道理, 都有是有非, 所以'舜好問而好察邇言.' 雖淺近閑言語中, 莫不有理, 都要見得破. '隱惡而揚善', 自家這裏善惡便分明. 然以聖明昭鑒, 纔見人不好, 便說出來也不得. 只是揚善, 那惡底自有不得掩之理. 纔說揚善, 自家已自分明. 這亦聖人與人爲善之意."
又云: "一件事走過眼前譬似閑, 也有箇道理, 有箇是非. 緣天地之間, 上蟠下際, 都無別事, 都只是這道理."[106]

(주자가 말했다.) "모든 일에는 모두 도리가 있고 모두 시비가 있으니, 그래서 '순임금이 묻기를 좋아하

104 『朱子語類』 권13, 50조목
105 『朱子語類』 권13, 51조목
106 『朱子語類』 권114, 21조목

고, 일상적인 말을 살피기 좋아한[107] 것이다. 비록 일상적이고 실없는 말 가운데라도 이치가 있지 않은 것이 없으니, 모두 간파해야만 한다. (순임금이) '악을 숨겨주고 선을 드러내는'[108] 것은 자신의 마음속에 선악이 곧 분명한 것이다. 그러나 성인의 밝은 식견으로도 남의 좋지 않은 것을 보기만 하면 곧 말해버려도 안 된다. 다만 선을 드러내기만 해도, 저 악한 것은 저절로 감출 수 없는 이치가 있다. '선을 드러낸다'고 말하기만 해도, 스스로 이미 본래 분명한 것이다. 이 역시 성인이 '남이 선을 행하도록 도와준다.'[109]는 의미이다."

(주자가) 또 말했다. "어떤 일이 눈앞에 지나갈 때, 마치 쓸데없는 것 같아도 또한 도리가 있으며 또한 시비가 있다. 천지 사이에서 위와 아래에 두루 미치는 것이 모두 특별히 다른 일이 없으니, 모두 다만 이 도리일 뿐이다."

[50-1-70]

"天下事, 只有一箇是, 一箇非 ; 是底便是, 非底便非."

問 : "是非自有公論?"

曰 : "如此說, 便不是了. 是非只是是非, 如何是非之外, 更有一箇公論? 纔說有箇公論, 便又有箇私論也. 此却不可不察."[110]

(주자가 말했다.) "천하의 일은 다만 하나의 옳음이 있고 하나의 그름이 있으니, 옳은 것은 옳고 그른 것은 그른 것이다."

물었다. "옳고 그름에 본래 보편적인 규정[公論]이 있습니까?"

(주자가) 대답했다. "이와 같이 말하면 곧 틀린 것이다. 옳고 그름[是非]은 다만 옳고 그름일 뿐이니, 어떻게 옳고 그름의 바깥에 따로 보편적인 규정[公論]이 있겠는가? 하나의 보편적인 규정[公論]이 있다고 말하기만 하면, 곧 또 하나의 사사로운 규정[私論]이 있게 된다. 이 점을 잘 살피지 않으면 안 된다."

[50-1-71]

"天下只有一理, 此是卽彼非, 此非卽彼是, 不容並立. 故古之聖賢心存目見, 只有義理, 都不見有利害可計較. 日用之間, 應事接物, 直是判斷得直截分明, 而推以及人, 吐心吐膽, 亦只如此, 更無回互. 若信得及, 卽相與俱入聖賢之域 ; 若信不及, 卽在我亦無爲人謀而不盡底心. 而此理是非昭著明白."[111]

---

107 '순임금이 묻기를 … 좋아한' : 『中庸』 제6장
108 '악을 숨겨주고 … 드러내는' : 『中庸』 제6장
109 '남이 선을 … 도와준다.' : 『孟子』 「公孫丑上」에서는 "이것은 남이 善을 하도록 도와주는 것이다.(是與人爲善者也.)"라고 했고, 주자는 『集註』에서 "'與'는 '허여해 주다'와 같으며, '돕다'와 같다. 저 사람의 善을 취하여 내 몸에 행한다면, 저 사람은 더욱 善을 행하도록 권면할 것이니, 이것은 내가 선행을 하도록 도와주는 것이다.('與', 猶許也, 助也. 取彼之善而爲之於我, 則彼益勸於爲善矣, 是我助其爲善也.)"라고 주해하였다.
110 『朱子語類』 권117, 6조목

(주자가 말했다.) "천하에는 단지 하나의 리理만 있으니, 이것이 옳으면 곧 저것은 그른 것이고 이것이 그르면 곧 저것이 옳은 것으로, 동시에 양립할 수 없다. 그러므로 옛날의 성현이 마음에 보존하고 눈으로 보는 것은 다만 의리만 있었을 뿐이지, 비교하여 따질 만한 이해利害를 지닌 것은 전혀 볼 수 없었다. 일상생활 중에 사물에 대응할 때 곧바로 단순명쾌하고 분명하게 판단하였으며 미루어 남에게까지 미쳐 마음속의 진심을 토해내는 것이 또한 다만 이와 같을 뿐이어서 에둘러 말하는 것이 없었다. 만약 믿을 만하다면 서로 함께 성현의 경지에 들어가고, 만약 믿을 만하지 못하면 나에게는 또한 남을 위해 도모하면서 다하지 못한 마음이 없었던 것[112]이다. 그래서 리理의 시비是非가 뚜렷하고 명백하였다."

[50-1-72]

"凡事都分做兩邊. 是底放一邊, 非底放一邊. 是底是天理, 非底是人欲, 是卽守而勿失, 非卽去而勿留, 此治一身之法也. 治一家, 則分別一家之是非; 治一邑, 則分別一邑之邪正. 推而一州一路以至天下, 莫不皆然, 此直上直下之道. 若其不分黑白, 不辨是非, 而猥曰無黨, 是大亂之道也."[113]

(주자가 말했다.) "모든 일은 모두 두 쪽으로 나뉜다. 옳은 것이 한쪽에 놓이고 그른 것이 한쪽에 놓인다. 옳은 것은 천리天理이고 그른 것은 인욕人欲이니, 옳은 것은 지켜서 잃지 않도록 하고 그른 것은 제거하여 머무르지 않도록 하니, 이것이 자신을 다스리는 법이다. 한 집안을 다스리는 것은 한 집안의 옳고 그름을 분별하는 것이고, 한 고을을 다스리는 것은 한 고을의 간사함과 올바름을 분별하는 것이다. (여기에서) 미루어 하나의 주州와 하나의 노路부터 천하에 이르기까지 모두 그렇지 않은 것이 없으니, 이것이 위와 아래를 일관하는 도리이다. 만약 흑백黑白을 분별하지 못하고 시비是非를 판별하지 못하면서 무책임하게 '당黨이 없다.'[114]고 한다면 이것은 크게 어지러운 도이다."

[50-1-73]

"學, 大抵只是分別箇善惡而去就之爾."[115]

(주자가 말했다.) "학문은 다만 선악을 분별하여 물러가거나 나아가는 것일 뿐이다."

111 『朱文公文集』 권53 「答劉季章」 제15서
112 남을 위해 … 것: 『論語』「學而」에서는 "나는 날마다 세 가지로 내 몸을 살피나니, 남을 위하여 일을 도모해 줌에 충성스럽지 못한가, 벗과 사귐에 성실하지 못한가, 傳受받은 것을 익히지 않는가이다.(吾日三省吾身, 爲人謀而不忠乎, 與朋友交而不信乎, 傳不習乎.)"라고 했다.
113 『朱子語類』 권132, 72조목
114 '黨이 없다.': 『朱子語類』 권132, 72조목은 "戴岀望이 물었다. '洪景盧와 楊廷秀가 配享을 다투다가 모두 쫓겨났으니 당이 없다고 할 만합니다.'(戴岀望云, '洪景盧楊廷秀爭配享, 俱出, 可謂無黨.')"라는 말로 시작된다.
115 『朱子語類』 권13, 53조목

[50-1-74]

"論陰陽, 則有陰必有陽, 論善惡, 則一豪著不得!"[116]

(주자가 말했다.) "음양을 논하면, 음이 있으면 반드시 양이 있지만, 선악을 논하면, 털끝만큼도 드러내지 못한다!"

[50-1-75]

"凡事莫非心之所爲, 雖放僻邪侈, 亦是此心. 善惡但如反覆手, 翻一轉便是惡. 只安頓不著, 亦便是不善."[117]

(주자가 말했다.) "모든 일은 마음이 하지 않는 것이 없으니, '방종하고 편벽되며 사악하고 무절제함'[118] 또한 이 마음이다. 선악은 다만 손바닥을 뒤집는 것과 같으니, 한 번 뒤집으면 곧 악이다. 다만 안정되지 못하는 것 또한 선하지 않은 것이다."

[50-1-76]

"好惡是情, 好善惡惡是性. 性中當好善, 當惡惡. 泛然好惡, 乃是私也."[119]

(주자가 말했다.) "좋아하는 것과 싫어하는 것은 정情이고, 선을 좋아하고 악을 싫어하는 것은 성性이다. 성性 가운데서는 반드시 선을 좋아하고 악을 싫어한다. 범범하게 좋아하고 싫어하는 것은 사사로움이다."

[50-1-77]

"天理有未純, 是以爲善常不能充其量; 人欲有未盡, 是以除惡常不能去其根. 爲善而不能充其量, 除惡而不能去其根, 是以雖以一念之頃, 而公私邪正, 是非得失之幾, 未嘗不朋分角立而交戰於其中."[120]

(주자가 말했다.) "천리에 순수하지 못함이 있어서 선을 행하면서 항상 그 양을 다 채울 수 없는 것이고, 인욕을 다 없애지 못함이 있어서 악을 제거하면서 항상 그 근원을 없앨 수 없는 것이다. 선을 행하면서 그 양을 다 채우지 못하고 악을 제거하면서 그 근원을 없애지 못했기 때문에 비록 한 생각이 일어나는

---

116 『朱子語類』 권13, 54조목
117 『朱子語類』 권13, 56조목
118 '방종하고 편벽되며 … 무절제함': 『孟子』 「梁惠王上」에서는 "일정한 생업이 없으면서도 일정한 마음을 가지고 있는 자는 오직 선비만이 가능한 것이고, 백성으로 말하면 일정한 생업이 없으면 이로 인하여 일정한 마음이 없어지는 것입니다. 만일 일정한 마음이 없어진다면 방종하고 편벽되며 사악하고 무절제함을 하지 않음이 없을 것입니다.(無恒産而有恒心者, 惟士爲能. 若民, 則無恒産, 因無恒心. 苟無恒心, 放辟, 邪侈, 無不爲已.)"라고 했다.
119 『朱子語類』 권13, 58조목
120 『朱文公文集』 권14 「延和奏劄」 5

아주 짧은 순간이라도 공公과 사私, 사邪와 정正, 시是와 비非, 득得과 실失의 기미가 무리지어 나뉘거나 서로 대립하여 그 속에서 서로 싸우게 되는 것이다."

[50-1-78]

答何叔京書曰: "人欲云者, 正天理之反耳. 謂'因天理而有人欲'則可, 謂'人欲亦是天理'則不可. 蓋天理中本無人欲. 惟其流之有差, 遂生出人欲來. 程子謂'善惡皆天理. 此句若甚可駭. 謂之惡者本非惡, 此句便都轉了. 但過與不及便如此.' 所引'惡亦不可不謂之性', 意亦如此."[121]

(주자가) 하숙경何叔京에게 답하는 편지에서 말했다. "인욕이라고 하는 것은 바로 천리天理의 반대일 뿐이다. '천리에 기인하여 인욕이 있다.'라고 하면 되지만, '인욕 또한 천리이다.'라고 하면 안 된다. 천리 속에는 본래 인욕이 없다. 오직 그 흐름에 구별이 있어서 인욕이 생겨나게 된다. 정자는 '선과 악은 모두 천리이니, 이 구절은 매우 놀랄 만한 것 같다. 악이라고 하는 것은 본래 악이 아니다. 이 구절은 (글자 위치가) 모두 뒤집어졌다. 다만 지나침[過]과 미치지 못함[不及]이 곧 이와 같다.'[122]라고 하였다. '악 또한 성이라고 하지 않을 수 없다.'[123]는 것도 의미가 또한 이와 같다."

[50-1-79]

問: "程子云, '天下善惡皆天理,' 何也?

曰: "惻隱是善, 於不當惻隱處惻隱卽是惡; 剛斷是善, 於不當剛斷處剛斷卽是惡. 雖是惡, 然原頭若無這物事, 却如何做得? 本皆天理, 只是被人欲翻了, 故用之不善而爲惡耳."[124]

물었다. "정자가 '천하의 선과 악이 모두 천리이다.'[125]라고 한 것은 어째서입니까?"

(주자가) 대답했다. "측은해 하는 것은 선이지만 마땅히 측은해 하지 말아야 할 곳에서 측은하게 여긴다면 곧 악이다. 과단성 있게 결단하는 것은 선이지만 마땅히 과단성 있게 결단하지 말아야 할 곳에서 과단성 있게 결단한다면 곧 악이다. 비록 (그것들이) 악이라도, 그러나 원천에 만약 이런 것이 없었다면 어떻게 (그런 것들을) 해낼 수 있겠는가? 본래는 모두 천리인데 다만 인욕에 의해 거꾸로 뒤집힌 것이니, 사용하는 것이 선하지 못해서 악이 되었을 뿐이다."

[50-1-80]

問: "'天下善惡皆天理', 楊墨之類只是過不及, 皆出於仁義, 謂之天理則可. 如世之大惡, 謂之

---

121 『朱文公文集』권40 「答何叔京」 제29서
122 '선과 악은 … 같다.': 『河南程氏遺書』권2上에서는 "天下善惡皆天理. 謂之惡者, 非本惡, 但或過或不及, 便如此. 如楊墨之類"라고 했고, 『二程粹言』권上과 『二程粹言』권下에서는 "子曰, 善惡皆天理. 謂之惡者, 或過或不及, 無非惡也. 楊墨之類, 是也."라고 했다.
123 '악 또한 … 없다.': 『河南程氏遺書』권1
124 『朱子語類』권97, 38조목
125 '천하의 선과 … 천리이다.': 『河南程氏遺書』권2上

天理可乎?"

曰: "本是天理, 只是翻了便如此. 如人之殘忍, 便是翻了惻隱. 如放火殺人, 可謂至惡, 若把
那火去炊飯, 殺其人之所當殺, 豈不是天理? 只緣翻了. 道理有背有面, 順之則是, 背之則非.
緣有此理, 方有此惡. 如溝渠至濁, 當初若無淸泠底水, 緣何有此?"[126]

물었다. "'천하의 선과 악이 모두 천리이다.'[127]라고 했는데, 양주나 묵적의 부류들은 다만 지나치거나
모자랐을 뿐 모두 인과 의에서 나왔으니, 천리라고 해도 괜찮을 것입니다. (그런데) 세상의 거대한 악과
같은 경우를 천리라고 해도 괜찮습니까?"

(주자가) 대답했다. "본래 천리이지만 다만 거꾸로 뒤집혀서 이렇게 된 것이다. 예컨대 사람의 잔인함은
바로 측은함이 거꾸로 뒤집힌 것이다. 예컨대 불을 질러 사람을 죽이는 것은 지극한 악행이라고 할
수 있지만, 만약 그 불을 가지고 밥을 짓고 사람들이 마땅히 죽여야 할 이를 죽인다면 어찌 천리가
아니겠는가? 다만 거꾸로 뒤집혔기 때문일 뿐이다. 도리에는 뒷면과 앞면이 있으니, 그것을 순종하면
옳고 그것을 어기면 그르다. 이 이치[理]가 있는 것에 기인하여, 비로소 이 악이 있게 된다. 예컨대 지극히
탁한 도랑도 애초에 맑고 깨끗한 물이 없었다면 무엇에 기인해서 이런 것이 있겠는가?"

[50-1-81]

問: "旣是翻了天理,[128] 如何又說'皆天理'也? 莫是殘賊底惡, 初從羞惡上發; 淫溺貪慾底惡,
初從惻隱上發, 後來多過差了. 原其初發都是天理."

曰: "如此說亦好. 但所謂翻者, 亦是四端中自有相反處. 如羞惡自與惻隱相反, 是非自與辭讓
相反. 如公說, 也是好意思, 因而看得舊一句不通處出. 如'用人之智去其詐, 用人之勇去其暴',
這兩句意分曉. 惟是'用人之仁, 去其貪'一句沒分曉. 今公說貪是愛上發來, 也是. 思之, 是淳
善底人, 易得含胡苟且, 姑息貪戀."[129]

물었다. "이미 천리가 뒤집혀 버린 것이라면 또 어째서 '모두 천리'[130]라고 말합니까? 인을 해치고 의를
해치는[131] 악이 처음에는 부끄러워하고 미워함[羞惡]으로부터 발동한 것이 아닙니까? 음란함에 빠지고
탐욕스러운 악이 처음에는 측은함[惻隱]으로부터 발동한 것이 아닙니까? 나중에는 대부분 지나쳐서 틀리
게 되었지만, 그 처음 출발하는 곳을 규명하면 모두 천리입니다."

(주자가) 대답했다. "이와 같이 말하는 것도 좋다. 그러나 이른바 '뒤집혔다'는 것은 또한 사단 가운데

----

126 『朱子語類』 권97, 40조목

127 '천하의 선과 … 천리이다.': 『河南程氏遺書』 권2上

128 旣是翻了天理: 『朱子語類』 권97, 41조목에는 '翻'이 '反'으로 되어 있다. 이어지는 주자의 답변에서 '但所謂翻
者' 부분 역시 그렇다. 번역은 『朱子語類』의 것을 따랐다.

129 『朱子語類』 권97, 41조목

130 '모두 천리': 『河南程氏遺書』 권2상에서는 "천하의 선과 악이 모두 천리이다.(天下善惡皆天理.)"라고 했다.

131 인을 해치고 … 해치는: 『孟子』「梁惠王上」에서는 "仁을 해치는 자를 賊이라 하고, 義를 해치는 자를 殘(잔)
이라 한다.(賊仁者, 謂之賊; 賊義者, 謂之殘.)"고 했다.

본래 상반되는 곳이 있는 것이다. 예컨대 수오羞惡는 본래 측은惻隱과 상반되고, 시비是非는 본래 사양辭讓과 상반된다. 그대처럼 말하는 것도 좋지만, 옛 글에서 통하지 않는 곳을 볼 수 있을 것이다. 예를 들어 '다른 사람의 지혜를 쓰지만 그 거짓은 버리고, 다른 사람의 용기를 쓰지만 그 난폭함을 버린다.'132 에서, 이 두 구절의 뜻은 분명하다. 오직 '다른 사람의 인을 쓰지만 그 탐욕을 버린다'는 한 구절만이 분명하지 않았다. 지금 그대가 탐욕이 사랑에서 발동해 온 것이라고 말한 것은, 또한 옳다. 생각건대, 이것은 순수하고 선한 사람이 모호하고 구차하며 임시방편적이고, 미련을 갖기 쉬운 것이다."

[50-1-82]

"善, 只是當恁地底; 惡, 只是不當恁地底. 善惡皆是理, 但善是那順底, 惡是翻轉來底. 然以其反而不善, 則知那善底自在. 故'善惡皆理'也. 然却不可道有惡底理."133

(주자가 말했다.) "선은 다만 마땅히 이와 같아야 하는 것이다. 악은 마땅히 이와 같아서는 안 되는 것이다. 선과 악은 모두 리理이지만, 다만 선은 순順하는 것이고, 악은 거꾸로 뒤집혀진 것이다. 그러나 그것이 반대가 되어 불선한 것이기 때문에, 저 선한 것이 본래 존재함을 알 수 있다. 그러므로 '선과 악은 모두 리理'134이다. 그러나 오히려 악의 리가 있다고 말할 수는 없다."

[50-1-83]

"知人之難, 堯舜以爲病, 而孔子亦有聽言觀行之戒. 然以予觀之, 此特爲小人設耳. 若皆君子, 則何難知之有哉? 蓋天地之間, 有自然之理, 凡陽必剛, 剛必明, 明則易知. 凡陰必柔, 柔必暗, 暗則難測. 故聖人作易, 遂以陽爲君子, 陰爲小人. 其所以通幽明之故, 類萬物之情者, 雖百世不能易也. 予嘗竊推易說以觀天下之人, 凡其光明正大, 踈暢洞達, 如靑天白日, 如高山大川,

---

132 '다른 사람의 … 버린다.': 『禮記』「禮運」에는 "故用人之知, 去其詐, 用人之勇, 去其怒, 用人之仁, 去其貪."으로 되어 있다. 陳澔는 『集說』에서 "임금이 사람을 쓸 때 마땅히 장점을 취하고 단점을 버려야 한다는 것을 말했다. 중간 정도 재질의 사람은 장점이 있으면 반드시 단점이 있기 때문이다. '去'는 버린다는 뜻과 같다. 지모가 있는 자는 거짓으로 흐르기 쉬우니 그러므로 남의 지모를 쓸 때는 마땅히 그 거짓을 버리고 책하지 않아야 한다. 강하고 용감한 자는 사납고 난폭함에 이르기 쉬우니 그러므로 남의 용맹을 쓸 때는 마땅히 그 사납고 난폭한 지나침을 버려야 한다. 주자는 '인은 다만 사랑인데, 사랑하면서 義로 제어하지 않으면 일마다 모두 사랑하게 된다. 사물도 사랑하고, 관작도 사랑하고, 돈도 사랑하고, 일마다 모두 사랑하게 되므로 그래서 탐욕스럽게 된다. 그러므로 남의 인을 쓸 때는 마땅히 그 탐욕의 실책을 버려야 한다.'라고 말했다.(言人君用人, 當取其所長, 舍其所短. 蓋中人之才, 有所長, 必有所短也. '去', 猶棄也. 有知謀者, 易流於欺詐, 故用人之知, 當棄其詐, 而不責也; 有剛勇者, 易至於猛暴, 故用人之勇, 當棄其猛暴之過也. 朱子曰, '仁止是愛, 愛而無義以制之, 便事事都愛好. 物事也愛好, 官爵也愛, 愛錢也愛, 事事都愛, 所以貪也. 故用人之仁, 當棄其貪之失也.')"라고 주해하였다.

133 『朱子語類』 권97, 42조목

134 '선과 악은 … 리': 『河南程氏遺書』 권2上에서는 "천하의 선과 악이 모두 천리이다.(天下善惡皆天理.)"라고 했다.

如雷霆之爲威而雨露之爲澤, 如龍虎之爲猛而麟鳳之爲祥, 磊磊落落, 無纖芥可疑者, 必君子也. 而其依阿淟涊, 回互隱伏, 糾結如蛇蚓, 瑣細如蟻蝨, 如鬼蜮狐蠱, 如盜賊詛呪, 閃倏狡獪, 不可方物者, 必小人也. 君子小人之極, 旣定於內, 則其形於外者, 雖言談擧止之微, 無不發見. 而況於事業文章之際, 尤所謂粲然者! 彼小人者, 雖曰難知, 而亦豈得而逃哉!"[135]

(주자가 말했다.) "사람을 알아보기 어려운 것을 요임금과 순임금이 근심거리로 여겼고,[136] 공자에게도 또한 말을 듣고 행동을 관찰하는 경계가 있었다.[137] 그러나 내가 보건대 이는 다만 소인 때문에 말한 것일 뿐이다. 만약 모두가 군자라면 무슨 알아보기 어려움이 있겠는가? 대개 천지 사이에는 저절로 그렇게 되는 이치[理]가 있으니, 대체로 양[陽]은 반드시 강[剛]하고 강하면 반드시 밝고 밝으면 알아보기가 쉽다. 대체로 음[陰]은 반드시 부드럽고 부드러우면 반드시 어둡고 어두우면 헤아리기 어렵다. 그러므로 성인이 『주역』을 저술하며, 마침내 양을 군자로 삼고 음을 소인으로 삼았다. 그 '유[幽]·명[明]의 원인을 알고'[138] '만물의 실정을 분류하는'[139] 것은 비록 백세라도 바꿀 수 없다. 내가 일찍이 슬그머니 역설[易說]을 미루어서 천하의 사람을 관찰했는데, 그 광명정대하고 막힘없이 통달한 것이 마치 맑게 갠 하늘에서 밝게 비치는 해와 같고, 마치 높은 산이나 큰 강과 같으며, 마치 천둥 벼락의 위엄이나 우로[雨露]의 은택과 같고, 마치 용이나 호랑이의 사나움이나 기린이나 봉황의 상서로움과 같아 분명하고 명쾌하여 털끝만큼도 의심할 만한 것이 없는 사람은 반드시 군자이다. 그런데 우물쭈물 흐릿하게 구석구석 숨기고 동여매서 감추기를 마치 뱀이나 지렁이처럼 하며, 자질구레한 것이 마치 서캐나 이[蝨] 같으며 마치 귀신이나 물여우[蜮][140]나 여우나 기생충과 같고 마치 도적질하고 저주하는 것 같아서 순간적으로 변화하며 간사하고 교활하여 사리를 판별할 수 없는 사람은 반드시 소인이다. 군자와 소인의 지극함이 이미 마음속에서 정해졌다면, 그 밖으로 비록 말이나 행동거지에서 작은 것이라 할지라도 드러나지 않는 것이 없다. 그런

- -

135 『朱文公文集』 권75 「王梅溪文集序」
136 사람을 알아보기 … 여겼고 : 『書經』「虞書 皐陶謨」에서는 고요가 "아! 사람을 아는 데 달려 있으며 백성을 편안하게 하는 일에 달려 있습니다.(都! 在知人, 在安民.)"라고 하자, 禹가 "아! 너의 말이 옳지만 모두 이같이 하는 것은 요임금도 어렵게 여기셨으니, 사람을 알면 명철하여 훌륭한 사람을 벼슬시킬 수 있다.(吁! 咸若時 惟帝 其難之 知人則哲 能官人.)"고 했다.
137 공자에게도 또한 … 있었다. : 『論語』「公冶長」에서는 "내가 처음에는 남에 대하여 그의 말을 듣고 그의 행실을 믿었으나, 이제 나는 남에 대하여 그의 말을 듣고 다시 그의 행실을 살펴보게 되었다. 나는 宰予 때문에 이 버릇을 고치게 되었구나.(始吾於人也, 聽其言而信其行, 今吾於人也, 聽其言而觀其行, 於予與改是.)"라고 했다.
138 '幽·明의 원인을 알고' : 『周易』「繫辭傳上」 제4장에서는 "위로는 天文을 관찰하고 아래로는 地理를 살핀다. 그러므로 幽·明의 원인을 알며, 시작을 근원하여 끝에 돌이켜 연구한다.(仰以觀於天文, 俯以察於地理. 是故 知幽明之故, 原始反終.)"라고 했다.
139 '만물의 실정을 분류하는' : 『周易』「繫辭傳下」 제2장에서는 "이에 비로소 팔괘를 만들어 神明의 덕을 通하고 만물의 실정을 분류하였다.(於是始作八卦, 以通神明之德, 以類萬物之情.)"라고 했다.
140 물여우[蜮] : 물속에 숨어 사람을 해친다는 전설상의 괴물이다. 주자는 『詩經集傳』「小雅·何人斯」에서 "江과 淮水에 모두 있으니, 모래를 머금어 물속에 비치는 사람의 그림자를 쏘면, 그 사람은 곧 병이 드나 그 형체를 볼 수가 없다.(江淮水皆有之, 能含沙以射水中人影, 其人輒病, 而不見其形也)"라고 주해하였다.

데 하물며 사업 문장과 같이 더욱 뚜렷한 것임에랴! 저 소인의 경우에는 비록 알기 어렵다고 말하더라도 또한 어찌 달아날 수 있겠는가!"

[50-1-84]
南軒張氏曰: "人欲橫流, 强止遏之, 未有不奔潰湍決者, 此鯀治水也. 水之性無有不下, 禹能順而治之, 行其所無事也, 自然平治. 人之良心, 豈無發見之時! 引而伸之, 涵養而擴充之, 天理明, 人欲自消. 伊川所謂'明得一分天理, 減却一分人欲.'"[141]

남헌 장씨南軒張氏[張栻]가 말했다. "인욕은 제멋대로 흐르니, 강제로 멈추어 막으려 하면 뿔뿔이 흩어져 달아나고 둑을 터뜨리지 않을 것이 없다. 이는 곤鯀의 치수법이다. 물의 본성은 아래로 흐르지 않는 것이 없고, 우禹가 이것을 따라 다스릴 수 있었으니 일삼음이 없는 것을 행하여 자연스럽게 정비하였다. 사람의 양심에 어찌 드러나 보이는 때가 없겠는가! (그 때를) 잡아당겨 늘려서, 함양하고 확충하면 천리가 밝아지고 인욕이 저절로 사라진다. 이천이 '한 푼의 천리를 밝히면 한 푼의 인욕을 없앤다.'라고 말했던 것이다."

[50-1-85]
問: "程子謂'視聽思慮動作皆天也, 但其中要識得眞與妄耳'. 胡伯逢疑云'旣是天, 安得妄?' 某以謂此六者人生皆備, 故知均稟於天. 但順其理則是眞, 違其理則是妄. 妄卽人爲之私耳. 如此言之, 知不謬否?"

曰: "有物必有則, 此天也. 若非其則, 則是人爲亂之, 妄而已矣."[142]

물었다. "정자는 '보고 듣고 생각하고 동작하는 것(視·聽·思·慮·動·作)이 모두 천天이고, 다만 그 중에서 진실됨과 망령됨을 알아야 한다.'[143]라고 했고, 호백봉胡伯逢[胡大原][144]은 '이미 천이면 어찌 망령됨이 있겠는가?'라고 의심하며 말했습니다. 제 생각에 이 여섯 가지는 사람의 삶에 모두 갖추어진 것이므로, 하늘에서 고르게 품부받은 것임을 알 수 있습니다. 다만 그 이치[理]에 순응하면 진실됨이고 그 이치[理]를 거스르면 망령됨입니다. 망령됨은 인위의 사사로움일 뿐입니다. 이와 같이 말한다면 제 앎이 틀리지 않은 것인지요?"

(남헌 장씨가) 대답했다. "사물이 있으면 반드시 (사물의) 법칙이 있는 것, 이것이 천이다. 만약 그 법칙이 아니라면 이는 사람이 어지럽힌 것이니 망령됨일 뿐이다."

---

141 眞德秀, 『西山讀書記』권4. 하지만 마지막의 "伊川所謂明得一分天理, 減却一分人欲." 부분은 『西山讀書記』에 없고 『性理大全書』에만 실려 있다.

142 『南軒集』권29 「答吳晦叔」

143 '보고 듣고 … 한다.': 『河南程氏遺書』권11에서는 "視聽思慮動作皆天也, 人但於其中要識得眞與妄爾."라고 했다.

144 胡大原(?~?): 자는 伯逢이다. 胡宏의 조카이고, 胡寅의 자식이다. 호굉의 학설을 굳게 지켰으며, 주자나 장식과 변론을 했다.

[50-1-86]

"道二, 義與利而已矣. 義者, 亘古今通天下之正達; 而利者, 犯荊棘, 入險阻之私徑也. 人之秉彛, 固有坦然正達之可遵, 而乃不由之, 而反犯荊棘, 冒險阻, 顚冥終身而不悔, 獨何歟? 血氣之動於欲也. 動於聲色, 動於貨財, 以至於爵祿之可慕則進以求達, 知名之可利則銳於求名. 不寧惟是, 凡一日夕之間, 起居飲食, 遇事接物, 苟私己自便之事, 意之所向無不趨之, 則天理滅, 而人道或幾乎息矣. 其齷齪營營, 豈得須臾寧處於斯世? 亦僥倖以苟免耳. 徒知有六尺血氣之軀, 而不知其體元與天地相周流也, 豈不可惜乎? 雖然, 義, 內也. 本其良心之不可以自己者, 反而求之, 夫豈遠哉?"[145]

(남헌 장씨가 말했다.) "도는 둘이니 의와 이익뿐이다. 의는 고금에 이어지고 천하를 통하는 바른 길이지만, 이익은 가시밭을 침범하고 험준한 곳에 들어가는 사사로운 길이다. 사람의 불변의 성품[秉彛][146]에는 진실로 안정되어 따를 만한 올바른 길이 있는데, 이것을 경유하지 않고 도리어 가시밭을 침범하고 험준함을 무릅쓰며, 어두움에 넘어지고 죽을 때까지 후회하지 않는 것은 유독 어째서인가? 혈기가 욕망에 동요된 것이다. (혈기가) 소리나 모습에 동요되고 재물에 동요되며, 동경할 만한 작록에 대해서는 나아가 영달을 추구하게 되고 유명해져서 이로울 만한 것에 대해서는 이름을 구하는 데에 민첩하게 된다. 이뿐만이 아니라, 하루 종일 움직이고 먹고 마시고 사물에 대응하는 것들이 만약 이기적으로 자기 편한 일과 뜻이 향하는 대로 따라가지 않는 것이 없다면, 천리天理가 소멸되고 인도人道가 아마 거의 사라지게 될 것이다. 그 마음속이 이러한 추구에 골몰하고 있다면, 어찌 한순간이라도 이 세상에서 평안한 곳을 얻을 수가 있겠는가? 다만 요행히 구차하게 모면하고 있을 따름이다. 겨우 6척 혈기의 몸이 있는 것만을 알고 그 몸이 원래 천지와 함께 서로 유행하는 것은 모르니, 어찌 애석해할 만한 것이 아니겠는가? 비록 그렇지만 의는 내면에 있는 것이다. 스스로 그만둘 수 없는 양심에 근본하여 돌이켜 구한다면 어찌 멀다고 하겠는가?"

[50-1-87]

"學者潛心孔孟, 必得其門而入, 愚以爲莫先於義理之辨. 蓋聖學無所爲而然也. 無所爲而然者, 命之所以不已, 性之所以不偏, 而敎之所以無窮也. 凡有所爲而然者, 皆人欲之私而非天理之所存, 此義利之分也. 自未嘗省察者言之, 終日之間, 鮮不爲利矣. 非特名位貨殖而後爲

145 『南軒集』 권15 「送劉圭父序」

146 불변의 성품[秉彛]: 『詩經』 「大雅·烝民」에서는 "하늘이 여러 백성을 내시니 사물이 있으면 법칙이 있도다. 백성이 불변의 성품을 갖고 있는지라 이 아름다운 德을 좋아하도다.(天生烝民, 有物有則. 民之秉彛, 好是懿德.)"라고 하였고, 주자는 『集傳』에서 "秉은 잡음이고, 彛는 항상됨이다. … 예컨대 보는 것이 밝고 듣는 것이 밝으며 모양이 공손하고 말이 순하며 군신 간에 義가 있고 부자간에 親함이 있는 따위가 이것이니, 이는 바로 백성들이 가지고 있는 바의 불변의 성품이다. 그러므로 그 情이 이 아름다운 덕을 좋아하지 않는 자가 없는 것이다.(秉, 執; 彛, 常. … 如視之明, 聽之聰, 貌之恭, 言之順, 君臣有義, 父子有親之類 是也, 是乃民所執之常性. 故其情, 無不好此美德者)"라고 주해하였다.

利也. 斯須之頃, 意之所向, 一涉於有所爲, 雖有淺深之不同, 而其徇己自私, 則一而已. 如孟子所謂內交要譽, 惡其聲之類是也. 是心日滋, 則善端遏塞. 欲儷聖賢之門墻以求自得, 豈非却行以望及前人乎! 使談高說妙, 不過渺茫臆度. 譬猶無根之木, 無本之水, 其何益乎! 學者當立志以爲先, 持敬以爲本, 而精察於動靜之間, 豪釐之差, 審其爲霄壤之判, 則有以用吾力矣. 學然後知不足. 平時未覺吾利欲之多也, 灼然有見於義理之辨, 將日救過不暇. 由是而不舍, 則趣益深, 理益明, 而不可已也. 孔子曰, '古之學者爲己, 今之學者爲人.' 爲人者無適而非利, 爲己者無適而非義. 嗟乎! 義利之辨大矣. 豈特學者治己之所當先, 施之天下國家一也. 王者所以建立邦本, 垂裕無疆, 以義故也; 而伯者所以陷溺人心, 貽毒後世, 以利故也. 孟子當戰國橫流之時, 發揮天理, 遏止人欲, 深切著明, 撥亂反正之大綱也."147

(남헌 장씨가 말했다.) "배우는 자는 공맹에 마음을 집중하여 반드시 그 문으로 들어가야 하니, 나는 의와 이익의 구별보다 앞설 것이 없다고 생각한다. 대체로 성인의 학문은 의도를 둔 것이 없는데도 그렇게 되는 것이다. 의도를 둔 것이 없는데도 그렇게 되는 것이란, 명命을 그만둘 수 없는 것이고 성性이 치우치지 않는 것이고 가르침이 무궁한 것이다. 의도를 두어 그렇게 되는 것이란, 모두 인욕의 사사로움으로 천리가 보존된 것이 아니니, 이것이 의와 이익의 구분이다. 성찰해 보지 않았던 자에 대해 말한다면 종일토록 이익을 추구하지 않는 일이 드물다. 비단 명예나 지위나 재물인 다음에야 이익이 되는 것이 아니다. 잠깐이라도 뜻이 향하는 것이 할 일이 있음에 간섭하면, 비록 얕고 깊은 차이가 있더라도 사리사욕을 꾀하며 이기적으로 되는 것은 동일할 뿐이다. 예를 들면 맹자가 말했던 '교분을 맺고' '명예를 요구하며' '그 명성을 싫어하는'148 부류가 이것이다. 이런 마음이 날마다 자라나면 선의 단서가 막힌다. 성현의 가르침을 가까이 하여 자득함을 구하고자 하여도, 어찌 뒷걸음질 치면서 이로써 앞 사람에게 미치기를 바라는 것이 아니겠는가! 고매하고 묘한 것을 이야기하도록 해도, 막연하게 억측하는 것에 불과하다. 비유하자면 뿌리 없는 나무와 수원 없는 물과 같으니, 그것이 무슨 도움이 되겠는가! 배우는 자는 마땅히 입지立志를 우선으로 하고, 지경持敬을 근본으로 삼으며, 움직이거나 고요한 사이에 정밀하게 살펴야 하니, 털끝만한 차이에서도 하늘과 땅만큼 구별됨을 살피면 나의 힘을 쓸 수가 있다. 배운 다음에야 부족한 줄을 안다. 평상시에는 나의 이욕이 많은 것을 깨닫지 못하다가 의리의 분별에 대해 뚜렷하게 깨닫게 되면, 날마다 잘못을 구제하느라 쉴 틈이 없게 될 것이다. 이것을 따르며 그치지 않으면, 뜻이 더욱 깊어지고 이치[理]가 더욱 분명해져서 그만둘 수 없게 된다. 공자가 '옛날에 배우는 자들은 자신을 위한 학문을 하였는데, 지금에 배우는 자들은 남을 위한 학문을 한다.'149라고 했는데, 남을 위하여 하는

147 『南軒集』 권14 「孟子講義序」
148 '교분을 맺고 … 싫어하는': 『孟子』 「公孫丑上」에서는 "사람들이 모두 사람을 차마 해치지 못하는 마음을 가지고 있다고 말하는 까닭은, 지금 사람들이 갑자기 어린아이가 우물로 들어가려는 것을 보고는 모두 깜짝 놀라고 측은해 하는 마음을 가지니, 이것은 어린아이의 부모와 교분을 맺으려고 해서도 아니며, 마을 사람들과 친구들에게 명예를 구해서도 아니며, (잔인하다는) 명성을 싫어해서 그러한 것도 아니다.(所以謂人皆有不忍人之心者, 今人乍見孺子將入於井, 皆有怵惕惻隱之心. 非所以內交於孺子之父母也, 非所以要譽於鄕黨朋友也, 非惡其聲而然也.)"라고 했다.

자는 어디를 가든 이익이 아닌 것이 없고, 자기를 위하여 하는 자는 어디를 가든 의가 아닌 것이 없다. 슬프도다! 의와 이익의 분별은 큰 것이다. 어찌 다만 학자가 자신을 다스리는 것을 마땅히 우선해야 한다는 것에만 그칠 것인가, 그것을 천하 국가에 적용하여도 마찬가지이다. 왕자王者가 나라의 근본을 세워서 끝없이 업적과 명성을 남기게 되는 까닭은 의義 때문이지만, 패자霸者가 사람의 마음을 악으로 빠뜨려서 후세에까지 독을 끼치는 까닭은 이利 때문이다. 맹자가 제멋대로 흘러가던 전국시대에 천리를 떨쳐 드러내어 인욕을 억제한 것이 깊고 절실하며 뚜렷이 밝으니, 어지러움을 다스려 올바름으로 돌이킨 대강大綱이다.”

[50-1-88]

“人之所以不正大者, 果何由哉? 有所偏黨, 則不正矣 ; 有所係吝, 則不大矣. 是二者, 皆私也. 纖豪之萌, 則正大之體亡矣. 是當涵泳乎義理之中, 敬恭乎動靜之際, 察夫偏黨係吝而克去之, 則所謂正大者, 蓋可存其體而得其用矣.”150

(남헌 장씨가 말했다.) “사람이 정대正大(공정하고 사사로움이 없음)하지 못한 것은 과연 무슨 까닭인가? 한쪽 당파에 치우치면 정正하지 않고, 인색함에 얽매이면 대大하지 않다. 이 두 가지는 모두 사사로움이다. 털끝만한 싹이라도 있으면 정대의 체體가 없어지게 된다. 이는 마땅히 의리 속에서 깊숙이 잠겨 노닐며, 움직이거나 고요한 때에 공경하며, 한쪽 당파에 치우침이나 인색함에 얽매임이 있는지 잘 살펴보고 그것을 극복할 수 있어야 하니, 그러면 이른바 정대正大가 그 체體를 보존하고 용用을 얻을 수 있게 될 것이다.”

[50-1-89]

勉齋黃氏曰 : “人稟陰陽五行之秀氣以生, 而太極之理已具. 其根於心也, 未發則爲仁義禮智之性, 已發則爲惻隱羞惡辭讓是非之情. 其施於身也, 則爲貌之恭, 言之從, 視之明, 聽之聰, 思之睿. 其見於事也, 則爲君臣之義, 父子之恩, 夫婦之別, 長幼之序, 朋友之信, 與凡百行之當然者. 是其稟賦之初, 內外之分, 固莫非天理之所具. 然少有不謹, 則人欲得以間之. 合乎天理, 則順直端方, 而無邪曲偏詖之累 ; 人欲間之, 則反是矣. 是故存養省察於幾微之間, 其惟敬義乎! 主一之謂敬, 合宜之謂義. 主於一, 則思慮不雜, 天理常存而內直矣. 合於宜, 則品節不差, 天理常行而外方矣. 內直外方, 則所謂具衆理宰萬事, 有以全吾心本然之妙矣.”151

면재 황씨勉齋黃氏[黃幹]152가 말했다. “사람은 음양오행의 빼어난 기운을 품부받아서 생겨났으며, 태극의

....

149 ‘옛날에 배우는 … 한다.’ : 『論語』「憲問」
150 『南軒集』 권15 「送嚴主簿序」
151 『勉齋集』 권19 「記一・楊恭老敬義堂記」
152 黃幹(1152~1221) : 자는 直卿이고, 호는 勉齋이다. 송대 福州閩縣(현 복건성 福州)사람으로 주희의 고족제자인 동시에 사위이다. 주희의 蔭補로 知漢陽軍・知安慶府 등을 역임하였다. 저서는 『書說』・『六經講義』・『勉

리理가 이미 갖추어져 있다. 그것이 마음에 근본하고 있으니, 미발이면 인의예지의 성性이 되고, 이발이면 측은·수오·사양·시비의 정情이 된다. 그것이 몸에서 행해지니, 모습의 공경함과 말의 순종함과 보는 것의 밝음과 듣는 것의 뚜렷함과 생각하는 것의 슬기로움이 된다. 그것이 일에서 드러나니, 군신 간의 의와 부모 자식 간의 은혜와 부부 간의 분별과 연장자 연소자 간의 질서와 친구들 간의 믿음과 모든 행동의 마땅히 그러해야 하는 것이 된다. 이것은 그 품부받은 시초에 안과 바깥의 분별을 진실로 천리가 모두 갖추고 있다. 그러나 조금이라도 삼가지 않으면 인욕이 그 사이에 끼어들게 된다. 천리에 부합하면, 온순하고 정직하며 단정하여 사악하고 교활하며 치우친 결함이 없다. 인욕이 그 사이에 끼어들면 이것과 반대로 된다. 그러므로 조짐의 순간에 존양存養하고 성찰省察하는 것이니, 오직 경敬과 의義를 행할 뿐이다! 하나를 위주로 하는 것을 경이라고 하고, 마땅함에 부합하는 것을 의라고 한다. 하나를 위주로 하면, 사려가 뒤섞이지 않으니 천리가 항상 보존되어 내면이 올곧게 된다. 마땅함에 부합하면, 품행과 절조가 어긋나지 않으니 이른바 모든 리理가 구비하고 만사를 주재하여, 내 마음 본연의 오묘함[本然之妙]을 온전히 할 수가 있게 된다.”

[50-1-90]

潛室陳氏曰: “五峯云, ‘天理人欲, 同行異情’, 此語儘當玩味, 如飮食男女之欲, 堯舜與桀紂同. 但中理中節, 卽爲天理; 無理無節, 卽爲人欲.”[153]

잠실 진씨潛室陳氏[陳埴]가 말했다. “오봉五峯[胡宏]의 ‘천리와 인욕은 행위는 같지만 실정은 다르다.’[154]는 말은 늘 마땅히 완미해야 할 것이니, 예컨대 음식남녀의 욕구 같은 것은 요순이나 걸주가 동일하다. 다만 리理에 들어맞고 절도에 들어맞는 것은 바로 천리가 되고, 리가 없고 절도가 없는 것은 바로 인욕이 된다.”

[50-1-91]

西山眞氏曰: “義者, 天理之公也; 利者, 人欲之私也. 二者如氷炭之相反. 然一於義, 則利自在其中. 蓋義者宜也, 利亦宜也. 苟以義爲心, 則事無不宜矣. 不惟宜於己, 亦且宜於人. 人己兩得其宜, 何利如之! 若以徇利爲心, 則利於己必害於人. 爭鬪奪攘於是乎興, 己亦豈能享其利哉.”[155]

서산 진씨西山眞氏[眞德秀]가 말했다. “의義는 천리의 공정함이고, 이익[利]은 인욕의 사사로움이다. 두 가지는 마치 얼음과 숯처럼 상반되는 것이다. 그러나 의義에 한결같이 집중하면 이익은 저절로 그 속에 있게 된다. 아마도 의義는 마땅함이고 이익 또한 마땅함이기 때문이다. 진실로 의義를 마음으로 삼는다

齋集』 등이 있고, 『朱子行狀』을 집필했다.

153 『木鍾集』 권10

154 ‘천리와 인욕은 … 다르다.’: 胡宏의 『知言』 권1에는 “천리와 인욕은 체는 같지만 용은 다르며, 행위는 같지만 정은 다르다.(天理人欲, 同體而異用, 同行而異情.)”로 되어 있다.

155 『西山文集』 권30 「問答·問治國平天下章」

면 일에 마땅하지 않음이 없게 될 것이다. 오직 자기에게만 마땅하게 하지 말고, 또한 남에게도 마땅하게 해야 한다. 나와 남 양쪽이 그 마땅함을 얻는다면 어떤 이익이 이와 같은가! 만약 이익을 따르는 것을 마음으로 삼는다면, 자기를 이로운 것은 반드시 남에게 해로울 것이다. 투쟁과 약탈이 여기에서 일어나게 되니, 자기가 또한 어찌 그 이익을 누릴 수 있겠는가!'

[50-1-92]

"大學所謂利, 專指財利而言. 伊川先生云, '利不獨財利之利, 凡有一豪自便之心卽是利', 此論尤有補於心術之微. 至南軒先生又謂,[156] '無爲而爲皆義也, 有所爲而爲卽利也.' 其言愈精且微, 學者不可不知也. 且如見赤子入井有惻隱之心, 此乃天理自然形見, 非有所爲而然, 此卽義也. 若有一豪納交要譽之心, 卽是有所爲而爲, 卽利心也. 二者去相去豪釐之間,[157] 而公私邪正之分, 則天淵矣. 故朱子謂南軒此語, 乃發先賢所未發, 有功於聖門, 學者所宜深味也."[158]

(서산 진씨가 말했다.) "『대학』에서 말한 이利이란 오로지 경제적 이득이 되는 이익만을 가리켜서 말한 것이다. 이천 선생은 '이利란 다만 경제적인 이득이 되는 이익에만 국한된 것이 아니니, 털끝만큼이라도 자기의 편익을 꾀하는 마음이 있다면 곧 이利.'[159]라고 했는데, 이 논의는 특히 심술心術의 은미함에 대해 보충하는 바가 있다. 남헌 선생이 또 '의도 없이 행하는 것은 모두 의義이고, 의도를 두고 한 것은 곧 이익利이다'라고 한 것에 이르러서는, 그 말이 더욱 정밀하고 미묘하니 배우는 자가 알지 않으면 안 된다. 예컨대 갓난아이가 우물로 빠지려고 할 때 측은한 마음이 있는 것은 천리가 자연히 드러난 것이지, 의도하는 바가 있어 그런 것이 아니니 이것이 바로 의義. 만약에 털끝만큼이라도 교분을 맺으려거나 명예를 구하는[160] 마음이 있다면, 의도를 두고 한 것이니 바로 이익을 탐하는 마음利心이다. 두 마음의 차이는 털끝만한 사이이지만 공정함과 사사로움, 사악함과 바름의 구분은 하늘과 연못처럼 큰 차이가 있다. 그래서 주자는 남헌의 이 말에 대해서 '선현이 드러내지 않은 부분을 드러냈으니, 성인의 문하에 공이 있다'고 평했던 것이니, 배우는 자들은 마땅히 깊이 음미해야 할 것이다."

[50-1-93]

"學者存心行事, 只當以義理爲主. 義所當然, 雖害不邮 ; 義所不當然, 雖利不計, 如此, 方合乎

---

156 至南軒先生又謂 : 『西山文集』 권30 「問答 · 問治國平天下章」에는 '至'가 없다.

157 二者去相去豪釐之間 : 『西山文集』 권30 「問答 · 問治國平天下章」에는 "二者相去毫釐之間"으로 되어 있다.

158 『西山文集』 권30 「問答 · 問治國平天下章」

159 '利란 다만 … 利이다.' : 『河南程氏遺書』 권16 [50-1-7]을 참조

160 갓난아이가 우물로 … 구하는 : 『孟子』 「公孫丑上」에서는 "사람들이 모두 사람을 차마 해치지 못하는 마음을 가지고 있다고 말하는 까닭, 지금 사람들이 갑자기 어린아이가 우물로 들어가려는 것을 보고는 모두 깜짝 놀라고 측은해 하는 마음을 가지니, 이것은 어린아이의 부모와 교분을 맺으려고 해서도 아니며, 마을 사람들과 친구들에게 명예를 구해서도 아니며, (잔인하다는) 명성을 싫어해서 그러한 것도 아니다.(所以謂人皆有不忍人之心者, 今人乍見孺子將入於井, 皆有怵惕惻隱之心. 非所以內交於孺子之父母也, 非所以要譽於鄕黨朋友也, 非惡其聲而然也.)"라고 했다.

天理之正. 若此心一出一入於義利之間, 終是爲利所勝. 正如白黑相和, 黑必揜白, 薰蕕共器, 蕕必揜薰. 立志之初, 不可不察也."[161]

(서산 진씨가 말했다.) "배우는 자는 마음을 간직하고 일을 행할 때, 다만 마땅히 의리를 위주로 해야 한다. 의리상에서 마땅히 그러해야 하는 것은, 비록 해롭더라도 근심할 것이 아니며, 의리상에서 마땅히 그러하지 말아야 할 것은, 비록 이롭더라도 따질 것이 아니니, 이와 같아야 비로소 천리의 올바름에 부합될 것이다. 만약 이 마음이 의義와 이익[利]의 사이를 들락날락 한다면, 끝내는 이익이 이기게 될 것이다. 마치 흑색과 백색이 서로 어울리면 흑색이 반드시 백색을 덮게 되고, 향품[薰]과 누린내풀[蕕]을 한 그릇에 함께 담으면 누린내풀[蕕]이 반드시 향품[薰]을 덮게 되는 것과 꼭 같다. 입지立志하는 초기에 잘 살피지 않으면 안 된다."

[50-2-1]

程子曰: "賢者在下, 豈可自進以求於君? 苟自求之, 必無能信用之理."[162] 以下論出處

정자程子[程頤]가 말했다. "현인이 재야에 있으면서 어떻게 군주에게 스스로 나아가 벼슬을 구할 수 있단 말인가? 만일 그것을 스스로 구한다면, 필시 믿고 등용할 수 있는 이치[理]가 없을 것이다." 이하는 벼슬하고 물러나는 일에 대해 논하였다.

[50-2-2]

"擇才而用, 雖在君, 以身許國則在己. 道合而後進, 得正則吉矣. 汲汲以求遇者, 終必自失, 非君子自重之道也. 故伊尹·武侯救世之心非不切, 必待禮至而後出者以此."[163]

(정자가 말했다.) "인재를 가려서 등용하는 것은 군주에게 달렸지만, 몸을 나라에 허락하는 것은 자기에게 달렸다. 도道에 합한 뒤에 나아가서 바름을 얻으면 길할 것이다. 급급하게 등용되기를 구하면 결국에는 필시 자신을 그르칠 것이니, 군자의 자중하는 도리가 아니다. 그러므로 이윤伊尹[164]과 무후武侯[諸葛亮][165]가 세상을 구제하려는 마음이 절실했어도 반드시 예를 지극하게 갖추어 오기를 기다린 후에 출사한

• •

161 『西山文集』 권30 「問答·問治國平天下章」
162 『伊川易傳』 권1 「蒙卦」
163 『二程粹言』 권下
164 伊尹: 殷나라의 시조 湯임금을 도와 은나라를 건국한 인물로, 이름은 摯이다.
165 諸葛亮(181~234): 자는 孔明이고, 시호는 忠武侯이며, 琅琊郡 陽都縣(현 산동성 沂南縣) 사람이다. 豪族 출신이었으나 어릴 때 아버지와 사별하여 荊州에서 숙부 諸葛玄의 손에서 자랐다. 후한 말의 전란을 피하여 벼슬하지 않았으나 蜀漢의 정치가 겸 전략가로 명성이 높아 臥龍先生이라 불렸다. 207년 魏의 曹操에게 쫓겨 형주에 와 있던 劉備가 '三顧草廬'의 예로 초빙하여 '天下三分之計'를 진언하고, 군신 관계를 맺었다. 유비를 도와 吳나라의 孫權과 연합하여 남하하는 曹操의 대군을 赤壁의 싸움에서 대파하고, 荊州와 益州를 점령하였다. 221년 한나라의 멸망을 계기로 유비가 제위에 오르자 승상이 되었다. 유비가 죽은 뒤에는 어린 後主 劉禪를 보필하여 吳와 연합해 魏와 항쟁하며, 생산을 장려하여 民治를 꾀하고, 雲南으로 진출하여 개발을 도모하는 등 蜀의 경영에 힘썼다. 그러다가 위의 장군 司馬懿와 五丈原에서 대진하다가 병으로 죽었다.

것은 이 때문이었다."

[50-2-3]

"賢聖於亂世,[166] 雖知道之將廢, 不忍坐視而不救也. 必區區致力於未極之間, 强此之衰, 難彼之進, 圖其暫安而冀其引久.[167] 苟得爲之, 孔孟之屑爲也. 王允之於漢, 謝安之於晋, 亦其庶矣."[168]

(정자가 말했다.) "성현은 난세에 처해, 도道가 장차 무너지게 되리라는 것을 알더라도 차마 좌시한 채 구하지 않을 수가 없다. 극에 이르기 전에 반드시 갖가지로 힘써서, 도가 쇠하는 것을 강하게 하고 어지러움이 커지는 것을 어렵게 하여, 잠시라도 안정시켜 오래 유지되기를 바라 도모하는 것이다. 진실로 그것을 행할 수 있다면 공맹도 기꺼이 했을 것이다. 왕윤王允[169]은 한漢나라에서, 사안謝安[170]은 진晋나라에서, 또한 거의 그렇게 했다."

[50-2-4]

問 : "家貧親老, 應擧求仕, 不免有得失之累. 何修而可以免此?"

曰 : "此只是志不勝氣. 若志勝, 自無此累. 家貧親老, 須爲祿仕. 然得之不得爲有命."

曰 : "在己固可, 爲親奈何?"

曰 : "爲己爲親, 止是一事. 若不得, 其如命何? 孔子曰 '不知命, 無以爲君子.' 人苟不知命, 見患難必避, 遇得喪必動, 見利必趨, 其何以爲君子?"[171]

물었다. "집이 가난하고 부모님이 늙으셔서 과거에 응해 벼슬을 구하면, 등락에 얽매이지 않을 수 없습니다. 어떻게 수양해야 이를 피할 수 있습니까?"

정자(정이)가 대답했다. "이것은 단지 뜻하는 것이 기氣를 이기지 못한 까닭이다. 만약 뜻하는 것이 이긴다면, 저절로 이러한 얽매임은 사라진다. 집이 가난하고 부모님이 늙으셨으면 반드시 녹봉을 받는 벼슬

---

166 賢聖於亂世 : 『伊川易傳』에는 '聖賢之於天下'로 되어 있다.

167 圖其暫安而冀其引久. : 『伊川易傳』에는 '圖其暫安'으로 되어 있다.

168 『伊川易傳』권3 『遯卦』

169 王允(137~192) : 왕윤은 漢 太原 祁 땅 사람. 자는 子師. 靈帝 때 豫州刺史로서 黃巾賊을 쳐서 공을 세웠다. 이후 少帝(弘農王) 때는 大將軍 何進이 주도하는 환관 주살 모의에 참여하였다. 獻帝 때 司徒가 되어 呂布와 함께 董卓을 죽였고, 뒤에 동탁의 장수 李傕과 郭氾에게 살해되었다.

170 謝安(320~385) : 陳郡 陽夏 사람이다. 자는 安石이며 시호는 文靖이다. 王羲之・許詢・支遁 등과 산수에서 노닐다가 40여 세가 되어서야 출사하여 桓溫의 司馬가 되었다. 太元 연간에 征討大都督으로 前秦의 苻堅을 淝水에서 물리치고 洛陽 및 靑州・兗州 등을 수복하여, 建昌縣公에 봉해지고 都督揚江荊等十五州軍事에 올랐다. 會稽王 司馬道子가 정권을 잡아 나라의 기강을 무너뜨리자 廣陵에 나가 머무르기도 하였다. 죽은 뒤에 太傅가 추증되었다.

171 『二程遺書』권18

을 해야 한다. 그러나 등락은 명命에 달린 것이다."

물었다. "자기에게 있어서는 정말 괜찮습니다만, 부모님을 위해서는 어떻습니까?"

대답했다. "자기를 위하고 부모님을 위하는 것은 한 가지 일일 뿐이다. 만약 떨어졌다면, 명을 어찌하랴? 공자는 '명을 알지 못하면 군자가 될 수 없다.'[172]고 했다. 사람이 진실로 명을 알지 못하면, 환난을 보면 반드시 피하고 득실을 만나면 반드시 움직이며 이익을 보면 반드시 쫓아가니, 어떻게 군자가 될 수 있겠는가?"

[50-2-5]

"古之仕者爲人, 今之仕者爲己."[173]

"옛날에 벼슬하던 사람은 남을 위했는데, 지금의 벼슬하는 사람은 자기를 위한다."

[50-2-6]

"士之處高位, 則有拯而無隨. 在下位, 則有當拯有當隨, 拯之不得而後隨."[174]

(정이가 말했다.) "선비가 높은 지위에 있으면, 인도하기는 하나 따르지는 않는다. 낮은 지위에 있으면 인도해야 할 때도 따라야 할 때도 있는데, 인도할 수가 없어서 나중에 어쩔 수 없이 따라야 하는 경우도 있다."

[50-2-7]

問 : "聖人有爲貧之仕乎?"

曰 : "爲委吏·乘田, 是也."

或曰 : "抑爲之兆乎?"

曰 : "非也. 爲魯司冦, 則爲之兆也."

或人因以是勉程子從仕.

曰 : "至於飢餓不能出門戶之時, 又徐爲之謀耳."[175]

물었다. "성인이 가난 때문에 벼슬했던 일이 있습니까?"

(정자가) 대답했다. "창고 담당 관리나 사냥터 담당 관리[176]를 했던 일이 그것이다."

· · · · · · · · · · · · · · ·

172 '명을 알지 … 없다.' : 『論語』 「堯曰」에는 공자가 "命을 알지 못하면 군자가 될 수 없고, 禮를 모르고는 입신할 수 없으며, 말을 모르고는 사람을 알 수 없다.(不知命, 無以爲君子也 ; 不知禮, 無以立也 ; 不知言, 無以知人也.)"고 한 일이 기록되어 있다.

173 『二程粹言』 권上

174 『伊川易傳』 권4 「艮卦 六二효」

175 『二程粹言』 권下

176 창고 담당 … 관리 : 『孟子』 「萬章下」에는 맹자가 "공자는 일찍이 창고 담당 관리가 되어서는 '회계를 마땅하게 할 뿐이다.'라고 했다. 일찍이 사냥터 담당 관리가 되어서는 '소와 양을 잘 키울 뿐이다.'라고 했다.(孔子嘗

누군가 물었다. "혹시 (도를 행할) 조짐 때문이었습니까?"[177]

(정자가) 대답했다. "아니다. 노나라 사구司寇(刑曹의 벼슬)가 되었을 때가 조짐 때문[178]이었다."

누군가 이어서 정자에게 이를 따라 관리가 될 것을 권했다.

(정자가) 말했다. "굶주림과 목마름 때문에 집 대문을 나설 수 없는 지경에 이르러서야,[179] 또한 천천히 계책을 세울 뿐이다."

[50-2-8]

龜山楊氏曰: "方太公釣於渭, 不遇文王, 特一老漁父耳. 及一朝用之, 乃有鷹揚之勇. 非文王有獨見之明, 誰能知之? 學者須體此意, 然後進退隱顯各得其當."[180]

구산 양씨龜山楊氏[楊時][181]가 말했다. "태공망太公望이 위수渭水에서 낚시할 때 문왕文王을 만나지 못했다

. . . .

爲委吏矣, 曰, '會計當而已矣.' 嘗爲乘田矣. 曰, '牛羊茁壯長而已矣.')"라고 말하는 부분이 있다.

177 "혹시 … 때문이었습니까?": 『孟子』「萬章下」에는 공자가 벼슬을 얻어 道를 행할 수 있는 조짐[兆]을 보여주되, 군주가 실행하지 않으면 떠났다는 이야기가 있다. "(만장이) 물었다. '어찌하여 공자는 떠나지 않았습니까?' (맹자가) 대답했다. '조짐 때문이었다. 조짐이 충분히 실행될 수 있는데도 행하지 않으면 그 후에 떠나려 한 것이다. 때문에 일찍이 한 조정에서 3년을 머문 적이 없다.(曰, '奚不去也?' 曰, '爲之兆也. 兆足以行矣, 而不行, 而後去. 是以未嘗有所終三年淹也.')

178 노나라 司寇(刑曹의 벼슬)가 … 때문: 『孟子』「告子下」에서는 "공자가 魯나라의 司寇가 되었으나 쓰이지 않고 제사를 지내도 제사고기를 나눠주지 않자, 면류관을 벗지도 않고 떠났다. 공자를 알지 못하는 사람들은 고기 때문에 떠났다고 하고, 공자를 아는 사람들은 無禮하기 때문이라고 했다. 그러나 공자는 작은 잘못을 구실 삼아 떠나고자 했고, 구차히 떠나려고 하지 않은 것이다. 군자의 행위는 보통 사람들이 본래 모르는 법이다.(孔子爲魯司寇, 不用, 從而祭, 燔肉不至, 不稅冕而行. 不知者以爲爲肉也, 其知者以爲爲無禮也, 乃孔子則欲以微罪行, 不欲爲苟去. 君子之所爲, 衆人固不識也.)"라고 했다.

179 굶주림과 목마름 … 이르러서야: 『孟子』「告子下」에서는 옛 군자들이 벼슬에 나아갔던 상황과 물러나던 상황을 세 가지로 설명한다. "맞이하는 데 지극히 공경하는 禮가 있으며 장차 자신의 말을 행한다고 하면 나아가고, 禮貌가 쇠하지 않았더라도 말이 행해지지 않으면 떠났다. 그 다음은 자신의 말을 시행하지는 않으나 맞이하는 데 지극히 공경하는 예가 있으면 나아갔고, 예모가 쇠하면 떠났다. 그 다음은 아침도 못 먹고 저녁도 못 먹어 굶주림과 목마름으로 집 대문을 나갈 수 없는데, 군주가 이 말을 듣고 '내 크게는 그 도를 행하지 못하고 또 그의 말을 따르지 못해서, 나의 땅에서 굶주리게 하였으니 나는 부끄러워한다.'고 말하며 구원해 준다면, 또한 받을 수는 있지만 죽음을 면할 뿐이다.(迎之致敬以有禮, 言將行其言也, 則就之, 禮貌未衰, 言弗行也, 則去之. 其次, 雖未行其言也, 迎之致敬以有禮, 則就之, 禮貌衰, 則去之. 其下, 朝不食夕不食, 飢餓不能出門戶, 君聞之, 曰, '吾大者不能行其道, 又不能從其言也, 使飢餓於我土地, 吾恥之.' 周之, 亦可受也, 免死而已矣.)"

180 『龜山集』 권10

181 楊時(1053~1135) : 자는 中立이고 호는 龜山이며 시호는 文靖이다. 북송 將樂(현 복건성 장락현) 사람이다. 관직은 高宗 때 龍圖閣直學士에 이르렀다. 程顥·程頤 형제에 師事했는데, 특히 형 정호의 신임을 받았다. 閩學의 창시자이자 정문 4대 제자 가운데 한 사람이다. 그는 오래 살면서 二程(程顥·程頤)의 도학을 전하여 洛學(이정의 학파)의 大宗이 되었으며, 그 學系에서는 주희·張栻·呂祖謙 등 뛰어난 학자가 많이 배출되었다. 저서에 『龜山集』·『龜山語錄』·『二程粹言』 등이 있다.

면 나이든 어부에 불과했을 것이다. 하루아침에 그를 등용한 것은 매처럼 용맹한 결단력이 있었기 때문이다. 문왕의 밝은 견해가 아니었다면 누가 그것을 알 수 있었겠는가? 배우는 사람은 이 같은 뜻을 체득하여 연후에 벼슬에 나아가고 물러나며 은거하고 드러냄이 각각 마땅함을 얻도록 해야 한다."

[50-2-9]

正叔云 : "古之學者四十而仕. 未仕以前二十餘年, 得盡力於學問, 無他營也, 故人之成材可用. 今之士十四五以上, 便學綴文覓官, 豈嘗有意爲己之學? 夫以不學之人, 一旦授之官而使之事君長民治事, 宜其效不如古也. 故今之在仕路者, 人物多凡下不足道以此."[182]

정숙正叔[程伊川]이 말했다. "옛날에 배우는 사람은 사십 세가 되어 벼슬을 했다. 벼슬하기 전의 이십여 년 동안은 학문에 진력할 수 있었고 다른 일은 도모하지 않았기에 쓸 만한 인재가 되었다. 지금의 선비는 십사오 세가 되면 글을 짓는 것을 배워 벼슬을 구하니 어떻게 자기를 위한 학문爲己之學에 뜻을 둔 적이 있겠는가? 배우지 않는 사람에게 벼슬을 주어 임금을 섬기고 백성을 책임져 정사를 다스리도록 하면 마땅히 그 공헌이 옛날만 못할 것이다. 그러므로 지금 벼슬길에 있는 인물 대부분이 수준 이하인 것은 말할 것도 없으니 이 때문이다."

[50-2-10]

"仕道與祿仕不同. 常夷甫家貧, 旣召入朝, 神宗欲優厚之令兼數局, 如登聞鼓 · 染院之類, 庶幾俸給可贍其家. 夷甫一切受之不辭. 及正叔以白衣擢爲勸講之官, 朝廷亦使之兼他職則固辭. 蓋前日所以不仕者爲道也, 則今日之仕, 須其官足以行道乃可受. 不然, 是苟祿也. 然後世道學不明, 君子之辭受取舍, 人鮮能知之. 故常公之不辭, 人不以爲非, 而程公之辭, 人亦不以爲是."[183]

(구산 양씨가 말했다.) "벼슬하는 자의 도리와 녹을 타기 위해 하는 벼슬은 같지 않다. 상이보常夷甫[常秩][184]는 집이 가난했는데, 황제가 불러 조정에 들었을 때 신종神宗은 그를 후하게 대우하고자 하여 여러 직책을 겸하게 하였으니, 예컨대 등문고登聞鼓[申聞鼓]나 염원染院(염색을 맡는 관청) 같은 곳에서는 봉급이 그 집안을 넉넉하게 할 만했다. 이보는 그것을 사양하지 않고 모두 받았다. 정숙正叔[程伊川]의 경우는 평민 신분으로 시강관侍講官에 발탁되었는데 조정에서 그에게도 다른 관직을 겸하게 하자 고사하였다. 대개 예전에 벼슬하지 않은 이유는 도道를 위한 것이었다면, 오늘날의 벼슬은 모름지기 관직이 도를 행하는데 족해야 받을 수 있는 것이다. 그렇지 않으면 구차하게 봉급을 받는 것이다. 나중에 세상의 도학이 어두워져서 군자의 사양하고 받는 것이나 취하고 버리는 일을 잘 아는 사람이 드물게 되었다. 때문에 상이보가 사양하지 않았던 것을 사람들은 그르다고 여기지 않았고 정숙이 사양했던 일을 사람들

- - - - - - - - - - - - -

182 『龜山集』 권13
183 『宋名臣言行錄』(外集) 권3
184 常秩(1019~1077) : 潁州 汝陰(현 安徽省 阜陽) 사람이며, 자는 夷甫다. 判國子監, 寶文閣待制 등을 지냈다.

은 또한 옳다고 여기지 않았다."

[50-2-11]
和靖尹氏曰 : "君子或出或處, 歸潔其身而已矣. 人之行己各有其志. 出處去就雖有不同, 要看所存如何耳."

화정 윤씨和靖尹氏[尹焞][185]가 말했다. "군자는 벼슬을 할 때나 물러나 집에 있을 때나, 그 자신을 닦을 뿐이다. 사람은 자기가 각기 갖고 있는 뜻을 행한다. 벼슬을 하거나 집에 물러나 있는 거취에 다름이 있다 하더라도, 보존한 것이 어떠한가를 보아야 한다."

[50-2-12]
東平馬氏曰 : "人之利鈍自有時, 但當行直道, 無用干人也."[186]

동평 마씨東平馬氏[馬伸][187]가 말했다. "사람의 길흉에는 당연히 때가 있는데, 올곧게 도를 행해야 할 뿐이니 남에게 구하는 것은 쓸데없는 일이다."

[50-2-13]
致堂胡氏曰 : "古之君子不苟就, 不俯從. 使去就從違之重, 在我而不在人, 在義而不在利. 庶乎招不來, 麾不去, 足以取信於其上也."

치당 호씨致堂胡氏[胡寅][188]가 말했다. "옛날의 군자는 함부로 나아가지 않았고 자기를 굽혀 따르지 않았다. 만약 벼슬을 맡느냐 그렇지 않느냐 따르느냐 어기느냐의 문제가 중요하다면, 그것은 나에게 달렸지 남에게 달린 것이 아니며 의義에 달렸지 이익[利]에 달린 것이 아니다. 대개 불러도 오지 않고 손을 내저어도 가지 않으면 위에서 충분히 믿을 수 있을 것이다."

[50-2-14]
朱子曰 : "士大夫之辭受出處, 又非獨其身之事而已. 其所處之得失, 乃關風俗之盛衰, 故尤不

---

185 尹焞(1071~1142) : 송나라 河南 사람. 자는 彦明이고, 德充이라고도 한다. 尹源의 손자이다. 어릴 적부터 정이를 스승으로 섬겼다. 과거에 응시했다가 시험문제가 元祐의 여러 신하를 주살한 일을 논의하라는 것이 나와 답하지 않고 나와서 평생토록 과거시험을 보지 않았다. 欽宗 靖康 초에 서울에 불려 가서 和靖處士라는 호를 받았다. 高宗 때에 숭정전설서, 예부시랑겸시강을 역임했다. 『論語解』・『和靖集』이 있다.

186 『宋名臣言行錄』(外集) 권9

187 馬伸(?~1128) : 자는 時中이다. 東平(현 山東省) 사람이다. 정이 문하에서 수학했다. 1097년 진사가 되었으며, 西京法曹・殿中侍御史 등을 역임했다.

188 胡寅(1098~1156) : 자는 仲剛・仲虎・明仲이고, 호는 致堂, 시호는 文忠이다. 崇安(현 福建省) 사람이다. 胡安國의 아들이며, 楊時 문하에서 수학하였다. 1121년에 진사에 급제하여, 秘書省 校書郞・禮部侍郎 등을 지냈다. 저술로는 『論語詳說』・『崇正辯』・『斐然集』・『讀史管見』 등이 있다.

可以不審也.”[189]

주자朱子[190]가 말했다. “사대부가 벼슬에 나아가거나 물러남에 있어 사양하고 받아들이는 것은 또한 그 자신의 일에 그치지 않는다. 그가 처신하는 바의 득실은 곧 풍속의 성쇠와 관련되니, 더욱 살피지 않을 수 없다.”

[50-2-15]

“聖賢固不能自爲時. 然其仕止久速皆當其可, 則其所以自爲時者, 亦非他人之所能奪矣. 豈以時之不合而變吾所守以徇之哉?”[191]

(주자가 말했다.) “성현은 본디 스스로 때를 따르지는 못한다. 하지만 벼슬살이를 하거나 그만두고 오래 하거나 빨리 그만두는 것 모두를 마땅히 할 수 있어야 하니, 스스로 때를 따르는 것 역시 다른 사람이 대신 할 수 있는 일이 아니다. 어찌 때에 맞지 않는데 내가 지키던 것을 고치고 그것을 따르겠는가?”

[50-2-16]

“今人皆不能修身. 方其爲士, 則役役求仕; 旣仕, 則復患祿之不加. 趨走奔馳, 無一日閑. 何如山林布衣之士, 道義足於身? 道義旣足於身, 則何物能嬰之哉!”[192]

(주자가 말했다.) “지금 사람들은 모두 수신을 하지 못한다. 선비일 적에는 수고롭게 벼슬을 구하다가 벼슬을 얻으면 또 녹봉이 늘지 않는다고 근심한다. 마음이 분주하니 하루도 여유 있는 날이 없다. 어찌 산림의 벼슬 없는 선비가 도의道義를 몸에 충만하게 하는 것만 하겠는가? 도의가 몸에 충만한 이상, 어떤 일이 그를 구속할 수 있겠는가!”

[50-2-17]

“諸葛武侯未遇先主, 只得退藏, 一向休了, 也没奈何. 孔子弟子不免事季氏, 亦事勢不得不然, 捨此則無以自活. 如今世之科擧亦然. 如顔閔之徒, 自把得住, 自是好, 不可以一律看. 人之出

189 『朱文公文集』 권25 「答韓尙書書」
190 朱熹(1130~1200) : 자는 元晦·仲晦이고, 호는 晦庵·晦翁·考亭·紫陽·遯翁 등이다. 송대 婺源(현재 강서성 무원현) 사람으로 建陽(현 복건성 건양현)에서 살았다. 1148년에 진사에 급제하여 同安主簿·秘書郎·知南康軍·江西提刑·寶文閣待制·侍講 등을 역임하였다. 스승 李侗을 통해 二程의 신유학을 전수받고, 북송 유학자들의 철학사상을 집대성하여 신유학의 체계를 정립하였다. 저서는 『程氏遺書』·『程氏外書』·『伊洛淵源錄』·『古今家祭禮』·『近思錄』 등의 편찬과 『四書集注』·『西銘解』·『太極圖說解』·『通書解』·『四書或問』·『詩集傳』·『周易本義』·『易學啓蒙』·『孝經刊誤』·『小學書』·『楚辭集注』·『資治通鑑綱目』·『八朝名臣言行錄』 등이 있다. 막내아들 朱在가 편찬한 『朱文公文集』(100권 속집 11권 별집 10권)과 黎靖德이 편찬한 『朱子語類』(140권)가 있다.
191 『朱文公文集』 권36 「答陳同甫」 제12서
192 『朱子語類』 권13, 164조목

處最可畏. 如漢魏之末,[193] 漢末則所事者, 止有箇曹氏; 魏末所事者, 止有箇司馬氏耳."[194]

(주자가 말했다.) "제갈무후諸葛武侯諸葛亮가 주군인 유비劉備를 만나기 전에는 몸을 숨겨 줄곧 쉬었지만 또한 어쩔 수 없는 것이었다. 공자의 제자들이 계씨季氏를 섬기지 않을 수 없었던 것도 일의 형세가 그리하지 않을 수 없어서였으니, 그렇게 하지 않고서는 살 수가 없었다. 지금 세상에서의 과거科擧 역시 그렇다. 예컨대 안연顏淵과 민자건閔子騫의 무리가 스스로 지조를 지킬 수 있었던 것은 당연히 좋은 일이나 일률적으로 보아서는 안 된다. 사람이 벼슬자리에 나아가고 물러나는 일은 매우 신중하게 결정할 일이다. 예컨대 한漢나라와 위魏나라 말의 경우를 보면, 한漢나라 말에 섬길 자는 조씨曹氏밖에 없었고, 위나라 말에 섬길 자는 사마씨司馬氏밖에 없었던 것이다."

[50-2-18]

"名義不正, 則事不可行. 無可爲者, 有去而已. 然使聖人當之, 又不知如何, 恐於義未精也."[195]

(주자가 말했다.) "명칭과 그에 따른 도리가 바르지 않다면 일을 행해서는 안 된다. 할 만한 일이 없다면 떠날 뿐이다. 그런데 성인이 이러한 경우를 맞이한다면 또한 어떻게 할지 모르겠으니, 아마도 의리에 정밀하지 못한 것 같다."

[50-2-19]

"今人只爲不見天理本原, 而有汲汲以就功名之心. 故其議論見識往往卑陋, 多方遷就, 下梢頭只是成就一箇私意, 更有甚好事?"[196]

(주자가 말했다.) "요즘 사람들은 천리天理의 본원을 알지도 못하면서 공명을 얻으려는 마음에 급급해한다. 때문에 그 의론과 견식이 때때로 비루하여 여기저기 끌려다니다 결국에는 사의私意를 이루게 될 뿐이니, 다시 무슨 좋은 일이 있겠는가?"

[50-2-20]

"當官勿避事, 亦勿侵事."[197]

(주자가 말했다.) "관리가 되어서는 일을 피해서도 안 되고 일을 침범해서도 안 된다."

[50-2-21]

南軒張氏曰: "廷對最是直言. 蓋士人初見君父, 此是第一步. 此時可欺, 則無往而非欺. 須是

. . . .

193 如漢魏之末: 『朱子語類』에는 '魏'가 '晉'으로 되어 있다. 뒤의 '魏末所事者'도 마찬가지다.
194 『朱子語類』 권13, 165조목
195 『朱子語類』 권13, 168조목
196 『朱文公文集』 권46 「答潘叔昌」 제6서
197 『朱子語類』 권13, 166조목

立得脚敎是."[198]

남헌 장씨南軒張氏[張栻]가 말했다. "황제의 물음에 답할 때는 직언이 제일이다. 선비가 황제를 처음 알현할 때라면 이것이 첫걸음이다. 이때 기만할 수 있다면 가는 곳마다 기만하지 않음이 없을 것이다. 반드시 토대를 바로 해서 서야 한다."

[50-2-22]

勉齋黃氏曰 : "古之君子, 非仁不存, 非禮不立, 非義不行. 所貴者良貴, 所樂者眞樂, 人之知不知, 世之用不用, 於我何與焉? 貧富貴賤, 生死禍福, 日交乎前, 不暇顧也. 後之君子, 心之所固有, 事之所當行, 何者爲禮, 何者爲義, 何者爲智, 懵然莫覺也. 功名而已耳, 利祿而已耳, 以區區之私意小智, 汲汲然求售於人. 慮人之不己用也, 委曲遷就以求順於人. 幸而得志, 哆然以爲莫己若也. 小不如意, 則戚戚然幾不能以終日矣."[199]

면재 황씨勉齋黃氏[黃榦]가 말했다. "옛날 군자는 인仁이 아니면 마음을 보존하지 않았으며, 예禮가 아니면 서지 않았고, 의義가 아니면 행동하지 않았다. 귀한 것은 매우 귀하고, 즐거운 것은 참으로 즐거우니, 남이 알아주거나 알아주지 않고 세상에서 쓰이고 쓰이지 못하는 일이 나와 무슨 상관이 있겠는가? 빈부귀천貧富貴賤과 생사화복生死禍福은 눈앞에서 매일 교차하지만 돌아볼 겨를이 없는 것이다. 뒷날의 군자는 마음이 본래 가지고 있는 것과 일이 마땅히 행해져야 하는 것으로 어떤 것이 예禮고 어떤 것이 의義며 어떤 것이 지智인지 어리석어 깨닫지 못했다. 공명에 불과하고 이익과 관록에 불과한 구차스런 사의私意와 자그마한 지혜를 가지고 남에게 파는 데 급급해한다. 남이 자기를 쓰지 않음을 근심하며 자잘한 일로 옮겨 다니며 남을 거스르지 않으려 한다. 다행히 뜻을 얻었어도 관대하게 자기만한 사람이 없다고 여긴다. 조금만 뜻대로 되지 않으면, 불안하여 종일 거의 아무 일도 못한다."

[50-2-23]

魯齋許氏曰 : "志伊尹之所志, 學顏子之所學. 出則有爲, 處則有守. 丈夫當如此. 出無所爲, 處無所守, 所志所學將何爲?"[200]

노재 허씨魯齋許氏[許衡][201]가 말했다. "이윤伊尹이 지향했던 것에 뜻을 두고 안자顏子가 배웠던 것을 배워야 한다.[202] 벼슬에 나가서는 해야 할 일이 있고, 물러나서는 지킬 것이 있다. 장부라면 마땅히 그렇게

198 『黃氏日抄』 권39
199 『勉齋集』 권2
200 『魯齋遺書』 권1
201 許衡(1209~1281) : 원나라 懷孟 河內 사람이다. 자는 仲平이고, 호는 魯齋며, 시호는 文正이다. 憲宗 4년 (1254) 忽必烈이 불러 京兆提學과 國子祭酒 등의 요직을 맡았다. 集賢殿 大學士와 領太史院事 등을 지냈다. 『讀易私言』·『魯齋心法』·『魯齋遺書』·『許文正公遺書』·『許魯齋集』 등이 있다.
202 伊尹이 지향했던 … 한다. : 周敦頤는 『通書』「志學」에서 "이윤과 안연은 매우 현명한 사람이었다. 이윤은 자기의 군주가 요순이 되지 못함을 부끄러워했고 한 사람이라도 자신의 자리를 얻지 못하면 저잣거리에서

해야 한다. 나가서 할 일이 없고 물러나서 지킬 것이 없다면, 지향하는 것이나 배우는 것을 장차 어디에 쓰겠는가?"

매질을 당하는 것처럼 여겼다. 안연은 노여움을 옮기지 않았고 실수를 반복하지 않았으며 석 달 동안 仁을 어기지 않았다. 이윤이 지향했던 것에 뜻을 두고 안자가 배웠던 것을 배워야 한다.(伊尹顔淵大賢也. 伊尹恥其 君不爲堯舜, 一夫不得其所, 若撻于市. 顔淵不遷怒, 不貳過, 三月不違仁. 志伊尹之所志, 學顔子之所學.)"고 했다.

學九 학 9

敎人 남을 가르치는 일

[51-1-1]

程子曰 : "君子之敎人, 或引之, 或拒之, 各因其所虧者成之而已. 孟子之不受曹交, 以交未嘗知道固在我而不在人也, 故使歸而求之."[1]

정자程子가 말했다. "군자는 남을 가르침에 있어서 이끌어줄 때도 있고 받아들이지 않을 때도 있지만, 각기 그 부족한 바에 따라 이루어줄 뿐이다. 맹자孟子는 조교曹交를 받아들이지 않았는데,[2] 조교가 도道는

<hr />

1 『河南程氏遺書』 권4

2 孟子는 曹交를 … 않았는데 : 『孟子』「告子下」에서 맹자는 누구나 스스로 요순처럼 되려는 마음만 있다면 뜻을 이룰 수 있다고 말하며, 자신에게 배울 것을 청하는 조교를 돌려보냈다. "조교가 물었다. '사람은 누구나 요순이 될 수 있다고 하는데 그런 말이 있습니까?' 맹자가 대답했다. '그렇다.' (조교가 물었다.) '듣자 하니 문왕은 키가 10척이었고 탕왕은 9척이었다고 하는데, 지금 저는 9척 4촌이지만 곡식만 축내고 있을 뿐이니, 어찌하면 좋습니까?' (맹자가) 대답했다. '어찌 그것과 상관이 있겠는가? 또한 하려고 하기만 하면 된다. 어떤 사람이 여기 있는데, 병아리 한 마리 들 힘이 없다고 생각하면 힘 없는 사람이 될 것이고, 百鈞의 무게를 들 수 있다고 생각하면 힘 있는 사람이 될 것이다. 그렇다면 烏獲이 들던 짐을 들 수 있다면 그 또한 오획과 같은 사람이 될 것이다. 사람들은 어찌하여 짐을 들지 못한다고 근심하는가? 들지 않는 것뿐이다. 천천히 걸어 어른 뒤에서 가는 것을 일러 공경한다고 하고, 빨리 걸어 어른보다 앞서가는 것을 일러 공경하지 않는다고 한다. 천천히 걷는 것이 어찌 사람이 할 수 없는 일이겠는가? 하지 않는 것뿐이다. 요순의 道는 효와 공경일 뿐이다. 그대가 요임금이 입던 옷을 입으며, 요임금의 말을 외우고, 요임금의 행실을 따라 행한다면 요임금과 같은 사람이다. 그대가 걸왕이 입던 옷을 입으며, 걸왕의 말을 외우고, 걸왕을 따라 행한다면 걸왕과 같은 사람이다.' (조교가) 말했다. '제가 鄒나라 군주를 뵈려고 하는데, 관사를 빌릴 수 있으니 문하에 머물면서 수업을 듣고 싶습니다.' (맹자가) 말했다. '도라는 것은 큰길과 같으니, 어찌 알기가 어렵겠는가? 사람들이 구하지 않는 것이 문제일 뿐이다. 그대가 돌아가 구한다면 스승은 얼마든지 있을 것이다.'(曹交問曰, '人皆可以爲堯舜, 有諸?' 孟子曰, '然.' '交聞文王十尺, 湯九尺, 今交九尺四寸以長, 食粟而已, 何如則可?' 曰, '奚有於是?

본래 자신에게 있지 남에게 있는 것이 아님을 알지 못했기에 돌아가서 구하도록 했던 것이다."

[51-1-2]

"語學者以所見未到之理, 不惟所聞不深徹, 久將理低看了.[3]"[4]

(정자가 말했다.) "배우는 사람에게 이해하지 못할 이치를 말해준다면, 들어도 잘 알지 못할 뿐만 아니라, 도리어 이치를 얕잡아보게 될 것이다."

[51-1-3]

"人之知識未嘗不全. 其蒙者猶寐也. 呼而覺之, 斯不蒙矣."[5]

(정자가 말했다.) "사람의 지식知識은 완전하지 않았던 적이 없다. 어리석은 자는 마치 잠이 든 상태에 있는 것과 같으니, 불러 깨우면 곧 어리석지 않게 된다."

[51-1-4]

"射中鵠, 舞中節, 御中度, 皆誠也. 古人敎人以射御象勺, 所養之意如此."[6]

(정자가 말했다.) "과녁에 맞게 활을 쏘는 것, 절도에 맞게 춤을 추는 것, 법도에 맞게 말을 모는 것, 이 모두가 성誠이다. 옛사람은 활쏘기·말몰이·상무象舞·작무勺舞[7]로 가르쳤는데 양육하는 뜻이 이와 같았다."

[51-1-5]

"以書傳道, 與口相傳, 煞不相干. 相見而言, 因事發明, 則并意思一時傳了. 書雖言多, 其實不盡."[8]

....

亦爲之而已矣. 有人於此, 力不能勝一匹雛, 則爲無力人矣, 今曰擧百鈞, 則爲有力人矣. 然則擧烏獲之任, 是亦爲烏獲而已矣. 夫人豈以不勝爲患哉? 弗爲耳. 徐行後長者謂之弟, 疾行先長者謂之不弟. 夫徐行者, 豈人所不能哉? 所不爲也. 堯舜之道, 弟孝而已矣. 子服堯之服, 誦堯之言, 行堯之行, 是堯而已矣. 子服桀之服, 誦桀之言, 行桀之行, 是桀而已矣.' 曰, '交得見於鄒君, 可以假館, 願留而受業於門.' 曰, '夫道若大路然, 豈難知哉? 人病不求耳. 子歸而求之, 有餘師.')"

3 久將理低看了. : 『近思錄』에는 '反將理低看了'로 되어 있다. 번역은 이를 따랐다.

4 『河南程氏遺書』권3

5 『二程粹言』권下

6 『河南程氏遺書』권1

7 象舞·勺舞 : 『禮記』「內則」에서는 "13세가 되면 음악을 배우고 시를 암송하며 勺舞를 춘다. 15세 이상이 되면 象舞를 추고 활쏘기와 말 다루는 법을 배운다.(十有三年, 學樂, 誦詩, 舞勺 ; 成童, 舞象, 學射御.)"고 했다. 작무는 周公이 만들었다고 하며, 무기를 들지 않고 추는 文舞이다. 상무는 周나라 武王이 무기를 들고 찌르거나 치는 동작을 본떠서 만든 武舞이다.

8 『河南程氏遺書』권2上

(정자가 말했다.) "글로 도道를 전하는 것과 대화로써 전하는 것은 전혀 다른 일이다. 서로 만나 이야기하면, 일에 따라 분명히 밝힐 수 있으니 의사도 일시에 전해진다. 글은 많이 쓴다 하더라도 실상을 다 드러내지 못한다."

[51-1-6]

"禁人之惡者, 獨治其惡而不絶其爲惡之原, 則終不得止. 易曰, '獖豕之牙吉', 見聖人處機會之際也."[9]

(정자가 말했다.) "사람의 악을 금하려고 하는 자가, 그 악을 다스리려고만 하고 악을 행하는 근원을 끊지 않으면 결국 저지하지 못하게 된다. 『주역』에서 '거세된 멧돼지의 어금니이니 길하다.'[10]고 했는데 성인이 기회가 되었을 때 조치하는 것을 볼 수 있다."

[51-1-7]

"聖人責人緩而不迫, 事正則已矣."[11]

(정자가 말했다.) "성인聖人은 남을 나무랄 때 느슨하게 하지 심하게 다그치지 않고, 일이 바르게 되면 곧 그만둔다."

[51-1-8]

"胡安定在湖州置治道齋. 學者有欲明治道者講之於中, 如治兵·治民·水利·算數之類. 嘗言劉彛善治水利, 後累爲政皆興水利有功."[12]

(정자가 말했다.) "호안정胡安定[胡瑗][13]이 호주湖州에 있을 때 치도재治道齋를 지었다. 학인들 가운데 치도

....

9 『二程粹言』 권上

10 '거세된 멧돼지의 … 길하다.' : 『周易』 大畜괘 六五의 爻辭이다. 정이는 『伊川易傳』에서 "육오가 임금 자리에 거하여 천하의 사악함을 저지한다. 헤아릴 수 없이 많은 사람들이 사욕의 마음을 일으키는데, 군주가 이를 힘으로 제지하려 하면 법을 치밀하게 하고 형벌을 엄격하게 하더라도 감당할 수가 없다. 사물에는 주재함이 있고 일에는 기회가 있다. 聖人은 요점을 잡을 수 있어서 수많은 갈래의 마음을 한 마음 보듯 하니, 인도하면 따라오고 저지하면 그쳐서 애쓰지 않고도 다스려지는 것이다. 그 쓰임이 멧돼지를 거세하여 어금니를 쓰지 못하게 함과 같다. 멧돼지는 강하고 성급하며 어금니가 사납고 날카롭다. 만약 그 어금니를 억지로 제지하려고 한다면, 힘을 써도 성급하고 사나운 것을 저지할 수 없을 것이니 묶어둔다 해도 멧돼지를 변하게 할 수는 없다. 만약 멧돼지의 고환을 제거하면 어금니가 남아 있다 하더라도 강하고 성급한 것이 저절로 그칠 것이니, 그 쓰임이 이와 같기 때문에 吉하다.(六五居君位, 止畜天下之邪惡. 夫以億兆之衆, 發其邪欲之心, 人君欲力以制之, 雖密法嚴刑, 不能勝也. 夫物有總攝, 事有機會. 聖人操得其要, 則視億兆之心, 猶一心, 道之斯行, 止之則戢, 故不勞而治. 其用若豕之牙也. 豕剛躁之物, 而牙爲猛利. 若强制其牙, 則用力勞而不能止其躁猛, 雖之維之, 不能使之變也. 若去其勢, 則牙雖存而剛躁自止, 其用如此, 所以吉也.)"라고 했다.

11 『二程粹言』 권下

12 『河南程氏遺書』 권2上

를 밝히고자 하는 이가 있으면 이곳에서 강론하게 하였으니, 치병治兵·치민治民·수리水利·산술(算數) 같은 것들이다. (호안정은) '유이劉彝[14]가 치수治水에 뛰어나다.'고 말한 적이 있는데, 그는 후에 여러 차례 정무를 보았고 가는 곳마다 수리 사업을 일으켜 공을 세웠다."

[51-1-9]
問: "人之於善也, 必其誠心欲爲, 然後有所得. 其不欲, 不可以強人也."
曰: "是不然. 任其自爲, 聽其不爲, 則中人以下自棄自暴者衆矣. 聖人所以貴於立教也."[15]
물었다. "사람은 선善에 있어서, 반드시 성심誠心으로 행하려 한 후에야 얻는 것이 있습니다. 하고자 하지 않는다면 그에게 억지로 하도록 할 수 없는 것입니다."
(정자가) 대답했다. "그렇지 않다. 그가 자발적으로 행하는 데 맡겨두고, 행하지 않아도 내버려둔다면, 보통 정도의 자질을 갖지 못한 사람 가운데서는 자포자기하는 자가 많을 것이다. 성인聖人은 그래서 가르침을 확립하는 것을 귀하게 여겼다."

[51-1-10]
"賢人君子未得其位, 無所發施其素蘊, 則推其道以淑諸人. 講明聖人之學, 開道後進, 使其教益明, 其傳益廣. 故身雖隱而道光, 跡雖處而教行. 出處雖異, 推己及人之心則一也."[16]
(정자程頤가 말했다.) "현인과 군자는 지위를 얻지 못해 평소 축적한 것을 쓸 일이 없으면, 그 도道를 미루어 남을 선량하게 한다. 성인聖人의 학문을 강론하여 밝히고 후배들을 앞서 인도하는 것은, 그 가르침을 더욱 분명히 하고 전함을 더욱 널리 하는 것이다. 그러므로 몸은 숨어 있지만 도道는 드러나고 발길은 머무르지만 가르침은 널리 유통된다. 벼슬살이와 은거의 삶이 같지 않지만, 자기를 미루어 남에게 미치는(推己及人] 마음은 한가지다."

[51-1-11]
張子曰: "聖人設教, 便是人人可以至此, 人人可以爲堯舜. 若是言且要設教, 在人有所不可

. . . .

13 胡瑗(993~1059): 자는 翼之이고, 호는 安定이며, 북송의 유학자이다. 태주 해릉(현 江蘇省 泰州) 출신이다. 북송 仁宗 때 士風과 학풍 개혁 운동에 일익을 담당했던 학자로서 孫復·石介 등과 함께 공부했다. 그가 쓴『周易口義』는 象數를 배격하고 義理를 사용하여 해석한 것으로, 뒷날 정이의『易傳』에 크게 영향을 미쳤다. 주요 저서로『論語說』·『易傳』·『周易口義』·『洪範口義』·『中庸義』·『景祐樂義』 등이 있다.

14 劉彝(1017~1086): 자는 執中이며, 북송의 유학자이다. 閩縣(현 福建省) 출신이다. 호원 문하에서 수학하였고, 이때 治水에 뛰어나다는 인정을 받았다. 북송 仁宗 때인 1046년 진사가 되어 邵武尉·朐山令 등을 지냈다. 神宗 때 都水丞에 제수되었다. 주요 저서로『正俗方』·『七經中義』·『洪範解』·『明善集』·『古禮經傳續通解』, 『居易集』 등이 있다.

15 『二程粹言』권上

16 『二程文集』권10 「爲家君請宇文中允典漢州學書」

到, 則聖人之語虛設耳."[17]

장자張子[張載]가 말했다. "성인聖人이 베푼 가르침은 누구라도 여기(성인의 경지)에 이를 수 있고, 모두 요순堯舜이 될 수 있다는 것이다. 말로 가르치려 하는 것이 사람이 도달할 수 없는 것이라면 성인의 말은 부질없는 것이 될 뿐이다."

[51-1-12]

"敎之而不受, 則雖强告之無益. 莊子謂'内無受者不入, 外無正者不行'."[18]

(장자가 말했다.) "가르치더라도 받아들이지 않으면, 억지로 알려줘도 이로울 것이 없다. 장자莊子는 '안에서 수용함이 없으면 받아들이지 못하고, 밖에서 바르지 않으면 행하지 못한다.'[19]고 말했다."

[51-1-13]

"常人敎小童, 亦可取益. 絆己不出入, 一益也. 授人數次,[20] 己亦了此文義, 二益也. 對之必正衣冠, 尊瞻視, 三益也. 嘗以因己而壞人之才爲憂, 則不敢惰, 四益也."[21]

(장자가 말했다.) "보통 사람이 어린아이를 가르치는 것도 이로울 수 있다. 몸이 매여서 출입하지 못하는 것이 첫 번째 이로움이다. 남에게 가르치기를 여러 차례 하다 보면, 자신도 그 글의 의미를 분명히 알게 되니 두 번째 이로움이다. 아이를 대하면서 의관을 바르게 하고 눈길을 존엄하게 하는 것이 세 번째 이로움이다. 항상 자기로 말미암아 다른 사람의 재능을 망치는 일을 근심으로 여긴다면, 감히 게으를 수 없게 되니 네 번째 이로움이다."

[51-1-14]

藍田呂氏曰: "自洒掃應對上達乎天道性命, 聖人未嘗不竭以敎人. 但人所造自有淺深, 故所得亦有小大也. 仲尼曰, '吾無隱乎爾.'"

- -

17 『張子全書』 권7 「學大原下」
18 『張子全書』 권14 「性理拾遺」
19 '안에서 수용함이 … 못한다.': 『莊子』 「天運」에서는 "만약 道가 바칠 수 있는 것이라면 자신의 군주에게 바치지 않는 사람이 없을 것이고, 도가 올릴 수 있는 것이라면 부모에게 올리지 않는 사람이 없을 것이며, 도가 남에게 알려줄 수 있는 것이라면 자기 형제에게 알려주지 않는 사람이 없을 것이고, 도가 남에게 줄 수 있는 것이라면 자기 자손에게 주지 않는 사람이 없을 것이다. 그런데 그렇게 할 수 없는 까닭에는 다른 것이 없다. 마음에서 주도함이 없으면 (도는) 머무르지 않고, 밖에서 바르지 않으면 (도는) 행해지지 않기 때문이다. 마음속에서 나가는 것을 밖에서 받아들이지 않으니 성인은 내보이지 않는다. 밖에서부터 들어오는 것은 마음속에서 주도하는 일이 없으니 성인은 담아두지 않는다.(使道而可獻, 則人莫不獻之於其君, 使道而可進, 則人莫不進之於其親, 使道而可以告人, 則人莫不告其兄弟, 使道而可以與人, 則人莫不與其子孫. 然而不可者, 无佗也. 中無主而不止, 外无正而不行. 由中出者, 不受於外, 聖人不出. 由外入者, 無主於中, 聖人不隱.)"라고 했다.
20 授人數次: 『張子全書』에는 '授人數數'으로 되어 있다.
21 『張子全書』 권12

又曰: "'有鄙夫問於我, 我叩其兩端而竭焉.' 然子貢高第, 猶未聞乎性與天道, 非聖人之有隱而人自不能盡爾. 如天降時雨, 百果草木皆甲析, 其盛衰小大之不齊, 膏澤豈私於物哉?"

남전 여씨藍田呂氏[呂大臨]가 말했다. "청소하고 응대하는 일상의 활동으로부터 천도天道 성명性命에 이르기까지 성인聖人은 자기 마음을 다해서 가르치지 않은 적이 없었다. 다만 사람의 조예에 얕고 깊은 차이가 있기 마련이라 그 얻는 데도 크고 작은 차이가 있는 것이다. 중니仲尼孔子는 '나는 너희들에게 숨긴 것이 없다.'[22]고 말했다."

또 말했다. "비루한 이가 내게 질문한다 해도, 나는 그 (묻는 내용의) 양단兩端을 헤아려 다 말해줄 뿐[23]이라고 하였다. 그러나 자공子貢은 고족제자인데도 성性과 천도天道에 대해서 듣지 못했으니,[24] 성인이 숨긴 것이 있어서가 아니라 사람들이 몸소 다 구현해내지 못해서 그런 것일 뿐이다. 예컨대 하늘에서 때에 맞는 비가 내려 백과초목이 모두 싹트지만[25] 그 성쇠와 크기가 고르지 않으니, 단비의 혜택이 어찌 사물에 사사롭게 주어지겠는가?"

[51-1-15]
"橫渠張子教學者, 多告以知・禮成性, 變化氣質之道, 學必如聖人而後已, 聞者莫不動心有自得之者.[26]"[27]

(남전 여씨가 말했다.) "횡거 장자橫渠張子[張載]는 학인들을 가르칠 때, 지知와 예禮로 성性을 이루어[28] 기질氣質을 변화시키는 도리道理를 많이 말해주었고, 배움은 필시 성인聖人과 같아진 후에야 그만두어야 한다고 했으니, 듣는 사람 가운데 감동하여 자득하지 않는 자가 없었다."

---

22 '나는 너희들에게 … 없다.': 『論語』「述而」
23 '비루한 이가 … 뿐': 『論語』「子罕」에는 "공자가 말했다. '내가 아는 것이 있는가? 아는 것이 없다. 비루한 사람이 나에게 물어왔을 때 그가 텅 비어 무식해도 나는 그 (묻는 내용의) 兩端을 헤아려 다 말해줄 뿐이다.' (子曰, '吾有知乎哉? 無知也. 有鄙夫問於我, 空空如也, 我叩其兩端而竭焉.')"라는 내용이 있다.
24 子貢은 고족제자인데도 … 못했으니: 『論語』「公冶長」에는 "자공이 말했다. '선생님의 文章은 들을 수 있었지만, 선생님께서 성과 천도를 말한 것은 들을 수 없었다.'(子貢曰, '夫子之文章, 可得而聞也; 夫子之言性與天道, 不可得而聞也.')"라는 내용이 있다.
25 하늘에서 때에 … 싹트지만: 『周易』「解卦・象傳」에서는 "천지가 풀려 우레와 비가 일어나고 우레와 비가 일어나면 백과초목이 모두 싹트니 解의 때가 위대하도다!(天地解而雷雨作, 雷雨作而百果草木皆甲坼, 解之時大矣哉!)"라고 하였다.
26 聞者莫不動心有自得之者.: 『張子全書』권15『橫渠易說』「橫渠先生行狀」에는 '聞者莫不動心有進'으로 되어 있다.
27 『張子全書』권15; 『橫渠易說』「橫渠先生行狀」
28 知와 禮로 … 이루어: 『周易』「繫辭傳上」에서는 "易이라는 것은 聖人이 덕을 높이고 사업을 넓힌 것이다. 知는 높이는 것이고 禮는 낮추는 것이니, 높이는 것은 하늘을 본받고 낮추는 것은 땅을 본받은 것이다. 천지가 자리를 베풀면 역이 그 가운데 행해지니, 이루어진 性을 보존하고 보존하는 것이 道義의 門이다.(夫易, 聖人所以崇德而廣業也. 知崇禮卑, 崇效天, 卑法地. 天地設位, 而易行乎其中矣, 成性存存, 道義之門.)"라고 하였다.

[51-1-16]

上蔡謝氏曰: "橫渠教人以禮爲先, 大要欲得正容謹節. 其意謂世人汗漫無守, 便當以禮爲地, 教他就上面做工夫. 然其門人下梢頭溺於刑名度數之間, 故其學無傳之者. 明道先生則不然, 先使學者有知識, 却從敬入."[29]

상채 사씨上蔡謝氏[謝良佐]가 말했다. "횡거橫渠[張載]는 가르치는 데에 있어 예禮를 우선으로 하였는데, 요지는 용모를 바르게 하고 절도를 지키게 하려는 것이었다. 그는 세상 사람들이 막연하여 지키는 것이 없으니, 마땅히 예를 바탕으로 삼아 공부해 나가도록 해야겠다고 생각한 것이다. 그러나 문인들은 결국 형명刑名[30]과 도수度數(정해진 제도)에 골몰하여 그 학문을 전하는 이가 없었다. 명도明道[程顥]선생은 그렇게 하지 않았으니, 우선 배우는 자가 지식知識을 갖게 하되 경敬으로부터 들어가게 했다."

[51-1-17]

或問: "橫渠教人以禮爲先, 與明道使學者從敬入, 何故不同?"

曰: "旣有知識, 窮得物理, 却從敬上涵養出來, 自然是別. 正容謹節, 外面威儀, 非禮之本."

又曰: "橫渠以禮教人, 明道以忠信爲先."[31]

누군가 물었다. "횡거橫渠[張載]는 예禮를 우선으로 하여 사람들을 가르쳤는데, 명도明道[程顥]가 배우는 이들에게 경敬으로부터 시작하게 한 것과 어찌하여 다릅니까?"

(상채 사씨가) 대답했다. "지식知識이 있다면 사물의 리理를 궁구할 수 있으니, 경敬으로 함양해 내면 저절로 분별이 있게 된다. 용모를 바르게 하고 절도를 지키는 것은 외면적인 위의威儀이니 예의 근본이 아니다."

또 말했다. "횡거는 예로써 가르쳤고, 명도는 충신忠信을 우선으로 삼았다."

[51-1-18]

廣平游氏曰: "張子厚學成德尊, 然猶秘其學, 不多爲人講之. 其意若曰, '雖復多聞, 不務蓄德, 徒善口耳而已.' 故不屑與之言. 明道先生謂之曰, '道之不明於天下久矣, 人善其所習, 自謂至足. 必欲如孔門「不憤不啓, 不悱不發」, 則師資勢隔而先王之道或幾乎熄矣. 趨今之時, 且當隨其資而誘之. 雖識有明暗, 志有淺深, 亦各有得焉, 而堯舜之道庶可馴致.' 子厚用其言, 故關中學者躬行之多, 與洛人並, 推其所自, 先生發之也."[32]

....

29 『上蔡語錄』권1

30 刑名: 刑은 形과 같으며 실제 정황을 뜻하고, 名은 명분이나 법령을 뜻한다. 즉, 실제 정황에 맞게 상벌을 가하여 형명의 일치를 꾀하는 것이다. 원래는 전국시대 申不害와 韓非子를 대표로 하는 법가에서 비롯된 주장이다.

31 『上蔡語錄』권1

32 『河南程氏遺書』附錄, 「書行狀後」

광평 유씨廣平游氏[游酢]가 말했다. "장자후張子厚[張載]는 학문을 이루었고 덕이 높았지만, 자신의 학문을 숨기고 남을 위해 강론한 것이 많지 않다. 그의 뜻을 말해보자면 이렇다. '거듭 많이 듣는다 하더라도 덕을 쌓는 데에 힘쓰지 않는다면, 한갓 구이지학口耳之學[33]만 잘하는 것이다.' 때문에 그런 이들과는 이야기를 나누려 하지 않았다. 명도明道[程顥] 선생은 '도가 천하에 밝게 드러나지 않은 지 오래되었는데, 사람들은 자신이 익힌 바를 잘하면 충분하다 자처한다. 공자의 문하에서 「분발하지 않으면 가르쳐주지 않고, 말이 나올 듯 말 듯 답답해하지 않으면 인도하여 틔워주지 않았던 것」[34]처럼 하려고만 하면, 스승과 제자의 사이가 막혀버려서 선왕先王의 도는 아마 거의 사라질 것이다. 오늘날에는 그 자질에 따라 인도해야만 한다. 앎에는 밝고 어두운 차이가 있고 의지에는 얕고 깊은 차이가 있지만, 각자가 깨달음이 있어야 요순堯舜의 도道에 점차 이를 수 있기 때문'이라고 말했다. 자후子厚[張載]가 이 말을 썼기 때문에, 관중 지역 학자들이 힘써 행한 것이 많아 낙양 사람들과 대등해졌으니, 그 유래를 찾으면 선생이 발언한 것 때문이다."

[51-1-19]
問 : "昔人教人, 必因其才之所可而教之, 不以其所不可而強之, 如陳圖南之教錢若水是也. 近時師匠不論人材所可, 只一律以其所見教之, 是以有不得盡其材者."

물었다. "옛사람은 가르칠 때, 반드시 학생의 자질로 할 수 있는 것에 맞춰 가르쳤고 할 수 없는 일을 억지로 시키지 않았으니, 진도남陳圖南[陳搏][35]이 전약수錢若水[36]를 가르쳤던 경우[37]가 그렇습니다. 근래의 교사들은 학생의 능력으로 할 수 있는 것을 고려하지 않고, 일률적으로 자신의 견해에 따라 가르칠 뿐이니 그 능력을 다 발휘하게끔 하지 못합니다."

· · · · · · · · · · · · · · · · · · · ·

33 口耳之學 : 들은 것을 스스로 사유하지 못하고 남에게 그대로 전하기만 하는, 얕은 학문을 뜻한다. 『荀子』「勸學」에서는 "소인의 학문은 귀로 들어가 입으로 나온다. 입과 귀 사이는 네 치밖에 안 된다. 어찌 일곱 자 되는 몸도 채우지 못하는가.(小人之學也, 入乎耳出乎口. 口耳之間則四寸耳. 曷足以美七尺軀哉.)"라고 했다.
34 「분발하지 않으면 … 것」: 『論語』「述而」
35 陳搏(?~989) : 자는 圖南이고, 자호는 扶搖子이다. 황제가 하사한 호는 希夷先生이고, 세칭 白雲先生이라 하였다. 송대 亳州眞源(현 河南省 鹿邑) 사람으로 武當山 · 居華山에 은거하여 수도하였다. 『易』에 대한 연구에 몰두하였으며, 「無極圖」와 「先天圖」를 그린 것이 소옹과 주렴계 등에게 전수되었다. 저서는 『指玄篇』 · 『三峰寓言』 · 『高陽篇』 · 『釣潭集』 등이 있다.
36 錢若水(960~1003) : 자는 澹成 · 長卿이다. 송나라 河南 新安 사람으로, 同知樞密院事 등을 지냈다. 『太宗實錄』을 편찬하고, 『太祖實錄』을 重修했다.
37 전약수는 벼슬을 하기 전에 華山으로 진단을 만나러 가서 제자로 받아줄 것을 청한 적이 있다. 진단은 다음 날 다시 오도록 하여, 그를 어느 老僧에게 보였다. 노승은 그를 오래 살펴보고 수도하기에는 적당하지 않으나 '급류를 타고 있는 중에도 용감히 물러날 수 있는 사람(急流中勇退人)'이라고 했다. 이에 전약수는 수도를 포기하고 돌아갔다. 그는 등과하여 추밀부사까지 올랐으나 한창 나이인 40세에 스스로 벼슬에서 물러났다. 이 이야기가 『聞見錄』 권7에 실려 있다. 본문에서 질문자는 진단이 전약수의 자질이 수도에 맞지 않는다고 판단하여 돌려보냈던 일을 두고 이처럼 말한 것이다.

和靖尹氏曰: "固是初學之人, 豈可便說與十分話? 然亦不可以逆料其才之不可而不以盡告. 只看他志趣所向, 氣質如何, 隨量而得也. 如陳希夷之於錢, 是因其氣質志趣以敎之, 非謂其才不可也. 如公孫丑·萬章之徒, 不是不信孟子, 豈不願爲聖人, 亦豈其才之不可? 只爲他見得未如孟子, 又志趣不同, 氣質或異, 所見膚淺, 便差七差八. 謂告之者其言太高, 若不可及.

화정 윤씨和靖尹氏[尹焞][38]가 대답했다. "진실로 초학자에게 어떻게 바로 다 말해 줄 수 있겠는가? 그래도 그 자질로 안 될 것을 예상해서 모조리 말해주지 않으면 안 된다. 그가 지향하는 방향이나 기질이 어떠한 지만 보고 그 역량에 따르면 된다. 진희이陳希夷[陳搏]가 전약수를 대했던 경우는 기질과 지향에 맞춰 가르쳤던 것이지, 그의 자질로 안 되는 것을 말해준 것이 아니다. 공손추公孫丑·만장萬章의 무리[39]는 맹자를 불신하지 않았는데 어찌 성인聖人이 되기를 원하지 않았을 것이며, 또한 어찌 그 자질이 (성인이 되기에) 부족했겠는가? 다만 그들의 식견이 맹자만 못했고, 지향이 같지 않으며 기질이 다르거나 견해가 천박했기에 칠 할이나 팔 할은 어긋났던 것이다. (맹자가) 말해준 것이 지나치게 고원하여 좇아갈 수 없었다.

大率人未嘗有簡入處, 便語以高者大者, 徒令驚疑以止其進學之心, 固非善敎者. 然謂其才不可而不以告之, 得爲善敎歟? 如公孫丑曰, '道則高矣美矣, 宜若登天然, 似不可及. 何不使彼爲可幾及而日孶孶也.' 又豈是才不逮者, 是未見得, 便知才不堪可乎. 孟子只曰'大匠不爲拙工改廢繩墨, 羿不爲拙射變其彀率. 君子引而不發, 躍如也, 中道而立, 能者從之.'"

대개 사람이 입문한 적이 없는데 고원하고 원대한 것으로 말해주면, 다만 놀랍고 의아한 생각만 들게 하여 학문을 진전시키려는 마음을 접게 되니 진실로 잘 가르치는 것이 아니다. 그러나 자질이 안 되는데 이를 알려주지 않는 것을 일러 좋은 가르침이라고 할 수 있겠는가? 공손추가 '도는 고원하고 완미하지만 하늘에 오르는 것 같아서 미치지 못할 듯합니다. 어찌하여 저들로 하여금 거의 미칠 수 있다고 여기게 하여 날마다 부지런히 따르게 하지 않습니까.'[40]라고 말한 것과 같다. 또 어찌 자질이 부족한 자가 알지 못한다고 할지라도, 그 자질로 감당할 수 없다고 판단하는 것이 옳겠는가. 맹자는 '뛰어난 장인은 서툰 목공을 위해 먹줄을 고치거나 없애지 않으며, 예羿[41]는 서툰 궁사를 위해 활 당기는 한도를 바꾸지 않는

38 尹焞(1071~1142) : 자는 彦明·德充이고, 호는 三畏齋와 황제가 하사한 호인 和靖處士가 있으며, 시호는 肅公이다. 송대 洛陽(현 하남성 낙양) 사람으로 과거에 응시하지 않았으나, 천거에 의해 崇政殿說書 겸 侍講을 역임하였다. 어려서부터 程頤에게 사사하여 스승의 학설을 가장 돈독하게 이어받았다고 한다. 저서는 『論語解』·『孟子解』·『和靖集』 등이 있다.
39 公孫丑·萬章의 무리 : 맹자의 제자들이다.
40 '도는 고원하고 … 않습니까.' : 『孟子』「盡心上」
41 羿 : 요임금 때 인물이다. 활을 잘 쏘았던 자로 알려져 있다. 『孟子』의 다른 곳(「離婁下」)에서도 그에 대한 이야기가 전한다. "방몽이 예에게 활쏘기를 배웠다. 예의 기술을 다 배우고 나자, 천하에 자기보다 활을 잘 쏘는 자는 예뿐이라고 생각하여 예를 죽였다. 맹자가 말했다. '이는 또한 예에게도 잘못이 있는 것이다.'(逢蒙學射於羿, 盡羿之道, 思天下惟羿爲愈己, 於是殺羿. 孟子曰, '是亦羿有罪焉.')"

다. 군자가 활을 당기기만 하면서 쏘지 않고 곧 쏠 것 같은 자세로 도道에 맞게 서 있으면, 능력이 있는 자는 그를 따르는 것이다.'[42]라고 했다."

又曰: "聖人只是引得他. 只顏子便會此意, 謂'夫子循循然善誘人'也."
또 말했다. "성인은 그들을 이끌 뿐이다. 안자顏子[顏回]만이 이 뜻을 이해할 수 있었기에, '선생님은 차근차근 사람들을 잘 이끄신다.'[43]고 말했다."

[51-1-20]
東萊呂氏曰: "前輩嘗敎少年毋輕議人, 毋輕說事, 惟退而自修可也. 「學記」曰, '幼者聽而弗問.' 皆使人自修, 不敢輕發, 養成德器也."[44]
동래 여씨東萊呂氏[呂祖謙]가 말했다. "선학들은 소년에게 함부로 남을 평가하지 말고, 함부로 일에 대해 말하지 말며, 오직 물러나 스스로를 수양하면 된다고 가르쳤다. 「학기」[45]에서 '어린 사람은 듣기만 하고 묻지 말라.'고 한 것은, 모두 스스로 수양하고 함부로 발언하지 않도록 하여 덕기德器를 키우도록 했던 것이다."

[51-1-21]
"衣服之制, 飲食之度, 字畫之別, 以至音聲笑語之高下, 行步進趨之遲速, 當一以古人爲法. 古之善敎人者必以此爲本, 所以養誠閑邪而反人道之正也. 若於此數事少有舛異, 若不能自克, 久久之間必至喪志失身."[46]
(동래 여씨가 말했다.) "의복에 대한 규정, 음식과 관련한 법도, 글자 획의 구분에서부터 음성과 담소의 높낮이, 보행과 거동의 빠르기에 이르기까지 한결같이 옛사람을 모범으로 삼아야 한다. 옛날에 남을 잘 가르치는 사람은 필시 이것을 근본으로 삼았던 까닭에, 성誠을 기르고 사악함을 막아서 인도人道의 바름으로 돌아갔던 것이다. 만약 이러한 몇몇 일에서 조금이라도 어그러짐이 있고 스스로 극복하지 못한 채, 시간을 많이 보내게 되면 필시 의지를 잃고 스스로를 망치게 될 것이다."

[51-1-22]
朱子曰: "聖人敎人, 大槩只是說孝弟忠信日用常行底話. 人能就上面做將去, 則心之放者自收, 性之昏者自著. 如'心''性'等字, 到子思孟子方說得詳."[47]

---

42 '뛰어난 장인은 … 것이다.': 『孟子』「盡心上」
43 '선생님은 차근차근 … 이끄신다.': 『論語』「子罕」
44 呂祖謙, 『少儀外傳』 권上
45 『禮記』「學記」를 가리킨다.
46 『少儀外傳』 권上

주자朱子[朱熹][48]가 말했다. "성인聖人이 사람을 가르쳤던 것은 대개 효孝 · 제弟 · 충忠 · 신信을 일상에서 항상 행하라는 말이었을 뿐이다. 사람이 이런 것을 해 나갈 수 있다면, 놓아버린 마음이 저절로 거두어지고 어두워진 본성[性]이 저절로 드러난다. '마음'이나 '본성' 같은 것들은 자사子思나 맹자孟子에 이르러서야 비로소 자세히 밝혀졌다."

[51-1-23]
"聖人教人有定本. 舜使契爲司徒, 教以人倫, 父子有親, 君臣有義, 夫婦有別, 長幼有序, 朋友有信.' 夫子對顔淵曰, '克己復禮爲仁.' '非禮勿視, 非禮勿聽, 非禮勿言, 非禮勿動'. 皆是定本."[49]

(주자가 말했다.) "성인聖人이 사람을 가르칠 때에는 정해진 원칙이 있었다. 순舜은 '설契을 사도司徒(교육 담당 장관)로 삼아 인륜을 가르치게 했으니, 아버지와 자식 사이에는 친함이 있고[父子有親], 임금과 신하 사이에는 의로움이 있고[君臣有義], 부부 간에는 구별이 있고[夫婦有別], 어른과 아이 사이에는 순서가 있고[長幼有序], 친구 사이에는 믿음이 있다[朋友有信]는 것'[50]이 그것이다. 공자는 안연顔淵[顔回]에게 '자기를 극복하여 예禮로 돌아가는 것이 인仁이다.', '예가 아니면 보지 말고, 예가 아니면 듣지 말며, 예가 아니면 말하지 말고, 예가 아니면 행하지 말라'고 일렀다.[51] 이러한 것들 모두가 정해진 원칙이다."

· · · · · · · · · · · · · · · · ·
47 『朱子語類』 권8, 7조목
48 朱熹(1130~1200) : 자는 元晦 · 仲晦이고, 호는 晦庵 · 晦翁 · 考亭 · 紫陽 · 遯翁 등이다. 송대 婺源(현재 강서성 무원현) 사람으로 建陽(현 복건성 건양현)에서 살았다. 1148년에 진사에 급제하여 同安主簿 · 秘書郞 · 知南康軍 · 江西提刑 · 寶文閣待制 · 侍講 등을 역임하였다. 스승 李侗을 통해 二程의 신유학을 전수받고, 북송 유학자들의 철학사상을 집대성하여 신유학의 체계를 정립하였다. 『程氏遺書』 · 『程氏外書』 · 『伊洛淵源錄』 · 『古今家祭禮』 · 『近思錄』 등의 편찬서와 『四書集注』 · 『西銘解』 · 『太極圖說解』 · 『通書解』 · 『四書或問』 · 『詩集傳』 · 『周易本義』 · 『易學啓蒙』 · 『孝經刊誤』 · 『小學書』 · 『楚辭集注』 · 『資治通鑑綱目』 · 『八朝名臣言行錄』 등의 저서가 있다. 막내아들 朱在가 편찬한 『朱文公文集』(100권 속집 11권 별집 10권)과 黎靖德이 편찬한 『朱子語類』(140권)가 있다.
49 『朱子語類』 권8, 8조목
50 '契을 司徒(교육 담당 장관)로 … 것' : 『孟子』 「滕文公上」
51 공자는 안연에게 … 일렀다. : 본문에 빠진 부분이 있어 원문 전체를 싣는다. 『論語』 「顔淵」의 글이다. "안연이 仁에 대해 물었다. 공자가 대답했다. '자기를 극복하여 예로 돌아가는 것이 仁이다. 하루 동안이라도 자기를 극복하여 예로 돌아가면 천하가 인하다고 인정할 것이다. 인을 행하는 것이 자기에게 달려 있지, 남에게 달려있는 것이겠는가?' 안연이 말했다. '그 조목을 여쭙겠습니다.' 공자가 대답했다. '예가 아니면 보지 말고, 예가 아니면 듣지 말며, 예가 아니면 말하지 말고, 예가 아니면 행하지 말라.' 안연이 말했다. '제가 불민하지만, 이 말씀을 받들어 실천할 것입니다.'("顔淵問仁. 子曰, '克己復禮爲仁. 一日克己復禮, 天下歸仁焉. 爲仁由己 而由人乎哉.' 顔淵曰, '請問其目.' 子曰, '非禮勿視, 非禮勿聽, 非禮勿言, 非禮勿動.' 顔淵曰, '回雖不敏, 請事斯語矣.')"

[51-1-24]

"自昔聖賢敎人之法, 莫不使之以孝弟忠信莊敬持養爲下學之本, 而後博觀衆理, 近思密察, 因踐履之實以致其知. 其發端啓要, 又皆簡易明白, 初若無難解者. 而及其至也, 則有學者終身思勉而不能至焉. 蓋非思慮揣度之難, 而躬行黙契之不易. 故曰'夫子之文章可得而聞也, 夫子之言性與天道不可得而聞也.' 夫聖門之學, 所以從容積累, 涵養成就, 隨其淺深, 無非實學者, 其以此與!"[52]

(주자가 말했다.) "예부터 성현의 교육법은 효제충신과 엄숙히 경(敬)하여 붙잡아 함양하도록 하는 것을 하학(下學)의 근본으로 삼고 이후 여러 리(理)를 널리 살펴, 일상의 가까운 데서 생각하고 정밀히 살펴 실천하는 실질을 통해 앎에 이르도록 하지 않음이 없었다. 단서를 밝히고 요점을 열어준 것 또한 모두 쉽고 분명하니, 처음에는 이해하기 어려움이 없을 것도 같다. 그러나 그 지극한 부분에 이르러서는 배우는 이가 종신토록 생각하고 힘써도 도달할 수 없는 데가 있다. 대개 사려하고 추측하는 어려움 때문이 아니라 몸소 행하고 묵묵히 깨닫는 일이 쉽지 않아서이다. 때문에 '공자의 문장(文章)[53]은 들을 수 있었지만, 공자가 본성(性)과 천도(天道)에 대해 말하는 것은 들을 수 없었다.'[54]고 했던 것이다. 성인 문하의 학문은 차분하게 쌓아나가 함양하고 성취하는 것이니, 각자의 깊이에 따라 실제 학문이 아님이 없음은 바로 이 때문일 것이다!'"

[51-1-25]

"聖賢敎人下學上達, 循循有序. 故從事其間者, 博而有要, 約而不孤, 無妄意凌躐之弊. 今之言學者類多反此, 故其高者淪於空幻, 卑者溺於見聞, 倀倀然未知其將安所歸宿也."[55]

(주자가 말했다.) "성현이 사람을 가르치는 데에는 하학(下學)에서 상달(上達)로 차근차근 밟아가는 순서가 있다. 때문에 그 학문에 종사하는 사람은 넓게 알면서도 요점이 있고, 간략하면서 편협함이 없으며 망령된 생각이나 엽등의 폐해가 없다. 오늘날 학문을 말하는 무리들은 대다수가 이와는 반대로, 자질이 뛰어난 사람은 공허한 환상에 빠져들고 자질이 낮은 사람은 견문에 빠져드니, 갈팡질팡 그 목표로 삼을 곳이 어디인지 모른다."

[51-1-26]

"聖門敎學循循有序, 無有先求頓悟之理.[56] 但要持守省察, 漸久漸熟, 自然貫通."[57]

. . . .
52 『朱文公文集』 권38 「答林謙之」
53 文章 : 주자는 『論語集註』에서 "문장이란 德이 밖으로 드러나는 것이니, 威儀와 文辭가 모두 이것이다.(文章, 德之見乎外者, 威儀文辭皆是也.)"라고 하였다.
54 『論語』 「公冶長」
55 『朱文公文集』 권53 「答沈有開」
56 無有先求頓悟之理 : 『朱文公文集』 권53 「答劉公度」에는 '無有合下先求頓悟之理'로 되어 있다.
57 『朱文公文集』 권53 「答劉公度」

(주자가 말했다.) "성인 문하의 가르침에는 차근차근 밟아나가야 하는 순서가 있으니, 갑작스럽게 깨닫는 이치를 먼저 구하지 않는다. 다만 마음을 붙들어 지키고 성찰하며 점차 오래 익혀나가 자연히 관통하게 할 뿐이다."

[51-1-27]

"『周禮』師氏之官, '以三德敎國子. 一曰至德, 以爲道本 ; 二曰敏德, 以爲行本 ; 三曰孝德, 以知逆惡.' 至德云者, 誠意正心, 端本淸源之事. 道則天人性命之理, 事物當然之則, 修身齊家治國平天下之術也. 敏德云者, 彊志力行, 崇德廣業之事. 行則理之所當爲, 日可見之跡也. 孝德云者, 尊祖愛親, 不忘其所由生之事. 知逆惡則以得於己者篤實深固, 有以眞知彼之逆惡而自不忍爲也.

"『주례周禮』의 사씨師氏[58] 관직은 '삼덕三德으로 공·경·대부의 자제들을 가르쳤다. 첫 번째는 지덕至德이니 도道의 근본이 된다. 두 번째는 민덕敏德이니 행실의 근본이 된다. 세 번째는 효덕孝德이니 역악逆惡(도리를 어그러뜨리는 대악)을 알게 하는 것이다.'[59] 지덕은 뜻을 진실되게 하고 마음을 바르게 하여, 근본을 바로잡고 본원을 깨끗하게 하는 일이다. 도는 천인성명天人性命의 리理고, 사물의 마땅히 그러해야 할 법칙이며, 수신제가평천하修身齊家平天下 하는 방법이다. 민덕은 의지를 굳세게 하고 힘써 행하여, 덕德을 높이고 업業을 넓히는 일[60]이다. 행실은 이치상 마땅히 해야 할 바이고 나날이 볼 수 있는 자취이다. 효덕은 조상을 존숭하고 부모를 사랑하여, 자신의 유래를 잊지 않는 일이다. 역악을 안다 함은 자기가 체득한 것이 독실하고 견고하기에 남이 저지르는 역악을 진실로 알고 스스로는 차마 하지 못하는 것이다.

凡此三者, 雖曰各以其才品之高下·資質之所宜而敎之, 然亦未有專務其一而可以爲成人者也. 是以別而言之, 以見其相須爲用而不可偏廢之意. 蓋不知至德, 則敏德者散漫無統, 固不免乎篤學力行而不知道之譏. 然不務敏德而一於至, 則又無以廣業, 而有空虛之弊. 不知敏德, 則孝德者僅爲匹夫之行, 而不足以通乎神明. 然不務孝德而一於敏, 則又無以立本, 而有悖德之累. 是以兼陳備擧而無所遺. 此先王之敎所以本末相資, 精粗兩盡, 而不倚於一偏也.

대체로 이 세 가지는 각자가 지닌 재능과 품덕의 수준이나 자질의 마땅함에 따라 가르친다고 하지만, 이들 중 한 가지만 힘써서는 인격적으로 완성된 인간成人이 될 수 없다. 때문에 구별하여 말하니, 이들

<hr>

58 師氏 : 주나라 때 왕실에서 교육을 담당하던 관직명이다.

59 '三德으로 공 … 것이다.' : 『周禮』 「地官司徒·師氏」

60 德을 높이고 … 일 : 『周易』 「繫辭上」에서는 "易이라는 것은 聖人이 덕을 높이고 사업을 넓힌 것이다. 知는 높이는 것이고 禮는 낮추는 것이니, 높이는 것은 하늘을 본받고 낮추는 것은 땅을 본받은 것이다. 천지가 자리를 베풀면 역이 그 가운데 행해지니, 이루어진 性을 보존하고 보존하는 것이 道義의 門이다.(夫易, 聖人所以崇德而廣業也. 知崇禮卑, 崇, 效天, 卑, 法地. 天地設位, 而易, 行乎其中矣, 成性存存, 道義之門.)"라고 하였다.

이 서로 의존하여 쓰이는 것이어서 어느 한쪽도 버려서는 안 된다는 뜻을 보게 된다. 대개 지덕을 알지 못하면 민덕은 방만하게 계통이 없어지니, 진실로 성실하게 공부에 힘쓴다 해도 도를 알지 못한다는 꾸짖음을 면하기 어렵다. 그러나 민덕에 힘쓰지 않으면서 지덕에만 매달리면, 또한 업業을 넓히지 못하여 공허한 폐단이 생긴다. 민덕을 알지 못하면, 효덕도 단순히 필부의 행위가 될 뿐이니 신명神明과 소통하기에 부족하다. 그러나 효덕에 힘쓰지 않고 민덕에만 매달리면, 또한 근본을 세울 수 없어 덕을 어그러뜨리는 잘못이 있게 된다. 그런 까닭에 동시에 모두를 갖춰 행하면서 빠뜨림이 없어야 한다. 이 같은 선왕의 가르침은 근본과 말단이 서로 의지하고 정밀하고 거친 두 측면이 다 발휘되어 한편에 치우치지 않는 것이다.

其又曰'教三行. 一曰孝行, 以親父母. 二曰友行, 以尊賢良. 三曰順行, 以事師長.' 蓋德也者, 得於心而無所勉者也. 行則其所行之法而已. 蓋不本之以其德, 則無所自得而行不能以自修, 不實之以其行, 則無所持循而德不能以自進. 是以旣教之以三德, 而必以三行繼之, 則雖其至末至粗, 亦無不盡, 而德之修也不自覺矣.

(사씨는) 또한 '삼행三行을 가르쳤다. 첫째는 효행孝行으로 부모를 가까이 모시는 것이다. 둘째는 우행友行으로 현량賢良을 높이는 것이다. 셋째는 순행順行으로 스승과 웃어른을 섬기는 것이다.'[61] 대개 덕德이라는 것은 마음으로 얻어 억지로 힘씀이 없는 것이다. 행行은 행동하는 바의 모범일 뿐이다. 대개 덕을 근본으로 삼지 않으면 자득되는 것이 없어서 행은 자발적인 수양이 되지 못하고, 행으로써 충실하게 하지 않으면 지켜 따를 것이 없어서 덕은 스스로 나아가지 못한다. 그러므로 먼저 삼덕을 가르치고 반드시 삼행으로써 그것을 잇도록 한다면, 지극히 사소하고 지극히 거친 일이라 하더라도 힘을 다하지 않음이 없되 덕을 닦는 것도 자각하지 못할 것이다.

然是三者, 似皆孝德之行而已, 至於至德敏德則無與焉. 蓋二者之行本無常師, 必協于一, 然後有以獨見而自得之, 固非教者所得而預言也. 唯孝德則其事爲可指, 故又推其類而兼爲友順之目以詳教之. 以爲學者雖或未得於心, 而事亦可得而勉. 使其行之不已而得於心焉, 則進乎德而無待於勉矣. 況其又能卽是而充之, 以周於事而泝其源, 則孰謂至德敏德之不可至哉! 或曰, '三德之教, 大學之學也. 三行之教, 小學之學也. 鄉三物之爲教也亦然.'"[62]

그런데 이 셋은 모두 효덕을 행하는 것과 비슷할 뿐, 지덕과 민덕에 있어서는 관여함이 없다. 대개 이 두 가지를 행하는 데는 본디 일정한 모범이랄 것이 없어서, 필시 순일함에 부합되도록 한[63] 이후에 자기

• •

61 '삼행을 가르쳤다.' … 것이다.' :『周禮』「地官司徒 · 師氏」
62 『朱文公文集』권67「周禮三德説」
63 대개 이 … 한 :『書經』「商書 · 咸有一德」에서는 "덕에는 일정한 모범이 없고, 선을 주로 하는 것을 모범으로 삼는다. 선은 일정하게 주로 하는 것이 없고, 순일함에 부합되도록 하는 것이다.(德無常師, 主善爲師. 善無常主, 協于克一.)"라고 했다.

만의 견해가 생겨서 자득하는 것이니, 본래 가르치는 사람이 미리 말해줄 수 있는 것이 아니다. 효덕만큼은 그 일이 지시할 수 있는 것인 까닭에, 다시 비슷한 일들로 확장해나가 우행과 순행의 조목까지 아울러 자상하게 가르쳐주었다. 배우는 사람들이 아직 마음으로는 얻지 못했다 하더라도 일에서 얻어 힘쓸 수 있다고 생각한 것이다. 이렇게 행하기를 쉬지 않고 마음으로 얻게 하면, 덕으로 나아가 힘쓰는 것에 기대지 않아도 된다. 하물며 이것에 의거해 확충해서 일에 두루 미치고 그 근원으로 거슬러 올라가기까지 한다면, 그 누가 지덕과 민덕에 이를 수 없다고 하겠는가! 어떤 사람이 말했다. '삼덕三德의 가르침은 대학의 공부다. 삼행三行의 가르침은 소학의 공부다. 향삼물鄕三物[64]을 가르침으로 삼은 것이 또한 그러하다.'"

[51-1-28]

"周人'以鄕三物敎萬民而賓興之. 其德六, 曰智·仁·聖·義·中·和.[65] 其行六, 曰孝·友·睦·婣·任·恤. 其藝六, 曰禮·樂·射·御·書·數.' 是於學者日用起居飮食之間, 旣無事而非學, 於其群居藏修游息之地, 亦無學而非事. 至於所以開發其聰明, 成就其德業者, 又皆交相爲用而無所偏廢."[66]

(주자가 말했다.) "주나라 사람들은 '향삼물鄕三物로 백성들을 가르치고 인재가 있으면 빈객으로 대접하여 중앙에 천거했다.[67] 육덕六德은 지智·인仁·성聖·의義·중中·화和다. 육행六行은 효孝·우友·목睦·인婣(인척을 친애하는 것)·임任(남을 위해 힘쓰는 것)·휼恤(없는 자를 구휼하는 것)이다. 육예六藝는 예禮·악樂·사射(활쏘기)·어御(말몰이)·서書·수數다.'[68] 배우는 사람에게는 일상에서 기거하며 먹고 마시는 가운데 어떤 일도 학문 아닌 것이 없으며, 함께 생활하면서 배운 것을 마음속에 간직하고 익숙하게 하며 노닐고 쉬는 가운데[69] 어떤 학문도 일 아닌 것이 없다. 총명함을 계발하고 덕업을 이루는 데는 또한 모두 서로가 쓰임이 되니 어느 한쪽도 폐기할 것이 없다."

[51-1-29]

"孟子敎人多言理義大體. 孔子則就切實做工夫處敎人."[70]

(주자가 말했다.) "맹자는 사람들을 가르칠 때 의리義理의 대체大體를 많이 말했다. 공자는 절실하게 힘쓸

----

64 鄕三物: 周代 향학의 세 가지 교과인 六德·六行·六藝를 말한다. 다음 절에 이에 대한 설명이 있다.

65 智·仁·聖·義·中·和: 『周禮』에는 '中'이 '忠'으로 되어 있다.

66 『朱文公文集』 권 78, 「信州鉛山縣學記」

67 '鄕三物로 백성들을 … 천거했다.: 鄭玄은 이 문장에 대한 주석에서 "'興'이란 천거하는 것과 같다. 백성을 세 가지 일로 교육하고, 향대부는 어진 사람과 능력 갖춘 사람을 음주의 예로써 빈객으로 대우했다.(興, 猶擧也. 民三事敎成, 鄕大夫擧其賢者能者, 以飮酒之禮賓客之.)"고 했다.

68 '鄕三物로 백성들을 … 數.': 『周禮』「地官·大司徒」

69 배운 것을 … 가운데: 『禮記』「學記」에서는 "군자는 학문할 때, 마음속에 항상 간직하고 익숙하게 하며 쉬거나 노닐면서도 익히는 것이다.(君子之於學也, 藏焉修焉息焉游焉.)"라고 했다.

70 『朱子語類』 권19, 12조목

곳에 대해 가르쳤다."

[51-1-30]

"學者議論工夫, 當因其人而示以用功之實, 不必費辭. 使人知所適從以入於坦易明白之域, 可也. 若泛爲端緖, 使人迫切而自求之, 適恐資學者之病."[71]

(주자가 말했다.) "배우는 사람이 공부에 대해 논의할 때는 마땅히 사람에 따라 실제로 힘쓸 일을 보여주어야 하고 많은 말을 허비할 필요가 없다. 사람들이 따라가야 할 곳을 알게 하여 평이하고 명백한 영역으로 들어가도록 하면 된다. 만약 범범하게 불분명한 것을 단서로 삼고 스스로 구하도록 다그친다면, 아마도 배우는 사람의 병통이 될 것이다."

[51-1-31]

"'博文約禮', 博文功夫雖頭項多, 然於其中尋將去, 自將有簡約處. 聖人敎人有序, 未有不先於博者. 孔門三千人, 顏子固不須說, 只曾子子貢得聞一貫之誨. 謂其餘人不善學, 固可罪, 然夫子亦不叫來罵一頓, 敎便省悟, 則夫子於其門人告之亦不忠矣. 是夫子亦不善敎人, 致使宰我·冉求之徒後來狼狽也. 要之無此理, 只得且待他事事理會得了, 方可就其上欠闕處告語之. 如子貢事, 亦不是許多時只敎他多學, 使他枉做功夫, 直到後來方傳以此祕妙. 正是待他多學之功到了, 方可以言此耳."[72]

(주자가 말했다.) "'박문약례博文約禮'[73]라 함은 배워야 할 것이 많다 하더라도 그 가운데서 찾아가다 보면 저절로 요약하게 되는 것이 있다는 말이다. 성인이 가르치는 데는 순서가 있으니 박학보다 우선할 것이 없다. 공자 문하 삼천 제자 가운데 안자는 굳이 말할 필요가 없고, 증자曾子와 자공子貢만이 하나로 관통하는 가르침[74]을 들을 수 있었다. 그 나머지 사람들이 잘 배우지 않은 것은 진실로 죄가 될 만했으나, 공자 또한 한차례라도 꾸짖어서 깨닫게 하려고 하지 않았으니 공자가 그 문인들을 가르친 것도 충실하지는 못했다. 공자 역시 사람을 잘 가르치지 못한 까닭에, 재아宰我나 염구冉求의 무리가 후에 실패했던

- - - - - - - - - - - - - - - -

71 『朱子語類』 권8, 149조목
72 『朱子語類』 권33, 30조목
73 博文約禮 : 『論語』「雍也」에서는 "군자가 글을 널리 배우되, 예로써 그것을 단속하면, 역시 도에서 어긋나지 않을 것이다.(君子博學於文, 約之以禮, 亦可以弗畔矣夫.)"라고 했다.
74 하나로 관통하는 가르침 : 『論語』「里仁」에서는 "공자가 말했다. '삼아! 나의 道는 하나의 이치로써 모든 것을 꿰뚫고 있다.' 증자가 '예.' 하고 대답했다. 공자가 나가자 문인들이 물었다. '무슨 말씀이신가요?' 증자가 대답했다. '선생님의 도는 忠恕일 뿐입니다.'(子曰, '參乎! 吾道一以貫之.' 曾子曰, '唯.' 子出, 門人問曰, '何謂也?' 曾子曰, '夫子之道, 忠恕而已矣.')"라고 했다. 『論語』「衛靈公」에서는 "(공자가) 말했다. '賜야, 너는 내가 많이 배워서 그것을 기억하는 사람이라고 생각하느냐? (자공이) 대답했다. '그렇습니다. 아닙니까? (공자가) 말했다. '아니다. 나는 하나의 이치로 일관할 뿐이다.'(子曰, '賜也, 女以予爲多學而識之者與?' 對曰, '然, 非與?' 曰, '非也, 予一以貫之.')"라고 했다.

것이다.[75] 요컨대 곧바로 이해할 수 있는 이치란 없기에, 부득불 그들이 일마다 이해할 수 있게 되기를 기다린 다음에야 부족한 것에 대해 알려줄 수 있었던 것이다. 예컨대 자공의 경우도 오랜 시간 그에게 단지 많이 배우도록 했던 것만은 아니니, 공부를 잘못하게 한 다음에 이 비결을 전하였다. 그가 배우는 데에 공을 많이 들이기를 기다린 다음에서야 이것을 말해 줄 수 있었기 때문이다."

[51-1-32]

"敎導後進, 須是嚴毅, 然亦須有以興起開發之, 方得. 只恁嚴, 徒拘束之, 亦不濟事."[76]

(주자가 말했다.) "후학을 가르치고 인도할 때는 엄격해야 하지만, 또한 반드시 일으켜서 계발해 주어야 한다. 엄격하게만 하여 구속하는 것은 도움이 되지 않는다."

[51-1-33]

"某嘗喜那鈍底人, 他若是做得工夫透徹時, 極好. 却煩惱那敏底, 只是略綽看過, 不曾深去思量. 當下說, 也理會得, 只是無滋味, 工夫不耐久. 敏底人, 又却用做那鈍底工夫, 方得."[77]

(주자가 말했다.) "나는 예전에 노둔한 사람을 좋아했는데, 그런 사람이 공부를 투철하게 했을 때 매우 훌륭해 지기 때문이다. 오히려 민첩한 사람이 대충 보아 넘길 뿐, 깊이 생각해 본 적이 없으니 걱정이다. 말을 하면 바로 이해하지만 재미를 느끼지 못하니 공부를 오래 하지 못한다.[78] 민첩한 사람은 오히려 노둔한 사람처럼 공부해야 한다."

[51-1-34]

"南軒之敎人, 必使之先有以察乎義利之間, 而後明理居敬以造其極. 其剖析精明, 傾倒切至, 必竭兩端而後已."[79]

- -

75 宰我나 冉求의 … 것이다 : 宰我(B.C.522~B.C.458)와 冉求(B.C.522~미상)는 춘추 시대 말 魯나라 사람이다. 이들은 각각 공자의 제자 중 뛰어났던 열 사람[孔門十哲] 가운데 하나로 알려져 있다. 사마천의 『史記』「仲尼弟子 列傳」에는 제나라의 재상이 되었던 재아가 大夫 田常의 반역에 가담하여 일족이 몰살되었다는 기록이 있다. "재아는 臨菑의 大夫가 되었다. 田常과 반란을 일으켰으니, 그 일족이 몰살되었다. 공자는 그를 매우 부끄러워했다.(宰我爲臨菑大夫, 與田常作亂, 以夷其族, 孔子恥之.)" 염구는 季孫氏의 가신이 되었으나 그의 축재를 돕고 공자의 분노를 샀다. 『孟子』「離婁上」에 그 내용이 소개되고 있다, "맹자가 말했다. '求가 季氏의 가신이 되었으나 그의 덕은 고치지 못하고 조세로 곡식을 취한 것이 전보다 배로 늘었다. 공자가 말했다. 구는 나의 제자가 아니니, 너희들은 북을 울리면서 성토해야 한다.'(孟子曰, '求也爲季氏宰, 無能改於其德, 而賦粟倍他日. 孔子曰, 「非我徒也, 小子鳴鼓而攻之可也.」')"
76 『朱子語類』 권13, 80조목
77 『朱子語類』 권116, 39조목
78 말을 하면 … 못한다. : 『朱子語類』에는 이 문장 뒤에 "예컨대 莊仲 같은 사람이 그렇다. 나는 그런 사람이 근심이니, 잠시도 일을 이루지 못한다.(如莊仲便是如此. 某嘗煩惱這樣底, 少間不濟事.)"가 더 있다.
79 『朱文公文集』 권89 「右文殿修撰張公神道碑」

(주자가 말했다.) "남헌南軒張栻[80]이 사람을 가르칠 때는 반드시 먼저 의로움과 이로움을 살피고 난 다음에 리理를 밝히고 거경居敬하여 그 극치에 이르게끔 했다. 분석이 정밀하며 분명했고 온 마음을 다하여 간절하고 지극하게 가르쳤는데 반드시 양단兩端을 다 말해준[81] 후에 그만두었다."

[51-1-35]

"籍溪敎諸生, 於功課餘暇, 以片紙書古人懿行, 或詩文·銘·贊之有補於人者, 粘置壁間, 俾往來誦之, 咸令精熟."[82]

(주자가 말했다.) "적계籍溪胡憲[83]는 학생들을 가르칠 때 수업 틈틈이, 옛사람의 훌륭한 행실 혹은 시문詩文·명銘·찬贊 가운데 사람들에게 도움이 되는 것을 짧은 글로 써서 벽에 붙여두고 오고가며 송독하여 모두 숙지하도록 했다."

[51-1-36]

"學者之志, 固不可不以遠大自期. 然觀孔門之敎, 則其所從言之者至爲卑近, 不過孝弟忠信持守誦習之間, 而於所謂學問之全體, 初不嘗言之也. 若其高第弟子, 多亦僅得其一體. 夫以夫子之聖, 諸子之賢, 其於道之全體, 豈不能一言盡之以相授納! 而顧爲是拘拘者, 以狹道之傳·畫人之志何哉! 蓋所謂道之全體雖高且大, 而其實未嘗不貫乎日用細微切近之間. 苟悅其高而忽於近, 慕其大而略於細, 則無漸次經由之實, 而徒有懸想跂望之勞, 亦終不能以自達矣.

(주자가 말했다.) "학자의 뜻은 본래 원대하게 되는 것을 스스로 기약하지 않으면 안 된다. 그런데 공자 문하에서의 가르침을 보면, 그 따라야 할 말이 지극히 비근하여 효제충신孝弟忠信과 마음을 붙들어 지키며 외우고 익히는 것에 불과하고, 학문의 전체에 대해서는 처음부터 세밀하게 말해주지 않았다. 가장 훌륭한 제자라 할지라도 대개는 그 일부만을 겨우 얻었다. 공자의 성인다움과 여러 제자들의 현명함으로 도道의 전체를 어찌 한 마디 말로 남김없이 표현하여 주고받을 수 없었겠는가! 도리어 자질구레한 것에

80　張栻(1133~1180): 자는 敬夫·欽夫·樂齋이고, 호는 南軒이다. 송대 漢州 錦竹(현 사천성 廣漢縣) 사람이다. 高宗, 孝宗 양 조정에서 丞相을 지낸 張浚의 아들로 知撫州·知嚴州·湖北安撫使·吏部侍郎兼侍講 등을 역임하였다. 주희·呂祖謙과 더불어 친구로 지냈으며, 후대에 이들 셋을 '東南三賢'이라고 불리었다. 스승 胡宏으로부터 이어지는 胡湘學派를 정립하였으며, 그의 察識端倪說은 주희의 中和舊說을 확립하는 데에 중요한 역할을 하였다. 저서는 『南軒易說』·『論語解』·『孟子說』·『伊川粹言』·『南軒集』 등이 있다.

81　兩端을 다 말해준: 『論語』「子罕」에는 "공자가 말했다. '내가 아는 것이 있는가? 아는 것이 없다. 비루한 사람이 나에게 물어왔을 때 그가 텅 비어 무식해도, 나는 그 (묻는 내용의) 兩端을 헤아려 다 말해줄 뿐이다.'(子曰, '吾有知乎哉? 無知也. 有鄙夫問於我, 空空如也, 我叩其兩端而竭焉.')"라는 내용이 있다.

82　『朱子語類』 권101, 146조목

83　胡憲(1068~1162): 자는 原仲이고, 호는 籍溪이다. 南宋 때 崇安 사람으로 胡安國의 조카이다. 紹興 연간에 鄕貢으로 太學에 들어갔는데 劉勉之와 더불어 남몰래 伊洛의 설을 익혔다. 그 이후 학업에만 마음을 두었고, 고향으로 돌아가서 농사를 지어 양친을 봉양하였다. 朱熹는 부친의 遺訓을 받들어 胡憲, 劉勉之, 劉子翬의 문하에 나아가 수학하기도 했다.

얽매여 도를 전함을 협소하게 하고 사람의 뜻을 한정 지은 것은 무슨 까닭인가! 도의 전체라는 것이 고원하고 원대하다 하더라도, 그 실제는 일상의 자잘하고 비근한 곳을 관통하지 않은 적이 없다. 진실로 그 고원함을 기뻐하고 비근함을 소홀히 하며 그 원대함을 앙모하고 자잘한 일들을 소홀히 하면, 점차로 밟아나가는 실상은 없고 헛되이 항상 간절하게 바라는 노고만 있을 것이니, 또한 결국 스스로 달성하지 못하게 된다.

故聖人之教循循有序, 不過使人反而求之至近至小之中. 博之以文, 以開其講學之端, 約之以禮, 以嚴其踐履之實. 使之得寸則守其寸, 得尺則守其尺. 如是久之, 日滋月益, 然後道之全體乃有所鄉望而漸可識, 有所循習而漸可能. 自是而往, 俛焉孳孳, 斃而後已. 而其所造之淺深, 所就之廣狹, 亦非可以必詣而預期也. 故夫子嘗謂'先難後獲爲仁', 又以'先事後得爲崇德'. 蓋於此小差, 則心失其正, 雖有鑽堅仰高之志, 而反爲謀利計功之私矣. 仁何自而得, 德何自而崇哉!"[84]

그러므로 성인의 가르침은 차근차근 밟아나가야 하는 순서가 있으니, 사람들이 돌이켜 지극히 가깝고 지극히 자잘한 일들 가운데서 구하도록 했을 뿐이다. 글로 넓혀서 강학의 단서를 열고, 예로 단속하여 실천의 실제를 엄격히 한다.[85] 한 치만큼 얻었으면 한 치만큼 지키고, 한 척만큼 얻었으면 한 척만큼 지키도록 한다. 이처럼 하기를 오래 하여 날로 보태고 달로 더한 후에 도의 전체를 바라보게 되어 점차 알 수 있고 차례로 익혀 점차 잘할 수 있게 되는 것이다. 이로부터 출발하여 부지런히 힘쓰니 죽어서야 그치는 것[86]이다. 이룸의 깊이나 성취의 너비는 또한 반드시 달성하겠다고 기약해둘 수 있는 것이 아니다. 때문에 공자는 일찍이 '어려운 일을 먼저 하고 얻기를 나중에 하는 것이 인仁'[87]이라 했고, 또한 '일을 먼저 하고 얻기를 나중으로 미루는 것이 덕을 높이는 것崇德'[88]이라 했다. 여기서 조금이라도 어긋나면 마음은 그 바름을 잃어버리니, 파고들수록 견고하고 우러러볼수록 높은 뜻[89]이 있다 하더라도,

· · · · · · · · · · · · · · · · · · · ·

84 『朱文公文集』 권54 「答王季和」 제2書
85 글로 넓혀서 … 한다. : 『論語』 「雍也」에서는 "군자가 글을 널리 배우되, 예로써 그것을 단속하면, 역시 도에서 어긋나지 않을 것이다.(君子博學於文, 約之以禮, 亦可以弗畔矣夫.)"라고 하였다.
86 부지런히 힘쓰니 … 것: 『禮記』 「表記」에서 공자는 "道를 향해 나아가다가 중도에 쓰러진다 해도, 몸이 늙어가는 것도 잊고 여생이 얼마 되지 않는 것도 모르는 채, 오직 날마다 부지런히 힘쓰다가 죽어서야 그친다.(鄉道而行, 中道而廢, 忘身之老也, 不知年數之不足. 俛焉日有孳孳, 斃而後已.)"고 했다.
87 '어려운 일을 … 仁': 『論語』 「雍也」에서 樊遲가 인에 대해 물었을 때, 공자는 "어려운 일을 먼저 하고 얻는 것을 나중으로 미루면 인하다고 할 수 있다.(仁者先難而後獲, 可謂仁矣.)"고 했다.
88 '일을 먼저 … 것崇德': 『論語』 「顏淵」에 "樊遲가 공자를 따라서 舞雩의 아래에서 놀았는데, 질문하였다. '감히 德을 높이며, 사악한 마음을 다스리고 의혹을 분별하는 것에 대해 묻겠습니다.' 공자가 말하였다. '좋구나, 질문이. 일을 먼저 하고 얻는 것을 나중으로 미룸이 德을 높이는 것 아니겠는가?(樊遲從遊於舞雩之下, 曰, 敢問崇德修慝辨惑. 子曰, 善哉問. 先事後得, 非崇德與?)"라고 하였다.
89 파고들수록 견고하고 … 뜻: 『論語』 「子罕」에서 顏淵은 공자를 두고 "우러러볼수록 더욱 높고 파고들수록 더욱 견고하다. 앞에 계신 것을 보았는데 홀연히 뒤에 계신다.(仰之彌高, 鑽之彌堅. 瞻之在前, 忽焉在後.)"고

도리어 이익을 꾀하고 공로를 헤아리는 사사로움이 된다. 인을 어떻게 얻을 수 있으며 덕을 어떻게 높일 수 있겠는가!"

[51-1-37]

因學者少寬舒意, 曰: "公讀書恁地縝密, 固是好. 但恁地逼截成一團, 此氣象最不好, 這是偏處. 如一項人恁地不子細, 固是不成道理; 若一向憂密, 下梢却展拓不去. 明道一見謝顯道, 曰'此秀才展拓得開, 下梢可望.'"

(주자가) 이어서 배우는 사람들이 느긋한 뜻을 적게 하니, 말했다. "자네가 책을 그렇게 세심하게 읽는 것은 물론 좋다. 하지만 그렇게 몰아세우는 것이 버릇이 되면, 이러한 기상은 매우 좋지 않으며 치우친 것이다. 어떤 부류의 사람들처럼 자세하지 않아도 도리를 이루지 못하게 되는 것이 당연하지만, 줄곧 조심스러워 움츠리기만 해도 결국 도량을 키우지 못하게 된다. 명도明道[程顥]는 사현도謝顯道[謝良佐]를 한 번 만나고 '이 수재는 마음이 탁 트여서 넓혀나갈 수 있으니 하니 장래에 기대할 만하다.'[90]라고 했다."

又曰: "於詞氣間亦見得人氣象. 如明道語言, 固無甚激昂, 看來便見寬舒意思. 龜山, 人只道恁地寬, 看來不是寬, 只是不解理會得, 不能理會得. 范純夫『語解』, 比諸公說理最平淺, 但自有寬舒氣象, 儘好."[91]

(주자가) 또 말했다. "말씨에서도 사람의 기상을 알 수 있다. 예컨대 명도明道[程顥]의 말은 진실로 크게 격앙됨이 없어서 보기에도 느긋한 기색이 드러났다. 구산龜山[楊時][92]은 사람들이 느긋하다고 말하는데, 보아하니 느긋했던 것이 아니라 이해할 수 있음을 알지 못했고 이해할 수도 없었던 것뿐이다. 범순부范純夫[范祖禹][93]의 『어해』(『論語說』을 가리킨다)는 여러 사람들에 비해 리理를 말하는 것이 아주 평이하지만 느긋한 기상이 있으니 매우 좋다."

· ·

했다.

90 '이 수재는 … 만하다.': 『河南程氏外書』 권12

91 『朱子語類』 권121, 51조목

92 楊時(1053~1135): 북송의 성리학자이고, 閩學의 창시자이다. 자는 中立이고 호는 龜山이며 시호는 文靖이다. 南劍州(지금의 복건성) 將樂縣 출신이다. 1076년에 과거에 합격하였으나, 10년 간 벼슬하지 않다가 후에 벼슬하여 龍圖閣直學士에 올랐으며, 금나라에 대항하고, 和議를 반대하였다. 정호와 정이 형제에게서 학문을 배워, 주희와 장식과 여조겸 등에게 전수하였다. 『中庸』의 '誠'으로 정호와 정이의 격물치지설을 설명하였고, 理一分殊를 설명하면서, 그것을 유가의 도덕관념과 인생철학에 구체적으로 운용하고자 하였다. 주저서로 『龜山集』·『龜山語錄』·『二程粹語』 등이 있다.

93 范祖禹(1041~1098): 宋나라 成都 華陽 사람. 자는 淳甫(또는 純夫)와 夢得. 시호는 正獻이다. 嘉祐 연간의 進士. 벼슬은 秘書省正字, 著作佐郎, 翰林學士, 陝州知州事를 지냈다. 司馬光을 도와 『資治通鑑』을 편찬하였고, 神宗實錄의 편수에 檢討官으로 참여하였다. 저서로 『論語說』·『中庸論』·『唐鑑』·『范太史集』 등이 있다.

[51-1-38]

"賢輩但知有營營逐物之心, 不知有眞心, 故識慮皆昏. 觀書察理皆草草不精, 眼前易曉者亦看不見, 皆由此心雜而不一故也. 所以前輩語初學者必以敬, 曰, '未有致知而不在敬者.' 今未知反求諸心, 而胸中方且叢雜錯亂, 未知所守. 持此雜亂之心以觀書察理, 故凡工夫皆從一偏一角做去, 何緣會見得全理? 某以爲諸公莫且收歛身心, 盡掃雜慮, 令其光明洞達, 方能作得主宰, 方能見理. 不然, 亦終歲而無成耳."[94]

(주자가 말했다.) "자네들은 허둥지둥 사물을 쫓는 마음이 있는 것만 알고 참된 마음이 있는 것은 모르니, 식려識慮가 모두 혼미하다. 책 보고 리理를 살피는 일을 모두 대강대강 불분명하게 하고, 눈앞의 쉽게 알 수 있는 것도 보지 못하니, 모두 이 마음이 복잡하여 전일하지 못한 까닭이다. 때문에 선학들은 초학자에게 반드시 경敬으로 하라고 말해주었으니, '치지致知하면서 경敬하지 않는 경우란 없다.'[95]고 했다. 지금 마음에서 돌이켜 구해야 하는 것을 알지 못하고 흉중이 어지러운 채, 지켜야 하는 것을 알지 못한다. 이처럼 어지러운 마음으로 책을 보고 리를 살피는 까닭에, 공부가 모두 치우친 것을 따르고 있으니 어떻게 온전한 리를 알 수 있겠는가? 나는 여러분이 심신을 수렴하여 잡념을 모두 쓸어내고 철저하게 이해하도록 하는 것이 나으며, 그렇게 해야 비로소 주재할 수 있고 리를 알 수 있다고 본다. 그렇게 하지 않으면, 한 해가 다 가도록 성과가 없을 것이다."

[51-1-39]

"天下道理自平易簡直. 人於其間, 只是爲剖析人欲以復天理, 教明白洞達, 如此而已. 今不於明白處求, 却求之於偏旁處, 縱得些理, 其能幾何?"[96]

(주자가 말했다.) "천하의 도리는 본래 평이하고 명백한 것이다. 사람은 그 사이에서 다만 인욕을 구분하여 천리를 회복하기 위해 명백하게 통달하도록 해야 하니 이와 같이 할 따름이다. 지금 명백한 곳에서 구하지 않고 도리어 치우친 곳에서 구하려고 하면, 설사 리理를 조금 얻었다 하더라도 그것이 얼마나 되겠는가?"

[51-1-40]

"某煞有話要與諸公說, 只是覺次序未到. 而今只是面前小小文義, 尚如此理會不透, 如何說得到其他事? 這箇事, 須是四方上下·小大本末, 一齊貫穿在這裏, 一齊理會過. 其操存踐履

---

94 『朱子語類』 권121, 63조목

95 '致知하면서 敬하지 … 없다.' : 『河南程氏遺書』 권3 「謝顯道記憶平日語」에서 程頤는 "도에 들어가는 데에는 敬만 한 것이 없으니 致知할 수 있는데 敬하고 있지 않는 경우란 없다. 지금 사람들이 마음을 집중하여 안정을 이루지 못하고, 마음을 마치 도적처럼 보면서 제어하지 못하면, 이것은 일이 마음을 얽매게 하는 것이 아니라, 마음이 일에 얽매이는 것이다.(入道莫如敬, 未有能致知而不在敬者. 今人主心不定, 視心如寇賊而不可制, 不是事累心, 乃是心累事.)"라고 했다.

96 『朱子語類』 권121, 84조목

處, 固是緊要, 不可間斷. 至於道理之大原, 固要理會; 纖悉委曲處, 也要理會; 制度文爲處, 也要理會; 古今治亂處, 也要理會; 精粗大小, 無不當理會. 四邊一切合起,[97] 工夫無些罅漏. 東邊見不得, 西邊須見得; 這下見不得, 那下須見得, 旣見得一處, 則其他處亦可類推. 而今只從一處去攻擊他, 又不曾着力, 濟得甚事? 這箇須是勇猛奮厲,[98] 直前不顧做去, 四方上下一齊著到, 方有箇入頭. 孔子曰: '仁遠乎哉? 我欲仁, 斯仁至矣.' 這箇全要人自去做. 孟子所謂奕秋, 只是爭些子, 一箇進前要做, 一箇不把當事. 某八九歲時讀『孟子』到此, 未嘗不慨然奮發, 以爲爲學須如此做工夫. 當初便有這箇意思如此, 只是未知得那綦是如何著, 是如何做工夫. 自後便不肯休, 一向要去做工夫. 今學者不見有奮發底意思, 只是如此悠悠地過; 今日見他是如此, 明日見他亦是如此."[99]

(주자가 말했다.) "내가 여러분에게 정말로 해주고 싶은 말이 있는데, 아직 이해할 수준이 되지 못한 것 같다. 지금 눈앞에 놓인 별것 아닌 글의 의미도 아직 이처럼 투철하게 이해하지 못하는데, 어떻게 다른 일을 말할 수 있겠는가? 이 일은 사방과 위아래·대소와 본말을 일제히 꿰어 여기에 있게 하고, 다 같이 이해해 나가야만 한다. 마음을 붙들어 지키고 실천하는 일은 진실로 긴요하니 중단해서는 안 된다. 도리道理의 큰 근원에 대해서는 당연히 이해해야 하며, 상세하고 세세한 것에 대해서도 이해해야 하고, 제도와 문식에 대해서도 이해해야 하며, 고금의 치란에 대해서도 이해해야 하니, 정밀하고 거친 것이나 크고 작은 것에 대해서 모두 마땅히 이해해야 한다. 사방 일체를 모두 함께 해야 공부에 조금도 틈이 없게 된다. 동쪽에서 보지 못했다면 서쪽에서 반드시 봐야 하고, 여기에서 보지 못했다면 저기에서 봐야 하니, 이미 한 부분을 보았다면 그 다른 곳 역시 유추할 수 있다. 지금 한 부분만을 파고들면서, 또 다시 힘쓰지 않는다면 무슨 소용이 있겠는가? 용맹하게 떨쳐 일어나서 뒤도 돌아보지 않고 앞으로 나아가, 사방과 상하가 일제히 이르러야 착수할 곳이 있게 된다. 공자가 말했다. '인仁이 멀리 있는가? 내가 인을 행하려고 하면, 곧 인이 이르는 것이다.'[100] 이것은 온전히 사람 스스로 해나가야 하는 것이다. 맹자가 말했던 혁추는 이러한 사소한 차이를 논했을 뿐이니, 한 사람은 전진해나가려 했고 한 사람은

• •
97 四邊一切合起 : 『朱子語類』에는 '一切'가 '一齊'로 되어 있다.
98 濟得甚事? 這箇須是勇猛奮厲. : 『朱子語類』에는 '濟得甚事?'와 '這箇須是勇猛奮厲' 사이에 "예컨대 한 위치에 좌정한다면 그 다리는 또한 진을 벌여놓은 듯이 해야 한다. 이를테면 대군이 전쟁을 하는 것과 같아서, 대군이 여기에 자리하여 진압했어도 유격군은 여전히 다른 곳으로 가서 가로막아야 하니, 모름지기 이처럼 공부해야 하는 것이다. 요즘에는 모두를 한가롭기만 하여 이 길이 막히면 대충 틸고 넘어가니, 오늘 가서 밀쳐보고 다시 물러났다가 내일도 그렇게 한다. 모두 그 가려운 데조차 긁어보지 못한 것이니, 하물며 또 아픈 데를 잘라낼 것을 기대하는 데 있어서랴! 5년이고 10년이고 이러할 뿐이니, 전혀 진전이 보이지 않는다.(如坐定一箇地頭, 而他支脚, 也須分布擺陣. 如大軍厮殺相似, 大軍在此坐以鎮之, 游軍依舊去別處邀截, 須如此作工夫, 方得. 而今都只是悠悠, 礙定這一路, 略略拂過, 今日走來挨一挨, 又退去, 明日亦是如此. 都不曾抓著那痒處, 何況更望招著痛處! 所以五年十年只是恁地, 全不見長進.)"가 더 있다.
99 『朱子語類』 권121, 10조목
100 '仁이 멀리 … 것이다.' : 『論語』「述而」

해야 할 일을 하지 않았던 것이다.[101] 나는 여덟아홉 살 때 『맹자』를 읽다가 이 부분에 이르면 감개하여 발분하지 않은 적이 없으니 공부는 이처럼 해야만 한다고 생각했다. 애초에 이런 생각을 갖고 있었지만 그 바둑알을 어디에 두어야 하는지 어떻게 공부해야 하는지 몰랐을 뿐이다. 이후로는 더욱 쉼 없이 공부하려고 했다. 오늘날 배우는 사람은 발분하는 뜻이 보이지 않고 이처럼 유유히 지내기만 할 뿐이니, 오늘 봐도 내일 봐도 변하는 것이 없다."

[51-1-41]

"學者悠悠是大病. 今覺諸公都是進寸退尺, 每日理會些小文義, 都輕輕地拂過, 不曾動得皮毛上. 這箇道理規模大, 體面濶, 須是四面去包括, 方無走處. 今只從一面去, 又不曾著力, 如何可得? 且如曾點漆雕開兩處, 漆雕開事言語少, 難理會; 曾點底, 須子細看他是樂箇甚底, 是如何地樂. 不只是聖人說這箇事可樂, 便信著. 他須是自見得箇可樂底,[102] 依人口說不得."

又曰: "而今持守, 便打疊教淨潔; 看文字, 須著意思索; 應接事物, 都要是當. 四面去討他, 自有一面通處."[103]

(주자가 말했다.) "배우는 사람이 한가한 것은 큰 병통이다. 지금 여러분은 모두 한 촌寸만큼 나아가면 한 척尺만큼 물러나니, 매일 자잘한 글 뜻을 이해하면서 모두 가벼이 털고 지나가서 피상적으로도 영향을 받지 못하는 것 같다. 이 도리道理는 규모가 크고 체계가 광활하니 반드시 사방에서 포괄해 나가야 놓치는 일이 없을 것이다. 지금 한 측면의 것만을 따르는 데다가 노력해 본 적도 없으니, 어떻게 (도를) 얻을 수 있겠는가? 증점曾點과 칠조개漆雕開가 등장하는 두 곳[104]을 예로 든다면 칠조개의 경우는 말이 적어 이해하기가 어렵지만, 증점의 경우는 그가 즐거워한 것이 무엇이고 어떻게 즐거워했는지를 자세히 봐야 한다. 단지 성인聖人이 이 일은 즐길 만하다고 말했다 해서 믿어서는 안 된다. 그들이 본래 스스로 즐길 만한 것을 알았으니, 남의 입에 의지하여 말해서는 안 되는 것이다."

....

101 맹자가 말했던 … 것이다. : 『孟子』「告子上」에서는 "혁추는 전국에서 바둑을 가장 잘 두는 사람이다. 혁추가 두 사람에게 바둑을 가르쳤는데, 한 사람은 마음과 뜻을 오로지하여 오직 혁추의 말을 듣고, 한 사람은 듣기는 하나 마음 한편으로 기러기와 큰 새가 오면 활과 주살을 당겨서 쏠 생각을 하고 있다면, 비록 함께 배운다 하더라도 다른 사람보다 실력이 좋지 못할 것이니, 이것은 지혜가 그만 못해서인가? '그렇지 않다'고 할 것이다.(奕秋, 通國之善奕者也. 使奕秋誨二人奕, 其一人專心致志, 惟奕秋之爲聽, 一人雖聽之, 一心以爲有鴻鵠將至, 思援弓繳而射之, 雖與之俱學, 弗若之矣. 爲是其智弗若與? 曰, '非然'也.)"라고 했다.

102 他須是自見得箇可樂底 : 『朱子語類』에는 '須'가 '原'으로 되어 있다. 번역은 이에 따른다.

103 『朱子語類』 권121, 12조목

104 曾點과 漆雕開가 … 곳 : 『論語』「先進」에는 만약 인정받는 사람이 된다면 어떻게 하겠느냐고 공자가 물었을 때, 증점이 연주하던 비파를 내려놓고 "늦봄에 봄옷을 갖춰 입고, 대여섯 명의 어른과 예닐곱 명의 아이와 함께 沂水에서 목욕하고 舞雩에서 바람 쐬고 노래하면서 돌아오겠습니다.(莫春者, 春服旣成, 冠者五六人, 童子六七人, 浴乎沂, 風乎舞雩, 詠而歸.)"라고 대답한 일이 실려 있다. 『論語』「公冶長」에는 공자가 칠조개를 벼슬시키려고 했을 때, 칠조개가 "저는 벼슬하는 일에 아직 자신이 없습니다.(吾斯之未能信.)"라고 대답한 일이 실려 있다. 이들의 대답에 공자는 모두 흡족해 했다.

또 말했다. "지금 마음을 붙들어 지켰다면 가다듬어 깨끗하게 해야 하고, 글자를 볼 때는 반드시 의도를 드러내어 깊이 생각해야 하며, 사물을 응접할 때는 모두 합당하게 해야 한다. 사방에서 그것을 검토하면, 자연히 한쪽으로는 통하게 된다."

[51-1-42]

"聖門之敎, 下學上達, 自平易處講究討論, 積慮潛心, 優柔饜飫. 久而漸有得焉, 則日見其高深遠大而不可窮矣. 程夫子所謂, '善學者求言必自近, 易於近者, 非知言者也', 亦謂此耳."[105]

(주자가 말했다.) "성인 문하의 가르침은 비근한 인간사를 배워[下學人事] 고원한 천리[天理]를 통달[上達天理]하는 것이니, 평이한 데에서부터 강구하고 토론하며 생각을 거듭하고 깊이 사색하기를 충분히 하여 느긋하게 널리 체득한다. 오래도록 하면서 점차 터득되는 것이 있으면, 날로 높고 깊으며 원대하여 다할 수 없는 것을 보게 된다. 정자가 '잘 배우는 사람은 반드시 가까운 데서부터 말을 구하니, 가까이 있는 것에 소홀한 사람은 말을 아는 자가 아니다'[106]라고 했던 것은 또한 이를 말한 것이다."

[51-1-43]

答葉賀孫書曰 : "學者須是理會到十分是始得. 是底直是是, 非底直是非, 少間做出便會是. 若依希底也喚作是便了, 下梢只是非. 須是要做第一等人. 若決是要做第一等人, 若才力不逮, 也只做得第四五等人. 今合下便要做第四五等人, 說道就他才地如此, 下梢成甚麼物事?"

섭하손葉賀孫[107]에게 답하는 글에서 (주자가) 말했다. "배우는 사람은 모름지기 충분히 이해해야 좋은 것이다. 옳은 것은 실로 옳은 것이고 그른 것은 실로 그른 것이니, 잠시 시간을 들이면 하는 일이 옳게 될 것이다. 만약 모호한 것도 옳다고 하게 되면 결국은 그른 것이 될 뿐이다. 반드시 첫 번째 등급의 사람이 되어야 한다. 만약 첫 번째 등급의 사람이 되기로 결심했다 하더라도[108] 재능이 미치지 못한다면 네다섯 번째 등급의 사람은 될 수 있다. 지금 곧바로 네다섯 번째 등급의 사람이 되려고 하면서 그의 재능이 이 정도라고 말한다면 결국 무슨 일을 이루겠는가?"

又曰 : "須是先理會本領端正, 其餘事物漸漸理會到上面. 若不理會本領了, 假饒你百靈百會, 若有些子私意, 便粉碎了. 只是這私意如何卒急除得? 如顏子天資如此, 孔子也只敎他'克己復禮'. 其餘弟子, 告之雖不同, 莫不以此意望之. 公書所說冉求·仲由, 當初他是只要做到如

• •
105 『朱文公文集』 권30 「答汪尙書」
106 '잘 배우는 … 아니다.' : 『伊川易傳』 「序」
107 葉賀孫(?~?) : 주희의 문인으로 자는 味道이고 시호는 文修이다. 송대 括蒼(현 절강성 龍泉) 사람이다. 일찍이 주희에게 학문을 배웠고, 벼슬은 校書郞에 이르렀다. 현행 『朱子語類』의 저본인 『朱文公語錄』 편집에 참여하였다고 한다.
108 첫 번째 … 하더라도 : 『朱子語類考文解義』에서는 원문의 '若'이 '雖'의 의미로 쓰였다고 했다.

此. 聖人教由求之徒, 莫不以曾顏望之, 無奈何他才質只做到這裏. 如'可使治其賦', '可使爲之宰', 他當初也不止是要恁地."

(주자가) 또 말했다. "모름지기 먼저 본령을 바르게 이해하고 그 나머지 것들은 점차적으로 이해하여 높은 단계에 이르도록 해야 한다. 만약 본령을 이해하지 못한다면 그대들이 다재다능하다 하더라도, 사사로운 뜻이 조금만 생겨나면 이내 엉망이 될 것이다. 그런데 이 사사로운 뜻을 어떻게 졸지에 없앨 수 있겠는가? 안자顔子의 경우는 타고난 자질이 그러하니, 공자도 '극기복례克己復禮'[109]만을 가르쳤다. 그 나머지 제자들에게는 가르친 것이 같지 않지만, 모두 이러한 뜻으로 기대하지 않은 경우가 없었다. 그대가 편지에서 말한 염구冉求와 중유仲由는 애초에 이처럼 되어야만 했다. 성인聖人이 중유와 염구의 무리를 가르칠 때, 모두가 증자나 안자처럼 되기를 기대했지만 그들의 자질이 그것밖에 안 되는 것[110]은 어쩔 도리가 없었다. 예컨대 '군대를 다스리게 할 만하다'라든가 '가신家臣의 우두머리가 될 만하다'고 한 것은 그들이 애당초 그렇게 하려고 함에 그쳤다는 의미가 아니다."

又曰: "胡氏開治道齋, 亦非獨只理會這些. 如所謂'頭容直, 足容重, 手容恭', 許多說話都是本原."

又曰: "人須是理會身心, 如一片地相似, 須是用力子細開墾. 未能如此, 只管說種東種西, 其實種得甚麼物事?"

(주자가) 또 말했다. "호씨胡氏[胡瑗]가 치도재治道齋[111]를 연 것 또한 단지 이런 사소한 것만을 이해해서가 아니었다. '머리 모양은 반듯하게 하고, 발걸음은 묵직하게 하며, 손가짐은 공손하게 한다.'[112]와 같은

---

109 克己復禮 : 『論語』「顔淵」에는 "안연이 仁에 대해 물었다. 공자가 대답했다. '자기를 극복하여 예로 돌아가는 것이 仁이다. 하루 동안이라도 자기를 극복하여 예로 돌아가면 천하가 인을 인정할 것이다. 인을 행하는 것이 자기에게 달려 있지, 남에게 달려 있는 것이겠는가?' 안연이 말했다. '그 조목을 여쭙겠습니다.' 공자가 대답했다. '예가 아니면 보지 말고, 예가 아니면 듣지 말며, 예가 아니면 말하지 말고, 예가 아니면 움직이지 말라.' 안연이 말했다. '제가 불민하지만, 청컨대 이 말에 종사할 것입니다.'(顔淵問仁. 子曰, '克己復禮爲仁, 一日克己復禮, 天下歸仁焉. 爲仁由己 而由人乎哉.' 顔淵曰, '請問其目.' 子曰, '非禮勿視, 非禮勿聽, 非禮勿言, 非禮勿動.' 顔淵曰, '回雖不敏, 請事斯語矣.')"라는 문답이 있다.

110 聖人이 중유와 … 것 : 『論語』「公冶長」에는 孟武伯이 子路와 염구가 仁한지 물었을 때, 공자가 "유는 전투용 수레 천 대를 가진 나라에서 군대를 다스리게 할 만하지만, 仁한지는 모르겠다.(由也, 千乘之國, 可使治其賦也, 不知其仁也.)" "구는 千戶의 邑과 전투용 수레 백 대를 가진 집안에서 家臣의 우두머리가 되게 할 만하지만, 그가 仁한지는 모르겠다.(求也, 千室之邑, 百乘之家, 可使爲之宰也, 不知其仁也.)"라고 대답한 일이 실려 있다.

111 治道齋 : [51-1-8]에도 이와 관련한 내용이 있다.

112 '머리 모양은 … 한다.' : 『禮記』「玉藻」에서는 "군자의 모습은 여유가 있으며, 존경하는 사람을 만났을 때는 삼가고 방종하지 않는다. 발걸음은 묵직하고 손가짐은 공손하며 눈매는 단정하고 입의 움직임은 그칠 줄 알며 음성은 조용하고 머리 모양은 반듯하며 기운은 엄숙하고 서 있는 모습은 덕스러우며 낯빛은 장엄하고 앉아 있을 때는 尸童처럼 하며 한가하게 있을 때나 말할 때는 온화하게 한다.(君子之容舒遲, 見所尊者齊遫. 足容重, 手容恭, 目容端, 口容止, 聲容靜, 頭容直, 氣容肅, 立容德, 色容莊, 坐如尸, 燕居告溫溫.)"라고 했다.

허다한 말들이 모두 본원이다."

(주자가) 또 말했다. "사람은 반드시 몸과 마음을 이해해야 하니, 예컨대 한 떼기 땅이 서로 비슷하다면, 힘써 세심하게 개간해야 하는 것과 같다. 이처럼 하지 못하고 여기저기 씨를 뿌리겠다고 말만 한다면, 실제로 무엇을 심을 수 있겠는가?"

又曰: "公今且收拾這心下, 勿爲事物所勝. 且如一日全不得去講明道理, 不得讀書, 只去應事, 也須使這心常常在這裏. 若不先去理會得這本領, 只要去就事上理會, 雖是理會得許多骨董, 只是添得許多雜亂, 只是添得許多驕吝. 某這說的, 定是恁地, 雖孔子復生, 不能易其說, 這道理只一而已."[113]

(주자가) 또 말했다. "그대는 이제 이 마음을 수렴하여 사물事物이 이기도록 해서는 안 된다. 만약 하루 종일 도리를 강명할 수 없고 독서할 수 없다면, 다만 일에 응하여 이 마음이 항상 여기에 있도록 해야 한다. 만약 먼저 이러한 본령을 이해하지 못하고 일에 대해 이해하려고만 하면, 자질구레한 것을 많이 이해하게 되었다 해도 난잡한 것을 많이 보태게 될 뿐이고 교만하고 탐하는 마음을 많이 보태게 될 뿐이다. 나의 이 말은 틀림없는 것으로 공자가 다시 살아난다 해도 바꿀 수 없으니, 이 도리는 다만 하나일 뿐이기 때문이다."

[51-1-44]

問: "學者理會文字, 又却昏了. 若不去看, 恐又無路可入."

曰: "便是難. 且去看聖賢氣象, 識他一箇規模. 若欲盡窮天下之理, 亦甚難, 且隨自家規模大小做去. 若是迫切求益亦害事, 豈不是私意?"[114]

물었다. "배우는 사람이 글을 이해하는 것 또한 어둡습니다. 만약 읽지 않으면 (학문에) 들어갈 수 있는 길이 없을 것입니다."

(주자가) 대답했다. "어려운 일이다. 우선 성현聖賢의 기상을 보아 그 규모를 알아야 한다. 만약 천하의 리理를 다 궁구하려 한다면 또한 매우 어려우니, 자기 재능과 기개의 크기에 따라 해나가는 것이다. 절박하게 더 나아질 것을 추구해도 일을 해치니, 어찌 사사로운 뜻이 아니겠느냐?"

[51-1-45]

"今人所以懶, 未必是眞箇怯弱, 自是先有畏事之心. 纔見一事, 便料其難而不爲. 緣先有箇畏縮之心, 所以習成怯弱而不能有所爲也."

(주자가 말했다.) "지금 사람들이 게으른 것은 꼭 겁 많고 나약해서라고 할 수는 없고, 먼저부터 일을 두려워하는 마음이 있는 까닭이다. 일을 만나자마자 어려운 측면만 보고 하지 않는다. 먼저 위축된 마음

---

113 『朱子語類』 권84, 8조목
114 『朱子語類』 권120, 10조목

을 갖고 있기 때문에 겁 많고 나약한 것이 습관이 되어 할 일을 못 하게 된 것이다."

問: "某平生自覺血氣弱, 日用功夫多只揀易底事做. 或尙論人物, 亦只取其與己力量相近者 學之, 自覺難處進步不得也."

曰: "便當因這易處而益求其所謂難,[115] 因這近處而益求其所謂遠, 不可只守這箇而不求進 步. 縱自家力量到那難處不得, 然不可不勉慕而求之. 今人都是未到那做不得處, 便先自懶怯 了. 雖是怯弱, 然豈可不向前求其難者遠者? 但求之, 無有不得. 若眞箇著力求而不得, 則無 如之何也."[116]

물었다. "저는 평생 스스로 혈기가 약하다고 느꼈기 때문에, 일상의 공부도 대부분 쉬운 일만 골라 했습니다. 또한 과거의 인물에 대해 평론할 때도 저와 역량이 비슷한 사람만을 취해 배우는 까닭에 어려운 부분은 진보하지 못함을 자각하고 있습니다."

(주자가) 대답했다. "쉬운 것을 통하여 어렵다고 하는 것을 더 구하고, 가까운 것을 통하여 멀다고 하는 것을 더 구해야 하니, 이것을 지키기만 하고 한 걸음 더 나아가기를 구하지 않아서는 안 된다. 설령 자신의 역량이 저 어려운 일에 미칠 수 없다 하더라도, 그것을 바라고 구하는 일에 힘쓰지 않아서는 안 된다. 지금 사람들은 모두 해낼 수 없는 것이 이르기도 전에 먼저 스스로 의욕을 잃고 겁을 낸다. 겁 많고 나약하다 하더라도 어찌 앞으로 나아가 그 어려운 것과 멀리 있는 것을 구하지 않을 수 있겠는가? 그것을 구하기만 한다면 얻지 못할 것이 없다. 만약 진실로 힘써 구하고도 얻지 못한다면 어찌할 수 없는 것이다."

[51-1-46]

"今人做一件,[117] 沒緊要底事. 也著心去做, 方始會成, 如何悠悠會做得事? 且如好寫字底人, 念念在此, 則所見之物, 無非是寫字底道理. 又如賈島學作詩, 只思'推'·'敲'兩字, 在驢上坐, 把手作'推'·'敲'勢. 大尹出, 有許多車馬人從, 渠更不見, 不覺犯了節. 只此'推'·'敲'二字, 計 甚利害? 他直得恁地用力, 所以後來做得詩來極是精高. 今吾人學問, 是大小大事. 却全悠悠 若存若亡, 更不着緊用力, 反不如他人做沒要緊底事, 可謂倒置."[118]

(주자가 말했다.) "지금 사람들은 한 가지 일을 하더라도 긴요한 일이 없다. 착실한 마음으로 해야 비로소 이룰 수 있는 일을 어떻게 한가로이 해낼 수 있겠는가? 이를테면 글씨를 잘 쓰는 사람이 그것에만 몰두하면 보는 일 모두 글씨 쓰는 도리가 되는 것과 같다. 가도賈島[119]는 시 짓기를 배울 때, '퇴推'와

---

115 便當因這易處而益求其所謂難: 『朱子語類』에는 '便當這易處而益求其所謂難'으로 되어 있다.
116 『朱子語類』 권120, 29조목
117 今人做一件: 『朱子語類』에는 '今人做一件事'로 되어 있다.
118 『朱子語類』 권121, 18조목
119 賈島(779~843): 당나라 때의 시인이다. 河北 氾陽 출신으로, 자는 浪仙이다. 出家하여 법호를 無本이라 했는

'고敲' 두 글자[120]만을 생각하느라 나귀 위에 앉아서 '퇴'와 '고'의 형상을 손으로 그렸던 일도 있다. 대윤大尹[韓愈][121]이 출타하여 많은 거마와 사람이 따랐는데, 그는 또한 보지 못하고 부지불식간에 결례를 범했다. 단지 이 '퇴'와 '고'라는 두 글자에서 무슨 이익과 손해를 따진단 말인가? 그가 줄곧 이처럼 힘을 썼기 때문에 후에 지은 시들은 극히 세련되고 고아했던 것이다. 지금 우리 학문은 어쨌든 큰일이다. 그런데 온통 범범하여 하는 듯 안 하는 듯, 더 이상 절박하게 힘쓰지 않고 도리어 남들이 긴요하지 않은 일을 하는 것보다도 못하니 전도되었다 할 만하다."

[51-1-47]

"'學如不及, 猶恐失之', 此君子所以孜孜焉愛日不倦而競尺寸之陰也. 今或聞諸生晨起入學, 未及日中而已散去. 此豈愛日之意也哉! 夫學者所以爲己, 而士者或患貧賤, 勢不得學, 與無所於學而已. 勢得學, 又不爲無所於學, 而猶不勉, 是亦未嘗有志於學而已矣. 然此非士之罪也, 敎不素明而學不素講也. 今之世, 父所以詔其子, 兄所以勉其弟, 師所以敎其弟子, 弟子之所以學, 舍科擧之業, 則無爲也. 使古人之學止於如此, 則凡可以得志於科擧, 斯已爾. 所以孜孜焉愛日不倦, 以至乎死而後已, 果何爲而然哉? 今之士唯不知此, 以爲苟足以應有司之求矣, 則無事乎汲汲爲也. 是以至於惰遊而不知反, 終身不能有志於學. 而君子以爲非士之罪也, 使敎素明於上, 而學素講於下, 則士者固將有以用其力, 而豈有不勉之患哉?"[122]

(주자가 말했다.) "'배울 때는 힘이 미치지 못하는 듯이 열심히 하고 배운 것을 잃을까 두려워해야 하는 것'[123]이니, 이것이 군자가 부지런히 세월을 아끼며 게을리하지 않고 촌음을 다투는 이유이다. 요즘 간혹 여러 생도들이 아침에 일어나 학교에 왔다가 한낮이 못 되었는데 벌써 흩어진다는 이야기를 듣는다. 이것이 어찌 세월을 아끼는 뜻이겠는가! 배움이란 자기를 위한 것인데도 선비가 간혹 빈천을 근심하는 것은 배울 수 없는 형편이고 배울 곳이 없을 때뿐이다. 배울 수 있는 상황이고 배울 곳이 없는 것도 아닌데 오히려 힘쓰지 않는 것은 또한 배움에 뜻을 둔 적이 없는 것일 따름이다. 그러나 이것은 선비의 잘못이 아니라, 가르칠 것을 평소 분명하게 하지 않았고 배울 것을 평소 강구하지 않았기 때문이다.

....

데 후에 환속했다. 長江主簿를 역임했다. 문집으로 『長江集』이 있다.

120 '推'와 '敲' … 글자: 가도가 나귀를 타고 가면서 시를 짓고 있었는데 "새는 연못 속의 나무에서 잠들고 승려는 달 아래 문을 두드린다.(鳥宿池中樹 僧敲月下門.)"라는 구절에서, '敲' 자를 쓰는 것이 좋을지 '推' 자를 쓰는 것이 좋을지 고민하느라 한유를 미처 못 보아 결례를 범했으며, 그의 말에 따라 '敲' 자로 결정하였다는 고사가 있다.

121 韓愈(768~824): 자는 退之이고, 세칭 韓昌黎·韓吏部라고 한다. 당대 鄧州南陽(현 하남성 孟縣) 사람으로 792년에 진사에 급제하여 四門博士·監察御史·國子祭酒·吏部侍郎 등을 역임하였다. 고문운동을 창도하여 송명리학의 선구자가 되었으며, 「論佛骨表」를 지어 불교배척운동에도 앞장섰다. 그의 性三品論은 후대의 심성론에 영향을 끼쳤다. 문장은 당송팔대가의 으뜸으로 꼽는다. 저서는 『昌黎先生集』이 있다.

122 『朱文公文集』 권74 「同安縣諭學者」

123 '배울 때는 … 것': 『論語』 「泰伯」

지금 세상에서 아버지가 그 아들을 가르쳐 지도하는 것, 형이 그 아우를 면려하는 것, 스승이 그 제자들을 가르치는 것, 제자가 배우는 것은 과거科擧라는 업을 버리면 할 일이 없다. 옛사람의 학문을 이 같은 데서 그만두게 하는 것은 대개 과거에 합격할 수 있으면 그치는 것이다. 부지런히 세월을 아껴 태만하지 않게 하다가 죽어서야 그치는 것[124]은 과연 무엇 때문인가? 지금의 선비는 이것을 모를 뿐이니, 담당하는 책무를 충분히 감당할 수 있다면 시급하게 할 필요가 없다고 여긴다. 그래서 하는 일 없이 빈둥거리며 돌이킬 줄 모르고 평생 배움에 뜻을 두지 못하게 된다. 군자가 선비의 잘못이 아니라고 여기고, 위에서 가르칠 것을 평소 분명히 하도록 하며 아래에서 배울 것을 평소 강구하도록 하면, 선비는 분명 자신의 힘을 쓰게 될 것이니 어찌 노력하지 않는 근심이 있겠는가?"

[51-1-48]

"古之學者, 八歲而入小學, 學六甲·五方·書記之事.[125] 十五而入大學, 學先聖之禮樂焉. 非獨教之, 固將有以養之也. 蓋理義以養其心, 聲音以養其耳, 采色以養其目, 舞蹈降登·疾徐俯仰以養其血脉. 以至於左右起居, 盤盂几杖, 有銘有戒, 其所以養之之具可謂備至爾矣. 夫如是, 故學者有成材, 而庠序有實用, 此先王之教所以爲盛也. 自學絶而道喪, 至今千有餘年. 學校之官有教養之名而無教之養之之實. 學者挾策而相與嬉其間, 其傑然者乃知以干祿蹈利爲事, 至於語聖賢之餘旨, 究學問之本原, 則罔乎莫知所以用其心者. 其規爲動息, 擧無以異於凡民, 而有甚者焉. 嗚呼! 此教者過也, 而豈學者之罪哉? 然君子以爲是亦有罪焉爾, 何則? 今所以異於古者, 特聲音采色之盛, 舞蹈降登·疾徐俯仰之容, 左右起居, 盤盂几杖之戒有所不及爲, 至推其本, 則理義之所以養其心者固在也. 諸君日相與誦而傳之, 顧不察耳. 然則此之不爲, 而彼之久爲, 又豈非學者之罪哉?"[126]

(주자가 말했다.) "옛날의 학인들은 여덟 살이 되면 소학小學에 들어가 육갑六甲(육십갑자)·오방五方(동·서·남·북·중앙)·서계書計(글씨 쓰기와 계산하기)를 공부했다. 열다섯 살이 되면 태학大學에 들어가 옛 성인의 예악禮樂을 공부했다. 그것을 가르쳤을 뿐만 아니라 진실로 장차 배양해나갈 수 있게 했다. 대개 의리[理義]로써 그 마음을 함양하며,[127] 음악 소리로써 그 귀를 기르고, 색채로써 그 눈을 키우며, 무도舞蹈

- - - - - - - - - - - - - - - - - - - -

124 부지런히 세월을 … 것: 『禮記』「表記」에서 공자는 "道를 향해 나아가다가 중도에 쓰러진다 해도, 몸이 늙어 가는 것도 잊고 여생이 얼마 되지 않는 것도 모르는 채, 오직 날마다 부지런히 힘쓰다가 죽어서야 그친다.(鄕 道而行, 中道而廢, 忘身之老也, 不知年數之不足, 俛焉日有孳孳, 斃而後已.)"고 했다.

125 古之學者 … 學六甲·五方·書記之事: 『朱文公文集』에서는 '書記'가 '書計'로 되어 있다. 번역은 이에 따랐다.

126 『朱文公文集』 권74 「諭諸生」

127 대개 의리[理義]로써 … 함양하며: 『孟子』「告子上」에서는 "그러므로 말하기를 '입은 맛에 대하여 똑같이 즐기는 것이 있으며, 귀는 소리에 대하여 똑같이 듣는 것이 있으며, 눈은 색깔에 대하여 똑같이 아름답게 여기는 것이 있다.'고 하였으니, 마음에만 홀로 똑같이 옳다고 하는 것이 없겠는가? 마음이 똑같이 옳다고 하는 것은 무엇인가? 理와 義를 말한다. 聖人은 우리 마음이 똑같이 옳다고 하는 것을 먼저 알았다. 그러므로 理와 義가 우리 마음을 기쁘게 하는 것은 芻豢(가축의 고기)이 내 입맛을 즐겁게 하는 것과 같다.(故曰,

의 오르내림과 빠르고 느린 일상의 움직임으로써 그 혈맥을 함양했다.[128] 일상생활이 이루어지는 곳에서 소반과 주발, 안석과 지팡이에도 경계하는 글을 새겼으니 자신을 길러주는 도구를 주도면밀하게 갖추었다고 말할 수 있다.[129] 이와 같았기에 학인들은 자질을 이루었고 학교는 실제로 쓰임이 있었던 것이니, 이것이 선왕先王의 가르침이 융성했던 까닭이다. 학문이 끊어지고 도道가 사라진 후 지금까지 천여 년이 되었다. 학교라는 기관은 가르치고 기른다는 명분은 있으나 가르치고 기르는 실질이 없다. 학인들은 책을 낀 채 그곳에서 함께 놀고, 특출한 사람은 봉록을 구하고 이익을 따르는 것을 일삼을 줄만 알며, 성현聖賢의 드러나지 않은 뜻을 말하고 학문을 궁구하는 본원에 대해서는 무지하여 마음 쓰는 까닭을 아는 자가 없다. 그 규범의 진퇴가 모두 보통 백성들과 다르지 않고 더 못한 자도 있다. 아! 이것이 가르치는 사람의 허물이지 어떻게 배우는 사람의 잘못이겠는가? 그러나 군자는 여기에도 잘못이 있다고 생각하니 왜 그러한가? 지금이 옛날과 다른 까닭은 소리와 색채의 융성, 무도舞蹈의 오르내림, 빠르고 느린 평상시의 모습, 일상생활 가운데 소반과 주발, 안석과 지팡이의 경계가 미치지 못한 것이 있기 때문이나, 그 근본을 미루어 나가면 의리[理義]가 그 마음을 기르는 근거로 본래부터 있었던 것이다. 여러분은 매일 함께 암송하고 그것을 전하면서 살피지 못하고 있었을 뿐이다. 그렇다면 이것은 하지 않고 저것을 오래 하는 것이 또한 어찌 학인들의 잘못이 아니겠는가?"

[51-1-49]

"君子之學以誠其身, 非直爲觀聽之美而已. 古之君子以是行之其身, 而推之以敎其子弟, 莫不由此. 此其風俗所以淳厚而德業所以崇高也. 近世之俗不然, 自父母所以敎其子弟, 固已使之假手程文以欺罔有司矣. 新學小生自爲兒童時, 習見其父兄之誨如此, 因恬不以爲愧, 而安受其空虛無實之名. 內以傲其父兄, 外以驕其閭里, 終身不知自力, 以至卒就小人之歸者, 未必不由此也. 故爲今之父兄有愛其子弟之心者,[130] 當爲求明師良友, 使之究義理之指歸, 而習

‘口之於味也, 有同嗜焉, 耳之於聲也, 有同聽焉, 目之於色也, 有同美焉.’ 至於心, 獨無所同然乎? 心之所同然者何也? 謂理也, 義也. 聖人先得我心之所同然耳. 故理義之悅我心, 猶芻豢之悅我口.)"고 했다.

128 대개 의리[理義]로써 … 함양했다. : 『河南程氏遺書』17권에는 정자가 "배움에 致知보다 중대한 것은 없고 마음을 함양하는 데에 禮와 義보다 중대한 것은 없다. 옛날 사람들은 함양하는 곳이 많았다. 음악 소리로 귀를 함양하고 舞蹈로 그 혈맥을 함양했다. 그러나 오늘날 사람들은 이런 것이 없이 단지 義理를 함양할 뿐이지만, 사람이 또한 구하는 방법을 알지 못한다.(學莫大於致知, 養心莫大於禮義. 古人所養處多, 若聲音以養其耳, 舞蹈以養其血脈. 今人都無, 只是箇理之養, 人又不知求.)"고 했던 일이 기록되어 있다.

129 일상생활이 이루어지는 … 있다. : 『河南程氏遺書』권1에는 程顥가 "옛날 사람은 음악을 귀로 듣거나 禮를 눈으로 보거나 하는 일상생활에서 소반과 주발, 안석과 지팡이에도 경계하는 글을 새겨 움직이거나 휴식할 때나 늘 기르는 것이 있었다. 지금은 이런 것이 모두 없어졌고, 오직 義理로 마음을 길러야 할 뿐이다. 다만 이처럼 함양하려는 뜻을 오래도록 갖고 있으면, 저절로 익숙해질 것이다. ‘敬으로 내면을 바르게 한다.’는 것이 함양하는 뜻이다.(古之人, 耳之於樂, 目之於禮, 左右起居, 盤盂几杖, 有銘有戒, 動息皆有所養. 今皆廢此, 獨有理義之養心耳. 但存此涵養意, 久則自熟矣. ‘敬以直內’, 是涵養意.)"라고 했던 일이 기록되어 있다.

130 故爲今之父兄有愛其子弟之心者 : 『朱文公文集』에는 ‘故今勸諭縣之父兄有愛其子弟之心者’로 되어 있다.

爲孝弟馴謹之行, 以誠其身而已. 祿爵之不至, 名譽之不聞, 非所憂也. 何必汲汲, 使之俯心下首, 務欲因人成事, 以幸一朝之得而貽終己之羞哉?"[131]

"군자의 학문이 그 몸을 성실하게[誠] 한다는 것은 단지 보고 듣기에 아름답게 하는 일에 그치는 것이 아니다. 옛날의 군자는 이로써 자기 몸에 행하고 그것을 미루어 자신의 자제를 가르쳤으니, 이로 말미암지 않는 것이 없었다. 이것이 그 풍속이 순후했던 까닭이며 덕업德業이 숭고했던 까닭이다. 근세의 풍속은 그렇지 않으니, 부모가 그 자제를 가르치는 때부터 남의 손을 빌려 정문程文(과거 형식 문장)을 지어 유사有司(실무관원)를 기만하려 한다. 새로 배우는 어린 서생은 아동일 때부터 그 부형이 이처럼 가르치는 것을 자주 보았기에 태연하게 부끄러움 없이 그 공허하고 실없는 명예를 편안하게 받아들인다. 안으로는 그 부형을 업신여기고 밖으로는 그 마을 사람들에게 교만하여, 종신토록 스스로 힘쓸 줄 모르다가 마침내 소인이 되고 마는 것은 반드시 여기에서 연유하는 것이다. 그러므로 지금 부형이 되어 그 자식을 아끼는 마음이 있는 사람이라면, 마땅히 훌륭한 스승과 좋은 친구를 구해서 의리義理의 주지主旨를 궁구하게 하고 효제와 순종[孝悌順謹]의 행동을 익숙하게 하여 그 몸을 성실하게 할 따름이다. 봉록과 작위를 얻지 못하고 명예가 들리지 않음은 근심할 바가 아니다. 구태여 급급하게 자존심을 꺾어 머리를 조아리며 남에게 의지하여 일을 이루려 하고, 하루아침의 이득을 바란 까닭에 평생의 부끄러움을 남길 필요가 있겠는가?"

[51-1-50]

與長子受之書曰 : "早晚受業請益隨衆例, 不得怠慢. 日間思索有疑, 用冊子隨手劄記, 候見質問, 不得放過. 所聞誨語, 歸安下處思省. 要切之言, 逐日劄記, 歸日要看. 見好文字, 亦錄取歸來.

(주자가) 맏아들 수지受之에게 보내는 편지에서 말했다. "아침저녁 수업을 받거나 가르침을 더 구할 때는 여러 사람들의 관례를 따르고 태만해서는 안 된다. 그날그날 사색하는 중에 의문이 들면, 책자에 수시로 기록해 두었다가 선생님을 뵙게 되면 질문해야지 놓쳐버려서는 안 된다. 들은 교훈은 숙소로 돌아와서 생각해 보거라. 중요한 말은 나날이 기록해 두었다가, (집으로) 돌아왔을 때 봐야 한다. 좋은 문장을 보았거든 또한 기록해서 돌아오도록 해라.

不得自擅出入, 與人往還. 初到, 問先生有合見者見之, 不令見則不必往. 人來相見亦啓稟, 然後往報之, 此外不得出入一步. 居處須是恭敬, 不得倨肆惰慢. 言語須要諦當, 不得戲笑諠譁. 凡事謙恭, 不得尚氣凌人, 自取恥辱. 不得飲酒, 荒思廢業. 亦恐言語差錯, 失己忤人, 尤當深戒. 不可言人過惡, 及說人家長短是非. 有來告者, 亦勿酬答. 於先生之前, 尤不可說同學之短.

자기 마음대로 출입하면서 남들과 왕래해서는 안 된다. 처음 가서 선생님께 여쭤보고 만날 만한 사람이 있으면 만나되, 만나보라고 하지 않으시면 굳이 갈 필요 없다. 사람이 찾아와서 만나는 것 역시 말씀드린

. . . .
131 『朱文公文集』 권74 「補試牓諭」

후에 가서 응하고, 그 밖에는 한 걸음도 출입해서는 안 된다. 평상시의 행동거지는 모름지기 공경해야
하며 오만하고 게을러서는 안 된다. 언어는 적절해야 하며, 시시덕거리고 웃거나 시끄럽게 떠들어서는
안 된다. 범사에 겸손하고 공손해야 하며, 승벽이 강해서 남을 업신여겨 치욕을 자초해서도 안 된다.
술 마시고 생각을 거칠게 하거나 학업을 폐해서는 안 된다. 말을 잘못하거나 나를 잃고 남을 거스르게
될까도 염려되니 더욱 깊이 경계해야 한다. 남의 허물과 다른 집의 장단점 혹은 잘잘못에 대해 말해서는
안 된다. 와서 말하는 사람이 있더라도 응대하지 마라. 선생님 앞에서는 특히나 동학의 단점을 말해서는
안 된다.

交游之間, 尤當審擇. 雖是同學, 亦不可無親疎之辨. 此皆當請於先生, 聽其所教. 大凡敦厚忠
信, 能攻吾過者, 益友也. 其諂諛輕薄, 傲慢褻狎, 導人爲惡者, 損友也. 推此求之, 亦自合見
得五七分, 更問以審之, 百無所失矣. 但恐志趣卑凡, 不能克己從善, 則益者不期疎而日遠, 損
者不期近而日親. 此須痛加檢點而矯革之, 不可荏苒漸習, 自趨小人之域. 如此, 則雖有賢師
長, 亦無救拔自家處矣.

교유하는 사이에서는 특히 자세히 살펴보고 가려야 한다. 동학이라 하더라도 친하고 소원함의 분변이
없을 수 없다. 이는 모두 선생님께 청하여 그 가르침을 들어야 할 것이다. 대개 돈후하고 충실하여
나의 허물을 책망할 수 있는 사람은 유익한 벗이다. 아첨하고 경박하며 오만하고 무례하여 나쁜 일을
행하도록 유도하는 사람은 손해가 되는 벗이다. 이를 미루어서 구해본다면 또한 스스로 5에서 7할은
알 수 있을 것이며, 또한 선생님께 여쭈어 살핀다면 실수하는 일이 전혀 없을 것이다. 그러나 지향하는
바가 낮은 데 있고 사욕을 극복해서 선을 따르지 못한다면, 유익한 사람과 소원해지기를 바라지 않아도
날로 멀어지고, 손해가 되는 사람과 가까워지기를 바라지 않아도 날로 친해지게 될까 두렵구나. 이 부분
에 대해서는 통렬하게 점검하여 고쳐나가야 할 것이니, 세월을 덧없이 보내다가 점차 습관이 되어 스스
로 소인의 영역으로 흘러가게 해서는 안 된다. 그렇게 한다면 어진 스승과 어른이 있다 해도 자신을
구제할 수 없게 될 것이다.

見人嘉言善行, 則敬慕而紀錄之. 見人好文字勝己者, 則借來熟看, 或傳錄之而咨問之, 思與
之齊而後已. 不拘長少, 惟善是取.

다른 사람의 훌륭한 말과 선행을 보았으면 경모하는 마음으로 그것을 기록해 두어라. 자기보다 잘 쓴
다른 사람의 글을 보면 빌려와서 익숙하게 읽거나 그것을 옮겨 적고 의견을 구해서 그와 같아졌다고
생각된 다음에야 그만두어야 한다. 나이가 많고 적음에 상관없이, 훌륭한 것은 받아들여라.

以上數條, 切宜謹守. 其所未及, 亦可據此推廣. 大抵只是'勤謹'二字, 循之而上, 有無限好事,
吾雖未敢言, 而竊爲汝願之. 反之而下, 有無限不好事, 吾雖不欲言, 而未免爲汝憂之也. 蓋汝
若好學, 在家足可讀書作文, 講明義理, 不待遠離膝下, 千里從師. 汝旣不能如此, 卽是自不好
學, 已無可望之理. 然今遣汝者, 恐汝在家汨於俗務, 不得專意, 又父子之間不欲晝夜督責, 及

無朋友聞見, 故令汝一行. 汝若到彼, 能奮然勇爲, 力改故習, 一味勤謹, 則吾猶有望. 不然, 則徒勞費, 只與在家一般. 他日歸來, 又只是舊時伎倆人物, 不知汝將何面目, 歸見父母·親戚·鄉黨故舊耶! 念之念之! 夙興夜寐, 無忝爾所生, 在此一行. 千萬努力!"[132]

위의 몇 조목은 절실하게 삼가 지켜야 한다. 미처 언급하지 못한 것 역시 이에 근거하여 미루어 넓혀 나가야 한다. 대저 '부지런하고 삼가라[勤謹].'는 두 글자만을 따라 전진하면 좋은 일이 무한하게 생길 것이니, 내가 감히 말하지는 않지만 마음속으로 너를 위해 기대한다. (두 글자를) 등 돌리고 퇴보하면 좋지 않은 일이 무한하게 생길 것이니, 내가 말하고 싶지는 않으나 너를 위해 근심하지 않을 수 없구나. 네가 학문을 즐긴다면 집에서도 충분히 책 읽고 글 쓰며 의리를 강명할 수 있으니 멀리 슬하를 떠나 천리 밖에서 스승을 따를 필요가 없을 것이다. 네가 이처럼 할 수 없고, 곧 스스로 학문을 즐기지 않는 것이고 이미 기대할 만한 이치는 없다 할 것이다. 그런데도 지금 너를 보내는 것은 네가 집에 있으면 일상의 자질구레한 일에 휩쓸려 뜻을 전일하게 하지 못할 것이고, 부자지간에 밤낮으로 독책하고 싶지 않으며, 벗들로 인한 견문이 없을까 염려하여 떠나도록 하는 것이다. 네가 도착해서 분연하고 과감하게 묵은 버릇을 힘써 고치고 오로지 부지런하고 삼간다면, 내가 아직은 희망이 있겠다. 그렇지 않으면 쓸데 없는 낭비이니, 집에서 지내는 것과 마찬가지가 될 뿐이다. 훗날 돌아왔을 때 예전과 같은 기량의 사람에 불과하다면, 네가 장차 무슨 면목으로 부모와 친척, 고향의 옛 친구를 볼 수 있을지 모르겠구나! 잊지 말거라! 아침 일찍 일어나고 밤늦게 자는 노력으로 너를 낳아준 부모에게 욕됨이 없도록 하는 일이 이번 걸음에 달렸다. 부디 노력하거라!"

[51-1-51]
白鹿洞規
백록동규白鹿洞規[133]

父子有親, 君臣有義, 夫婦有別, 長幼有序, 朋友有信. 右五教之目. 堯舜使契爲司徒, 敬敷五教, 即此是也. 學者學此而已, 而其所以學之之序, 亦有五焉, 其別如左:

아버지와 자식 사이에는 친함이 있고[父子有親], 임금과 신하 사이에는 의로움이 있으며[君臣有義], 남편과 아내 사이에는 구별이 있고[夫婦有別], 어른과 아이 사이에는 차례가 있으며[長幼有序], 친구 간에는 믿음이 있다.[朋友有信][134] 이상은 다섯 가지 가르침의 조목이다. 요순堯舜이 설契을 사도司徒로 삼아, 다섯 가지 가르침을

---

132 『朱文公文集』(續集) 권4「與長子受之」

133 白鹿洞規: 주희가 만든 백록동 서원의 규약이다. 백록동 서원은 송나라 4대 서원의 하나로서 江西省 星子縣에 있다. 본래 당나라 李渤이 형 李涉과 함께 은거하며 독서하던 곳인데, 주희가 南康軍太守로 부임하여 예전의 학관을 중수하고 강학했다.

134 아버지와 자식 … 있다.[朋友有信]: 『孟子』「滕文公上」에서는 "사람에게는 도리가 있으니, 배불리 먹고 따뜻하게 입으며 편안하게 살면서도 가르치지 않으면 금수에 가깝다. 聖人은 이들 때문에 근심하다가 契을 司徒로 삼아 인륜을 가르쳤으니, 아버지와 자식 사이에는 친함이 있어야 하고, 임금과 신하 사이에는 의로움이

경건하게 펼쳤는데,[135] 바로 이것이었다. 배우는 사람은 이것을 배울 뿐인데, 배우는 데도 순서가 역시 다섯가지 있으니 그 구별은 다음과 같다.

博學之, 審問之, 愼思之, 明辨之, 篤行之. 右爲學之序. 學·問·思·辨四者, 所以窮理也. 若夫篤行之事, 則自修身以至於處事接物, 亦各有要, 其別如左:

널리 배우고, 자세히 물으며, 신중하게 생각하고, 밝게 분별하며, 독실하게 행한다.[136] 이상은 배우는 순서이다. 배우고 물으며 생각하고 분별하는 네 가지는 궁리窮理하는 것이다. 독실하게 행하는 일에는 곧 수신부터 일을 처리하며 사물을 접하는 데까지, 또한 각각 요점이 있으니 그 구별은 다음과 같다.

言忠信, 行篤敬, 懲忿窒慾, 遷善改過. 右修身之要.

말은 성실하고 미더우며 행동은 독실하고 경건하며,[137] 분함을 참고 욕심을 막으며,[138] 선으로 옮겨 가서 허물을 고치는 것이다.[139] 이상은 수신의 요점이다.

正其義不謀其利, 明其道不計其功. 右處事之要.

의로움을 바르게 하고 이익을 도모하지 않으며, 도道를 밝히고 공적을 셈하지 않는다.[140] 이상은 일을 처리하는 요점이다.

· ·

있어야 하며, 남편과 아내 사이에는 구별이 있어야 하고, 어른과 아이 사이에는 차례가 있어야 하며, 친구 간에는 믿음이 있어야 한다는 것이었다.(人之有道也, 飽食 煖衣 逸居而無教, 則近於禽獸. 聖人有憂之, 使契 爲司徒, 教以人倫, 父子有親, 君臣有義, 夫婦有別, 長幼有序, 朋友有信.)"라고 했다.

135 堯舜이 契을 … 펼쳤는데 : 『書經』「虞書·舜典」에는 "帝舜이 말했다. '契아! 백성이 서로 친하지 않고 다섯 관계가 순하지 않아 너를 司徒로 삼으니, 다섯 가지 가르침을 공경하여 펴되 너그러움에 있게 하라.'(帝曰, '契! 百姓不親, 五品不遜, 汝作司徒, 敬敷五教, 在寬.')"는 내용이 있다.

136 널리 배우고 … 행한다. : 『中庸』 20장

137 말은 성실하고 … 경건하며 : 『論語』「衛靈公」에서는 "子張이 (어떻게 하면 자신의 주장이) 행해질 수 있는지 물었다. 공자가 대답했다. '말은 성실하여 거짓이 없고 행동이 독실하고 경건하면, 오랑캐 나라에서도 행세할 수 있다. 말이 성실하지 못해 거짓되고 행동이 독실하고 경건하지 못하면, 자기 고장이라 해도 행세할 수 없을 것이다. 일어서면 그것이 앞에서 참여함을 보고, 수레에 있으면 그것이 멍에에 기대어 있음을 볼 수 있어야 하니, 이와 같이 한 다음에야 행해질 수 있는 것이다.'(子張問行. 子曰, '言忠信, 行篤敬, 雖蠻貊之邦, 行矣. 言不忠信, 行不篤敬, 雖州里, 行乎哉? 立則見其參於前也, 在輿則見其倚於衡也, 夫然後行.')"라고 했다.

138 분함을 참고 … 막으며 : 『周易』「損卦·象傳」에서는 "산 아래에 못이 있는 것이 損이다. 군자가 이로써 분함을 참고 욕심을 막는다.(山下有澤, 損. 君子以, 懲忿窒欲.)"고 했다.

139 선으로 옮겨 … 것이다. : 『周易』「益卦·象傳」에서는 "바람과 우레가 益이다. 군자가 이로써 선을 보면 옮겨 가고 허물이 있다면 고친다.(風雷益. 君子以, 見善則遷, 有過則改.)"고 했다.

140 의로움을 바르게 … 않는다. : 『漢書』「董仲舒傳」

己所不欲, 勿施於人. 行有不得, 反求諸己. 右接物之要.

자신이 바라지 않는 것을 남에게 시키지 말아야 한다.[141] 의도대로 행해지지 않음이 있으면 반성하여 자기에게서 찾는다.[142] 이상은 사물에 접하는 요점이다.

熹竊觀古昔聖賢所以教人爲學之意, 莫非使之講明義理, 以修其身, 然後推以及人. 非徒欲務記覽爲詞章, 以釣聲名取利祿而已也. 今人之爲學者, 則旣反是矣. 然聖賢所以教人之法, 具存於經. 有志之士固當熟讀深思而問辯之. 苟知其理之當然, 而責其身以必然, 則夫規矩禁防之具, 豈待他人設之而後有所持循哉! 近世於學有規, 其待學者爲己淺矣, 而其爲法, 又未必古人之意也. 故今不復以施於此堂, 而特取凡聖賢所以教人爲學之大端, 條列如右, 而揭之楣間. 諸君其相與講明遵守而責之於身焉, 則夫思慮云爲之際, 其所以戒謹而恐懼者,[143] 必有嚴於彼者矣. 其有不然, 而或出於此言之所棄, 則彼所謂規者必將取之, 固不得而略也. 諸君其亦念之哉![144]

내(주희)가 가만히 옛 성현이 남을 가르치고 학문하던 뜻을 살펴보니, 의리義理를 명백히 밝혀내어 이로써 자신을 수양한 연후에 미루어 남에게 이르게 하지 않는 것이 없다. 단지 본 것을 힘써 기억하거나 글을 지어 명성을 구하고 이익과 봉록을 취하려는 것이 아니었다. 지금 사람들이 학문을 하는 것은 이와 상반된다. 성현이 사람을 가르쳤던 준칙은 경전에 온전히 갖추어져 있다. 뜻이 있는 선비는 물론 반드시 숙독하고 깊이 생각하며 묻고 변별해야 한다. 만약 그 리理가 마땅히 그러해야 함을 알아 자신에게서 구하여 반드시 그렇게 되도록 하면, 규율과 잘못을 막는 도구가 어찌 다른 사람이 그것을 만들기를 기다린 후에 지킬 것이 되겠는가! 요즘 서원에 있는 규율은 배우는 사람에 대한 기대가 얕고 그 준칙으로 삼은 것 또한 꼭 옛사람의 뜻이라고 할 수도 없다. 그러므로 이제 이 서원에서는 그 기준을 다시 세우지 않고, 성현들이 사람을 가르칠 때 학문의 큰 단서로 삼았던 것만을 취하여, 위와 같은 조목을 만들어

• • • • • • • • • • • • • • • • •

141 자신이 바라지 … 한다. : 『論語』「顏淵」에서는 "仲弓이 仁에 대해 물었다. 공자가 말했다. '문밖을 나서면 큰손님을 만난 듯이 하고, 백성을 부릴 때는 큰제사를 받들 듯이 하라. 내가 바라지 않는 바를 남에게 하지 마라. 그러면 나라에도 원망이 없고 집안에도 원망이 없을 것이다.' 중궁이 말했다. '제가 비록 불민하지만, 이 말을 힘써 행하겠습니다.'(仲弓問仁. 子曰, '出門如見大賓, 使民如承大祭. 己所不欲, 勿施於人. 在邦無怨, 在家無怨.' 仲弓曰, '雍雖不敏, 請事斯語矣.')"라고 했다. 『論語』「衛靈公」에서는 "子貢이 물었다. '종신토록 행할 만한 한 마디 말이 있습니까? 공자가 대답했다. '그것은 恕다! 내가 바라지 않는 바를 남에게 시키지 마라.'(子貢問曰, '有一言而可以終身行之者乎? 子曰, '其恕乎! 己所不欲, 勿施於人.')"라고 했다.

142 의도대로 행해지지 … 찾는다. : 『孟子』「離婁上」에서는 "맹자가 말했다. '남을 사랑하는데 친해지지 않으면 인자하게 행했는지 반성해 볼 것이고, 남을 다스리는데 다스려지지 않으면 지혜롭게 행했는지 반성해 볼 것이며, 남을 예로 대해도 답례가 없으면 공경하며 행했는지 반성해 볼 것이다. 행하고 얻지 못하는 것이 있으면 모두 반성하며 자기에게서 찾을 것이니, 내가 바르다면 천하가 내게 귀의할 것이다.'(孟子曰, '愛人不親, 反其仁, 治人不治, 反其智, 禮人不答, 反其敬. 行有不得者, 皆反求諸己, 其身正而天下歸之.')"라고 했다.

143 其所以戒謹而恐懼者 : 『朱文公文集』에서는 '其所以戒愼而恐懼者'라 했다.

144 『朱文公文集』 권74, 「白鹿洞書院揭示」. 宋浙本에는 『白鹿洞書院學規』로 되어 있다.

문미門楣에 걸어두었다. 여러분이 함께 강론하여 밝힌 것을 따라 지키며 자신에게 책임을 지우면, 생각하고 말할 때 그 경계하고 삼가며 두려워하는 일[145]에 필시 저들보다 엄격함이 있을 것이다. 그렇게 하지 않고 만약 내 말에서 버린 데로 나아간다면, 필시 저들이 규율이라 하는 것을 취하게 되어 진실로 생략할 수 없을 것이다. 여러분이 또한 염두에 두어야 할 일이다!

[51-1-52]
增損呂氏鄕約
증손여씨향약增損呂氏鄕約[146]

[51-1-52-1]

凡鄕之約四, 一曰德業相勸, 二曰過失相規, 三曰禮俗相交, 四曰患難相恤. 衆推一人有齒德者爲都約正, 有學行者二人副之. 約中月輪一人爲直月, 都副正不與之. 置三籍, 凡願入約者書于一籍, 德業可觀者書于一籍, 過失可規者書于一籍. 直月掌之, 月終則以告于約正而授其次.

향약에는 네 가지가 있으니, 첫째가 덕업을 서로 권면하는 것[德業相勸]이고 둘째가 과실을 서로 규제하는 것[過失相規]이며 셋째가 예속으로 서로 교제하는 것[禮俗相交]이고 넷째가 어려운 일이 생겼을 때 서로 돕는 것[患難相恤]이다. 여러 사람이 나이 많고 덕행이 뛰어난 사람 하나를 천거하여 도약정都約正(향약의 임원)으로 삼고, 학행이 있는 두 사람을 천거하여 부약정副約正으로 삼는다. 향약에 소속된 사람은 달마다

. . . .

145 경계하고 삼가며 … 일:『中庸』제1장에서는 "도라는 것은 잠시라도 떠날 수 없는 것이니, 떠날 수 있으면 도가 아니다. 그러므로 군자는 그 보지 않는 바에도 경계하고 삼가며[戒愼] 그 듣지 않는 바에도 두려워[恐懼] 하는 것이다.(道也者, 不可須臾離也, 可離, 非道也. 是故君子, 戒愼乎其所不睹, 恐懼乎其所不聞.)"라고 했다.

146 增損呂氏鄕約:「呂氏鄕約」이란 중국 北宋 때 陝西省 藍田縣 출신의 도학자 呂氏 사형제 大忠·大防·大鈞·大臨이 문중과 향리를 교화하기 위해 만들었던 자치규약을 가리킨다. 이 글은 「呂氏鄕約」을 주희가 가감하여 정리한 것이다.

* 呂大忠(?~?):京兆府藍田(현재 陝西藍田) 사람으로, 자는 晉伯이다. 할아버지인 呂通은 太常博士이고, 아버지인 呂蕡簡은 比部郞中을 지냈다. 아우인 呂大鈞·呂大臨과 함께 張載·程頤 문하에서 공부하였다. 仁宗 皇祐年間에 進士가 되었고, 1095년 寶文閣直學士가 되었으나 章惇과의 불화로 寶文閣待制로 강등되고 벼슬에서 물러났다.

* 呂大防(1027~1097):자는 微仲이다. 仁宗皇祐元年(1049)에 進士가 되었고, 哲宗 때 翰林學士가 되어 开封府에 파견 나갔다. 元祐元年(1086)에 兼門下省侍郞이 되어 汲郡公에 봉해졌다.

* 呂大鈞(1031~1082):자는 和叔이다. 仁宗 嘉祐 2년(1057)에 進士가 되고, 秦州右司理參軍, 書寫機密文字를 역임했으며, 송나라가 西夏를 공격하자 鄜延轉運使의 檄文을 썼다고 한다. 張載의 문인으로 그의 학문을 전한 중요 인물이다. 학문은 예를 근본으로 삼아 실천과 治用을 중시했다. 저서에『四書注』와『誠德集』이 있었지만 대부분 없어지고, 지금은「鄕儀」·「吊說」등이 남아 있다.

* 呂大臨(1040~1092):자는 與叔이다. 藝閣先生으로 불리었다. 張載가 처음으로 關中에 와서 강학할 때 형들과 함께 장재를 스승으로 모셨으나, 장재가 죽은 뒤 二程에게 배워 謝良佐·游酢·楊時와 함께 '程門四先生'이라 일컫는다. 太學博士·秘書省正字를 역임하였다. 저서는『禮記傳』·『考古圖』등이 있다.

하나씩 돌아가며 직월直月(한 달 간 향약의 일을 도맡아 보는 자)이 되는데, 도약정과 부약정은 이에 해당되지 않는다. 장부를 셋 두어서 향약에 들어오기를 바라는 사람을 한 장부에 적고, 덕행이 볼 만한 사람을 한 장부에 적으며, 과실을 바로잡아야 할 사람을 한 장부에 적는다. 직월이 그것을 관장하며, 한 달을 마치면 약정約正(도약정과 부약정)에게 보고하고 그 다음 직월에게 준다.

[51-1-52-2]

德業相勸, 德, 謂見善必行, 聞過必改, 能治其身, 能治其家, 能事父兄, 能敎子弟, 能御僮僕, 能肅政敎, 能事長上, 能睦親故, 能擇交遊, 能守廉介, 能廣施惠, 能受寄託, 能救患難, 能導人爲善, 能規人過失, 能爲人謀事, 能爲衆集事, 能解鬪爭, 能決是非, 能興利除害, 能居官擧職. 業, 謂居家則事父兄, 敎子弟, 待妻妾, 在外則事長上, 接朋友, 敎後生, 御童僕. 至於讀書治田, 營家濟物, 畏法令, 謹租賦, 好禮・樂・射・御・書・數之類, 皆可爲之. 非此之類, 皆爲無益.

덕업상권德業相勸에서 덕德은 선을 보면 반드시 행하는 것, 잘못을 들으면 반드시 고치는 것, 스스로를 잘 다스리는 것, 집안을 잘 다스리는 것, 부형을 잘 섬기는 것, 자제를 잘 가르치는 것, 종을 잘 거느리는 것, 정치와 교화를 엄정하게 하는 것, 웃어른을 잘 섬기는 것, 친척이나 오랜 벗들과 사이좋게 지내는 것, 교유를 잘 가려서 하는 것, 청렴과 절개를 지키는 것, 은혜를 널리 베푸는 것, 부탁을 잘 받아들이는 것, 환난을 겪는 사람을 잘 구제하는 것, 남을 선행으로 인도하는 것, 남이 과실을 저지르지 않도록 규제하는 것, 남을 위해 일을 도모하는 것, 여러 사람을 위해 일을 성사시키는 것, 다툼을 잘 해결하는 것, 시비 판단을 잘하는 것, 이익은 일으키고 해가 되는 일은 제거하는 것, 관직을 맡아 직분을 잘 행하는 것을 말한다. 업業은 집에서는 부형을 섬기고 자제를 가르치며 처첩을 대하고, 밖에서는 웃어른을 섬기며 벗과 교제하고 후진을 가르치며 종을 거느리는 것을 말한다. 독서하고 토지를 다스리며 집안을 경영하고 남을 구제하며, 법령을 경외하고 세금을 엄중히 납부하며, 예절[禮]・음악[樂]・활쏘기[射]・말몰이[御]・글씨 쓰기[書]・셈하기[數] 같은 일들을 좋아하고 모두 행할 수 있는 것이다. 이러한 부류가 아닌 것은 모두 무익하다.

右件德業, 同約之人各自進修, 互相勸勉. 會集之日, 相與推擧其能者書于籍, 以警其不能者.

이상의 덕업德業은 규약을 함께하는 사람 각자가 스스로 닦아나가며 서로 권면한다. 회합하는 날, 잘하는 사람을 서로 추천하여 장부에 적고, 이로써 잘못하는 사람을 경계한다.

[51-1-52-3]

過失相規, 過失, 謂犯義之過六, 犯約之過四, 不修之過五.

과실상규過失相規에서 과실過失은 의義를 해치는 허물 여섯, 규약을 해치는 허물 넷, 자신을 수양하지 않는 허물 다섯을 말한다.

犯義之過, 一曰酗・博・鬪・訟. 酗, 謂縱酒喧競. 博, 謂賭博財物. 鬪, 謂鬪毆罵詈. 訟, 謂告人罪惡,意在害人, 誣賴爭訴, 得已不已. 若事干負累, 及爲人侵損而訴之者非. **二曰行止踰違.** 踰禮違法, 衆惡皆是. **三曰行不恭遜.** 侮慢齒德者, 持人短長者, 恃强凌人者, 知過不改, 聞諫愈甚者. **四曰言不忠信.** 或爲人謀事, 陷人於惡 ; 或與人要約, 退卽背之 ; 或妄說事端, 熒惑衆聽者. **五曰造言誣毁.** 誣人過惡, 以無爲有, 以小爲大, 面是背非, 或作嘲咏匿名文書, 及發揚人之私隱, 無狀可求, 及喜談人之舊過者. **六曰營私太甚.** 與人交易, 傷於掊克者 ; 專務進取, 不恤餘事者 ; 無故而好干求假貸者, 受人寄託而有所欺者.

의를 해치는 허물은 첫째가 술주정[酗]·도박[博]·싸움[鬪]·소송하는 것[訟]이다. '술주정[酗]'은 술을 마구 마시고 떠들썩하게 다투는 것을 말한다. '도박[博]'은 재물로 내기하는 것을 말한다. '싸움[鬪]'은 다투며 소리 지르고 욕하는 것을 말한다. '소송하는 것[訟]'은 남의 잘못을 고발하되 의도가 남을 해치는 데 있어서, 무고하여 다툼을 그만두어도 되는데 그만두지 않는 것을 말한다. 만약 일이 죄과에 관련되거나 남에게 피해를 입어 소송하는 것이라면 여기에 해당되지 않는다. 둘째는 행동거지가 지나치고 어긋나는 것이다. 예에 어긋나고 법을 위반하는 온갖 잘못이 모두 여기 해당된다. 셋째는 행동이 공손하지 않은 것이다. 나이가 많고 덕행이 뛰어난 사람을 업신여기는 것이고, 남의 장점과 단점을 들추는 것이며, 강한 것을 믿고 남을 능멸하는 것이고, 잘못을 알고서도 고치지 않으며 충고를 듣고도 더욱 심하게 하는 것이다. 넷째는 말이 성실하지 않고 미덥지 않은 것이다. 다른 사람을 위해 일을 도모하면서 그를 악에 빠뜨리기도 하고, 다른 사람과 약속하고 물러나서는 그를 배반하기도 하며, 사단이 될 일을 망령되게 말하여 듣는 여러 사람을 현혹시키기도 하는 것이다. 다섯째는 말을 꾸며 모함하고 비방하는 것이다. 남의 과오를 무고하여 없는 것을 있다 하고 작은 것을 크게 만들며 앞에서는 옳다 하고 뒤에서는 비난하기도 하고, 조롱하는 익명의 글을 쓰거나 남의 사사로운 비밀을 들추어내지만 근거를 대지 못하는 것과 남의 지난 허물 말하기를 즐기는 것이다. 여섯째는 사사로운 이익을 꾀함이 너무 심한 것이다. 남들과 거래하는데 지나치게 이익을 챙기는 잘못을 범하는 것, 오로지 나서서 이익을 취하는 데만 힘쓰고 나머지 일은 돌보지 않는 것, 까닭도 없이 금품 빌리기를 좋아하는 것이며, 남에게 부탁 받고 속임수를 쓰는 것이다.

犯約之過, 一曰德業不相勸, 二曰過失不相規, 三曰禮俗不相成, 四曰患難不相恤.

규약을 해치는 허물은 첫째 덕업을 서로 권면하지 않는 것이며 둘째 과실을 서로 규제하지 않는 것이고, 셋째 예속을 서로 이루어주지 않는 것이며, 넷째 환난을 서로 돌봐주지 않는 것이다.

不修之過, 一曰交非其人. 所交不限士庶, 但凶惡及游惰無行, 衆所不齒者而已. 朝夕與之游處, 則爲交非其人. 若不得已而暫往還者非. **二曰游戲怠惰.** 游, 謂無故出入, 及謁見人止務閑適者 ; 戲, 謂游笑無度, 及意在侵侮, 或馳馬擊鞠, 而不賭財物者 ; 怠惰, 謂不修事業, 及家事不治, 門庭不潔者. **三曰動作無儀.** 謂進退太疎野, 及不恭者, 不當言而言, 及當言而不言者, 衣冠太華飾, 及全不完整者, 不衣冠而入街市者. **四曰臨事不恪.** 主事廢忘, 期會後時, 臨事怠慢者. **五曰用度不節.** 謂不計有無, 過爲多費者 ; 不能安貧, 非道營求者.

자신을 수양하지 않는 허물은 첫째 적절하지 않은 사람과 사귀는 것이다. 사귀는 것을 사대부나 서인庶人으로 제한하지는 않지만, 흉악하고 게을러 품행이 나쁘면 여러 사람이 상대해주지 않는다. 아침저녁으로 그런 사람과 어울리면 적절하지 않은 사람과 사귀는 것이 된다. 만약 부득이하게 잠시 왕래하는 것이라면 여기에 해당되지 않는다. 둘째 놀고 장난치며 게으른 것이다. '논다[游]'는 것은 까닭 없이 출입하며 다른 사람을 만나 다만 한가하게 지내는 데만 힘쓰는 것이다. '장난친다[戲]'는 것은 놀고 웃는데 절도가 없으며 업신여기고 침범하는 데 뜻이 있고, 간혹 말달리기나 격국擊鞠도 하지만 재물을 갖고 도박하지는 않는 것을 말한다. '게으르다[怠惰]'는 것은 할 일을 돌보지 않고 가사를 다스리지 않으며 집을 정결하게 하지 않는 것을 말한다. 셋째 거동에 예의가 없는 것이다. 나아감과 물러남이 너무 거칠고 촌스러우며 공손하지 않은 것, 말하지 말아야 하는데 말하거나 말해야 하는데 말하지 않는 것, 의관이 너무 화려하거나 전혀 정돈하지 않은 것, 의관을 갖추지 않고 시가市街로 나오는 것을 말한다. 넷째 일에 임하면서 삼가지 않는 것이다. 맡은 일을 버려둔 채 잊어버리고 정해진 회합 시간을 어기며 일에 태만하게 임하는 것이다. 다섯째 지출에 절도가 없는 것이다. 있는지 없는지 셈하지 않고 지나치게 사치하고 쓰는 것, 가난을 편안하게 느끼지 못하고 도道에 어긋나는 방법으로 구하는 것을 말한다.

右件過失, 同約之人各自省察, 互相規戒. 小則密規之, 大則衆戒之. 不聽, 則會集之日, 直月以告于約正, 約正以義理誨諭之. 謝過請改, 則書于籍以俟. 其爭辯不服, 與終不能改者, 皆聽其出約.

이상의 과실은 규약을 함께하는 사람들 각자가 스스로 성찰하고 서로 경계한다. 작은 일은 은밀하게 권고하고 큰일은 공개적으로 경계한다. 듣지 않으면 모이는 날에 직월이 약정에게 알리고, 약정은 의리로써 그를 가르치고 깨우쳐주는 것이다. 과실을 사죄하고 고치기를 청하면 장부에 써두고 기다린다. 쟁변하며 불복하고 끝내 고치지 못하는 사람은 모두 향약에서 퇴출한다.

[51-1-52-4]

禮俗相交, 禮俗之交, 一曰尊幼輩行, 二曰造請拜揖, 三曰請召送迎, 四曰慶弔贈遺.

예속상교禮俗相交에서 예속으로 교제하는 것의 내용은 첫째 어른과 아이의 서열이고, 둘째 찾아가서 청할 때 절하고 읍하는 것이며, 셋째 초청할 때 맞이하고 배웅하는 것이고, 넷째 경조사 때 물건을 증정하는 것이다.

尊幼輩行凡五等, 曰尊者, 謂長於己三十歲以上, 在父行者. 曰長者, 謂長於己十歲以上, 在兄行者. 曰敵者, 謂年上下不滿十歲者, 長者謂稍長, 少者謂稍少. 曰少者, 謂少於己十歲以下者. 曰幼者. 謂少於己二十歲以下者.

어른과 아이의 서열에는 모두 다섯 등급이 있다. 존자尊者, 자기보다 30세 이상 많은, 아버지 연배의 사람을 말한다. 장자長者, 자기보다 10세 이상 많은, 형 연배의 사람을 말한다. 적자敵者, 나이가 위 아래로 10세를 넘지 않는 사람을 말하니, 연상이라면 초장稍長이라고 하고 연하라면 초소稍少라고 한다. 소자少者, 자기보다 10세 이상 어린 사람을 말한다. 유자幼者이다. 자기보다 20세 이상 어린 사람을 말한다.

造請拜揖凡三條. 曰. 凡少者·幼者於尊者·長者, 歲首·冬至·四孟月朔辭見賀謝, 皆爲禮見. 皆具門狀, 用幞頭·公服·腰帶·靴笏. 無官具名紙, 用幞頭·襴衫·腰帶·繫鞋. 唯四孟通用帽子·皁衫·腰帶. 凡當行禮而有恙故, 皆先使人白之. 或遇雨雪, 則尊長先使人喩止來者. 此外候問起居·質疑白事, 及赴請召, 皆爲燕見. 深衣·涼衫皆可, 尊長令免, 卽去之. 尊長受謁不報, 歲首·冬至具己名榜子, 令子弟報之如其服. 長者歲首·冬至具榜子報之如其服. 餘令子弟以己名榜子代行. 凡敵者, 歲首·冬至辭見賀謝相往還. 門狀·名紙同上, 唯止服帽子. 凡尊者·長者無事而至少者·幼者之家, 唯所服. 深衣·涼衫·道服·背子可也. 敵者燕見亦然.

찾아가서 청할 때 절하고 읍하는 것과 관련해서는 모두 세 조목이 있다. 첫째, 소자少者와 유자幼者가 존자尊者와 장자長者를 세수歲首·동지冬至·사맹월삭四孟月朔(정월·사월·칠월·시월 초하루)에 뵙고 하례하는 것은 모두 예현禮見이다. 모두 문장門狀(방문할 때 쓰는 명함)을 갖추고 복두幞頭(검은 비단 두건)·공복公服·요대腰帶·목화靴(관복을 입을 때 신는 목이 긴 신)]·홀笏을 사용한다. 벼슬을 하지 않으면 명지名紙(명함)를 구비하고 복두·난삼襴衫(적삼 하단에 다른 천을 댄 옷)·요대·계해繫鞋(가죽신)를 사용한다. 오직 사맹에만 모자帽子·조삼皀衫(검은 색 관복)·요대를 통용한다. 예를 행해야 하나 우환이 있으면 모두 먼저 사람을 보내어 알린다. 혹시 눈비를 만나면 윗사람이 먼저 사람을 보내어 오는 것을 만류한다. 그 외에 문안드리는 것·의심나는 것을 묻고 보고를 드리는 것 및 초청에 응하는 것은 모두 연현燕見이다. 심의深衣(사대부가 집에서 입던 옷)와 양삼涼衫(사대부들이 입던 흰 평상복) 모두 입어도 된다. 존장尊長이 벗게 하면 곧 벗는다. 존장尊長은 알현을 받고 답례하지 않으며, 세수나 동지에는 자기 이름이 적혀 있는 방자榜子(성명과 직위를 쓴 명함)를 갖추는데, 자제들이 보답하게 하고 복장은 앞에 말한 것과 같이 한다. 장자는 세수와 동지에 방자榜子를 갖추고 복장은 앞서 말한 것과 같이 하여 답례한다. 나머지 경우에는 자제가 자기 이름이 적힌 방자를 갖고 대행하게 한다. 적자는 세수와 동지에 인사하고 만나 하례하며 서로 왕래한다. 문장과 명지는 위와 같고 다만 모자를 쓴다. 존자나 장자가 별 일 없이 소자나 유자의 집에 왔다면 입고 있던 옷 그대로 뵌다. 심의·양삼·도복道服(도포)·배자背子(반소매의 윗옷)가 가능하다. 적자가 연현할 때 역시 그렇게 한다.

曰. 凡見尊者·長者, 門外下馬, 俟於外次, 乃通名. 凡往見人, 入門必問主人食否, 有他客否, 有他幹否. 度無所妨, 乃命展刺. 有妨則少俟, 或且退. 後皆放此. 主人使將命者先出迎客, 客趨入, 至廡間, 主人出, 降階. 客趨進, 主人揖之升堂. 禮見四拜而後坐, 燕見不拜. 旅見則旅拜, 少者·幼者自爲一列. 幼者拜, 則跪而扶之. 少者拜, 則跪扶而答其半. 若尊者·長者·齒德殊絶, 則少者·幼者堅請納拜. 尊者許, 則立而受之. 長者許, 則跪而扶之. 拜訖, 則揖而退. 主人命之坐, 則致謝訖, 揖而坐. 退, 凡相見, 主人語終不更端, 則告退. 或主人有倦色, 或方幹事而有所俟者, 皆告退可也. 後皆放此. 則主人送於廡下. 若命之上馬, 則三辭. 許, 則揖而退. 出大門乃上馬. 不許則從其命. 凡見敵者, 門外下馬, 使人通名, 俟于廡下, 或廳側. 禮見則再拜, 稍少者先拜, 旅見則特拜. 退則主人請就階上馬. 徒行則主人送于門外. 凡少者以下, 則先遣人通名, 主人具衣冠以俟. 客入門下馬, 則趨出, 迎揖升堂. 來報禮則再拜謝, 客止之則止. 退則就階上馬. 客徒行則迎于大門之外, 送亦如之. 仍隨其行數步, 揖之則止, 望其行遠乃入.

둘째, 존자나 장자를 뵐 때는 대문 밖에서 말에서 내리고, 외차外次(문밖에서 의관을 정제하는 곳)에서 기다리면서 이름을 전한다. 사람을 찾아뵐 때는 대문 안에 들어가서 반드시 주인이 식사는 했는지, 다른 손님이 있는지, 다른 일이 있지는 않은지를 물어본다. 방해될 일이 없다고 생각되면, 곧바로 명함名刺을 올린다. 방해가 되는 것 같으면 잠시 기다리거나 물러난다. 뒤에도 모두 이와 같다. 주인은 명을 전달하는 사람에게 먼저 나가 손님을 맞이하도록 한다. 손님이 종종걸음으로 들어와 행랑채에 이르면 주인이 나와서 섬돌을 내려간다. 손님이 종종걸음으로 나아가면 주인은 읍하고 당堂에 오른다. 예현이라면 네 번 절한 뒤에 앉고, 연현이라면 절하지 않는다. 여현旅見(많은 사람이 함께 찾아뵙는 것)일 때는 여배旅拜(여러 사람이 함께하는 절)를 하되, 소자나 유자는 따로 일렬을 이룬다. 유자가 절하면 꿇어앉아 손으로 바닥을 짚어준다. 소자가 절하면 꿇어앉아 손으로 바닥을 짚어 반배半拜로 답례한다. 만약 존자나 장자, 또는 나이와 덕의 특출함이 현격한 경우라면 소자와 유자가 절을 드릴 것을 청한다. 존자는 허락하면 꼿꼿하게 허리를 세우고 앉아 절을 받는다. 장자는 허락하면 꿇어앉아 손으로 바닥을 짚어준다. 절을 마치면 읍하고 물러난다. 주인이 앉으라고 하면 감사를 표한 다음 읍하고 앉는다. 물러날 때면, 방문했을 때 주인이 말을 마치고 새로운 말을 더 하지 않으면 물러나겠다고 한다. 혹 주인이 피로해 보이거나 일 때문에 기다리는 사람이 있는 경우에도 모두 물러나겠다고 말하는 것이 옳다. 뒤에도 모두 이와 같다. 주인이 행랑채 아래에서 배웅한다. 만약 말에 오르라고 하면 밖에 나가 타겠다고 세 번 사양한다. 허락하면 읍하고 물러나서 대문 밖으로 나가 말에 오른다. 허락하지 않으면 그 명을 따라 바로 말에 오른다. 적자를 볼 때는 문밖에서 말에서 내려, 명함을 전달하도록 하고 행랑채 아래나 대청 옆에서 기다린다. 예현일 때는 두 번 절하고, 초소자가 먼저 절하며, 여현이라면 특배特拜(한 사람씩 따로 하는 절)를 한다. 물러날 때면 주인은 섬돌에서 말에 오르기를 청한다. 걸어서 가는 경우라면 주인이 문밖에서 배웅한다. 소자 이하를 방문할 때는, 먼저 사람을 보내 명함을 전하면 주인이 의관을 갖추고 기다린다. 손님이 문에 들어서서 말에서 내리면 종종걸음으로 나와 맞이해 읍하고 당에 오른다. 답례로 온 경우라면, 두 번 절하고 사례하며, 손님이 그만두라고 하면 그만둔다. 물러날 때는 섬돌에서 말에 오른다. 손님이 걸어왔다면 대문 밖에서 맞이하고, 배웅할 때도 그렇게 한다. 그를 따라 몇 걸음을 가다가 읍하면 걸음을 멈추고, 멀리까지 간 것을 보고 들어간다.

曰. 凡遇尊長於道, 皆徒行, 則趨進, 揖. 尊長與之言則對, 不則立於道側以俟. 尊長已過, 乃揖而行. 或皆乘馬, 於尊者則回避之, 於長者則立馬道側揖之, 俟過, 乃揖而行. 若己徒行而尊長乘馬, 則回避之. 凡徒行遇所識乘馬皆放此. 若己乘馬而尊長徒行, 望見則下馬前揖, 已避亦然. 過旣遠, 乃上馬. 若尊長令上馬, 則固辭. 遇敵者, 皆乘馬則分道相揖而過. 彼徒行而不及避, 則下馬揖之, 過則上馬. 遇少者以下, 皆乘馬, 彼不及避, 則揖之而過. 彼徒行不及避, 則下馬揖之. 於幼者則不必下可也.

셋째, 존자나 장자를 길에서 만났을 때, 모두가 걸어가는 중이었다면 종종걸음으로 나아가 읍한다. 존자나 장자가 말을 건네면 대답하고, 그렇지 않으면 길가에 서서 기다린다. 존자나 장자가 지나가면 읍하고 간다. 혹 모두가 말을 타고 있으면, 존자는 피해 가고 장자는 길가에 말을 세우고 읍하고 지나가기를 기다렸다가 또다시 읍하고 간다. 만일 자기가 걸어가고 존자나 장자가 말을 타고 있으면 피해 간다. 걸어가다가 만난 아는 사람이 말을 타고 있는 경우라면 모두 이렇게 한다. 자신이 말을 타고 있는데 존자나 장자가 걸어가고 있다면, 멀리서 보일 때 말에서 내려 나아가 읍하고 이미 피했더라도 그렇게 한다. 지나가서 멀어지면 말에 오른다. 만약 존자나 장자가 말에 오르도록 한다면 고사한다. 적자를 만났는데 모두 말을 타고 있는 경우라면 길을 나누어 서로 읍하며 지나간다. 상대가 걸어오다가 피하지 못했다면 말에서 내려 읍하고, 지나가면 말을 탄다. 소자 이하를 만났는데 모두 말을 타고 있었고, 상대가 피하지 못했다면 읍하고 지나간다. 상대가 걸어오다가 피하지 못했다면 말에서 내려 읍한다. 유자의 경우라면 반드시 내리지 않아도 괜찮다.

請召迎送凡四條. 曰. 凡請尊長飲食, 親往投書. 禮薄則不必書. 專召他客, 則不可兼召尊長. 旣來赴, 明日親往謝之. 召敵者以書簡, 明日交使相謝. 召少者用客目, 明日客親往謝.

초청할 때 맞이하고 배웅하는 것과 관련해서는 모두 네 조목이 있다. 첫째, 존자나 장자를 청해 음식을 대접할 때는 직접 가서 편지를 드린다. 예가 간소할 경우 편지를 보낼 필요는 없다. 다른 손님을 특별히 초청하는 경우에 존자나 장자를 함께 부르는 것은 옳지 않다. 다녀간 다음 날 직접 가서 사례한다. 적자를 초청할 때는 편지로 하고, 다음 날 서로 사람을 보내 사례한다. 소자를 부를 때는 객목客目(초청자 명단)을 사용하고, 다음 날 손님이 직접 가서 사례한다.

曰. 凡聚會, 皆鄕人, 則坐以齒. 非士類則不. 若有親則別序. 若有他客, 有爵者則坐以爵. 不相妨者猶以齒. 若有異爵者, 雖鄕人亦不以齒. 異爵謂命士大夫以上, 今陞朝官是. 若特請召, 或迎勞出餞, 皆以專召者爲上客. 如昏禮, 則姻家爲上客, 皆不以齒爵爲序.

둘째, 모임에서 모두가 마을 사람이라면 나이 순서대로 앉는다. 사대부 계층이 아니라면 그렇게 하지 않는다. 친척이 있다면 서열을 달리한다. 다른 마을 손님 가운데 벼슬을 하는 손님이 있다면 벼슬에 따라 앉는다. 서로 거리낄 것이 없는 사이라면 나이 순서에 따른다. 특별한 벼슬을 하는 사람이라면, 마을 사람이라 해도 나이 순서에 따르지 않는다. 특별한 벼슬이란 명사命士(천자나 제후에게 작위와 관복을 하사받은 관원)와 대부大夫 이상으로, 지금의 승조관陞朝官(조회에 참석하는 고위 관원)이 이것이다. 만약 특별하게 초청한 경우라면 환영하고 전별할 때 모두 특별히 초청한 사람을 상객上客으로 삼는다. 예컨대 혼례에서는 사돈집 사람들이 상객이니, 모두 나이나 벼슬로 순서를 정하지 않는다.

曰. 凡燕集, 初坐, 別設卓子於兩楹間, 置大盃於其上. 主人降席, 立於卓東, 西向. 上客亦降席, 立於卓西, 東向. 主人取盃親洗, 上客辭. 主人置盃卓子上, 親執酒斟之, 以器授執事者. 遂執盃以獻上客, 上客受之, 復置卓子上. 主人西向再拜, 上客東向再拜, 興, 取酒東向跪祭, 遂飮, 以盃授贊者, 遂拜. 主人答拜. 若少者以下爲客, 飮畢而拜, 則主人跪受如常. 上客酢主人如前儀, 主人乃獻衆賓如前儀, 唯獻酒不拜. 若衆賓中有齒爵者, 則特獻如上客之儀, 不酢. 若婚會, 姻家爲上客, 則雖少亦答其拜.

셋째, 잔치에서는 처음 앉을 때 별도의 탁자를 두 기둥[兩楹(집의 한가운데 자리하는 대청의 두 기둥)] 사이에 설치하고 그 위에 큰 잔을 놓는다. 주인이 자리에서 내려가 탁자의 동쪽에 서서 서쪽을 향한다. 상객 역시 자리에서 내려와 탁자 서쪽에 서서 동쪽을 향한다. 주인이 잔을 들고 직접 닦으면 상객은 사양한다. 주인은 잔을 탁자 위에 놓고 직접 술을 따른 다음, 주전자는 집사에게 준다. 곧바로 잔을 잡아 상객에게 올리면, 상객이 받아서 다시 탁자 위에 둔다. 주인이 서쪽을 향해 두 번 절하면, 상객은 동쪽을 향해 두 번 절하고 일어나서 술잔을 들고 동쪽을 향해 꿇어앉아 바닥에 조금 따르고 즉시 마신 다음, 잔을 찬자贊者(의식을 돕는 사람)에게 주고 바로 절한다. 주인은 답하여 절한다. 만약 소자 이하가 손님이 되어 마시고 나서 절하면 주인은 꿇어앉아 받는데 평상시와 같다. 상객이 주인에게 잔을 돌릴 때도 앞의 의식처럼 하고, 주인이 여러 손님에게 술을 올리는 것도 앞의 의식처럼 하는데, 술을 올린 다음 절은 하지 않는다. 만약 여러 손님 중에 나이가 많거나 벼슬하는 사람이 있으면 상객의 의식처럼 술을 올리기만 하고 잔을 돌리지는 않는다. 혼례 모임에서는 사돈이 상객이 되니, 소자가 하는 절에도 답한다.

曰. 凡有遠出遠歸者, 則送迎之. 少者·幼者不過五里, 敵者不過三里, 各期會於一處, 拜揖如禮. 有飮食則就飮食之. 少者以下俟其旣歸, 又至其家省之.

넷째, 멀리 떠나거나 멀리서 돌아오는 사람이 있을 때는 전송하고 맞이한다. (존장자일 경우) 소자나 유자는 5리를 넘기지 않으며 적자는 3리를 넘기지 않으니, 각자 한곳에서 모이기로 약속하고 절하고 읍하는 것을 예禮대로 한다. 음식이 있으면 나아가 먹고 마시게 한다. 소자 이하는 도착하기를 기다렸다가 다시 그 집에 가서 안부를 묻는다.

慶弔贈遺凡四條. 曰. 凡同約有吉事則慶之, 冠子·生子·預薦·登第·進官之屬, 皆可賀. 婚禮雖曰'不賀', 然『禮』有曰'賀娶妻者', 蓋但以物助其賓客之費而已. 有凶事則弔之. 喪·葬·水·火之類. 每家只家長一人與同約者俱往, 其書問亦如之. 若家長有故, 或與所慶弔者不相接, 則其次者當之.

경조사 때 물건을 증정하는 것과 관련해서는 모두 네 조목이 있다. 첫째, 규약을 함께하는 사람에게 좋은 일이 있으면 축하하고, 자식이 관례冠禮를 치르는 것·자식을 낳은 것·천거된 것·과거에 합격한 것·관직에 나아가는 등의 일은 모두 축하할 만하다. 혼례는 '축하하지 않는다.'[147]고 하지만 『예기』에서는 '아내를 얻은 사람을 축하한다.'[148]고 했으니, 대개 물질적으로 빈객을 대접하는 비용을 도와주는 데 그친다. 흉한 일이 있으면 위문한다. 상례喪禮·장례葬禮·수재水災·화재火災 같은 일들이다. 집집마다 가장家長 한 사람이 규약을 함께하는 사람과 같이 가는데, 편지로 위문하는 것 역시 이처럼 한다. 만약 가장에게 사정이 있어서 축하하고 위문할 상대와 만나지 못하게 되면 그 다음 서열의 사람次者이 맡는다.

曰. 凡慶禮如常儀, 有贈物. 用幣帛·酒食·果實之屬. 衆議量力定數, 多不過三五千, 少至一二百. 如情分厚薄不同, 則從其厚薄. 或其家力有不足, 則同約爲之借助器用, 及爲營幹. 曰. 凡弔禮, 聞其初喪, 聞喪同 未易服, 則率同約者深衣而往哭弔之, 凡弔尊者, 則爲首者致辭而旅拜. 敵以下則不拜, 主人拜則答之. 少者以下則扶之. 不識生者則不弔, 不識死者則不哭. 且助其凡百經營之事. 主人旣成服, 則相率素幞頭·素襴衫·素帶, 皆以白生紗絹爲之. 具酒果食物而往奠之. 死者是敵以上, 則拜而奠, 以下則奠而不拜. 主人不易服, 則亦不易服. 主人不哭, 則亦不哭. 情重, 則雖主人不變不哭, 亦變而哭之. 賻

---

147 혼례는 '축하하지 않는다.' : 『禮記』「郊特牲」에는 "혼례를 축하하지 않는 것은 그것이 사람의 次序를 잇는 것인 까닭이다.(昏禮不賀, 人之序也.)"라는 말이 있다.
148 '아내를 얻은 … 축하한다.' : 『禮記』「曲禮上」

禮用錢帛, 衆議其數如慶禮. 及葬, 又相率致賵. 俟發引, 則素服而送之. 賵如賻禮, 或以酒食犒其役夫及爲之幹事. 及卒哭, 及小祥, 及大祥, 皆常服弔之.

둘째, 대저 경례慶禮(慶事에 대한 예)에는 평상시의 법식과 같이 물건을 증여하는 것이 있다. 폐백·술과 음식·과실 등을 쓴다. 여럿이 의논해서 능력을 헤아리고 액수를 정하는데 많게는 삼천에서 오천(3貫에서 5貫)을 넘지 않고 적게는 일백에서 이백에 이른다. 만약 인정人情의 두터움에 차이가 있다면, 가까운 정도에 따라 정한다. 혹 집안 형편이 미치지 못한다면 규약을 같이 한 사람이 그를 위해 기물과 자금을 빌려주고 일을 관리해 준다. 대저 조례弔禮(弔喪하는 예)에서는 초상난 것을 들었을 때, 부고를 들었을 때도 같다. 상복으로 갈아입기 전이라면 규약을 함께한 사람을 이끌어 심의深衣를 입고 가서 곡하고 조문하며, 존자를 조문하는 경우라면 우두머리 되는 사람이 치사致辭하고 여배旅拜한다. 적자 이하에게는 절하지 않고 주인이 절하면 이에 답한다. 소자 이하에게는 손으로 바닥을 짚어준다. 산 사람을 알지 못하면 조문하지 않고, 죽은 사람을 알지 못하면 곡하지 않는다. 온갖 일의 진행을 도와야 한다. 주인이 상복을 입은 후라면, 따라서 소복두素幞頭(흰 두건)·소난삼素襴衫(하단에 다른 천을 댄 흰 적삼)·소대素帶(흰 허리띠)를 착용하는데, 모두 흰 생사견으로 만든다. 술과 과일, 음식물을 갖추어 가서 치전한다. 죽은 사람이 적자 이상이면 절하고 치전하며, 이하면 치전은 하되 절하지는 않는다. 주인이 상복으로 갈아입지 않았다면 또한 상복으로 갈아입지 않는다. 주인이 곡하지 않으면 또한 곡하지 않는다. 정이 두텁다면 주인이 상복으로 갈아입지 않고 곡하지 않는다 해도, 상복으로 갈아입고 곡한다. 부례賻禮(초상난 집에 부조하는 예)에는 돈과 비단을 쓰는데, 여럿이 그 액수를 의논하는 것은 경례慶禮의 경우와 같다. 장사 때는 다시 서로 이끌어 치봉致賵한다. 발인을 기다려서 소복素服하고 보낸다. 봉賵은 부례賻禮 때와 같은데, 술과 음식으로 그 일꾼을 위로하거나 그를 위해 일하는 것이다. 졸곡卒哭(죽은 지 석 달 만에 맞이하는 丁일이나 亥일에 지내는 제사), 소상小祥(죽은 지 1년 만에 지내는 제사), 대상大祥(죽은 지 2년 만에 지내는 제사)이 되면 모두 평상복을 입고 조문한다.

曰. 凡喪家不可具酒食衣服以待弔客, 弔客亦不可受. 曰. 凡聞所知之喪, 或遠不能往, 則遣使致奠, 就外次衣弔服, 再拜, 哭而送之. 唯至親篤友爲然 過朞年則不哭, 情重則哭其墓.

셋째, 상가喪家에서 술과 음식, 의복을 갖추어 조문객을 대접해서는 안 되며 조문객 역시 받아서는 안 된다. 넷째, 아는 사람의 부고를 듣고 멀어서 갈 수 없다면, 사람을 보내서 치전하되 외차外次로 나아가 조복弔服 차림으로 두 번 절하고 곡을 한 다음 보낸다. 가까운 친척이나 친한 벗에게만 그렇게 하는 것이다. 기년朞年이 지났으면 곡을 하지 않으며, 정情이 두터운 사이였다면 그의 묘에서 곡한다.

右禮俗相交之事, 直月主之. 有期日者爲之期日. 當糾集者督其違慢. 凡不如約者, 以告于約正而詰之, 且書于籍.

이상의 예속으로 서로 교제하는 일이니, 직월이 주관한다. 정해진 날짜가 있는 것은 그 날짜에 맞추어야 한다. 규합하는 일을 담당하는 사람은 어기거나 게을리하는 자를 독려한다. 규약처럼 하지 않는 사람은 약정에게 고하여 힐문하고 장부에 기록한다.

[51-1-52-5]

患難相恤, 患難之事七. **一曰水火**. 小則遣人救之, 甚則親往, 多率人救且弔之. **二曰盜賊**. 近者同力追捕, 有力者爲告之官司, 其家貧則爲之助出募賞. **三曰疾病**. 小則遣人問之, 甚則爲訪醫藥, 貧則助其養疾之費. **四曰死喪**. 闕人則助其幹辦, 乏財則賻贈借貸. **五曰孤弱**. 孤遺無依者, 若能自贍, 則爲之區處, 稽其出內. 或聞于官司, 或擇人敎之, 及爲求婚姻. 貧者協力濟之, 無令失所. 若有侵欺之者, 衆人力爲之辨理. 若稍長而放逸不檢, 亦防察約束之, 無令陷之於不義. **六曰誣枉**. 有爲人誣枉過惡, 不能自伸者, 勢可以聞於官府, 則爲言之, 有力略可以救解, 則爲解之. 或其家因而失所者, 衆共以財濟之. **七曰貧乏**. 有安貧守分而生計大不足者, 衆以財濟之. 或爲之假貸置産, 以歲月償之.

환난상휼患難相恤에서 환난이 되는 일은 일곱 가지가 있다. 첫째 수재水災와 화재火災다. 작은 일이라면 사람을 보내서 돕고 심한 경우라면 직접 가되, 여러 사람을 인솔하여 돕고 조문한다. 둘째 도적이다. 가까운 사람은 체포를 돕고, 힘 있는 사람은 그를 위해 관가에 보고하며, 그 집이 가난하면 그를 위해 보내줄 재물을 모은다. 셋째 질병이다. 작은 일이면 사람을 보내 문병하고, 심하면 의원과 약을 구해주며, 가난하면 치료비를 돕는다. 넷째 죽어서 초상이 나는 것이다. 사람이 부족하면 그 일처리를 돕고, 재물이 없으면 부조하거나 빌려준다. 다섯째 고아가 되는 것이다. 고아로 남겨져 의지할 데가 없으면, 스스로 넉넉한 경우는 그를 위해 조치해주고 그 출납을 헤아린다. 또는 관가에 알리거나 사람을 택해 교육시키고 혼처를 구해주기도 한다. 가난한 사람은 힘을 합쳐 도와주니 살 곳을 잃지 않게 한다. 침범하고 속이는 사람이 있다면 여러 사람이 힘써서 시비를 분별한다. 조금 자라서 방일하여 검속함이 없으면 대비하고 살펴 단속하니 불의에 빠지는 일이 없도록 한다. 여섯째 억울하게 무고를 당하는 것이다. 남에게 죄악을 무고당해 스스로 해명하지 못하는 사람이 있을 때, 형세가 관청에 알릴 수 있으면 말해주고, 책략으로 구해줄 수 있으면 구해준다. 그 집이 이로써 살 곳을 잃으면 여럿이 함께 재물을 내어 구제한다. 일곱째 빈곤이다. 가난을 편안히 여기고 분수를 지키는데도 생계가 크게 부족한 사람이 있으면, 여럿이 재물을 내어 그를 돕는다. 혹은 그를 위해 돈을 빌려주고 재산을 장만해주되 세월을 두고 갚도록 한다.

右患難相恤之事. 凡有當救恤者, 其家告于約長.[149] 急則同約之近者爲之告約正. 命直月徧告之, 且爲之糾集而程督之. 凡同約者, 財物・器用・車馬・人僕皆有無相假, 若不急之用, 及有所妨者, 則不必借. 可借而不借, 及踰期不還, 及損壞借物者, 論如犯約之過, 書于籍. 隣里或有緩急, 雖非同約, 而先聞知者亦當救助. 或不能救助, 則爲之告于同約而謀之, 有能如此者, 則亦書其善於籍, 以告鄕人.

이상이 환난상휼의 일이다. 대저 구휼해 주어야 할 사람이 있으면, 그 집에서 약정에게 알린다. 긴급한 경우라면 규약을 함께하는 사람 가운데 가까이에 있을 자가 약정에게 알린다. (약정은) 직월에게 두루 알리도록 명하고, 또한 그를 위해 사람을 모아 재물의 각출을 독려한다. 대개 규약을 함께하는 사람끼리는 재물・기용器用・거마・사람과 종을 모두 가진 것에 따라 서로 빌려주지만, 급하지 않은 용도이거나 지장이 있는 경우라면 빌려줄 필요가 없다. 빌려줄 수 있는데 빌려주지 않거나, 기한이 넘도록 돌려주지

- -

149 其家告于約長. : 『朱文公文集』에는 '約長'이 '約正'으로 되어 있다. 번역은 이에 따른다.

않거나 빌린 물건을 훼손한 사람은 규약을 위반한 과실과 같이 논하여 장부에 적는다. 이웃에 급한 일이 있거나 하면, 규약을 함께하는 사람이 아니더라도 먼저 알게 된 사람이 도와야 한다. 도울 수 없는 경우라면 규약을 함께하는 사람들에게 알려 해결책을 모색하고, 이렇게 잘하는 사람이 있으면 또한 그 선행을 장부에 적어 마을 사람에게 알린다.

[51-1-52-6]

以上鄕約四條, 本出藍田呂氏, 今取其他書, 及附己意稍增損之, 以通于今. 而又爲月旦集會 讀約之禮如左方.

이상의 향약 네 조목은 본래 남전 여씨藍田呂氏에게서 나왔는데, 이제 다른 서적에서 취한 것과 내 뜻을 덧붙이고 조금 가감하여 오늘날도 통용되게 했다. 또한 매달 초하루에 집회를 갖고 규약을 읽는 예를 만드니, 다음과 같다.

曰. 凡預約者, 月朔皆會. 朔日有故, 則前期三日別定一日, 直月報會者. 所居遠者唯赴孟朔, 又遠者歲一 再至可也. 直月率錢具食. 每人不過一二百, 孟朔具果酒三行, 麵飯一會. 餘月則去酒果, 或直設飯可也. 會日夙興, 約正‧副正‧直月本家行禮若會族罷, 皆深衣, 俟于鄕校. 設先聖先師之像于北壁 下, 無鄕校, 則別擇一寬閑處. 先以長少序拜于東序. 凡拜, 尊者跪而扶之, 長者跪而答其半, 稍長者俟其 俯伏而答之. 同約者如其服而至, 有故則先一日使人告于直月. 同約之家子弟雖未能入籍, 亦許隨衆序拜. 未能序拜, 亦許侍立觀禮, 但不與飮食之會. 或別率錢, 略設點心於他處. 俟於外次. 旣集, 以齒爲序, 立 於門外, 東向北上. 約正以下出門, 西向南上. 約正與齒最尊者正相向. 揖, 迎入門. 至庭中, 北面, 皆再拜. 約正升堂上香, 降, 與在位者皆再拜. 約正升降皆自阼階. 揖, 分東西向立. 如門外之立. 約正三揖, 客三讓. 約正先升, 客從之. 約正以下升自阼階, 餘人升自西階. 皆北面立. 約正以下西上, 餘人東上. 約正少進, 西向立. 副正‧直月次其右, 少退. 直月引尊者東向南上, 長者西向南上, 皆以約正之年推之, 後放此. 西向者, 其位在約正之右少進, 餘人如故. 約正再拜, 凡在位者皆再拜. 此拜 尊者. 尊者受禮如儀. 唯以約正之年爲受禮之節. 退北壁下, 南向東上立. 直月引長者東面, 如初 禮. 退則立於尊者之西東上. 此拜長者, 拜時唯尊者不拜. 直月又引稍長者東向南上, 約正與在位 者皆再拜. 稍長者答拜, 退立于西序, 東向北上. 此拜稍長者, 拜時尊者‧長者不拜. 直月又引稍少 者東面北上, 拜約正. 約正答之, 稍少者退立於稍長者之南. 直月以次引少者東北向西北上, 拜約正. 約正受禮如儀, 拜者復位. 又引幼者亦如之, 旣畢, 揖, 各就次. 同列未講禮者拜於西序如 初. 頃之, 約正揖就坐. 約正坐堂東, 南向. 約中年最尊者坐堂西, 南向. 副正‧直月次約正之東, 南向西上. 餘人以齒爲序, 東西相向, 以北爲上. 若有異爵者, 則坐於尊者之西, 南向東上. 直月抗聲讀約一過, 副正 推說其意, 未達者許其質問. 於是約中有善者衆推之, 有過者直月糾之. 約正詢其實狀于衆, 無異辭, 乃命直月書之. 直月遂讀記善籍一過, 命執事以記過籍徧呈在坐, 各黙觀一過. 旣畢, 乃食. 食畢少休, 復會于堂上, 或說書, 或習射講論從容. 講論須有益之事, 不得輒道神怪邪僻悖亂之

言，及私議朝廷州縣政事得失，及揚人過惡．違者直月糾而書之． **至晡方退**.[150]

규약에 참여하는 사람은 매달 초하루에 모두 모인다. 초하루에 사정이 있으면, 약속한 날짜 3일 전에 따로 하루를 정하여 직월이 모일 사람들에게 알린다. 먼 곳에 사는 사람은 맹삭孟朔(각 계절의 첫 달)에만 참석하고 더 멀리 사는 사람은 한 해에 한두 번 참석해도 된다. 직월이 돈을 거두어 음식을 갖춘다. 각자 일이백을 넘지 않게 하고 맹삭에는 과일과 술을 세 순배, 면과 밥은 일 회분을 준비한다. 나머지 달에는 술과 과일은 빼고 밥만 준비해도 된다. 모임이 있는 날은 일찍 일어나서, 약정·부약정·직월은 본가에서 예를 행하는데,[151] 친족 모임이 파하면 모두 심의深衣를 입고 향교에서 기다린다. 북쪽 벽 아래에 선성先聖과 선사先師의 상像을 진열하고, 향교가 없다면, 따로 넓고 한적한 곳을 택한다. 먼저 나이 순서에 따라 동서東序에서 절한다. 절할 때 존자는 꿇어앉아 손으로 바닥을 짚어주고, 장자는 꿇어앉아 반절로 답하며, 초장자는 부복하기를 기다렸다가 답례한다. 규약을 함께하는 사람은 복장을 규정대로 하고 와서, 사정이 있으면 하루 먼저 사람을 보내 직월에게 알린다. 규약을 함께하는 사람의 집 자제는 아직 장부에 기입되지 못했다 하더라도 여러 사람을 따라 차례로 절하는 것을 허락한다. 차례대로 절하지 못하는 경우에도 시립하고 예를 참관하는 것은 허락하는데, 단 먹고 마시는 모임에는 참여하지 못한다. 따로 돈을 거둬 다른 곳에 간단한 식사를 조금 준비하기도 한다. 외차外次(문밖에서 의관을 정제하는 곳)에서 기다린다. 모이고 나면 나이 순서로 문밖에 서는데, 동쪽을 향하며 북쪽을 상좌로 한다. 약정 이하는 문밖으로 나가는데, 서쪽을 향하며 남쪽을 상좌로 한다. 약정과 가장 나이 많은 존자가 정면으로 서로 마주한다. 읍하고 맞이하여 문 안으로 들어간다. 뜰 가운데 이르러 북쪽을 향해 모두 두 번 절한다. 약정은 당堂에 올라 분향하고 내려와서 자리에 있는 사람들과 함께 모두 두 번 절한다. 약정이 오르고 내릴 때는 모두 동편 섬돌로 다닌다. 읍하고 동쪽과 서쪽을 향해 나누어 선다. 문밖에서 서 있던 것과 같다. 약정이 세 번 읍하고, 손님은 세 번 사양한다. 약정이 먼저 오르고 손님은 그를 따른다. 약정 이하는 동편 섬돌로 오르고 나머지 사람들은 서쪽 섬돌로 오른다. 모두 북쪽을 바라보고 선다. 약정 이하는 서쪽을 상좌로 하고 나머지 사람들은 동쪽을 상좌로 한다. 약정이 조금 나아가 서쪽을 향해 선다. 부약정과 직월은 차례로 그 오른편에서 조금 물러나서 선다. 직월이 존자를 이끌어 동쪽을 향하며 남쪽을 상좌로 하고 장자는 서쪽을 향하며 남쪽을 상좌로 한다. 모두 약정의 나이로써 추산하며, 뒤에도 이와 같다. 서쪽을 향하는 사람의 자리는 약정의 오른쪽에서 조금 더 앞으로 나아간 곳이며, 나머지 사람은 앞에서 말한 것처럼 한다. 약정이 두 번 절하면 자리에 있는 사람들 모두 두 번 절한다. 이는 존자에게 절하는 것이다. 존자가 예를 받는 것은 법식에 따른다. 오직 약정의 나이에 따라서 예를 받는 범절로 삼는다. 북쪽 벽 아래로 물러나 남향하여 동쪽을 상좌로 하여 선다. 직월이 장자를 이끄는데 동쪽을 향하여 처음의 예처럼 한다. 물러나면 존자의 서쪽에 서고 동쪽을 상좌로 한다. 이것은 장자에게 절하는 것이니 절할 때 존자만은 절하지 않는다. 직월이 다시 초장자를 이끌어 동쪽을 향하고 남쪽을 상좌로 하면 약정과 자리에 있는 사람 모두가 두 번 절한다. 초장자는 답배하고 서서西序로 물러나 서되, 동쪽을 향하고 북쪽을 상좌로 한다. 이것은 초장자에게 절하는 것이니, 절할 때 존자나 장자는 절하지 않는다. 직월이 다시 초소자를 이끌어 동쪽을 향하고 북쪽을 상좌로 하여 약정에게 절한다. 약정은 이에 답한다. 초소자는 초장자의 남쪽으로 물러나서 선다. 직월은 순서대

---

150 『朱文公文集』 권74 「增損呂氏鄕約」
151 본가에서 예를 행하는데 : 매달 초하루 아침에 사당에서 제사 지내는 일을 가리킨다.

로 소자를 인도하니 동북쪽을 향하고 서북쪽을 상좌로 하여 약정에게 절한다. 약정은 법식대로 예를 받고, 절을 한 사람은 자리로 돌아간다. 다시 유자를 이끌어서 마치면 읍하고 각자 머물 곳으로 나아간다. 같은 열에 있으면서 예를 익히지 못한 사람은 서서에서 처음처럼 절한다. 잠시 후에 약정은 읍하고 앉을 곳으로 나아간다. 약정은 당의 동쪽에서 남쪽을 향하고 앉는다. 규약을 같이하는 사람 가운데서 가장 나이가 많은 존자는 당의 서쪽에서 남쪽을 향하고 앉는다. 부약정과 직월이 약정의 동쪽에 머물되 남쪽을 향하고 서쪽을 상좌로 한다. 나머지 사람은 나이 순서대로 동쪽과 서쪽을 서로 향하되 북쪽을 상좌로 한다. 만약 특별한 벼슬을 하는 사람이 있다면, 존자의 서쪽에서 남쪽을 향하고 동쪽을 상좌로 하여 앉는다. 직월이 소리를 높여 규약을 한 차례 읽고 부약정이 그 뜻을 설명하는데, 이해하지 못하는 사람은 질문을 해도 된다. 그리하여 규약을 함께하는 사람 가운데 선한 사람이 있으면 여럿이 추천하고, 잘못을 저지른 자가 있으면 직월이 규찰한다. 약정이 그 실상을 여러 사람에게 물어보고 이견이 없으면 직월에게 명하여 기록하도록 한다. 직월이 곧 선행을 기록한 장부를 한 번 읽고 집사에게 명하여 잘못된 행동을 기록한 장부를 자리에 있는 사람들에게 두루 나눠주도록 하면, 각자 조용히 한 번 읽는다. 마친 후에는 식사한다. 식사를 마친 후에는 조금 쉬고, 다시 당상에 모여 글에 대해 이야기하거나 활쏘기를 익히거나 조용히 강론한다. 강론에는 유익한 점이 있어야만 하고, 괴력난신의 간사하고 편벽되어 질서를 어지럽히는 말을 하거나 조정과 주현州縣의 정사에 대해 잘잘못을 사사롭게 논하거나 남의 잘못을 들춰내서는 안 된다. 위반하는 사람은 직월이 규찰하고 적어둔다. 해질 무렵이 되면 물러난다.

[51-1-53]
南軒張氏曰：“二程先生所以教學者, 不越於居敬窮理二事, 取其書反覆讀之則可以見. 蓋居敬有力, 則其所窮者愈精. 窮理浸明, 則其所居者益有地. 二者實互相發也.”[152]

남헌 장씨南軒張氏[張栻][153]가 말했다. “이정(程顥・程頤) 선생이 가르친 것은 거경居敬과 궁리窮理라는 두 가지 일을 벗어나지 않았으니, 그 글을 얻어 반복해 읽으면 알 수 있다. 거경으로 득력한 것이 있으면 궁구하는 것도 더욱 정밀해진다. 궁리가 차츰 밝아지면 경에 머무는 것도 더욱 토대를 갖추게 된다. 두 가지는 진실로 서로를 분발시키는 것이다.”

[51-1-54]
謂學者曰：“謹飭則有餘, 且放教胸襟開闊.”
又曰：“不要強自開闊, 只涵泳義理, 便自然開闊去.”

. . . .

152 『南軒集』 권26 「答陳平甫」
153 張栻(1133~1180)：자는 敬夫・欽夫・樂齋이고, 호는 南軒이다. 송대 漢州 錦竹(현 사천성 廣漢縣) 사람이다. 高宗, 孝宗 양 조정에서 丞相을 지낸 張浚의 아들로 知撫州・知嚴州・湖北安撫使・吏部侍郎兼侍講 등을 역임하였다. 주희・呂祖謙과 더불어 친구로 지냈으며, 후대에 이들 셋은 ‘東南三賢’이라고 불리었다. 스승 胡宏으로부터 이어지는 胡湘學派를 정립하였으며, 그의 察識端倪說은 주희의 中和舊說을 확립하는 데 중요한 역할을 하였다. 저서는 『南軒易說』・『論語解』・『孟子說』・『伊川粹言』・『南軒集』 등이 있다.

(남헌 장씨가) 배우는 사람들에게 말했다. "신중하고 조심스러우면 여유가 생기고, 가슴속이 탁 트이게 된다."

또 말했다. "억지로 탁 트이게 하려고 해서는 안 되니, 다만 의리義理 속에서 노닐면 저절로 탁 트이게 된다."

[51-1-55]

勉齋黃氏曰 : "孔孟之敎人, 曰'守死善道', 曰'舍生取義'. 夫死生亦大矣, 至於道義之可樂, 則生不足戀而死不足顧. 生不足戀而死不足顧, 則於聖賢之道, 如飢者不忘食, 渴者不忘飮, 行者不忘歸, 病者不忘起, 猶未足以論其切也."[154]

면재 황씨勉齋黃氏[黃幹][155]가 말했다. "공자와 맹자는 사람들을 가르칠 때 '죽음으로 지켜 도道를 훌륭하게 한다.'[156]고 했고, '삶을 버리고 의를 취한다.'[157]고 했다. 대체로 죽고 사는 것은 큰일이지만, 도의道義를 즐길 수 있는 경지에 이르면 삶도 연연할 것이 못 되고 죽음도 개의할 만한 것이 못 된다. 삶이 연연할 것이 못 되고 죽음이 개의할 만할 것이 못 된다는 것은 곧 성현聖賢의 도에 대해 굶주린 자가 먹을 것을 잊지 못하고 목마른 자가 마실 것을 잊지 못하며 떠나는 자가 돌아갈 것을 잊지 못하고 병든 자가 일어날 것을 잊지 못하듯 하는 것과 같은데, 그 간절함에 대한 비유로는 아직도 충분하지 않다."

[51-1-56]

"讀書且摸得心路直, 方有商量. 每學者來, 且敎他磨勵了箇心歸去. 譬如人持一箇鑿石錐來, 如何鑽得入? 且寄他兩面磨得恁地十分尖利, 看去甚處都破開了. 他便自會去尋揣得. 不恁地, 見聞儘多也不濟事."

(면재 황씨가 말했다.) "책을 읽을 때는 우선 마음을 찾아 바르게 해야 비로소 의견이 생기게 된다. 배우는 사람이 올 때마다 그가 마음을 가다듬어 돌아가게 한다. 예컨대 사람이 정釘(돌에 구멍을 뚫는 연장)을 하나 갖고 왔다면 어떻게 해야 돌을 뚫을 수 있겠는가? 우선 그것을 양면으로 충분히 날카롭게 갈도록 하고 돌의 어느 곳을 깨뜨려야 하는지도 보게 한다. 그가 곧 스스로 알아서 찾을 수 있을 것이다.

· ·

154 『勉齋集』 권1 「竹林精舍祠堂」

155 黃幹(1152~1221) : 자는 直卿이고, 호는 勉齋이다. 송대 福州閩縣(현 복건성 福州) 사람으로 주희의 고족제자인 동시에 사위이다. 주희의 蔭補로 漢陽軍·安慶府 등을 역임하였다. 저서는 『書說』·『六經講義』·『勉齋集』 등이 있고, 『朱子行狀』을 집필했다.

156 '죽음으로 지켜 … 한다.' : 『論語』 「泰伯」에서는 "독실하게 믿으면서 학문을 좋아하고, 죽음으로 지켜 도를 훌륭하게 한다.(篤信好學, 守死善道.)"라고 했다.

157 '삶을 버리고 … 취한다.' : 『孟子』 「告子上」에서는 "나는 생선도 좋아하고 곰 발바닥도 좋아하지만, 이 두 가지를 모두 얻을 수 없다면 생선을 버리고 곰 발바닥을 취할 것이다. 나는 삶도 원하고 의도 원하지만, 이 두 가지를 모두 얻을 수 없다면 삶을 버리고 의를 취할 것이다.(魚我所欲也, 熊掌亦我所欲也, 二者不可得兼, 舍魚而取熊掌也. 生亦我所欲也, 義亦我所欲也, 二者不可得兼, 舍生而取義者也.)"라고 했다.

이렇게 하지 않으면 견문이 아무리 많아도 일을 처리할 수 없다."

[51-1-57]

"學者初且令識得性情部伍, 認得虛靈體面, 庶幾於讀書存養不至全無著落. 然學者之患在於志卑氣弱, 度量淺狹, 規模褊陋, 則雖與之細講, 恐終無任道之意. 故須是有大規模, 又有細工夫, 方且成箇人物. 故常以此提撕之, 恐『中庸』所謂'高明中庸廣大精微', 亦此意也."[158]

(면재 황씨가 말했다.) "배우는 사람에게 애초에 성정性情의 구조와 허령虛靈한 체제를 알게 하면, 독서하고 존양하는 데 있어 근거할 바를 갖추게 될 것이다. 배우는 사람이 근심으로 여길 일은 지향하는 바가 낮고 기氣가 약하거나 도량이 천박하여 규모가 편협한 것이니, 그런 사람에게는 자세히 말해준다 하더라도 끝내 도道를 구현할 책무를 자임할 뜻이 없을 것이다. 그러므로 모름지기 큰 규모를 갖추고, 그에 더하여 세밀하게 공부해야 비로소 큰 인물이 될 수 있다. 때문에 항상 이처럼 이끌어주는 것이니, 아마 『중용』에서 '고명중용高明中庸과 광대정미廣大精微'[159]를 말한 것 역시 이러한 의도일 것이다."

[51-1-58]

問: "明道以記誦博識爲玩物喪志, 謝顯道聞之不服, 是邪, 非邪?"

潛室陳氏曰: "明道是明睿內照, 故書無不記, 却不是記問上做工夫. 此語正欲點化顯道, 惜其爲記問所障, 領會不去."[160]

물었다. "명도明道[程顥]가 암기하고 박식한 것을 완물상지玩物喪志[161]라고 말했을 때, 사현도謝顯道[謝良佐]

. . . .

158 『勉齋集』 권4 「與某書失名」
159 '고명중용과 광대정미': 『中庸』 27장에서는 "그러므로 군자는 德性을 높이되 學問을 연구하니, 廣大함을 지극히 하되 精微함을 다하며, 高明을 다하되 中庸을 따르고, 옛것을 익히되 새로운 것을 알며, 후덕함을 돈독하게 하여 禮를 높이는 것이다.(故君子, 尊德性而道問學, 致廣大而盡精微, 極高明而道中庸, 溫故而知新, 敦厚以崇禮.)"라고 했다.
160 陳埴, 『木鍾集』 권10
161 玩物喪志: 아끼는 것에 대한 집착 때문에 큰 뜻을 잃는 일을 말한다. 『書經』「周書·旅獒」에는 旅나라 사신이 주나라 武王에게 공물로 큰 개를 바쳤을 때, 太保 召公이 「旅獒」라는 글을 바쳐 경계했던 일이 실려 있다. "말했다. '아! 현명한 왕이 德을 삼가시면 사방의 이민족이 모두 손님이 되어 멀거나 가깝거나 관계없이 모두 지역에서 나오는 물건을 바치는데, 의복과 음식과 그릇과 사용하는 물건뿐이었습니다. 왕께서 덕으로 이룬 것을 다른 성씨의 나라에 보여주셔서 그 일을 폐함이 없게 하시며, 寶玉을 伯叔(같은 성씨)의 나라에 나눠주셔서 친함을 펴게 하시면, 사람들이 물건을 가볍게 여기지 아니하여 그 물건을 덕으로 생각할 것입니다. 덕이 융성하면 하찮게 여겨 업신여기지 않으니, 君子를 하찮게 여겨 업신여기면 사람의 마음을 다하게 할 수 없고, 小人을 하찮게 여겨 업신여기면 그 힘을 다하게 할 수 없을 것입니다. 이목에 부림을 당하지 말고 모든 법도를 바르게 하소서. 사람을 하찮게 여기면 덕을 잃고 물건에 이목이 미혹되면 뜻을 잃을 것玩物喪志입니다. 뜻을 道로써 편안케 하시고 남의 말을 도로써 대하소서.'(曰, '嗚呼! 明王愼德, 四夷咸賓, 無有遠邇, 畢獻方物, 惟服食器用. 王乃昭德之致于異姓之邦, 無替厥服, 分寶玉于伯叔之國, 時庸展親, 人不易物, 惟德其物. 德盛不狎侮, 狎侮君子, 罔以盡人心, 狎侮小人, 罔以盡其力. 不役耳目, 百度惟貞. 玩人喪德, 玩物

는 이 말을 듣고 불복했는데,[162] 맞는 것입니까 그른 것입니까?"

잠실 진씨潛室陳氏[陳埴][163]가 말했다. "명도는 총명과 예지로써 내면을 살펴보았기에 기억하지 못하는 글이 없었지만 기문記問(시·서를 암기하여 질문에 대비하는 것) 방면의 공부는 하지 않았다. 이 말은 바로 현도를 교화하려는 것이었으니, 기문이 장애가 되어 깨닫지 못하는 것을 애석하게 여긴 것이다."

[51-1-59]

西山眞氏曰: "孔子答門人問仁·孝, 皆是隨其資質而成就之. 聖人之教人, 猶化工之生物因材而篤, 於此可見."[164]

서산 진씨西山眞氏[眞德秀][165]가 말했다. "공자가 문인들이 인仁과 효孝에 대해 물었을 때 답한 것[166]은

. . . .

喪志. 志以道寧, 言以道接.')"

162 명도가 암기하고 … 불복했는데: 『上蔡語錄』권2에 그 이야기가 전한다. "명도 선생이 謝子가 기억하는 것이 매우 폭넓은 것을 보고 말했다. '그대는 많은 것을 기억하고 있으니, 玩物喪志라고 할 만하다.' 사자가 그의 힐난을 듣고는 몸에 땀이 나고 얼굴이 붉어졌다. 명도 선생이 말했다. '이것이 곧 惻隱之心이다.'(明道見謝子記問甚博, 曰, '賢却記得許多, 可謂玩物喪志.' 謝子被他折難, 身汗面赤. 先生曰, '只此便是惻隱之心.')"

163 陳埴(?~?): 자가 器之이고, 호는 木鐘이며, 세칭 潛室先生이라 하였다. 송대 永嘉(현 절강성 溫州) 사람으로 通直郞을 역임하였다. 어려서는 葉適에게 배우고 나중에는 주희에게서 배웠다. 저서는 『木鐘集』·『禹貢辨』·『洪範解』등이 있다.

164 『西山文集』권30

165 眞德秀(1178~1235): 자는 希元·景元·景希이고, 호는 西山이며, 시호는 文忠이다. 송대 浦城(복건성 蒲城) 사람으로 1199년에 진사에 급제하여 太學正·參知政事에 이르렀다. 어려서는 주희의 문인인 詹體仁에게 배우고, 스스로 '주희를 사숙하여 얻은 것이 있다.'라고 하였다. 특히 『대학』을 중시하여 '窮理·持敬'을 강조하였다. 저서는 『大學衍義』·『四書集編』·『讀書記』·『文章正宗』·『唐書考疑』·『西山文集』등이 있다.

166 공자가 문인들이 … 것: 공자는 그 제자들이 인이나 효에 대해 물었을 때, 때마다 다르게 대답했다. 樊遲가 인에 대해 물었을 때는 "어려운 일을 먼저 하고 얻는 것을 뒤로 미루면 인하다고 할 수 있다.(仁者先難而後獲, 可謂仁矣.)"고 했다.(『論語』「雍也」) 안연이 인에 대해 물었을 때는 "극기복례가 인이다. 하루라도 극기복례하면 천하가 이 사람을 인하다고 할 것이다. 인을 행하는 것이 나에게 달려 있지, 남에게 달려 있겠는가? (克己復禮爲仁. 一日克己復禮, 天下歸仁焉. 爲仁由己, 而由人乎哉?)"라고 했다.(『論語』「顏淵」) 仲弓이 인에 대해 물었을 때는 "문밖을 나서면 큰손님을 만난 듯이 하고, 백성을 부릴 때는 큰제사를 받들 듯이 하라. 내가 바라지 않는 바를 남에게 하지 마라. 그러면 나라에도 원망이 없고 집안에도 원망이 없을 것이다.(出門如見大賓, 使民如承大祭. 己所不欲, 勿施於人. 在邦無怨, 在家無怨.)"라고 했다.(『論語』「顏淵」) 司馬牛가 인에 대해 물었을 때는 "인한 사람은 말할 때 신중하여 머뭇거리듯 한다.(仁者, 其言也訒.)"라고 했다.(『論語』「顏淵」) 번지가 인에 대해 물었을 때는 "남을 사랑하는 것이다.(愛人.)"라고 했고,(『論語』「顏淵」) 다시 또 번지가 인에 대해 물었을 때는 "평상시에는 공손하고, 일할 때는 경건하며, 남과 함께할 때는 충성스럽다. 이는 오랑캐 땅에 간다 하더라도 버려서는 안 된다.(居處恭, 執事敬, 與人忠. 雖之夷狄, 不可棄也.)"라고 했다.(『論語』「子路」) 子張이 인에 대해 물었을 때는 "천하에서 다섯 가지를 행할 수 있으면 인이라 한다. … 공손함·관대함·신의·민첩함·은혜로움이다. 공손하면 모욕당하지 않을 것이고, 관대하면 여러 사람의 마음을 얻을 것이며, 신의를 지키면 남이 그에게 일을 맡길 것이고, 민첩하면 공로가 있을 것이며, 은혜로우면 충분히 남을 부릴 수 있게 될 것이다.(能行五者於天下爲仁矣. … 恭·寬·信·敏·惠. 恭則不侮, 寬則

모두 그 자질에 따라 성취하게 하는 것이었다. 성인聖人이 남을 가르치는 일은 조물주가 만물을 생하는 데 있어 자질에 따라 돈독하게 해주는 것[167]과 같음을 여기에서 볼 수 있다."

[51-1-60]

魯齋許氏曰: "聖人是因人心固有良知良能上扶接將去. 他人心本有如此意思. 愛親敬兄, 藹然四端, 隨感而見. 聖人只是與發達推擴, 就他元有的本領上進將去, 不是將人心上元無的強安排與他. 後世却將良知良能去斲喪了, 却將人性上元無的強去安排栽接. 如雕蟲小技, 以此學校廢壞, 壞却天下人才. 及去做官, 於世事人情, 殊不知遠近, 不知何者爲天理民彝. 似此, 民何由嚮方, 如何養得成風俗? 他於風化人倫, 本不曾學, 他家本性已自壞了, 如何化得人!"[168]

노재 허씨魯齋許氏[許衡][169]가 말했다. "성인聖人은 사람의 마음에 본디부터 있는 양지良知와 양능良能에 근거하여 도와준다. 저 사람의 마음에는 본디 이와 같은 뜻이 있다. 부모를 사랑하고 형을 공경하는 것은 성대한 사단四端이 감感하는 데 따라 나타나는 것이다.[170] 성인은 다만 발전시켜 확장해 나가도록 도와주었을 뿐이고 그들은 본래 갖고 있던 본령에서 진작시켜 나간 것이지, 사람의 마음에 본래 없는 것을 억지로 안배해 주었던 것이 아니다. 후세에는 오히려 양지와 양능을 해치고 말았으니, 인간 본성에 본래 없는 것을 억지로 안배하고 취사했던 것이다. 문장의 자구字句나 수식하는 보잘것없는 재주 같은 것으로 학교를 퇴락시키고 천하의 인재 또한 망쳐놓았다. 관리가 되었어도 세상사 인정人情에서 관계의

. . . .

得衆, 信則人任焉, 敏則有功, 惠則足以使人.)"라고 했다.(『論語』「陽貨」) 孟懿子가 효에 대해 물었을 때는 "어기지 않는 것이다. … 살아계실 때는 예로써 섬기고, 돌아가시면 예로써 장사 지내며, 예로써 제사 지내는 것이다.(無違. … 生事之以禮, 死葬之以禮, 祭之以禮.)"라고 했다.(『論語』「爲政」) 孟武伯이 효에 대해 물었을 때는 "부모는 오직 자식이 병들지 않을까만 근심한다.(父母唯其疾之憂.)"고 했다.(『論語』「爲政」) 子游가 효에 대해 물었을 때는 "오늘날 효라는 것을 봉양할 수 있는 것이라고 말한다. 개나 말도 모두 봉양할 수 있는 것이니, 공경하지 않는다면 무슨 차이가 있겠는가?(今之孝者, 是謂能養. 至於犬馬, 皆能有養, 不敬, 何以別乎?)"라고 했다(『論語』「爲政」). 子夏가 효에 대해 물었을 때는 "안색을 바르게 하기가 어렵다. 일이 있으면 자식이 하고 술과 음식이 있으면 부모가 먹고, 어찌 이것을 효라 하겠느냐?(色難. 有事, 弟子服其勞, 有酒食, 先生饌, 曾是以爲孝乎?)"라고 했다.(『論語』「爲政」)

167 조물주가 만물을 … 것: 『中庸』 17장에서는 "때문에 하늘이 만물을 생할 때는 반드시 그 자질에 따라 돈독하게 해주는 것이다. 그러므로 심은 것은 북돋워주고 기울어 있는 것은 엎어버린다.(故天之生物, 必因其材而篤焉. 故栽者培之, 傾者覆之.)"라고 했다.

168 『魯齋遺書』 권1

169 許衡(1209~1281): 元 河內 출신. 자는 仲平. 호는 魯齋. 程朱學者로 魯齋先生이라고 불린다. 시호는 文正. 經學, 子史, 禮樂, 名物, 星曆, 兵刑, 食貨, 水利에 널리 통달했다. 특히 程朱의 학을 받들었다. 劉因과 함께 원의 두 大家라고 불렸다. 世祖 때 벼슬에 나아가 國子祭酒, 中書左丞을 지냈다. 阿哈馬特의 擅權을 논하고 관직을 떠났다. 가르치기를 잘하여 따라서 배우는 사람이 많았다. 저서에 『讀易私言』·『魯齋心法』·『魯齋遺書』가 있다.

170 부모를 사랑하고 … 것이다. : 『朱文公文集』 권76「小學題辭」에서는 "무릇 그 처음은 善하지 않음이 없어서 성대히 네 가지 실마리가 感함에 따라 나타난다.(凡此厥初, 無有不善, 藹然四端, 隨感而見.)"라고 했다.

친소親疎를 전혀 알지 못하고, 무엇이 천리天理가 되고 민이民彝(사람이 지켜야 할 떳떳한 도리)가 되는지 알지 못한다. 이래서야 백성이 어떻게 지향하는 바를 두겠으며, 무슨 풍속을 길러 이룰 수 있겠는가? 저들은 풍속교화와 인륜에 대해 본래 배운 적이 없어 그 본성이 이미 스스로 무너져버렸으니, 어떻게 남을 감화시킬 수 있겠는가!'

[51-1-61]

"稱人之善, 宜就迹上言, 議人之失, 宜就心上言. 蓋人之初心, 本自無惡. 特以利欲驅之, 故失正理. 其始甚微, 其終至於不可救. 仁人雖惡其去道之遠, 然亦未嘗不愍其昏暗無知, 誤至此極也. 故議之, 必從始失之地言之, 使其人聞之, 足以自新而無怨. 而吾之言, 亦自爲長厚切要之言. 善迹旣著, 卽從而美之, 不必更求隱微主爲一定之論. 在人聞, 則樂於自勉, 在我, 則爲有實驗, 而又無他日之弊也."[171]

(노재 허씨가 말했다.) "사람의 선을 칭찬할 때는 마땅히 행적에 대해 말해야 하고, 사람의 실책을 평의할 때는 마땅히 마음에 대해 말해야 한다. 사람의 초심初心에는 본래 악이 없다. 다만 이욕利欲으로써 그것을 내몰아 올바른 도리를 잃은 것뿐이다. 그 시작은 매우 미미하지만 종국에는 구제할 수 없는 지경에 이른다. 어진 사람은 도道와 멀어진 것을 싫어하면서도 혼미하고 무지하여 잘못이 이처럼 극에 이르게 된 것을 근심하지 않은 적이 없었다. 그러므로 그것에 대해 평의할 때는 반드시 처음의 잘못된 지점부터 말하여, 그 사람이 이러한 사실을 들어 스스로 고치고 원망하는 마음이 없도록 하였다. 그렇게 하면 나의 말 역시 저절로 정중하며 너그럽고 긴요해진다. 선한 행적이 이미 드러났다면 따르고 찬미할 일이지, 다시 은미한 것을 구해 일정한 이론을 세우는 것을 주로 할 필요가 없다. 듣는 사람 입장에서는 스스로 힘쓰기를 즐기게 될 것이고, 내 입장에서는 실천하고 체험하여 또 다른 날의 폐단이 없게 될 것이다."

[51-1-62]

"善惡消長. 善少惡多, 則長其善而不敢攻其惡. 善多惡少, 然後敢攻. 治病亦然, 痼病之人且當扶護元氣. 至如聖人於門弟子敎養之際亦如此."

(노재 허씨가 말했다.) "선악에는 성쇠가 있다. 선이 적고 악이 많을 때라면 선을 자라게 하되 감히 악을 공격하지 않는다. 선이 많고 악이 적어진 후에야 굳세게 배척한다. 병을 다스리는 것이 또한 그러하니, 고질병이 있는 사람은 일단 원기를 붙들어 지켜야 하는 것이다. 성인이 문하 제자들을 교육하고 양성할 때 역시 그렇게 하였다."

[51-1-63]

"敎人, 使人必先使有恥, 無恥則無所不爲. 旣知此, 又須養護其知恥之心, 督責之使有所畏,

171 『魯齋遺書』 권1

榮耀之使有所慕. 督責榮耀, 皆非所以爲敎也, 到無所畏不知慕時, 都行將不去."[172]

(노재 허씨가 말했다.) "남을 가르칠 때는 반드시 먼저 부끄러움을 알도록 해야 하니, 부끄러움을 모르면 하지 못할 일이 없기 때문이다. 이러한 사실을 이미 알고 있다면, 또한 부끄러움을 아는 마음을 길러 지키고 이를 감독하고 문책하여 두려워하는 것이 있게 하며, 영예롭게 하여 우러러 받드는 것이 있게 해야 한다. 감독하여 문책하거나 영예롭게 하는 일은 모두 가르침으로 삼는 바가 아니지만, 두려운 것도 없고 우러러 받들 줄도 모르는 지경에 이르러서는 모두 진보해 나갈 수 없기 때문이다."

172 『魯齋遺書』 권1

學十 학 10

人倫 師友附   인륜 스승과 벗 첨부

[52-1-1]

問: "'盡其道謂之孝弟.'¹ 夫以一身推之, 則身者, 資父母血氣以生者也. 盡其道者則能敬其身,
敬其身者則能敬其父母矣. 不盡其道則不敬其身, 不敬其身則不敬父母. 其斯之謂歟?"

程子曰: "今士大夫受職於君, 期盡其職.² 受身於父母,³ 安可不盡其道?"⁴

물었다. "선생님은 '그 도道를 다 발휘하는 것을 효제孝弟(효도와 우애)라고 한다.'라고 하였습니다. 그런데
한 몸으로 미루어 보면 몸은 부모의 혈기에 의지해서 생겨나는 것입니다. 그 도道를 다 발휘하는 사람은
그 몸을 공경하고, 그 몸을 공경하는 사람은 그 부모를 공경합니다. 그 도를 다 발휘하지 못하면 그
몸을 공경하지 못하고, 그 몸을 공경하지 못하면 부모를 공경하지 못합니다. 그 말은 이것을 말하는
것입니까?"

정자程子가 대답했다. "지금 사대부가 군주에게 직무를 받으면 그 직무를 다 발휘하기를 기대한다. 더구
나 부모에게 몸을 받았는데 어찌 그 도를 다 발휘하지 않을 수 있겠는가?"

[52-1-2]

問: "第五倫視其子之疾與兄子之疾不同, 自謂之私, 如何?"

曰: "不特安寢與不安寢, 只不起與十起, 便是私也. 父子之愛本是公, 纔著些心做, 便是私
也."

. . . .

1 '盡其道謂之孝弟.': 『河南程氏遺書』 권23에는 이 구절 앞에 "先生曰"이라는 말이 더 있다.

2 期盡其職: 『河南程氏遺書』 권23에는 "尙期盡其職事"라고 되어 있다.

3 受身於父母: 『河南程氏遺書』 권23에는 "又況親受身於父母"라고 되어 있다.

4 『河南程氏遺書』 권23

물었다. "제오륜[5]은 자기 자식의 병을 살피는 것이 조카의 병과 같지 않음을, 스스로 사사로움이라고 하였는데,[6] 어떻습니까?"

(정자가) 대답했다. "다만 편안히 자는 것과 편안하게 자지 못하는 것 뿐 아니라, 다만 일어나지 않는 것과 열 번 일어나는 것도 바로 사사로운 것이다. 부자간의 사랑은 본래 공통적인 것이지만 조금이라도 집착하는 마음을 가지면 곧바로 사사로운 것이다."

又問: "視己子與兄子有間否?"

曰: "聖人立法曰, '兄弟之子猶子也.' 是欲視之猶子也."

또 물었다. "자기 지식을 살피는 것이 조카와 차이가 있습니까?"

(정자가) 대답했다. "성인이 법도를 세워서 '형제의 자식은 자기의 자식과 같다.'[7]라고 하였다. 이것은 조카를 살피는 것을 자기 자식과 같도록 하려는 것이다."

又問: "天性自有輕重, 疑若有間然.?"

曰: "只爲今人以私心看了. 孔子曰, '父子之道, 天性也.' 此只就孝上說, 故言父子天性. 若君臣・兄弟・賓主・朋友之類, 亦豈不是天性? 只爲今人小看, 却不推其本所由來故爾. 己之子與兄之子, 所爭幾何? 是同出於父者也. 只爲兄弟異形, 故以兄弟爲手足. 人多以異形, 故親己之子異於兄弟之子, 甚不是也."[8]

• •

5 第五倫: 자는 伯魚이고, 東漢 때 京兆長陵(현 섬서성 咸陽) 사람이다. 젊어서부터 의로운 행위로 칭찬을 받았고, 光武 建武 29년(53년)에 孝廉으로 천거되어 나중에 會稽太守가 되었다. 章帝가 즉위하자 司空에 발탁 되었는데, 글을 올려 외척들의 발호를 억제할 것을 건의했다. 공무를 잘 받들고 절조를 지켜 관료로서 청백리 라는 칭송을 들었다. 나중에 늙고 병들었다는 이유로 사직하고 귀향했다.

6 제오륜은 자기 … 하였는데: 『後漢書』 권41 「第五鍾離宋寒列傳」에서 "어떤 사람이 第五倫에게 묻기를 '公께 서도 사사로운 마음이 있습니까?' (제오륜이) 대답했다. '예전에 어떤 사람이 나에게 천리마를 주려고 한 적이 있다. 나는 비록 받지는 않았지만 三公이 모여 인물을 선발하고 천거하는 일이 있을 때마다 그 사람이 마음속 으로 생각났다. 그러나 끝내 등용하지는 않았다. 그리고 내 조카가 지난번에 병들었을 때 하룻밤에 열 번을 찾아갔지만 돌아 와서는 편안히 잠들었다. 하지만 내 자식이 병이 났을 때는 비록 한 번도 病勢를 살펴보지는 않았지만 밤새 잠을 이루지 못했다. 이와 같은 것에 어떻게 사사로움이 없다고 하겠는가?(或問倫曰, '公有私 乎?' 對曰, '昔人有與吾千里馬者, 吾雖不受, 每三公有所選擧, 心不能忘, 而亦終不用也. 吾兄子常病, 一夜十往, 退而安寢; 吾子有疾, 雖不省視而竟夕不眠. 若是者, 豈可謂無私乎?)"라고 하였다.

7 '형제의 자식은 … 같다.': 『禮記』 제3 「檀弓」에서 "「喪服」의 규정에, 형제의 자식은 자기의 자식과 같으니, 상복의 기간을 끌어당겨서 더 나아가기 때문이다. 형수와 숙모에 대해서는 복을 입지 않으니, 상복의 기간을 밀어서 소원하게 하기 때문이다. 고모와 누나와 누이동생에 대해서 복을 줄여서 하니, 나에게서 받은 것을 그들이 두텁게 하기 때문이다.(喪服, 兄弟之子猶子也, 蓋引而進之也; 嫂叔之無服也, 蓋推而遠之也; 姑・姉・妹之薄也, 蓋有受我而厚之者也.)"라고 하였다.

8 『河南程氏遺書』 권18

또 물었다. "천성天性에는 본래 경중이 있으니, 의심컨대 이와 같이 차이가 있는 것 같습니다."

(정자가) 대답했다. "다만 요즘 사람들이 사심私心으로 보기 때문이다. 공자는 '부자간의 도리는 천성天性이다.'[9]라고 말했다. 이것은 다만 효孝에서 말한 것이므로 부자간은 천성이라고 한 것이다. 그런데 군주와 신하의 관계, 형제 관계, 손님과 주인관계, 친구 관계 따위도 어찌 천성이 아니겠는가? 다만 요즘 사람들이 가볍게 보아서, 도리어 그 근본이 유래한 것을 미루어보지 않기 때문일 뿐이다. 자기 자식과 조카 간에 다툴 것이 얼마나 되겠는가? 같이 아버지에게서 나온 자들이다. 다만 형제간에는 형체가 다르기 때문에 형제관계를 수족관계로 여긴다. 사람들은 대부분 형체가 다르기 때문에 자기의 자식을 친하게 여기는 것이 형제의 자식과는 다른데, 매우 옳지 않다."

[52-1-3]

問 : "人子事親學醫, 如何?"

曰 : "最是大事. 今有璞玉於此, 必使玉人雕琢之. 蓋百工之事, 不可使一人兼之, 故使玉人雕琢之也. 若更有珍寶物, 須是自看, 却必不肯任其自爲也. 今人視父母疾, 乃一任醫者之手, 豈不害事? 必須識醫藥之道理, 別病是如何, 藥當如何, 故可任醫者也."

물었다. "자식의 입장에서 부모를 섬기기 위해 의술을 배우는 것이 어떻습니까?"

(정자가) 대답했다. "이것은 가장 큰 일이다. 지금 아직 다듬지 않은 옥이 여기에 있으면 반드시 옥을 다듬는 사람에게 그것을 다듬도록 할 것이다. 온갖 공인工人의 일을 한 사람이 다 겸할 수 없으므로 옥을 다듬는 사람에게 그것을 다듬도록 하는 것이다. 만약 더욱 진귀한 보물이 있다면 반드시 스스로 살펴보지 옥 다듬는 사람이 제멋대로 하도록 맡겨두지 않으려 할 것이다. 요즘 사람들은 부모가 병이 든 것을 보면 바로 의사의 손에 맡겨버리는데 어찌 일을 해치는 것이 아니겠는가? 반드시 의약醫藥의 도리를 알아서 병이 어떠하고 약은 어떠한 것을 써야하는지 변별하고서야 의사에게 맡길 수 있는 것이다."

或曰 : "己未能盡醫者之術, 或偏見不到, 適足害事, 奈何?"

曰 : "且如識圖畫人, 未必畫得如畫工, 然他却識別得工拙. 如自己曾學, 令醫者說道理, 便自見得. 或己有所見, 亦要說與他商量.[10][11]

어떤 사람이 물었다. "자기가 의술을 충분히 알지 못하거나 혹 편견으로 지극하지 못하면 일을 해치기만 할 것인데 어찌합니까?"

(정자가) 대답했다. "예컨대 그림을 볼 줄 아는 사람은 반드시 화공畫工과 같이 그림을 잘 그리지는 못하

---

9 '부자간의 도리는 天性이다.' : 『孝經』「聖治章」에서 "부자간의 도리는 天性이며, 군주와 신하간의 義이다.(父子之道, 天性也, 君臣之義也.)"라고 하였다.

10 亦要說與他商量. : 『河南程氏遺書』 권18에는 "亦可說與他商量"이라고 되어 있다.

11 『河南程氏遺書』 권18

지만, 그는 또한 그림이 훌륭한지 서투른지를 식별할 수 있다. 만약 자기가 의술을 배운 적이 있으면서 의사에게 도리를 말하도록 하면 스스로 알 수 있다. 혹 자기의 견해가 있으면 역시 말을 해서 의사와 상의해야 한다."[12]

[52-1-4]

"君臣朋友之際, 其合不正, 未有久而不離者. 故賢者順理而安行, 智者知幾而固守."[13]

(정자가 말했다.) "군신 관계와 친구 관계에서 그 결합이 바르지 않으면, 오래되어 서로 헤어지지 않은 자가 없다. 그러므로 현자賢者는 도리에 순응해서 자연스럽게 실행하며, 지자智者는 기미를 알아서 굳게 지킨다."

[52-1-5]

問: "妻可出乎?"

曰: "妻不賢, 出之何害? 如子思亦嘗出妻. 今世俗乃以出妻爲醜行, 遂不敢爲, 古人不如此. 妻有不善, 便當出也. 只爲今人將此作一件大事, 隱忍不敢發. 或有隱惡, 爲其陰持之, 以至縱恣養成不善, 豈不害事? 人修身, 刑家最急. 纔修身, 便到刑家上也."

물었다. "아내를 내쫓아도 됩니까?"

(정자가) 대답했다. "아내가 어질지 않으면 내쫓아도 무엇이 해롭겠는가? 예컨대 자사子思도 아내를 내쫓은 적이 있다. 요즘 세속에서 아내를 내쫓는 것을 추악한 행위라고 하여 마침내 감히 그렇게 하지 않는데, 옛날 사람들은 그렇게 하지 않았다. 아내에게 선하지 않음이 있으면 곧바로 내쫓아야 했다. 다만 요즘 사람들은 이 일을 큰 일로 여기기 때문에 차마 숨기고 감히 발로하지 않는다. 간혹 악을 숨겨서 그 음陰을 지탱해주어 방자하게 불선不善을 양성하기에 이르면 어찌 일에 해롭지 않겠는가? 사람이 수신修身함에 있어서 집안을 다스리는 일이 가장 긴급하다. 수신하려고 하면 곧바로 집안을 다스리는 일에 이르게 된다."

又問: "古人出妻, 有以對姑叱狗, 蒸藜不熟者, 亦無甚惡而遽出之, 何也?"

曰: "此古人忠厚之道也. 古之人交絶不出惡聲. 君子不忍以大惡出其妻, 而以微罪去之, 以此見其忠厚之至也. 且如叱狗於親前者, 亦有甚大故不是處? 只爲他平日有故, 因此一事出之爾."

또 물었다. "옛날 사람들이 아내를 내쫓을 때, 어떤 경우는 시어머니를 대하고도 개를 꾸짖고 야채를 제대로 익히지 않았다는 것을 이유로 삼으니, 이 또한 별로 악한 것도 없는데 갑자기 내쫓는 것은 무엇

. . . .

12 "예컨대 그림을 … 한다.": 呂柟의 『二程子抄釋』 권4에서 이 구절에 대해, "배우는 사람은 마음을 다스리는 것 외에 이 일(의술을 배우는 일)이 긴요하다는 것을 설명했다.(釋學者治心之外, 此事要急.)"라고 주석하였다.
13 『河南程氏粹言』 권下 「君臣篇」

때문입니까?"

(정자가) 대답했다. "이것은 옛날 사람들의 진실하고 관대한 도리이다. 옛날 사람들을 절교할 때 나쁜 말을 하지 않았다. 군자는 차마 큰 악으로 그 아내를 내쫓을 수 없어 미세한 죄로 쫓아냈으니, 이것으로 그 진실하고 관대함이 지극한 것을 알 수 있다. 예컨대 시부모 앞에서 개를 꾸짖는 것은 또한 무슨 크게 잘못된 곳이 있겠는가? 다만 그가 평상시에 문제가 있기 때문에 이 한 가지 일을 들어서 내쫓았을 뿐이다."

或曰: "彼以此細故見逐, 安能無辭? 兼他人不知是與不是, 則如之何?"

曰: "彼必自知其罪. 但自己理直可矣, 何必敎他人知? 然有識者, 當自知之也. 如必待彰暴其 妻之不善, 使他人知之, 是亦淺丈夫而已, 君子不如此. 大凡人說話, 多欲令彼曲我直. 若君子 自有一箇含容意思."

어떤 사람이 물었다. "그 사람은 이렇게 사소한 일 때문에 쫓겨나는데 어찌 변명이 없을 수 있습니까? 또한 다른 사람이 옳고 그름을 알지 못하면 어떻게 합니까?"

(정자가) 대답했다. "그 사람은 반드시 스스로 그 죄를 알 것이다. 다만 스스로 이유가 바르면 되지 하필 다른 사람이 알도록 하겠는가? 그러나 잘 아는 사람은 당연히 스스로 알 것이다. 만약 기필코 그 아내의 불선을 드러내기를 기다려 다른 사람들이 알도록 하는 것은 비천한 사람이 그렇게 할 뿐, 군자는 이와 같이 하지 않는다. 대체로 사람들이 말하는 것은 대부분 저 사람은 왜곡되었고 나는 바르다고 여기기를 바란다. 만약 군자라면 본래 용납하는 의미를 가지고 있다."

或曰: "古語有之, '出妻令其可嫁, 絶友令其可交', 乃此意否?"

曰: "是也."[14]

어떤 사람이 물었다. "옛말에 '아내를 내쫓을 때는 아내가 시집을 갈 수 있도록 해주며, 벗과 절교할 때는 벗이 다른 사람을 사귈 수 있도록 해준다.'라고 한 것이 바로 이 의미입니까?"

(정자가) 대답했다. "그렇다."

[52-1-6]

問: "再娶皆不合禮否?"

曰: "大夫以上無再娶禮. 凡人爲夫婦時, 豈有一人先死, 一人再娶, 一人再嫁之約? 只約終身 夫婦也. 但自大夫以下, 有不得已再娶者, 蓋緣奉公姑, 或主內事爾. 如大夫以上至諸侯·天 子, 自有嬪·妃可以供祀禮, 所以不許再娶也."[15]

· · · · · · · · · · · · · · · ·

14 『河南程氏遺書』 권18
15 『河南程氏遺書』 권22下

물었다. "재취再娶는 모두 예禮에 맞지 않습니까?"

(정자가) 대답했다. "대부大夫 이상은 재취하는 예禮가 없다. 무릇 사람들이 부부가 될 때 어찌 한 사람이 먼저 죽으면 나머지 한 사람이 재취한다거나 재가再嫁한다는 약속을 할 수 있겠는가? 다만 죽을 때까지 부부를 약속할 뿐이다. 그러나 대부로부터 그 이하는 어쩔 수 없이 재취하는 사람도 있으니, 시부모를 봉양한다거나 혹은 집안의 제사를 주관해야하기 때문이다. 만약 대부 이상 제후와 천자에 이르기까지는 본래 빈嬪과 비妃가 있어서 제사를 받들 수 있으므로 재취를 허가하지 않는다."

[52-1-7]

"世人多愼於擇壻, 而忽於擇婦. 其實壻易見, 婦難知, 所繫甚重, 可忽哉!"[16]

(정자가 말했다.) "세상 사람들은 사위를 선택하는 데에 신중하지만 며느리를 선택하는 데에는 소홀히 한다. 그러나 사실 사위는 쉽게 알 수 있지만 며느리는 알기 어렵고, 관련된 일이 매우 중요하니 소홀히 할 수 있겠는가!"

[52-1-8]

問 : "事兄盡禮, 不得兄之歡心, 奈何?"

曰 : "但當起敬·起孝, 盡至誠, 不求伸己, 可也."

曰 : "接弟之道, 如何?"

曰 : "盡友愛之道而已."[17]

물었다. "형을 섬기기에 예禮를 다 했는데도 형의 환심을 얻지 못하면 어떻게 해야겠습니까?"

(정자가) 대답했다. "다만 경敬과 효孝를 해야 하니, 지성至誠을 다하고 자기 주장을 펼치기를 구하지 않으면 된다."

물었다. "아우를 대하는 도리는 어떻습니까?"

(정자가) 대답했다. "우애를 다하는 도리일 뿐이다."

[52-1-9]

"周公之於兄, 舜之於弟, 皆一類. 觀其用心爲何如哉? 推此心以待人, 亦只如此. 然有差等耳."[18]

(정자가 말했다.) "주공周公이 형에 대한 태도와 순임금이 아우에게 대한 태도는 모두 같은 부류이다. 그 마음 쓰는 것을 살펴보면 어떠한가? 이 마음을 미루어 다른 사람을 대하는 것도 역시 다만 이와 같을 뿐이다. 그러나 차등이 있을 뿐이다."

---

16 『河南程氏遺書』 권1
17 『河南程氏遺書』 권18
18 『河南程氏遺書』 권22下

[52-1-10]

涑水司馬氏曰: "某事親無以踰於人, 能不欺而已矣. 其事君亦然."[19]

속수 사마씨涑水司馬氏[司馬光][20]가 말했다. "내가 부모를 섬긴 것은 다른 사람보다 뛰어난 것이 없으니, 부모를 기만하지 않았을 뿐이다. 군주를 섬기는 데에도 그러하였다."

[52-1-11]

"受人恩而不忍負者, 其爲子必孝, 爲臣必忠."[21]

(속수 사마씨가 말했다.) "다른 사람의 은혜를 입고 차마 저버리지 못하는 사람은, 자식이 되어서는 반드시 효도하고 신하가 되어서는 반드시 충성할 것이다."

[52-1-12]

滎陽呂氏曰: "孝子事親, 須事事躬親, 不可委之使令也. 嘗觀『穀梁』言 '天子親耕以供粢盛, 王后親蠶以供祭服, 國非無良農·工女也. 以爲人之所盡事其祖禰, 不若以己所自親者也.' 此說最盡事親之道."

형양 여씨滎陽呂氏[呂希哲][22]가 말했다. "효자가 부모를 섬김에 모름지기 일마다 몸소 처리해야지 사령使令[奴僕]에게 맡길 수 없다. 일찍이 『춘추곡량전春秋穀梁傳』에서, '천자가 몸소 경작을 해서 제사에 쓸 곡식을 받들고 왕후가 몸소 누에를 쳐서 제복祭服을 받들면, 나라 안에는 훌륭한 농부와 기예가 뛰어난 여공女工 아닌 사람이 없을 것이다. 사람들이 그 조상을 섬기는 것을 힘을 다해야 할 것으로 생각하면 자기 스스로 몸소 제사를 받드는 것 만한 것이 없다.'[23]라고 하였다. 이 말이 부모를 섬기는 도리를 가장 잘 설명했다."

又說: "爲人子者, 視於無形, 聽於無聲, 未嘗頃刻離親也. 事親如天, 頃刻離親, 則有時而違天. 天不可得而違也."[24]

· · · · · · · · · · · · · · · · · · · ·

19 司馬光, 『傳家集』 권74 「迂書」
20 司馬光(1019~1086): 자는 君實이고, 호는 迂夫와 만년의 迂叟이며, 시호는 文正이다. 세칭 司馬太師·溫國公·涑水先生이라 한다. 송대 夏縣 涑水鄕(현 산서성 夏縣) 사람으로 翰林侍讀·權御使中丞·門下侍郎 등을 역임하였다. 왕안석의 신법에 반대하여 퇴출되었다가 재상으로 복직하여 신법을 폐지하였다. 저서는 『文集』과 『資治通鑑』·『稽古錄』·『易說』·『潛虛』 등이 있다.
21 司馬光, 『傳家集』 권74 「迂書」
22 呂希哲(1039~1116): 자는 原明이고, 학자들이 滎陽先生이라고 불렀다. 송대 壽州(현 안휘성 鳳台) 사람이다. 呂公著의 아들로 어려서부터 焦千之, 孫復, 石介, 胡瑗에게 수학하였다. 范祖禹의 추천을 받아 崇政殿說書를 지냈다. 程頤와 나이가 서로 비슷하였지만, 정이의 학문을 깊이 존경하여 나중에는 스승으로 섬겼다. 그는 '하나의 문파를 주로하지 않고 하나의 학설을 사사로이 하지 않는다.'라고 주장하여, 마침내 여씨 家學의 기본적인 특징을 이루었다. 저서에 『滎陽公說』·『呂氏雜記』 등이 있다.
23 '천자가 몸소 … 없다.': 『春秋穀梁傳』 「桓公 14년」
24 呂本中의 『童蒙訓』 권下에 呂希哲의 말로 기록되어 있다.

(형양 여씨가) 또 말했다. "자식이 된 자는 형체가 없는 것에서 보고 소리가 없는 데에서 들어서 잠시라도 부모와 떨어진 적이 없다. 부모를 섬기는 것은 천天과 같으니 잠시라도 부모와 떨어지면 그 때는 천天을 어기는 것이다. 천天은 어길 수 없다."

[52-1-13]

藍田呂氏曰: "君子之道莫大乎孝, 孝之本莫大乎順親. 故仁人·孝子欲順乎親, 必先乎妻子不失其好, 兄弟不失其和, 室家宜之, 妻帑樂之, 致家道成, 然後可以養父母之志而無違也.[25] 故身不行道, 不行於妻子. 文王刑于寡妻, 至于兄弟, 則治家之道必自妻子始."[26]

남전 여씨藍田呂氏[呂大鈞][27]가 말했다. "군자의 도道는 효孝보다 큰 것이 없고, 효의 근본은 부모에게 순응하는 것보다 큰 것이 없다. 그러므로 인仁한 사람과 효자가 부모에게 순응하려고 할 때는, 반드시 먼저 처자妻子와의 좋은 관계를 잃지 않고 형제와 화합하는 것을 잃지 않아, 집안이 화순하고 처자妻子가 즐거워해서[28] 집안의 도道가 이루어지게 된 뒤에 부모의 뜻을 봉양하여 어김이 없을 것이다. 그러므로 자신이 도를 실행하지 않으면 처자에게 실행되지 않는다. 문왕은 아내에게 본보기가 되어 형제에게 이르렀으니,[29] 집안을 다스리는 도는 반드시 처자로부터 시작한다."

[52-1-14]

豫章羅氏曰: "君明, 君之福; 臣忠, 臣之福. 君明·臣忠則朝廷治安, 得不謂之福乎? 父慈, 父之福; 子孝, 子之福. 父慈·子孝則家道隆盛, 得不謂之福乎? 俗人以富貴爲福, 陋哉!"[30]

예장 나씨豫章羅氏[羅從彦][31]가 말했다. "군주가 현명하면 군주의 복이고 신하가 충성스러우면 신하의 복이

---

25 然後可以養父母之志而無違也.: 朱熹의 『中庸輯畧』 권上에는 이 구절 뒤에 "行遠登高者, 謂孝莫大乎順其親也; 自邇自卑者, 謂本乎妻子兄弟者也.(먼 곳을 가고 높은 곳을 오른다는 것은 효가 그 부모에게 순응하는 것보다 큰 것이 없다는 것을 말하며, 가까운 데로부터 하고 낮은 곳부터 한다는 것은 처자와 형제에 근본한다는 것을 말한다.)"라는 말이 더 있다.

26 朱熹의 『中庸輯畧』 권上에 呂大鈞의 말로 인용되고 있다.

27 呂大鈞(1031~1082): 자는 和叔이고, 呂大防의 동생이다. 북송 京兆藍田(현 섬서성 소속) 사람이다. 仁宗 嘉祐 2년(1057) 進士가 되고, 秦州右司理參軍, 書寫機密文字를 역임했고, 송나라가 西夏를 공격하자 鄜延轉運使의 檄文을 썼다고 한다. 張載의 문인으로 그의 학문을 전한 중요 인물이다. 학문은 예를 근본으로 삼아 실천과 治用을 중시했다. 저서에 『四書注』와 『誠德集』이 있었지만 대부분 없어지고, 지금은 『呂氏鄕約』과 「鄕儀」, 「吊說」 등이 남아 있다.

28 집안이 화순하고 … 즐거워해서: 『詩』「小雅·鹿鳴之什·常棣」에서 "너의 집안을 화순하게 하고 너의 妻子를 즐겁게 하는 것을, 이것을 연구하고 이것을 도모하면 그러함을 믿게 될 것이다.(宜爾室家, 樂爾妻帑, 是究是圖, 亶其然乎.)"라고 하였다.

29 문왕은 아내에게 … 이르렀으니: 『詩』「大雅·文王之什·思齊」에서 "아내에게 본보기가 되고 형제에게 이르러 집과 나라를 다스렸다.(刑于寡妻, 至于兄弟, 以御于家邦.)"라고 하였다.

30 羅從彦, 『豫章文集』 권11 「雜著」

31 羅從彦(1072~1135): 자는 仲素이고 호는 豫章이며, 시호는 文質이다. 세칭 豫章先生이라고 불렀다. 송나라

다. 군주가 현명하고 신하가 충성스러우면 조정이 정치가 안정되니 복이라 하지 않을 수 있겠는가? 아버지가 자애로우면 아버지의 복이고 자식이 효도하면 자식의 복이다. 아버지가 자애롭고 자식이 효도하면 가정의 도道가 융성하니 복이라 하지 않을 수 있겠는가? 세속의 사람들이 부귀를 복으로 여기는 것은 비루하다!"

[52-1-15]

韋齋朱氏曰: "父子主恩, 君臣主義. 是爲天下之大戒, 無所逃於天地之間. 如人食息呼吸於元氣之中, 一息之不屬, 理必至於斃. 是以自昔聖賢立法垂訓, 所以維持防範於其間者, 未嘗一日而少忘.[32][33]

위재 주씨韋齋朱氏[朱松]가 말했다. "아버지와 자식은 은혜를 위주로 하고 군주와 신하는 의리를 위주로 한다. 이것은 천하의 큰 법칙으로서 천지 사이에서 피할 수 없는 것이다. 예컨대 사람이 원기元氣 안에서 먹고 쉬며 호흡할 때, 한 숨이라도 이어지지 않으면 이치상 반드시 죽음에 이르는 이치와 같다. 그러므로 옛날 성현이 법도를 세우고 가르침을 내려 그 사이에서 유지하고 경계시킨 것을 하루라도 잠시 잊은 적이 없다."

[52-1-16]

朱子曰: "聖人之於天地, 猶子之於父母."[34]

주자朱子[朱熹]가 말했다. "성인이 천지에 대한 관계는 마치 자식이 부모에 대한 관계와 같다."

[52-1-17]

"人之所以有此身者, 受形於母而資始於父. 雖有強暴之人, 見子則憐; 至於襁褓之兒, 見父則笑, 果何爲而然哉? 初無所爲而然, 此父子之道, 所以爲天性而不可解也. 然父子之間, 或有不盡其道者, 是豈爲父而天性有不足於慈, 亦豈爲子而天性有不足於孝者哉? 人心本明, 天理素具. 但爲物欲所昏, 利害所蔽, 故小則傷恩害義而不可開, 大則滅天亂倫而不可救也."[35]

⋯⋯⋯⋯⋯⋯⋯⋯

南沙劍州 (현 복건성 남평 南平) 사람이다. 동향의 선배 楊時의 가르침을 받고, 두 程子의 학문을 동향의 후배 이연평에게 전하여 주자에 이르러서 '남검의 세 선생[劍南三先生]'이라고 불렸다. 고종 建炎 4년(1130) 특과에 급제하여 博羅縣 主簿에 임명되었다. 나중에 羅浮山에 들어가 정좌하며 학문을 연구하여 마침내 양시 문하의 제1인자가 되었다. 治心의 중요성을 강조하여 마음을 수양하는 근본 방법으로 정좌를 주장했고, 도덕 수양에 있어 무욕이 가장 중요하다고 여겼다. 저서에 『遵堯錄』과 『春秋指歸』·『春秋解』·『中庸說』·『論語解』·『孟子解』·『毛詩解』·『議論要語』·『豫章文集』 등이 있다.

32 未嘗一日而少忘.: 朱松의 『韋齋集』 권首에는 이 구절 뒤에 "其意豈特爲目前之慮而已哉!(그 뜻이 어찌 다만 눈앞의 생각 때문일 뿐이겠는가!)"라는 말이 더 있다.

33 朱松, 『韋齋集』 권首

34 『朱子語類』 권13, 59조목

(주자가 말했다.) "사람이 이 몸을 가지게 된 것은 어머니에게 형체를 받고 아버지에게 의뢰하여 생겨난다. 비록 사납고 포악한 사람이라도 자식을 보면 어여삐 여기고, 포대기에 싸인 아기일지라도 아버지를 보면 웃는 것은 과연 무엇 때문에 그렇겠는가? 애초에 그렇게 하도록 하는 것이 없이 그렇게 되는 것이니, 이것은 부자간의 도道가 천성天性이 되어서 분리할 수 없기 때문이다. 그러나 부자간에 간혹 그 도를 다 발휘하지 못하는 경우가 있으니, 이것이 어찌 아버지가 되어서 천성이 자애로움에 부족함이 있어서이겠으며, 또한 자식이 되어서 천성이 효도에 부족한 점이 있어서이겠는가? 인심人心은 본래 밝고 천리天理는 원래부터 갖추어졌다. 그러나 물욕物欲에 의해 어두워지고 이해利害에 의해 가려지기 때문에, 작게는 은혜와 의리를 손상시켜서 펼칠 수 없고, 크게는 천륜을 어지럽히고 없애버려서 구제할 수 없다."

[52-1-18]

"君臣·父子之大倫, 天之經, 地之義, 而所謂民彝也. 故臣之於君, 子之於父, 生則敬養之, 歿則哀送之. 所以致其忠孝之誠者, 無所不用其極, 而非虛加之也. 以爲不如是, 則無以盡吾心云爾."[36]

(주자가 말했다.) "군신관계와 부자관계의 큰 윤리는 하늘의 법도이고 땅의 의리이므로[37] 이른바 백성의 떳떳한 성품이다.[38] 그러므로 신하의 임금에 대한 관계와 자식의 아버지에 대한 관계는 살아서는 공경하여 봉양하고 죽으면 애통하여 장례지내 보내드린다. 그 충효의 정성을 다하는 것은 그 지극함을 쓰지 않음이 없지만 헛되이 거기에 보태는 것이 아니다. 이와 같지 않으면 나의 마음을 다할 수 없어서다."

[52-1-19]

"父子欲其親, 君臣欲其敬, 非是欲其如此. 蓋有父子則便自然有親, 有君臣則便自然有敬."[39]

(주자가 말했다.) "부자간에는 서로 친근 하려고 하며 군신간에는 서로 공경하려고 하는데, 이것은 이와 같기를 바라는 것이 아니다. 대개 부자간이 있으면 곧 저절로 친근함이 있고 군신간이 있으면 곧 저절로 공경함이 있다."

. . . .

35 『朱文公文集』 권12 「甲寅擬上封事」

36 『朱文公文集』 권75 「戊午讞議序」

37 하늘의 법도이고 … 의리이므로: 『孝經』 「三才章」에서 "증자가 말했다. '대단합니다. 효는 위대합니다!' 공자가 말했다. '무릇 효는 하늘의 법도이고 땅의 의리이며 백성들이 행하는 것이다.'(曾子曰, '甚哉, 孝之大也!' 子曰, '夫孝, 天之經也, 地之義也, 民之行也.')라고 하였다.

38 이른바 백성의 … 성품이다: 『詩』 「大雅·蕩之什·烝民」에서, "天이 많은 백성을 낳으니 사물이 있으면 법칙이 있다. 백성들이 떳떳한 성품을 가지고 있어서 아름다운 덕을 좋아한다.(天生烝民, 有物有則. 民之秉彝, 好是懿德.)"라고 하였다.

39 『朱子語類』 권13, 67조목

[52-1-20]

問 : "父母之於子, 有無窮之憐愛, 欲其聰明, 欲其成立. 此之謂誠心邪?"

曰 : "父母愛其子, 正也 ; 愛之無窮而必欲其如此, 則邪矣. 此天理·人欲之間, 正當審決."[40]

물었다. "부모는 자식에 대해서 끝도 없이 애지중지하여 자식이 총명하기를 바라고 성공하기를 바랍니다. 이것을 정성스러운 마음이라고 할 수 있습니까?"

(주자가) 대답했다. "부모가 자식을 사랑하는 것은 바른 것이지만, 사랑이 끝이 없어서 기필코 자식이 이와 같이 되기를 바란다면 그릇된 것이다. 이것이 천리天理와 인욕人欲의 구별이니, 잘 살펴서 결정해야 한다."

[52-1-21]

問 : "人不幸處繼母異兄弟不相容, 當如何?"

曰 : "從古來自有這樣子, 只看舜如何. 後來此樣事多有, 只是'爲人子, 止於孝.'"[41]

물었다. "사람이 불행하게도 계모와 이복형제 간에 서로 용납하지 못하는 상황에 처하면 어떻게 해야 합니까?"

(주자가) 대답했다. "예로부터 본래 이러한 상황이 있었는데, 다만 순임금이 어떠했는지를 보면 된다. 뒤에 와서 이러한 일이 많지만, 다만 '자식이 되어서는 효에 그친다.'[42]는 것일 뿐이다."

[52-1-22]

問 : "妻有七出, 此却是正當道理, 非權也."

曰 : "然."[43]

물었다. "아내에게는 일곱 가지 내쫓는 경우가 있는데,[44] 이것은 또한 정당한 도리이지 권도權道가 아닙

---

40 『朱子語類』 권13, 68조목

41 『朱子語類』 권13, 69조목

42 '자식이 되어서는 … 그친다.' : 『大學』에서 "『詩』에 이르기를 '穆穆하신 文王이여, 아! 계속하여 밝혀서 공경하여 그쳤다.'라고 하였으니, 군주가 되어서는 仁에 그치고, 신하가 되어서는 敬에 그치고, 자식이 되어서는 孝에 그치고, 아버지가 되어서는 慈에 그치시고, 나라 사람들과 더불어 사귐에는 信에 그쳤다.(詩云, '穆穆文王, 於緝熙敬止.' 爲人君, 止於仁 ; 爲人臣, 止於敬 ; 爲人子, 止於孝 ; 爲人父, 止於慈 ; 與國人交, 止於信.)"라고 하였다.

43 『朱子語類』 권13, 74조목에는 다음과 같이 되어 있다. 問, "妻有七出, 此卻是正當道理, 非權也." 曰, "然."

44 아내에게는 일곱 … 있는데 : 『孔子家語』 권6 「本命解」에서 "부인에게는 七出(일곱 가지 내쫓는 경우)과 三不去(세 가지 내치지 못하는 경우)가 있다. 七出은 부모에게 불손한 경우, 자식을 낳지 못하는 경우, 과도하게 편벽된 경우, 질투하는 경우, 몹쓸 병이 있는 경우, 구설이 많은 경우, 도둑질하는 경우이다. 三不去는 취할 것이 있지만 돌아갈 곳이 없는 것이 첫째 경우이고, 함께 부모의 삼년상을 지낸 것이 둘째 경우이며, 앞서는 빈천했는데 나중에 부귀해진 것이 셋째 경우이다. 이것은 성인이 남녀관계를 순조롭게 하고 혼인의 시초를 중요시한 까닭이다.(婦有七出·三不去. 七出者 : 不順父母者, 無子者, 淫僻者, 嫉妬者, 惡疾者, 口多言者, 竊

니다."

(주자가) 대답했다. "그렇다."

[52-1-23]

葉賀孫問 : "朋友之義, 自天子至於庶人, 皆須友以成, 而陳安卿只說以類聚, 莫未該朋友之義否?"

曰 : "此亦只說本來如此. 自天子至于庶人, 未有不須友以成, 乃是後來事, 說朋友功效如此. 人自與人同類相求, 牛‧羊亦各以類相從. 朋友乃彝倫之一. 今人不知有朋友之義者, 只緣但知有四箇要緊, 而不知朋友亦不可闕."[45]

섭하손葉賀孫[46]이 물었다. "친구간의 의리는 천자로부터 서인에 이르기까지 모두 친구에게 의지하여 (자신의 덕을) 이루는데, 진안경陳安卿[陳淳][47]은 다만 같은 무리끼리 모인다고 말한 것은 친구간의 의리를 갖추지 못한 것이 아닙니까?"

(주자가) 대답했다. "이것도 또한 다만 본래 이와 같다고 말한 것일 뿐이다. 천자로부터 서인에 이르기까지 친구에게 의지하여 (자신의 덕을) 이루지 않은 경우가 없는 것은 곧 뒤에 일어나는 일이니 친구간의 의리의 공효功效(공로와 효험)가 이와 같다는 것을 말한 것이다. 사람은 본래 같은 무리끼리 서로 찾고 소나 양도 역시 같은 무리끼리 서로 좇는다. 친구간은 곧 불변하는 윤리의 하나이다. 요즘 사람들 가운데 친구간에 의리가 있다는 것을 모르는 자들은 다만 오륜 가운데 나머지 네 가지가 긴요하다는 것만을 알지, 친구간도 역시 빠뜨릴 수 없다는 것을 모른다."

又曰 : "朋友之於人倫, 所關至重."[48]

(주자가) 또 말했다. "친구가 인륜에 있어서 관련되는 것이 지극히 중요하다."

[52-1-24]

問 : "與朋友交, 後知其不善, 欲絶則傷恩, 不與之絶則又似'匿怨而友其人.'"

盜者. 三不去者 : 謂有所取而無所歸一也, 與共更三年之喪二也, 先貧賤後富貴者三也. 凡此聖人所以順男女之際, 重婚姻之始也.)"라고 하였다.

45 『朱子語類』 권13, 75조목

46 葉賀孫 : 주자 문인으로 자는 味道이고 시호는 文修이다. 송대 括蒼(현 절강성 龍泉) 사람이다. 일찍이 주자에게 학문을 배웠고, 벼슬은 校書郎에 이르렀다. 현행 『朱子語類』의 저본인 『朱文公語錄』 편집에 참여하였다고 한다.

47 陳淳(1159~1223) : 자는 安卿이고, 호는 北溪이다. 송대 龍溪(현 복건성 漳州) 사람으로 주희가 장주 지사일 때 제자가 되어, 주희에게 '남쪽에 와서 나의 도가 진순 한 사람을 얻었다.'라는 칭찬을 받았다. 시호는 文安이다. 저서는 『字義詳講』‧『論孟學庸口義』‧『北溪大全集』 등이 있다.

48 『朱子語類』 권13, 76조목

曰 : "此非匿怨之謂也. 心有怨於人, 而外與之交, 則爲匿怨. 若朋友之不善, 情意自是當疏, 但疏之以漸. 若無大故, 則不必峻絶之, 所謂'親者毋失其爲親, 故者毋失其爲故'者也."⁴⁹

물었다. "친구와 사귄 뒤에 그 친구가 선하지 않다는 것을 알았는데, 절교를 하려고 하니 은혜를 손상하는 것 같고, 절교를 하지 않으려니 또 '원망을 감추고 그 사람과 사귀는 것'⁵⁰ 같습니다."

(주자가) 대답했다. "이것은 원망을 감추는 것이라고 할 수 있는 것이 아니다. 마음속으로는 그 사람에 대하여 원망을 하면서도 겉으로 그와 사귀면 원망을 감추는 것이 된다. 만약 친구가 선하지 않다면 마음이 저절로 멀어지지만, 차츰 차츰 멀어져야 된다. 만약 별다른 큰 일이 없다면 꼭 매섭게 절교할 필요는 없으니, 이른바 '친한 사람은 그 친함을 잃지 말아야 하고, 오래된 벗은 그 벗됨을 잃지 말아야 한다.'⁵¹라고 하는 것이다."

[52-1-25]

"人之大倫, 其別有五. 自昔聖賢, 皆以爲天之所叙而非人之所能爲也. 然以今考之, 則惟父子·兄弟爲天屬, 而以人合者居其三焉, 是則若有可疑者. 然夫婦者, 天屬之所由以續者也; 君臣者, 天屬之所賴以全者也; 朋友者, 天屬之所賴以正者也. 是則所以紀綱人道, 建立人極, 不可一日而偏廢. 雖或以人而合, 其實皆天理之自然, 有不得不合者. 此其所以爲天之所叙而非人之所能爲者也.

(주자가 말했다.) "사람의 큰 인륜은 그 구별이 다섯 가지가 있다. 옛날 성현들부터 모두 천天이 질서지운 것이지 사람이 어떻게 할 수 있는 것이 아니라고 생각했다. 그러나 이제 생각해 보면, 오직 부자父子관계와 형제관계만이 '천륜으로 맺어진 것[天屬]'⁵²일 뿐이고, 남과 결합하는 것이 오륜五倫 가운데 나머지 셋을 차지하니, 이는 조금 의심스러운 부분이 있다. 그러나 부부夫婦관계는 천륜이 그것으로 인해 이어지고. 군신관계는 천륜이 그것으로 인해 온전해지며. 친구관계는 천륜이 그것으로 인해 바르게 된다. 이것들은 인도人道의 기강을 세우고 인극人極(인도의 표준)을 확립하는 데에 그 어느 것이건 하루라도 없어서는 안 된다. 비록 혹은 남과 결합하는 것이지만, 사실은 모두 천리天理가 저절로 그렇게 된 것이니, 결합하지

---

49 『朱子語類』 권13, 77조목

50 '원망을 감추고 … 것': 『論語』「公冶長」에서 "공자가 말했다. '말을 잘하고 얼굴빛을 좋게 하며 지나치게 공손한 것을 옛날에 左丘明이 부끄럽게 여겼는데, 나 또한 이를 부끄러워한다. 원망을 감추고 그 사람과 사귀는 것을 좌구명이 부끄럽게 여겼는데, 나 또한 이를 부끄러워한다.'(子曰, '巧言·令色·足恭, 左丘明恥之, 丘亦恥之. 匿怨而友其人, 左丘明恥之, 丘亦恥之.')"라고 하였다.

51 '친한 사람은 … 한다.': 『禮記』「檀弓下」에서 "공자가 말했다. '나는 친한 사람은 그 친함을 잃지 말아야 하고, 오래된 벗은 그 벗됨을 잃지 말아야 한다고 들었다.'(夫子曰, '丘聞之, 親者毋失其爲親也, 故者毋失其爲故也.')"라고 하였다.

52 '천륜으로 맺어진 것[天屬]': 『莊子』「山木」에 "어떤 사람이 말했다. '林回는 천금의 값이 있는 옥을 버린 채 갓난아이를 업고 도망쳤습니다. 무엇 때문입니까.' 임회가 대답했다. '옥은 이익으로 나와 맺어졌지만, 갓난아이는 천륜으로 맺어졌기 때문이다.'(或曰, '棄千金之璧, 負赤子而趨. 何也?' 林回曰, '彼以利合, 此以天屬也.')"라고 하였다.

않을 수 없는 것이다. 이것이 그 천天이 질서지운 것이지 사람이 어떻게 할 수 있는 것이 아니라고 하는 까닭이다.

然是三者之於人, 或能具其形矣, 而不能保其生; 或能保其生矣, 而不能存其理. 必欲君臣 · 父子 · 兄弟 · 夫婦之間, 交盡其道而無悖焉, 非有朋友以責其善 · 輔其仁, 其孰能使之然哉? 故朋友之於人倫, 其勢若輕而所繫爲甚重, 其分若疏而所關爲至親, 其名若小而所職爲甚大. 此古之聖人修道立教, 所以必重乎此而不敢忽也.

그러나 이 세 가지(부부 · 군신 · 친구관계)는 남에 대하여, 혹은 그 형체를 갖출 수 있지만 그 생명을 보존할 수 없는 경우도 있고, 혹은 그 생명을 보존하지만 그 리理는 보존할 수 없는 경우도 있다. 군신 · 부자 · 형제 · 부부 사이에서 상호간에 기필코 그 도를 다 발휘하여 어그러짐이 없게 하려면, 친구관계에서 벗에게 선을 권면하고[53] 인을 도움 받는 것[54]이 아니고서, 누가 그렇게 할 수 있도록 시키겠는가? 그러므로 인륜에서 친구관계는 그 형세가 마치 경미한 것 같지만 연관된 것은 매우 중대하고, 그 분수가 마치 소략한 것 같지만 관련된 바는 지극히 친밀하며, 그 명칭은 마치 작은 것 같지만 그 직책은 매우 중대하다. 이것이 옛날의 성인이 도를 닦고 가르침을 정립하는 데에, 반드시 이것을 중시하여 감히 소홀히 하지 않은 까닭이다.

然自世教不明, 君臣 · 父子 · 兄弟 · 夫婦之間旣皆莫有盡其道者, 而朋友之倫廢闕爲尤甚. 世之君子雖或深病其然, 未必深知其所以然也. 予嘗思之, 父子也, 兄弟也, 天屬之親也, 非其乖離之極, 固不能輕以相棄. 而夫婦 · 君臣之際, 又有雜出于物情事勢而不能自己者. 以故雖或不盡其道, 猶得以相牽聯比合而不至於盡壞.

· · · · · · · · · · · · · · · · ·

53 벗에게 선을 권면하고 : 『孟子』「離婁上」에서 "公孫丑가 말했다. '君子가 직접 자식을 가르치지 않는 것은 무엇 때문입니까?' 맹자가 대답했다. '형세가 행해지지 않기 때문이다. 가르치는 자는 반드시 올바른 길로써 하는데, 올바른 길로써 가르쳐 행해지지 않으면 노함이 뒤따르고, 노함이 뒤따르면 도리어 (자식의 마음을) 상하게 된다. (자식이 생각하기를)「아버지께서 나를 바른 길로써 가르치시지만 아버지께서도 행실이 바른 길에서 나오지 못한다.」라고 한다면, 이는 부자간에 서로 의를 상하는 것이다. 부자간에 서로 의를 상하는 것은 나쁜 것이다. 옛날에 자식을 서로 바꾸어 가르쳤었다. 부자간에는 善을 권면하지 않는 것이니, 선을 권면하면 情이 떨어지게 된다. 情이 떨어지면 나쁨이 이보다 더 큰 것이 없다.'(公孫丑曰, '君子之不教子, 何也?' 孟子曰, '勢不行也. 教者必以正, 以正不行, 繼之以怒, 繼之以怒, 則反夷矣. 「夫子教我以正, 夫子未出於正也.」則是父子相夷也. 父子相夷, 則惡矣. 古者易子而教之. 父子之間不責善. 責善則離, 離則不祥莫大焉.')"라고 하였다.
   『孟子』「離婁下」에서 "저 章子는 父子간에 善을 권면하다가 뜻이 서로 맞지 못한 것이다. 善을 권면하는 것은 친구간의 道이니, 父子간에 善을 권면하는 것은 은혜를 해침이 큰 것이다.(夫章子, 子父責善而不相遇也. 責善, 朋友之道也, 父子責善, 賊恩之大者.)"라고 하였다.
54 인을 도움 … 것 : 『論語』「顏淵」에서 "曾子가 말했다. '君子는 학문으로써 벗을 모으고, 벗으로써 仁을 돕는다.'(曾子曰, '君子以文會友, 以友輔仁.')"라고 하였다.

그러나 세상의 교화가 어두워지면서 군신·부자·형제·부부 사이에서 이미 모두 그 도를 다 발휘하는 사람이 없게 되었고, 친구간의 윤리가 무너지는 것은 더욱 심했다. 세상의 군자들이 비록 간혹 그러한 것을 깊이 근심하기도 하였지만, 그것이 꼭 그렇게 된 까닭을 깊이 알지는 못했다. 내가 일찍이 그것을 생각해 보니, 부자관계와 형제관계는 천륜으로 맺어진 친함[親]이니, 그것이 완전히 어그러진 것이 아니라면 본디 가볍게 서로 버릴 수 없는 것이다. 그리고 부부와 군신의 사이에서는 또 여러 가지 상황과 일의 추세에서 복잡하게 나와서 스스로 어쩔 수 없는 것이 있다. 이 때문에 비록 간혹 그 도를 다 발휘하지 못하기도 하지만, 오히려 서로 이끌고 결합해서 완전히 무너지는 지경까지 이르지는 않는다.

至於朋友, 則其親不足以相維, 其情不足以相固, 其勢不足以相攝. 而爲之者, 初未嘗知其理之所從, 職之所任, 其重有如此也. 且其於君臣·父子·兄弟·夫婦之間, 猶或未嘗求盡其道, 則固無所藉於責善·輔仁之益. 此其所以恩疏而義薄, 輕合而易離, 亦無恠其相視漠然, 如行路之人也.

친구관계의 경우는 서로 떠받치기에는 그 친함이 서로 붙잡아주기에 부족하고, 그 정황이 서로 공고히 해주기에 부족하며, 그 형세가 서로 끌어당겨 주기에는 부족하다. 친구관계를 맺고 있는 사람마저도 애초에 그 이치상 따라야 할 것과 직무상 맡아야 할 것이 이와 같이 막중하다는 것을 모른다. 또 그것은 군신·부자·형제·부부 사이에서 혹시라도 그 도를 다 발휘하기를 추구하지 않으면, 참으로 선을 권면하고 인[仁]을 도움 받는 도움을 의지할 것이 없다. 이것이 그 은혜가 소략하고 의가 각박하며 쉽게 만나고 쉽게 헤어져도, 마치 길을 가는 사람처럼 서로 무관심해지는 것이 조금도 이상할 것이 없는 이유이다.

夫人倫有五而其理則一. 朋友者, 又所藉以維持是理而不使悖焉者也. 由夫四者之不求盡道, 而朋友以無用廢. 然則朋友之道盡廢, 而責善·輔仁之職不擧, 彼夫四者, 又安得獨立而久存哉?[55]

무릇 인륜은 다섯 가지가 있지만 그 이치는 하나이다. 친구관계는 또 그것에 의지하여 이 이치를 유지시켜 그것을 어그러지지 않게 한다. 무릇 군신·부자·형제·부부 사이에서 그 도를 다 발휘하기를 추구하지 않는 것으로 말미암아, 친구관계도 그 쓰임새가 사라진다. 그렇다면 친구관계의 도道가 완전히 없어져서 선을 권면하고 인[仁]을 도움 받는 직분이 흥기하지 않으면, 저 네 가지는 또 어떻게 독립적으로 오래도록 존재할 수 있겠는가?"

[52-1-26]

南軒張氏曰: "天地位而人生乎其中. 其所以爲人之道者, 以其有父子之親, 長幼之序, 夫婦之別, 而又有君臣之義, 朋友之交也. 是五者, 天之所命而非人之所能爲. 有是性則具是道, 初不

55 『朱文公文集』 권81 「跋黃仲本朋友說」

爲聖愚而加損也. 聖人能盡其性, 故爲人倫之至, 衆人則有所蔽奪而淪失之耳. 然聖人有敎焉, 所以化其欲而反其初也.

남헌 장씨南軒張氏[張栻]가 말했다. "천지가 제자리를 잡고 사람이 그 가운데에 생겨났다. 거기에서 사람이 되는 까닭으로서의 도道는 부자父子관계의 친함과 장유長幼관계의 질서와 부부夫婦관계의 분별이 있으며, 또 군신君臣관계의 의리와 친구관계의 사귐이 있다. 이 다섯 가지는 천天이 명한 것이지 사람이 할 수 있는 것이 아니다. 이 성性이 있으면 이 도道를 갖추니, 애초에 성인이나 어리석은 사람 때문에 더 보태지고 덜어지지 않는다. 성인은 그 성性을 다 발휘하므로 인륜의 지극함이 되고, 보통 사람들은 가려지고 빼앗겨 잃어버림이 있을 뿐이다. 그러나 성인의 가르침이 있기 때문에 그 욕망을 변화시켜서 그 애초의 상태로 되돌릴 수 있다.

舜之命契曰, '敬敷五敎, 在寬.' '寬'云者, 漸濡涵養之, 使其所固有者自發也. 而咎繇亦曰, '天叙有典, 敕我五典·五惇哉!' 敕云者, 所以正其綱; 而惇云者, 所以厚其性也. 降及三代, 庠·序之敎尤詳. 故孟子曰, '學則三代共之, 皆所以明人倫,' 明云者, 講明之而使之識其性之所以然也. 然則人之所以爲聖賢, 與夫聖賢之敎人, 舍是五者其何以哉?"[56]

순임금은 설契에게 명하여 '공경히 다섯 가지 가르침을 펴되 너그럽게 하도록 하라.'[57]라고 말했다. 여기에서 '너그럽게 하다.'라고 말한 것은 그들을 차츰차츰 적셔 들어가서 함양하도록 하여 그들이 본래 가지고 있는 것을 스스로 발휘하도록 하라는 것이다. 그리고 고요咎繇[58]에게는 또한 '천天이 차례를 둔 것에 법칙이 있으니 우리 오전五典[五常]을 바로잡아 다섯 가지를 후하게 하시오!'[59]라고 말했다. 여기에서 '바로잡다.'라고 말한 것은 그 강령을 바로잡는 것이고, '후하게 하라.'고 말한 것은 그 성性을 후하게 하라는 것이다. 하夏·상商·주周 삼대로 내려와서 상庠·서序라고 하는 학교의 가르침이 더욱 상세해졌다. 그러므로 맹자는 '학學(학교)은 삼대三代가 이름을 함께 하였으니, 이는 모두 인륜을 밝히는 것이었다.'[60]

56 張栻, 『南軒集』 권14 「闓範序」
57 '공경히 다섯 … 하라.': 『書』 「虞書·舜典」에서 "帝舜이 말씀하였다. '契아! 백성이 친목하지 않고 五品이 순하지 않으므로 너를 司徒로 삼으니, 공경히 다섯 가지 가르침을 펴되 너그럽게 하도록 하라.'(帝曰, '契! 百姓不親, 五品不遜, 汝作司徒, 敬敷五敎, 在寬.')"라고 하였다.
58 咎繇: 皐陶라고도 쓰는데 虞舜시대의 형벌을 맡았던 판관의 이름이다.
59 '天이 차례를 … 하시오!': 『書』 「虞書·皐陶謨」에서 "天이 차례를 둔 것에 법칙이 있으니 우리 五典(五常)을 바로잡아 다섯 가지를 후하게 하시오! 天이 차례를 둔 것에 禮가 있으니 우리 五禮로부터 하여 다섯 가지를 떳떳하게 하시오! 君臣이 공경함을 함께 하고 공손함을 합하여 衷을 和하게 하시오. 天이 덕이 있는 자에게 명하거든 다섯 가지 복식으로 다섯 가지 등급을 표창하며, 天이 죄가 있는 자를 토벌하거든 다섯 가지 형벌로 다섯 가지 등급을 써서 징계하여 정사를 힘쓰고 힘쓰시오!(天叙有典, 勅我五典, 五惇哉! 天秩有禮, 自我五禮, 五庸哉! 同寅協恭, 和衷哉. 天命有德, 五服五章哉; 天討有罪, 五刑五用哉, 政事, 懋哉懋哉!)"라고 하였다.
60 '學(학교)은 三代가 … 것이었다.': 『孟子』 「滕文公上」에서 "庠·序·學·校를 설치하여 백성들을 가르쳤으니, 庠은 봉양한다는 뜻이고, 校는 가르친다는 뜻이며, 序는 활쏘기를 익힌다는 뜻이다. 夏나라에서는 校라 하였고, 殷나라에서는 序라 하였고, 周나라에서는 庠이라 하였으며, 學은 三代가 이름을 함께 하였으니, 이는

라고 말했다. 여기에서 '밝힌다.'라고 말한 것은 그것을 강론해 밝혀서 그들에게 성性이 그러한 까닭을 알도록 하는 것이다. 그렇다면 사람이 성인이 될 수 있는 근거와 성현이 사람을 가르치는 내용은 모두 이 다섯 가지를 버리면 무엇을 할 것인가?'

[52-1-27]

勉齋黃氏曰: "五典者, 天叙之常理, 人道之大端也. 析而言之, 則君臣·夫婦·朋友者人之屬, 而天屬之親, 惟父子·兄弟爲然. 其天屬百體, 皆一氣之所生. 其入孝出弟, 爲萬善之根本. 則兄弟之義, 可不謂重乎?"[61]

면재 황씨勉齋黃氏[黃榦][62]가 말했다. "오전五典(五常)은 천天이 차례를 둔 불변하는 이치이고 인도人道의 큰 단서이다. 그것을 갈라서 말하면, 군신관계·부부관계·친구관계는 사람들 간에 맺어진 것이고, 천륜으로 맺어진 친함은 오직 부자관계와 형제관계가 그러하다. 그 천속天屬의 백체百體(온 몸)는 모두 하나의 기氣에서 생겨난 것이다. 그 들어가서는 효도하고 나와서는 공손한 것[63]이 온갖 선善의 근본이다. 그렇다면 형제간의 의義가 어찌 중요하지 않다고 할 수 있겠는가?"

[52-1-28]

"朋友者, 人類之中, 志同而道合者也. 故曰, '天叙有典', 豈人力也哉? 君臣·父子·夫婦·長幼, 一失其序, 則天典不立, 人道化爲夷狄矣. 朋友道絶, 則此四者雖欲各居其分, 不可得也. 善而莫予告也, 過而莫予規也, 觀感廢而怠心生, 講習疏而實理晦, 則五常百行, 顛倒錯繆而不可勝救矣. 然則朋友者, 列於人倫而又所以紀綱人倫者也. 所可重者若此, 而世莫之重焉, 可不爲之屢歎也邪?"[64]

(면재 황씨가 말했다.) "친구는 인류 가운데 뜻을 같이하고 도道가 합치하는 자이다. 그러므로 '천天이 차례를 둔 것에 법칙이 있다.'[65]라고 하였으니 어찌 사람의 힘으로 그렇게 하겠는가? 군신관계·부자관

모두 인륜을 밝히는 것이었다. 인륜이 위에서 밝으면 백성들이 아래에서 친해진다.(設爲庠序學校以敎之. 庠者, 養也;校者, 敎也;序者, 射也. 夏曰校, 殷曰序, 周曰庠, 學則三代共之, 皆所以明人倫也. 人倫明於上, 小民親於下.)"라고 하였다.

61 黃榦,『勉齋集』권19「鄭次山怡閣記」
62 黃榦(1152~1221) : 자는 直卿이고, 호는 勉齋이다. 송대 福州閩縣(현 복건성 福州) 사람으로 주희의 고족제자인 동시에 사위이다. 주희의 蔭補로 漢陽軍·安慶府 등을 역임하고, 뒤에 直學士를 지냈다. 주자가 편찬한『儀禮經傳通解』가운데「喪」과「祭」2편을 집필하고, 나중에 이를 바탕으로『儀禮經傳通解續編』을 편찬했다. 저서는 『書說』·『六經講義』·『五經通義』·『四書記聞』·『繫辭解解』·『勉齋集』등이 있고,『朱子行狀』을 집필했다.
63 들어가서는 효도하고 … 것 :『論語』「學而」에서 "공자가 말했다. '弟子는 들어가서는 효도하고 나와서는 공손하며, 행실을 삼가고 말을 성실하게 하며, 널리 사람들을 사랑하되 仁한 사람을 친근하게 해야 한다. 이것을 행하고 餘力이 있으면 글을 배워야 한다.'(子曰, '弟子入則孝, 出則弟, 謹而信, 汎愛衆, 而親仁. 行有餘力, 則以學文.')"라고 하였다.
64 黃榦,『勉齋集』권21「輔仁錄序」

계·부부관계·장유관계는 그 질서를 한 번 잃으면 천天이 차례를 둔 것이 세워지지 않고 인도人道는 변화되어 오랑캐가 된다. 친구관계의 도道가 끊어지면 이 네 가지는 비록 각각 그 분수를 지키려고 하지만 그렇게 할 수 없다. 선한 것을 나에게 알려주지 않고 잘못된 것을 나에게 충고하지 않아서, 보고 감동하는 것[66]이 폐기되어 게으른 마음이 생겨나고, 강습을 소홀히 하여 실제적인 이치가 어두워지면, 오상五常과 온갖 행위가 전도顚倒되고 잘못되어져서 이루다 구제할 수 없을 것이다. 그렇다면 친구관계는 인륜에 들어 있으면서도 인륜의 기강을 잡는 것이다. 그 중요함이 이와 같은데도 세상 사람들은 그것을 중시하지 않으니 누차 탄식하지 않을 수 있겠는가?'

[52-1-29]

西山眞氏曰: "夫之道在敬身以帥其婦, 婦之道在敬身以承其夫. 故父之醮子, 必曰, '勉帥以敬.' 親之送女, 必曰, '敬之戒之.' 夫婦之道盡於此矣."[67]

서산 진씨西山眞氏[眞德秀][68]가 말했다. "남편의 도는 몸을 공경스럽게 하여[69] 그 아내를 이끌어 가는 데에 있고, 아내의 도는 몸을 공경스럽게 하여 그 남편을 받드는 데에 있다. 그러므로 아버지가 초례醮禮[70]에서 아들에게 반드시 '공경스럽게 하는 것으로써 힘써 이끌어라.'라고 말하고, 부모가 딸을 보낼 때 반드시 '공경하고 경계하라.'라고 말한다. 부부간의 도는 여기에서 다 발휘된다."

· · · · · · · · · · · · · · · · · · · ·

65 '天이 차례를 … 있다.': [52-1-26]의 각주 참조

66 보고 감동하는 것 : 주자는 『論語集註』 「爲政」의 주석에서 "禮는 制度와 品節이다. 格은 이르는 것이다. 몸소 행하여 솔선수범하면 백성이 진실로 보고 감동하여 흥기 하는 것이 있을 것이며, 그 얕고 깊고 두텁고 얇아 균일하지 않은 것을 禮로써 統一시킨다면, 백성들이 善하지 못함을 부끄러워하고, 또 善함에 이를 수 있음을 말한 것이다. 일설에 格은 바로잡는 것이니, 『書』에서 '그 그른 마음을 바로잡는다.'라고 하였다.(禮, 謂制度品節也. 格, 至也. 言躬行以率之, 則民固有所觀感而興起矣, 而其淺深厚薄之不一者, 又有禮以一之, 則民恥於不善而又有以至於善也. 一說, 格, 正也, 『書』曰, '格其非心.')"라고 하였다.

67 眞德秀, 『西山讀書記』 권13 「夫婦」

68 眞德秀(1178~1235) : 자는 希元·景元·景希이고, 호는 西山이며, 시호는 文忠이다. 송대 浦城(복건성 蒲城) 사람으로 1199년에 진사에 급제하여 太學正·參知政事에 이르렀다. 어려서는 주희의 문인인 詹體仁에게 배우고, 스스로 '주희를 사숙하여 얻은 것이 있다.'라고 하였다. 특히 『大學』을 중시하여 '窮理·持敬을 강조하였다. 저서는 『大學衍義』·『四書集編』·『讀書記』·『文章正宗』·『唐書考疑』·『西山文集』 등이 있다.

69 몸을 공경스럽게 하여 : 『禮記』 권27 「哀公問」에서 "애공이 물었다. '감히 묻건대, 무엇을 몸을 공경하게 하는 것이라고 합니까?' 공자가 대답했다. '군자가 말을 잘못해도 백성들이 그 말을 文辭로 삼고, 행위가 잘못되어도 백성들이 그것을 법칙으로 삼습니다. 군자가 말에 지나친 문사를 쓰지 않고 행위에 잘못된 법칙이 없으면, 백성은 명령을 내리지 않아도 공경해집니다. 이와 같이 되면 그 몸을 공경하게 할 수 있습니다. 그 몸을 공경하게 할 수 있으면 그 부모를 잘 섬길 수 있습니다.'(公曰, '敢問何謂敬身?' 孔子對曰, '君子過言則民作辭, 過動則民作則. 君子言不過辭, 動不過則, 百姓不命而敬恭. 如是則能敬其身. 能敬其身, 則能成其親矣.')"라고 하였다.

70 醮禮 : 혼례에서 親迎의 한 과정으로, 기러기를 드리는 奠雁禮 후에 이어지는 交拜禮와 合쯥禮를 합쳐서 부르는 말이다. 보통 '혼례를 치른다.'는 것은 이 초례 과정을 말한다.

[52-1-30]

魯齋許氏曰: “學則三代共之, 皆所以明人倫也. 人倫明於上, 則小民親於下.’ ‘舜明於庶物, 察於人倫.’ 後世君臣·父子·兄弟·夫婦·朋友, 此五者禍亂相尋, 只是人倫不明, 故致如此. 且如大舜處頑·嚚·傲三者之間, 孜孜如此, 只是人之大倫合如此, 故無怨尤. 愛之則喜而弗忘, 惡之則勞而弗怨. 人只於此處明得, 然後盡得人道.”[71]

노재 허씨魯齋許氏[許衡][72]가 말했다. “(맹자는) ‘학學(학교)은 삼대三代가 이름을 함께 하였으니, 이는 모두 인륜을 밝히는 것이었다. 인륜이 위에서 밝으면 백성들이 아래에서 친해진다.’[73]라고 말했고 또 ‘순舜임금은 여러 사물의 이치에 밝았고 인륜人倫을 잘 살폈다.’[74]라고 말했다. 후세의 군신관계·부자관계·형제관계·부부관계·친구관계가 재난과 변란이 서로 이어지는 것은 다만 인륜이 밝혀지지 못했기 때문에 이와 같은 지경에 이르게 된 것이다. 예컨대 위대한 순임금은 아버지는 완악하고 어머니는 어리석으며 이복동생은 오만한, 그런 관계 속에 처해 있으면서도[75] 이와 같이 부지런히 근면했던 것은 다만 사람의 큰 인륜이 마땅히 이와 같이 해야 했기 때문에 원망하고 탓함이 없었다. 사랑해 주시면 기뻐하여 잊지 말고, 미워하시면 수고로워도 원망하지 말아야 한다. 사람은 다만 이 점에서 분명하게 터득한 뒤에 인도

----

71 許衡, 『魯齋遺書』 권1 「語錄上」

72 許衡(1209~1281) : 자는 仲平이고 호는 魯齋이며, 시호는 文正이다. 원대 懷州河內(현 하남성 焦作市沁陽) 사람이다. 經學, 역사, 禮樂名物, 星曆, 兵刑, 食貨, 水利에 널리 통달했다. 특히 원대 程朱學을 발전시킨 공로가 커서, 劉因과 함께 원대 두 大家라고 불렸다. 世祖 때 벼슬에 나아가 國子祭酒, 中書左丞을 지냈다. 저서에 『讀易私言』·『魯齋心法』·『魯齋遺書』 등이 있다.

73 ‘學(학교)은 三代가 … 것이다.’ : 『孟子』「滕文公上」에서 “庠·序·學·校를 설치하여 백성들을 가르쳤으니, 庠은 봉양한다는 뜻이고, 校는 가르친다는 뜻이며, 序는 활쏘기를 익힌다는 뜻이다. 夏나라에서는 校라 하였고, 殷나라에서는 序라 하였고, 周나라에서는 庠이라 하였으며, 學은 三代가 이름을 함께 하였으니, 이는 모두 인륜을 밝히는 것이었다. 인륜이 위에서 밝으면 백성들이 아래에서 친해진다.(設爲庠序學校以敎之 : 庠者, 養也 ; 校者, 敎也 ; 序者, 射也. 夏曰校, 殷曰序, 周曰庠, 學則三代共之, 皆所以明人倫也. 人倫明於上, 小民親於下.)”라고 하였다.

74 ‘舜임금은 여러 … 살폈다.’ : 『孟子』「離婁下」에서 “맹자가 말했다. ‘사람이 禽獸와 다른 것이 얼마 안 되니, 庶民들은 이것을 버리고, 君子는 이것을 보존한다. 舜임금은 여러 사물의 이치에 밝았고 人倫을 잘 살폈으니, 仁義를 따라 행하신 것이요. 仁義를 행하려고 한 것은 아니었다.(孟子曰, ‘人之所以異於禽於獸者幾希, 庶民去之, 君子存之. 舜明於庶物, 察於人倫, 由仁義行, 非行仁義也.’)”라고 하였다.

75 위대한 순임금은 … 있으면서도 : 『書』「虞書·堯典」에서 “帝堯가 말했다. ‘아! 四岳아! 朕이 재위한 지가 70년인데, 네가 나의 명령을 잘 따르니, 짐의 지위를 선양하겠다.’ 四岳이 말했다. ‘저는 덕이 없어 帝位를 욕되게 할 것입니다.’ 帝堯가 말했다. ‘현달한 자를 밝히며 미천한 자를 천거하라.’ 여럿이 帝堯에게 말했다. ‘홀아비가 아래에 있으니, 虞舜이라 합니다. 帝堯가 말했다. ‘아! 너의 말이 옳다. 나도 들었으니, 어떠한가?’ 사악이 말했다. ‘소경의 아들이니, 아버지는 완악하고 어머니는 어리석으며 象(순임금의 이복동생)은 오만한데도 孝로 화해하게 할 수 있어서 점점 다스려져 간악한 데에 이르지 않게 하였습니다.’ 帝堯가 말했다. ‘내가 시험해 보겠다. 이에게 딸을 시집보내어 그 법을 두 딸에게서 관찰하겠다.’(帝曰, ‘咨四岳! 朕在位七十載, 汝能庸命, 巽朕位.’ 岳曰, ‘否德忝帝位.’ 曰, ‘明明揚側陋.’ 錫帝曰, ‘有鰥在下, 曰虞舜.’ 帝曰, ‘兪, 予聞, 如何?’ 岳曰, ‘瞽子, 父頑, 母嚚, 象傲, 克諧以孝, 烝烝乂, 不格姦.’ 帝曰, ‘我其試哉, 女于時, 觀厥刑于二女.’)”라고 하였다.

人道를 다 발휘할 수 있다.”

[52-1-31]

“事親大節目是養體·養志·致愛·致敬. 四事中致愛·敬尤急. 所以孝, 只是愛親·敬親兩事耳. 天子之孝, 推愛敬之心以及天下, 亦惟此二事爲能刑於四海, 固結人心, 舍此則法術矣, 其效與聖人不相似. 父母在不遠遊, 爲子者恃血氣何所不往, 但父母思念之心宜深體, 當以父母之心爲心.”[76]

(노재 허씨가 말했다.) “부모를 섬기는 데에 큰 항목은 부모의 몸을 봉양하고 부모의 뜻을 봉양하며 사랑을 다하고 공경을 다하는 것이다. 이 네 가지 가운데 사랑을 다하고 공경을 다하는 것이 더욱 시급하다. 그러므로 효孝는 부모를 사랑하고 부모를 공경하는 두 가지 일일 뿐이다. 천자의 효孝는 사랑하고 공경하는 마음을 미루어 천하에까지 미치는 것이니, 또한 오직 이 두 가지 일을 사해四海에 본보기가 될 수 있도록 하여 인심人心을 굳게 결속시키는 것이다.[77] 이것을 버리면 법술이니 그 효험은 성인과 서로 같을 수 없다. 부모가 생존해 계실 때 멀리 놀러가지 않는 것[78]은 자식된 자가 혈기를 믿고 어딘들 가지 못하겠는가만 부모가 걱정하는 마음을 깊이 헤아려야 하니, 부모의 마음으로 내 마음을 삼아야 되는 것이다.”[79]

[52-1-32]

“父子之親, 君臣之義, 與夫夫婦·長幼·朋友, 亦莫不各有當然之則, 此天倫也. 苟無學問以明之, 則違遠人道, 與禽獸殆無少異.”[80]

. . . .

76 許衡, 『魯齋遺書』 권1 「語錄上」

77 천자의 孝는 … 것이다. :『孝經』「天子」에서 “공자가 말했다. ‘부모를 사랑하는 사람은 감히 남을 미워하지 않고, 부모를 공경하는 사람은 감히 남에게 거만하지 않는다. 사랑과 공경이 부모를 섬기는 데에 다 발휘되면 덕스러운 가르침이 백성들에게 가해져서 四海에 본보기가 될 것이니 이것이 천자의 孝이다.(子曰, ‘愛親者, 不敢惡於人 ; 敬親者, 不敢慢於人. 愛敬盡於事親, 而德教加於百姓, 刑于四海. 蓋天子之孝也.’)”라고 하였다.

78 부모가 생존해 … 것 :『論語』「里仁」에서 “공자가 말했다. ‘부모가 생존해 계실 때는 멀리 놀러가지 말고, 놀더라도 반드시 일정한 곳이 있어야 한다.(子曰, ‘父母在, 不遠遊, 遊必有方.’)”라고 하였다.

79 자식된 자가 … 것이다. : 주자는 『論語集註』「里仁」에서 “멀리 놀러 가면 부모를 떠나는 것이 멀어서 날짜가 오래되며, 昏定晨省을 비우게 되고 음성으로 문안하는 것이 소원해지니, 단지 자신이 부모를 그리워하여 그대로 있지 못할 뿐만 아니라, 또한 부모가 나를 생각하여 잊지 못하실까 두려워한 것이다. 놀러 가더라도 반드시 일정한 곳이 있다는 것은, 만약 이미 동쪽으로 간다고 아뢰었으면 감히 다시 서쪽으로 가지 못함과 같은 것이니, 부모가 반드시 자신의 소재를 알아서 근심함이 없고, 자신을 부르면 반드시 도착하여 실수가 없도록 하려는 것이다. 范氏(范禹祖)가 말했다. ‘자식이 부모의 마음을 자신의 마음으로 삼을 수 있다면 孝가 될 것이다.’(遠遊, 則去親遠而爲日久, 定省曠而音問疏 ; 不惟己之思親不置, 亦恐親之念我不忘也. 遊必有方, 如己告云之東, 即不敢更適西, 欲親必知己之所在而無憂, 召己則必至而無失也. 范氏曰, ‘子能以父母之心爲心, 則孝矣.’)”라고 하였다.

80 許衡, 『魯齋遺書』 권1 「語錄上」

(노재 허씨가 말했다.) "부자관계의 친함과 군신관계의 의義는 부부관계·장유관계·친구관계 등과 또한 각각 당연한 법칙이 있지 않음이 없으니, 이것이 천륜이다. 만약 학문으로 그것을 밝히지 않으면 인도人 道를 멀리 어긋나서 금수와 적은 차이도 거의 없을 것이다."[81]

[52-1-33]

"自古及今, 天下國家唯有箇三綱五常. 君知君道, 臣知臣道, 則君臣各得其所矣. 父知父道, 子知子道, 則父子各得其所矣. 夫知夫道, 婦知婦道, 則夫婦各得其所矣. 三者旣正, 則他事皆 可爲之. 此或未正, 則其變故不可測知者, 又奚暇他爲也?"[82]

(노재 허씨가 말했다.) "예로부터 지금까지 천하의 국가에는 오직 삼강·오상이 있었다. 군주가 군주의 도道를 알고 신하가 신하의 도를 알면, 군주와 신하는 각각 그 마땅한 자리를 얻을 수 있다. 아버지가 아버지의 도를 알고 자식이 자식의 도를 알면, 아버지와 자식이 각각 그 마땅한 자리를 얻을 수 있다. 남편이 남편의 도를 알고 아내가 아내의 도를 알면, 남편과 아내가 각각 그 마땅한 자리를 얻을 수 있다. 위의 세 가지가 이미 바로잡히고 나면 다른 일은 모두 할 수 있게 된다. 이것이 혹 바르지 않으면 그 변고는 헤아려서 알 수 없는데 또 어느 겨를에 다른 일을 하겠는가?"

[52-1-34]

"正倫理, 篤恩義, 家人之道也. 人之處家, 在骨肉父子之間, 大抵以情勝理, 以恩奪義. 惟剛立 之人, 則能不以私愛失其正理. 故家人卦大要以剛爲善."[83]

(노재 허씨가 말했다.) "윤리를 바르게 하고 은의恩義恩情를 돈독히 함이 가인家人의 도道이다.[84] 사람이

---

81 人道를 멀리 … 것이다 : 『孟子』「告子上」에서 맹자는 다음과 같이 말했다. "비록 사람에게 보존된 것이라고 하더라도 어찌 仁義의 마음이 없겠는가? 그 良心을 잃어버림이 또한 마치 도끼와 자귀가 나무에 대해서 아침 마다 베어 가는 것과 같으니, 이렇게 하고서도 아름답게 될 수 있겠는가? 밤낮으로 자라나는 것과 새벽녘의 맑은 기운에 그 좋아하고 미워함이 남들과 서로 가까운 것이 거의 얼마 되지 않는데, 낮에 하는 소행이 이것을 질곡 시켜서 없애니, 질곡 시켜서 없애기를 반복하면 夜氣가 족히 보존될 수 없고, 夜氣가 보존될 수 없으면 금수와 차이가 멀지 않게 된다. 사람들은 그 금수 같은 행실만 보고는 일찍이 훌륭한 材質이 있지 않았다고 여기니, 이것이 어찌 사람의 實情이겠는가?(雖存乎人者, 豈無仁義之心哉? 其所以放其良心者, 亦猶斧斤之於 木也, 旦旦而伐之, 可以爲美乎? 其日夜之所息, 平旦之氣, 其好惡與人相近也者幾希, 則其旦晝之所爲, 有梏亡 之矣. 梏之反覆, 則其夜氣不足以存; 夜氣不足以存, 則其違禽獸不遠矣. 人見其禽獸也, 而以爲未嘗有才焉者, 是豈人之情也哉?)"
82 許衡, 『魯齋遺書』 권1 「語錄上」
83 許衡, 『魯齋遺書』 권1 「語錄上」
84 윤리를 바르게 … 道이다 : 程頤는 『程氏易傳』「家人卦」 첫머리에서, "家人卦는 「序卦傳」에 '夷는 傷함이니, 밖에서 傷한 자는 반드시 집으로 돌아오기 때문에 家人卦로 받았다.'라고 하였다. 밖에서 傷하고 곤궁하면 반드시 안으로 돌아오니, 家人卦가 이 때문에 明夷卦의 다음이 된 것이다. 家人은 집안의 道이니, 父子관계의 친함과 夫婦관계의 義와 尊卑·長幼의 차례로 윤리를 바르게 하고 恩義(恩情)를 돈독히 함이 家人의 道이다. 괘가 밖은 巽이고 안은 離이니, 바람이 불로부터 나옴이 되며, 불이 치성하면 바람이 나온다. 바람이 불로부터

집안에 거처함에 골육간과 부자간에는 대체로 정情이 리理를 이기고 은정恩情이 의義를 빼앗는다. 오직 굳세게 확립한 사람만이 사사로운 사랑으로 올바른 리理를 잃지 않을 수 있다. 그러므로 가인괘家人卦의 주요한 요점은 굳셈을 선善으로 여기는 것이다."[85]

[52-1-35]

"兄弟同受父母一氣所生, 骨肉之至親者也. 今人不明理義, 悖逆天性. 生雖同胞, 情同吳越; 居雖同室, 迹如路人. 以至計分毫之利而棄絶至恩, 信妻子之言而結爲死怨, 豈知兄弟之義哉?"[86]

(노재 허씨가 말했다.) "형제는 똑 같이 부모의 하나의 기氣를 받아서 생겨나니 골육 가운데에서도 지극히 가까운 것이다. 그런데 요즘 사람들은 의리義理에 밝지 못해서 천성天性을 거슬러서 어지럽힌다. 태어난 것은 비록 같은 배일지라도 정情은 마치 오나라와 월나라의 관계처럼 원수지간이고, 살기는 비록 같은 집에 거처하지만 자취는 마치 길거리를 가는 사람처럼 흔적도 없다. 심지어 털끝만한 이익을 계산해서 지극한 은정恩情을 잘라 버리고 아내의 말을 믿어서 형제간에 죽기를 각오한 원한을 맺으니, 어찌 형제간의 의義를 아는 것이겠는가?"

· ·

나옴은 안으로부터 나옴이니, 안으로부터 나옴은 집으로부터 밖에 미치는 象이다.(家人, 「序卦」, '夷者, 傷也, 傷於外者, 必反於家, 故受之以家人.' 夫傷困於外則必反於內, 家人所以次明夷也. 家人者, 家內之道, 父子之親, 夫婦之義, 尊卑長幼之序, 正倫理, 篤恩義, 家人之道也. 卦外巽內離, 爲風自火出, 火熾則風生. 風生火, 自內而出也, 自內而出, 由家而及於外之象.)"라고 하였다.

85 사람이 집안에 … 것이다. : 程頤는 『程氏易傳』「家人卦 · 六二爻」에서, "사람이 집안에 거처함에 골육간과 부자간에는 대체로 情이 禮를 이기고 恩惠가 義를 빼앗는데, 오직 군세게 확립한 사람만이 사사로운 사랑으로 正理를 잃지 않을 수 있다. 그러므로 家人卦의 주요한 요점은 굳셈을 善으로 여기는 것이니, 初와 三과 上이 이것이다. 六二는 陰柔의 재질로 柔의 위치에 자리 잡아서 집안을 다스리지 못하는 자이다. 그러므로 이루는 것이 없으니, 하는 것에 괜찮은 것이 없다. 영웅의 재질로도 오히려 情과 사랑에 빠져 스스로 지키지 못하는 자가 있는데 하물며 柔弱한 사람이 妻子의 情을 이길 수 있겠는가? 二와 같은 재질은 만약 婦人의 道를 행하면 바른 것이다. 柔順으로 中正에 처함은 부인의 도이다. 그러므로 閨中에 있으면서 음식을 장만하면 그 바름을 얻어 吉한 것이니, 부인은 규중에 있으면서 음식을 주관하는 자이다. 그러므로 中饋라 이른 것이다.(人之處家, 在骨肉父子之間, 大率以情勝禮, 以恩奪義. 唯剛立之人, 則能不以私愛失其正理. 故家人卦, 大要以剛爲善, 初 · 三 · 上, 是也. 六二以陰柔之才而居柔, 不能治於家者也. 故无攸遂, 无所爲而可也. 夫以英雄之才, 尙有溺情愛而不能自守者, 況柔弱之人, 其能勝妻子之情乎? 如二之才, 若爲婦人之道, 則其正也. 以柔順處中正, 婦人之道也. 故在中饋, 則得其正而吉也, 婦人, 居中而主饋者也. 故云中饋.)"라고 하였다.

86 許衡, 『魯齋遺書』 권1 「語錄上」

師友 사우

[52-2-1]

程子曰 : "學者必求其師. 記問文章, 不足以爲人師, 以所學者外也. 故求師不可不愼. 所謂師者何也? 曰理也義也." 以下兼論師友.[87]

정자程子가 말했다. "배우는 사람은 반드시 스승을 찾아야 한다. 문장을 외워서 질문에 대답하는 것은 남의 스승이 되기에 부족하니, 배운 것이 외적인 것이기 때문이다. 그러므로 스승을 찾는 것은 신중하지 않을 수 없다. 이른바 스승이라 할 수 있는 것은 어떤 것인가? 리理와 의義이다." 아래는 스승과 벗을 아울러 논한다.

[52-2-2]

"古之人得其師傳, 故因經以明道. 後世失其師傳, 故非明道, 不能以知經."[88]

(정자가 말했다.) "옛 사람들은 스승이 전수한 것을 얻었기 때문에 경經[經書]에 따라서 도를 밝혔다. 후세에는 스승의 전수를 잃어버렸기 때문에, 도를 밝히지 않아서 경經을 알 수 없게 되었다."

[52-2-3]

"朋友講習, 更莫如相觀而善工夫多."[89]

(정자가 말했다.) "친구와 강습함에는 서로가 서로를 살펴 자신을 선하게 하는[90] 공부보다 나은 것은 없다."

[52-2-4]

"人之於朋友,[91] 修身·誠意以待之, 疏戚在人而已. 不巧言令色·曲從苟合,[92] 以求人之與己也. 雖鄉黨親戚亦然."[93]

(정자가 말했다.) "사람이 친구에 대해서는 자신을 수양하고 뜻을 성실히 하는 것으로써 대할 뿐이니, 친하고 소원한 것은 그 사람에게 달려있을 따름이다. 말을 좋게 하고 얼굴빛을 곱게 하며[94] 굴종하고

---

87 『河南程氏遺書』 권25

88 『河南程氏遺書』 권15

89 『河南程氏遺書』 권2上

90 서로가 서로를 … 하는 : 『禮記』 「學記」에서 "서로 살펴보고 선하도록 하는 것을 연마하는 것이라고 한다.(相觀而善之謂摩.)"라고 하였다.

91 人之於朋友 : 『河南程氏粹言』 「君臣篇」에는 이 구절이 없다.

92 不巧言令色·曲從苟合 : 『河南程氏粹言』 「君臣篇」에는 "不加巧言令色·曲從苟合"이라고 되어 있다.

93 『河南程氏粹言』 「君臣篇」

94 말을 좋게 … 하며 : 『論語』 「學而」에서 "공자께서 말했다. '말을 좋게 하고 얼굴빛을 곱게 하는 사람이 仁한

구차하게 부합하는 것으로써 다른 사람이 나와 함께하기를 구해서는 안 된다. 비록 고향의 친척이라도 역시 그러하다."

[52-2-5]

"孔子弟子, 自孔子沒後, 各自離散, 只有曾子便別. 如子夏·子張欲以所事孔子事有若, 獨曾子便道'不可.' 自子貢以上必皆不肯. 某自涪陵歸, 見門人皆已支離, 不知他日身後又如何也. 但得簡信時, 便自有長進處. 孔子弟子甚多, 亦不能皆合於孔子. 如子路言子之迂也, 又曰'末之也已.' 及其退思, 終合於孔子. 只爲他信, 便自然思量到也."[95]

(정자가 말했다.) "공자의 제자들이 공자가 죽은 뒤에 각자 흩어졌는데, 다만 증자는 유별났다. 예컨대 자하子夏와 자장子張이 공자를 섬기던 것으로 유약을 섬기고자 했으나, 유독 증자만이 '안된다'고 말했다.[96] 자공子貢 이상의 제자는 반드시 모두 그렇게 하지 않으려 했을 것이다. 내가 부릉涪陵(현 重慶市)에서 돌아왔을 때 문인들이 모두 이미 뿔뿔이 흩어진 것을 보았는데, 나중에 내가 죽은 뒤에는 또 어떠할지 모르겠다. 그러나 믿음을 얻었을 때 저절로 크게 진보함이 있다. 공자의 제자들은 매우 많았지만 또한 모두 공자와 부합할 수는 없었다. 예컨대 자로子路는 공자의 우원함을 말하고 게다가 '가실 곳이 없으면 그만이지'라고까지 말했다.[97] 그가 물러나서 생각함에 끝내 공자에게 부합했다. 단지 그가 믿었기 때문에 저절로 그렇게 생각할 수 있었다."

[52-2-6]

問: "某與人居, 視其有過而不告, 則於心有所不安. 告之而人不受, 則奈何?"

曰: "與之處而不告其過, 非忠也. 要使誠意之交通在於未言之前, 則言出而人信矣. 不信, 誠

이가 적다.'(子曰, '巧言令色, 鮮矣仁.')"라고 하였다.

95 『河南程氏外書』권3

96 예컨대 子夏와 … 말했다. : 『孟子』「滕文公上」에서 "옛날에 공자가 죽고 3년이 지난 다음 문인들이 짐을 챙겨 돌아갈 때에, 들어가서 子貢에게 읍하고 서로 향하여 곡을 해서 모두 목이 쉰 뒤에 돌아갔다. 子貢은 다시 돌아와 묘 마당에 집을 짓고 홀로 3년을 거처한 뒤에 돌아갔다. 후일에 子夏·子張·子游가 有若이 聖人(공자)과 유사하다고 하여, 공자를 섬기던 것으로 그를 섬기고자 해서 曾子에게 강요하였다. 증자는 '안 된다. 江漢으로써 씻는 것과 같고, 가을볕으로써 쪼이는 것과 같아서 皜皜(결백한 모양)하여 더할 수 없다.'라고 하였다.(昔者孔子沒, 三年之外, 門人治任將歸, 入揖於子貢, 相嚮而哭, 皆失聲, 然後歸. 子貢反, 築室於場, 獨居三年, 然後歸. 他日, 子夏·子張·子游以有若似聖人, 欲以所事孔子事之, 彊曾子. 曾子曰, '不可. 江漢以濯之, 秋陽以暴之, 皜皜乎不可尙已.')"라고 하였다.

97 예컨대 子路는 … 말했다. : 『論語』「陽貨」에서 "公山弗擾가 費邑에 우거하여 반란을 일으키고 孔子를 부르니, 공자께서 가려고 하였다. 子路가 기뻐하지 않으며 말하기를 '가실 곳이 없으면 그만이지, 하필이면 公山氏에게 가시려 하십니까?' 하니, 공자께서 말했다. '나를 부르는 자가 어찌 쓸데없이 나를 불렀겠느냐? 나를 써주는 자가 있다면, 나는 동쪽 周나라를 만들 것이다.'(公山弗擾以費畔, 召, 子欲往. 子路不說曰, '末之也已, 何必公山氏之之也?' 子曰, '夫召我者, 而豈徒哉? 如有用我者, 吾其爲東周乎!')"라고 하였다.

不至也.[98]"[99]

물었다. "내가 어떤 사람과 함께 있을 때 그 사람을 잘못을 보고 알려주지 않으면 마음에 불안함을 느낍니다. 그 사람에게 알려주었는데 받아들이지 않으면 어떻게 합니까?"

(정자가) 대답했다. "함께 있으면서 그 잘못을 알려주지 않는 것은 충忠이 아니다. 만약 아직 말하기 전에 뜻을 성실히 하여 서로 소통하면, 말을 하자마자 그 사람이 믿을 것이다. 믿지 않는 것은 성실함이 미치지 못한 것이다."

[52-2-7]

張子曰 : "師不立服, 不可立也. 當以情之厚薄, 事之大小處之. 如顔‧閔於孔子, 雖斬衰三年可也, 其成己之功與君父並. 其次各有淺深, 稱其情而已. 下至曲藝, 莫不有師, 豈可一槪制服?"[100]

장자張子張載가 말했다. "스승에 대해 복을 입는 것을 정립하지 않았는데, 정립할 수 없다. 마땅히 정감의 두터움과 엷음 및 일의 크고 작음에 따라 처리해야 한다. 예컨대 안회顔回와 민자건閔子騫은 공자에 대하여 비록 참최斬衰 3년의 복을 입어도 되니, 그들 자신을 완성시켜준 공로가 임금이나 부모와 마찬가지이기 때문이다. 그 다음은 각각 복을 입는 것에 깊음과 엷음이 있으니 그 정감에 맞게 할 따름이다. 아래로 자잘한 기예에 이르기까지 스승이 있지 않을 수 없으니, 어찌 하나로 개괄해서 복을 입는 것을 제정할 수 있겠는가?"

[52-2-8]

"聖人不制師之服, 師無定體. 如何是師? 見彼之善而己效之, 便是師也. 故有得其一言一義如朋友者, 有相親炙而如兄弟者, 有成就己身而恩如天地父母者, 豈可一槪服之? 故聖人不制其服, 心喪之可也. 孔子死, 弔服加麻, 亦是服也. 却不得謂無服也."

(장자가 말했다.) "성인께서 스승에 대한 복을 제정하지 않았으니, 스승은 고정된 실체가 없기 때문이다. 어떻게 하는 것이 스승인가? 저 사람의 선함을 보고 내가 그것을 본받으면 곧 스승이다. 그러므로 한 마디 말과 한 가지 옳음을 얻는 것이 친구와 같은 경우도 있고, 서로 간에 몸소 가르침을 받는 것이 형제와 같은 경우도 있으며, 자신을 성취시켜 주는 것이 그 은혜가 천지와 부모와 같은 경우도 있으니,

---

98 不信, 誠不至也. : 이 구절은 『河南程氏遺書』권4에는 없고, 『河南程氏粹言』「人物篇」에 보인다. 『河南程氏粹言』「人物篇」에는 "어떤 사람이 물었다. '친구의 잘못을 보고 알려주지 않으면 忠하지 않은 것인데, 알려주어도 듣지 않으면 어떻게 해야 됩니까?' 정자가 대답했다. '아직 말하기 전에 뜻을 성실히 하여 서로 믿을 수 있다면, 비록 말하지 않더라도 그 사람이 믿을 것이다. 믿지 않는 것은 성실함이 미치지 못한 것이다.'(或問, '視朋友之過, 不告則不忠, 告之不聽, 則當如何?' 子曰, '誠意交孚於未言之前, 雖不言, 人信之矣. 不信者, 誠不至也.')"라고 하였다.
99 『河南程氏遺書』권4
100 張載, 『張子全書』권8 「喪紀」

어찌 하나로 개괄해서 복을 입도록 할 수 있겠는가? 그러므로 성인께서 그 복을 입는 것을 제정하지 않았으니, 마음으로 복을 입는 것이 괜찮은 것이다. 공자가 죽음에 조복弔服에 가마加麻[喪巾] 위로 삼으로 꼰 삼끈을 두르는 일를 하는 일도 역시 복을 입는 것이다. 그것도 복을 입음이 없는 것이라고 할 수 없다."

[52-2-9]
華陽范氏曰 : "與賢於己者處, 則自以爲不足 ; 與不如己者處, 則自以爲有餘. 自以爲不足則日益, 自以爲有餘則日損."

화양 범씨華陽范氏[范鎭][101]가 말했다. "자기보다 현명한 사람과 거처하면 스스로 부족하다고 생각하고, 자기 만 못한 사람과 거처하면 스스로 낫다고 생각한다. 스스로 부족하다고 생각하면 나날이 이익이 되고, 스스로 낫다고 생각하면 나날이 손해가 된다."

[52-2-10]
藍田呂氏曰 : "古者憲老而不乞言. 憲者, 儀刑其德而已, 無所事於問也. 其次則有問有答. 問答之間, 然猶不憤則不啓, 不悱則不發. 又其次則有講有聽. 講者, 不待問也 ; 聽者, 不致問也. 學至於有講有聽, 則師益勤而道益輕, 學者之功益不進矣. 又其次則有講而未必聽. 學至於有講而未必聽, 則無講可矣."[102]

남전 여씨藍田呂氏[呂大臨][103]가 말했다. "옛 사람들은 노련한 사람을 본받되 좋은 말을 구하지는 않았다. '본받는다[憲]'는 것은 그 덕을 본받을 뿐 물으려 하지 않음이다. 그 다음은 물음과 답변이 있는 것이다. 물음과 답변 사이에는 또한 마음속으로 통할 듯하지 않으면 그 뜻을 열어주지 않으며, 입으로 말할 듯하지 않으면 그 말문을 열어주지 않았다.[104] 또 그 다음은 강론함이 있으면 듣는 것이 있는 것이다.

• •

101 范鎭(1008~1088) : 자는 景仁이고 長嘯公으로도 불리었으며, 시호는 忠文이다. 송대 華陽(현 사천성 城都)사 람으로 벼슬은 知諫院 · 翰林學士를 역임하였으며, 蜀郡公으로 봉해졌다. 많은 저술을 남겼는데,『문집』과 『正言』 ·『樂書』가 유명하다.

102 呂祖謙의『宋文鑑』권91「中庸後解序」에 실려 있다.

103 呂大臨(1040~1092) : 자는 與叔이고, 당시 藝閣先生으로 불리었다. 송대 藍田(현 섬서성 소속) 사람으로『呂 氏鄕約』을 쓴 呂大鈞의 동생이다. 張載가 처음으로 關中에 와서 강학할 때 형들과 함께 장재를 스승으로 모셨으나, 장재가 죽은 뒤 二程에게 배워 謝良佐 · 游酢 · 楊時와 함께 '程門四先生'이라 일컫는다. 太學博 士 · 秘書省正字를 역임하였다. 저서는『禮記傳』 ·『考古圖』 등이 있다.

104 마음속으로 말 … 않았다. :『論語』「述而」에서 "공자가 말했다. '마음속으로 통할 듯하지 않으면 그 뜻을 열어주지 않으며, 입으로 말할 듯하지 않으면 그 말문을 열어주지 않는다. 한 귀퉁이를 들어주었는데 이것을 가지고 남은 세 귀퉁이를 반증하지 못하면 다시 더 일러주지 않는다.'(子曰, '不憤不啓, 不悱不發. 擧一隅不 以三隅反, 則不復也.')"라고 하였다.
이 구절에 대해 주자는 "憤은 마음속으로 통달하려고 하지만 아직 그렇게 되지 못하는 뜻이다. 悱는 입으로 말하고 싶어 하지만 아직 그렇게 할 수 없는 모습이다. 啓는 그 뜻을 열어줌을 말하고, 發은 그 말문을 열어줌을 말한다. 어떤 것에 네 귀퉁이가 있는 것은 그 가운데 하나를 들면 나머지 세 귀퉁이도 알 수 있다.

강론한다는 것은 질문을 기다리지 않는 것이고, 듣는다는 것은 질문을 하지 않는 것이다. 배움이 강론함이 있고 듣는 것만 있게 되면, 스승은 갈수록 부지런해지지만 도道는 갈수록 가벼워져서 배우는 사람의 공부는 더욱 진전이 없게 된다. 또 그 다음은 강론함이 있는데 제대로 듣지 않는 것이다. 배움이 강론함이 있는데 제대로 듣지 않게 되면, 강론하지 않는 것이 옳다."

[52-2-11]

"'人之患在好爲人師.' 故舍我而去者不追呼之使來. '有教無類.' 故從我而來者不拒逆之使去. 但能以此求道之心至, 則受而教之. 『論語』稱'互鄉難與言, 童子見, 門人惑. 子曰,「與其進也, 不與其退也. 人潔己以進, 與其潔也, 不保其往也.」' 故聖賢在下, 其所以取人, 苟有向善之心皆取之, 亦以進人爲善. 不爲異日之不保, 而廢其今日與人爲善之意."[105]

(남전 여씨가) 말했다. "(맹자는) '사람들의 병통은 남의 스승이 되기를 좋아하는 데에 있다.'[106]라고 하였다. 그러므로 나를 버리고 가는 자는 좇아가 불러서 오도록 하지 않는다. (공자는) '가르침이 있으면 부류를 따지지 않는다.'[107]라고 하였다. 그러므로 나를 좇아서 오는 자는 거역해서 떠나가도록 하지 않는다. 그러나 이렇게 도를 추구하는 마음으로 오면 받아들여서 가르친다. 『논어』에서 '호향互鄉 사람과는 더불어 말하기 어려웠는데, (호향의) 동자가 찾아와 공자를 뵈니, 문인들이 의혹을 하였다. 이에 공자는 다음과 같이 말했다.「그 찾아옴을 허락할 뿐이지 물러간 뒤를 허락하는 것은 아니다. 사람이 자신을 가다듬어 깨끗이 하고서 찾아오면 그 깨끗이 한 것을 허락할 뿐 지난날을 보장할 수는 없는 것이다.」'[108]

反은 되돌려서 서로 증험한다는 뜻이다. 復는 다시 말해주는 것이다. … 程子가 말했다. '慎悱는 誠意가 顏色과 말에 나타나는 것이니, 성의가 지극하기를 기다린 뒤에 알려주고, 알려준 뒤에는 또 반드시 자득하기를 기다려서 다시 알려주는 것이다.' 또 말했다. '慎悱함을 기다리지 않고 말해주면 아는 것이 확고할 수 없으며, 분비하기를 기다린 뒤에 알려주면 확연히 깨달을 것이다.'(慎者, 心求通而未得之意. 悱者, 口欲言而未能之貌. 啓, 謂開其意. 發, 謂達其辭. 物之有四隅者, 擧一可知其三. 反者, 還以相證之義. 復, 再告也. … 程子曰, '慎悱, 誠意之見於色辭者也. 待其誠至而後告之. 旣告之, 又必待其自得, 乃復告爾.' 又曰, '不待慎悱而發, 則知之不能堅固 ; 待其慎悱而後發, 則沛然矣.')"라고 주석하였다.

105 朱熹의 『論孟精義』「孟子精義」권14에 여대림의 말로 실려 있다.
106 '사람들의 병통은 … 있다.' : 『孟子』「離婁上」
　　이 구절에 대해 주자는 "王勉이 말했다. '학문이 충분하여 남들이 자기에게 의뢰하는 경우 부득이하게 응하는 것은 괜찮다. 그런데 만약 남의 스승이 되기를 좋아한다면 스스로 만족하여 다시는 진전이 있지 못할 것이니, 이는 사람들의 큰 병통이다.(王勉曰, '學問有餘, 人資於己, 以不得已而應之可也. 若好爲人師, 則自足而不復有進矣, 此人之大患也.)"라고 주석하였다.
107 '가르침이 있으면 … 않는다.' : 『論語』「衛靈公」
　　이 구절에 대해 주자는 "사람의 性은 다 선한데 그 부류에 善과 惡의 다름이 있는 것은 기질과 습관의 물들임 때문이다. 그러므로 군자가 가르침이 있으면 사람들은 모두 선으로 돌아올 수가 있으니, 다시 그 부류의 악함을 따져서는 안된다.(人性皆善, 而其類有善惡之殊者, 氣習之染也. 故君子有教, 則人皆可以復於善, 而不當復論其類之惡矣.)"라고 주석하였다.
108 '互鄉 사람과는 … 것이다.」' : 『論語』「述而」

라고 하였다. 그러므로 성현이 아래에 있으면서 사람을 취함에, 만약 선을 지향하는 마음을 가지고 있으면 모두 그들을 취하고 또한 그 사람들을 진전시켜 선을 행하도록 한다. 지난날을 보장할 수 없기 때문에 오늘 그 사람들에게 선을 행하도록 하는 것을 폐기하지는 않는다는 뜻이다."

[52-2-12]

上蔡謝氏曰 : "申顔自謂不可一日無侯無可. 或問其故, 曰, '無可能攻人之過. 一日不見, 則吾不得聞吾過矣.'"[109]

상채 사씨上蔡謝氏[謝良佐]가 말했다. "신안申顔[110]은 하루라도 후무가侯無可[侯可][111]가 없으면 안된다고 스스로 말했다. 어떤 사람이 그 까닭을 물으니, (신안은) '무가無可[侯可]는 다른 사람의 잘못을 잘 질책한다. 하루라도 그를 만나지 않으면 나는 나의 잘못을 들을 수 없다.'라고 대답했다."

[52-2-13]

廣平游氏曰 : "孟子之論尙友也, 以一鄕之善士爲未足而求之一國, 以一國之善士爲未足而求之天下, 以天下之善士爲未足而求之古人. '無友不如己者', 尙友之道也. 求得賢者尙而友之, 則聞其所不聞, 見其所不見, 而德日起矣. 此仲尼所以期子夏之日進也."[112]

광평 유씨廣平游氏[游酢][113]가 말했다. "맹자가 옛사람과 벗하는 것에 대해 논하면서, 한 고을의 훌륭한

. . . .

이 구절에 대해 주자는 "이 章에는 錯簡이 있는 듯하다. '人潔'에서부터 '往也'까지의 14字는 마땅히 '與其進也'의 앞에 놓여야 한다. … 사람이 자신을 가다듬어 깨끗이 하고서 찾아오면, 다만 그가 스스로 가다듬어 깨끗이 한 것을 허락할 뿐 지난날에 선악을 행한 것을 보장할 수는 없는 것이며, 다만 그 찾아와 뵙는 것을 허여할 뿐 물러간 뒤에 不善을 행하는 것을 허락하는 것은 아님을 말한다. 그 지난날을 미루어 따지지 않고 그 장래를 미리 예측하지 않으며, 이러한 마음으로 찾아오면 그대로 받아들일 뿐이다.(疑此章有錯簡. '人潔至'往也'十四字, 當在'與其進也'之前. … 言人潔己而來, 但許其能自潔耳, 固不能保其前日所爲之善惡也 ; 但許其進而來見耳, 非許其旣退而爲不善也. 蓋不追其旣往, 不逆其將來, 以是心至, 斯受之耳.)"라고 주석하였다.

109 謝良佐, 『上蔡語錄』 권1
110 申顔 : 북송대 關中 사람으로 장재 關學의 연원이 되는 학자이다. 呂本中의 『童蒙訓』에서, 그의 학문이 특출하고 많은 사람들이 그에게 교화되었으며 장재 학문의 선구자라고 그를 소개하고 있다.
111 侯可 : 북송대 학자 겸 관료로서 자는 無可이고, 華州華陰(현 섬서성 孟縣) 사람이다. 그의 부친 侯道濟는 二程의 외숙으로 북송대에 尙書를 지냈다. 그는 재물을 경시하고 義氣를 중시하여 위급한 사람을 잘 도와준 것으로 유명하다. 특히 어릴 때부터 申顔과 벗삼아 의복을 함께 나누어 입었으며, 그의 장례를 도맡은 미담이 程顥가 지은 그의 묘갈명에 전해진다.
112 游酢, 『游廌山集』 권1 「論語雜解」
113 游酢(1053~1123) : 자는 定夫·子通이고, 호는 廌山·廣平이며, 시호는 文肅이다. 建陽(현 복건성 건영) 사람이다. 북송 때 경학가이다. 1083년에 진사가 되어 太學博士, 監察御使 등을 지냈다. 형 游醇과 함께 학문과 행실로 알려져서 당시 知扶溝縣으로 있던 程顥의 부름을 받아 學事를 맡게 되었고, 그때부터 정호 형제를 사사하였다. 謝良佐, 楊時, 呂大臨과 함께 '程門四先生'으로 일컬어졌다. 도를 천지 만물 속에 있는 보편적 존재로 인식하여 자연의 도가 바로 인륜의 이치라고 주장하였다. 또 『周易』을 중시하여 그 책 속에 우주

선비로는 만족스럽게 여기지 못하여 한 나라에서 훌륭한 선비를 구하고, 한 나라의 훌륭한 선비로는 만족스럽게 여기지 못하여 천하에서 훌륭한 선비를 구하며, 천하의 훌륭한 선비로는 만족스럽게 여기지 못하여 옛 사람에게 구하였다.[114] '자기만 못한 자를 벗 삼으려 하지 말라'[115]는 것은 옛사람과 벗하는 도리이다. 현자를 구하여 옛사람과 벗 삼을 수 있으면 듣지 못한 것을 듣고 보지 못한 것을 보아서 덕이 날로 흥기할 것이다. 이것이 공자께서 자하子夏가 날로 진보하기를 기대했던 내용이다."

[52-2-14]

龜山楊氏曰: "古之人, 其道足以師世範俗, 惟孔·孟足以當之. 東漢而下, 師道益嚴, 然稽其所知所行, 皆不足以勝其任也. 唐之韓愈固嘗欲以師道自居矣. 其視李翶·張籍輩, 皆謂從吾游. 今翶·籍之文具在, 考其言未嘗以弟子自列, 則師果可好爲乎? 苟其道未足以成德達財, 雖欲爲之而人不與也. 愈且如是, 況其下者乎?"[116]

구산 양씨龜山楊氏[楊時]가 말했다. "옛 사람 가운데 그 도가 세속의 본보기가 되기에 충분한 사람은 오직

. . . .

만물의 이치가 포함되어 있다고 보았다. 만년에 禪에 몰입하여 유가가 불가를 배척할 것이 아니라 서로 보완적인 관계가 되어야 한다고 주장하여, 후대 학자인 胡宏으로부터 '정자 문하의 죄인'이라고 혹평을 받기도 하였다. 저술로 『易說』·『中庸義』·『論語孟子雜解』·『詩二南義』 등이 있었지만 모두 잃어버렸고, 남은 글을 모아 후세 사람이 엮은 『游鷹山集』이 남아 있다.

114 맹자가 하여 … 구하였다. : 『孟子』「萬章下」에서 "맹자가 萬章에게 말했다. '한 고을의 훌륭한 선비라야 한 고을의 훌륭한 선비와 벗할 수 있고, 한 나라의 훌륭한 선비라야 한 나라의 훌륭한 선비와 벗할 수 있으며, 천하의 훌륭한 선비라야 천하의 훌륭한 선비와 벗할 수 있는 것이다. 천하의 훌륭한 선비와 벗하는 것을 만족스럽지 못하게 여겨, 또 다시 위로 옛사람을 논한다. 그 詩를 외우고 그 글을 읽으면서도 그 사람을 알지 못한다면 되겠는가? 이 때문에 그 시대를 논하는 것이니, 이는 위로 벗하는 것이다.'(孟子謂萬章曰, '一鄕之善士, 斯友一鄕之善士; 一國之善士, 斯友一國之善士; 天下之善士, 斯友天下之善士. 以友天下之善士爲未足, 又尙論古之人. 頌其詩, 讀其書, 不知其人, 可乎? 是以論其世也, 是尙友也.')"라고 하였다.
  이 구절에 대해 주자는 "자기의 善이 한 고을을 덮을 만한 뒤에야 한 고을의 훌륭한 선비를 다 벗할 수 있다. 이것을 미루어 한 나라와 천하에 이르러도 모두 그러하니, 그 높고 낮음에 따라 넓고 좁음을 말한 것이다. 尙은 上과 같으니 위로 올라감을 말한다. 頌은 誦과 통한다. 그 시대를 논한다는 것은 그 시대의 行事의 자취를 논하는 것이다. 이미 그 말을 살펴보았으면, 그 사람됨의 실제를 몰라서는 안 되니, 이 때문에 또 그 행위를 고찰하는 것이다. 천하의 훌륭한 선비와 벗할 수 있으면 그 벗 삼은 것이 많은데도, 오히려 만족스럽지 못하게 여겨서 또 나아가 옛사람에게 취하니, 이것은 그 벗을 취하는 도를 진전하여, 다만 一世의 선비를 벗할 뿐만이 아닌 것이다.(言己之善蓋於一鄕, 然後能盡友一鄕之善士. 推而至於一國天下皆然, 隨其高下以爲廣狹也. 尙, 上同. 言進而上也. 頌, 誦通. 論其世, 論其當世行事之跡也. 言旣觀其言, 則不可以不知其爲人之實, 是以又考其行也. 夫能友天下之善士, 其所友衆矣, 猶以爲未足, 又進而取於古人, 是能進其取友之道, 而非止爲一世之士矣.)"라고 주석하였다.
115 '자기만 못한 … 말라.' : 『論語』「學而」
  이 구절에 대해 주자는 "無는 毋와 通하니 금지하는 말이다. 벗은 仁을 돕는 것이니, 자기보다 못하다면 유익함은 없고 손해만 있을 것이다.(無, 毋通, 禁止辭也. 友所以輔仁, 不如己, 則無益而有損.)"라고 주석하였다.
116 楊時, 『龜山集』 권19 「答陳瑩中」

공자와 맹자만이 그것을 감당하기에 충분할 것이다. 동한東漢시대 이래로 스승의 도는 더욱 엄격해졌지만, 그 지식과 행실을 헤아려보면 모두 스승의 직임을 감당하기에 충분하지 않았다. 당唐대의 한유韓愈도 본래 스승의 도를 자처하려고 했었다. 그는 이고李翱[117]와 장적張籍[118] 무리를 대하면서 모두 자기에게 배웠다고 하였다. 지금 이고와 장적의 글이 모두 남아 있는데, 그들의 말을 살펴보면 자진해서 한유의 제자라고 한 적이 없으니, 스승이 과연 즐겨 되고자 해야 할 일인가? 만약 그 도가 덕을 이루게 하거나 자질을 통달하게 하기에 충분하지 않으면,[119] 비록 스승이 되려고 해도 사람들이 인정해주지 않을 것이

· · · · · · · · · · · · · · ·

117 李翱(772~841) : 자는 習之이고 시호는 文公이며, 唐대 隴西成紀(현 감숙성 秦安) 사람이다. 唐德宗 貞元年間(785~804)에 진사에 급제하여 國子博士, 史館修撰, 考功員外郞, 禮部郞中, 中書舍人, 山南東道節度使 등을 역임하였다. 25세에 韓愈를 만나 한유의 고문운동에 적극 참여하였으며, 한유의 질녀와 혼인하였다. 유가의 부흥을 사명으로 삼아 배불숭유에 힘썼고, 특히 『中庸』의 天命之謂性 사상에 근본을 둔 性善의 성을 회복할 것을 주장하여 송대 신유학 발흥에 크게 영향을 끼쳤다. 저술로는 『復性書』가 유명하며, 『李文公集』104편이 있다.

118 張籍(약 766~약 830) : 자는 文昌이고 唐대 和州烏江(현 안휘성 和縣烏江鎭) 사람이다. 당대 중기 저명한 시인으로 세칭 張水部, 張司業이라고도 한다. 30대 초반에 한유를 만나 그의 추천으로 진사가 되고, 벼슬은 國子博士, 水部員外郞, 國子司業 등을 역임하였다. 그의 樂府詩는 王建과 쌍벽을 이루어 당시에 張王樂府로 일컬어졌다. 저명한 시로 「塞下曲」·「征婦怨」·「采蓮曲」·「江南曲」·「秋思」 등이 있다.

119 만약 그 … 않으면 : 『孟子』「盡心上」에서 "맹자가 말했다. '군자가 가르치는 것이 다섯 가지이니, 단비가 변화시키듯이 하는 경우가 있고, 덕을 이루게 하는 경우가 있으며, 자질을 통달하게 하는 경우가 있고, 물음에 답하는 경우가 있으며, 사사로이 善으로 다스리는 경우도 있으니, 이 다섯 가지는 군자가 가르치는 것이다.'(孟子曰, '君子之所以敎者五. 有如時雨化之者, 有成德者, 有達財者, 有答問者, 有私淑艾者. 此五者, 君子之所以敎也.')"라고 하였다.
이 구절에 대해 주자는 "아래 글의 다섯 가지는 인품의 높고 낮음과 혹은 거리의 원근과 선후의 같지 않음에 따른 것이다. 時雨는 때에 알맞은 비이다. 초목이 자랄 때에 파종하고 잘 북돋아 주어 사람의 힘이 이미 지극하지만, 아직 스스로 변화할 수 없으니 부족한 것은 비와 이슬의 북돋움일 뿐이다. 이때에 이르러 비가 내리면 그 변화함이 빠르다. 사람을 교화시키는 오묘함도 또한 이와 같으니, 예컨대 공자가 顔子와 曾子에 대한 것이 이것이다. 財는 材와 같다. 이것은 각각 그 장점에 따라서 가르친다는 것이다. 덕을 이루어준다는 것은 공자가 冉伯牛와 閔子騫에 대해서와 같은 것이고, 자질을 통달하게 한다는 것은 공자가 子路와 子貢에 대해서와 같은 것이다. 그 물음에 대해서 대답한다는 것은 공자와 맹자가 樊遲와 萬章에 대해서와 같은 것이다. 私는 슬며시 하는 것이고, 淑은 선이며, 艾는 다스림이다. 사람이 혹 문하에 와서 수업을 받지 못하고, 다만 군자의 도를 남에게 들을 경우는 슬며시 선으로써 그 몸을 다스리기도 하니, 이 또한 군자의 가르침이 미친 것이다. 예컨대 공자와 맹자가 陳亢과 夷之에 대해서가 이것이다. 맹자는 또한 다음과 같이 말했다. '나는 공자의 문도가 되지 못하였으나, 나는 슬며시 남에게서 얻어들어 몸을 선하게 하였다.' 성현이 가르침을 베푼 것은 각각 그 자질에 따라, 작은 사람은 작게 이루어주고 큰 사람은 크게 이루어주어, 버리는 사람이 없는 것이다.(下文五者, 蓋因人品高下, 或相去遠近先後之不同. 時雨, 及時之雨也. 草木之生, 播種封植, 人力已至而未能自化, 所少者, 雨露之滋耳. 及此時而雨之, 則其化速矣. 敎人之妙, 亦猶是也, 若孔子之於顔曾是已. 財, 與材同. 此各因其所長而敎之者也. 成德, 如孔子之於冉·閔. 達財, 如孔子之於由賜. 就所問而答之, 若孔孟之於樊遲·萬章也. 私, 竊也. 淑, 善也. 艾, 治也. 人或不能及門受業, 但聞君子之道於人, 而竊以善治其身, 是亦君子敎誨之所及, 若孔孟之於陳亢·夷之是也. 孟子亦曰, '予未得爲孔子徒也, 予私淑諸人也.' 聖賢施敎, 各因其材, 小以成小, 大以成大, 無棄人也.)"라고 주석하였다.

다. 한유마저 이와 같은데 하물며 그보다 못한 사람은 어떻겠는가?"

[52-2-15]

和靖尹氏曰: "學問雖是要從師, 然賴朋友相成處甚多. 師只是開其大端, 又體貌嚴重. 若於從容閑暇之際, 委曲論難, 須是朋友便發明得子細."[120]

화정 윤씨尹氏[121]가 말했다. "학문은 비록 스승으로부터 배워야 하지만 친구에 의뢰하여 서로 이루어지는 것도 매우 많다. 스승은 다만 큰 단서를 열어줄 뿐이고 또 체모도 엄중하다. 만약 여유있고 한가할 때에 치밀하게 논변을 벌이려면 친구라야 자세하게 밝힐 수 있을 것이다."

[52-2-16]

河東侯氏曰: "朱公掞來見明道于汝, 歸謂人曰, '光庭在春風中坐了一箇月.' 游·楊初見伊川, 伊川瞑目而坐, 二子侍立, 旣覺, 顧謂曰, '賢輩尙在此乎? 今旣晚, 且休矣.' 及出門, 門外之雪深一尺."

하동 후씨河東侯氏[侯仲良][122]가 말했다. "주공섬朱公掞[朱光庭][123]이 여주汝州에 와서 명도明道[程顥]를 만나보고, 돌아가서는 사람들에게 '나는 봄바람 속에 한 달을 머물렀다.'라고 말했다. 유초游酢와 양시楊時가 처음 이천伊川[程頤]을 뵐 때, 이천이 눈을 감고 앉아있었고 두 사람은 곁에서 모시고 서 있었는데, 이천이 깨어나서 둘러보며 '그대들은 아직까지 여기에 있었는가? 오늘은 날이 저물었으니 그만 쉬게나.'라고 말했다. 문을 열어보니 문밖에 눈이 한 척이나 쌓였다."

[52-2-17]

五峯胡氏曰: "能攻人實病者至難也, 能受人實攻者爲尤難. 人能攻我實病, 我能受人實攻, 朋

---

120 張鎡의 『仕學規範』 권3 「爲學」에 尹焞의 글로 실려 있다.

121 尹焞(1071~1142) : 자는 彦明·德充이고, 호는 三畏齋와 황제가 하사한 호인 和靖處士가 있으며, 시호는 肅公이다. 송대 洛陽(현 하남성 낙양) 사람으로 과거에 응시하지 않았으나, 천거에 의해 崇政殿說書겸 侍講을 역임하였다. 어려서부터 程頤에게 사사하여 스승의 학설을 가장 돈독하게 이어받았다고 한다. 저서는 『論語解』·『孟子解』·『和靖集』 등이 있다.

122 侯仲良 : 자는 師聖이고, 송대 華陰(현 섬서성 화음시) 사람이다. 二程의 외사촌동생으로서 어려서부터 이정과 가까이 지내면서 함께 독서했고, 학문적으로는 특히 程頤의 영향을 많이 받았다. 평생 강학에만 힘써서 문하에 胡宏을 두었다. 말년에는 전란을 피해 福建성으로 내려와 羅仲素 등과 교류하기도 했다. 저서는 『論語說』과 『雅言』이 있는데, 그 가운데 『雅言』은 二程의 事跡과 학설을 이해할 수 있는 중요한 저작이다. 楊時와 遊酢의 「程門立雪」 고사도 이 책에 기재되어 있다.

123 朱光庭(1037~1094) : 자는 公掞이고 북송대 河南偃師(현 하남성 언사시) 사람이다. 程顥의 문인으로, 嘉祐 2년(1057)에 진사에 급제하여 萬年縣主簿, 集賢院學士, 知潞州 등을 역임하였다. 正道를 좇아 직언하기로 유명하여 당시에 明鏡이라 불렀다. 宣仁太后는 그의 직언을 가상히 여겨 左司諫에 임명했다. 哲宗이 즉위한 뒤 사마광의 추천으로 左正言이 되어 靑苗法을 없애기를 주청하였다.

友之義其庶幾乎! 不然, 其不相陷而爲小人者幾希矣."[124]

오봉 호씨五峯胡氏[胡宏]가 말했다. "다른 사람의 실제 병통을 질책할 수 있는 것이 지극히 어려운데, 다른 사람의 실제 질책을 받아들일 수 있는 것은 더욱 어렵다. 다른 사람이 나의 실제 병통을 질책할 수 있고, 나도 다른 사람의 실제 질책을 받아들일 수 있다면, 친구의 의리가 거의 제대로 되었다고 할 수 있을 것이다! 그렇지 않으면, 서로 빠뜨려서 소인이 되지 않는 자가 거의 드물 것이다."

[52-2-18]

延平李氏曰: "某聞之天下有三本焉, 父生之, 師敎之, 君治之. 闕其一則本不立. 古之聖賢莫不有師. 其肄業之勤惰, 涉道之淺深, 求益之先後, 若存若亡, 其詳不可得而考. 惟洙泗之間, 七十二弟子之徒, 議論問答, 具在方冊, 有足稽焉, 是得夫子而益明也. 孟子之後, 道失所傳, 枝分派別, 自立門戶, 天下眞儒不復見於世. 其聚徒成群, 所以相傳授者, 句讀文義而已耳, 謂之熄焉可也. 夫巫醫·樂師·百工之人, 其術淺, 其能小, 猶且莫不有師. 儒者之道, 可以善一身, 可以理天下, 可以配神明而參造化, 一失其傳而無所師, 可不爲之大哀邪?"[125]

연평 이씨延平李氏[李侗][126]가 말했다. "내가 듣기에 천하에 3가지 근본이 있으니, 부모가 낳는 것과 스승이 가르쳐 주는 것과 임금이 다스리는 것이다. 그 가운데 한 가지라도 이지러지면 근본이 정립되지 못한다. 옛날의 성현은 스승이 있지 않음이 없었다. 그 학습의 부지런함과 게으름, 그 과정의 깊음과 얕음, 학문에 진전을 추구함의 먼저 함과 나중에 함,[127] 기억함과 잊어버림에[128] 대하여, 상세한 것은 고찰할 수

----

124 胡宏, 『知言』 권3

125 羅從彦의 『豫章文集』 권16 「附錄下·見羅先生書」에 李侗의 편지로 소개되고 있다.

126 李侗(1093~1163): 자는 愿中이고, 세칭 延平先生이라 하며, 시호는 文靖이다. 송대 南劍州劍浦(현 복건성 南平) 사람으로 楊時·羅從彦과 함께 '南劍三先生'이라 불리운다. 나종언에게서 二程의 학문을 배우고, 40여 년간 세속을 끊고 연구한 뒤에 '理一分殊' 등 이정의 학문을 주희에게 전수해 주었다. 저서는 『延平文集』이 있다.

127 학문에 진전을 … 함: 『論語』 「憲問」에서 "闕黨의 동자가 (공자의) 명령을 전달하고 있었다. 어떤 사람이 '학문이 진전된 자입니까?'라고 물었다. 공자가 대답했다. '내 그가 자리에 앉아 있는 것을 보았고, 그 선생과 나란히 걸어 다니는 것을 보았다. 학문에 진전을 구하는 자가 아니라, 빨리 이루고자 하는 자이다.'(闕黨童子將命. 或問之曰, '益者與?' 子曰, '吾見其居於位也, 見其與先生並行. 非求益者也, 欲速成者也.')"라고 하였다. 이 구절에 대해 주자는 "闕黨은 黨의 이름이다. 童子는 아직 관례를 하지 않은 자에 대한 호칭이다. 將命은 손님과 주인의 말을 전달하는 것을 말한다. 어떤 사람이 이 동자가 학문이 진전이 있기 때문에 공자가 그에게 명령을 전달하도록 하여 특별히 총애하는지를 의심한 것이다. 禮에 '동자는 마땅히 모퉁이에 앉고, 뒤에서 수행해야 한다.'고 하였다. 공자의 말은, '내가 이 동자를 보니 禮를 따르지 않았다. 그러니 학문의 진전을 구하는 자가 아니라 다만 빨리 이루려고 하는 자일뿐이다.'라는 것이다. 그러므로 그에게 使令의 역할을 맡겨 어른과 어린이의 차례를 보고 사양하고 공손히 하는 용모를 익히게 한 것이다. 이는 그를 억제하여 가르친 것이지, 총애하여 특별히 대우한 것이 아니다.(闕黨, 黨名. 童子, 未冠者之稱. 將命, 謂傳賓主之言. 或人疑此童子學有進益, 故孔子使之傳命以寵異之也. 禮, '童子當隅坐隨行.' 孔子言'吾見此童子, 不循此禮, 非能求益, 但欲速成爾.' 故使之給使令之役, 觀長少之序, 習揖遜之容. 蓋所以抑而敎之, 非寵而異之也.)"라고 주

없다. 오직 공자 문하 72명 제자들의 의론과 문답이 서책에 갖추어져 충분히 헤아릴 수 있으니, 이것은 공자 때문에 더욱 분명해진 것이다. 맹자 뒤에 도의 전승이 끊어지고, 유파가 갈라져서 스스로 문호를 세웠으니, 천하의 참된 유학자가 다시는 세상에 나타나지 않았다. 그 문도를 모아서 무리를 이루어 서로 전수한 것은 구두와 문자 해석일 뿐이었으니, 도가 사그라졌다고 할 수 있겠다. 무의巫醫와 악사와 기술 자들은 그 기술이 천박하고 그 재능이 협소하지만, 오히려 또한 스승이 있지 않은 적이 없었다. 유학자의 도는 자신을 선하게 할 수 있고, 천하를 다스릴 수 있으며, 천지신명과 짝하여 조화造化에 참여할 수 있는데, 한 번 그 전수를 잃어서 스승으로 삼을 사람이 없으니 어찌 크게 애통하다고 하지 않을 수 있겠는가?'

[52-2-19]

"大率今人與古人學殊不同. 如孔門弟子, 群居終日相切磨, 又有夫子爲之依歸, 日用間相觀感而化者甚多. 恐於融釋而脫落處, 非言說可及也. 不然, 子貢何以謂夫子之言性與天道, 不可得而聞邪?"[129]

(이통이 말했다.) "대개 요즘 사람과 옛 사람의 학문은 매우 다르다. 예컨대 공자 문하의 제자들은 종일 토록 함께 모여 있으면서 서로 절차탁마하고 또 공자에게 의지할 수 있었으니, 일상생활에서 서로 살펴 보면서 느끼고 변화된 것이 매우 많았을 것이다. 아마 스스로 풀려서 사라져간 것들을 말로 표현하지 못했을 것이다. 그렇지 않다면 자공子貢이 무엇 때문에 '선생님께서 성性과 천도天道에 대해 말하는 것을 들어보지 못했다.'[130]라고 했겠는가?"

. . . .

석하였다.

128 기억함과 잊어버림에 : 노자 『道德經』에 "뛰어난 선비는 도에 관해 들으면 부지런히 실천하고, 보통 선비는 도에 관해 들으면 기억하기도 하고 잊기도 하며, 못난 선비는 도에 관해 들으면 크게 웃는다.(上士聞道, 勤而行之 ; 中士聞道, 若存若亡 ; 下士聞道, 大笑之.)"라고 하였다.

129 주희 편, 『延平答問』

130 '선생님께서 性과 … 못했다.' : 『論語』 「公冶長」에서 "子貢이 말했다. '선생님의 文章은 들을 수 있었으나, 선생님께서 性과 天道대해 말하는 것을 들어보지 못했다.'(子貢曰, '夫子之文章, 可得而聞也 ; 夫子之言性與天道, 不可得而聞也.')"라고 하였다.
이 구절에 대해 주자는 "文章은 덕이 밖으로 나타난 것이니, 威儀와 文辭가 모두 이것이다. 性은 사람이 부여받은 天理이고, 天道는 天理가 저절로 그러한 본체이니, 그 실상은 하나의 이치이다. 선생님의 文章은 날마다 밖으로 드러나 참으로 배우는 자들이 함께 들을 수 있으나, 性과 天道의 경우는 선생님께서 말을 드물게 해서 배우는 자들이 들을 수 없었다. 대개 성인의 문하에서는 가르침이 등급을 뛰어넘지 않으므로, 子貢은 이 때에 이르러서야 비로소 얻어 듣고는 그 훌륭함을 찬탄한 것이다.(文章, 德之見乎外者, 威儀・文辭皆是也. 性者, 人所受之天理 ; 天道者, 天理自然之本體, 其實一理也. 言夫子之文章, 日見乎外, 固學者所共聞 ; 至於性與天道, 則夫子罕言之, 而學者有不得聞者. 蓋聖門教不躐等, 子貢至是始得聞之, 而歎其美也.)"라고 주석하였다.

[52-2-20]

朱子曰：“夫道雖若大路然, 非上知·生知之質, 亦豈能不藉師友而獨得之哉? 要當有以發其
端倪, 然後有餘師者可得而求耳.”[131]

주자朱子[朱熹]가 말했다. “도는 비록 큰 길과 같을지라도 상지上智(지극히 지혜로운 자)나 생지生知(태어나면서
지혜로운 자)의 자질이 아니면, 또한 어찌 스승과 벗에 의지하지 않고서 홀로 그것을 터득할 수 있겠는가?
마땅히 그 실마리를 발현한 뒤에야 수많은 스승 삼을 수 있는 자들을 구할 수 있을 것이다.”[132]

[52-2-21]

“朋友之交, 責善所以盡吾誠, 取善所以益吾德, 非以相爲賜也. 然各盡其道而無所苟焉, 則麗
澤之益自有不能已者.”[133]

(주자가 말했다.) “친구를 사귐에 선善을 질책하는 것은 나의 정성을 다하는 것이고,[134] 선을 취하는
것은 나의 덕을 보태는 것이지, 서로 은덕을 베푸는 것이 아니다. 그러나 각기 그 도를 다하여 구차한
것이 없으면, 혜택이 보태지는 것이 저절로 그만둘 수 없을 것이다.”

· ·

131 『朱文公文集』 권83 「跋徐來叔歸師堂詩」
132 “도는 비록 … 뿐이다.” : 『孟子』 「告子下」에서 “맹자가 말했다. ‘도는 큰 길과 같으니, 어찌 알기 어렵겠는가?
　　사람들이 구하지 않는 것이 병통일 뿐이니, 그대가 돌아가 찾는다면 수많은 스승이 있을 것이다.’(曰, ‘夫道,
　　若大路然, 豈難知哉? 人病不求耳, 子歸而求之, 有餘師.’)”라고 하였다.
　　이 구절에 대해 주자는 “도는 알기 어렵지 않으니, 만약 돌아가서 어버이를 섬기고 어른을 공경하는 데에서
　　찾는다면 본성의 분수 안에 온갖 이치가 다 구비되어 있어, 어느 곳인들 곳에 따라 發見되어 스승으로 삼을
　　만하지 않은 것이 없으니, 굳이 이곳에서 머물며 수업할 것이 없다는 것을 말했다. 曹交는 어른을 섬기는
　　禮가 이미 지극하지 못했고, 도를 구하는 마음이 또 독실하지 못하였다. 그러므로 맹자는 孝弟로써 가르치
　　고, 그가 수업 받는 것을 용납하지 않았으니, 孔子의 ‘여력이 있으면 글을 배운다.’는 뜻이며, 또한 달갑게
　　여기지 않는 가르침인 것이다.(言道不難知, 若歸而求之事親·敬長之間, 則性分之內, 萬理皆備, 隨處發見,
　　無不可師, 不必留此而受業也. 曹交事長之禮旣不至, 求道之心又不篤, 故孟子敎之以孝弟, 而不容其受業, 蓋
　　孔子餘力學文之意, 亦不屑之敎誨也.)”라고 주석하였다.
133 『朱文公文集』 권81 「跋方伯謨家藏胡文定公帖」
134 친구를 사귐에 … 것이고 : 『孟子』 「離婁上」에서 “옛날에는 아들을 서로 바꾸어 가르쳤었다. 부자간에는 선
　　으로 질책하지 않는다. 선으로 질책하면 情이 떨어지게 되고, 정이 떨어지면 상서롭지 못함이 이보다 더
　　큰 것이 없다.(古者易子而敎之. 父子之間不責善. 責善則離, 離則不祥莫大焉.)”라고 하였다.
　　이 구절에 대해 주자는 “아들을 서로 바꾸어 가르치는 것은, 부자간의 은혜를 온전히 하면서도 또한 가르침
　　을 잃지 않게 하는 것이다. 善으로 질책하는 것은 친구간의 도리이다. 王氏가 말했다. ‘아버지에게 간쟁하는
　　자식이 있어야 한다는 것은 무엇 때문인가? 이른바 간쟁한다는 것은 선을 질책하는 것이 아니다. 아버지가
　　不義를 행하면 간쟁할 뿐이다. 아버지가 자식에 대해서는 어떠한가? 자식이 불의를 행하면 또한 경계할
　　뿐이다.’(易子而敎, 所以全父子之恩, 而亦不失其爲敎. 責善, 朋友之道也. 王氏曰, ‘父有爭子, 何也? 所謂爭者,
　　非責善也. 當不義, 則爭之而已矣. 父之於子也如何? 曰, 當不義, 則亦戒之而已矣.’)”라고 주석하였다.

[52-2-22]

問人倫不及師.

曰: "師與朋友同類, 而勢分等於君父, 唯其所在則致死焉."

或云: "如在君旁則爲君死, 在父旁則爲父死."

曰: "也是如此. 如在君, 雖父有罪, 不能爲父死."[135]

인륜에서 스승을 언급하지 않은 것에 대해 물었다.

(주자가) 대답했다. "스승은 친구와 같은 부류이지만 형세는 임금이나 아버지와 동등하니, 자신이 처한 곳에 따라 목숨을 바친다."

어떤 사람이 말했다. "만약 임금 곁에 있다면 임금을 위해 목숨을 바치고, 아버지 곁에 있다면 아버지를 위해 목숨을 바칩니다."

(주자가) 대답했다. "역시 그와 같다. 만약 임금 곁에 있다면, 비록 아버지가 죄를 지었더라도 아버지를 위해서 목숨을 바칠 수는 없다."

又曰: "人倫不及師者, 朋友多而師少, 以其多者言之."[136]

問: "服中不及師, 何也?"

曰: "正是難處, 若論其服, 則當與君父等, 故禮謂'若喪父而無服', 又曰'平居則経.'"[137]

(주자가) 또 말했다. "인륜에서 스승을 언급하지 않은 것은, 친구는 많고 스승은 적으니 많은 것을 가지고 말한 것이다."

물었다. "복服을 입는 것 가운데 스승을 언급하지 않은 것은 무엇 때문입니까?"

(주자가) 대답했다. "그것이 바로 어려운 점인데, 만약 복을 입는 것을 논한다면, 마땅히 임금이나 아버지와 동등하기 때문에 『예기』에서 '마치 아버지의 상을 치르는 것처럼 하되 상복은 입지 않는다.'[138]라고 말했고, 또 '평소 거처할 때는 질대経帶를 한다.'[139]고 말했다."

---

135 問人倫不及師. … 不能爲父死.: 『朱子語類』 권13, 79조목

136 又曰: "人倫不及師者, 朋友多而師少, 以其多者言之.": 『朱子語類』 권13, 78조목에는 다음과 같이 되어 있다. "問, '人倫不及師, 何也?' 曰, '師之義, 即朋友, 而分則與君父等. 朋友多而師少, 以其多者言之.'(물었다. '인륜에서 스승에 대해 말하지 않은 것은 무엇 때문입니까?' 주자가 대답했다. '스승의 의리는 친구와 같지만, 그 직분은 임금이나 아버지와 동등하다. 친구는 많고 스승은 적으니, 많은 것을 가지고 말한 것이다.')"

137 又曰: "人倫不及師者, … 又曰'平居則経.'": 『朱子語類』 권13, 78조목

138 '마치 아버지의 … 않는다.': 『禮記』「檀弓上」 제3에서 "공자의 喪에 문인들이 어떻게 복을 입을지 몰랐다. 자공이 말했다. '예전에 선생님께서 안연의 상을 치를 때 마치 자식의 상을 치르는 것 같았지만 복을 입지는 않았고, 자로의 상을 치를 때도 그렇게 했으니, 선생님의 상을 치르는 데에도 마치 아버지의 상을 치르는 것처럼 하되 복을 입지 않으면 될 것이다.'(孔子之喪, 門人疑所服. 子貢曰, '昔者夫子之喪顔淵, 若喪子而無服, 喪子路亦然, 請喪夫子若喪父而無服.')라고 하였다.

139 '평소 거처할 … 한다.': 『禮記』「檀弓上」 제3에서 "공자의 상에 제자들이 모두 질대를 하고 나왔는데, 함께 기거할 때는 질대를 하고 외출하게 되면 하지 않았다.(孔子之喪, 二三子皆経而出, 羣居則経, 出則否.)"라고

[52-2-23]

東萊呂氏曰: "歐陽脩有云, '古之學者必嚴其師, 師嚴然後道尊, 道尊然後篤敬, 篤敬然後能自守, 能自守然後果於用, 果於用然後不畏而不遷. 三代之衰學校廢, 至兩漢師道尚存, 故其學者各守其經以自用. 是以漢之政理文章與其當時之事, 後世莫及者, 其所從來深矣.

동래 여씨東萊呂氏[呂祖謙][140]가 말했다. "구양수歐陽脩[141]는 다음과 같이 말했다. '옛날의 학자들은 반드시 스승을 엄중하게 모셨으니, 스승이 엄중해진 다음에 도道가 존중되었으며, 도가 존중된 다음에 (학생들이) 돈독하게 경건해졌고, 돈독하게 경건해진 다음에 스스로 지킬 수 있었으며, 스스로 지킬 수 있은 다음에 과감하게 실천했고, 과감하게 실천한 다음에 두려워하지 않고 (소신이) 바뀌지도 않았다. 삼대三代(夏·商·周)가 쇠락하여 학교가 폐지되었지만 양한兩漢(西漢·東漢)에 이르기까지 스승의 도는 여전히 보존되었기 때문에 학자들은 각기 그 경학을 지켜서 스스로 운용했다. 이 때문에 한漢대의 정치와 문장 및 당시의 일들은 후세에 따라잡는 자가 없었으니, 그 내력이 깊어서다.

後世師法漸壞, 而今世無師. 學者不尊嚴, 故自輕其道. 輕之則不能至, 不至則不能篤信, 信不篤則不知所守, 守不固則有所畏而物可移. 是故學者惟俯仰徇時以希祿利爲急, 至於忘本趨末, 流而不返. 夫以不信不固之心, 守不至之學, 雖欲果於自用, 莫知其所以用之之道, 又況有祿利之誘, 刑禍之懼以遷之哉?'"[142]

후세에 스승을 존중하는 법도가 점점 파괴되어 현재에는 스승이 없어지게 되었다. 배우는 자들이 스승을 엄중하게 모시지 않았기 때문에 스스로 그 도를 경시하였다. 그 도를 경시하니 경지에 이르지 못했고, 경지에 이르지 못했으니 돈독하게 믿을 수 없었으며, 돈독하게 믿을 수 없었으니 지킬 것을 몰랐고, 지키는 것이 확고하지 못하니 두려움이 있게 되고 다른 것에 따라 바뀌게 되었다. 이 때문에 배우는

・・・・・・・・・・

하였다.

140 呂祖謙(1137~1181) : 자는 伯恭이고, 세칭 東萊先生이라 한다. 송대 金華(현 절강성 소속) 사람으로 주희・張拭과 함께 '東南三賢'으로 불리었다. 直秘閣著作郎, 國史院編修, 實錄院檢討를 역임하였다. 『詩』, 『書』, 『春秋』에 대하여 많은 古義를 궁구했다. 1175년 주희와 『近思錄』을 편찬하였고, 信州(현 강서성 上饒) 鵝湖寺에 주희와 육구연을 초청하여 두 사람의 논쟁을 중재하려 하였다. 저서는 『古周易』・『東萊左氏博儀』・『東萊集』 등이 있다.

141 歐陽脩(1007~1072) : 北宋시대 정치가, 문인, 학자로서 자는 永叔이고, 호는 醉翁, 六一居士이다. 시호는 文忠이며 후세에 '歐陽文忠公'이라 불렀다. 가난한 집안에서 태어나 4살 때 아버지를 여의고 문구를 살 돈이 없어 어머니가 모래 위에 갈대로 글씨를 써서 가르쳤다고 한다. 10살 때 韓愈의 전집을 읽은 것이 문학의 길로 들어선 계기가 되었다. 1030년 진사에 급제하여, 翰林院學士, 參知政事 등의 관직을 거쳐 太子少師가 되었다. 仁宗과 英宗 때 范仲淹을 중심으로 한 새 관료파에 속하여 활약했으나 神宗 때 동향 후배인 王安石의 新法에 반대하여 관직에서 물러났다. 그는 韓愈, 柳宗元, 蘇軾과 더불어 '千古文章四大家'라고 일컫고, 韓愈, 柳宗元, 蘇軾, 蘇洵, 蘇轍, 王安石, 曾鞏과 더불어 '唐宋散文八大家'라 부른다. 일찍이 『新唐書』 편수에 참여했고, 『新五代史』와 『集古錄』을 편집했다. 저서로 『歐陽文忠集』이 있다.

142 歐陽脩, 『文忠集』 권68

자들은 오직 일거수일투족이 시속時俗을 좇아 이록利祿을 추구하는 것을 급선무로 삼아서, 근본을 잊고 말단을 좇게 되어 휩쓸려 흘러가기만 하고 되돌이킬 줄 모르게 되었다. 믿지 못하고 확고하지 않은 마음으로 경지에 이르지 못한 학문을 지키니, 비록 스스로 과감하게 실천하려고 해도 실천할 방도를 모르는데 또 하물며 이록의 유혹이 있고 형벌의 두려움이 자신을 바뀌게 하는 것을 어떻게 하겠는가?”

[52-2-24]

象山陸氏曰：“人生而不知學, 學而不求師, 其可乎哉? 秦·漢以來, 學絶道喪, 世不復有師, 以至于唐, 曰師曰弟子云者, 反以爲笑, 韓退之·柳子厚猶爲之屢歎. 惟本朝理學遠過漢·唐, 始復有師道. 雖然, 學者不求師, 與求而不能虛心, 不能退聽, 此固學者之罪. 學者知求師矣, 能退聽矣, 所以導之者乃非其道, 此則師之罪也.”[143]

상산 육씨象山陸氏[陸九淵][144]가 말했다. “사람이 태어나서 배울 줄 모르고, 배우되 스승을 구하지 않으면 괜찮겠는가? 진秦·한漢대 이래로 학문이 끊어지고 도道가 없어져서 세상에 다시는 스승이 없어졌는데, 당唐대에 이르러 스승이나 제자라고 말하는 자들을 도리어 웃음거리로 삼았으니, 한퇴지韓退之[韓愈]와 유자후柳子厚[柳宗元][145]는 또한 그것 때문에 누차 탄식하였다. 오직 우리 왕조(송대를 가리킴)에 리학理學이 한漢·당唐대보다 월등히 뛰어나 비로소 다시 ‘스승의 도[師道]’가 있게 되었다. 그렇지만 배우는 자들이 스승을 구하지 않으며, 설령 구하더라도 마음을 비우고 겸손하게 순종하지 못하면 이것은 참으로 배우는 자의 잘못이다. 배우는 자가 스승을 구할 줄 알고 겸손하게 순종하는데 그를 인도하는 것이 올바른 도道가 아니면 이것은 스승의 잘못이다.”

[52-2-25]

“吾嘗謂揚子雲·韓退之雖未知道, 而識度非常人所及, 其言時有所到而不可易者. 揚子雲謂‘務學不如務求師. 師者人之模範也, 模不模, 範不範, 爲不少矣.’ 韓退之謂‘古之學者必有師, 師者所以傳道授業解惑也. 人非生而知之, 孰能無惑? 惑而不求師, 其爲惑也終不解矣.’ 近世

143 陸九淵, 『象山集』 권1 「與李省幹」
144 陸九淵(1139~1192) : 자는 子靜이고, 호는 存齋·象山翁이며, 象山先生이라고 부르기도 한다. 송대 金溪(현 강서성 금계현) 사람으로 1172년에 진사에 급제하여 崇安縣主簿, 知荊門軍을 역임하였다. 孟子를 계승하여 程朱의 理學과 대비되는 陸王 心學의 학파를 열었다. 주희가 정이천의 학통에 따라 道問學을 더 존중한 데 반하여, 육구연은 정명도의 尊德性을 존중했다. 이 때문에 주희는 格物致知의 性卽理說을 제창하고, 육구연은 致知를 주로 한 心卽理說을 제창했다. 주희와 학문방법론 및 무극·태극론 등을 논쟁한 ‘鵝湖之爭’으로 유명하다. 그의 학문은 그의 제자 楊慈湖 등에 의하여 江西와 浙江 각지에서 계승되었다. 저서로는 『象山先生全集』이 있다.
145 柳宗元(773~819) : 자는 子厚이고, 세칭 柳河東·柳柳州라 한다. 당대 河東(현 산서성 運城) 사람으로 793년에 진사에 급제하여 校書郎, 監察御史, 柳州刺史 등을 역임하였다. 문장은 韓愈와 짝을 이루고 당송팔대가의 한사람이다. 저서는 『河東先生文集』·『龍城錄』 등이 있다.

諸儒反不及此, 然後知二公之識不易及也. 吾亦謂論學不如論師. 得師而不能虛心委己, 則又
不可以罪師."146

(육구연이 말했다.) "나는 일찍이 양자운揚子雲[揚雄][147]과 한퇴지韓退之[韓愈]가 비록 도를 알지 못했지만
식견과 도량이 일반인들이 미칠 수 있는 정도가 아니기 때문에, 그 말이 때때로 경지에 이르러 바꿀
수 없는 것이 있다고 하였다. 양자운은 '학문에 힘쓰는 것은 스승을 구하는 데에 힘쓰는 것 만한 것이
없다. 스승은 사람의 모범인데 모범이 되지 못하는 사람을 모범으로 삼은 것이 적지 않다.'[148]라고 하였
다. 한퇴지는 '옛날에 배우는 자는 반드시 스승이 있었으니, 스승은 성현의 도를 전수하여 의혹을 풀어주
는 사람이었다. 사람이 태어나면서부터 지혜로운 사람이 아니라면 그 어느 누가 의혹이 없을 수 있겠는
가? 의혹이 있는데도 스승을 구하지 않으면 그 의혹은 끝내 풀리지 않을 것이다.'[149]라고 하였다. 근세의
여러 학자들은 도리어 여기에 미치지 못하지만, 위 두 사람의 식견에 쉽사리 미치지 못한다는 것을
나중에 알았다. 나 또한 배움을 논함에 스승을 논하는 것 만한 것이 없다고 했다. 스승을 얻었는데도
마음을 비우고 자신을 맡기지 못하면 또 스승을 탓할 수 없다."

[52-2-26]

"天下若無著實師友, 不是各執己見, 便是恣情縱欲."150

(육구연이 말했다.) "천하에 만약 진지한 스승과 친구가 없다면, 각기 자신의 견해에 집착하지 않으면
감정과 욕망에 방종할 것이다."

[52-2-27]

"道廣大, 學之無窮. 古人親師求友之心亦無有窮已. 以夫子之聖, 猶曰'學不厭', 況在常人, 其
求師友之心豈可不汲汲也? 然師友會聚不可必得, 有如未得會聚, 則隨己知識, 隨己力量, 親
書冊, 就事物, 豈皆蒙然懵然畧無毫髮開明處? 曾子曰, '尊其所聞則高明, 行其所知則光大',
非欺人也."151

· ·

146 陸九淵, 『象山集』 권4 「與符舜功」
147 揚雄(B.C.53~18) : 서한시대 城都(현 사천성 성도) 사람으로 자는 子雲이다. 40세에 도성으로 가서 「甘泉」,
「河東」의 賦를 올리고 황제의 부름을 받았다. 成帝 때에 給事黃門郎이 되었고, 王莽이 집권할 때에 校書天
祿閣으로 대부의 반열에 올랐다. 王莽의 정권을 찬미하는 문장으로 그에게 협조하였기 때문에 지조가 없는
사람으로 宋學 이후에는 비난의 대상이 되기도 하지만, 그의 식견은 漢나라를 대표한다. 사람의 본성에
대해서는 '性善惡混說'을 주장하였다. 초기에는 형식상 司馬相如를 모방하여 『甘泉』・『河東』・『羽獵』・『長
楊』 四賦를 지었으나, 후기에는 『易』을 본떠서 『太玄』을 짓고 『論語』를 본떠서 『法言』을 지었다.
148 揚雄, 『法言』 권1 「學行篇」
149 韓愈, 『昌黎集』 권12 「雜著・師說」
150 陸九淵, 『象山集』「象山語錄」 권3
151 陸九淵, 『象山集』 권4 「與黃元吉」

(육구연이 말했다.) "도道는 광대하고 학문은 무궁하다. 옛 사람들이 스승을 가까이하고 친구를 구하는 마음도 역시 끝이 없었을 뿐이다. 공자 같은 성인도 또한 '배우는 것을 싫어하지 않았다.'[152]고 하였는데, 하물며 보통 사람들이 스승과 친구를 구하는 마음이 어찌 절박하지 않을 수 있겠는가? 그러나 스승과 친구를 모으는 일은 기필할 수 없다. 만약 모을 수 없다면, 자신의 지식과 자신의 역량에 따라 서책을 가까이 하고 사물에 나아가는 것이 어찌 모두 애매모호하여 조금도 진보하는 점이 없을 수 있겠는가? 증자가 '들은 것을 높이 받들면 고명高明해지고, 안 것을 실천하면 광대光大해 진다.'[153]고 한 말은 사람들을 속이지 않을 것이다."

[52-2-28]

勉齋黃氏曰: "斯道之顯晦, 係於人物之盛衰. 蓋義理以講習而明, 德性以相觀而善. 孑然獨立而無與爲侶, 則學問廢而識見淺, 繩約弛而怠慢生. 古之人所以重朋來之樂者, 豈不以此歟?"[154]

면재 황씨勉齋黃氏[黃榦]가 말했다. "이 도道가 드러나거나 어두워지는 것은 인물의 성쇠에 달렸다. 의리義理는 강론하고 익혀서 밝아지며, 덕성은 서로 살펴보아서 선해진다. 외롭게 독립하여 함께 짝할 사람이 없다면 학문은 폐기되고 식견은 천박해지며, 약속은 느슨해지고 태만함이 생겨난다. 옛 사람이 친구가 찾아오는 즐거움을 중시한 까닭이[155] 어찌 이 때문이 아니겠는가?"

[52-2-29]

雙峯饒氏曰: "師道立, 則天下之不善者皆可變而爲善, 天下之不中者皆可化而爲中, 而善人豈不衆哉? 善人衆, 則國家之用隨取隨足, 上焉可以格君心, 中焉可以立政事, 下焉可以移風俗, 而朝廷豈有不正, 天下豈有不治者哉? 若昔唐虞, 五典之敷掌之於契, 寬栗直溫之敎典之於夔. 至于成周, 順先王詩書禮樂以造士, 而敎之中和者, 亦惟擇有道有德者主之. 皆所以立師道也. 是以天下後世稱人才之盛, 美治功之盛者, 必曰唐虞·成周.

쌍봉 요씨雙峯饒氏[饒魯][156]가 말했다. "스승의 도道가 확립되면, 천하에 선하지 않은 자는 모두 변하여

. . . .

152 '배우는 것을 … 않았다.': 『論語』「述而」에서 "공자가 말했다. '묵묵히 기억하고 배우는 것을 싫어하지 않으며 사람 가르치기를 게을리 하지 않는 것에 어느 것이 나에게 있겠는가?(子曰, '黙而識之, 學而不厭, 誨人不倦, 何有於我哉?)"라고 하였다.

153 '들은 것을 … 진다.': 戴德, 『大戴禮記』 권5

154 黃榦, 『勉齋集』 권16 「答鄭子羽書」

155 옛 사람이 친구가 … 까닭이: 『論語』「學而」에서 "친구가 먼 곳에서부터 찾아오면 또한 즐겁지 않겠는가?(有朋自遠方來, 不亦樂乎?)"라고 하였다.

156 饒魯(1193~1264): 南宋시대 饒州 餘幹(현 강서성 소속) 사람으로 자는 伯興, 師魯, 仲元이고, 호는 雙峰이다. 어려서부터 黃榦(주희의 문인 겸 사위)에게 배워서 '致知·力行'을 근본으로 하였다. 쌍봉 앞에 石洞書院을 지어 강학에 힘썼다. 평생 벼슬하지 않아 그가 죽은 뒤 문인들이 그에게 私諡를 文元이라 올렸다. 저서는 『五經講義』·『論孟紀聞』·『太極三圖』·『近思錄註』 등이 있다.

선하게 되고, 천하에 중中하지 못한 자는 모두 변화하여 중中하게 되는데, 선한 사람이 어찌 많지 않겠는 가? 선한 사람들이 많으면 국가가 등용한 사람들이 등용한 사람마다 충분하여, 위로는 군주의 마음을 바로잡을 수 있고, 중간에서는 정사政事를 정립할 수 있으며, 아래로는 풍속을 변화시킬 수 있는데, 조정 에 어찌 바르지 않음이 있으며 천하가 어찌 다스려지지 않음이 있겠는가? 옛날 요순시대 같으면 오전五 典[五常]을 펼치는 것은 설契에게 관장하게 하고,[157] 너그러우면서도 엄하고 곧으면서도 온화한 가르침을 기夔에게 주관하도록 하였다.[158] 주周대에 이르러서는 선왕의 시·서·예·악에 따라 선비를 양성하였는 데,[159] 그들에게 중화中和를 교육시킨 자도 역시 오직 도덕을 갖춘 사람을 선택해서 주도하도록 했다. 이는 모두 스승의 도를 확립한 것이다. 이 때문에 천하 후세에 인재가 융성함을 칭찬하거나 잘 다스려진 공로가 융성함을 찬미하는 자는 반드시 요순시대와 주周대를 말한다.

及周之衰, 則學校之政不修而師道闕矣. 於是洙泗之間, 有吾夫子者出而任其責焉. 一時及門 之士, 如顏·曾·冉·閔之流, 固已如時雨之化矣. 故其德行·政事·言語·文學, 莫不卓然 皆有可稱. 使夫子而得時行道, 引其類而進之, 則唐虞·成周之治有不難致者. 夫子旣沒, 而 得其道者, 或以傳授於來嗣, 或以友敎於諸侯, 隨其大小, 亦皆於世道有所補焉. 後世師道不 立, 學者無復講明道義, 磨礱氣質之益矣.

주周대가 쇠퇴해지니, 학교 정책이 시행되지 않고 스승의 도가 이지러졌다. 이에 수수洙水와 사수泗水 사이에서 우리 선생님(공자를 지칭함)이 나와 그 책무를 자임하였다. 한 때 그 문하에 나아온 선비들, 예컨대 안회顏回·증삼曾參·염백우冉伯牛·민자건閔子騫과 같은 무리들이 본디 이미 때맞추어 내리는 비에 교화되는 것 같았다. 그러므로 그 덕행과 정사政事와 언어와 문학 방면으로 각각 탁월하게 일컬을 만한 자가 있지 않음이 없었다. 공자에게 때를 얻어 도를 시행하여 그 무리들을 이끌고 나아가게 했다 면, 요순시대와 주周대의 다스려짐도 이루기에 어렵지 않았을 것이다. 공자가 죽은 뒤에 그 도를 얻은 자는 혹은 후대에 전수해주기도 하고, 혹은 제후들에게 친구의 신분으로 가르쳐주기도 하였으니, 그 크거나 작거나 간에 또한 모두 세상의 도에 보탬이 있었다. 후세에 스승의 도가 확립되지 않아, 배우는 자가 다시는 도의道義를 강론하고 밝혀서 기질을 갈고 닦는 유익함이 없게 되었다.

· ·

157 五典[五常]을 펼치는 … 하고:『書』「虞書·舜典」에서 "帝舜이 말했다. '契아! 백성이 친목하지 않고 五品이 순조롭지 않으므로 너를 司徒로 삼으니, 공경히 다섯 가지 가르침을 펴되 너그러움이 있게 하라.'(帝曰, '契! 百姓不親, 五品不遜, 汝作司徒, 敬敷五敎, 在寬.')"라고 하였다.

158 너그러우면서도 엄하고 … 하였다.:『書』「虞書·舜典」에서 "帝舜이 말했다. '夔야! 너를 명하여 典樂을 삼으 니, 冑子를 가르치되 곧으면서도 온화하고, 너그러우면서도 엄하며, 강하되 사나움이 없고, 간략하되 오만함 이 없게 할 것이다. 詩는 뜻을 말한 것이고, 歌는 말을 길게 읊는 것이며, 聲은 길게 읊음에 의지한 것이고, 律은 읊는 소리를 조화시키는 것이니, 8음의 악기가 잘 어울려 서로 차례를 빼앗음이 없어야 神과 사람이 화합할 것이다.'(帝曰, '夔! 命汝典樂, 敎冑子, 直而溫, 寬而栗, 剛而無虐, 簡而無傲. 詩, 言志 ; 歌, 永言 ; 聲, 依永 ; 律, 和聲 ; 八音克諧, 無相奪倫, 神人以和.')"라고 하였다.

159 선왕의 시 … 양성하였는데:『禮記』「王制」

至本朝安定胡公, 首倡體用之學以淑其徒, 使學者明於經義, 講於時務, 篤於踐履, 而不爲口耳之習. 故一時賢士大夫多出其門, 而散在四方者, 亦皆循循雅飭. 師道之立蓋昉乎此. 是後周子復得孔孟不傳之道於遺經, 建圖屬書以覺來學. 而程子兄弟實紹其傳, 於是益推古者大學教人之法, 以淑諸人, 以傳諸後. 而我文公先生又從而光大之, 淵源所漸, 徧及海內. 有志之士, 探討服行, 而推其所得以正主庇民者不絶于時. 能使大義旣乖而復正, 公道久屈而復伸者, 皆夫人之力也. 師道之立, 於是爲盛."

우리 왕조(송대를 가리킴)에 이르러 안정 호공安定胡公[胡瑗][160]이 맨 먼저 체용體用의 학문을 창도하여 그 문도들을 선으로 이끌어서, 배우는 자들이 경전의 의미를 밝히고, 눈앞에 닥친 중대한 일을 강론하며, 돈독하게 실천하도록 하여, 듣고 말하기만하는 공부를 하지 않도록 했다. 그러므로 한 때 현명한 사대부들이 그의 문하에서 많이 배출되었고, 그들이 사방에 흩어져서도 모두 역시 훌륭한 학문풍토를 착실하게 따랐다. 스승의 도가 확립됨이 여기에서 비롯하였다. 그 뒤에 주자周子[周惇頤][161]가 다시 유전되던 경전에서 공맹이래 전해지지 않은 도道를 다시 얻어, 태극도를 그리고 도설을 붙여서 뒤에 오는 학자들을 깨우쳤다. 정자程子 형제가 실로 그 전수를 이었으니, 이에 옛날에 태학에서 사람들을 가르치는 법도를 더욱 미루어 헤아려서 사람들을 선으로 이끌고 후세에 전해주었다. 그리고 우리 문공선생文公先生[朱熹]이 또 뒤따라서 그것을 광대光大하게 하였으니, 그 연원이 적셔 들어간 곳이 국내에 두루 미쳤다. 뜻이 있는 선비가 탐구하고 토론하여 실행에 옮기니, 터득한 것을 미루어서 군주를 바로잡고 백성들을 보살펴주는 자가 언제나 끊이지 않았다. 대의大義가 이미 어그러졌으나 다시 바로잡을 수 있게 하고 공도公道(공평한 도리)가 굽혀진지 오래되었으나 다시 펼 수 있게 하는 것은 모두 사람의 노력에 달려있다. 스승의 도가 확립되니 이에 융성하게 되었다."

[52-2-30]
魯齋許氏曰: "凡取友必須趨向正當, 切磋琢磨有益於己者. 若乃邪僻卑汚, 與夫柔佞不情, 相誘爲非者, 謹勿近之."[162]

---

160 胡瑗(993~1059): 자는 翼之이고 시호는 文昭로서, 북송시대 泰州海陵(현 강소성 태주시) 사람이다. 13살에 五經을 통독하고, 20세에 孫復과 石介를 산동성 泰山 棲眞觀에서 배알하고 10년 동안 사사하였다. 30세에 귀향하여 7번 과거에 응시했으나 낙방하여, 安定書院을 짓고 후학배양에 힘썼다. 이에 세칭 안정선생으로 불렸다. 42세에 范仲淹의 천거로 校書郎이 되고, 太子中舍, 光祿寺丞, 天章閣侍講, 太常博士 등을 역임하였다. 특히 관직 생활 중에도 강학에 힘을 쏟아 孫復・石介와 함께 宋初三先生으로 추숭되어 송대 리학의 선구가 되었다. 저서에 『周易口義』・『洪範口義』・『春秋口義』・『論語說』 등이 있다.
161 周惇頤(1017~1073): 자는 茂叔이고, 호는 濂溪이며, 원래 이름은 惇實이었는데, 북송 제5대 황제인 英宗(1063~1067)의 옛 이름(趙宗實)을 피하여 惇頤로 이름을 고쳤다. 송대 道州營道(현 호남성 道縣) 사람으로 송대 신유학의 개조이다. 分寧主簿, 知南昌, 知郴州, 知南康軍 등을 역임하였다. 二程의 스승이며, 주희의 형이상학 체계에 큰 영향을 끼쳤다. 저서는 『太極圖說』・『通書』・「愛蓮說」 등이 있다.
162 許衡, 『魯齋遺書』 권1 「語錄上」

노재 허씨魯齋許氏許衡가 말했다. "무릇 친구를 취할 때는 반드시 지향하는 것이 정당하여 절차탁마함에 자기에게 유익한 자라야 한다. 그런데 품행이 나쁘고 비천하여 인정에 없는 위선과 아첨하는 자나 서로 꾀어서 잘못을 저지르는 자는 삼가 가까이하지 말아야 할 것이다."

[52-2-31]

"凡在朋儕中, 切戒自滿. 惟虛故能受, 滿則無所容, 人不我告, 則止於此爾, 不能日益也. 故一人之見, 不足以兼十人, 我能取之十人, 是兼十人之能矣. 取之不已, 至於百人千人, 則在我者可量也哉?"[163]

(노씨 허재가 말했다.) "무릇 동년배 친구들 중에는 절대로 자만을 경계해야 한다. 오직 비워야 받아들일 수 있으니, 만족하면 용납할 것이 없다. 남이 나에게 고해주지 않으면 거기에서 그치고 말 것이니 나날이 보탤 수 없다. 그러므로 한 사람의 견해는 열 사람을 겸하기에 충분하지 못하니, 내가 열 사람을 취할 수 있으면 열 사람의 능력을 겸하는 것이다. 끊임없이 취하여 백 사람 천 사람에 이르면 나에게 있는 것을 헤아릴 수 있겠는가?"

[52-2-32]

"凡求益之道, 在於能受盡言. 或議論經旨有見不到, 或撰文字有所未工, 以至凡在己者或有未善, 人能爲我盡言之, 我則致恭盡禮虛心而納之. 果有可從, 則終身服膺而不失; 其或不可從, 則退而自省也."[164]

(노씨 허재가 말했다.) "유익함을 구하는 도는 남이 말을 다 하는 것을 받아들일 수 있는 것에 달려 있다. 혹 경전의 뜻을 의론함에 면밀하게 이해하지 못하거나, 문장을 지음에 정교하지 못함이 있거나, 나에게 있는 것이 혹 선하지 않음이 있는 경우라도, 남이 나를 위하여 그런 점을 다 말해줄 수 있으면, 나는 지극히 공손하게 예의를 다해 마음을 비우고 그것을 받아들여야 한다. 과연 좇을 만 한 것이 있으면 평생토록 마음속에 새겨서 잃어버리지 말고, 혹 좇을 수 없는 것이라면 물러나서 스스로 반성해야 한다."

---

163 許衡, 『魯齋遺書』 권1 「語錄上」
164 許衡, 『魯齋遺書』 권1 「語錄上」

學十一 학 11

讀書法一 독서법 1

[53-1-1]

程子曰: "讀書將以窮理, 將以致用也. 今或滯心於章句之末, 則無所用也. 此學者之大患."[1]

정자程子(程顥·程頤)가 말했다. "독서는 그것을 통하여 이치를 궁구하고, 실용에 적용하기 위해서다. 지금 혹시라도 장구章句의 말단에 골똘하면 쓸데가 없다. 이것이 배우는 자들의 큰 우환이다."

[53-1-2]

"凡觀書, 不可以相類泥其義. 不爾, 則字字相梗, 當觀其文勢上下之意. 如'充實之謂美', 與『詩』之'美'不同."[2]

(정자가 말했다.) "무릇 책을 볼 때는 서로 비슷한 것이라고 하여 그 의미에 구애되면 안된다. 그렇지 않으면 글자마다 서로 방해가 되니, 앞뒤 문맥상의 의미를 살펴보아야 한다. 예컨대 (『맹자』에서) '충실함을 아름답다고 한다.'[3]는 것은 『시詩』에서 '아름답다'고 한 것과는 같지 않다."

[53-1-3]

"嘗觀讀書, 有令人喜時, 有令人手舞足蹈時."

或問: "莫是古人之意與先生之意相合後如此否?"

---

1 『二程粹言』「論學篇」

2 『河南程氏遺書』 권18

3 '충실함을 아름답다고 한다.' : 『孟子』「盡心下」. 주희는 이 구절에 대해 "그 善을 힘써서 채워져 알차게 되면 아름다움이 그 가운데에 있으니 밖에서 기다릴 것이 없을 것이다.(力行其善, 至於充滿而積實, 則美在其中而無待於外矣.)"라고 주석하였다.

曰：“是也.”

(정자가 말했다.) “생각건대, 독서는 사람을 기쁘게 하는 때도 있고, 사람의 손발이 저절로 춤을 추게 하는 때도 있다.”

어떤 사람이 물었다. “그것은 옛사람의 생각과 선생의 생각이 서로 합쳐진 뒤에 이와 같은 것이 아닌지요?”

(정자가) 대답했다. “그렇다.”

[53-1-4]

“『論語』·『孟子』只剩讀著, 便自意足, 學者須是玩味. 若以語言解著, 意便不足.”[4]

(정자가 말했다.) “『논어』와 『맹자』는 다만 수없이 읽게 되면 저절로 그 의미가 충분해지니, 배우는 자들은 반드시 완미해야 한다. 만약 말로 풀어보려고 하면 그 의미는 곧바로 부족해진다.”

[53-1-5]

問：“世有以讀書爲文爲藝者.”

曰：“爲文謂之藝, 猶之可也. 讀書謂之藝, 則求諸書者淺矣.”[5]

물었다. “세상에는 독서를 문장을 위해서거나 기예를 위해서 하는 자가 있습니다.”

(정자가) 대답했다. “문장을 위한 것은 기예라고 말할 수 있어 오히려 괜찮다. 그러나 독서를 기예라고 하면, 책에서 구하는 것이 천박할 것이다.”

[53-1-6]

張子曰：“觀書必總其言而求作者之意.”[6]

장자張子(張載)가 말했다. “책을 볼 때는 반드시 그 말을 총괄해서 필자의 의도를 찾아야 할 것이다.”

[53-1-7]

“讀書少, 則無由考校得義精. 蓋書以維持此心, 一時放下, 則一時德性有懈. 讀書則此心常在, 不讀書則終看義理不見. 書須成誦, 精思多在夜中, 或靜坐得之. 不記則思不起. 但通貫得大原後, 書亦易記. 所以觀書者釋己之疑, 明己之未達, 每見每加新益,[7] 則學進矣. 於不疑處有疑, 方是進.”[8]

---

4 『二程外書』, 권5
5 『河南程氏遺書』 권4
6 張載, 『張子全書』 권6 「義理」
7 每見每加新益：장재의 『張子全書』 권6 「義理」에는 '每見每知所益'으로 되어 있다.
8 張載, 『張子全書』 권6 「義理」

(장자가 말했다.) "독서량이 적으면 정밀한 뜻을 연구해 낼 길이 없다. 책으로써 이 마음을 유지하는데, 한 순간이라도 내려놓으면 한 순간 덕성이 게을러지기 때문이다. 독서를 하면 이 마음이 항상 존재하지만, 독서하지 않으면 끝내 의리義理를 볼 수 없다. 책은 반드시 암송해야 되고, 깊은 생각은 대부분 밤중에 하는데, 혹 정좌하여 터득하기도 한다. 기억하지 못하면 생각할 수 없다. 그러나 큰 근원을 관통한 뒤에는 쉽게 책을 기억할 수 있다. 그러므로 책을 보는 사람은 자기의 의심을 풀고 자기가 도달하지 못한 곳을 밝혀서 매번 볼 때마다 매번 새로운 것을 보태면 배움이 진전될 것이다. 의심하지 못했던 곳에 의심이 생겨야 비로소 진전될 것이다."

[53-1-8]
上蔡謝氏曰 : "學者先學文, 鮮有能至道. 至如博觀泛覽, 亦自爲害. 故明道先生教余嘗曰, '賢讀書, 愼不要尋行數墨.'"[9]

상채 사씨上蔡謝氏[謝良佐]가 말했다. "배우는 자가 문장을 먼저 배우면 도道에 이를 수 있는 자가 드물다. 널리 살펴보고 두루 읽어보는 것과 같은 경우도 본래 방해가 된다. 그러므로 명도선생明道先生[程顥]이 나를 가르치면서 '그대는 독서할 때 자구字句에 구애되어 이치를 깊이 연구하지 못하게 되지 않도록 조심하게.'라고 말한 적이 있다."

[53-1-9]
龜山楊氏語羅仲素曰 : "某嘗有數句教學者讀書之法云, '以身體之, 以心驗之, 從容默會於幽閒靜一之中, 超然自得於書言象意之表.' 此蓋某所自爲者如此."[10]

구산 양씨龜山楊氏[楊時]가 나중소羅仲素[羅從彦][11]에게 일러 말했다. "나는 배우는 사람들에게 몇 구절의 글로 독서법을 가르친 적이 있는데, '몸으로 체인하고 마음으로 증험하여 그윽하고 정일靜一(고요하고 전일함)한 속에서 침착하게 묵묵히 깨닫고, 글로 표현하고 뜻으로 드러낸 밖에서 초연히 자득 해야 한다.'고 하였다. 이것은 내가 스스로 공부한 것도 이와 같다."

∙∙∙∙∙∙∙∙∙∙∙∙∙∙∙∙∙∙∙∙∙∙
9 謝良佐, 『上蔡語錄』 권2
10 李淸馥, 『閩中理學淵源考』 권1
11 羅從彦(1072~1135) : 자는 仲素이고 호는 豫章이며, 시호는 文質이다. 세칭 豫章先生이라고 불렸다. 송나라 南沙劍州(현 복건성 南平) 사람이다. 동향의 선배 楊時의 가르침을 받고, 두 程子의 학문을 동향의 후배 李延平에게 전하여 주자에 이르러서 '남검의 세 선생[劍南三先生]'이라고 불렸다. 高宗 建炎 4년(1130) 特科에 급제하여 博羅縣 主簿에 임명되었다. 나중에 羅浮山에 들어가 靜坐하며 학문을 연구하여 마침내 양시 문하의 제1인자가 되었다. 治心의 중요성을 강조하여 마음을 수양하는 근본 방법으로 靜坐를 주장했고, 도덕 수양에 있어 無欲이 가장 중요하다고 여겼다. 저서에 『遵堯錄』과 『春秋指歸』·『春秋解』·『中庸說』·『論語解』·『孟子解』·『毛詩解』·『議論要語』·『豫章文集』 등이 있다.

[53-1-10]

和靖尹氏曰：“呂獻可嘗言‘讀書不須多, 讀得一字, 行取一字.’ 伊川亦嘗言‘讀得一尺, 不如行得一寸, 行得便是會讀書.’ 二公之意正同.”

화정 윤씨和靖尹氏[尹焞]가 말했다. “여헌가呂獻可[呂誨][12]는 ‘독서는 많이 할 필요가 없으니, 한 글자를 읽고 한 글자를 실천하면 된다.’고 말한 적이 있다. 이천伊川[程頤]도 ‘한 척尺이나 되는 분량을 읽더라도 한 촌寸을 실천하는 것만 못하니, 실천하는 것이 바로 독서를 할 줄 아는 것이다.’고 말한 적이 있다. 두 사람의 뜻이 꼭 같다.”

[53-1-11]

“讀書須是看聖人用心處, 自家臨事時一一要使.”[13]

(화정 윤씨가 말했다.) “독서는 반드시 성인이 생각한 것을 알아내어서, 스스로 일에 임했을 때 일일이 그렇게 하도록 해야 한다.”

[53-1-12]

延平李氏曰：“讀書者知其所言莫非吾事, 而卽吾身以求之, 則凡聖賢所至而吾所未至者, 皆可勉而進矣. 若直以文字求之, 說其詞義以資誦說, 其不爲玩物喪志者幾希！”[14]

연평 이씨延平李氏[李侗][15]가 말했다. “독서하는 사람이 책의 말이 나의 일이 아닌 것이 없다는 것을 알고 자신의 몸에서 그 의미를 구한다면, 성현은 이르렀지만 자신은 이르지 못한 것들을 모두 힘써서 나아갈 수 있을 것이다. 만약 다만 문자 상에서 그 의미를 구하여 그 말뜻을 기뻐해서 외우고 설명하는 근거로 삼는다면, 완물상지玩物喪志(물건의 완상에 빠져 제정신을 상실함)가 되지 않는 경우가 거의 드물 것이다！”

[53-1-13]

朱子曰：“讀書須是虛心切己. 虛心, 方能得聖賢意；切己, 則聖賢之言不爲虛說.”[16]

. . . .

12 呂誨(1014~1071)：자는 獻可이고, 북송대 幽州安次(현 하북성 廊坊) 사람으로 開封에 살았다. 진사에 급제하여 旌德・扶風主簿, 殿中侍禦史, 兵部員外郎, 三司鹽鐵副使, 天章閣待制, 禦史中丞 등을 역임했다. 왕안석이 집정할 때 파직되었다. 특히 세 차례 諫職에 있으면서 執政大臣을 탄핵하여 파면시킬 정도로 성품이 강직했고, 그의 탄핵 상소문은 명문으로 유명하다. 저서로는 『呂獻可章奏』20권, 289편과 『呂誨集』15권이 있었다고 한다.

13 張鎡의 『仕學規範』 권3에, 馮忠恕가 윤돈의 말을 기록한 『涪陵記善錄』의 글로 인용하고 있다.

14 朱熹, 『延平答問』 부록

15 李侗(1093~1163)：자는 愿中이고, 세칭 延平先生이라 하며, 시호는 文靖이다. 송대 南劍州劍浦(현 복건성 남평) 사람으로 楊時・羅從彦과 함께 ‘南劍三先生’이라 불리운다. 나종언에게서 二程의 학문을 배우고, 40여 년간 세속을 끊고 연구한 뒤에 ‘理一分殊’ 등 이정의 학문을 주희에게 전수해 주었다. 저서는 『延平文集』이 있다.

16 『朱子語類』 권11, 22조목

주자朱子[朱熹]가 말했다. "독서는 반드시 마음을 비우고 자신에게 절실하도록 해야 한다. 마음을 비워야 비로소 성현의 뜻을 터득할 수 있고, 자신에게 절실하도록 하여야 성현의 말이 빈말이 되지 않을 것이다."

[53-1-14]

"讀書須且虛心靜慮, 依傍文義, 推尋句脉, 看定此句指意是說何事. 略用今人言語襯貼替換一兩字, 說得古人意思出來, 先教自家心裏分明歷落, 如與古人對面說話, 彼此對答無一言一字不相肯可. 此外都無閒雜說話, 方是得簡入處."[17]

(주자가 말했다.) "독서는 반드시 마음을 비우고 고요히 생각하여 문장의 뜻에 의거해 구절의 맥락을 미루어 찾아서, 이 구절이 가리키는 뜻이 무슨 일을 말하는지 확정해야 한다. 그리하여 요즘 사람들이 쓰는 말로 매우 적절하게 한 두 글자로 치환하여 옛사람의 의미를 설명해 내되, 먼저 자신의 마음에서 분명하고 질서정연하여 마치 옛사람과 마주 보고 말하는 것처럼 하고, 서로 대답하는 말에서 한 마디 말과 한 글자가 서로 동의하지 않음이 없어야 한다. 이 밖에는 전혀 쓸데없는 말이 없게 해야 비로소 배움에 들어갈 곳을 얻을 것이다."

[53-1-15]

"讀書先要虛心平氣, 熟讀精思, 令一字一句皆有下落, 諸家注解一一通貫, 然後可以較其是非, 以求聖賢立言之本意. 雖已得之, 亦且更如此反復玩味, 令其義理浹洽於中, 淪肌浹髓, 然後乃可言學耳."[18]

(주자가 말했다.) "독서는 먼저 마음을 비우고 기氣를 평온하게 하여, 익숙하게 읽고 정밀하게 생각해서 한 글자 한 구절도 모두 귀착될 곳이 있게 하고 여러 학자들의 주해注解를 일일이 관통한 뒤에, 그 옳고 그름을 비교해 성현이 주장을 세운 본 뜻을 구할 수 있다. 비록 이미 터득했더라도 또한 더욱 이렇게 반복 음미하여 그 의리가 마음속에 푹 젖어들고 살갗과 골수에 스며들도록 한 뒤라야, 학문을 말할 수 있을 것이다."

[53-1-16]

"觀書但當虛心平氣, 以徐觀義理之所在. 如其可取, 雖世俗庸人之言, 有所不廢; 如有可疑, 雖或傳以爲聖賢之言, 亦須更加審擇. 自然意味平和, 道理明白, 脚踏實地, 動有據依, 無籠罩自欺之患矣."[19]

(주자가 말했다.) "책을 볼 때는 다만 마땅히 마음을 비우고 기氣를 평온하도록 하여 천천히 의리가

17　朱熹, 『朱文公文集』 권62 「答張元德」
18　朱熹, 『朱文公文集』 권58 「答宋容之」
19　朱熹, 『朱文公文集』 권31 「答張敬夫」

있는 곳을 살펴보아야 한다. 만약 취할 만한 것이 있으면 비록 세속의 평범한 사람의 말이라도 버리지 않고, 만약 의심스러운 것이 있으면 비록 혹 성현의 말을 전한 것이라고 하더라도 반드시 더욱 자세히 살피고 가려야 한다. 그렇게 하면 저절로 의미가 조화롭고 도리가 명백해지며, 일하는 것이 견실하고 행동은 근거가 있게 되어, 두리뭉실하게 스스로를 속이는 근심이 없을 것이다."

[53-1-17]

"讀書須是優游玩味,[20] 徐觀聖賢立言本意所向如何, 然後隨其遠近淺深·輕重緩急而爲之說. 如孟子所謂'以意逆志'者, 庶乎可以得之. 若便以吾先入之說橫於胷次, 而驅率聖賢之言以從己意, 設使義理可通, 已涉私意穿鑿而不免於郢書燕說之誚. 況又義理窒礙, 亦有所不可行者乎?"[21]

(주자가 말했다.) "독서는 반드시 여유롭게 음미하면서 천천히 성현이 주장한 말의 본의가 지향하는 것이 어떠한지를 천천히 살펴본 뒤에, 멀고 가까움, 얕고 깊음, 가볍고 무거움, 느슨하고 급함 등을 따라서 그것을 말할 수 있게 된다. 예컨대 맹자의 이른바 '자기 생각으로 글의 뜻을 맞이한다.'[22]는 말과 같아야 거의 얻을 수 있을 것이다. 만약 편의대로 나에게 먼저 들어온 말을 가슴에 가로질러 놓고서 성현의 말을 몰아다가 이끌어 나의 뜻을 따르게 한다면, 설령 의리에 통할 수 있을지라도 이미 사사로운 뜻으로 천착하여 영郢나라 사람이 연燕나라에 보낸 말[23]이라는 비난을 벗어나지 못할 것이다. 하물며

. . . .

20 讀書須是優游玩味 : 『朱文公文集』 권46 「答胡伯逢」에는 "大抵讀書須是虛心平氣, 優游玩味."라고 되어 있다.
21 『朱文公文集』 권46 「答胡伯逢」
22 '자기 생각으로 … 맞이한다.' : 『孟子』 「萬章上」에서 "이 詩는 이것을 말한 것이 아니다. 國事에 수고로워 부모를 봉양할 수 없어, 말하기를 '이것이 국사가 아님이 없는데 나만이 홀로 어질다 하여 수고롭다.'고 한 것이다. 그러므로 詩를 설명하는 자는 글자로써 말을 해치지 말고, 말로써 본래의 뜻을 해치지 말며, 자기 생각으로 글의 뜻을 맞이해야 이에 詩를 알 수 있는 것이다. 만약 말만 가지고 볼 뿐이라면, 「雲漢」의 시에서 '周나라의 남은 백성들이 孑遺(겨우 남아있는 사람)가 없다.'라고 하였는데, 진실로 이 말대로라면 이것은 周나라에 남은 백성이 없다는 것이다. (是詩也, 非是之謂也 ; 勞於王事, 而不得養父母也. 曰, '此莫非王事, 我獨賢勞也.' 故說詩者, 不以文害辭, 不以辭害志. 以意逆志, 是爲得之. 如以辭而已矣, 「雲漢」之詩曰, '周餘黎民, 靡有孑遺.' 信斯言也, 是周無遺民也.)"라고 하였다. 주자는 이 구절에 대해 "文은 글자이고, 辭는 말이다. 逆은 맞이함이다. 「雲漢」은 「大雅」의 편명이다. 孑은 홀로 서 있는 모양이고, 遺는 벗어남이다. 詩를 해설하는 방법은 한 글자로써 한 구절의 뜻을 해치지 말고, 한 구절로써 말을 한 뜻을 해치지 말 것이며, 마땅히 자기의 뜻으로써 작자의 뜻을 맞추어 취해야 시를 알 수 있는 것이다. 만약 다만 그 말만 가지고 볼 뿐이라면, 「雲漢」에 말한 것과 같을 것이니, 이것은 周나라 백성들이 참으로 남은 종족이 없는 것이다. 오직 자기 생각으로 작자의 뜻을 맞이해 보면 이 시를 지은 자의 뜻이 가뭄을 걱정함에 있었고, 참으로 남은 백성이 없는 것이 아님을 알게 될 것이다.(文, 字也 ; 辭, 語也. 逆, 迎也. 「雲漢」, 「大雅」篇名也. 孑, 獨立之貌 ; 遺, 脫也. 言說詩之法, 不以一字而害一句之義, 不以一句而害設辭之志, 當以其意迎取作者之志, 乃可得之. 若但以其辭而已, 則如「雲漢」所言, 是周之民眞無遺種矣. 惟以意逆之, 則知作詩者之志在於憂旱, 而非眞無遺民也.)"라고 주석하였다.
23 郢나라 사람이 … 말 : 『韓非子』 권11 「外儲說左上」에서 "郢(楚나라 도읍) 땅에서 사는 사람이 燕나라의 재상

의리에도 막혀 실천할 수 없는 것이 있는 것은 어떻겠는가?"

[53-1-18]

"嘗見人云, ‘大凡不公底人,[24] 讀書不得.’ 今看來, 是如此. 如解說聖經, 一向都不有自家身己, 全然虛心, 只把他道理自看其是非. 恁地看文字, 猶更自有牽於舊習, 失點檢處. 全然把一己私意去看聖賢之書, 如何看得出?"[25]

(주자가 말했다.) "이전에 ‘대체로 공정하지 않은 사람은 책을 읽을 수 없다.’고 말하는 사람을 만났었다. 지금 생각해보니 정말 그렇다. 예컨대 성인의 경전을 해설할 때는 줄곧 자기 자신을 전부 버리고 완전히 마음을 비운 채, 다만 그 도리를 가지고 스스로 그 옳고 그름을 볼 뿐이다. 그렇게 글을 보고도, 또다시 저절로 예전의 익힌 것에 이끌려서 점검할 곳을 잃게 되기도 한다. 완전히 자신의 사적인 생각을 가지고 성현의 책을 본다면, 어떻게 볼 수 있겠는가?"

[53-1-19]

"讀書有箇法, 只是刷刮淨了那心後去看. 若不曉得, 又且放下, 待他意思好時, 又將來看. 而今却說要虛心, 心如何解虛得? 而今正要將心在那上面."[26]

(주자가 말했다.) "독서에는 방법이 있으니, 다만 그 마음을 쓸고 닦아서 깨끗하게 한 후에 보는 것이다. 만약 이해하지 못하면 또 내버려 두었다가, 그 의미가 잘 풀릴 때까지 기다려서 다시 본다. 그런데 지금 마음을 비워야 한다고 말하는데, 마음이 어떻게 비워지겠는가? 지금 바로 마음을 거기에(즉 마음을 비우는 데에) 두도록 해야 한다."

[53-1-20]

"讀書須是要身心都入在這一段裏面, 更不問外面有何事, 方見得一段道理出. 如‘博學而篤志, 切問而近思’, 如何却說箇‘仁在其中’? 蓋自家能常常存得此心, 莫教走作, 則理自然在其中. 今

에게 보내려고 밤에 편지를 썼다. 불빛이 밝지 않아서 등불을 잡고 있는 사람에게 ‘불빛을 들라.’고 말했다. 그러자 ‘불빛을 들라.’고 편지에 썼는데, ‘불빛을 들라’는 말은 편지의 뜻이 아니었다. 연나라 재상이 편지를 받고 기뻐하여 ‘불빛을 드는 것은 밝음을 숭상하는 것이고, 밝음을 숭상하는 것은 현자를 들어서 임용하는 것이다.’라고 말하면서, 왕에게 보고했다. 왕이 크게 기뻐하여 그것으로써 나라를 다스렸다. 여기에서 다스림이란 다스림일 뿐 편지의 본뜻이 아니다. 요즘 학자들이 대부분 이와 같다.(郢人有遺燕相國書者, 夜書. 火不明, 因謂持燭者曰, ‘舉燭云. 而過書‘舉燭’, ‘舉燭非書意也. 燕相受書而說之曰, ‘舉燭者, 尚明也 ; 尚明也者, 舉賢而任之.’ 燕相白. 王大說, 國以治. 治則治矣, 非書意也. 今世學者, 多似此類.)"라고 하였다.

24 大凡不公底人 : 『朱子語類』 권11, 31조목에는 "大凡心不公底人(대체로 마음이 공정하지 않은 사람은)"이라고 되어 있다.

25 『朱子語類』 권11, 31조목

26 『朱子語類』 권11, 14조목

人却一邊去看文字, 一邊去思量外事, 只是枉費了工夫. 不如放下了文字, 待打疊敎意思靜了, 却去看."27

(주자가 말했다.) "독서에는 반드시 몸과 마음이 모두 이 한 단락에 몰입해 있어서 바깥에 어떤 일이 있는지 더 이상 따지지 말아야, 비로소 한 단락의 도리를 알아 낼 수 있다. 예컨대 '배우기를 널리 하고 뜻을 돈독하게 하며, 절실하게 묻고 가까운 데서 생각한다.'고 하면서, 어떻게 또한 '인仁이 그 가운데 있다.'고 말했겠는가?28 스스로 늘 이 마음을 보존하여 달아나지 않게 할 수 있다면, 리理는 저절로 그 가운데에 있기 때문이다. 요즘 사람들은 한편으로는 글을 보면서 또 다른 한편으로는 바깥일을 생각하기 때문에 다만 헛되이 공부를 낭비할 뿐이다. 글을 내려놓고, 생각이 고요해지도록 정리한 다음에 보는 것만 못하다."

[53-1-21]

"觀書, 當平心以觀之, 不可穿鑿.29 看從分明處, 不可尋從隱僻處去. 聖賢之言多是與人說話, 若是嶢崎, 却敎當時人如何曉?"30

(주자가 말했다.) "책을 볼 때는 마땅히 평온한 마음으로 보아야지, 천착해서는 안 된다. 분명한 쪽을 따라 보아야지 숨겨지고 편벽한 곳에서 찾아서는 안 된다. 성현의 말은 대부분 다른 사람들과 대화한 것인데 만약 기괴하다면, 그 당시 사람들을 어떻게 이해시킬 수 있었겠는가?"

[53-1-22]

"聖賢立言本自平易, 而平易之中其旨無窮. 今必推之使高, 鑿之使深, 是未必眞能高深, 而固已離其本指, 喪其平易無窮之味矣."31

(주자가 말했다.) "성현이 주장한 말은 본래 알기 쉽지만, 알기 쉬운 가운데도 그 뜻은 무궁하다. 이제 기필코 추앙하여 높게 하고 천착해서 깊게 하려고 하면, 이는 참으로 반드시 높고 깊어질 수 있는 것이 아니라 도리어 이미 본래 취지에서 벗어나 알기 쉬우면서도 무궁한 맛을 잃게 되는 것이다."

· · · · · · · · · · · · · · · · · · · ·

27 『朱子語類』 권11, 15조목
28 '배우기를 널리 … 말했겠는가?: 『論語』「子張」에서 "子夏가 말했다. '배우기를 널리 하고 뜻을 돈독하게 하며, 절실하게 묻고 가까운 데서 생각하면 仁이 그 가운데 있다.'(子夏曰, '博學而篤志, 切問而近思, 仁在其中矣.')"라고 하였다. 주자는 이 구절에 대해 "이 네 가지는 모두 博學·審問·愼思·明辨의 일들이니, 힘써 실행해서 仁을 실천하는 데는 미치지 못한다. 그러나 여기에 종사하면 마음이 밖으로 달리지 않아 보존하고 있는 것이 저절로 익숙해진다. 그러므로 仁이 그 가운데 있다고 말했다.(四者, 皆學·問·思·辨之事耳, 未及乎力行而爲仁也. 然從事於此, 則心不外馳, 而所存自熟. 故曰'仁在其中矣')"라고 주석했다.
29 不可穿鑿.: 『朱子語類』 권11, 33조목에는 "大抵看書不可穿鑿(대체로 책을 볼 때는 천착해서는 안 되니)"라고 되어 있다.
30 『朱子語類』 권11, 33조목
31 『朱文公文集』 권35 「答劉子澄」

[53-1-23]

問: "方讀書時, 覺得無靜底工夫, 須有讀書之時, 有靜虛之時."

曰: "某舊見李先生, 嘗教令靜坐. 後來看得不然, 只是一箇敬字好. 方無事時, 敬於自持;[32] 及應事時, 敬於應事; 讀書時, 敬於讀書, 便自然該貫動靜, 心無時不存."[33]

물었다. "바야흐로 독서를 할 때는 고요할 때의 공부가 없다고 생각했는데, 반드시 독서를 할 때가 있어야 하고 고요하게 비우는 때가 있어야 할 것 같습니다."

(주자가) 대답했다. "내가 예전에 이 선생李先生[李侗]을 뵈었는데, 나에게 정좌靜坐하라고 가르친 적이 있었다. 나중에 그것이 그렇지 않음을 알았으니, 다만 '경敬'이라는 글자가 훌륭한 것이었다. 바야흐로 일이 없을 때는 스스로 지키는 것에 경敬하고, 일에 대응할 때는 일에 대응하는 것에 경敬하며, 독서를 할 때는 독서에 경敬하면, 저절로 움직일 때와 고요할 때를 두루 관통하여 마음이 그 어느 때도 보존되지 않은 때가 없었다."

[53-1-24]

"初學於敬不能無間斷. 只是纔覺間斷, 便提起此心, 只是覺處便是接續. 某要得人只就讀書上體認義理. 日間常讀書, 則此心不走作. 或只去事物中衮, 則此心易得汩沒. 知得如此, 便就讀書上體認義理, 便可喚轉來."[34]

(주자가 말했다.) "처음 배우는 사람들은 경敬공부에서 끊어짐이 없을 수 없다. 다만 끊어짐을 깨닫자마자 곧바로 마음을 가다듬으면, 깨닫는 곳이 바로 이어진다. 나는 사람들에게 다만 독서를 하는 데에서 의리를 체인하도록 한다. 낮에 늘 독서를 하면 이 마음은 제멋대로 돌아다니지 않는다. 혹시라도 다만 마음이 사물에 나아가서 뒤섞이게 되면 이 마음은 쉽게 매몰된다. 이와 같은 점을 알면 곧 독서를 하는 데서 의리를 체인하여, 마음을 환기시켜 돌이킬 수 있다."

[53-1-25]

"本心陷溺之久, 義理浸灌未透, 且宜讀書窮理. 常不間斷, 則物欲之心自不能勝, 而本心之義理自安且固矣."[35]

(주자가 말했다.) "본래의 마음이 나쁜 것에 빠진 지 오래되고, 의리가 철저하게 젖어들지 않았다면, 또한 마땅히 독서를 하여 이치를 궁구해야 한다. 늘 끊어짐이 없이 그렇게 하면, 물욕物欲에 빠진 마음은 저절로 의리를 이길 수 없으며, 본래의 마음이 지닌 의리는 저절로 안정되고 또한 견고해질 것이다."

. . . .

32 敬於自持: 『朱子語類』 권120, 105조목에는 이 구절 뒤에 "凡心不可放入無何有之鄕, 須收斂在此.(무릇 마음은 풀어놓아 '그 어떤 것도 없는 곳無何有之鄕'에 들어가게 해서는 안 되니, 반드시 여기에 수렴해야 한다.)"라는 말이 더 있다.

33 『朱子語類』 권120, 105조목

34 『朱子語類』 권11, 4조목

35 『朱子語類』 권11, 5조목

[53-1-26]

"學者觀書多走作者, 亦恐是根本上工夫未齊整, 只是以紛擾雜亂心去看, 不曾以湛然凝定心去看. 不若先涵養本原, 且將已熟底義理玩味, 待其浹洽, 然後去看書, 便自知只是如此. 老蘇自述其學爲文處有云, '取古人之文而讀之, 始覺其出言用意與己大異. 及其久也, 讀之益精, 胷中豁然以明, 若人之言固當然者.' 此是他於學文上工夫有見處, 可取以喩今日讀書, 其工夫亦合如此."

又曰 : "看得一兩段, 却且放心胷寬間, 不可貪多."³⁶

(주자가 말했다.) "배우는 사람이 책을 볼 때 대부분 마음이 제멋대로 돌아다니는 것은 또한 아마도 근본에 대한 공부가 아직 반듯하지 않아, 다만 어지럽고 난잡한 마음으로 볼 뿐 침착하고 안정된 마음으로 본 적이 없기 때문일 것이다. 먼저 본원을 함양하고 또 이미 익숙해진 의리를 가져다가 음미하는 것만 못할 것이니 그것이 푹 젖어들기를 기다린 다음에 책을 보게 되면 저절로 다만 이와 같이 해야 함을 알게 될 것이다. 노소老蘇[蘇洵]³⁷는 자신이 글쓰기를 배웠던 것에 대해 술회하면서 '옛사람의 글을 취해서 읽을 때, 처음에는 그들이 말하고 생각한 것들이 나와 매우 다르다고 느꼈다. 오래되고 나서야 독서하는 것이 더욱 정밀해지고 가슴속이 훤히 밝아지며, 사람의 말이 참으로 당연하게 여겨졌다.'³⁸라고 말했다. 이것은 그가 글을 배우는 공부에서 깨달은 것이 있었다는 것인데, 이것을 오늘날 책 읽는 것에 대한 비유로도 취할 수 있으니, 공부도 마땅히 이렇게 해야 한다."

(주자가) 또 말했다. "한 두 단락을 보아도, 우선 마음을 여유롭게 내려놓고, 많이 읽으려고 탐내서는 안 된다."

[53-1-27]

"放寬心, 以他說看他說. 以物觀物, 無以己觀物."³⁹

(주자가 말했다.) "마음을 느긋하게 해서 그 주장으로 그 주장을 보아야 한다. 사물의 입장에서 사물을 살펴보아야지, 자기의 입장에서 사물을 살펴보아서는 안 된다."

[53-1-28]

"張子云, '書所以維持此心, 一時放下, 則一時德性有懈也.' 是說得維持字好. 蓋不讀書, 則此

---

36 『朱子語類』 권11, 16조목
37 蘇洵(1009~1066) : 자는 明允이고, 자호는 老泉이며, 북송 眉州眉山(현 사천성 미산) 사람이다. 북송의 문장가로 두 아들 蘇軾‧蘇轍과 함께 唐宋八大家로 칭송되었다. 이들 세 부자를 세칭 三蘇라고 하며, 소순을 老蘇, 소식을 大蘇, 소철을 小蘇라고도 부른다. 소순은 자신의 長技인 날카로운 논법과 정열적인 필치로 정치평론 22편을 歐陽脩에게 올려 일약 유명해졌다. 벼슬은 秘書省校書郎, 文安縣主簿를 역임했다. 저술로는 북송 建隆 이래의 禮에 관한 글을 모은 『太常因革禮』 100권을 편찬했고, 『嘉祐集』‧『諡法』 등이 있다.
38 『嘉祐集』 上歐陽內翰第一書에 보인다.
39 『朱子語類』 권11, 35조목

心便無用處. 今但見得些子, 便更不肯去窮究那許多道理, 陷溺其心於淸虛曠蕩之地, 却都不知, 豈可如此?[40]

(주자가 말했다.) "장자張子[張載]는 '책은 마음을 유지시키는 것이니 잠시라도 놓아버리면 그때 덕성이 해이해진다.'[41]라고 말했는데, '유지시키는 것[維持]'이라고 말한 것이 훌륭하다. 대체로 독서하지 않으면 이 마음은 곧 쓸모가 없다. 이제 다만 약간을 깨닫고서 더 이상 수많은 도리를 기꺼이 탐구하려 하지 않고, 자신의 마음을 청허하고 광활한 곳에 매몰시켜 두고 전혀 알지 못하니, 어찌 이럴 수가 있는가?"

[53-1-29]

"昔陳烈先生苦無記性, 一日讀『孟子』'學問之道無他, 求其放心而已矣', 忽悟曰, '我心不曾收得, 如何記得書?' 遂閉門靜坐, 不讀書百餘日以收放心. 却去讀書, 遂一覽無遺.[42]

(주자가 말했다.) "예전에 진렬陳烈[43] 선생은 기억력이 없다고 괴로워하였다. 하루는 『맹자』의 '학문하는 방법은 다른 것이 없으니, 잃어버린 마음을 찾는 것일 뿐이다.'[44]라는 구절을 읽고서, 홀연히 깨달아 '내 마음을 수습한 적이 없는데, 어떻게 책의 내용을 기억하겠는가?'라고 말했다. 마침내 문을 걸어 잠그고 정좌靜坐하여 백여 일 동안 책을 읽지 않고 잃어버린 마음을 수습하였다. 그런 뒤에 독서를 하니 마침내 한번 죽 훑어보더라도 빠뜨리는 것이 없었다."

[53-1-30]

"讀書固收心之一助. 然今只讀書時收得心, 而不讀書時便爲事所奪, 則是心之存也常少, 而其放也常多矣. 且胡爲而不移此讀書工夫向不讀書處用力, 使動靜兩得而此心無時不存乎?"[45]

(주자가 말했다.) "독서는 본래 마음을 수습하는 데 얼마간의 도움이 되는 것이다. 그러나 지금 다만 독서를 할 때만 마음을 수습할 수 있고, 독서를 하지 않을 때는 곧 일에 마음을 빼앗기게 되면, 이 마음이 보존되는 경우는 항상 적고 잃어버리는 경우는 항상 많다. 또 무엇 때문에 이 독서에 대한 공부를 독서하지 않을 때로 옮겨다 힘을 써서, 동정動靜 모두가 합당해져 이 마음이 보존하지 않는 때가 없도록 하지 않으랴?"

---

40 『朱子語類』 권119, 8조목
41 '책은 이 … 해이해진다.' : 『四書或問』 권24 「論語或問·子張」에 장재의 말로 실려 있다.
42 『朱子語類』 권11, 10조목
43 陳烈(1012~1087) : 자는 季慈이고 호는 季甫로서, 북송 侯官(현 복건성 福州市) 사람이다. 30세에 과거시험에 낙방하고 학문과 교육에 매진하였다. 仁宗 때 여러 차례 천거를 받았으나 모두 사양하고, 1086년 福州敎授에 취임하였지만, 봉급을 받지 않았다고 한다. 당시 陳襄·周希孟·鄭穆과 함께 '閩中四先生'으로 불렸다. 저서는 『孝報經』이 있다.
44 '학문하는 방법은 … 뿐이다.' : 『孟子』 「告子上」
45 『朱文公文集』 권49 「答陳膚仲」

[53-1-31]

"學問就自家身己上切要處理會, 方是. 那讀書底已是第二義. 自家身上道理都具, 不曾外面添得來. 然聖人教人須要讀這書時, 蓋爲自家雖有這道理, 須是經歷過, 方得. 聖人說底是他曾經歷過來."[46]

(주자가 말했다.) "학문은 자기 자신의 절실하고 긴요한 곳에서 이해해야 비로소 옳다. 독서는 이미 둘째로 의미있는 것이다. 자기 자신에게 도리가 모두 갖추어져 있으니 바깥에서 더 보탤 것이 없다. 그러나 성인이 사람을 가르침에 반드시 책을 읽어야 한다고 했었던 때는 아마 스스로 비록 이 도리를 가지고 있더라도 반드시 체험을 해야 비로소 터득할 수 있기 때문이었을 것이다.[47] 성인이 말한 것은 그가 일찍이 체험을 했던 것이다."

[53-1-32]

"讀書以觀聖賢之意, 因聖賢之意以觀自然之理."[48]

(주자가 말했다.) "독서를 해서 성현의 뜻을 살펴보고, 성현의 뜻에 따라서 저절로 그러한 리理[49]를 살펴

- - - - - - - - - - - - - - - - - - - -

46 『朱子語類』 권10, 3조목
47 그러나 성인이 … 것이다: 『論語』「先進」에서 "子路가 子羔를 費邑의 邑宰로 삼았다. 孔子가 말했다. '남의 아들을 해치는구나!' 자로가 말했다. '백성이 있고 社稷이 있습니다. 하필 독서를 한 뒤에 학문을 하는 것이겠습니까? 공자가 말했다. '이 때문에 말재주 있는 자를 미워하는 것이다.'(子路使子羔爲費宰. 子曰, '賊夫人之子.' 子路曰, '有民人焉, 有社稷焉. 何必讀書, 然後爲學? 子曰, '是故惡夫佞者.')"라고 하였다. 주자는 이 구절에 대해 "范氏(范祖禹)가 말했다. '옛날에는 배운 뒤에 政事를 하는 데에 들어갔다. 정사로써 배운다는 것은 듣지 못했다. 道의 근본은 몸을 닦는 데 있지만, 그런 뒤에 사람을 다스림에 미치는 것은 그 내용이 책에 갖추어져 있다. 책을 읽어서 안 뒤에 실행할 수 있다. 어찌 독서를 하지 않을 수 있겠는가? 子路가 마침내 子羔에게 정사로써 학문을 하도록 하려고 한 것은 先後와 本末의 차례를 잃은 것이다. 그런데도 그 잘못을 알지 못하고 말재주로 남을 막으려 했기 때문에, 공자가 그의 말재주를 미워한 것이다.'(范氏曰, '古者學而後入政. 未聞以政學者也. 蓋道之本在於修身, 而後及於治人, 其說具於方冊. 讀而知之, 然後能行. 何可以不讀書也? 子路乃欲使子羔以政爲學, 失先後本末之序矣. 不知其過而以口給禦人, 故夫子惡其佞也.')"라고 주석하였다.
48 『朱子語類』 권10, 7조목
49 저절로 그러한 理: 주자는 『朱子語類』 권52, 115조목에서, "물었다. '氣가 짝이 되는 것은 많은데 무엇 때문에 다만 義와 道를 말합니까? 주자가 대답했다. '도는 본체이고 의는 작용이다. 程子는 「사물에 있는 것은 理이고, 사물에 따라 대처하는 것은 義이다.」라고 말했다. 도는 사물과 나에게 있는 공공의 저절로 그러한 理이고, 의는 우리 마음이 판단하고 제어하는 것으로, 작용으로써 이 理를 처리하는 것이다.'(問, '氣之所配者廣矣, 何故只說義與道? 曰, '道是體, 義是用. 程子曰, 「在物爲理, 處物爲義.」道則是物我公共自然之理, 義則吾心之能斷制者, 所用以處此理者也.')"라고 하였다. 또 『朱子語類』 권60, 150조목에서 "사람에게 形이 있고 色이 있는 것은 각각 저절로 그러한 理가 있지 않을 수 없는 것이니, 이른바 天性이다. 오직 성인이라야 그 본성을 다할 수 있기 때문에 形대로 하고 色대로 하지만 저절로 그러한 理가 아닌 것이 없다. 그래서 사람이 모두 이러한 形을 지니고 있으나 반드시 성인이 된 뒤에라야 그 형을 실천하여 부족함이 없을 것이다.(人之有形有色, 無不各有自然之理, 所謂天性也. 惟聖人能盡其性, 故卽形卽色, 無非自然之理. 所以人皆有是形, 而必聖人然後可以踐其形而無歉也.)"라고 하였다.

본다."

[53-1-33]

"人之爲學, 固是欲得之於心, 體之於身. 但不讀書, 則不知心之所得者何事."[50]

(주자가 말했다.) "사람이 학문을 하는 것은 진실로 마음에서 깨닫고, 몸에서 체득하려고 하는 것이다. 그러나 독서를 하지 않으면 마음에서 터득한 것이 어떤 것인지 알지 못한다."

[53-1-34]

"讀書窮理, 當體之於身. 凡平日所講貫窮究者, 不知逐日常見得在心目間否. 不然, 則隨文逐義趲趁期限, 不見悅處, 恐終無益."[51]

(주자가 말했다.) "독서를 하여 리理를 궁구한 것은 마땅히 그것을 몸에서 체득해야 한다. 평소에 강습하여 궁구한 것은 날마다 늘 마음속에서 깨닫고 있는지의 여부를 알지 못한다. 그렇게 하지 않으면, 글을 따라 의미를 좇아가게 되고 정해진 시간에 쫓겨서 즐거움을 알지 못할 것이니, 아마 끝내 아무런 이익이 되지 않을 것이다."

[53-1-35]

"讀書不可只專就紙上求義理, 須反來就自家身上推究. 秦漢以後無人說到此, 亦只是一向去書冊上求, 不就自家身上理會. 自家見未到, 聖人先說在那裏, 自家只借他言語來就身上推究, 始得. 如說仁義禮智, 曾認得自家如何是仁, 自家如何是義, 如何是禮, 如何是智, 須是著己體認, 方得.[52] 如讀'學而時習之', 自家曾如何學, 自家曾如何習; '不亦說乎?' 曾見得如何是說, 須恁地認, 始得. 若只逐段解過去, 解得了便休, 也不濟事."[53]

(주자가 말했다.) "독서를 하는 데에는 오로지 지면에서만 의리를 구해서는 안 되니, 반드시 돌이켜 자신의 몸에서 추구해야 한다. 진秦·한漢대 이후에 이것을 말한 사람이 없었으므로, 또한 다만 줄곧 책에서만 구할 뿐 자기 자신의 몸에서 이해하지 않았다. 자신은 아직 알지 못하지만 성인이 먼저 책에서 말한 것은, 자신이 다만 성인의 말을 빌려서 자기 몸에서 추구해야 비로소 터득하게 된다. 예컨대 인·의·예·지에 대해 말한다면, 스스로 어떤 것이 인仁이고, 어떤 것이 의義이며, 어떤 것이 예禮이고, 어떤 것이 지智인지를 인식한 적이 있어서, 반드시 자기 자신에게서 체인해야 비로소 터득하게 된다. 예컨대 '배우고 때때로 그것을 익힌다.'[54]라는 구절을 읽었을 때, 스스로는 어떻게 배운 적이 있었고, 스스로는

· ·

50 『朱子語類』 권11, 1조목

51 『朱子語類』 권11, 2조목

52 須是著己體認, 方得. : 『朱子語類』 권11, 40조목에는 "須是着身己體認得"이라고 되어 있다.

53 "讀書不可只專就紙上求義理, … 自家只借他言語來就身上推究, 始得."는 『朱子語類』 권11, 39조목이고, 그 나머지는 『朱子語類』 권11, 40조목이다.

어떻게 익힌 적이 있었으며, '또한 기쁘지 아니한가?'[55]라는 구절을 읽었을 때, 스스로 어떻게 하는 것이 기쁜 것인지를 깨달은 적이 있어서, 반드시 그와 같이 인식해야 비로소 터득하게 된다. 만약 다만 단락을 좇아서 풀이해 가다가 풀이가 다 되었다고 곧 그만두면, 이것도 아무런 도움이 되지 않는다."

[53-1-36]

"讀聖人書, 當反身而求,[56] 亦須是講學.[57] 不講學, 遇事便有嶢屼不自安處. 講學明, 則坦坦地行將去. 此道理無出聖人之言, 但當熟讀深思. 且如人看生文字與熟文字, 自是兩般. 旣熟時, 他人說底便是我底. 讀其他書, 不如讀『論語』最要, 蓋其中無所不有. 若只躬行而不講學, 只是箇鶻突底好人."[58]

(주자가 말했다.) "성인의 책을 읽었으면 마땅히 몸에 되돌려 구하고, 또한 반드시 강학講學(배운 것을 익힘)해야 한다. 강학을 하지 않으면 일을 만났을 때 곧 곤궁하고 좌절하여 스스로 편안하지 못한 곳이 있게 된다. 강학이 밝으면 탄탄하게 나아갈 수 있을 것이다. 이 도리는 성인의 말에는 나오지 않지만 마땅히 숙독하고 깊이 생각해야 한다. 또한 예컨대 사람이 처음 보는 글자와 익숙한 글자를 보는 것과 같은 것은 본래 두 가지이다. 이미 익숙해졌을 때는 다른 사람이 말한 것도 곧 나의 것이다. 다른 책을 읽는 것은 『논어』 같이 특히 중요한 것이 없으니, 『논어』에는 없는 것이 없기 때문이다. 만약 몸소 실천하기만 하고 강학을 하지 않으면, 다만 흐리멍덩한 성격 좋은 사람일 뿐이다."

[53-1-37]

問 : "平日讀書時似亦有所見, 旣釋書則別是一般. 又每苦思慮紛擾, 雖持敬亦未免弛慢. 不知病根安在."

曰 : "此乃不求之於身, 而專求之於書, 固應如此. 古人曰, '爲仁由己, 而由人乎哉?' 凡吾身日用之間, 無非道, 書則所以接湊此心耳. 故必先求之於身, 而後求之於書, 則讀書方有味."[59]

물었다. "평소 독서할 때는 또한 이해한 것이 있었던 것 같았는데, 책을 덮어두고 나면 별도의 다른 것이 됩니다. 또 매번 골똘히 생각해도 어지러워져서 비록 경敬으로 잡아 지켜도 역시 해이해져서 태만한 것을 벗어나지 못합니다. 원인이 어디에 있는지 모르겠습니다."

(주자가) 대답했다. "이것은 바로 자신에게서 구하지 않고 오로지 책에서 구하기 때문에 마땅히 이와

---

54 '배우고 때때로 … 익힌다.' : 『論語』「學而」

55 '또한 기쁘지 아니한가?' : 『論語』「學而」

56 讀聖人書, 當反身而求 : 『朱子語類』 권120, 33조목에는 "然旣讀聖人書, 當反身而求可也.(그러나 이미 성인의 책을 읽었으면 마땅히 몸에 되돌려 구하는 것이 옳다.)"라고 되어 있다.

57 亦須是講學. : 『朱子語類』 권120, 33조목에는 "躬行固好, 亦須講學.(몸소 실천하는 것도 좋지만 또한 반드시 강학을 해야 한다.)"라고 되어 있다.

58 『朱子語類』 권120, 33조목

59 『朱子語類』 권118, 20조목

같은 것이다. 옛사람은 '인仁을 실천하는 것은 나에게 달려 있으니, 남에게 달려있는 것이겠는가?[60]라고 했다. 무릇 우리들의 일상생활은 도道 아닌 것이 없으니, 책은 이 마음을 합쳐서 모아놓은 것일 뿐이다. 그러므로 반드시 먼저 자신에게서 구한 뒤에 그것을 책에서 구하면, 독서하는 것이 비로소 맛이 있을 것이다."

[53-1-38]

"大凡讀書且要讀, 不可只管思. 口中讀, 則心中閒而義理自出. 某之始學亦如是爾, 更無別法."[61]

(주자가 말했다.) "대체로 독서할 때는 또한 계속 소리 내어 읽으려고 해야지, 단지 생각만 해서는 안된다. 소리 내어 읽으면 마음이 한가해져서 의리가 저절로 나온다. 내가 처음 배울 때도 이와 같이 했을 뿐이니, 다시 다른 방법은 없다."

[53-1-39]

或問讀書未知統要.

曰 : "統要如何便會知得? 近來學者, 有一種則舍去冊子, 却欲於一言半句上便要見道理 ; 又有一種, 則一向汎濫不知歸著處, 此皆非知學者. 須要熟看熟思, 久久之間, 自然見箇道理四停八當, 而所謂統要者自在其中矣."[62]

어떤 사람이 글을 읽고서도 전체의 요점을 알지 못하겠다고 물었다.

(주자가) 대답했다. "전체의 요점을 어떻게 바로 알 수 있겠는가? 근래에 배우는 사람들 중에서 어떤 부류는 책을 버리고 도리어 한 마디 말과 반 토막 구절에서 바로 도리를 알려고 하며, 또 어떤 부류는 줄곧 대충대충 읽으면서 귀결점을 알지 못하는데, 이들은 모두 배우는 것을 아는 사람들이 아니다. 반드시 익숙하게 보고 익숙하게 생각하면 오래되고 오래되는 사이에 자연스럽게 도리가 잘 수습되는 것을 알게 되고, 이른바 전체의 요점도 저절로 그 가운데 있을 것이다."

[53-1-40]

"書只貴讀, 讀多自然曉. 今只思量得寫在紙上底, 也不濟事, 終非我有, 只貴乎讀. 這箇不知如何, 自然心與氣合, 舒暢發越, 自是記得牢. 縱饒熟看過, 心裏思量過, 也不如讀. 讀來讀去, 少間曉不得底自然曉得 ; 已曉得者越有滋味. 若是讀不熟, 都沒這般滋味. 而今未說讀得注, 且只熟讀正經, 行住坐臥, 心常在此, 自然曉得.

(주자가 말했다.) "책은 다만 소리 내어 읽는 것을 귀중히 여길 뿐이니, 소리 내어 많이 읽으면 저절로

60 '仁을 실천하는 … 것이겠는가?' : 『論語』 「顏淵」
61 『朱子語類』 권11, 20조목
62 『朱子語類』 권11, 45조목

이해될 것이다. 지금 단지 종이에 써진 것을 생각만 해보는 것으로는 또한 도움이 되지 않아 끝내 내 것이 되지 않으니, 다만 소리 내어 읽는 것을 귀중히 여길 뿐이다. 이것이 어찌 된 일인지 모르겠지만, 저절로 마음과 기氣가 합해져서 상쾌하게 발휘되어 저절로 확실하게 기억된다. 설령 익숙하게 보고 마음 속으로 생각해 보더라도, 또한 소리 내어 읽는 것만 못하다. 소리 내어 읽고 또 읽다 보면 얼마 안 있어서 이해하지 못했던 것도 저절로 이해하게 되고, 이미 이해한 것은 더욱 맛이 있게 된다. 만약 소리 내어 읽는 것이 익숙하지 않으면, 전혀 이런 맛이 없을 것이다. 지금 주석을 읽는 것은 아직 말할 필요가 없으니, 다만 경전의 본문을 숙독하여, 걸어가거나 멈추거나 앉아서나 누워서나 마음이 항상 여기에 있으면 저절로 이해할 수 있을 것이다.

嘗思之, 讀便是學. 夫子說'學而不思則罔, 思而不學則殆.' 學便是讀. 讀了又思, 思了又讀, 自然有意. 若讀而不思, 又不知其意味；思而不讀, 縱使曉得, 終是脆脆不安. 一似倩得人來守屋相似, 不是自家人, 終不屬自家使喚. 若讀得熟而又思得精, 自然心與理一, 永遠不忘.

나는 일찍이 소리 내어 읽는 것이 바로 배우는 것이라고 생각했었다. 공자는 '배우기만 하고 생각하지 않으면 얻음이 없고, 생각하기만 하고 배우지 않으면 위태롭다.'[63]고 말했는데, 여기에서 배우는 것은 바로 소리 내어 읽는 것이다. 읽고 나서 또 생각하고, 생각하고 나서 또 읽으면 저절로 의미가 생겨난다. 만약 읽기만 하고 생각하지 않으면 또 그 의미를 알지 못하게 될 것이며, 생각하기만 하고 읽지 않으면 설령 이해했다고 하더라도 끝내 위태하여 편안하지 못할 것이다. 이것은 마치 남에게 집을 지켜 달라고 부탁하는 것과 비슷하여, 자기 사람이 아니면 끝내 자기의 심부름꾼이 되지 못한다. 만약 익숙하게 읽고 또 정밀하게 생각하면, 저절로 마음과 리理가 하나가 되어 영원히 잊지 않을 것이다.

某舊苦記文字不得, 後來只是讀. 今之記得者, 皆讀之功也. 老蘇只取『孟子』・『論語』・『韓子』與諸聖人之書, 安坐而讀之者七八年, 後來做出許多文字如此好. 他資質固不可及, 然亦須著如此讀. 只是他讀時, 便只要摸寫他言語做文章. 若移此心與這樣資質去講究義理, 那裏得來. 是知書只貴讀, 別無方法."[64]

나는 예전에 힘들여도 글을 기억할 수 없어서 나중에는 단지 소리 내어 읽기만 했다. 지금 기억하는 것은 모두 소리 내어 읽은 공효功效이다. 노소老蘇[蘇洵]는 다만 『맹자』・『논어』・『한자韓子[韓非子]』와 여러 성인의 책을 취해서 정좌하여 7~8년 동안 소리 내어 읽었는데, 나중에 지은 수많은 글들이 그렇게 훌륭했다. 그의 자질은 진실로 미칠 수 없지만, 그래도 또한 반드시 이와 같이 소리 내어 읽었다. 다만 그가 소리 내어 읽을 때는 곧 오직 그 말을 모방해서 문장을 지으려고 했을 뿐이다. 만약 그 마음과 이러한 자질을 의리를 강구하는 데에 옮겼다면, 그것을 얻었을 것이다. 이로써 책을 소리 내어 읽는 것만이 귀중할 뿐, 달리 방법이 없음을 알 수 있다."

· · · · · · · · · · · · · · · · · · · ·

63 '배우기만 하고 … 위태롭다.'：『論語』「爲政」
64 『朱子語類』 권10, 65조목

[53-1-41]

"讀書須是成誦, 方精熟. 今所以記不得, 說不去, 心下若存若亡, 皆是不精不熟之患. 若曉得義理, 又皆記得, 固是好. 若曉文義不得, 只背得, 少間不知不覺自然相觸發, 曉得這義理. 蓋這一段文義橫在心下, 自是放不得, 必曉而後已. 若曉不得, 又記不得, 更不消讀書矣. 橫渠云, '讀書須是成誦.' 今人所以不如古人處, 只爭這些子. 古人記得, 故曉得 ; 今人鹵莽記不得, 故曉不得. 緊要處·慢處, 皆須成誦, 自然曉得也."65

(주자가 말했다.) "독서는 반드시 암송을 해야 비로소 정통하고 능숙하게 된다. 지금 기억을 하지 못하고 말하지 못하며 마음에 있는 듯 없는 듯 한 것은 모두 정통하지 못하고 능숙하지 못한 병통들이다. 만약 의리를 이해하고 또 모두를 기억한다면 진실로 훌륭할 것이다. 만약 문장의 의미를 이해하지 못하더라도 다만 외우기만 한다면 얼마 안 있어 자기도 모르는 사이에 저절로 서로 촉발되어 이 의리를 이해하게 될 것이다. 대체로 이 한 단락의 문장의 의미가 마음속에 가로놓여 있으면 저절로 내버려 둘 수 없어, 반드시 이해한 뒤에 그만두게 될 것이다. 만약 이해도 못하고 또 기억도 못한다면, 다시는 독서할 필요가 없을 것이다. 횡거橫渠張載는 '독서는 반드시 암송해야 된다.'66라고 말했다. 요즘 사람이 옛사람만 못한 까닭은 다만 이런 것들을 다툴 뿐이다. 옛사람들은 기억했기 때문에 이해할 수 있었지만, 요즘 사람들은 경솔하여 기억하지 못하기 때문에 이해하지 못한다. 긴요한 곳이든 느슨한 곳이든 모두 반드시 암송해야 저절로 이해할 수 있다."

[53-1-42]

"韓退之謂'沈潛乎訓義, 反復乎句讀.' 須有沈潛反復之功, 方得. 所謂'審問之', 須是表裏內外無一毫之不盡, 方謂之審. 恁地竭盡心力, 猶有見未到處, 却不奈何. 如今人不曾竭盡心力, 只見得三兩分了, 便草草揭過, 少間只是鶻突無理會, 枉著日月, 依舊似不曾讀相似. 只如退之·老蘇作文章, 本自沒要緊事. 然他大段用功, 少間方會漸漸掃去那許多鄙俗底言語, 換了簡心胷, 說這許多言語出來. 如今讀書須加沈潛之功, 將義理去澆灌胷腹, 漸漸盪滌去那許多淺近鄙陋之見, 方會見識高明."

(주자가 말했다.) "한퇴지韓退之[韓愈]67는 '훈의訓義(주석의 말)에 침잠하고 구두를 반복한다.'68라고 하였으

---

65 『朱子語類』권121, 3조목

66 '독서는 반드시 … 된다.': 『張載集』「經學理窟·義理」에서 "책은 반드시 암송하고 정밀하게 생각해야 한다. 대부분 밤중에 혹 정좌하면서 이것을 터득하게 되는데, 기억하지 못하면 생각은 일어나지 않는다. 다만 큰 근원을 관통한 다음에야 책은 또한 기억하기 쉬워진다.(書須成誦精思. 多在夜中或靜坐得之, 不記則思不起. 但通貫得大原後, 書亦易記.)"라고 하였다.

67 韓愈(768~824) : 자는 退之이고, 세칭 韓昌黎·韓吏部라고 한다. 당대 鄧州南陽(현 하남성 孟縣) 사람으로 792년에 진사에 급제하여 四門博士·監察御史·國子祭酒·吏部侍郎 등을 역임하였다. 고문운동을 창도하여 송명리학의 선구자가 되었으며, 「論佛骨表」를 지어 불교배척운동에도 앞장섰다. 그의 性三品論은 후대의 심성론에 영향을 끼쳤다. 문장은 당송팔대가의 으뜸으로 꼽는다. 저서는 『昌黎先生集』이 있다.

니, 반드시 침잠하고 반복하는 공효功效가 있어야 비로소 터득할 수 있다. 이른바 '자세히 묻는다'[69]는 것은 반드시 겉과 속 안과 밖에 조금이라도 다하지 않음이 없어야한다는 것이니, 그래야 비로소 '자세하다[審]'고 말할 수 있다. 그렇게 사유능력을 다 발휘했는데 오히려 이해가 되지 않은 곳이 있다면 또한 어쩔 수 없는 것이다. 지금 사람이 사유능력을 다 발휘한 적이 없어서 단지 20~30%만 이해한 뒤 대충대충 따져보지 않고 넘어가면, 얼마 안 있어 다만 흐리멍덩하게 이해하는 것 없이 나날을 헛되이 보낼 뿐이니, 예전대로 일찍이 읽지 않았던 것과 비슷할 것이다. 한퇴지와 노소老蘇[蘇洵]가 지은 문장이 본래 긴요함이 없는 것 같다. 그러나 그들은 매우 노력했기 때문에 얼마 안 있어서 바로 저 수많은 비루하고 세속적인 언어를 점점 제거하여 마음을 바꾸면서 저 수많은 말들을 말했다. 지금 독서할 때는 반드시 침잠하는 공부를 더하고 의리를 마음속에 불어넣어 저 많은 천박하고 비루한 견해를 점점 씻어내어야, 비로소 식견이 고명하게 될 것이다."

因說[70] : "如今讀書, 多是不曾理會得一處通透了, 少間却多牽引前面疑難來說, 此最學者大病."[71]

(주자가) 이어서 말했다. "요즘 독서는 대부분 한 곳을 투철하게 이해하지 못할 경우, 얼마 안 있어서 이전의 의심나고 어려운 부분을 끌어다 말하는 경우가 많으니, 이것이 배우는 사람의 가장 큰 병폐이다."

[53-1-43]

"講論一篇書, 須是理會得透. 把這一篇書與自家衷作一片, 方是. 去了本子時, 許多節目次第都歷歷落落在心中, 皆說得去, 方好."[72]

· ·

68 '훈의에 침잠하고 … 반복한다.' : 『昌黎文集』 권15 「上兵部侍郎李巽書」
69 '자세히 묻는다.' : 『中庸』 제20장에서 "이것을 널리 배우고, 자세히 물으며, 신중히 생각하며, 밝게 분변하며, 독실히 실천해야 한다.(博學之, 審問之, 愼思之, 明辨之, 篤行之.)"라고 하였다.
70 因說 : 『朱子語類』 권104, 10조목에는 이 구절 앞에, "因說 : '讀詩, 惟是諷誦之功. 上蔡亦云, 「詩, 須是諷吟諷誦以得之.」 某舊時讀詩, 也只先去看許多注解, 少間却被惑亂. 後來讀至半了, 都只將詩來諷誦至四五十過, 已漸漸得詩之意 ; 却去看注解, 便覺減了五分以上工夫 ; 更從而諷誦四五十過, 則胸中判然矣.'(이어서 말했다. '『詩』를 읽을 때에는 오직 암송하는 공효일 뿐인데 사상채가 또한 말하길 「시는 반드시 노래하고 암송하여 터득해야 한다.」고 하였다. 나는 옛날에 『詩』를 읽을 때에 많은 주해를 먼저 보았는데 잠깐 사이에 도리어 의혹되고 어지러웠다. 뒤에 읽는 것이 반에 이르렀는데 단지 『詩』를 암송한 것이 40~50번에 이르렀을 뿐인데 이미 점점 시의 의미를 알 수 있었으며, 도리어 주해를 보면 50% 이상의 공부가 감소됨을 깨달았으며, 다시 좇아서 40~50번을 암송하면 마음속이 확연하였다.)'가 더 있다.
71 『朱子語類』 권104, 10조목
72 "講論一篇書, 須是理會得透. 把這一篇書與自家衷作一片, 方是"는 『朱子語類』 권10, 68조목이고, 그 뒷부분은 『朱子語類』 권10, 68조목과 69조목을 섞어서 편집했다. 이 부분은 『朱子語類』 권10, 68조목에는 "去了本子, 都在心中, 皆說得去, 方好.(책을 치우고 나서도 모두 마음속에 남아 있어서, 모두 말해 낼 수 있어야 비로소 훌륭하다.)", 69조목에는 "須是無這冊子時, 許多節目次第都恁地歷歷落落, 在自家肚裏, 方好.(반드시 책이 없을 때도 수많은 절목과 순서가 모두 그렇게 뚜렷하게 자기의 마음속에 있어야 비로소 훌륭하다.)"라고 되어

(주자가 말했다.) "한 편의 글을 강론할 때는 반드시 투철하게 이해해야 한다. 이 한 편의 글을 자기 자신과 뒤섞어 하나가 되게 해야 비로소 옳다. 책을 치웠을 때 수많은 절목과 순서가 모두 뚜렷하게 마음속에 남아 있어서, 모두 말해 낼 수 있어야 비로소 훌륭하다."

[53-1-44]

"爲學雖是立志, 然書亦不可不讀, 須將經傳本文熟復. 若專一靜坐, 如浮屠氏塊然獨處, 更無酬酢, 然後爲得, 吾徒之學, 正不如此. 遇無事則靜坐, 有書則讀書, 以至接物處事, 常敎此心光喰喰地, 便是存心. 豈可凡百放下, 祇是靜坐?"[73]

(주자가 말했다.) "학문을 하는 것은 비록 뜻을 세우는 것이지만, 책도 역시 읽지 않을 수 없으니, 반드시 경전의 본문을 반복하여 익숙하게 해야 한다. 만약 오로지 정좌만 한다면 마치 불교도처럼 멍하게 홀로 앉아 더 이상 아무런 수작(酬酢)도 없게 한 뒤에 터득하는 것이니, 우리의 학문은 전혀 이와 같지 않다. 일이 없을 때는 정좌하고, 책이 있으면 독서하여 사물과 접촉하고 일 처리할 때에도 항상 이 마음을 창창하게 빛나도록 하는 것이 바로 마음을 보존하는 것이다. 어찌 모든 것을 내던지고 단지 정좌만 할 수 있겠는가?"

[53-1-45]

"古人讀書與今人異. 如孔門學者於聖人, 纔問仁·問知, 終身事業已在此. 今人讀書, 仁義禮智總識, 而却無落泊處, 此不熟之故也. 昔五峯於京師問龜山讀書法, 龜山云, '先讀『論語』.' 五峯問, '『論語』二十篇, 以何爲緊要?' 龜山曰, '事事緊要.' 看此可見."[74]

(주자가 말했다.) "옛사람의 독서는 지금 사람들과 다르다. 예컨대 공자 문하의 학자들은 성인에게 인(仁)을 묻고 지(知)를 질문하면, 죽을 때까지의 사업이 이미 여기에 있었다.[75] 지금 사람들의 독서는 인의예지

있다.

73 『朱子語類』 권115, 14조목

74 『朱子語類』 권118, 20조목

75 예컨대 공자 … 있었다. : 『論語』「顔淵」에서, "안연이 仁에 대해 묻자, 공자가 말했다. '자기의 사욕을 이겨 禮에 돌아감이 인을 실천하는 것이니, 하루 동안이라도 사욕을 이겨 예에 돌아가면 천하가 인을 허락하는 것이다. 인을 실천하는 것은 자기 몸에 달려 있으니, 남에게 달려있는 것이겠는가?' 안연이 '그 조목을 묻겠습니다.'하고 말하자, 孔子께서 말씀하셨다. '禮가 아니면 보지 말고, 예가 아니면 듣지 말며, 예가 아니면 말하지 말고, 예가 아니면 움직이지 말라는 것이다.' 안연이 말했다. '제가 비록 不敏하지만 청컨대 이 말씀을 종사하겠습니다.(顔淵問仁, 子曰, '克己復禮爲仁, 一日克己復禮, 天下歸仁焉. 爲仁由己, 而由人乎哉?' 顔淵曰, '請問其目.' 子曰, '非禮勿視, 非禮勿聽, 非禮勿言, 非禮勿動.' 顔淵曰, '回雖不敏, 請事斯語矣.')"라고 하였고, 또 "仲弓이 仁에 대해 묻자, 공자가 말했다. '문을 나갔을 때에는 큰손님을 만나는 듯이 하며, 백성에게 일을 시킬 때에는 큰제사를 받들 듯이 하고, 자신이 하고자 하지 않는 것을 남에게 베풀지 말아야 하니, 이렇게 하면 나라에 있어서도 원망함이 없으며, 집안에 있어서도 원망함이 없을 것이다.' 중궁이 말했다. '제가 비록 不敏하지만 청컨대 이 말씀을 종사하겠습니다.'(仲弓問仁, 子曰, '出門如見大賓, 使民如承大祭, 己所不欲, 勿施於

에 관해 총체적으로 인식하면서도 도리어 귀착할 곳이 없으니, 이는 익숙하지 못하기 때문이다. 예전에 오봉五峯[胡宏][76]이 경사京師[開封]에서 구산龜山[楊時][77]에게 독서의 방법을 묻자, 구산은 '먼저 『논어』를 읽으라.'고 했다. 오봉이 '『논어』 20편 가운데 어느 것이 긴요합니까?'라고 물었다. 구산은 '모든 것이 다 긴요하다.'라고 말했다. 이를 보면 알 수 있다."

[53-1-46]

"讀書工夫莫草略.[78] 近日學者多緣草略過了, 故下梢頭儧無去處, 一齊棄了. 大凡看書粗則心粗, 看書細則心細. 若研窮不熟, 得些義理, 以爲是亦得, 以爲非亦得. 須是見得'差之毫釐, 繆以千里', 方可."[79]

(주자가 말했다.) "독서 공부는 대충하지 말아야 한다. 요즘 배우는 사람들은 대부분 대충 보고 지나가버리기 때문에 결국에는 그것이 축적될 갈 곳이 없어져, 일제히 버려지게 된다. 대체로 글을 보는 것이 거칠면 마음도 거칠고, 글을 보는 것이 세밀하면 마음도 세밀하다. 만약 연구가 익숙하지 않으면, 몇 가지 의리를 터득한 것은 그것을 옳다고 해도 되고 그르다고 해도 된다. 반드시 '조그만 차이가 결국에는 엄청난 오류를 불러 온다.'[80]는 것을 알아야 한다."

[53-1-47]

"聖人千言萬語, 只是說簡當然之理. 恐人不曉, 又筆之於書. 自書契以來, 二典三謨·伊尹·武王·箕子·周公·孔·孟都只是如此, 可謂盡矣. 只就文字間求之, 句句皆是. 做得一分, 便是一分工夫, 非茫然不可測也, 但患人不子細求索之耳. 須要思量聖人之言是說簡甚麼, 要將何用. 若只讀過便休, 又何必讀?"[81]

· · · · · · · · · · · · · · · · · · · ·

人, 在邦無怨, 在家無怨.' 仲弓曰, '雍雖不敏, 請事斯語矣.')"라고 하였다.

76　胡宏(1105~1155) : 자는 仁仲이고, 호는 五峰이다. 송대 建寧崇安(현 복건성 소속) 사람으로 胡安國의 아들이다. 어려서 楊時·侯仲良에게 배우고 마침내 부친의 학문을 닦아 張栻에게 전수하여 湖湘學派의 창시자가 되었다. 楊時 이후 남송에 낙학을 전파한 관건적인 인물이다. 저서는 『知言』·『五峰集』 등이 있다.

77　楊時(1053~1135) : 자는 中立이고 호는 龜山이며 시호는 文靖이다. 북송 將樂(현 복건성 장락현) 사람이다. 관직은 高宗 때 龍圖閣直學士에 이르렀다. 程顥·程頤 형제에게 師事했는데, 특히 형 정호의 신임을 받았다. 閩學의 창시자이자 정문 4대 제자 가운데 한 사람이다. 그는 오래 살면서 二程(程顥·程頤)의 도학을 전하여 洛學(이정의 학파)의 大宗이 되었으며, 그 學系에서는 주희·張栻·呂祖謙 등 뛰어난 학자가 많이 배출되었다. 저서에 『龜山集』·『龜山語錄』·『二程粹言』 등이 있다.

78　讀書工夫莫草略. : 『朱子語類』 권118, 23조목에는 "下工夫莫草略."이라고 되어 있는데, 앞의 문맥을 보면 내용이 같다. 다만 이 구절 뒤에 "研究一章義理已得, 方別看一章.(한 장의 의리를 연구하여 이미 터득한 뒤에야 비로소 다른 장을 보아야 한다.)"이라는 말이 더 있다.

79　『朱子語類』 권118, 23조목

80　'조그만 차이가 … 온다.' : 『禮記』 「經解」에서 "『易』에서 '군자는 시작을 신중하게 해야 되니, 조그만 차이가 결국에는 엄청난 오류를 불러 온다.(『易』曰, '君子愼始, 差若毫厘, 繆以千里.')"라고 하였다.

(주자가 말했다.) "성인의 수많은 말들은 다만 마땅히 그러해야 하는 리理를 말한 것일 뿐이다. 사람들이 이해하지 못할까 염려해서 또 그것을 책에 써 놓은 것이다. 문자가 생긴 뒤에 이전二典(「堯典」·「舜典」)과 삼모 三謨(「皐陶謨」·「益稷」·「大禹謨」)·이윤伊尹·무왕·기자·주공·공자·맹자가 모두 다만 이와 같을 뿐이 니 다 발휘했다고 말할 만하다. 다만 글에서 그것을 찾아보아도 구구절절이 모두 이러하다. 10%를 하면 곧 10%의 공부가 되므로 아득하여 헤아릴 수 없는 것이 아닌데, 다만 사람들이 자세하게 찾지 않는 것을 걱정할 뿐이다. 반드시 성인의 말이 무엇을 말한 것이고, 그것을 어떻게 써야 하는지를 생각해야 한다. 만약 읽고 나서 곧바로 그만둔다면 또 무엇 때문에 반드시 읽어야 하리오?"

[53-1-48]

問: "讀書之法, 如今看來, 聖賢言行本無相違, 其間所以有可疑者, 只是不逐處研究得通透, 所以見得牴牾. 若眞箇逐處逐節逐段見得精切, 少間却自到貫通地位."

曰: "固是. 如今若苟簡看過, 只一處便自未曾理會得了, 却要別生疑義, 徒勞無益."[82]

물었다. "독서하는 방법을, 이제 보건대 성현의 말과 행동은 본래 서로 어긋남이 없는데, 그 사이에 의심스런 것이 있는 까닭은 다만 곳곳마다 낱낱이 투철하게 연구하지 않았기 때문에 서로 모순되는 것을 보게 됩니다. 만약 곳곳마다 구절마다 단락마다 정밀하고 절실하게 보게 되면, 얼마 안 있어 또한 저절로 관통하는 경지에 이르게 될 것입니다."

(주자가) 대답했다. "참으로 그렇다. 이제 만약 대충 보고 지나가버려 다만 한 곳이라도 스스로 아직 이해하지 못했다면, 도리어 다른 의심을 낳게 될 것이니 한갓 수고로울 뿐 도움이 없을 것이다."

[53-1-49]

"讀書須是子細, 逐句逐字要見去著. 若用工鹵莽, 不務精思, 只道無可疑處. 非無可疑, 理會 未到, 不知有疑爾."[83]

(주자가 말했다.) "독서할 때는 반드시 자세해야 하므로 구절마다 글자마다 착실하게 이해해야 한다. 만약 공부가 데면데면하면 정밀하게 생각하는 데에 힘쓰지 않아, 단지 의심할 만한 곳이 없다고만 말한 다. 의심할 만한 곳이 없는 것이 아니라, 아직 이해하지 못했기 때문에 의심할 점이 있다는 것을 모를 뿐이다."

[53-1-50]

"觀書須靜著心, 寬著意思, 沈潛反覆, 將久自會曉得去."[84]

81 『朱子語類』 권11, 86조목
82 『朱子語類』 권16, 32조목
83 『朱子語類』 권10, 64조목
84 『朱子語類』 권11, 34조목

(주자가 말했다.) "책을 볼 때는 반드시 마음을 고요하게 하고, 생각을 넓게 하며, 침잠하기를 반복하여 오래 되면 저절로 이해하게 될 것이다."

[53-1-51]

"聖賢之言, 須常將來眼頭過, 口頭轉, 心頭運."[85]

(주자가 말했다.) "성현의 말은 반드시 항상 그것을 눈앞에 지나가게 하고, 입에서 맴돌게 하며, 마음에서 운용되도록 해야 한다."

[53-1-52]

"讀書之法, 先要熟讀. 須是正看背看, 左看右看. 看得是了, 未可便說道是, 更須反覆玩味."[86]

(주자가 말했다.) "독서를 하는 방법은 먼저 숙독해야 한다. 반드시 정면으로도 보고 배면背面으로도 보며, 왼쪽으로 보기도 하고 오른쪽으로 보기도 해야 한다. 그렇게 보아서 옳다고 하더라도 곧바로 옳다고 말해서는 안 되니, 다시 반복해서 음미해야 한다."

[53-1-53]

"讀書, 當擇先儒舊說之當於理者反覆玩味, 朝夕涵泳, 便與本經正言之要通貫浹洽於胷中,[87] 然後有益. 不必段段立說, 徒爲觀美, 而實未必深有得於心也. 講學正要反復研窮, 方見義理歸宿處. 不可只略說過便休也."[88]

(주자가 말했다.) "독서를 할 때는 마땅히 선유先儒들의 옛 주장 가운데 이치에 합당한 것을 골라, 반복해서 음미하고 아침저녁으로 깊이 있게 이해하여, 경서 본문의 바른 말의 요점이 마음속에 관통하고 푹 젖어들어 흡족하게 한 뒤에라야 유익할 것이다. 굳이 단락마다 주장을 세울 필요가 없으니, 이는 한갓 아름답게 보이려고 하는 것이지만 사실 반드시 마음에 깊이 터득한 것이 있는 것은 아니다. 강학講學은 바로 반복해서 연구하고 궁리하려는 것이니, 그래야만 비로소 의리가 귀결하는 곳을 알 수 있다. 단지 대강 말하고 그만 두어서는 안 된다."

[53-1-54]

"讀書玩味其意. 理會未得處且記著, 時時拈起看, 久之須有得力處."[89]

(주자가 말했다.) "독서를 할 때는 그 뜻을 음미해야 한다. 이해하지 못한 부분은 우선 기록을 해두고

---

85 『朱子語類』 권10, 9조목
86 『朱子語類』 권10, 34조목
87 便與本經正言之要通貫浹洽於胷中:『朱文公文集』 권43 「答陳明仲」에는 "便與本經正言之意通貫浹洽于胸中 (경서 본문의 바른 말의 뜻이 마음속에 관통하고 푹 젖어들어 흡족하게 한 뒤에라야)"이라고 되어 있다.
88 『朱文公文集』 권43 「答陳明仲」
89 『朱文公文集』 권62 「答傅誠子」

때때로 끄집어내어 보기를 오래 하면, 반드시 힘을 얻는 곳이 있을 것이다."

[53-1-55]

"爲學讀書, 須是耐煩細意去理會, 切不可鹵心. 若曰'何必讀書? 自有簡捷径法.' 便是惧人底深坑也. 未見道理時, 恰如數重物色包裹在裏許, 無緣可以便見得. 須是今日去了一重, 又見得一重, 明日又去了一重, 又見得一重. 去盡皮, 方見肉；去盡肉, 方見骨；去盡骨, 方見髓. 使鹵心大氣不得."[90]

(주자가 말했다.) "학문을 하고 독서를 할 때는 반드시 번쇄함을 참고 뜻을 세밀하게 해서 이해해야지, 절대로 대충대충 마음을 먹어서는 안 된다. 만약 '하필이면 독서를 해야 하는가? 본디 지름길로 가는 방법이 있다.'고 말한다면, 이것은 바로 사람을 속이는 깊은 구덩이이다. 아직 도리를 보지 못했을 때는 흡사 여러 겹으로 된 사물이 속에 싸여 있는 것과 같아서, 곧바로 알 수 있는 방법이 없다. 반드시 오늘 한 겹을 벗겨 내야 또 한 겹을 볼 수 있고, 내일 또 한 겹을 벗겨 내야 또 한 겹을 볼 수 있다. 껍질을 다 벗겨야 비로소 살이 보이고, 살을 다 발라내야 비로소 뼈가 보이며, 뼈를 다 깎아 내야 비로소 골수가 보인다. 대충대충 하는 마음과 큰 기세로는 그렇게 할 수 없다."

[53-1-56]

"聖人言語, 一重又一重, 須入深去看. 若只要皮膚, 便有差錯, 須深沈方有得."[91]

(주자가 말했다.) "성인의 말은 한 겹에 또 한 겹이 있으므로 반드시 깊이 들어가서 보아야 한다. 만약 단지 겉껍질만 추구한다면 곧 착오가 생기니, 반드시 깊이 침잠해야 비로소 얻음이 있다."

[53-1-57]

"讀書理會一件了, 又一件. 不止是讀書, 如遇一件事, 且就這事上思量合當如何做, 處得來當, 方理會別一件. 書不可只就皮膚上看, 事亦不可只就皮膚上理會. 天下無書不是合讀底, 無事不是合做底. 若一簡書不讀, 這裏便闕此一書之理；一件事不做, 這裏便闕此一事之理. 大而天地陰陽, 細而昆蟲草木, 皆當理會. 一物不理會, 這裏便闕此一物之理."[92]

(주자가 말했다.) "독서를 할 때는 한 가지를 이해하고 나서 또 한 가지를 이해해야 한다. 독서만 이와 같은 것이 아니니, 예컨대 어떤 한 가지 일을 만났을 때도 이 일을 어떻게 처리하는 것이 합당한지를 생각하여 합당하게 처리해야 비로소 다른 일을 이해할 수 있다. 책도 껍데기만 보아서는 안 되고, 일도 껍데기만 이해해서는 안 된다. 천하에는 그 어떤 책도 마땅히 읽어서는 안 되는 것이 없으며, 그 어떤 일도 마땅히 해서는 안 되는 것이 없다. 만약 한 권의 책을 읽지 않으면, 여기에 곧 이 한 권의 책의

---

90 『朱子語類』 권10, 80조목
91 『朱子語類』 권10, 11조목
92 『朱子語類』 권117, 35조목

이치가 결여되고, 한 가지 일을 하지 않으면, 여기에 곧 이 한 가지 일의 이치가 결여된다. 크게는 천지와 음양, 작게는 곤충과 초목에 이르기까지 모두 이해해야 한다. 한 가지 사물을 이해하지 않으면, 여기에 바로 이 한 가지 사물의 리理가 결여된다."

[53-1-58]

"讀書是格物一事. 今且須逐段子細玩味, 反來覆去, 逐旋推得多後,[93] 却見頭頭道理都到. 這工夫須用行思坐想, 或將已曉得者再三思省, 却自有一箇曉悟處出, 不容安排. 書之句法義理, 雖只是如此解說, 但一次看, 有一次見識. 所以某書, 一番看, 有一番改. 亦有已說定, 一番看, 一番見得穩當, 愈加分曉."[94]

(주자가 말했다.) "독서를 하는 것은 격물格物(사물의 이치를 궁구함) 가운데 한 가지 일이다. 이제 또 반드시 단락마다 자세히 음미하고 여러 번 반복해서 하나하나 밀치고 들어간 것이 많아진 뒤에는, 또한 여러 가지 도리들이 모두 이르는 것을 보게 될 것이다. 이 공부는 반드시 앉으나 서나 그치지 말고 생각하여 혹 이미 이해한 것도 두세 번 성찰하게 되면, 또한 저절로 하나의 깨달음이 생겨 나오므로 안배安排를 용납하지 않는다. 글에서 한 구절의 내용도 다만 이와 같이 해설할 뿐이겠지만, 한차례 보면 한차례의 식견이 있게 된다. 그러므로 내 책은 한 번 볼 때마다 한 번의 고침이 있게 된 까닭이다. 또한 이미 말을 확정한 것도 한 번 보게 되면 한 번 온당하게 알게 되어 더욱 분명하게 깨닫는다."

[53-1-59]

或問: "先生謂, '講論固不可無, 須是自去體認.' 如何是體認?"

曰: "體認是把那聽得底自去心裏重復思繹過. 伊川曰, '時復思繹, 浹洽於中, 則說矣.' 某向來從師, 日間所聞說話, 夜間如溫習一般, 一一子細思量過.[95] 纔有疑, 明日又問."[96]

어떤 사람이 물었다. "선생(주희)께서는 '강론은 진실로 없어서는 안 되니 반드시 스스로 체인體認해야 한다.'고 말했는데 어떻게 하는 것이 체인입니까?"

(주자가) 대답했다. "체인은 들은 것을 스스로 마음속에서 중복하여 생각해서 탐구하는 것이다. 이천伊川[程頤]은 '때때로 다시 생각해서 탐구하여 마음속에 푹 젖어들면, 기쁜 것이다.'[97]라고 말했다. 나는 예전에

---

93 逐旋推得多後 : 『朱子語類』 권10, 48조목에는 "或一日, 或兩日, 只看一段, 則這一段便是我底. 脚踏這一段了, 又看第二段. 如此逐旋推去, 推得多後(하루나 혹은 이틀 동안 다만 한 단락만 보면 이 단락은 곧 자기 것이 된다. 이 한 단락을 발로 밟는 것처럼 착실하게 한 후에 또 두 번째 단락을 본다. 이와 같이 점점 밀치고 들어가서, 밀치고 들어간 것이 많아진 뒤에는)"라고 되어 있다.

94 『朱子語類』 권10, 48조목

95 一一子細思量過. : 『朱子語類』 권104, 26조목에는 "字字子細思量過.(글자마다 자세히 생각했다.)"라고 되어 있다.

96 朱熹, 『朱子語類』 권104, 26조목

97 '때때로 다시 … 것이다.' : 『二程全書』 권51 「伊川先生經說6·論語說」

스승에게 배울 때, 낮에 들었던 말을 밤에 복습하는 것처럼 하나하나 자세히 생각했었다. 의심나는 것이 있으면 바로 다음 날 또 물었다."

[53-1-60]

"學者當以聖賢之言反求諸身, 一一體察, 須是曉然無疑. 積日旣久, 當自有見. 但恐用意不精, 或貪多務廣, 或得少爲足, 則無由明耳."[98]

(주자가 말했다.) "배우는 사람은 마땅히 성현의 말씀으로 자신에게 돌이켜 구하고 하나하나 몸소 자세히 살펴서, 반드시 환하게 의심이 없어야 한다. 쌓는 날이 오래되면 저절로 깨닫게 된다. 다만 생각이 정밀하지 못한데도 혹 많은 것을 탐하여 넓은 것에 힘쓰거나 혹 조금 얻는 것에 만족한다면, 분명해질 방법이 없을까 걱정될 뿐이다."

[53-1-61]

"讀書, 須要切己體驗. 不可只作文字看, 又不可助長."[99]

(주자가 말했다.) "독서를 할 때는 반드시 자신에게 절실한 것에서 체험해야 한다. 단지 글로만 보아서도 안 되고, 또 조장助長해서도 안 된다."

[53-1-62]

"學者讀書, 須要斂身正坐, 緩視微吟, 虛心涵泳, 切己省察. 讀一句書, 須體察這一句, 我將來甚處用得."[100]

(주자가 말했다.) "배우는 사람이 독서를 할 때는 반드시 몸을 가다듬어 바르게 앉아서, 느긋하게 보면서 나지막하게 읊조리며, 마음을 비워서 깊이 있게 이해하고, 자신에게 절실한 것에서 성찰省察해야 한다. 한 구절의 글을 읽을 때는 반드시 이 한 구절을 내가 앞으로 어떤 곳에 적용할 것인지를 몸소 자세히 살펴야 한다."

[53-1-63]

"觀書以己體驗, 固爲親切, 然亦須遍觀衆理而合其歸趣乃佳. 若只據己見, 却恐於事理有所不周, 欲徑急而反疎緩也."[101]

(주자가 말했다.) "책을 볼 때는 직접 체험하는 것이 실로 절실하지만, 또한 반드시 뭇 이치를 두루 살펴 그 종지宗旨를 합치시켜야 훌륭하다. 만약 단지 자신의 견해에만 의거하면 오히려 사리에 두루

....

98 『朱子語類』 권11, 38조목
99 『朱子語類』 권11, 37조목
100 『朱子語類』 권11, 21조목
101 『朱文公文集』 권50 「答程正思」

통하지 못하는 점이 있어, 민첩하고 신속하려고 해도 도리어 산만하고 더딜까 염려된다."

[53-1-64]

"讀書須是以自家之心體驗聖人之心. 少間體驗得熟, 自家之心便是聖人之心. 某自二十時看道理, 便要看那裏面. 嘗看『上蔡語錄』, 其初將紅筆抹出, 後又用青筆抹出, 又要黃筆抹出, 三四番後, 又用黑筆抹出, 是要尋那精底. 看道理, 須是漸漸向裏尋到那精英處, 方是."[102]

(주자가 말했다.) "독서를 할 때는 반드시 자신의 마음을 가지고 성인의 마음을 체험해야 한다. 얼마 안 있어서 체험이 익숙하여지면 자신의 마음이 곧 성인의 마음이 된다. 나는 스무 살 때부터 도리를 보면 곧 그 이면裏面을 보려고 했다. 일찍이 『상채어록上蔡語錄』을 볼 때, 처음에는 붉은색 붓으로 칠하고, 다음에는 또 푸른색 붓으로 칠하며, 또 노란색 붓으로 칠해서, 서너 번 칠을 한 뒤에 또 검은색 붓으로 칠했는데, 이것은 그 정수를 찾으려는 것이었다. 도리를 볼 때에는 반드시 점점 안으로 향하여 그 정수精髓가 되는 곳을 찾아야 비로소 옳다."

[53-1-65]

"山谷與李幾仲帖云, '大率學者喜博,[103] 而常病不精. 汎濫百書, 不若精於一也. 有餘力然後及諸書, 則涉獵諸篇亦得其精. 蓋以我觀書, 則處處得益；以書博我, 則釋卷而茫然.' 某深喜之, 以爲有補於學者."[104]

(주자가 말했다.) "산곡山谷[黃庭堅][105]이 「이기중李幾仲에게 주는 첩帖」에서, '대체로 배우는 사람들은 널리 배우는 것을 좋아하지만, 항상 정밀하지 않은 것이 병폐이다. 수많은 책들을 마구 넘치게 보는 것은 한 권에 정밀한 것만 못하다. 여력이 있는 다음에 여러 책들을 본다면, 여러 편들을 섭렵해도 그 정수를 얻을 것이다. 나의 관점으로 책을 보면 곳곳마다 보탬이 되겠지만, 책으로써 나를 넓히려고 하면 책을 덮고 나면 막연할 것이다.'라고 말했다. 나는 이 글을 매우 좋아하니, 배우는 사람에게 도움이 된다고 생각한다."

- -

102 『朱子語類』 권120, 18조목

103 大率學者喜博：『朱子語類』 권10, 62조목에는 이 구절 앞에 "不審諸經·諸史, 何者最熟?(여러 경전과 역사서 중에서 어느 것을 가장 익숙하게 해야 할지 모르겠습니다.)"이라는 말이 더 있다.

104 『朱子語類』 권10, 62조목

105 黃庭堅(1045~1105)：자는 魯直이고 호는 山谷道人이며 만년의 호는 涪翁이다. 북송 시대 洪州分寧(현 상서성 修水縣) 사람이다. 당시 저명한 문장가·서예가로 江西詩派의 개창자이다. 張耒, 晁補之, 秦觀과 더불어 蘇軾 門下에서 배워 '蘇門四學士'로도 일컬어진다. 특히 생전에 소식과 명성을 나란히 하여 세상에서 '蘇黃'으로 불렸다. 治平 4년(1067)에 진사에 급제하여 汝州葉縣縣尉, 國子監敎授, 太和縣知縣, 秘書省校書郎, 著作佐郎, 集賢校理, 秘書丞 등을 역임했다. 저서로 『山谷詞』가 있다.

[53-1-66]

"學者只知觀書, 都不知有四邊, 方始有味."[106]

(주자가 말했다.) "배우는 사람은 다만 책 보는 것만 알지 주변이 있다는 것조차도 알지 못해야 비로소 맛을 느끼게 된다."

[53-1-67]

"嘗看橫渠成誦之說, 最爲捷徑. 蓋未論看得義理如何, 且是收得此心有歸著處, 不至走作. 然亦須是專一精研, 使一書通透爛熟, 都無記不起處, 方可別換一書, 乃爲有益. 若但輪流通念而數之不精, 則亦未免枉費工夫也. 須是都通透後, 又却如此溫習, 乃爲佳耳."[107]

(주자가 말했다.) "일찍이 횡거横渠張載의 암송해야 한다는 말을[108] 보았는데, 이것이 가장 빠른 길이다. 아직 의리義理를 어떻게 보아야 할지 논하지 않았지만, 우선 이 마음을 수습하여 귀착할 곳이 있어서 밖으로 달아나는데 이르지 않아야 한다. 그러나 또한 반드시 전일專一하게 정밀히 연구하여 한 권의 책이 환하고 난숙하여 전혀 암기하지 못하는 곳이 없을 때, 비로소 다른 책으로 바꾸어야 도움이 있게 된다. 만약 단지 차례로 되풀이하여 읽으며 분석이 정밀하지 않으면, 또한 헛되이 시간만 소비하는 것을 면하지 못할 것이다. 반드시 모두 완전하게 이해한 뒤에도 또 이와 같이 복습해야 훌륭할 것이다."

[53-1-68]

"讀書須讀到不忍舍處, 方是見得眞味. 若讀之數過, 略曉其義卽厭之, 欲別求書看, 則是於此一卷書猶未得趣也. 蓋人心之靈, 天理所在, 用之則愈明. 只提醒精神, 終日著意看得多少文字, 窮得多少義理. 徒爲懶倦, 則精神自是憒憒, 只恁昏塞不通, 可惜!"[109] 舊見李先生說, '理會

106 『朱子語類』 권10, 19조목

107 『朱文公文集』 권50 「答張元德」

108 橫渠張載의 암송해야 … 말은: 『張載集』「經學理窟·義理」에서 "책은 반드시 암송하고 정밀하게 생각해야 한다. 대부분 밤중에 혹 정좌하면서 이것을 터득하게 되는데, 기억하지 못하면 생각은 일어나지 않는다. 다만 큰 근원을 관통한 다음에야 책은 또한 기억하기 쉬워진다.(書須成誦精思. 多在夜中或靜坐得之, 不記則思不起. 但通貫得大原後, 書亦易記.)"라고 하였다.

109 可惜!: 『朱子語類』 권104, 7조목에는 이 구절 뒤에 "某舊日讀書, 方其讀『論語』時, 不知有『孟子』; 方讀「學而第一」, 不知有「爲政第二」. 今日看此一段, 明日且更看此一段, 看來看去, 直待無可看, 方換一段看. 如此看久, 自然洞貫, 方爲浹洽. 時下雖是鈍滯, 便一件了得一件, 將來却有盡理會得時. 若撩東箚西, 徒然看多, 事事不了; 日暮途遠, 將來荒忙不濟事.(내가 옛날에 독서를 할 때, 막 『論語』를 읽을 때에는 『孟子』가 있다는 것을 알지 못했고, 막 「學而·第1篇」을 읽으면서는 「爲政·第2篇」이 있다는 것을 알지 못하였다. 오늘 이 한 단락을 보고 내일 또다시 이 한 단락을 보아, 보고 또 보면서 단지 볼 만 한 것이 없어야 비로소 한 단락을 바꾸어 보았다. 이와 같이 오랫동안 보아서 저절로 투철하게 관통해야 비로소 푹 젖어들게 된다. 지금 비록 지둔하고 정체되었지만, 한 가지를 읽고 나서 한 가지를 얻어서 앞으로 또한 모두 이해하는 때가 있을 것이다. 만약 동쪽에서 싸움을 걸어오는데 서쪽으로 찌르듯이 하면 헛되이 많은 것을 보아도 일마다 모두 이해하

文字, 須令一件融釋了後, 方更理會一件.' 融釋二字下得極好. 此亦伊川所謂'今日格一件, 明日又格一件, 格得多後, 自脫然有貫通處.' 此亦是他眞曾經歷來, 便說得如此分明. 今若一件未能融釋, 而又欲理會一件, 則第二件又不了. 推之萬事, 事事不了, 何益?"[110]

(주자가 말했다.) "독서를 할 때는 반드시 차마 놓지 못할 때까지 읽어야 비로소 참된 맛을 알 수 있다. 만약 여러 차례 읽어 그 뜻을 대략 깨닫고는 곧 싫증을 내서 다른 책을 구해서 보려고 한다면, 이것은 이 한 권의 책에도 오히려 그 취지趣旨를 터득하지 못한 것이다. 대개 사람 마음의 영험은 천리天理가 소재한 곳에 쓰면 더욱 밝아진다. 다만 정신을 차려 종일토록 주의를 기울여서 얼마간의 글을 보아야 얼마간의 의리를 궁구할 수 있다. 만약 게을리 한다면 정신이 저절로 심란해져서 단지 혼미하고 막혀서 통하지 못할 뿐이니 애석하다! 옛날에 이선생李先生[李侗]이 '글을 이해할 때는 반드시 한 가지 일이 「융해되어 풀리도록融釋」 한 뒤에야 비로소 다시 한 가지 일을 이해해야 한다.'라고 말하는 것을 들었다. 여기에서 '융해되어 풀리도록融釋'이라는 말은 그 표현이 매우 훌륭하다. 이것은 또한 이천伊川[程頤]이 말한 '오늘 한 가지 일을 궁구하고 내일 또 한 가지 일을 궁구하여, 궁구한 것이 많아진 뒤에 저절로 초탈하듯이 관통하는 곳이 있다.'는 것이다. 이것은 또한 그가 진실로 일찍이 경험한 것이기 때문에 이와 같이 분명하게 말할 수 있었던 것이다. 이제 만약 한 가지 일이 융해되어 풀리도록 하지 못하고서 또 한 가지 일을 이해하려고 한다면, 두 번째의 일은 또 마칠 수 없을 것이다. 모든 일을 미루어 가면 일마다 마칠 수 없을 것이니 무슨 도움이 되겠는가?"

[53-1-69]

"讀書之法, 須是從頭至尾, 逐句玩味, 看上字時如不知有下字, 看上句時如不知有後句. 看得都通透了, 又却從頭看此一段, 令其首尾通貫. 然方其看此段時, 亦不知有後段也. 如此漸進, 庶幾心與理會, 自然浹洽. 非惟會得聖賢言語意脈不差, 且是自己分上身心義理日見純熟. 若只如此匆匆檢閱一過, 便可隨意穿鑿, 排布硬說, 則不唯錯會了經旨, 於己分上亦有何干涉?"[111]

(주자가 말했다.) "독서하는 방법은 반드시 처음부터 끝까지 한 구절씩 음미하여, 위의 글자를 볼 때에는 마치 아래의 글자가 있다는 것을 모르는 듯이 하고, 위의 구절을 볼 때에는 마치 뒤의 구절이 있다는 것을 모르는 듯이 해야 한다. 본 것을 다 투철하게 이해한 뒤에 또 처음부터 보아서 이 한 단락이 처음부터 끝까지 관통하도록 해야 한다. 그러나 막 이 단락을 볼 때에도 역시 뒤의 단락이 있다는 것을 몰라야 한다. 이와 같이 점진적으로 나아가면 마음과 리理가 거의 합쳐지게 되어 자연스럽게 푹 젖어들게 될 것이다. 그렇게 하면 오직 성현의 말씀과 맥락을 이해하는데 잘못되지 않을 뿐 아니라, 또 자신의 몸과 마음 및 의리義理가 날마다 훌륭하게 무르익어 갈 것이다. 만약 다만 이와 같이 급하게 서둘러서 한

- -
지 못할 것이고, 해가 저물었는데 먼 길을 가는 듯이 하면 앞으로 바쁘게 돌아다닐 뿐 일을 성사시킬 수 없을 것이다.)"라는 말이 더 있다.

110 『朱子語類』권104, 7조목
111 『朱文公文集』권59「答林正卿」

번 훑어보고는 곧 자기 멋대로 천착하여 억지 주장을 늘어놓는다면, 단지 경서經書의 뜻을 잘못 이해할 뿐만 아니라 자신에게도 또한 무슨 상관이 있겠는가?"

[53-1-70]

"讀書之法, 當循序而有常, 致一而不懈, 從容乎句讀文義之間, 而體驗乎操存踐履之實, 然後心靜理明, 漸見意味. 不然, 則雖廣求博取, 日誦五車, 亦奚益於學哉? 故程子曰, '善學者求言必自近, 易於近者非知言者也.' 此言殊有味."[112]

(주자가 말했다.) "독서하는 방법은 순서에 따라 꾸준히 하고 전일하여 게으르지 않아야 하니, 구두句讀와 문장의 의미 사이에서 침착하게 이해하고 마음을 다잡아서 실천하는 실질을 체험한 다음에 마음이 고요하고 이치가 밝아져서 점차 맛을 음미할 수 있게 된다. 그렇지 않으면 비록 널리 구하고 많이 취해서 날마다 다섯 수레의 책[113]을 읽더라도 또한 배움이 무슨 이익이 있겠는가? 그러므로 정자程子는 '잘 배우는 사람은 반드시 가까운 데서 말을 구하니, 가까운 것을 쉽게 여기는 사람은 말을 아는 사람이 아니다.'[114] 라고 말했으니, 이 말이 특히 맛이 있다."

[53-1-71]

"夫學非讀書之謂. 然不讀書, 又無以知爲學之方, 故讀之者貴專而不貴博. 蓋唯專爲能知其意而得其用, 徒博則反苦於雜亂淺略而無所得. 必也致精一書,[115] 優柔厭飫, 以求聖學工夫次第之實. 俟其心通意解, 書冊之外別有實下工夫處, 然後更易而少進焉, 則得尺得寸雖少, 而皆爲吾有矣."[116]

(주자가 말했다.) "학문은 독서만을 말하는 것이 아니다. 그러나 독서하지 않으면 또 학문하는 방법을 알 수 없기 때문에 독서하는 사람은 전일專一한 것을 귀하게 여기고 넓은 것을 귀하게 여기지 않는다. 오직 전일해야 그 의미를 알아서 그 쓰임을 얻을 수 있지, 한갓 넓기만 하면 도리어 난잡스럽게 겉핥기에 지쳐서 소득이 없을 것이다. 반드시 한 권의 책을 정밀하게 읽고 여유 있게 충분히 되새겨서 성학聖學 공부의 차례의 실질을 구해야 한다. 마음으로 통하여 뜻이 이해되어 서책 외에 별도로 실제 공부를 하는 곳이 있기를 기다린 뒤에, 다시 다른 책으로 바꾸어 조금씩 나아간다면 한 척尺을 얻고 한 촌寸을 얻은 것이 비록 적더라도 모두 나의 것이 될 것이다."

----

112 『朱文公文集』 권56 「答陳師德」
113 다섯 수레의 책: 『莊子』 「天下」에서 "惠施는 학식이 깊고 넓어서, 그 책이 다섯 수레나 된다.(惠施多方, 其書五車.)"라고 하였다. 독서량이 매우 많은 것을 가리킨다.
114 '잘 배우는 … 아니다.': 程頤, 『易傳』 「序」
115 必也致精一書: 『朱文公文集』 권60 「答朱朋孫」에는 이 구절 앞에 "今一旦而讀八書, 則其茫然而不得其要也豈足怪哉?(지금 하루아침에 여덟 권의 책을 읽으면 망연하여 그 요점을 얻지 못할 것이니, 어찌 괴이할 것이 있겠는가?)"라는 말이 더 있다.
116 『朱文公文集』 권60 「答朱朋孫」

[53-1-72]

"學者且將一件書讀. 聖人之言卽聖人之心, 聖人之心卽天下之理. 且逐段看令分曉, 一段分曉又看一段. 如此至一二十段, 亦未解便見箇道理, 但如此心平氣定, 不東馳西騖, 則道理自逐段分明. 去得自家心上一病, 便是一箇道理明也. 道理固是自家本有, 但如今隔一隔了, 須逐旋揩磨呼喚得歸. 然無一喚便見之理. 如金溪只要自得, 若自得底是固善, 若自得底非却如何? 不若且虛心讀書, 切不可自謂理會得了. 便理會得, 且只做理會不得, 方有長進."[117]

(주자가 말했다.) "배우는 사람은 우선 한 권의 책을 읽어야 한다. 성인의 말은 곧 성인의 마음이고, 성인의 마음은 곧 천하의 이치이다. 우선 매 단락마다 보는 것이 분명하도록 해야 하니, 한 단락이 분명해지면 또 한 단락을 보아야 한다. 이와 같이 하여 10~20단락에 이르면 역시 아직 이해하지 못하는 어떤 도리를 만나지만, 이와 같이 마음이 평온하고 기가 안정되어 동분서주하지 않으면 도리가 저절로 매 단락마다 분명해질 것이다. 자기 마음의 한 가지 병을 제거할 수만 있다면 한 가지 도리가 밝아진다. 도리는 참으로 자신이 본래 가지고 있는 것이지만 지금은 점점 간격이 멀어져 가고 있으니, 반드시 점차적으로 닦아내고 상기시켜서 돌아오도록 해야 한다. 그러나 그 어떤 것도 한번 상기시키면 곧바로 볼 수 있는 이치는 없다. 예컨대 금계金溪[陸九淵][118]는 다만 자득하려고만 하는데, 만약 자득이 참으로 옳은 것이지만 만일 자득한 것이 그르다면 또한 어떻게 하겠는가? 또한 마음을 비우고 독서를 하는 것만 못하니, 결코 이해했다고 스스로 말해서는 안 된다. 설령 이해했다고 하더라도 또한 다만 이해하지 못한 것으로 여겨야 비로소 큰 진보가 있다."

[53-1-73]

"學者理會文義, 只是要先理會難底, 遂至於易者亦不能曉. 「學記」曰, '善問者如攻堅木, 先其易者, 後其節目.' 所謂'攻瑕則堅者瑕, 攻堅則瑕者堅', 不知道理好處又却多在平易處."[119]

(주자가 말했다.) "배우는 사람이 글의 의미를 이해할 때, 다만 먼저 어려운 것을 이해하려고 하면 마침내 쉬운 것까지 또한 이해할 수 없다. 『예기』「학기學記」에서 '잘 묻는 사람은 마치 단단한 나무를 다듬는 것과 같으니, 쉬운 부분을 먼저 다듬고 옹이 부분은 나중에 다듬는다.'라고 말했다. 이른바 '틈새를 공격하면 견고한 것에 틈새가 생기고, 견고한 것을 공격하면 틈새도 견고해진다.'[120]고 했으니, 배우는 사람

---

117 『朱子語類』권120, 113조목
118 陸九淵(1139~1192) : 자는 子靜이고, 호는 存齋・象山翁이며, 象山先生이라고 부르기도 한다. 송대 金溪(현 강서성 금계현) 사람으로 1172년에 진사에 급제하여 崇安縣主簿, 知荊門軍을 역임하였다. 孟子를 계승하여 程朱의 理學과 대비되는 陸王 心學의 학파를 열었다. 주희가 정이천의 학통에 따라 道問學을 더 존중한 데 반하여, 육구연은 정명도의 尊德性을 존중했다. 이 때문에 주희는 格物致知의 性卽理說을 제창하고, 육구연은 致知를 주로 한 心卽理說을 제창했다. 주희와 학문방법론 및 무극・태극론 등을 논쟁한 '鵝湖之爭'으로 유명하다. 그의 학문은 그의 제자 楊慈湖 등에 의하여 江西와 浙江 각지에서 계승되었다. 저서로는 『象山先生全集』이 있다.
119 『朱子語類』권11, 52조목

들은 도리의 훌륭한 곳이 오히려 대부분 쉬운 곳에 있다는 것을 모른다."

[53-1-74]

"觀書須從頭循序而進, 不以淺深難易有所取舍, 自然意味詳密. 至於浹洽貫通, 則無緊要處所下工夫, 亦不落空矣. 今人多是揀難底好底看, 非惟聖賢之言不可如此間別, 且是只此心意便不定疊. 縱然用心探索得到, 亦與自家這裏不相干, 突兀聱牙, 無田地可安頓, 此病不可不知也."[121]

(주자가 말했다.) "책을 볼 때에는 반드시 첫머리부터 차례에 따라 나아가며, 얕음과 깊음, 어려움과 쉬움에 따라 취하고 버리지 않는다면, 자연스럽게 의미가 상세하고 엄밀해진다. 푹 젖어서 관통하는 데에 이르면 긴요한 곳에 대한 공부가 없어도 또한 공허한 곳으로 떨어지지는 않을 것이다. 지금 사람들은 대부분 어려운 것, 훌륭한 것을 가려서 보는데, 성현의 말씀은 이와 같이 골라서 구별해서는 안 될 뿐만 아니고 또한 이런 방법은 마음이 안정되어지지 않을 것이다. 비록 주의력을 기울여 탐색해서 찾았다고 할지라도, 역시 자신과는 서로 관계없이 들쭉날쭉하여 안돈할 수 있는 근거가 없을 것이니, 이 병통을 몰라서는 안 된다."

[53-1-75]

"讀書且就那一段本文意上看, 不必又生枝節. 看一段, 須反復看來看去, 要十分爛熟, 方見意味, 方快活, 令人都不愛去看別段始得. 人多是向前趲去, 不曾向後反復. 只要去看明日未讀底, 不曾去紬繹前日已讀底. 須玩味反復始得. 用力深, 便見意味長 ; 意味長, 便受用牢固. 亦不可信口依希略綽說過, 須是心曉."[122]

(주자가 말했다.) "독서를 할 때는 또한 그 본문 한 단락의 의미에서 보아야지 또 따로 곁가지를 쳐서 생각할 필요는 없다. 한 단락을 볼 때 반드시 반복해서 이리저리 보아 완전히 익숙해져야 비로소 의미를 알게 되어 비로소 유쾌하게 될 것이니, 사람들에게 전혀 다른 단락을 보러가고 싶지 않도록 해야 비로소 터득한 것이다. 사람들은 대부분 앞을 향해 서둘러 달려가지 뒤를 향해 반복하려고 하지 않는다. 다만 아직 읽지 않은 내일 읽을 것을 보려고만 할 뿐 전날에 이미 읽은 것에서 실마리를 이끌어내려고 하지 않는다. 반드시 반복해서 음미해야만 비로소 터득할 것이다. 힘을 쏟는 것이 깊어지면 의미가 심장해짐을 알게 되고, 의미가 심장해지면 이익을 얻는 것이 견고해진다. 또한 불분명하고 대략적인 것을 함부로 말해서는 안 되니 반드시 마음속으로 분명하게 깨달아야 한다."

120 '틈새를 공격하면 … 견고해진다.' : 『管子』「制分」
121 『朱文公文集』 권45 「答廖子晦」
122 『朱子語類』 권10, 49조목

[53-1-76]

"讀書不可貪多, 常使自家力量有餘."

萬正淳云: "欲將諸書循環看."

曰: "不可如此. 須看得一書徹了, 方再看一書. 若雜然並進, 却反爲所困. 如射弓, 有五斗力, 且用四斗弓, 便可挽滿, 己力欺得他過. 今學者不忖自己力量去觀書, 恐自家照管他不過."[123]

(주자가 말했다.) "독서를 할 때는 많이 읽으려고 욕심내서는 안 되니, 항상 스스로의 역량에 여유가 있도록 해야 한다."

만정순萬正淳[124]이 말했다. "여러 책을 돌려가며 보려고 합니다."

(주자가) 대답했다. "그렇게 해서는 안 된다. 반드시 책 한 권을 철저히 읽고 나서 비로소 다시 책 한 권을 읽어야 한다. 만약 잡다하게 함께 읽는다면 도리어 곤경에 처하게 될 것이다. 예컨대 활을 쏠 때, 5두五斗의 힘이 있지만 4두四斗의 활을 사용하면 충분히 당길 수 있어서 자신의 힘이 활을 이겨낼 수 있을 것이다. 요즘 배우는 사람들은 자신의 역량을 헤아리지 않고 책을 보려고 하니, 스스로 책을 다루어 내지 못할까 걱정된다."

[53-1-77]

"讀書只恁逐段子細看, 積累去, 則一生讀多少書. 若務貪多, 則反不曾讀得. 須是緊著工夫, 不可悠悠, 又不須忙. 只常抖擻得此心醒, 則看愈有力."[125]

(주자가 말했다.) "독서를 할 때는 다만 그렇게 단락마다 자세히 보아야 하니 누적되면 일생동안 상당히 많은 책을 읽을 것이다. 만약 많이 읽는 것을 탐내기에 힘쓰면 도리어 읽은 적이 없는 것과 같다. 반드시 긴장해서 공부하되 유유자적해서는 안 되며, 그렇다고 또 바쁘게 해서도 안 된다. 다만 항상 이 마음이 깨어있도록 분발한다면 볼수록 더욱 힘이 생길 것이다."

[53-1-78]

"讀書小作課程, 大施功力. 如會讀得二百字, 只讀得一百字, 却於百字中猛施工夫, 理會子細, 讀誦教熟. 如此, 不會記性人自記得, 無識性人亦理會得. 若泛泛然念多, 只是皆無益耳."[126]

(주자가 말했다.) "독서를 할 때는 (읽는) 과정은 작게 하되 공력은 많이 기울여야 한다. 예컨대 200글자를 읽을 수 있으면, 다만 100글자만 읽고 또한 그 100글자를 맹렬하게 공부해서, 자세하게 이해하고 익숙해지도록 통독한다. 이와 같이 하면 잘 기억하지 못하는 사람도 자연스럽게 기억할 것이고, 지식이 없는 사람도 역시 이해할 수 있을 것이다. 만약 대충대충 많이 읽는 것만을 생각한다면, 다만 모두 무익

123 『朱子語類』 권10, 42조목
124 萬正淳: 육구연에게 배우다가 나중에 주희의 제자가 된 사람이다.
125 『朱子語類』 권10, 43조목
126 『朱子語類』 권10, 39조목

할 뿐이다."

[53-1-79]

"書宜少看, 要極熟. 小兒讀書記得, 大人多記不得者, 只爲小兒心專. 一日授一百字, 則只是一百字 ; 二百字, 則只是二百字. 大人一日或看百板, 不恁精專. 人多看一分之十, 今宜看十分之一. 寬著期限, 緊著課程."[127]

(주자가 말했다.) "책은 마땅히 적게 보더라도 지극히 익숙하도록 해야 한다. 어린아이는 책을 읽고 기억하지만 어른들은 대부분 기억하지 못하는 것은, 다만 어린아이들은 마음이 전일專一하기 때문이다. 어린아이들은 하루에 100글자를 가르쳐주면, 다만 100글자만 기억하고, 200글자를 가르쳐주면 다만 200글자만 기억한다. 어른들은 하루에 간혹 100쪽을 보지만, 별로 정밀하거나 집중하지 않는다. 사람들은 대부분 10배를 보는데, 이제부터는 마땅히 10분의 1을 보아야 한다. 읽는 기한을 늘리고 읽어가는 과정은 줄여야 된다."

[53-1-80]

"今人讀書, 看未到這裏, 心已在後面 ; 纔看到這裏, 便欲舍去了. 如此, 只是不求自家曉解. 須是徘徊顧戀如不欲去, 方會認得."[128]

(주자가 말했다.) "요즘 사람들은 독서를 할 때 아직 여기까지 보지도 않았는데, 마음은 이미 뒷면에 가 있고, 여기까지 보자마자 바로 버려두고 떠나가려고 한다. 이와 같이 하는 것은 다만 스스로 분명한 이해를 구하지 않는 것일 뿐이다. 반드시 배회하면서 미련이 남아 돌아보기를 마치 떠나고 싶지 않은 것처럼 해야 비로소 이해할 수 있을 것이다."

[53-1-81]

"讀書須是徧布周滿. 某嘗以爲寧詳毋略, 寧下毋高, 寧拙毋巧, 寧近毋遠."[129]

(주자가 말했다.) "독서를 할 때는 반드시 널리 펼쳐서 두루 가득하게 읽어야 한다. 나는 일찍이 상세할지언정 소략하지 말고, 낮출지언정 높이지 말며, 졸렬할지언정 교묘하게 하지 말고, 천근할지언정 원대하지 말아야 한다고 생각했었다."

[53-1-82]

"書雖是古人書, 今日讀之, 所以蓄自家之德. 却不是欲這邊讀得些子, 便搬出做那邊用."[130]

---

127 『朱子語類』 권10, 37조목
128 『朱子語類』 권10, 46조목
129 『朱子語類』 권10, 33조목
130 『朱子語類』 권120, 67조목

(주자가 말했다.) "책은 비록 옛사람의 글이지만 오늘 그것을 읽는 것은 스스로의 덕을 쌓는 것이다. 또한 여기에서 조금 읽은 것을 옮겨가 저기에 쓰려는 것이 아니다."

[53-1-83]

"讀書將以求道, 不然, 讀作何用? 今人不去這上理會道理, 皆以涉獵該博爲能, 所以有道學·俗學之別."[131]

(주자가 말했다.) "독서를 하는 것은 그것으로써 도를 구하려는 것이다. 그렇지 않다면 읽은 것을 어디에 쓰겠는가? 요즘 사람들은 이 점에서 도리를 이해하지 않고, 누구나 두루 섭렵하여 해박한 것을 잘하는 것으로 여기기 때문에 도학道學과 속학俗學의 구별이 생겨났다."

[53-1-84]

"學者讀書, 須是於無味處當致思焉. 至於羣疑並興, 寢食俱廢, 乃能驟進. 因歎驟進二字最下得好, 須是如此. 若進得些子, 或進或退, 若存若亡, 不濟事. 如用兵相殺, 爭得些兒小可一二十里地, 也不濟事. 須大殺一番, 方是善勝. 爲學之要, 亦是如此."[132]

(주자가 말했다.) "배우는 사람이 독서를 할 때 반드시 맛이 없는 곳에서 끝까지 생각해야 한다. 많은 의심들이 함께 일어나는 지경에 이르면 자는 것과 먹는 것도 모두 잊어버려야 이에 빠르게 진보할 수 있다. 이어서 '빠르게 진보하다驟進'라는 글자가 가장 잘 표현한 것이니, 반드시 이와 같아야 한다고 탄식하였다. 만약 조금 진보하고 나서 어떤 경우에는 나아가거나 어떤 경우에는 물러나며, 마치 보존하는 듯하거나 마치 없는 듯하면 일을 이룰 수 없다. 예컨대 전쟁을 할 때 서로 죽여서 조그마한 일이십 리의 땅을 다투는 것도 그럭저럭 괜찮지만 또한 일을 이룰 수 없다. 반드시 크게 한번에 무찔러야 비로소 훌륭한 승리가 된다. 학문을 하는 요체도 또한 이와 같다."

[53-1-85]

"讀書須見得有曉不得處, 方是長進. 又更就此闕其所疑而反復其餘, 則庶幾得聖人之意, 識事理之眞, 而其不可曉者不足爲病矣."[133]

(주자가 말했다.) "독서를 할 때는 반드시 이해할 수 없는 곳이 있다는 것을 알아야 비로소 큰 진보가 있다. 그리고 다시 이해할 수 없는 곳에서 의심스러운 것은 빼놓고 그 나머지를 반복해서 읽으면, 거의 성인의 뜻을 얻고 사리事理의 참됨을 알게 되어 그 이해할 수 없는 것은 문제가 되지 않을 것이다."

131 『朱子語類』 권11, 40조목
132 『朱子語類』 권10, 20조목
133 『朱文公文集』 권56 「答趙子欽」

[53-1-86]

"某向時與朋友說讀書, 也教他去思索求所疑. 近方見得, 讀書只是且恁地虛心就上面熟讀, 久之自有所得, 亦自有疑處. 蓋熟讀後自有窒礙不通處, 是自然有疑, 方好較量. 今若先去尋箇疑, 便不得. 這般也有時候. 舊日看『論語』合下便有疑. 蓋自有一樣事, 被諸先生說成數樣, 所以便著疑. 今却有『集注』了, 且可傍本看教心熟, 少間或有說不通處, 自見得疑. 只是今未可先去疑著."[134]

(주자가 말했다.) "내가 전에 친구와 독서를 하는 것에 대해서 말할 때 그에게 사색해서 의심스러운 것을 찾도록 했다. 최근에 비로소 깨달은 것은 독서를 할 때는 다만 그렇게 마음을 비우고 책을 숙독할 뿐이니, 그것을 오래하면 저절로 터득하는 것도 생기고, 또한 저절로 의심나는 것도 생기게 된다. 대개 숙독하고 나면 저절로 막혀서 통하지 않는 곳이 생기니, 이렇게 자연스럽게 의심이 생겨야 비로소 제대로 헤아려 보게 된다. 이제 만약 의심나는 것을 먼저 찾아서는 안 된다. 그러나 이와 같이 해야 할 때도 있다. 옛날에 『논어』를 볼 때, 그 당시에 곧바로 의심나는 것이 생겼었다. 대개 본래 한 가지 일인데 여러 선생들에 의해 몇 가지로 말해졌기 때문에 곧 의심이 들었던 것이다. 지금은 또 『논어집주』가 있어서 또한 참고서로 삼아 마음에 익숙해지도록 읽을 수 있으니, 조금이라도 혹시 말이 통하지 않는 곳이 있으면 저절로 의심스럽다는 것을 알 것이다. 다만 지금도 먼저 의심을 가지려 해서는 안 될 것이다."

又曰 : "讀書無疑者, 須教有疑 ; 有疑者, 却要無疑. 到這裏方是長進."[135]

(주자가) 또 말했다. "독서를 할 때 의심나는 것이 없다면 반드시 의심나는 것이 있도록 해야 하고, 의심나는 것이 있으면 또한 의심나는 것을 없애야 한다. 이러한 상태가 되어야 비로소 크게 진보한 것이다."

[53-1-87]

"讀書若有所見, 未必便是, 不可便執著. 且放在一邊, 益更讀書以來新見. 若執著一見, 則此心便被此見遮蔽了. 譬如一片淨潔田地, 若上面纔安一物, 便須有遮蔽了處. 聖人七通八達, 事事說到極致處. 學者須是多讀書, 使互相發明, 事事窮到極致處. 所謂本諸身, 徵諸庶民, 考諸三王而不謬, 建諸天地而不悖, 質諸鬼神而無疑, 百世以俟聖人而不惑.' 直到這箇田地, 方是. 『語』云, '執德不弘.' 『易』云, '寬以居之.' 聖人多說箇廣大寬弘之意, 學者要須體之."[136]

(주자가 말했다.) "독서를 할 때 만약 자기의 소견이 있더라도 반드시 옳은 것만은 아니니 곧바로 집착해서는 안 된다. 우선 한쪽에 놓아두고 더욱더 독서를 해서 새로운 견해를 이끌어 내야 한다. 만약 한 가지 견해에 집착하면, 이 마음은 곧 그 견해에 막혀 가려질 것이다. 비유컨대 아무것도 없는 깨끗한

---

134 『朱子語類』 권11, 76조목
135 『朱子語類』 권11, 78조목
136 『朱子語類』 권11, 61조목

땅 위에 만약 어떤 물건을 놓으면 곧장 반드시 막혀 가려지는 곳이 있는 것과 같다. 성인은 모든 방면으로 두루 통달했기 때문에 일마다 지극한 곳을 말하고 있다. 배우는 사람은 반드시 책을 많이 읽어서 읽은 것들이 서로 분명하게 드러나도록 하고, 일마다 지극한 곳을 궁구하도록 해야 한다. 『중용』에서 '자신에게 근본하여, 백성에게서 증험하며, 삼왕三王에게 상고해도 어긋남이 없고, 천지에 세워도 어그러지지 않으며, 귀신에게 물어보아도 의심이 없고, 백세 이후의 성인을 기다려도 의혹되지 않는다.'[137]고 했으니, 이런 경지에까지 도달해야 비로소 옳다. 『논어』에서는 '덕을 잡음이 넓지 못하다.'[138]고 하였고, 『주역』에서는 '너그러움으로 처한다.'[139]고 했다. 성인은 광대함과 넓고 큼에 관한 의미를 여러 번 말했으니, 배우는 사람은 반드시 그것을 체득해야 할 것이다."

[53-1-88]

"讀書之法無他, 唯是篤志虛心, 反復詳玩爲有功耳. 近見學者多是卒然穿鑿, 便爲定論, 或卽信所傳聞, 不復稽考, 所以日誦聖賢之書而不識聖賢之意. 其所誦說, 只是據自家見識杜撰成耳. 如此, 豈復能有長進? 前輩蓋有親見有道, 而其所論終不免背馳處者, 想亦正坐此耳."[140]

(주자가 말했다.) "독서하는 방법은 다른 것이 없으니, 오직 뜻을 돈독하게 하고 마음을 비워 반복하여 상세하게 완미하여 효과가 있게 해야 할 뿐이다. 근래 학자들을 보면, 대부분 돌연히 천착하여 곧바로 정론定論으로 삼아버리거나, 혹은 전해들은 것을 곧바로 믿어 다시 깊이 생각하지 않기 때문에 날마다

---

137 '자신에게 근본하고 … 않는다.' : 『中庸』에서 "故君子之道, 本諸身, 徵諸庶民, 考諸三王而不謬, 建諸天地而不悖, 質諸鬼神而無疑, 百世以俟聖人而不惑."라고 하였다. 주자는 이 구절에 대해 "여기에서의 군자는 천하를 통치하는 자를 가리켜 말한 것이다. 그 도는 바로 의례・제도・고문의 일이다. 자신에게 근본한다는 것은 그 덕을 소유한다는 것이고, 백성들에게 증험한다는 것은 그 믿고 따름을 징험하는 것이다. 建은 세움이니, 여기에 세워서 저기에 참여하는 것이다. 천지는 도이고, 귀신은 造化의 자취이다. 백세 이후의 성인을 기다려도 의혹되지 않는다는 것은, 『孟子』의 이른바 '성인이 다시 나와도 내 말을 바꾸지 않을 것'이라는 것이다.(此君子, 指王天下者而言. 其道, 卽議禮・制度・考文之事也. 本諸身, 有其德也. 徵諸庶民, 驗其所信從也. 建, 立也, 立於此而參於彼也. 天地者, 道也. 鬼神者, 造化之跡也. 百世以俟聖人而不惑, 所謂聖人復起, 不易吾言者也.)"라고 주석하였다.
138 '덕을 잡음이 … 못하다.' : 『論語』「子張」에서 "자장이 말했다. '덕을 잡음이 넓지 못하며, 도를 믿음이 독실하지 못하면, 어찌 있다고 말하며 어찌 없다고 말하겠는가?(子張曰, '執德不弘, 信道不篤, 焉能爲有, 焉能爲亡?')"라고 하였다. 주자는 이 구절에 대해 "얻은 것이 있지만 지킴이 너무 좁으면 덕이 고립되고, 들은 것이 있지만 믿음이 독실하지 못하면 도가 폐해진다. '어찌 있다고 말하며, 어찌 없다고 말하겠는가?'라는 말은, 마치 경중으로 삼기에 충분하지 못하다는 말과 같다.(有所得而守之太狹, 則德孤 ; 有所聞而信之不篤, 則道廢. '焉能爲有無', 猶言不足爲輕重.)"라고 주석하였다.
139 '너그러움으로 처한다.' : 『易』「乾卦・文言」에서 "군자가 배워서 지식을 모으고 물어서 분변하며 너그러움으로 처하고 仁으로써 행하니, 『易』에 이르기를 '나타난 용이 밭에 있으니 대인을 만나봄이 이롭다.'고 하니, 이는 인군의 덕인 것이다.(君子學以聚之, 問以辨之, 寬以居之, 仁以行之, 『易』曰, '見龍在田, 利見大人', 君德也.)"라고 하였다.
140 『朱文公文集』 권55 「答李守約」

성현의 글을 암송하지만 성현의 뜻을 알지 못한다. 그들이 외우고 말하는 것은 단지 자기의 식견에 의거하여 함부로 만들어 낸 것일 뿐이다. 이와 같이 하고서 어찌 다시 크게 진보할 수 있겠는가? 선배들은 대개 도가 있는 사람에게 몸소 배웠지만 그 논의가 끝내 서로 어긋나는 곳을 모면하지 못했으니, 생각건대 또한 바로 이 때문에서이다."

[53-1-89]

"近日讀書人少,[141] 也緣科擧時文之弊也. 纔把書來讀, 便先立箇意思要討新奇, 都不理會他本意著實. 纔討得新奇, 便準擬作時文使, 下梢弄得熟, 只是這箇將來使. 雖是朝廷甚麽大典禮, 也胡亂信手捻合出來使, 不知一撞百碎."[142]

(주자가 말했다.) "근래에 독서하는 사람이 적은 것은 또한 과거 시험을 위한 시문時文(과거 시험의 답안에 쓰이던 문체)의 폐단 때문이다. 막 책을 잡아 읽으려고 하자마자 곧바로 먼저 자기 생각을 세우고 신기한 것을 찾으려고만 하지, 전혀 그 본래의 의미를 착실하게 이해하려고 하지 않는다. 막 신기한 것을 찾자마자 곧바로 그것을 과문科文을 짓는 데에 사용하려 해서, 결국에 익숙하게 되어도 다만 이렇게 사용하려 한다. 비록 조정의 어떤 큰 전례典禮라 할지라도 또한 어지럽게 제멋대로 문장을 만들어 내지만, 한 번에 산산조각 난다는 것을 모른다."

[53-1-90]

"某嘗謂爲學老少不同. 年少精力有餘, 須用無書不讀, 無不究竟其義. 若年齒向晚, 却須擇要用功. 讀一書便覺後來難得工夫再去理會, 須沈潛玩索, 究極至處, 可也. 蓋天下義理, 只有一箇是與非而已. 是便是是, 非便是非. 旣有著落, 雖不再讀, 自然道理浹洽, 省記不忘. 譬如飮食, 從容咀嚼, 其味必長 ; 大嚼大咽, 終不知味也."[143]

(주자가 말했다.) "나는 일찍이 학문함에는 나이의 많고 적음에 차이가 있다고 말한 적이 있다. 나이가 젊으면 정력에 여유가 있기 때문에 반드시 그 어떤 책도 읽지 않은 책이 없도록 하고, 그 의미를 끝까지 궁구하지 않음이 없도록 해야 한다. 만약 노년에 접어들면 도리어 핵심을 가려내어 공부해야 한다. 한 권을 읽더라도 곧 나중에 공부해서 다시 이해할 수 있는 기회를 얻기가 어렵다는 것을 깨달아, 반드시 마음을 가라앉히고 깊이 생각하여 지극한 곳까지 궁구해야 한다. 대개 세상의 의리는 다만 하나의 옳음과 그름이 있을 뿐이다. 옳은 것은 그 자체로 옳은 것이고, 그른 것은 그 자체로 그른 것이다. 이미 귀착하는 곳이 있게 되면, 비록 다시 읽지 않더라도 자연스럽게 도리가 푹 젖어들어, 기억하려고 애쓰지 않아도 잊지 않을 것이다. 비유컨대 음식을 먹는 것과 같으니, 침착하게 씹으면 그 맛이 반드시 뛰어나겠

---

141 近日讀書人少 : 『朱子語類』 권10, 64조목에는 "近日眞箇讀書人少(근래에 제대로 독서하는 사람이 적은 것은)"라고 되어 있다.
142 『朱子語類』 권10, 97조목
143 『朱子語類』 권10, 64조목

지만, 대충 씹어서 대충 삼키면 끝내 맛을 모를 것이다.”

[53-1-91]

“精神長者, 博取之, 所得多. 精神短者, 但以詞義簡易者涵養. 中年以後之人, 讀書不要多, 只少少玩索, 自見道理.”[144]

(주자가 말했다.) “정신력이 뛰어난 사람은 넓게 취하여 얻는 것이 많아야 한다. 정신력이 약한 사람은 단지 글 뜻이 간단하고 쉬운 것으로써 함양해야 한다. 중년 이후의 사람은 독서를 할 때에 많이 읽어서는 안 되니, 다만 조금씩 음미하며 생각하면 저절로 도리를 알게 될 것이다.”

[53-1-92]

“溫公答一學者書, 說爲學之法, 擧『荀子』四句云, ‘誦數以貫之, 思索以通之, 爲其人以處之, 除其害以持養之.’ 『荀子』此說亦好. ‘誦數’云者, 想是古人誦書亦記遍數. 貫字訓熟, 如‘習貫如自然’, 又訓通, 誦得熟, 方能通曉. 若誦不熟, 亦無可得思索.”[145]

(주자가 말했다.) “온공溫公[司馬光][146]은 어떤 배우는 사람에게 답하는 편지에서 학문하는 방법에 대해 설명하며, 『순자』의 네 구절인 ‘여러 차례 암송해서 그것을 꿰뚫고, 생각하고 찾아서 그것에 통달하며, 현명한 사람을 가려서 그와 함께 거처하고, 학문에 해로운 것을 제거하여 그것을 지키고 기른다.’[147]를 들어 말하고, 『순자』의 이 말 역시 좋다. ‘여러 차례 암송한다’고 하는 것은 생각건대 옛사람들이 책을 암송할 때 또한 횟수를 기억했다는 것이다. ‘꿰뚫는다[貫]’는 글자는 ‘익숙하다’는 뜻이니, 마치 ‘익힌 것이 익숙하여 마치 자연스러운 것과 같다.’[148]는 것이다. 또 ‘통通’의 뜻이기도 하므로 암송하는 것이 익숙해야 비로소 통달하여 환히 깨달을 수 있다는 것이다. 만약 암송하는 것이 익숙하지 않으면, 또한 생각하고 찾아 낼 길이 없다.”

[53-1-93]

“讀書不可不先立程限. 政如農功, 如農之有畔, 爲學亦然. 今之始學者不知此理, 初時甚銳,

---

144 『朱子語類』 권10, 98조목
145 『朱子語類』 권10, 61조목
146 司馬光(1019~1086) : 자는 君實이고, 호는 迂夫와 만년의 迂叟이며, 시호는 文正이다. 세칭 司馬太師・溫國公・涑水先生이라 한다. 송대 夏縣 涑水鄕(현 산서성 夏縣) 사람으로 翰林侍讀・權御使中丞・門下侍郎 등을 역임하였다. 왕안석의 신법에 반대하여 퇴출되었다가 재상으로 복직하여 신법을 폐지하였다. 저서는 『文集』과 『資治通鑑』・『稽古錄』・『易說』・『潛虛』 등이 있다.
147 ‘여러 차례 … 기른다.’ : 『荀子』 「勸學」
148 ‘익힌 것이 … 같다.’ : 『孔子家語』 권9 「七十二弟子解」에서 “공자가 말했다 ‘그렇다! 나의 어린 시절 성장은 마치 성격이 형성되는 것과 같아서, 익힌 것이 익숙하여 자연스러운 것과 같았다.’(孔子曰, ‘然! 少成則若性也, 習慣若自然也.’)”라고 하였다.

漸漸懶去, 終至都不理會了, 此只是當初不立程限之故."[149]

(주자가 말했다.) "독서를 할 때는 먼저 일정한 진도를 세우지 않으면 안 된다. 정치는 농사일과 같아 농토에 경계가 있는 것과 같으니,[150] 학문을 하는 것도 역시 그러하다. 오늘날 처음 배우는 사람들은 이 이치를 알지 못하니, 처음에는 매우 민첩하다가 점점 게을러져, 결국에는 전혀 이해하지 못하게 된다. 이는 다만 애초에 일정한 진도를 세우지 않았기 때문이다."

[53-1-94]
問 : "嘗聞先生爲學者言, '讀書, 須有箇悅處方進.' 又嘗自言, '某雖如此, 屢覺有所悅.' 因請曰, '此先生進德日新工夫, 不知學者如何到得悅處.'"
曰 : "亦只是時習. 時習故悅."[151]

물었다. "일찍이 선생님께서 배우는 자를 위하여 말하는 것을 들었는데 '독서를 할 때는 반드시 기쁜 곳이 있어야 바야흐로 나아갈 수 있다.'라고 하였고, 또 선생님께서 스스로 '나는 비록 이와 같이 할지라도 기쁜 곳이 있는 것을 자주 느꼈다.'고 하였습니다. 이에 청해 묻겠습니다. '이것은 선생님의 덕이 진보하고 나날이 새로워지는 공부인데, 배우는 사람이 어떻게 기쁜 곳에 이를 수 있는지 모르겠습니다.'"
(주자가) 대답했다. "또한 다만 때때로 익힐 따름이다. 때때로 익히기 때문에 기쁜 것이다."[152]

[53-1-95]
"讀書之道, 用力愈多, 收功愈遠. 先難而後獲, 先事而後得, 皆是此理."[153]

(주자가 말했다.) "독서를 하는 방법은 힘을 쓰는 것이 많으면 많아질수록, 공효를 거두어들이는 것이 더욱더 원대해지는 것이다. 어려운 것을 먼저 하고 얻는 것을 뒤에 하며,[154] 일을 먼저 하고 얻는 것을

---

149 『朱子語類』 권10, 93조목
150 정치는 농사일과 … 하니 : 『春秋左傳』 「襄公 25년」에서 "자산이 말했다. '정치는 농사일과 같으니, 밤낮으로 그것을 생각해서, 그 시작을 생각할 때 그 끝을 이루도록 밤낮으로 그것을 실행해야 한다. 실행이 생각을 넘어서는 경우가 없는 것은 마치 농토에 경계가 있는 것과 같으니, 그것을 넘어서는 경우는 드물다.'(子産曰, '政如農功, 日夜思之, 思其始而成其終, 朝夕而行之. 行無越思, 如農之有畔, 其過鮮矣.')"라고 하였다.
151 『朱子語類』 권104, 16조목
152 때때로 익히기 … 것이다. : 『論語』 「學而」에서 "공자가 말했다. '배우고 때때로 익히면 기쁘지 않은가?(子曰, '學而時習之, 不亦說乎?')'라고 하였다. 주자는 이 구절에 대해 "배움이라는 말은 본받는다는 뜻이다. 사람의 본성은 모두 선하지만 이것을 앎에는 먼저 하고 뒤에 함이 있으니, 뒤에 깨닫는 자는 반드시 선각자의 하는 바를 본받아야 선을 밝게 알아서 그 애초의 상태를 회복할 수 있는 것이다. 習은 새가 자주 나는 것이니, 배우기를 그치지 않음은 마치 새 새끼가 자주 나는 것과 같이 하는 것이다. 說은 기뻐하는 뜻이다. 이미 배우고 또 때때로 그것을 익힌다면 배운 것이 익숙해져서 마음에 희열을 느껴 그 진전을 저절로 그만둘 수 없는 것이다.(學之爲言, 效也. 人性皆善, 而覺有先後, 後覺者必效先覺之所爲, 乃可以明善而復其初也. 習, 鳥數飛也, 學之不已, 如鳥數飛也. 說, 喜意也. 旣學而又時時習之, 則所學者熟而中心喜說, 其進自不能已矣.)" 라고 주석하였다.
153 『朱子語類』 권10, 50조목

뒤에 하는 것도[155] 모두 이 이치이다."

[53-1-96]

"讀書看義理, 須是胷次放開, 磊落明快恁地去. 第一不可先責效. 纔責效, 便有憂愁底意, 只管如此, 胷中便結聚一餠子不散. 今且放置閑事, 不要閑思量, 只專心去玩味義理, 便會心精. 心精, 便會熟."[156]

(주자가 말했다.) "독서를 해서 의리를 볼 때는 반드시 마음을 열어서 뚜렷하고 명쾌하게 그렇게 해나가야 한다. 첫째는 먼저 효과를 따져서는 안 된다. 막 효과를 따지자마자 바로 근심 걱정하는 마음이 생기니, 다만 이와 같이 되면 가슴에는 곧 한 덩어리의 응어리가 맺혀서 풀리지 않는다. 이제 쓸데없는 일은 내려놓고 쓸데없는 생각은 하지 않으려고 해서, 다만 마음을 전일하게 하여 의리를 음미하면 곧 마음은 정밀해진다. 마음이 정밀해지면 곧 익숙해질 것이다."

[53-1-97]

"人言讀書當從容玩味, 此乃自怠之一說. 若是讀此書未曉道理, 雖不可急迫, 亦不放下, 猶可也. 若徜徉終日, 謂之從容, 却無做工夫處. 譬之煎藥, 須是以大火煎滾, 然後以慢火養之, 却不妨."[157]

(주자가 말했다.) "사람들은 독서를 할 때 마땅히 침착하게 음미해야 한다고 말하는데, 이것은 스스로 게으른 사람들의 한 가지 주장이다. 만약 이 책을 읽을 때 아직 도리를 깨닫지 못했다면 비록 급하게 서둘러서는 안 되겠지만, 또한 내려놓지 않는 것이 오히려 좋다. 만약 하루 종일 한가로이 노니는 것을 침착하다고 한다면, 도리어 공부할 곳이 없을 것이다. 비유컨대 약을 달일 때는 반드시 센 불로 펄펄 끓이고, 그런 다음에 약한 불로 그것을 달이는 것이 또한 무방하다."

----

154 어려운 것을 … 하며 : 『論語』「雍也」에서 "仁者는 어려운 것을 먼저 하고 얻는 것을 뒤에 하니, 이렇게 한다면 仁이라고 말할 수 있다.(問仁. 曰, '仁者先難而後獲, 可謂仁矣.')"라고 하였다. 주자는 이 구절에 대해 "일의 어려운 것을 먼저 하고 그 효과를 얻는 것을 뒤에 한다는 것은 仁者의 마음이다.(先其事之所難, 而後其效之所得, 仁者之心也.)"라고 주석하였다.

155 일을 먼저 … 것도 : 『論語』「顔淵」에서 "일을 먼저 하고 얻는 것을 뒤에 하는 것이 덕을 높이는 것이 아니겠는가?(先事後得, 非崇德與?)"라고 하였다. 주자는 이 구절에 대해 "일을 먼저 하고 얻는 것을 뒤에 하는 것은 어려운 것을 먼저 하고 얻는 것을 뒤에 한다는 말과 같다. 당연히 해야 할 것을 하고, 그 공효를 계산하지 않는다면, 덕이 날로 쌓이되 스스로 알지 못할 것이다.(先事後得, 猶言先難後獲也. 爲所當爲而不計其功, 則德日積而不自知矣.)"라고 주석하였다.

156 『朱子語類』 권10, 29조목

157 『朱子語類』 권10, 23조목

[53-1-98]

"讀書不可有欲了底心. 纔有此心, 便心只在背後白紙處了, 無益."158

(주자가 말했다.) "독서를 할 때는 끝내고 싶어 하는 마음을 가져서는 안 된다. 막 이런 마음이 생기자마자 곧 마음은 다만 끝장의 백지에 있게 되니 무익하다."

[53-1-99]

"讀書須是看著他那縫罅處, 方尋得道理透徹. 若不見得縫罅, 無由入得. 看見縫罅時, 脈絡自開."159

(주자가 말했다.) "독서를 할 때는 반드시 그 문맥의 틈새를 보아야 비로소 도리를 철저히 찾을 수 있다. 만약 틈새를 보지 못하면 그 문맥으로 들어갈 방법이 없을 것이다. 틈새를 보았을 때, 맥락은 저절로 열린다."

[53-1-100]

"讀書閑暇且靜坐, 教他心平氣定, 見得道理漸次分曉. 這箇却是一身總會處. 且如看『大學』'在明明德'一句, 須常常提醒在這裏, 他日長進亦只在這裏. 人只是一箇心做本, 須存得在這裏, 識得他條理脉絡, 自有貫通處."160

(주자가 말했다.) "독서를 하다가 한가할 때는 또 정좌하여 그 마음이 평온하고 기氣가 안정되도록 하면, 도리를 보는 것이 점차 분명하게 깨닫게 될 것이다. 이렇게 하는 것은 또한 몸에서 가장 중요한 핵심이다. 예컨대 『대학』에서 '밝은 덕을 밝히는 데 있다.'라는 구절은 볼 때는 반드시 항상 여기에서 일깨워야 하니, 나중에 크게 진보하는 것도 다만 여기에 달려 있을 뿐이다. 사람은 다만 하나의 마음을 근본으로 삼을 뿐이니 반드시 여기에서 보존하고 그 조리와 맥락을 알아야만 저절로 관통하는 곳이 있게 될 것이다."

[53-1-101]

"讀書須是有精力."

楊至之曰 : "亦須是聰明."

曰 : "雖是聰明, 亦須是靜, 方運得精神. 昔見延平說, '羅先生解『春秋』也淺, 不似胡文定. 後來隨人入廣, 在羅浮山住三兩年, 去那裏心靜, 須看得較透.' 某初疑解『春秋』, 干心靜甚事, 後來方曉. 蓋靜則心虛, 道理方看得出."161

- -

158 『朱子語類』 권10, 90조목
159 『朱子語類』 권10, 13조목
160 『朱子語類』 권11, 19조목
161 『朱子語類』 권11, 145조목

(주자가 말했다.) "독서를 할 때는 반드시 정력을 쏟아야 한다."

양지지楊至之[楊至][162]가 말했다 : "또한 반드시 총명해야 합니다."

(주자가) 대답했다. "비록 총명하더라도 역시 마음이 고요해야 비로소 정신을 쏟을 수 있다. 옛날에 연평延平[李侗] 선생이 말하는 것을 들었다. '나선생羅先生[羅從彦]이 『춘추』를 풀이한 것은 수준이 얕아 호문정胡文定[胡安國][163]보다 못했다. 나중에 나 선생이 어떤 사람을 따라 광주廣州에 들어가, 나부산羅浮山에 이삼 년을 머무르면서 그곳에서 마음이 고요해져, 비교적 투철하여졌다.' 나는 처음에 『춘추』를 해석하는 것이 마음을 고요하게 하는 것과 무슨 관련이 있는지 의심했지만, 나중에야 비로소 깨닫게 되었다. 대개 고요하면 마음이 비워지고, 비로소 도리를 알 수 있게 된다."

[53-1-102]

"看書與日用工夫, 皆要放開心胸, 令其平易廣潤, 方可徐徐旋看道理, 浸灌培養. 切忌合下便立己意, 把捉得太緊了, 卽氣象急迫, 田地陋隘, 無處著工夫也."[164]

(주자가 말했다.) "책을 보는 것과 일상생활의 공부는 모두 마음을 열어서 마음이 평이하고 광활하도록 해야, 비로소 서서히 도리를 두루 보아 흘러넘치듯이 충분히 배양할 수 있다. 그때 곧바로 자기의 뜻을 세우는 것은 결코 기피해야 하니, 붙잡는 것이 너무 심해지면 바로 기상氣象이 급박해지고 터전이 매우 좁아져서 공부를 할 곳이 없어질 것이다."

[53-1-103]

"凡讀書處事, 當煩亂疑惑之際, 正當虛心博采以求至當. 或未有得, 亦當且以闕疑闕殆之意處之. 若遽以己所粗通之一說, 而盡廢己所未究之衆論, 則非惟所處之得失或未可知, 而此心之量亦不宏矣."[165]

(주자가 말했다.) "무릇 독서를 하는 것과 일을 처리하는 것에서, 번잡하고 의혹이 있을 때에는 마땅히 마음을 비우고 널리 수집하여 지당한 것을 구해야 한다. 혹여 깨달아짐이 없을 경우에는 또한 당연히 의심나는 것은 빼두고 위태로운 것은 빼둔다는 뜻으로 거기에 대처해야 한다. 만약 갑자기 자신이 대충 깨달은 한 가지 주장으로 스스로 궁구하지 못한 여러 이론을 모두 없애버린다면, 내가 대처한 바의 득실도 혹 알 수 없을 뿐만 아니라 이 마음의 역량도 또한 넓지 못하게 될 것이다."

. . . .

162 楊至 : 자는 至之이고 송대 晉江(현 복건성 진강시) 사람이다. 주희에게 사사할 때 蔡元定이 그를 특별하게 생각하여 딸을 시집보냈다고 한다. 저서에 『天道至德』과 『天道至教』라는 두 개의 그림이 있다.

163 胡安國(1074~1138) : 자는 康侯이고 호는 武夷이며 시호는 文定이다. 북송대 崇安 사람이다. 紹聖 4년(1097)에 진사 3등으로 합격하여 荊南教授로 제수 받고, 太學博士, 寶文閣直學士를 역임했다. 胡淵의 아들로 程頤의 학문을 사숙하고 謝良佐・楊時 등과 교류했다. 왕안석이 『春秋』를 학관에서 폐지하자 춘추학이 쇠퇴하였다고 여겨, 20여 년간 『春秋』를 연구해 『春秋胡氏傳』을 저술했다.

164 『朱文公文集』 권46 「答黃仁卿束」

165 『朱文公文集』 권36 「答陸子壽」

[53-1-104]

"讀書且當隨文熟看, 俟其詞旨曉析貫通, 然後自有發明. 未可遽捨本文, 別立議論, 徒長虛見, 無益於實也."[166]

(주자가 말했다.) "독서를 할 때에는 마땅히 글을 따라 면밀하게 보고, 그 말뜻을 환하게 분석하여 관통하기를 기다려 그 뒤에 저절로 분명하여질 것이다. 갑자기 본문을 버려두고 별도로 논의를 세워, 한갓 헛된 견해를 조장하여 실제에 이익이 없도록 해서는 안 된다."

[53-1-105]

"讀書先且虛心考其文詞指意所歸, 然後可以要其義理之所在. 近見學者多是先立己見, 不問經文向背之勢, 而橫以義理加之, 其說雖不背理, 然非經文本意也. 如此, 則但據己見自爲一書亦可, 何必讀古聖賢之書哉? 所以讀書, 政恐吾之所見未必是, 而求正於彼耳. 惟其闕文斷簡, 名器物色有不可考者, 則無可奈何. 其他在義理中可推而得者, 切須字字句句反復消詳, 不可草草說過也."[167]

(주자가 말했다.) "독서를 할 때에는 먼저 마음을 비우고 그 문장이나 구절이 가리키는 취지가 무엇인지를 고찰한 다음에 그 의리가 있는 곳을 탐구할 수 있다. 근래의 학자들을 보면 대부분 자기의 의견을 먼저 세우는데, 경문經文이 옹호하고 반대하는 형세를 따지지 않고 제멋대로 의리를 덧붙인 것은, 그 주장이 비록 이치에 어긋나지 않는다고 하더라도 경문의 본뜻은 아니다. 이와 같으면 다만 자기의 견해에 의거하여 스스로 책을 하나 만들면 되는 것이지, 굳이 옛 성현의 글을 읽을 필요가 있겠는가? 그러므로 독서를 하는 것은 바로 내가 본 것이 반드시 옳지는 않다는 것을 염려하여 저기에서 올바른 것을 구하는 것일 뿐이다. 오직 그 빠진 글과 끊어진 간책簡策 및 각종 기물器物과 물품 가운데 고찰할 수 없는 것은 어쩔 수 없다. 그것 외에 의리로 유추하여 알 수 있는 것은 반드시 한 글자 한 구절마다 반복하여 자세히 검토해야지 대충대충 넘겨서는 안 된다."

[53-1-106]

"今人觀書, 先自立了意後方觀, 盡率古人語言入做自家意思中來. 如此, 只是推廣得自家意思, 如何見得古人意? 須是虛此心,[168] 將古人語言放前面, 看他意思倒殺向何處去. 如此玩心, 方可得古人意, 有長進處. 且如孟子說『詩』, 要‘以意逆志, 是爲得之.’ 逆者, 等待之謂也. 如前途等待一人, 未來時且須耐心等待, 將來自有來時候. 他未來, 其心急切, 又要進前尋求, 却不是‘以意逆志’, 是以意捉志也. 如此, 只是牽率古人言語, 入做自家意中來, 終無進益."[169]

166 『朱文公文集』권55 「答蘇晉叟」
167 『朱文公文集』권64 「答或人」
168 須是虛此心:『朱子語類』권11, 30조목에는 "須得退步者, 不要自作意思, 只虛此心(반드시 한 걸음 물러나야 한다는 것은 스스로 생각을 지어내지 말고, 단지 이 마음을 비워서)"이라고 되어 있다.

(주자가 말했다.) "요즘 사람들이 책을 볼 때는 먼저 자신의 생각을 세우고 난 뒤에 비로소 살펴보고, 옛사람의 말을 모두 끌어다가 자신의 생각에 맞추어 넣는다. 이렇게 하는 것은 다만 자신의 생각을 미루어 넓히는 것일 뿐이니, 어떻게 옛사람의 생각을 알 수 있겠는가! 반드시 이 마음을 비워서 옛사람의 말을 전면前面에 놓고 그들의 생각이 도대체 어디로 향하는지를 보아야 한다. 이와 같이 마음을 쏟아야 비로소 옛사람의 생각을 알 수 있고 크게 진보하게 된다. 예컨대 맹자는 『시경』을 설명하면서 '자신의 생각으로 작자의 뜻을 받아들여야 시를 이해할 수 있다.'[170]고 하였다. 받아들인다는 것은 기다리는 것을 말한다. 예컨대 앞길에서 어떤 사람을 기다리는데, 아직 오지 않았을 때는 우선 참고 기다려야, 나중에 저절로 올 때가 있게 된다. 그가 아직 오지 않았다고 해서 마음이 조급해져 또 앞으로 나아가 찾으려고 하는 것은 도리어 '자신의 생각으로 작자의 뜻을 받아들이는 것'이 아니라 자신의 생각으로 작자의 뜻을 붙잡는 것이다. 이와 같이 하면 다만 옛사람의 말을 끌어다가 자신의 생각에 맞추어 넣는 것일 뿐이므로 끝내 진보나 보탬이 없을 것이다."

[53-1-107]

"讀書理會道理, 只是將勤苦睚將去, 不解得不成. '文王猶勤, 而況寡德乎?' 今世上有一般議論, 成就後生懶惰. 如云不敢輕議前輩, 不敢妄立論之類, 皆中怠惰者之意. 前輩固不敢妄議, 然論其行事之是非, 何害? 固不可鑿空立論, 然讀書有疑, 有所見, 自不容不立論. 其不立論者, 只是讀書不到疑處耳. 將諸家說相比並以求其是, 便自有合辨處."[171]

(주자가 말했다.) "독서를 해서 도리를 이해할 때, 다만 힘들여 부지런히 끌고 가기만해도 이해하지 못하는 것이 없을 것이다. '문왕도 오히려 부지런했는데, 하물며 덕이 부족한 사람은 어떻겠는가?'[172]라고 했다. 요즘 세상에서 일반적으로 논의하는 것은 성취한 뒤에 게으름을 피우는 것이다. 예컨대 감히 이전 사람들에 대해 가볍게 논의하려 들지 않는다거나 감히 함부로 이론을 세우려 들지 않는다고 하는 말 따위는 모두 게으른 사람의 생각이다. 이전 사람들에 대해서는 진실로 감히 함부로 논해서는 안 되지만, 그들이 행한 일의 옳고 그름을 논하는 것이 어찌 해롭겠는가? 물론 공허하게 이론을 세워서는 안 되지만, 독서를 하다가 의문이 생기고 견해가 생기면, 저절로 이론을 세우지 않을 수 없게 된다. 이론을 세우지 않는 사람은 다만 독서를 하면서 의문이 생기는 곳에 이르지 않았을 뿐이다. 여러 학자들의 주장을 가지고 서로 나란히 비교해서 옳은 것을 구한다면, 곧 저절로 마땅히 변별해야 할 곳이 생길 것이다."

. . . .

169 『朱子語類』 권11, 30조목
170 '자신의 생각으로 … 있다.' : 『孟子』「萬章上」에서 "그러므로 詩를 설명하는 자는 글자로써 말을 해치지 말며, 말로써 본래의 뜻을 해치지 말고, 자신의 생각으로 작자의 뜻을 받아들여야 시를 이해할 수 있다.(故說詩者不以文害辭, 不以辭害志 ; 以意逆志, 是爲得之.)"라고 하였다.
171 『朱子語類』 권11, 103조목
172 '문왕도 오히려 … 어떻겠는가?' : 『春秋左傳』「宣公 21년」

[53-1-108]

"學者觀書, 病在只要向前, 不肯退步看. 愈向前, 愈看得不分曉, 不若退步, 却看得審. 大槩病在執著, 不肯放下. 正如聽訟, 心先有主張乙底意思, 便只尋甲底不是 ; 先有主張甲底意思, 便只見乙底不是. 不若姑置甲乙之說, 徐徐觀之, 方能辨其曲直. 橫渠云, '濯去舊見, 以來新意', 此說甚當. 若不濯去舊見, 何處得新意來? 今學者有二種病. 一是主私意, 一是舊有先入之說, 雖欲擺脫, 亦被他自來相尋."173

(주자가 말했다.) "배우는 사람이 책을 볼 때 다만 앞으로 나가려 할 뿐 한 걸음 물러나서 보려고 하지 않는 데에 병폐가 있다. 앞으로 나아가면 갈수록 보는 것이 더욱 분명하지 않으니, 한 걸음 물러나서 또한 자세하게 보는 것만 못하다. 대개 집착하여 내려놓으려고 하지 않는 데에 병폐가 있다. 이것은 바로 송사를 처리하는 것과 똑같으니, 마음에서 먼저 을乙을 지지하는 생각이 있게 되면 곧 다만 갑甲의 옳지 않은 점만 찾게 되고, 먼저 갑을 지지하는 생각이 있게 되면 곧 다만 을의 옳지 않은 점만 보게 된다. 이것은 잠시 갑과 을의 주장을 내버려두고 천천히 살펴보아 비로소 그들의 옳고 그름을 판별할 수 있는 것만 못하다. 횡거橫渠張載는 '옛 견해를 씻어 버리고 새로운 의미를 받아들인다.'174고 말했는데, 이 말이 매우 타당하다. 만약 옛 견해를 씻어 버리지 않는다면, 어디에서 새로운 의미를 얻어 오겠는가? 요즘의 배우는 사람들에게는 두 종류의 병폐가 있다. 하나는 자신의 사사로운 생각을 주장하는 것이고, 다른 하나는 예전에 먼저 받아들인 이론이 있어서 비록 벗어나고 싶어도 또한 그것에 의해 저절로 그것을 찾게 되는 것이다."

[53-1-109]

"讀書須是知貫通處, 東邊西邊, 都觸著這關捩子, 方得. 而今說已前不曾做得,175 又怕遲晚, 又怕做不及, 又怕那箇難, 又怕性格遲鈍, 又怕記不起, 都是閑說. 只認下著頭去做, 莫問遲速, 少間自有至處. 旣是已前不曾做得, 今便用工夫去補塡. 莫要瞻前顧後, 思量東西, 少間擔閣一生, 不知年歲之老."176

(주자가 말했다.) "독서를 할 때는 반드시 꿰뚫어 통하는 곳을 알아서 동쪽이든 서쪽이든 모두 그 관건이 되는 것과 맞닿아야 비로소 좋다. 그런데 지금 예전에 해본 적이 없었다고 하여 또 느리고 늦을까 걱정하고, 또 해내지 못할까 걱정하며, 또 그것이 어려울까 걱정하고, 또 성격이 느리고 둔한 것을 걱정하며, 또 기억하지 못할까 걱정하는 것은 모두 쓸데없는 말이다. 다만 고개를 숙이고 알아나가 느리고 빠른

---

173 『朱子語類』 권11, 74조목

174 '옛 견해를 … 받아들인다.' : 張載의 『張子全書』 권7 「學大原下」에서 "의리에 의문이 생기면, 옛 견해를 씻어 버리고 새로운 의미를 받아들인다.(義理有疑, 則濯去舊見, 以來新意.)"라고 하였다.

175 而今說已前不曾做得. : 『朱子語類』 권10, 31조목에는 이 구절 앞에 "只認下着頭去做, 莫要思前算後, 自有至處.(다만 고개를 숙이고 알아나가 앞뒤를 생각하고 따져보지 않으면 저절로 이르는 곳이 있을 것이다.)"라는 말이 더 있다.

176 『朱子語類』 권10, 31조목

것을 묻지 않는다면 머지않아 저절로 이르는 곳이 있을 것이다. 이미 예전에 해본 적이 없었다면 지금 곧장 공부를 해서 보충하도록 해야 한다. 앞을 바라보고 뒤를 돌아보며 좌우를 생각해서는 안 되니, 머지않아 일생동안 즐거워하며 나이가 늙어가는 것도 모를 것이다."

[53-1-110]

"如今看一件書, 須是著力至誠去看一番, 將聖賢說底一句一字都理會過, 直要見聖賢語脉所在. 這一句一字是如何道理, 及看聖賢因何如此說, 直是用力理會敎分曉.[177] 然後將來玩味, 方盡見得意思出來. 若是泛濫看過, 今次又見是好, 明次又見是好, 終是無工夫, 不得力."[178]

(주자가 말했다.) "지금 한 권의 책을 읽는다면, 반드시 힘껏 지극한 정성으로 한 번 보아 성현이 말한 한 구절 한 글자를 모두 이해해서, 곧바로 성현이 말한 맥락의 소재처를 알아야 한다. 이 한 구절 한 글자가 어떤 도리인지 또 성현이 무엇 때문에 이와 같이 말했는지를 보아서, 힘을 쏟아서 분명하게 이해해야 한다. 그런 다음에 그것을 가지고 음미해야 비로소 의미를 다 알아낼 수 있을 것이다. 만약 대충 훑어보아 이번에도 또 이 말이 좋다는 것을 알고 다음에도 또 이 말이 좋다는 것을 알면, 끝내 공부가 없어 힘을 얻지 못할 것이다."

[53-1-111]

"東坡敎人讀書小簡. 某取以示學者, 曰, '讀書要當如是.'" 東坡與王郎書云, "少年爲學者, 每一書皆作數次讀之. 當如入海, 百貨皆有. 人之精力不能兼盡取, 但得其所欲求者爾. 故願學者, 每次作一意求之. 如欲求古今興亡治亂, 聖賢作用, 且只作此意求之, 勿生餘念, 又別作一次求. 事迹文物之類, 亦如之 ; 他皆放此. 若學成, 八面受敵, 與涉獵者不可同日而語."[179]

(주자가 말했다.) "동파東坡[蘇軾][180]가 사람들에게 독서하는 방법을 가르쳐 준 간략한 편지가 있다. 나는 그것을 가지고 배우는 사람들에게 보여 주면서, '책을 읽는 것은 마땅히 이렇게 해야 한다.'라고 말했었다." 동파가 왕랑王郎에게 주는 편지에서 다음과 같이 말했다. "젊어서 학문을 하는 사람은 매 한 권의 책마다 모두 여러 번 읽어야 한다. 마치 바다에 들어가는 것과 같아서 온갖 재화가 다 있다. 사람의 정력으로는 전부 다 받아들이고 모두 다 취할 수 없지만, 단지 그가 구하려고 하는 것을 얻을 뿐이다. 그러므로 배우기를 원하는

---

177 直是用力理會敎分曉. : 『朱子語類』 권117, 21조목에는 "直是用力與他理會, 如做冤讎相似, 理會敎分曉.(바로 그것을 이해하는 데 힘을 쏟아서 마치 원수를 맺는 것과 유사하니, 이해를 분명하게 해야 한다.)"라고 되어 있다.

178 『朱子語類』 권117, 21조목

179 『朱子語類』 권10, 94조목

180 蘇軾(1037~1101) : 자는 子瞻·和仲이고, 호는 東坡居士이며, 시호는 文忠이다. 북송 眉州(지금의 사천성 眉山) 사람으로, 벼슬은 嘉祐 2년(1057)에 진사에 급제하여 端明殿學士, 翰林院侍讀學士, 禮部尙書, 祠部員外郎을 지냈다. 1072년에 王安石의 新法을 반대하여 여러 차례 좌천과 복권을 반복하였다. 詩書畫에 모두 능했고, 부친인 蘇洵과 동생인 蘇轍과 더불어 '三蘇'로 불렸고, '唐宋八大家'로 일컬어진다. 저서는 『東坡七輯』·『東坡易傳』·『東坡書傳』·『東坡樂府』·『論語說』 등이 있다.

사람들은 매번 한 가지 의도로 그것을 구해야 한다. 만약 고금의 흥망치란과 성현의 작용을 찾으려고 한다면, 우선 다만 이 의도만을 가지고 구할 뿐 다른 생각을 해서 또 별도로 한차례 구하지 말아야 한다. 사적事迹과 문물文物 따위를 구할 때도 역시 그렇게 해야 하고, 다른 것도 모두 이와 같이 해야 한다. 만약 학문이 이루어진다면, 사방팔방에서 적수를 만나더라도 많이 섭렵한 사람과는 비교가 되지 않을 것이다."

[53-1-112]

問伊川說'讀書, 當觀聖人所以作經之意, 與聖人所以用心'一條.

曰: "此條, 程先生說讀書, 最爲親切. 今人不會讀書是如何, 只緣不曾求聖人之意. 纔拈得些小, 便把己意硬入放裏面, 胡說亂說, 故敎他就聖人意上求, 看如何."[181]

이천伊川[程頤]이 '독서를 할 때는 마땅히 성인이 경서를 지은 까닭과 성인이 마음을 쓴 까닭을 살펴야 한다.'[182]라고 말한 조목에 대해 물었다.

(주자가) 대답했다. "이 조목은 정선생程先生[程頤]이 독서하는 것에 대해 말한 것 가운데 가장 친절한 것이다. 지금 사람들이 독서를 하는 것이 어떻게 해야 하는지를 모르는데, 이것은 다만 성인의 뜻을 구한 적이 없었기 때문이다. 겨우 조금 파악하면 곧 자신의 뜻을 억지로 그 속에 집어넣어 근거 없이 제멋대로 말하기 때문에, 그들에게 성인의 뜻에서 구하여 어떤 것인지 보도록 한 것이다."

[53-1-113]

"講習孔孟書. 孔孟往矣, 口不能言, 須以此心比孔孟之心, 將孔孟心作自己心, 要須自家說時, 孔孟點頭道是, 方得. 不可謂孔孟不會說話, 一向任己見說將去."[183]

(주자가 말했다.) "공자와 맹자의 책을 강습해야 한다. 공자와 맹자는 세상을 떠났으니 입으로 말할 수 없지만, 반드시 이 마음을 공자와 맹자의 마음에 견주어 보고, 공자와 맹자의 마음을 자기의 마음으로 만들어서, 반드시 자신이 말할 때 공자와 맹자가 고개를 끄덕이며 옳다고 해야 비로소 괜찮을 것이다. 공자와 맹자가 말할 수 없다고 해서 줄곧 자기의 견해대로 말해서는 안 된다."

[53-1-114]

"今人所以讀書苟簡者, 緣書皆有印本多了. 如古人皆用竹簡, 除非大段有力底人, 方做得. 若一介之士如何置? 所以後漢吳恢欲殺靑以寫『漢書』, 其子吳祐諫曰, '此書若成, 則載之兼兩. 昔馬援以薏苡興謗, 王陽以衣囊徽名, 正此謂也.' 如黃霸在獄中從夏侯勝受『書』, 凡再踰冬而

· · · · · · · · · · · · · · · · · · · ·

181 『朱子語類』 권19, 97조목

182 '독서를 할 … 한다.': 『河南程氏遺書』 권25에서 "독서를 하는 사람은 마땅히 성인이 경서를 지은 까닭과 성인이 마음을 쓴 까닭 및 성인이 성인의 경지에 이른 까닭과 내가 그 경지에 이르지 못하고 그 경지를 터득하지 못한 까닭을 살펴야 한다.(讀書者當觀聖人所以作經之意, 與聖人所以用心, 與聖人所以至聖人而吾之所以未至者所以未得者.)"라고 하였다.

183 『朱子語類』 권19, 33조목

後傳. 蓋古人無本, 除非首尾熟背得方得. 至於講誦者, 也是都背得, 然後從師受學. 如東坡作
「李氏山房藏書記」, 那時書猶自難得. 晁以道嘗欲得『公·穀傳』, 遍求無之, 後得一本, 方傳
寫得. 今人連寫也自厭煩了, 所以讀書苟簡."[184]

(주자가 말했다.) "요즘 사람들이 독서를 할 때에 엉성하고 간략하게 읽는 까닭은 책이 모두 인쇄된
판본이 많아졌기 때문이다. 예컨대 옛날 사람들은 모두 죽간竹簡을 사용했으니, 오직 매우 유력한 인사라
야만 비로소 책을 만들 수 있었다. 만약 한 사람의 보잘것없는 선비라면 어떻게 장만했겠는가? 그러므로
후한後漢 때 오회吳恢가 『한서』를 베끼기 위해서 푸른 대나무를 베어 죽간을 만들려고 하자, 그의 아들
오우吳祐[185]가 간언하여 다음과 같이 말했다고 한다. '이 책이 만약 완성된다면 수레 한 대에는 다 싣지도
못할 것입니다. 옛날 마원馬援[186]은 의이薏苡(율무)때문에 비방을 일으켰고,[187] 왕양王吉[188]은 한 보따
리의 옷 자루로써 이름이 나는 것을 바랐다고 하는 것이[189] 바로 이것을 말한 것입니다.'[190] 예컨대 황패
黃霸는 감옥 안에서 하후승夏侯勝[191]으로부터 구술로 『서경』을 전수받았는데, 겨울을 두 번이나 넘기고

. . . .

184 『朱子語類』 권10, 67조목
185 吳祐 : 일명 吳佑라고도 하며, 자는 季英이고, 後漢 陳留長垣 사람이다. 南海太守 吳恢의 아들로 효성이
   지극하였다고 한다. 孝廉으로 천거되어 여러 관직을 거쳐 膠東侯相, 長史를 역임하였다.
186 馬援(B.C.14~A.D.49) : 자는 文淵이고, 시호는 忠成이다. 후한 扶風茂陵(현 섬서성 興平縣) 사람으로, 어릴
   때부터 큰 뜻을 품어 처음에 郡督郵가 되었다. 綠林과 赤眉가 반란을 일으킨 뒤 王莽의 부름을 받고 新城大
   尹, 漢中郎太守가 되었다. 왕망이 망한 뒤 涼州로 달아났다가 隗囂 밑에서 벼슬하여 綏德將軍이 되었다.
   다시 光武帝에게 귀순하여 외효를 격파했다. 太中大夫에 이어 建武 11년(35) 隴西太守가 되어 군대를 이끌
   고 先零羌을 격파했다. 주민들에게 耕牧을 권장해 西邊을 안정시켰다. 17년(41) 이후에는 伏波將軍에 임명
   되어 交阯(북베트남) 지방에서 봉기한 徵側과 徵貳 자매의 반란을 토벌하고, 하노이 부근의 浪泊까지 진출하
   여 그곳을 평정했다. 19년(43) 新息侯에 봉해졌다. 후한 明帝의 후비인 明德馬后가 그의 딸이다. 저서에
   『銅馬相法』이 있다.
187 옛날 馬援은 … 일으켰고 : 마원이 交阯(북베트남)에서 승전 후 전쟁 중 풍토병 치료에 효과가 있었던 율무
   [薏苡]를 수레에 싣고 귀국하였는데, 뒤에 보석을 싣고 온 것으로 모함을 받았다는 『後漢書』의 역사 기록이
   다. 좋은 의도라고 하더라도 남에게 의심받을 행동을 하면 자신에게 해가 된다는 말이다.
188 王吉(?~B.C.48) : 자는 子陽이고 西漢 시대 琅琊皋虞(현 산동성 靑島) 사람이다. 어려서부터 학문을 좋아하였
   고 孝廉으로 천거되어 벼슬은 雲陽縣令, 昌邑王中尉, 博士, 諫大夫 등을 역임하였다. 직간을 잘하고 청렴하
   기로 유명했다고 한다.
189 王陽[王吉]은 한 … 것이 : 왕양이 벼슬을 그만두고 귀향할 때 수레에 곡식 담을 자루를 싣고 갔는데, 이를
   옷 자루로 오인하여 청렴한 그를 사치 부리는 사람으로 괴이하게 보았다는 『漢書』의 역사 기록이다.
190 '이 책이 … 것입니다.' : 『後漢書』 「吳祐傳」
191 夏侯勝(B.C.152~B.C.61) : 자는 長公이고, 전한 東平(현 산동성 泰安市) 사람이다. 夏侯始昌의 族子로서,
   하후시창에게 『尙書』와 『洪範五行傳』을 배웠고, 또 倪寬의 제자인 簡卿과 歐陽氏에게도 배웠다. 벼슬은
   博士, 光祿大夫, 長信少府, 諫大夫給事中, 太子太傅를 역임했다. 宣帝가 武帝를 추숭하는 일에 반대하다가,
   그의 말을 잘 따르던 丞相長史 黃霸와 함께 투옥되었다. 옥중에서 황패가 그에게 배웠다. 今文尙書大夏侯學
   의 개창자로, '大夏侯'로 일컬어졌다. 『魯論語』와 『春秋穀梁傳』에 뛰어났다. 선제에게 『春秋穀梁傳』의 부흥
   을 진언했는데, 황제의 명으로 『尙書說』과 『論語說』을 편찬했다. 제자로 夏侯建, 황패, 蕭望之, 孔霸 등이
   있다. 저서에 『漢書』 藝文志에 보이는 『尙書大小夏侯章句』와 『尙書大小夏侯解故』·『論語魯夏侯說』이 있

나서야 전수받았다. 대체로 옛날 사람들은 책이 없었기 때문에 오직 처음부터 끝까지 잘 암기해야만 했다. 강론하고 소리 내어 읽은 것까지도 모두 암기한 뒤에라야 스승으로부터 학문을 전수받았다. 예컨대 동파는 「이씨산방장서기李氏山房藏書記」를 지었는데, 그것을 보면 그때에도 책은 여전히 본래 얻기 어려웠다. 조이도晁以道[晁說之][192]는 일찍이 『공양전』과 『곡량전』을 구하려고 하여 두루 찾았으나 구할 수 없었는데, 나중에 한 권을 얻고서야 비로소 베껴 전할 수 있었다. 지금 사람들은 쓰는 것조차 스스로 번잡하다고 싫어하기 때문에 독서를 할 때에 엉성하고 간략하다."

[53-1-115]

"讀書便是做事. 凡做事有是有非, 有得有失. 善處事者不過稱量其輕重耳. 讀書而講究其義理, 判別其是非, 臨事卽此理."[193]

(주자가 말했다.) "독서를 하는 것은 곧 일을 하는 것이다. 무릇 일을 할 때는 옳은 것과 그른 것이 있으며, 얻는 것과 잃는 것이 있다. 일을 잘 처리한다는 것은 그것의 경중을 헤아리는 것에 지나지 않을 뿐이다. 독서를 해서 그 의리를 강구하고 그 옳음과 그름을 판별해야 하니, 일에 임하는 것도 곧 이러한 이치이다."

[53-1-116]

"學得此事了, 不可自以爲了, 恐怠意生. 如讀得此書, 須終身記之."[194]

(주자가 말했다.) "이 일을 다 배웠다고 해서 스스로 끝났다고 여겨서는 안 되니, 게으른 마음이 생길까 두렵기 때문이다. 예컨대 이 책을 읽었다면 반드시 평생토록 그것을 기억해야 한다."

[53-1-117]

"讀書推類反求, 固不害爲切己. 但却又添了一重事, 不若且依文看, 逐處各自見箇道理. 久之自然貫通, 不須如此費力也."

(주자가 말했다.) "독서를 할 때 유추하여 자신에게 돌이켜 구하는 것은 진실로 자기 자신에게 절실하게 하는 일에 해가 되지는 않는다. 그러나 또한 한 가지 일을 다시 더 하는 것이니, 우선 글에 의거해서

었다.

192 晁說之(1059~1129) : 자는 以道 또는 伯以이고, 자호는 사마광을 존경하여 景迂生이라고 하였다. 북송 濟州 巨野(현 산동성 소속) 사람이다. 神宗 元豊 5년(1082)에 진사에 급제하여 벼슬은 無極知縣, 成州知州, 秘書少 監 등을 역임했다. 高宗이 즉위하자 徽猷閣待制 겸 侍讀에 올랐지만 병으로 나가지 못했다. 蘇軾, 黃庭堅 등과 교류하면서 문장을 높게 평가받았다. 司馬光에게 『太玄經』을 전수받고, 邵雍의 제자 楊賢寶에게 易學 을 배우는 등 五經에 해박했는데, 특히 역학에 능통하였다. 저서에 『易規』・『易歸』・『洪範小傳』・『詩序論』・ 『中庸傳』・『儒言』・『晁氏客語』・『景迂生集』 등이 현존한다.

193 『朱子語類』 권11, 48조목
194 『朱子語類』 권11, 50조목

보고 보는 곳마다 각각 스스로 도리를 이해하는 것만 못하다. 그것을 오래하면 저절로 관통하게 될 것이니 이와 같이 힘을 낭비할 필요가 없다."

學十二 학 12

讀書法二 독서법 2

[54-1-1]
朱子曰 : "讀書先讀『大學』以定其規模, 次讀『論語』以立其根本, 次讀『孟子』以觀其發越, 次讀『中庸』以求古人之微妙處. 『大學』一篇有等級次第, 總作一處易曉, 宜先看. 『論語』却實, 但言語散見, 初看亦難. 『孟子』有感激興發人心處. 『中庸』亦難讀, 看三書後, 方宜讀之."[1]
又曰 : "『中庸』工夫密, 規模大. 讀書, 且從易曉易解處去讀. 四書道理粲然, 人只是不去看. 若理會得此四書, 何書不可讀, 何理不可究, 何事不可處?"[2]

주자朱子[朱熹]가 말했다. "독서를 할 때는 먼저 『대학』을 읽어서 그 규모를 정하고, 다음은 『논어』를 읽어서 그 근본을 세우며, 다음은 『맹자』를 읽어서 발휘한 것을 살펴보고, 다음은 『중용』을 읽어서 옛사람들의 미묘한 뜻을 구해야 한다. 『대학』 한 편은 등급과 순서가 있어서 전체가 한 맥락으로 귀결됨으로서 이해하기 쉬우니, 마땅히 먼저 보아야 한다. 『논어』는 또한 실제적이지만, 다만 언어가 분산되어 나타나니 처음 보기에는 역시 어렵다. 『맹자』는 사람의 마음을 감격하여 흥분시키는 점이 있다. 『중용』은 또한 읽기 어려우니, 세 책을 본 뒤에 비로소 읽어야 한다."

(주자가) 또 말했다. "『중용』은 공부가 엄밀하고 규모가 크다. 독서를 할 때는 우선 쉽게 깨닫고 쉽게 이해할 수 있는 데에서부터 읽어가야 한다. 사서四書는 도리가 찬연한데도 사람들이 다만 그것을 읽지 않을 뿐이다. 만약 이 사서를 이해할 수 있다면 어떤 책을 읽지 못할 것이며, 어떤 이치를 궁구하지 못할 것이고, 어떤 일을 처리하지 못할 것인가?"

----

1 『朱子語類』 권14, 3조목
2 "『中庸』工夫密, 規模大."는 『朱子語類』 권14, 1조목에, 그 나머지는 『朱子語類』 권14, 2조목에 있다.

[54-1-2]

"學者於『庸』·『學』·『論』·『孟』四書, 果然下工夫, 句句字字, 涵泳切己, 看得透徹, 一生受用不盡. 只怕人不下工, 雖多讀古人書, 無益. 書只是明得道理, 却要人做出書中所說聖賢工夫來. 若果看此數書, 他書可一見而決矣."[3]

(주자가 말했다.) "배우는 사람이 『중용』·『대학』·『논어』·『맹자』 사서四書에 대하여 과연 공부를 하여 구절마다 글자마다를 깊게 이해하여 자신에게 살뜰히 연계시켜야 하니, 공부가 투철하여지면, 평생동안 향유하여도 다 쓰지 못할 것이다. 다만 사람들이 공부를 하지 않으면 비록 옛사람들의 책을 많이 읽는다 하더라도 이익이 없을까 염려될 뿐이다. 책은 다만 도리를 밝혔을 뿐이니, 또한 사람들에게 책속에서 말한 성현 배우는 공부를 해내도록 요구할 뿐이다. 만약 이 몇 권의 책을 보게 되면, 다른 책은 한 번 보기만 해도 해결될 것이다."

[54-1-3]

"『大學』一篇, 乃入德之門戶, 學者當先講習, 知得爲學次第規模, 乃可讀『語』·『孟』·『中庸』. 先見義理根原體用之大略, 然後徐攷諸經, 以極其趣, 庶幾有得. 蓋諸經條制不同, 工夫浩博, 若不先讀『大學』·『論』·『孟』·『中庸』, 令胷中開明, 自有主宰, 未易可遽求也. 爲學之初, 尤當深以貪多躐等·好高尚異爲戒耳. 然此猶是知見邊事. 若但入耳出口, 以資談說, 則亦何所用之? 旣已知得, 便當謹守力行, 乃爲學問之實耳."[4]

(주자가 말했다.) "『대학』 한 편은 덕德에 들어가는 문이니, 배우는 자가 마땅히 먼저 배워 익혀서 학문하는 순서와 범위를 알아야 『논어』·『맹자』·『중용』을 읽을 수 있다. 먼저 의리의 근원과 체용體用의 대략을 알고 난 다음에 천천히 여러 경전을 고찰해서 책에서 말한 뜻을 다 찾아낸다면 거의 얻는 것이 있을 것이다. 여러 경전은 조목과 제도가 달라 공부의 범위가 넓으니, 만약 『대학』·『논어』·『맹자』·『중용』을 먼저 읽어서 가슴속이 밝아져 스스로 주재함이 있도록 하지 않으면, 갑자기 구하기가 쉽지 않을 것이다. 학문을 하는 초기에는 특히 많은 것을 탐내고 순서를 건너뛰며, 고원한 것을 좋아하고 기이한 것을 숭상하는 것을 깊이 경계해야 할 따름이다. 그러나 이것은 오히려 가장자리의 일을 아는 것이다. 만약 다만 귀로 듣고 입으로 담론하는 밑천으로만 삼는다면 또한 어디에 그것을 쓰겠는가? 이미 알았다면 곧 마땅히 삼가 지키고 힘써 실천하는 것이 바로 학문을 하는 실질이다."

[54-1-4]

"『論』·『孟』·『中庸』, 待『大學』通貫浹洽, 無可得看後方看, 乃佳. 道學不明, 元來不是上面欠却工夫, 乃是下面元無根脚. 若信得及, 脚踏實地, 如此做去, 良心自然不放, 踐履自然純熟, 非但讀書一事也."[5]

3 『朱子語類』 권14, 4조목
4 『朱文公文集』 권26 「與陳丞相別紙」

(주자가 말했다.) "『논어』·『맹자』·『중용』은 『대학』을 관통하여 푹 젖기를 기다려서 더 이상 볼 것이 없는 뒤에 보아야 좋다. 도학道學이 밝혀지지 못한 것은 원래 상면의 천리天理에 대한 공부가 결여되어서가 아니라 아래로 원래 인간의 일에 대한 기초가 없어서이다. 자신의 믿음이 미쳐있고 그것에 대한 실행이 실지적이어야 하니 이와 같이 해나가면 양심을 저절로 잃지 않고, 실천하는 것도 저절로 매우 익숙하게 될 것이니, 단지 독서를 하는 한 가지 일만이 아닐 것이다."

[54-1-5]

問: "初學當讀何書?"

曰: "六經·『語』·『孟』皆聖賢遺書, 皆當讀. 但初學且須知緩急. 『大學』·『語』·『孟』最是聖賢爲人切要處. 然『語』·『孟』却是隨事答問, 難見要領. 唯『大學』是曾子述孔子說古人爲學之大方, 門人又傳述以明其旨, 體統都具. 玩味此書, 知得古人爲學所鄕, 讀『語』·『孟』便易入. 後面工夫雖多而大體已立矣."[6]

물었다. "처음 배우는 사람은 무슨 책을 읽어야 합니까?"

(주자가) 대답했다. "육경六經과 『논어』·『맹자』는 모두 성현이 남긴 글이니 마땅히 모두 읽어야 한다. 그러나 처음 배우는 사람은 또한 반드시 시급히 읽어야 할 책과 나중에 천천히 읽어야 할 책을 구분할 줄 알아야 한다. 『대학』·『논어』·『맹자』는 성현이 사람들을 위해 가장 절실하고 핵심적인 것을 보여준 것이다. 그러나 『논어』와 『맹자』는 또한 일에 따라 묻고 대답한 것이므로 핵심을 알기 어렵다. 오직 『대학』만이 공자가 옛사람의 학문하는 큰 방법을 말한 것을 증자가 서술한 것이고, 또 그 문인들이 전수하여 그 취지를 밝혔으니, 체제와 규범이 모두 갖추어져 있다. 이 책을 음미하여 옛사람이 학문을 하는 지향점을 알 수 있으면, 『논어』와 『맹자』를 읽는 것이 곧 쉽게 들어갈 수 있다. 나중에 공부할 것이 비록 많다고 하더라도 중요한 원칙은 이미 세워진 것이다."

[54-1-6]

"爲學須是先立大本. 其初甚約, 中間一節甚廣大, 到末梢又約. 孟子曰, '博學而詳說之, 將以反說約也.' 故必先觀『論』·『孟』·『大學』·『中庸』, 以考聖賢之意; 讀史以考存亡治亂之迹; 讀諸子百家以見其駁雜之病. 其節目自有次序, 不可踰越. 近日學者多喜從約, 而不於博求之. 不知不求於博, 何以考驗其約."[7]

(주자가 말했다.) "학문을 할 때는 반드시 먼저 큰 근본을 세워야 한다. 처음에는 매우 간략하게 하고, 중간에는 매우 넓고 크게 하며, 마지막에 다시 간략해야 한다. 맹자는 '널리 배워 그것을 상세히 설명하는 것은 장차 그 말이 간략해지도록 하기 위함이다.'[8]라고 했다. 그러므로 반드시 먼저 『논어』·『맹자』·『대학』·

5 『朱子語類』 권14, 5조목
6 『朱子語類』 권13, 142조목
7 『朱子語類』 권11, 91조목

『중용』을 살펴보아 성현의 뜻을 고찰해야 하고, 역사서를 읽어서 국가의 존속과 멸망, 치세와 난세의 자취를 살피며, 제자백가의 책을 읽어서 그 잡박한 병폐를 보아야 한다. 그 절목節目에는 본래 순서가 있으니 뛰어넘어서는 안 된다. 요즘 배우는 사람들은 대부분 간략한 것을 따르기를 좋아하지만, 널리 구하지 않는다. 넓은 것을 구하지 않는데 어떻게 그 간략함을 고찰하고 증험할 수 있는지 모르겠다."

[54-1-7]

"『論』·『孟』『中庸』·『大學』, 乃學問根本, 尤當專一致思, 以求其指意之所在. 今乃或此或彼, 泛然讀之, 此則尤非所以審思·明辨而究聖學之淵源也. 此四書者當以序進, 每畢一書, 首尾通貫, 意味浹洽, 然後又易一書, 乃能有益. 其餘亦損其半, 然後可以研味從容, 深探其立言之旨而無迫切·泛濫之累矣."[9]

(주자가 말했다.) "『논어』·『맹자』·『중용』·『대학』은 학문의 근본이니 특히 마음을 전일하게 쏟아 생각을 다해 그 뜻이 담긴 곳을 찾아야 한다. 이제 이 책이나 저 책을 범범하게 읽는다면, 이는 자세히 생각하고 밝게 분변하여 성인의 학문의 연원을 탐구하는 것이 아니다. 이 사서四書는 마땅히 순서에 따라서 읽어나가야 하니, 매번 한 가지 책을 마칠 때마다 처음과 끝을 관통하여 의미를 완전 파악한 뒤에 또 다른 한 가지 책으로 바꾸어야 유익할 수 있다. 그 나머지도 역시 (처음 생각했던) 그 반 정도를 줄인 뒤라야 차분하게 연구하고 음미하여 말한 의의를 깊게 탐구하며 절박하거나 넘쳐나는 폐단이 없을 수 있다."

[54-1-8]

"某嘗說讀書之序, 須是且著力去看『大學』, 又著力去看『論語』, 又著力去看『孟子』. 看得三書了, 這『中庸』半截都了, 不用問人, 只略略恁看過, 不可掉了易底, 却先去攻那難底. 『中庸』多說無形影, 如鬼神, 如天地參等類, 說得高, 說下學處少, 說上達處多. 若且理會文義, 則可矣."[10]

(주자가 말했다.) "나는 일찍이 독서를 하는 순서를 말한 적이 있으니, 반드시 우선 힘을 써서 『대학』을 보고, 또 힘을 써서 『논어』를 보며, 또 힘을 써서 『맹자』을 보아야 한다. 이 세 가지 책을 보는 것이 끝나면 이에 『중용』은 절반이 끝난 것이니, 다른 사람에게 물어볼 필요도 없이 다만 대략 그렇게 보고

8　'널리 배워 … 위함이다.'：『孟子』「離婁下」. 주자는 이 구절에 대해 "글을 널리 배우고 그 이치를 상세히 말하는 까닭은 많은 지식을 자랑하고 화려함을 다투려고 해서가 아니고, 融會하고 관통하여 되돌려 말이 지극히 간략한 경지로 나아가려는 것일 뿐이다. 이것은 위 章의 뜻을 이어 말한 것으로, 학문은 다만 박학하려고 하는 것이 아니고 또한 곧바로 요약만을 해서도 안 된다는 것이다.(言所以博學於文, 而詳說其理者, 非欲以誇多而鬥靡也；欲其融會貫通, 有以反而說到至約之地耳. 蓋承上章之意而言, 學非欲其徒博, 而亦不可以徑約也.)"라고 주석하였다.

9　『朱文公文集』 권47 「答呂子約」

10　『朱子語類』 권62, 4조목

지나가야지, 쉬운 것을 빠뜨리고 도리어 먼저 어려운 것을 연구해서는 안 된다. 『중용』은 형체나 그림자가 없는 것을 많이 말하는데, 예컨대 귀신을 말한 것[11]이나 천지와 더불어 셋이 된다[12]는 따위는 말한 것이 고원하니, '아래로 사람의 일을 배우는 것[下學][13]을 말한 곳이 적고, '위로 천리天理에 도달하는 것[上達][14]을 말한 곳이 많다. 만약 우선 글의 뜻이라도 이해한다면 괜찮을 것이다.”

[54-1-9]

“程氏教人以『論』·『孟』·『大學』·『中庸』爲本. 學者須於此數書熟讀詳味, 有會心處, 方自見得. 如其未然, 讀之不厭熟, 講之不厭煩. 非如指理爲障,[15] 而兀然坐守無義之語, 以俟其儵

....

11 귀신을 말한 것: 『中庸』 제16장에서 “공자가 말했다. '귀신의 덕이 그 지극하다! 보아도 보이지 않으며 들어도 들리지 않는데, 사물의 근간이 되어 빠뜨릴 수 없다.'(子曰, '鬼神之爲德, 其盛矣乎! 視之而弗見, 聽之而弗聞, 體物而不可遺.')”라고 하였다. 이 구절에 대해 주자는 “程子가 말했다. '귀신은 천지의 功用이고 造化의 자취이다.' 張子가 말했다. '귀신은 陰·陽 두 기운의 良能이다.' 내 생각에, 두 기운으로써 말하면 鬼는 陰의 靈이요, 神은 陽의 靈이며, 한 기운으로써 말하면 이르러 펴짐은 神이 되고, 돌아가 되돌아감은 鬼가 되니, 그 실제는 한 물건일 뿐이다. 爲德은 性情·功效라는 말과 같다. 귀신은 형체와 소리가 없으나 사물의 시작과 종말은 음양이 합하고 흩어짐이 하는 일이 아님이 없으니, 이는 그 사물의 근간이 되어, 사물이 빠뜨릴 수 없는 것이다. 體物이라고 말한 것은 『易』「乾卦·文言」에 이른바 '일에 근간이 된다.'는 말과 같다.(程子曰, '鬼神, 天地之功用, 而造化之跡也.' 張子曰, '鬼神者, 二氣之良能也.' 愚謂以二氣言, 則鬼者陰之靈也, 神者陽之靈也. 以一氣言, 則至而伸者爲神, 反而歸者爲鬼, 其實一物而已. 爲德, 猶言性情功效. 鬼神無形與聲, 然物之終始, 莫非陰陽合散之所爲, 是其爲物之體, 而物所不能遺也. 其言體物, 猶易所謂幹事.)”라고 주석하였다.

12 천지와 더불어 … 된다.: 『中庸』 제22장에서 “오직 천하에 지극히 성실한 사람이라야 그 性을 다 발휘할 수 있으니, 그 성을 다 발휘할 수 있으면 사람의 性을 다 발휘할 수 있을 것이고, 사람의 성을 다 발휘할 수 있으면 사물의 性을 다 발휘할 수 있을 것이며, 사물의 性을 다 발휘할 수 있으면 천지의 化育을 도울 수 있을 것이고, 천지의 화육을 도울 수 있으면 천지와 더불어 셋이 될 수 있을 것이다.(唯天下至誠, 爲能盡其性 ; 能盡其性, 則能盡人之性 ; 能盡人之性, 則能盡物之性 ; 能盡物之性, 則可以贊天地之化育 ; 可以贊天地之化育, 則可以與天地參矣.)”라고 하였다. 이 구절에 대해 주자는 “천하에 지극히 성실한 사람은 성인의 덕의 성실함이 천하에 더할 수 없음을 이른다. 그 性을 다 발휘한다는 것은 덕이 성실하지 않음이 없기 때문에 人欲의 사사로움이 없어 자신에게 있는 天命을 살피고 행하여, 크고 작음과 정밀하고 거침이 털끝만큼도 다 발휘하지 않음이 없는 것이다. 사람과 사물의 性이 또한 나의 性인데, 다만 부여받은 形氣가 같지 않기 때문에 다름이 있을 뿐이다. 다 발휘할 수 있다는 것은 앎이 밝지 않음이 없고, 처함이 마땅하지 않음이 없다는 것이다. 贊은 助(도움)와 같다. 천지와 더불어 셋이 된다는 것은 천지와 더불어 함께 서서 셋이 됨을 이른다. 이는 誠으로 말미암아 밝아지는 사람의 일이다.(天下至誠, 謂聖人之德之實, 天下莫能加也. 盡其性者德無不實, 故無人欲之私, 而天命之在我者, 察之由之, 巨細精粗, 無毫髮之不盡也. 人物之性, 亦我之性, 但以所賦形氣不同而有異耳. 能盡之者, 謂知之無不明而處之無不當也. 贊, 猶助也. 與天地參, 謂與天地並立爲三也. 此自誠而明者之事也.)”라고 주석하였다.

13 '아래로 사람의 … 것[下學]: 『論語』「憲問」에서 “下學而上達”이라고 하였는데, 주자는 '하학'에 대해 “아래로 사람의 일을 배운다.(下學人事.)”라고 주석하였다.

14 '위로 天理에 … 것[上達]: 『論語』「憲問」에서 “下學而上達”이라고 하였는데, 주자는 '상달'에 대해 “위로 天理에 도달한다.(上達天理.)”라고 주석하였다.

倖而一得也."[16]

(주자가 말했다.) "정씨程氏(程顥·程頤)는 사람을 가르칠 때, 『논어』·『맹자』·『대학』·『중용』을 근본으로 삼았다. 배우는 사람은 반드시 이 몇 권의 책을 숙독하고 상세하게 음미하여 마음에 와 닿는 것이 있어야 비로소 스스로 깨달을 수 있을 것이다. 만약 아직 그렇지 못하다면, 독서를 할 때 익숙할 때까지 읽는 것을 싫증내지 말고, 강론講論할 때 번거로움을 싫증내서는 안 된다. 마치 리理를 가리켜 장애障礙라고 하면서 우뚝하게 앉아서 의미 없는 말이나 붙들고서 요행히 한번 깨닫기를 기다리는 것과는 같지 않다."

[54-1-10]

"看『孟子』, 與『論語』不同. 『論語』要冷看, 『孟子』要熟讀. 『論語』逐文逐意各是一義, 故用子細靜觀. 『孟子』成大段, 首尾通貫, 熟讀文義自見, 不可逐一句一字上理會也."[17]

(주자가 말했다.) "『맹자』를 보는 것은 『논어』를 보는 것과 다르다. 『논어』는 냉철하게 보아야 하고 『맹자』는 숙독해야 한다. 『논어』는 문장에 따라 의도에 따라 각각 하나의 뜻이 있으므로 자세하고 고요하게 살펴보아야 한다. 『맹자』는 큰 단락을 이루어 처음과 끝이 관통하기 때문에 숙독하면 문장의 의미가 저절로 드러나니, 한 구절과 한 글자에 따라 이해해서는 안 된다."

[54-1-11]

"講學莫先於『語』·『孟』, 而讀『論』·『孟』者又須逐章熟讀, 切己深思. 不通, 然後考諸先儒之說以發明之. 如二程先生說得親切處, 直須看得爛熟, 與經文一般成誦在心, 乃可加省察之功. 蓋與講學互相發明, 但日用應接思慮隱微之間, 每每加察. 其善端之發, 慊於吾心而合於聖賢之言, 則勉勵而力行之; 其邪志之萌, 愧於吾心而戾於聖賢之訓, 則果決而速去之. 大抵見善必爲, 聞惡必去, 不使有頃刻悠悠意態, 則爲學之本立矣. 異時漸有餘力, 然後以次漸讀諸書, 旁通當世之務, 蓋亦未晩."[18]

(주자가 말했다.) "학문을 강론하는 것에는 『논어』와 『맹자』보다 우선적인 것이 없지만, 『논어』와 『맹자』를 읽는 사람은 또 반드시 매 장章마다 숙독하여 자신에게 절실하게 깊이 생각해야 한다. 그러고도 통하지 않으면, 그런 뒤에 선배 학자들의 주장을 고찰해서 그것을 밝혀내야 한다. 예컨대 이정二程(程顥·程頤)선생이 친밀하고 절실하게 말한 것은 다만 익숙하게 보아 경문經文과 마찬가지로 마음속으로 외워야, 성찰省察의 공부를 더할 수 있다. 대개 성찰은 학문을 강론하는 것과 더불어 서로 밝히는 것이지만,

----

15 非如指理爲障 : 『朱文公文集』권43「答陳明仲」에는 "非如釋氏指理爲障.(부처가 리를 가리켜 障礙라고 말한 것과 같지 않다.)"이라고 되어 있다.
16 『朱文公文集』권43「答陳明仲」
17 『朱子語類』권19, 28조목
18 『朱文公文集』권49「答林伯和」

다만 일상생활에서 응대하고 사려하는 은미한 가운데 매번 더욱 살펴야 한다. 그 선한 단서가 발현할 때 내 마음에 흡족하고 성현의 말에도 부합하면 용기를 북돋아 힘써 실천해야 하며, 그 그릇된 뜻이 싹틀 때 내 마음에 부끄럽고 성현의 가르침에도 어긋난다면 과감히 결단하여 빨리 제거해야 한다. 대개 선을 보면 반드시 실천하고, 악을 들으면 반드시 제거해서, 잠시라도 유유자적한 태도를 가지지 않도록 하면 학문하는 근본이 서게 된다. 나중에 점차 여력이 생긴 다음에, 차례에 따라 점차적으로 여러 책을 읽어 당면한 현실의 일들에 두루 통달해도 늦지는 않을 것이다."

[54-1-12]

或問 : "讀書之法, 其用力也奈何?"

曰 : "循序而漸進, 熟讀而精思, 可也."

어떤 사람이 물었다. "책을 읽는 방법에서 힘을 쓰는 것은 어떻게 해야 합니까?"

(주자가) 대답했다. "차례에 따라 점차적으로 나아가고, 숙독하면서 정밀하게 생각하면 된다."

曰 : "然則敢問循序漸進之說."

曰 : "以『論』·『孟』二書言之, 則先『論』而後『孟』, 通一書而後及一書. 以一書言之, 其篇章文句, 首尾次第, 亦各有序而不可亂也. 量力所至, 約其程課而謹守之. 字求其訓, 句索其旨; 未得乎前, 則不敢求其後; 未通乎此, 則不敢志乎彼. 如是循序而漸進焉, 則意定理明而無疏易凌躐之患矣. 不惟讀書之法, 是乃操心之要, 尤學者不可不知."

(어떤 사람이 또) 물었다. "그렇다면 차례에 따라 점차적으로 나아간다는 말에 대해 감히 묻겠습니다."

(주자가) 대답했다. "『논어』와 『맹자』 두 책으로 말하면, 『논어』를 먼저 읽고 『맹자』를 나중에 읽는데, 한 책(『논어』)을 통달한 뒤에 다른 책(『맹자』)에 미쳐야 한다. 한 책으로 말하면 편장篇章과 문구文句에서 처음과 끝의 차례에도 각각 순서가 있으니 그것을 어지럽혀서는 안 된다. 자신의 힘이 이를 수 있는 것을 헤아려 과정課程을 정하고 삼가 그것을 지켜야 한다. 글자에 대해서는 그 의미를 구하고 구절에 대해서는 그 뜻을 찾으며, 앞에서 얻지 못하면 그 뒤를 감히 구하지 않고, 여기에 통하지 않으면 감히 저기에 뜻을 두지 않아야 한다. 이와 같이 차례에 따라 점차적으로 나아가면 뜻이 정해지고 이치가 밝아져서 경솔하게 순서를 뛰어넘는 우환이 없을 것이다. 이는 독서를 하는 방법일 뿐 아니라 마음을 다잡는 요점이니, 특히 배우는 사람이 알지 않으면 안 된다."

曰 : "其熟讀精思者何耶?"

曰 : "『論語』一章不過數句, 易以成誦. 成誦之後, 反復玩味於燕閒靜一之中, 以須其浹洽可也. 『孟子』每章或千百言, 反復論辨, 雖若不可涯者, 然其條理疏通, 語意明潔, 徐讀而以意隨之, 出入往來以十百數, 則其不可涯者將可以得於指掌間矣. 大抵觀書, 先須熟讀, 使其言皆若出於吾之口, 繼以精思, 使其意皆若出於吾之心, 然後可以有得. 至於文義有疑, 衆說分錯, 則亦虛心靜慮, 勿遽取舍於其間. 先使一說自爲一說, 而隨其意之所之以驗其通塞, 則其尤無義理者不待觀於他說而先自屈矣. 復以衆說互相詰難, 而求其理之所安, 以考其是非, 則似是而非者亦將奪於公論而無以立矣. 大抵徐行却立, 處靜觀動, 如攻堅本, 先其易者而後其節目, 如解亂繩, 有所不通, 則姑置而徐理之. 此讀書之法也."[19]

(어떤 사람이 또) 물었다. "숙독하면서 정밀하게 생각한다는 것은 어떻게 하는 것입니까?"

(주자가) 대답했다. "『논어』의 한 장章은 몇 구절에 지나지 않으니 쉽게 암송할 수 있다. 암송한 뒤에 한가롭고 고요할 때 반복해서 음미하여 반드시 그것에 푹 젖어들도록 해야 한다. 『맹자』는 매 장章마다 수천 글자가 되기도 하고 반복해서 논변하여 비록 한계지을 수 없을 것 같지만, 그러나 조리가 소통되고 말뜻이 밝으니 천천히 읽어서 생각이 그것을 따르게 하는 것을 이리저리 열 번 백 번 하면, 그 한계지을 수 없던 것을 손바닥 위에서 얻을 수 있을 것이다. 대개 책을 보는 것은 먼저 숙독해서 그 말이 모두 나의 입에서 나오는 것처럼 해야 하고, 이어서 정밀하게 생각하여 그 의미가 모두 나의 마음에서 나오는 것처럼 한 뒤에야 얻는 것이 있을 것이다. 글 뜻에 의문이 있고 여러 주장이 혼란스러우면, 또한 마음을 비워 고요히 생각해야지 그 사이에서 갑자기 취사선택하지 말아야 한다. 먼저 한 주장으로 자신의 한 주장을 만들고 그 의미가 가리키는 것에 따라 그 소통됨과 막힘을 증험하면, 그 특히 의리가 없는 것은 다른 주장을 볼 필요도 없이 먼저 저절로 수그러들 것이다. 그리고 다시 여러 주장을 가지고 서로의 주장들을 힐난하여 그 타당한 이치를 구하여 그 옳고 그름을 고찰하면, 옳은 것 같으면서 그른 것이 공론公論에 압도되어 설 수 없을 것이다. 대개 천천히 가다가 뒤로 물러서는 것과 고요함에 처해서 움직임을 보는 것은, 마치 단단한 나무를 다듬는 데에 그 쉬운 부분을 먼저 다듬고 그 옹이 부분은 나중에 다듬는 것과 같으며,[20] 마치 흐트러진 실타래를 푸는 데에 풀리지 않는 부분이 있으면 잠시 그대로 두고 천천히 풀어 나가는 것과 같다. 이것이 독서를 하는 방법이다."

[54-1-13]

"爲學之序, 爲己而後可以及人, 達理然後可以制事. 故程夫子教人先讀『論』·『孟』, 次及諸經, 然後看史, 其序不可亂也. 若恐其徒務空言, 但當就『論』·『孟』·經書中教以躬行之意, 庶不相遠. 至於左氏奏疏之言, 則皆時事利害, 而非學者切身之急務也."[21]

(주자가 말했다.) "학문을 하는 순서는 자신을 위한 공부를 한 다음에 남에게 미칠 수 있으며, 이치에 통달한 다음에 일을 처리할 수 있다. 그러므로 정부자程夫子(程顥·程頤)는 사람들을 가르칠 때, 먼저 『논어』와 『맹자』를 읽고 그 다음 여러 경전에 미치게 하였으며 그런 뒤에 역사를 보도록 했으니, 그 순서를 어지럽혀서는 안 된다. 만약 그 한갓 공허한 말에 힘쓸까 걱정이 되면, 다만 마땅히 『논어』와 『맹자』 및 경서에서 몸소 실천하는 의미를 가르쳐주면 거의 어긋나지 않을 것이다. 『춘추좌전春秋左傳』과 주소

. . . .

19 『朱文公文集』 권74 「讀書之要」

20 마치 단단한 … 같으며 : 『禮記』 「學記」에서 "잘 묻는 사람은 마치 단단한 나무를 다듬는 것과 같으니, 쉬운 부분을 먼저 다듬고 그 옹이 부분은 나중에 다듬는다.(善問者, 如攻堅木, 先其易者, 後其節目, 及其久也.)"라고 하였다.

21 『朱文公文集』 권35 「答呂伯恭」

奏疏의 글과 같은 경우는 모두 현실적인 이해에 관련된 일들이어서 배우는 사람들 자신에게 절실한 급선무가 아니다."

[54-1-14]

"凡讀書, 須看上下文義是如何, 不可泥著一字. 如揚子, '於仁也柔, 於義也剛', 到『易』中又將剛來配仁, 柔來配義. 如『論語』, '學不厭, 智也 ; 教不倦, 仁也', 到『中庸』又謂'成己, 仁也 ; 成物, 智也.' 此等須是各隨本文意看, 便自不相礙."[22]

(주자가 말했다.) "독서를 할 때는 반드시 앞뒤 글의 뜻이 어떠한지를 보아서 하나의 글자에 얽매이지 않아야 한다. 예컨대 양자揚子[揚雄]는 '인仁을 행할 때는 부드럽고, 의義를 행할 때는 굳세다.'[23]고 했는데, 『역』에서는 또 굳셈을 인에 짝짓고, 부드러움을 의에 짝지었다.[24] 예컨대 『논어』의 경우는 '배우기를 싫증내지 않는 것이 지智이고, 가르치기를 게을리 하지 않는 것이 인仁이다.'[25]고 했는데, 『중용』에서는 또 '자기를 이루는 것은 인이고, 사물을 이루어주는 것은 지이다.'[26]라고 했다. 이러한 것들은 반드시 각각 해당 문장의 뜻에 따라 보아야 곧 저절로 서로 방해되지 않는다."

．．．．．．．．．．．．．．．．．

22 『朱子語類』 권11, 113조목

23 '仁을 행할 … 굳세다.' : 揚雄의 『法言』 권9 「君子篇」에서 "어떤 사람이 군자의 부드러움과 굳셈에 대해 물었다. (양웅이) 대답했다. '군자는 인을 행할 때는 부드럽고, 의를 행할 때는 굳세다.'(或問君子之柔剛.' 曰, '君子於仁也柔, 於義也剛.')"라고 하였다.

24 『易』에서는 또 … 짝지었다. : 『易』 「說卦」에서 "옛날에 성인이 『易』을 지은 것은 그것으로써 性命의 이치를 순조롭게 하기 위해서였다. 이 때문에 하늘의 도를 세워서 陰과 陽이라 했고, 땅의 도를 세워서 柔와 剛이라고 했으며, 사람의 도를 세워서 仁과 義라고 했다. 三才를 겸하여 두 번 하였기 때문에 『易』이 여섯 번 그어서 괘가 이루어졌다. 陰으로 나뉘고 陽으로 나뉘며 柔와 剛을 차례로 쓰기 때문에 『易』이 여섯 자리에 文章을 이루었다.(昔者聖人之作『易』也, 將以順性命之理. 是以立天之道曰陰與陽, 立地之道曰柔與剛, 立人之道曰仁與義. 兼三才而兩之, 故『易』六畫而成卦. 分陰分陽, 迭用柔剛, 故『易』六位而成章.)"라고 하였다.

25 '배우기를 싫증내지 … 仁이다.' : 『論語』 「述而」에서는 "공자가 말했다. '묵묵히 기억하며 배우고 싫어하지 않으며 사람 가르치기를 게을리 하지 않는 것에서 어느 것이 나에게 있겠는가?(子曰, '默而識之, 學而不厭, 誨人不倦, 何有於我哉?)"라고 하였다.
『孟子』 「公孫丑上」에서 "예전에 子貢이 공자에게 물어 말하기를 '夫子는 성인이십니다.'라고 하자, 공자가 말하기를 '성인은 내가 감당할 수 없지만 나는 배우기를 싫어하지 않고 가르치기를 게을리 하지 않는다.'라고 하니, 자공이 말하기를 '배우기를 싫증내지 않는 것은 智이고, 가르치기를 게을리 하지 않는 것은 仁입니다. 仁하고 또 智하시니, 夫子는 이미 성인이십니다.' 하였다.(昔者子貢問於孔子曰, '夫子聖矣乎?' 孔子曰, '聖則吾不能, 我學不厭而教不倦也.' 子貢曰, '學不厭, 智也 ; 教不倦, 仁也. 仁且智, 夫子旣聖矣!')"라고 하였다.

26 '자기를 이루는 … 지이다.' : 『中庸』 25장에서 "誠은 스스로 자기만을 이룰 뿐이 아니라 사물을 이루어준다. 자기를 이루는 것은 仁이고 사물을 이루어 주는 것은 智이다. 이는 性의 덕으로서 내외를 합한 도이니, 때에 맞추어 쓰는 것이 마땅하다.(誠者非自成己而已也, 所以成物也. 成己, 仁也 ; 成物, 知也. 性之德也, 合外內之道也, 故時措之宜也.)"라고 하였다.

[54-1-15]

"凡看文字, 少看熟讀, 一也 ; 不要鑽硏立說, 但要反復體驗, 二也 ; 埋頭理會, 不要求效, 三也. 三者, 學者所當守."[27]

(주자가 말했다.) "무릇 글을 볼 때는 적게 보더라도 숙독하는 것이 하나이고, 천착해서 주장을 세우려고 하지 말고 다만 반복해서 몸소 증험하려고 하는 것이 둘이며, 몰두해서 이해하려고 하지 효과를 구하려고 하지 않는 것이 셋이다. 세 가지는 배우는 사람들이 마땅히 지켜야 하는 것이다."

[54-1-16]

"看文字傷太快, 恐不子細. 須是理會得底更須將來看, 此不厭熟. 熟後更看, 方始滋味出."[28]

(주자가 말했다.) "글을 볼 때에 너무 빨리 읽는 것은 해로우니, 자세하지 못할까 걱정되기 때문이다. 이미 이해한 것도 반드시 다시 보아야 하니, 이것은 무르익는 것을 싫증내지 않는 것이다. 무르익은 다음에도 다시 보아야만 비로소 훌륭한 맛이 생겨날 것이다."

[54-1-17]

"看文字須是如猛將用兵, 直是鏖戰一陣 ; 如酷吏治獄, 直是推勘到底, 決是不恕他, 方得."[29]

(주자가 말했다.) "글을 볼 때는 반드시 마치 용맹한 장수가 전쟁할 때 그야말로 악전고투惡戰苦鬪하는 것처럼 하고, 가혹한 관리가 감옥을 다스릴 때 그야말로 끝까지 죄인을 취조해서 결코 그를 용서하지 않을 것처럼 해야 한다."

[54-1-18]

"大凡文字有未曉處, 須下死工夫, 直要見得道理是自家底, 方佳."[30]

(주자가 말했다.) "대개 글 가운데 미처 깨닫지 못한 곳이 있으면 반드시 피나는 노력을 기울여 그야말로 도리를 깨닫는 것이 자신의 것이 되도록 해야 비로소 괜찮다."

[54-1-19]

"看文字, 當如高艤大艑, 順風張帆, 一日千里, 方得. 如今只纏離小港, 便著淺了, 濟甚事? 文字不通如此看."[31]

(주자가 말했다.) "글을 볼 때는 마땅히 마치 높고 큰 배들이 바람을 따라서 돛을 펼쳐 하루에 천리를

. . . .

27 『朱子語類』 권10, 36조목
28 『朱子語類』 권113, 23조목
29 『朱子語類』 권10, 25조목
30 『朱子語類』 권10, 26조목
31 『朱子語類』 권10, 28조목

가는 것처럼 해야 한다. 이제 다만 작은 항구를 떠나자마자 곧 얕은 곳에 정착해버린다면 무슨 일을 성사시키겠는가? 글이 통하지 않는 것은 이와 같이 보기 때문이다."

[54-1-20]

問: "看文字, 爲衆說雜亂, 如何?"

曰: "且要虛心, 逐一說看去, 看得一說, 却又看一說, 看來看去, 是非長短, 皆自分明. 譬如人欲知一箇人是好人, 是惡人, 且隨他去看. 隨來隨去, 見他言語動作, 便自知他好惡."[32]

물었다. "글을 볼 때 여러 주장들이 섞이고 혼란스러우면 어떻게 해야 합니까?"

(주자가) 대답했다. "또한 마음을 비우고 한 주장씩 보아야 하니, 한 주장을 보고 나서 또 한 주장을 보아 이리저리 보면, 옳고 그름과 장점과 단점이 모두 저절로 분명해진다. 비유컨대 어떤 사람이 좋은 사람인지 나쁜 사람인지를 알려고 하면, 또한 그를 따라가 보아야 하는 것과 같다. 이리저리 따라다니면서 그의 말과 행동을 보면, 곧 그의 좋고 나쁜 점을 저절로 알게 된다."

[54-1-21]

"凡人看文字, 初看時心尙要走作, 道理尙見得未定, 猶没奈他何. 到看得定時, 方入規矩, 又只是在印板上面說相似, 都不活. 不活則受用不得. 須是玩味反復, 到得熟後, 方始會活, 方始會動, 方有得受用處. 若只恁生記去, 這道理便死了."[33]

(주자가 말했다.) "무릇 사람들이 글을 볼 때, 처음 볼 때는 마음이 아직도 밖으로 달아나려 하고 도리도 아직 확실히 알지 못하므로 또한 그것을 어떻게 할 수 없다. 확실히 보게 되었을 때, 비로소 기준에 들어맞게 되어도 또 다만 인쇄할 목판 위에 쓰여진 말과 같아 전혀 생동적이지 않다. 생동적이지 않으면 누릴 수가 없다. 반드시 반복해서 음미하여 익숙해진 다음에야 비로소 생동적이게 되어, 비로소 움직일 수 있으며, 비로소 누릴 곳이 있게 된다. 만약 다만 그렇게 억지로 기억해 간다면, 이 도리는 곧 생명력을 잃어버릴 것이다."

[54-1-22]

"看文字, 若便以爲曉得, 則便住了. 須是曉得後, 更思量後面尙有也無. 且如今有人把一篇文字來看, 也未解盡知得他義, 況於義理! 前輩說得恁地, 雖是易曉, 但亦未解便得其意. 須是看了又看, 只管看, 只管有."[34]

(주자가 말했다.) "글을 볼 때에 만약 곧바로 이해했다고 생각하는 사람은 곧 멈춘다. 반드시 이해한 후에 아직도 이해하지 못한 것이 뒤에 남아 있는지 없는지 다시 생각해야 한다. 예컨대 지금 어떤 사람이

32 『朱子語類』 권11, 32조목
33 『朱子語類』 권11, 17조목
34 『朱子語類』 권10, 89조목

한 편의 글을 가지고 와서 보는 글에도 또한 그 의미를 완전히 알아 이해하지 못하는데, 하물며 의리이겠는가! 이전 사람들이 그와 같이 말한 것은 비록 이해하기에 쉽지만, 또한 곧바로 그 의미를 얻어서 이해하지는 못한다. 반드시 보고 또 보아야 하니, 다만 계속해서 보아 나가면 이해하는 것이 있게 될 것이다."

[54-1-23]
"看文字有兩般病. 有一等性鈍底人, 向來未曾看, 看得生, 卒急看不出, 固是病. 又有一等敏鈍底人, 多不肯仔細, 易得有忽略之意, 不可不戒."[35]
(주자가 말했다.) "글을 보는 것에는 두 종류의 병폐가 있다. 한 종류는 성품이 둔한 사람인데, 이전에 본 적이 없고 읽어도 생소하여 급박해도 보아 낼 수 없으니 진실로 병폐이다. 다른 한 종류는 민첩하고 예민한 사람인데, 대부분 자세히 보려고 하지 않고 소홀히 하려는 생각을 쉽게 갖게 되니, 경계하지 않을 수 없다."

[54-1-24]
"看文字須子細. 雖是舊曾看過, 重溫亦須子細, 每日可看三兩段. 不是於那疑處看, 正須於那無疑處看, 蓋工夫都在那上."[36]
(주자가 말했다.) "글을 볼 때는 반드시 자세히 보아야 한다. 비록 예전에 보았던 것이라도 거듭 익히기를 또한 자세히 하면 매일 두세 문단을 볼 수 있다. 저 의심스러운 곳을 보는 것이 아니라, 바로 저 의심이 없는 곳에서 보아야 하는 것은 공부가 모두 거기에 있기 때문이다."

[54-1-25]
"看文字要急迫不得, 有疑處, 且漸漸思量. 若一下便要理會得, 也無此理."[37]
(주자가 말했다.) "글을 볼 때는 급박하게 해서는 안 되니, 의심나는 곳이 있으면 또한 차근차근 생각해야 한다. 만약 단번에 곧바로 이해하려고 한다면, 또한 그런 이치는 없을 것이다."

[54-1-26]
"看文字, 須是退步看, 方可見得. 若一向近前迫看, 反爲所遮蔽, 轉不見矣."[38]
(주자가 말했다.) "글을 볼 때는 반드시 한 걸음 물러나서 보아야 비로소 알 수 있다. 만약 줄곧 앞으로 향하면서 다급하게 보면, 도리어 막히고 가려져서 보이지 않을 것이다."

---

35 『朱子語類』 권10, 79조목
36 『朱子語類』 권10, 74조목
37 『朱子語類』 권11, 71조목
38 『朱子語類』 권11, 72조목

[54-1-27]

"看文字先有意見, 恐只是私意. 謂如粗厲者觀書, 必以勇果強毅爲主；柔善者觀書, 必以慈祥寬厚爲主. 書中何所不有?"[39]

(주자가 말했다.) "글을 볼 때 먼저 자기의 의견을 가지고 있는 것은 아마도 다만 사사로운 생각일 뿐이다. 예컨대 거칠고 사나운 사람이 책을 볼 때는 반드시 용감하여 과감하고 강인하여 굳센 것을 주로 볼 것이며, 부드럽고 착한 사람이 책을 볼 때는 반드시 자애로워 상냥하고 너그러워 두터운 것을 주로 볼 것이다. 책 속에 무엇인들 있지 않은 것이 있겠는가?"

[54-1-28]

"看文字, 不可過於疎, 亦不可過於密. 蓋太謹密, 則少間看道理從那窮處去, 更插不入. 不若且放下放開闊看."[40]

(주자가 말했다.) "글을 볼 때는 지나치게 소홀해서도 안 되고 또한 지나치게 치밀해서도 안 된다. 대개 지나치게 신중하고 치밀하면 잠깐 동안 도리를 보는 것이 그 막힌 곳에로 가서 더 이상 끼어 들지를 못한다. 이것은 잠깐 내버려두었다가 기백을 살려 보는 것만 못하다."

[54-1-29]

"看文字, 須逐字看得無去處. 譬如前後門塞定, 更去不得, 方始是."[41]

(주자가 말했다.) "글을 읽을 때는 반드시 글자마다 더 이상 갈 곳이 없을 때까지 보아야 한다. 비유컨대 앞뒤의 문이 꽉 막혀서 더 이상 갈 수가 없는 것처럼 되어야 비로소 옳다."

[54-1-30]

"文字大節目痛理會三五處, 後當迎刃而解. 學者所患, 在於輕浮, 不沈著痛快."[42]

(주자가 말했다.) "글의 중요한 조목 가운데 서넛이나 댓 곳을 통렬하게 이해하고 나면 뒤에는 당연히 칼날을 대기만 해도 쪼개지는 것처럼[43] 순순히 풀리게 된다. 배우는 사람들에게 근심거리가 되는 것은 경박스러워서 통쾌하게 풀릴 때까지 침잠하지 않는 것에 달려 있다."

---

39 『朱子語類』 권11, 63조목
40 『朱子語類』 권120, 102조목
41 『朱子語類』 권10, 17조목
42 『朱子語類』 권10, 14조목
43 칼날을 대기만 … 것처럼 : 『晉書』 권34 「列傳·杜預」에서 "이제 군대의 위세를 떨친 것이 비유컨대 대나무를 몇 마디로 쪼갠 뒤에는 칼날을 대기만 해도 순순히 쪼개져서 더 이상 손댈 필요가 없는 것과 같다.(今兵威已振, 譬如破竹數節之後, 皆迎刃而解, 無復著手處也.)"라고 하였다.

[54-1-31]

"學者初看文字, 只見得箇渾淪物事. 久久看作三兩片, 以至於十數片, 方是長進. 如庖丁解牛, 目視無全牛, 是也."[44]

(주자가 말했다.) "배우는 사람이 처음 글을 볼 때는 다만 한 덩어리의 물건을 볼 수 있을 뿐이다. 그렇게 오랫동안 보다보면 두세 부분으로 보이다가 십 수 부분으로 나누어 지는데 이르게 되면 비로소 장족의 진보를 한 것이다. 예컨대 포정이 소를 잡을 때 눈에 온전한 소로 보임이 없었다는 것이[45] 이것이다."

[54-1-32]

"看文字, 且自用工夫, 先已切至, 方可擧所疑, 與朋友講論. 假無朋友, 久之能自見得. 蓋蓄積多者忽然爆開, 便自然通, 此所謂'何天之衢? 亨'也. 蓋蓄極則通, 須是蓄之極, 則通."[46]

(주자가 말했다.) "글을 볼 때는 우선 스스로 공부를 하여 먼저 자신부터 절실하고 지극해져야, 비로소 의심나는 것을 들어서 친구와 강론할 수 있다. 설사 친구가 없더라도 오래 그렇게 공부하다 보면 저절로 알게 될 것이다. 대개 축적된 것이 많으면 홀연히 확 트여서 곧 자연스럽게 통달하게 되니, 이것이 이른 바 '어찌하여 하늘의 길처럼 그리 깊이 통달했는가? 형통하구나.'[47]라는 것이다. 대개 축적된 것이 지극하면 통달하니, 반드시 지극하게 축적해야만 통달하게 된다."

[54-1-33]

問 : "看文字只就本句, 固是見得古人本意. 然不推廣之, 則用處又易得不相決, 如何?"

曰 : "須是本句透熟, 方可推. 若本句不透熟, 不惟推便錯, 於未推時已錯了."[48]

물었다. "글을 볼 때는 본래의 구절에 나아가야 참으로 옛사람의 본 뜻을 알 수 있습니다. 그러나 그것을 미루어 넓히지 않으면, 쓰는 곳이 또한 쉽게 서로 융합되지 못하니, 어떻게 해야 합니까?"

(주자가) 대답했다. "반드시 본래 구절에 투철하게 익숙해져야 비로소 미루어 넓힐 수 있다. 만약 본래 구절에 아직 투철하게 익숙하지 않으면, 미루어 넓혀도 바로 틀릴 뿐 아니라 미루어 넓히지 않았을 때에도 이미 틀렸다."

[54-1-34]

"凡看文字, 諸家說異同處最可觀. 某舊日看文字, 專看異同處. 如謝上蔡之說如彼, 楊龜山之說如此, 何者爲得, 何者爲失, 所以爲得者是如何, 所以爲失者是如何."[49]

· ·

44 『朱子語類』 권10, 15조목

45 포정이 소를 … 것이 : 『莊子』「養生主」

46 『朱子語類』 권11, 77조목

47 '어찌하여 하늘의 … 형통하구나.' : 『易』「大畜」上九 효사

48 『朱子語類』 권117, 39조목

49 『朱子語類』 권104, 19조목

(주자가 말했다.) "무릇 글을 볼 때 여러 학자들의 주장들이 다른 점과 같은 점이 가장 볼 만하다. 나는 예전에 글을 볼 때 오로지 다른 점과 같은 점만을 보았다. 예컨대 사상채謝上蔡[謝良佐]의 주장은 저와 같고 양구산楊龜山[楊時]의 주장은 이와 같은데, 어느 것이 성공을 했고 어느 것이 실패를 했으며, 성공하게 된 까닭은 무엇이고 실패하게 된 까닭은 무엇인지를 보는 것과 같은 것이다."

[54-1-35]

"看文字, 須大段著精彩看. 竦起精神, 豎起筋骨, 不要困, 如有刀劒在後一般. 就一段中, 須要透, 擊其首則尾應, 擊其尾則首應, 方始是. 不可按冊子便在, 掩了冊子便忘却."[50]

(주자가 말했다.) "글을 볼 때는 반드시 매우 정밀하고 분명하게 보아야 한다. 정신을 바짝 차리고 온몸을 긴장하여 졸아서는 안 되니, 마치 칼이 등 뒤에 있는 것과 같이 해야 한다. 한 단락에서도 반드시 투철해야 하니, 그 단락의 앞부분을 치면 뒷부분이 응하고, 그 뒷부분을 치면 앞부분이 응하는 것처럼[51] 해야 비로소 옳다. 책을 어루만질 때는 기억에 남아 있지만, 책을 덮으면 곧 망각해서는 안 된다."

[54-1-36]

"凡看文字, 專看細密處, 而遺却緩急之間者, 固不可. 專看緩急之間, 而遺却細密者, 亦不可. 今日之看, 所以爲他日之用. 須思量所以看者何爲, 非只是空就言語上理會得多而已也. 須是切己用功,[52] 使將來自得之於心, 則視言語誠如糟粕. 然今不可便視爲糟粕也, 但當自期向到彼田地爾."[53]

(주자가 말했다.) "글을 볼 때 오로지 세밀한 곳만 보고 느슨한 것과 급한 것의 중간에 있는 것을 빼놓는 것은 본디 안 된다. 오로지 느슨한 것과 급한 것의 중간에 있는 것만 보고 세밀한 곳을 빼놓는 것도 역시 안 된다. 오늘 보는 것은 훗날의 쓰임을 위한 것이다. 반드시 읽는 까닭이 무엇인지를 생각해야 하니, 다만 헛되이 언어에서 많이 이해하는 것만은 아니다. 반드시 자신에게 절실한 것에 노력을 기울여 장래에 스스로 그것을 마음에 깨닫도록 하면, 언어는 진실로 마치 찌꺼기처럼 보게 될 것이다. 그러나 지금 곧바로 찌꺼기로 보아서는 안 되니, 다만 마땅히 스스로 저 경지를 향해 가도록 기약해야 한다."

[54-1-37]

"看文字不可落於偏僻, 須是周匝. 看得四通八達, 無些窒礙, 方有進益. 某解『語』·『孟』, 訓

---

50 『朱子語類』 권10, 21조목
51 앞부분을 치면 … 것처럼 : 孫武의 『孫子』「九地」에서 "그 머리를 치면 꼬리가 다가오고, 그 꼬리를 치면 머리가 다가온다.(擊其首則尾至, 擊其尾則首至.)"라고 하였다.
52 須是切己用功 : 『朱子語類』 권11, 46조목에는 이 구절 앞에 "譬如拭桌子, 只拭中心, 亦不可 ; 但拭四弦, 亦不可.(비유컨대 탁자를 닦을 때 다만 가운데만 닦아도 안 되고, 다만 네 귀퉁이만 닦아도 안 되는 것과 같다.)"라는 말이 더 있다.
53 『朱子語類』 권11, 46조목

詁皆存. 學者觀書不可只看緊要處, 閑慢處要都周匝. 今說‘求放心’, 未問其他, 只此便是‘博學而篤志, 切問而近思, 仁在其中矣.’‘博學而篤志, 切問而近思’, 方是讀書, 却說‘仁在其中’, 蓋此便是‘求放心’也.”[54]

(주자가 말했다.) “글을 볼 때에 편파적인 데에 빠져서는 안 되니, 반드시 두루 보아야 한다. 보는 것이 사방팔방으로 두루 통해서 조금의 막힘도 없어야, 비로소 진보와 이로움이 있게 된다. 내가 『논어』와 『맹자』를 해석할 때 훈고를 모두 갖추어 놓았다. 배우는 사람이 책을 볼 때는 단지 중요한 곳만 보아서는 안 되고, 중요하지 않은 곳도 두루 보아야 한다. 이제 ‘잃어버린 마음을 찾는다.’[55]고 말하면서 다른 것은 묻지 않는데, 다만 이것이 바로 ‘널리 배우고 뜻을 돈독하게 하며, 절실하게 묻고 가까운 데서 생각하면, 인이 그 가운데 있다.’[56]는 것이다. ‘널리 배우고 뜻을 돈독하게 하며, 절실하게 묻고 가까운 데서 생각한다.’라는 것이 비로소 독서를 하는 것인데, 도리어 ‘인이 그 가운데 있다.’고 말하는 것은 이것이 바로 ‘잃어버린 마음을 찾는 것’이기 때문이다.”

[54-1-38]

“看文字, 且依本句, 不要添字. 那裏元有縫罅, 如合子相似, 自家只去抹開. 不是渾淪底物, 硬去鑿；亦不可先立說, 牽古人意來湊.”[57]

(주자가 말했다.) “글을 볼 때는 우선 본래 구절에 의거해야지 글자를 덧붙여서는 안 된다. 거기에는 원래 틈새가 있는 것이 마치 상자와 비슷하니, 자신이 다만 밀쳐 열어야 한다. 한 덩어리로 된 것을 억지로 뚫어내는 것이 아니고, 또한 먼저 주장을 세우고 옛사람의 생각을 끌어 모아도 안 된다.”

[54-1-39]

“看文字專要看做裏面去如何, 裏面也更無去處, 不著得許多言語. 這裏只‘主一無適’ㆍ‘敬以直內’涵養去. 嘗謂文字寧是看得淺, 不可太深；寧是低看, 不可太高. 蓋淺近雖未能到那切近處, 更就上面推尋, 却有見時節. 若太深遠, 更無回頭時.”[58]

(주자가 말했다.) “글을 볼 때는 오로지 그 속으로만 들어가서 그것이 어떠한지를 보아야 하니, 그 속에

----

54 『朱子語類』 권11, 59조목
55 ‘잃어버린 마음을 찾는다.’ : 『孟子』 「告子上」에서 “사람이 닭과 개가 도망가면 찾을 줄 알지만 마음을 잃어버리고는 찾을 줄 모르니, 학문하는 방법은 다른 것이 없다. 그 잃어버린 마음을 찾는 것일 뿐이다.(人有鷄犬放, 則知求之, 有放心而不知求, 學問之道, 無他, 求其放心而已矣.)”라고 하였다.
56 ‘널리 배우고 … 있다.’ : 『論語』 「子張」. 주희는 이 구절에 대해 “이 네 가지는 모두 博學ㆍ審問ㆍ愼思ㆍ明辨의 일들이니, 힘써 실천해서 仁을 실행하는 데는 미치지 못한다. 그러나 여기에 종사하면 마음이 밖으로 치달리지 않아 보존하고 있는 것이 저절로 익숙해진다. 그러므로 인이 그 가운데 있다고 말한 것이다.(四者, 皆學問思辨之事耳, 未及乎力行而爲仁也. 然從事於此, 則心不外馳, 而所存自熟. 故曰仁在其中矣.)”라고 주석하였다.
57 『朱子語類』 권11, 60조목
58 『朱子語類』 권120, 24조목

또한 더 이상 들어갈 곳이 없으면 많은 말이 필요가 없다. 여기서는 다만 '마음을 오로지 한 곳에 집중하여 다른 마음을 가지지 않고', '경敬으로 내면을 곧게 하는 것'으로 함양해 가야 한다. 일찍이 글은 차라리 얕게 볼지언정 너무 깊어서는 안 되고, 차라리 낮게 볼지언정 너무 높아서는 안 된다고 말한 적이 있다. 대개 얕고 가까운 것은 비록 그 절실하고 가까운 곳에는 도달할 수 없지만, 더욱 위쪽으로 추구하여 찾아가면 오히려 이해할 때가 있다. 만약 너무 깊고 멀면 다시는 뒤돌아 볼 때가 없다."

[54-1-40]
"凡看文字, 先須曉其文義, 然後可求其意. 未有文義不曉而見意者也."[59]
(정자가 말했다.) "무릇 글을 볼 때는 먼저 그 글의 뜻을 알고 난 다음에 그 의미를 구해야 한다. 글의 뜻을 알지 못하고 의미를 이해한 사람은 있은 적이 없다."

[54-1-41]
"某嘗說, 文字不難看, 只是讀者心自嶢崎了, 看不出. 若大著意思反復熟看, 那正當道理自湧出來. 不要將那小意智私見識去間亂他, 如此無緣看得出. 如千軍萬馬從這一條大路去, 行伍紀律, 自是不亂. 若撥數千人從一小路去, 空攪亂了正當底行陣, 無益於事."[60]
(주자가 말했다.) "나는 일찍이 글은 보기가 어렵지 않은데 다만 읽는 사람의 마음이 스스로 기괴해져서 보지 못할 뿐이라고 말한 적이 있다. 만약 뜻을 크게 하고 반복하여 익숙하게 본다면 그 정당한 도리가 저절로 용솟음쳐 나올 것이다. 작은 주관과 사적인 식견을 가지고 그것을 끊어놓고 어지럽혀서는 안 되니, 이와 같이 하면 볼 수 있는 방법이 없다. 예컨대 천군만마가 이 하나의 대로大路로 가면 대오와 기율이 저절로 어지럽지 않게 된다. 만약 수천 명을 떼어내 어떤 소로小路로 가면서 공연히 정정당당한 행진을 교란시킨다면 일에 도움이 되지 않을 것이다."

[54-1-42]
"凡看文字, 須看古人下字意思是如何. 且如前輩作文, 一篇中須看他用意在那裏. 如杜子美詩云, '更覺良工用心苦.' 一般人看畫, 只見得是畫一般; 識底人看, 便見得他精神妙處, 知得他用心苦也."[61]
(주자가 말했다.) "무릇 글을 볼 때는 반드시 옛사람들이 그 글자를 쓴 의도가 무엇인지를 보아야 한다. 예컨대 선배들이 지은 글에 대해서는 한 편 속에서 반드시 그의 의도가 어디에 있는지를 보아야 한다. 예컨대 두자미杜子美杜甫의 시에서 '다시 훌륭한 화공의 고심을 느낀다.'고 말한 것처럼, 보통사람들이 그림을 보면 다만 그림만을 볼 뿐이지만, 식견이 있는 사람이 보면 그 정신의 신묘한 곳을 볼 수 있어서

59 『河南程氏遺書』 권22상
60 『朱子語類』 권121, 37조목
61 『朱子語類』 권19, 44조목

그가 고심한 것을 알게 된다는 것이다."

[54-1-43]

"看注解時, 不可遺了緊要字. 蓋解中有極散緩者, 有緩急之間者, 有極緊要者. 某下一字時, 直是稱輕等重, 方敢寫出."[62]

(주자가 말했다.) "주석과 해설을 볼 때 긴요한 글자를 빠뜨려서는 안 된다. 해설 가운데는 매우 산만하여 느슨한 것도 있고, 느슨한 것과 급한 것의 중간도 있으며, 매우 긴요한 것도 있기 때문이다. 나는 한 글자를 쓸 때도 다만 경중을 헤아려 알맞게 한 다음에야, 비로소 감히 써냈다."

[54-1-44]

"讀書須是將本文熟讀, 字字咀嚼敎有味. 若有理會不得處, 深思之, 又不得, 然後却將註脚看, 方有意味. 如人飢而後食, 渴而後飲, 方有味. 不飢不渴而强飲食之, 終無益也."

又曰 : "某所集註『論語』, 至於訓詁皆仔細者, 蓋要人字字與某著意看, 字字思索到, 莫要只作等閑看過了."[63]

(주자가 말했다.) "독서를 할 때는 반드시 본문을 익숙하게 읽으며 글자마다 곱씹어서 맛이 나도록 해야 한다. 만약 이해할 수 없는 곳이 생기면 깊이 생각하고, 그래도 이해할 수 없으면 그런 뒤에 주석을 보아야 비로소 의미가 있게 될 것이다. 예컨대 사람들이 배고픈 뒤에 먹고 목마른 뒤에 마셔야 비로소 맛이 있는 것과 같다. 배고프지도 않고 목마르지도 않은데 억지로 먹고 마시면 끝내 유익함이 없을 것이다."

(주자가) 또 말했다. "내가 『논어』에 집주를 붙일 때 훈고에까지 모두 자세하게 붙인 곳은, 사람들에게 글자마다 나와 같이 주의를 기울여 보아 글자마다 사색하도록 한 것이지, 다만 등한하게 보고 지나가도록 한 것이 아니다."

[54-1-45]

"凡人讀書, 若窮得到道理透處, 心中也替他一本作潛地快活. 若有疑處, 須是參諸家解熟看. 看得有差互時, 此一段終是不穩在心頭, 不要放過."[64]

(주자가 말했다.) "무릇 사람들이 독서를 할 때 만약 도리를 투철하게 궁구했다면, 마음속에서도 그것 때문에 어떤 판본에는 '암중으로潛地'라고 되어 있다. 즐거워질 것이다. 만약 의심나는 곳이 있으면 반드시 여러 학자들의 해설을 참고하여 익숙하게 보아야 한다. 본 것이 틀렸을 때는 그 한 단락이 끝내 마음에서 평온하지 않을 것이니 내버려 두어서는 안 된다."

....

62 『朱子語類』 권11, 111조목
63 『朱子語類』 권11, 105조목
64 『朱子語類』 권11, 107조목

[54-1-46]

“前輩解說, 恐後學難曉, 故『集註』盡撮其要, 已說盡了. 不須更去註脚外又添一段說話, 只把這簡熟看, 自然曉得. 莫枉費心去外面思量.”[65]

(주자가 말했다.) “선배들이 해설한 것을 후학들이 이해하기 어려울까 염려되었기 때문에,『집주集註』에서는 그 요점을 모두 다 취합하여 이미 충분히 설명했다. 다시 주석 외에 또 일단의 설명을 덧붙일 필요가 없으니, 다만 이것을 익숙하게 보면 자연스럽게 이해하게 될 것이다. 쓸데없이 신경을 써서 바깥으로 나아가 생각하지 않아야 한다.”

[54-1-47]

“看講解, 不可專徇他說, 不求是非, 便道前賢言語皆的當. 如『遺書』中語, 豈無過當失實處, 亦有說不及處.”

又云: “初看時便先斷以己意, 前聖之說皆不可入. 此正當今學者之病, 不可不知.”[66]

(주자가 말했다.) “강론이나 해설을 볼 때 오로지 그들의 설명을 따라 옳고 그른지를 탐구하지도 않은 채, 곧바로 선현들의 말이 모두 합당하다고 말해서는 안 된다. 예컨대『유서遺書[河南程氏遺書]』의 말 중에 어찌 적당한 한도를 넘어서 실질을 잃은 곳이 없겠으며, 또 설명이 미치지 못한 곳이 없겠는가!”

(주자가) 또 말했다. “처음 볼 때 곧바로 자기 생각으로 먼저 단정하면, 이전 성인들의 말은 아예 들어올 수 없다. 이것이 바로 요즘 배우는 사람들의 병폐이니, 알지 않으면 안 된다.”

[54-1-48]

“聖人言語本自明白, 不須解說. 只爲學者看不見, 所以做出註解, 與學者省一半力. 若註解上更看不出, 却如何看得聖人意出?”

又曰: “凡看文字, 端坐熟讀, 久久於正文邊自有細字註解迸出來, 方是自家見得.[67] 只於外面捉摸簡影子說, 終不濟事.”[68]

(주자가 말했다.) “성인의 말은 본래 그 자체로 명백하여 해설할 필요가 없다. 다만 배우는 사람이 볼 줄 모르기 때문에 주석을 붙여서 학자들에게 절반의 힘을 덜어주는 것이다. 만약 주석에 대해서도 또다시 보아도 이해하지 못한다면, 또한 어떻게 성인의 뜻을 볼 수 있겠는가?”

(주자가) 또 말했다. “무릇 글을 볼 때에는 단정하게 앉아 숙독하고, 본문을 오래도록 보면 옆에 저절로 작은 주석들이 아울러 드러나 비로소 자신이 이해할 수 있을 것이다. 다만 바깥에서 그림자만 쫓는

----

65 『朱子語類』권19, 63조목
66 『朱子語類』권11, 94조목
67 方是自家見得. :『朱子語類』권19, 76조목에는 “方是自家見得親切.(비로소 자신이 이해한 것이 친밀하고 절실해질 것이다.)”이라고 되어 있다.
68 『朱子語類』권19, 76조목

것같이 말하면 끝내 일을 이루지 못할 것이다."

[54-1-49]

問明道說話.

曰: "最難看. 須是輕輕地挨傍他, 描摸他意思, 方得. 若將來解, 解不得. 須是看得道理大段熟, 方可看."[69]

명도明道[程顥]의 말에 대해서 물었다.

(주자가) 대답했다. "가장 보기 어렵다. 반드시 가만히 그의 곁으로 다가가서 그의 뜻을 헤아려 보아야 비로소 알 수 있을 것이다. 만일 나에게로 가지고 와서 풀이해 보려고 한다면 풀이하지 못할 것이다. 반드시 도리를 보는 것이 매우 익숙해야만 비로소 볼 수 있을 것이다."

[54-1-50]

東萊呂氏曰: "讀書有思索人, 往往不苟. 不曾讀書與曾讀書識理趣者, 觀其所爲便可見."[70]

동래 여씨東萊呂氏[呂祖謙]가 말했다. "독서를 하고 사색하는 사람은 행위가 구차하지 않음이 있다. 독서를 한 적이 없는 사람과 독서를 하여 의리의 정취를 알고 있는 사람은 그 사람의 행위를 보면 곧바로 알 수 있다."

[54-1-51]

"凡讀書必務精熟. 若或記性遲鈍, 則多誦遍數, 自然精熟, 記得堅固. 若是遍數不多, 只務强記, 今日成誦, 來日便忘, 其與不曾讀誦何異?"[71]

(여조겸이 말했다.) "무릇 독서를 할 때는 반드시 정밀하고 익숙하도록 힘써야 한다. 만약 기억력이 느리고 둔하면 여러 번 많이 외워서 저절로 정밀하고 익숙하게 되어야만, 기억한 것이 견고하게 된다. 만약 외운 횟수가 많지 않은데 다만 억지로 기억하려고 하면, 오늘 암송한 것을 다음 날 곧바로 잊어버리니, 그것은 읽어서 외우지 않은 것과 무엇이 다르겠는가?"

[54-1-52]

"凡爲學之道, 必先至誠, 不誠未有能至焉者也. 何以見其誠? 居處齊莊, 志意凝定, 不妄言, 不苟笑, 開卷伏讀, 必起恭敬如對聖賢; 掩卷沈思, 必根義理以閑邪僻. 行之悠久, 習與性成, 便有聖賢前輩氣象."[72]

· ·

69 『朱子語類』 권97, 8조목
70 呂祖謙, 『東萊集』 권6 「外集」
71 呂祖謙, 『少儀外傳』 권上
72 呂祖謙, 『少儀外傳』 권上

(여조겸이 말했다.) "무릇 학문을 하는 방법은 반드시 먼저 지극히 성실해야 하니, 성실하지 않고도 학문의 경지에 이를 수 있는 사람은 없었다. 무엇을 통해서 그가 성실한지를 알 수 있는가? 기거하는 것이 장엄하고 의지가 견고하게 정해지며, 함부로 말하지 않고 제멋대로 웃지 않으며, 책을 펴면 공손하게 읽어서 반드시 공경스러운 마음을 일으키는 것이 마치 성현을 마주하는 것 같고, 책을 덮으면 깊게 사색해서 반드시 의리에 근본하여 사악한 것을 막는 것이다. 그것을 실천하기를 오래하여 습관이 천성처럼 굳어지면 성현과 선배들의 기상이 있게 된다."

[54-1-53]

"爲學之本, 莫先於讀書. 讀書之法, 須令日有課程. 句讀有未曉, 大義有未通, 不惜與人商確, 不惜就人授讀. 凡人多以此爲恥, 曾不知不如是, 則有終身之恥也."[73]

(여조겸이 말했다.) "학문을 하는 근본은 독서를 하는 것보다 우선하는 것이 없다. 독서를 하는 방법은 반드시 매일 계획된 과정이 있도록 하는 것이다. 구두句讀에 분명하지 않은 점이 있거나 대의大義에 통달하지 못하는 점이 있으면, 다른 사람과 상의하는 것을 애석하게 여기지 말고 다른 사람에게 나아가 구두를 배우는 것을 애석하게 여기지 말아야 한다. 사람들은 대부분 이렇게 하는 것을 부끄럽게 생각하는데, 끝내 이와 같지 않다는 것을 알지 못하면 평생의 수치가 있게 된다."

[54-1-54]

"後學讀書未曾識得目前大略, 便要說性命, 此極是害事. 爲學自有等級."[74]

(여조겸이 말했다.) "후학들이 독서를 할 때에 눈앞에 있는 대강을 알아내지 못한 채 곧바로 성명性命을 말하려고 하니, 이것은 일을 매우 해치는 것이다. 학문을 하는 데는 본래 등급이 있다."

[54-1-55]

"後生學問聰明强記不足畏, 惟思索尋究者爲可畏耳."[75]

(여조겸이 말했다.) "후학들의 학문이 총명해서 잘 기억하는 것은 두려울 것이 없지만, 사색해서 탐구하는 사람은 두려워할 만하다."

[54-1-56]

象山陸氏曰 : "大抵讀書, 訓詁旣通之後, 但平心讀之, 不必勉加揣量, 則無非浸灌培益鞭策磨勵之功. 或有未通曉處, 姑缺之無害. 且以其明白昭晰者日加涵泳, 則自然日充日明. 後日本原深厚, 則向來未曉者將亦有渙然冰釋者矣."[76]

73 呂祖謙, 『少儀外傳』 권上
74 呂祖謙, 『東萊集』 권6 「外集」
75 呂祖謙, 『少儀外傳』 권上

상산 육씨象山陸氏[陸九淵]가 말했다. "대개 독서를 하는 것은 훈고가 이미 원활해진 뒤에는 다만 마음을 가라앉히고 읽을 뿐, 기필코 억지로 추측하지 않는다면 북돋워서 배양하고 채찍질하여 격려하는 일 아님이 없을 것이다. 혹시라도 투철하게 이해하지 못한 곳이 있으면, 잠시 빠트려두어도 해로움이 없다. 우선 명백하고 확실한 것으로 나날이 푹 젖으면, 자연스럽게 나날이 채워지고 나날이 밝아질 것이다. 나중에 본원이 매우 두터워지면, 예전에 이해하지 못했던 것도 얼음이 풀리듯이 환하게 이해될 것이다."

[54-1-57]

"讀書・作文, 亦是吾人事. 但讀書本不爲作文, 作文其末也. 有其本必有其末, 未聞有本盛而末不茂者. 若本末倒置, 則所謂文者亦可知矣."[77]

(육구연이 말했다.) "독서와 작문은 또한 우리들의 일이다. 그러나 독서는 본래 작문을 하기 위한 것이 아니니, 작문이 말단이기 때문이다. 근본이 있으면 반드시 말단이 있으니, 근본이 융성한데 말단이 무성하지 않음이 있다는 말은 들어보지 못했다. 만약 근본과 말단이 도치되면, 이른바 문文이라는 것도 알 만하다."

[54-1-58]

勉齋黃氏曰 : "平居當以敬自持, 令心慮寧靜. 至於讀書, 則平心定氣, 端莊儼肅, 須以吾心黙觀聖賢之語, 常使聖賢之意自入於吾心. 如以鏡照物, 姸醜自見, 鏡何心哉? 今人所以不善讀書, 非是聖賢之意難明, 乃是吾心紛擾, 反以汩亂聖賢之意. 讀書只是沈靜精密, 則自然見得分明. 切不可萌輕易自喜之心, 便解得六經通徹, 亦何足自喜, 亦豈敢輕易? 纔如此便不足以任重. 後生且收歛靜退, 慊然常若不足, 方能有進."

면재 황씨勉齋黃氏[黃榦]가 말했다. "평상시 거처할 때는 경敬으로 자신을 지켜서 사려가 평안하고 고요하게 해야 한다. 독서를 할 때에 이르면 평안한 마음과 안정된 기운으로 단정하고 엄숙하여, 반드시 내 마음으로 성현의 말을 묵묵히 살펴보아 성현의 뜻이 항상 저절로 내 마음에 들어오도록 해야 한다. 예컨대 거울로 사물을 비추는 것과 같이 하면 예쁜 것과 추한 것이 저절로 나타나니, 거울이 무슨 마음을 가지겠는가? 요즘 사람들이 독서를 잘 하지 못하는 까닭은 성현의 뜻이 밝히기 어려워서가 아니라, 내 마음이 혼란스러워 거꾸로 성현의 뜻을 혼란시키기 때문이다. 독서를 할 때는 다만 차분하고 고요하며 정밀하기만 하면 자연스럽게 분명하게 이해할 수 있다. 절대로 경솔하게 스스로 기뻐하는 마음이 싹트도록 해서는 안 되니, 그렇게 하여 육경六經을 풀이가 투철하다고 하더라도 또한 그 무엇이 스스로 기뻐하기에 충분할 것이며, 또한 어찌 감히 경솔할 수 있겠는가? 이렇게 하자마자 바로 무거운 책임을 맡기에 충분하지 못하다.[78] 후학들은 우선 수렴하고 고요하게 물러나 흡족하지 못한 듯이 항상 부족한 것 같아

· · · · · · · · · · · · · · · · · · · ·

76　陸九淵, 『象山集』 권7 「與邵中孚」

77　陸九淵, 『象山集』 권4 「與曾敬之」

78　무거운 책임을 … 못하다. : 『論語』 「泰伯」에서 "증자가 말했다. '선비는 도량이 넓고 뜻이 굳세지 않으면

야 비로소 진보할 수 있다."

[54-1-59]

"觀書者最怕氣不平. 且如「公冶長」一章, 謝上蔡則謂聖人擇壻驚人如此; 楊龜山則謂聖人所以求於人者薄, 可免於刑戮而不累其家, 皆可妻也. 上蔡氣高者也, 龜山氣弱者也, 故所見各別如此. 要之當隨文平看, 方見得聖人之本意. 此觀書之大法."

(황간이 말했다.) "책을 보는 사람은 기질이 평등하지 않음이 가장 두렵다. 예컨대 『논어』「공야장公冶長」 제1장[79]에 대하여, 사상채謝上蔡謝良佐는 성인이 사위를 선택함에 사람을 놀라게 하는 것이 이와 같다고 했으며, 양구산楊龜山楊時은 성인이 남에게서 구하는 것은 적으니, 형벌을 모면할 수 있어서 그 가정에 누를 끼치지 않으면, 모두 사위를 삼을 수 있다고 했다.[80] 상채는 기氣가 높은 사람이고 구산은 기가 약한 사람이기 때문에 보는 것이 각각 이와 같이 다르다. 요컨대 마땅히 글을 따라서 고르게 보아야 비로소 성인의 본뜻을 알 수 있다. 이것이 책을 보는 큰 방법이다."

[54-1-60]

北溪陳氏曰: "讀四書之法, 毋過求, 毋巧鑿, 毋旁搜, 毋曲引, 亦惟平心以玩其旨歸, 而切己以察其實用而已爾. 果能於是四者融會貫通, 而義理昭明, 胸襟灑落, 則在我有權衡尺度. 由是而稽諸經, 與凡讀天下之書, 論天下之事, 皆莫不冰融凍釋, 而輕重長短截然一定, 自不復有錙銖分寸之或紊矣."[81]

북계 진씨北溪陳氏陳淳가 말했다. "사서四書를 읽는 방법은 지나치게 구하지 말고, 기교를 부려 천착하지 말며, 너무 광범하게 찾지 말고, 너무 자세하게 끌어들이지 말아서, 또한 오직 평이한 마음으로 그 취지를 완미하며 자신에게 절실한 것으로 그 실제 용도를 살필 따름이다. 과연 이 네 가지에서 융회·관통하

<hr />

안 된다. 책임이 무겁고 길이 멀기 때문이다. 군자는 仁으로써 자기의 책임을 삼으니 막중하지 아니한가? 죽은 뒤에야 끝나는 것이니 멀지 아니한가?(曾子曰, '士不可以不弘毅, 任重而道遠. 仁以爲己任, 不亦重乎? 死而後已, 不亦遠乎?')라고 했다. 주자는 이 구절에 대하여 "넓은 도량이 아니면 중임을 감당하지 못하고, 굳센 의지가 아니면 먼 곳에 이를 수 없다. 仁은 사람 마음의 온전한 덕이니, 반드시 몸소 인을 체인하여 힘써 행하려고 한다면, 책임이 막중하다고 할 만하다. 한 번의 숨이라도 아직 남아 있는 동안에 이 뜻이 조금이라도 해이해지는 것을 용납하지 않는다면, 멀다고 할 만하다.(非弘, 不能勝其重; 非毅, 無以致其遠. 仁者, 人心之全德, 而必欲以身體而力行之, 可謂重矣; 一息尚存, 此志不容少懈, 可謂遠矣.)"라고 주석하였다.

79 『論語』「公冶長」 제1장: "공자가 公冶長을 평하여 '사위 삼을 만하다. 비록 포승으로 묶여 獄中에 있었으나 그의 죄가 아니었다.'라 하고, 자기의 딸을 그에게 시집보냈다. 공자가 南容을 평하여 '나라에 도가 있을 때에는 버려지지 않을 것이고, 나라에 도가 없을 때에는 형벌을 모면할 것이다.'라 하고, 형의 딸을 그에게 시집보냈다.(子謂公冶長, '可妻也. 雖在縲絏之中, 非其罪也.' 以其子妻之. 子謂南容, '邦有道, 不廢; 邦無道, 免於刑戮.' 以其兄之子妻之.)"

80 楊龜山[楊時]은 성인이 … 했다.: 주희는 『論語精義』 권3上에서 楊時의 말로 인용하고 있다.

81 陳淳, 『北溪字義』「嚴陵講義·讀書次第」

여 의리가 환히 밝아질 수 있으면, 나에게 권형과 척도가 있게 된다. 이로 말미암아 여러 경서를 고찰하는 것은 무릇 천하의 책을 읽고 천하의 일을 논하는 것과 더불어 모두 얼음이 녹고 추위가 풀리는 듯하지 않음이 없고 경중輕重과 장단長短이 분명하게 하나로 정해지면, 저절로 조금이라도 다시는 문란해지는 법이 없을 것이다."

[54-1-61]
范陽張氏曰 : "朋友講習, 固天下樂事. 不幸獨學, 則當尙友古人可也. 故讀『論語』, 如對孔門聖賢 ; 讀『孟子』, 如對孟子 ; 讀杜子美詩蘇文, 則又凝神靜慮如目擊二公. 如此用心, 雖生千載之下, 可以見千載人矣."

범양 장씨范陽張氏[張九成][82]가 말했다. "친구와 강습하는 것은 본래 천하에 즐거운 일이다. 불행히도 홀로 공부하게 되면 마땅히 위로 옛사람과 벗하면 된다.[83] 그러므로 『논어』를 읽으면 마치 공자 문하의 성현을 마주하는 것같이 하고, 『맹자』를 읽으면 마치 맹자를 마주하는 것같이 하며, 두자미杜子美[杜甫]의 시詩와 소식蘇軾의 문장을 읽으면 또 정신을 집중하여 고요히 사려하기를 마치 이 두 사람을 직접 보는 듯이 해야 한다. 이와 같이 마음을 쓰면 비록 천년 뒤에 태어나더라도 천년 전의 사람을 만나볼 수 있을 것이다."

[54-2-1]
程子曰 : "凡看書各有門庭. 『詩』・『易』・『春秋』, 不可逐句看 ; 『尙書』・『論語』, 可以逐句看."[84] 以下讀諸經法.

정자程子(程顥・程頤)가 말했다. "무릇 책을 볼 때는 각각 읽는 방법이 있다. 『시』・『역』・『춘추』는 한 구절 한 구절씩 보아서는 안 되고, 『상서』와 『논어』는 한 구절 한 구절씩 볼 만하다." 이 아래는 여러 경서를 읽는 방법이다.

[54-2-2]
"六經之言, 在涵淊中黙識心通精義爲本.[85]"[86]

. . . .

82 張九成(1092~1159) : 자는 子韶이고, 호는 橫浦居士 혹은 無垢居士이며 시호는 文忠이다. 송대 錢塘(절강성 杭州) 사람으로 開封에 와서 楊時의 제자가 되었다. 紹興 2년(1132) 廷對(어전 과거시험)에서 1등을 하였다. 벼슬은 宗正少卿, 禮部侍郎, 安南軍 등을 역임하였다. 저서에 『尙書說』・『中庸說』・『大學說』・『孝經說』・『語孟說』・『孟子傳』・『橫浦集』 등이 있다.

83 마땅히 위로 … 된다. : 『孟子』「萬章下」에서 "천하의 善士와 벗하는 것을 만족스럽지 못하게 여겨, 또다시 위로 올라가서 옛사람을 논하니, 그 詩를 외우고 그 글을 읽으면서도 그 사람을 알지 못한다면 되겠는가? 이 때문에 그 當世를 논하는 것이니, 이는 위로 올라가서 벗하는 것이다.(以友天下之善士爲未足, 又尙論古之人, 頌其詩, 讀其書, 不知其人, 可乎? 是以, 論其世也, 是尙友也.)"라고 하였다.

84 『二程外書』 권6

(정자가 말했다.) "육경의 말은 푹 젖어 있는 가운데 묵묵히 깨달아 마음으로 그 정밀한 의미를 통달하는 것을 근본으로 삼아야 한다."

[54-2-3]

"讀書者當觀聖人所以作經之意, 與聖人所以爲聖人而吾之所以未至者, 求聖人之心而吾之所以未得焉者. 畫誦而味之, 中夜而思之, 平其心, 易其氣, 闕其疑, 其必有見矣."[87]

(정자가 말했다.) "독서를 하는 사람은 마땅히 성인이 경서를 지은 뜻과 성인이 성인다운 까닭과 내가 거기에 이르지 못하는 까닭을 살펴보아, 성인의 마음과 내가 그것을 터득하지 못한 까닭을 찾아야 한다. 낮에는 외워서 그것을 음미하고 깊은 밤에는 그것을 생각하되, 마음을 평온하게 하고 기氣를 평안하게 하여 의심나는 것을 빠트려두면 반드시 이해할 수 있을 것이다."

[54-2-4]

"古之學者皆有傳授, 如聖人作經, 本欲明道. 今人若不先明義理, 不可治經, 蓋不得傳授之意云爾. 如「繫辭」本欲明『易』, 若不先求卦義, 則看「繫辭」不得."[88]

(정자가 말했다.) "옛날에 배우는 사람들은 모두 전수하는 것이 있었으니, 예컨대 성인이 경서를 지은 것도 본래 도를 밝혀주려고 한 것이다. 요즘 사람들이 만약 먼저 의리에 밝지 않으면 경서를 공부할 수 없으니, 전수하는 뜻을 얻을 수 없기 때문이다. 예컨대 「계사繫辭」는 본래 『역』을 밝혀주려는 것인데, 만약 먼저 괘의 의리를 구하지 못하면 「계사」를 볼 수 없는 것과 같다."

[54-2-5]

"聖人之道, 如「河圖」·「洛書」, 其始止於畫上便出義. 後之人旣重卦, 又繫辭求之未必得其理. 至如『春秋』是其所是, 非其所非, 不過只是當年數人而已. 學者不觀他書, 只觀『春秋』, 亦可盡道."[89]

(정자가 말했다.) "성인의 도는 예컨대 「하도」와 「낙서」처럼 그 처음에는 그어진 획(양효와 음효)에서 곧 의미를 나타내는 데에 그쳤다. 뒤의 사람들이 괘를 거듭 그리고 난 뒤에 또 말을 붙여서 아직 터득하지 못한 이치를 구했다. 예컨대 『춘추』에서 그 옳은 것을 옳다고 하고 그 그릇된 것을 그르다고 한 것과 같은 경우는 다만 당시의 몇 사람에 지나지 않을 뿐이었다. 배우는 사람들은 다른 책을 보지 않고 다만 『춘추』만을 보아도 역시 도를 다 알 수 있을 것이다."

- -

85 精義爲本.: 『河南程氏遺書』 권15에는 이 구절이 小注로 되어 있다.
86 『河南程氏遺書』 권15
87 『二程粹言』 권上
88 『河南程氏遺書』 권2上
89 『河南程氏遺書』 권15

[54-2-6]

"卦爻始立, 義旣具卽聖人別起義以錯綜之. 如『春秋』已前旣已立例, 到近後來書得全別, 一般事便書得別有意思. 若依前例觀之, 殊失之也."[90]

(정자가 말했다.) "괘와 효가 비로소 성립됨에 의미가 이미 갖추어지니, 성인은 별도로 의미를 일으켜서 그것을 교착시켜 종합하였다. 예컨대 『춘추』 이전에 이미 사례가 정립되어 있었지만 후대에 가까이 와서 쓴 것은 완전히 달라서, 같은 일에 대해 곧 쓴 것이 별도로 의미가 있는 것과 같다. 만약 전례에 의거하여 그것을 보면 매우 틀려질 것이다."

[54-2-7]

蘇季明嘗以治經爲傳道居業之實, 居常講習, 只是空言無益, 質之兩先生.

소계명蘇季明이 일찍이 경서를 공부하는 것을 도를 전하고 공업功業을 보유하는 실질로 여기고, 평상시 강습하는 것은 다만 공허한 말로 무익할 뿐인지를 두 선생님에게 물었다.

伯淳先生曰: "'脩辭立其誠', 不可不子細理會. 言能脩省言辭, 便是要立誠, 若只是脩飾言辭爲心, 只是爲僞也. 若脩其言辭, 正爲立己之誠意, 乃是體當自家敬以直內, 義以方外之實事. 道之浩浩, 何處下手? 惟立誠纔有可居之處. 有可居之處, 則可以脩業也. '終日乾乾', 大小大事, 却只是'忠信所以進德'爲實下手處, '脩辭立其誠'爲實脩業處."

백순 선생伯淳先生[程顥]이 대답했다. "'말을 함에 그 성실함을 세운다.'[91]라는 말은 자세하게 이해하지 않을 수 없다. 말을 함에 그 말을 닦고 성찰할 수 있는 것은 곧 성실함을 세우려는 것이니, 만약 다만 그 말을 수식하는 것에 마음을 쓴다면 다만 거짓이 될 뿐이다. 만약 그 말을 닦는 것이 바로 자기의 뜻을 성실히 하는 것을 세우는 것이 된다면 이것은 곧 자신의 '경敬으로써 안을 곧게 하고 의義로써 밖을 방정하게 하는'[92] 실질적인 일을 체인하여 깨닫는 것이다. 저 크고 큰 도를 어디서부터 손을 대기

- - - - - - - - - - - - - - - - - - -

90 『河南程氏遺書』 권17

91 '말을 함에 … 세운다.': 『易』「乾卦·文言傳」에서 "九三에 말하기를 '군자가 종일토록 힘쓰고 힘써 저녁까지도 두려워하면 위태로우나 허물이 없다.'는 것은 무슨 말인가? 공자는 '군자는 덕을 진전시키고 功業을 닦으니, 忠·信이 덕을 진전시키는 것이고 말을 함에 그 성실함을 세움이 공업을 保有하는 것이다. 이를 데를 알아 이르므로 더불어 기미를 알 수 있고, 마칠 데를 알아 마치므로 더불어 義를 보존할 수 있다. 이 때문에 윗자리에 있어도 교만하지 않고 아랫자리에 있어도 근심하지 않는 것이다. 그러므로 힘쓰고 힘써 때에 따라 두려워하면 비록 위태로우나 허물이 없는 것이다.'라고 말했다(九三曰, 君子終日乾乾夕惕若厲无咎, 何謂也? 子曰, '君子進德修業, 忠信所以進德也, 修辭立其誠, 所以居業. 知至至之, 可與幾也, 知終終之, 可與存義也, 是故居上位而不驕, 在下位而不憂. 故乾乾因其時而惕, 雖危无咎矣.')"라고 하였다.

92 '敬으로써 안을 … 하는': 『易』「坤卦·文言傳」에서 "直은 그 바름이고 方은 그 義이다. 군자가 敬으로써 안을 곧게 하고 義로써 밖을 방정하게 하여, 敬과 義가 확립되면 덕이 외롭지 않으니, '곧고 방정하고 위대하다. 익히지 않아도 이롭지 않음이 없다.'는 것은 그 행하는 바를 의심하지 않는 것이다.(直, 其正也; 方, 其義也. 君子敬以直內, 義以方外, 敬義立而德不孤, 直方大不習无不利, 則不疑其所行也.)"라고 하였다.

시작할 것인가? 오직 성실함을 세워야만 비로소 둘 곳이 있을 것이다. 둘 곳이 있으면 공업功業을 닦을 수 있을 것이다. '종일토록 힘쓰고 힘쓰면'[93]은 크고 작은 일들이 또한 다만 '충忠·신信이 덕을 진전시키는 것'을 실제로 노력하는 곳이 될 뿐이고, '말을 함에 그 성실함을 세우는 것'은 실제로 공업功業을 두는 곳이 될 뿐이다."

正叔先生曰: "治經, 實學也. '譬諸草木, 區以別矣.' 道之在經, 大小·遠近·高下·精粗, 森列於其中. 譬如日月在上, 有人不見者, 一人指之, 不如眾人指之自見也. 如『中庸』一卷書, 自至理便推之於事, 如國家有九經, 及歷代聖人之迹, 莫非實學也. 如登九層之臺, 自下而上者爲是. 人患居常講習空言無實者, 蓋不自得也. 爲學治經最好, 苟不自得, 則盡治五經亦是空也. 今有人心得識達, 所得多矣, 雖亦好讀書, 却患在空虛者, 未免此弊."[94]

정숙 선생正叔先生[程頤]이 대답했다. "경서를 공부하는 것은 실질적인 학문이다. '초목에 비유하면 구역지어 구별하는 것과 같다.'[95] 경서에 있는 도는 그 크거나 작음, 멀거나 가까움, 높거나 낮음, 정밀하거나 거칢이 모두 그 가운데 빽빽하게 나열되어 있다. 비유컨대 저 하늘 높이 있는 해와 달을 어떤 사람이 보지 못하는데, 한 사람이 그것을 가리키는 것은 많은 사람이 그것을 가리켜 저절로 알게 하는 것만 못하다. 예컨대 『중용』은 지극한 이치로부터 바로 그것을 일에 미루어 나갔으니, 예를 들어 국가에는 구경九經이 있다[96]는 것과 역대 성인의 자취에 미친 것들은 실질적인 학문이 아님이 없다. 예를 들어 9층의 누각을 오르려면 아래로부터 위로 오른다고 하는 것이 이것이다. 사람들이 평상시 강습하는 것을 공허한 말이라서 실질됨이 없는 것이라고 염려하는 것은 스스로 터득하지 못했기 때문이다. 학문을 하는 것은 경서를 공부하는 것이 가장 좋다. 만약 스스로 터득하지 못하면, 오경五經을 다 공부했다고 하더라도 역시 공허하다. 지금 어떤 사람이 마음으로 터득하여 지식에 통달했다면 얻은 것이 많은데,

---

93 '종일토록 힘쓰고 힘쓰면': 『易』「乾卦」九三 효사에서 "九三은 군자가 종일토록 힘쓰고 힘써 저녁까지도 두려워하면 위태로우나 허물이 없으리라.(九三, 君子終日乾乾, 夕惕若, 厲无咎.)"라고 하였다.

94 『河南程氏遺書』권1

95 '초목에 비유하면 … 같다.': 『論語』「子張」에서 "子游가 말했다. '子夏의 제자들은 물 뿌리고 청소하며, 응대하고 진퇴하는 예절을 당해서는 괜찮으나, 이는 지엽적인 일이지, 근본적인 것은 없으니, 어찌하겠는가? 子夏가 듣고서 말하였다. '아! 言游(子游)의 말이 지나치다. 군자의 도에 어느 것을 먼저라 하여 전수하며, 어느 것을 뒤라 하여 게을리 하겠는가? 초목에 비유하면 구역지어 구별하는 것과 같으니, 군자의 도가 어찌 이처럼 속이겠는가? 처음과 끝을 구비한 것은 오직 성인일 것이다!(子游曰, '子夏之門人小子, 當灑掃·應對·進退則可矣, 抑末也. 本之則無, 如之何? 子夏聞之曰, '噫! 言游過矣. 君子之道孰先傳焉, 孰後倦焉? 譬諸草木, 區以別矣, 君子之道焉可誣也? 有始有卒者, 其惟聖人乎!')"라고 하였다.

96 국가에는 九經이 있다.: 『中庸』 제20장에서 "무릇 천하와 국가를 다스림에 九經(아홉 가지 불변하는 법)이 있으니, 몸을 닦음과 어진 이를 높임과 친척을 친히 함과 大臣을 공경함과 여러 신하들의 마음을 체찰함과 여러 백성들을 자식처럼 사랑함과 百工들을 오게 함과 먼 지방의 사람을 회유함과 제후들을 은혜롭게 하는 것이다.(凡爲天下國家有九經曰, 修身也, 尊賢也, 親親也, 敬大臣也, 體群臣也, 子庶民也, 來百工也, 柔遠人也, 懷諸侯也.)"라고 하였다.

비록 또한 독서하기를 좋아해도 오히려 우환이 공허함에 있는 사람은 아직 이 폐단을 모면하지 못한 것이다."

[54-2-8]
張子曰 : "經籍亦須記得. 雖有舜禹之智, 吟而不言, 不如聾盲之指麾. 故記得便說得, 便行得. 故始學亦不可無誦數."[97]

장자張子張載가 말했다. "경적經籍은 또한 반드시 외워야 한다. 비록 순임금이나 우임금의 지혜를 가지고 있더라도 읊조리기만 하고 말하지 않으면 귀머거리와 소경이 지휘하는 것만 같지 못하다. 그러므로 외워야만 곧 말할 수 있고, 곧 실천할 수 있다. 그 때문에 처음 배우는 사람은 또한 반복해서 외우지 않을 수 없다."

[54-2-9]
龜山楊氏因言秦漢以下事曰 : "亦須是一一識別得過. 欲識別得過, 須用著意六經, 六經不可容易看了. 今人多言要作事須看史, 史固不可不看, 然六經先王經世之迹在焉, 是亦足用矣. 必待觀史, 未有史書以前, 人以何爲據? 蓋孔子不存史而作『春秋』,『春秋』所以正史之失得也. 今人自是不留意六經, 故就史求道理, 是以學愈博而道愈遠. 若經術明, 自無工夫及之. 使有工夫及之, 則取次提起一事, 便須斷遣處置得行, 何患不能識別?"[98]

구산 양씨龜山楊氏[楊時]가 진秦·한漢대 이후의 일을 언급하면서 말했다. "또한 반드시 하나하나 식별해 나가야 한다. 그것을 식별해 나가려 한다면 반드시 육경에 주의를 기울여야 하는데, 육경은 쉽게 읽을 수 없다. 요즘 사람들은 대부분 일을 하려고 하면 역사서를 보아야 한다고 말하는데, 역사서는 참으로 읽지 않을 수 없지만 육경은 선왕이 세상을 다스린 자취가 거기에 있는 것이니, 또한 쓰기에 충분한 것이다. 반드시 역사서를 보기를 기다린다고 한다면, 역사서가 있기 이전에 사람들은 무엇을 역사서 평가의 근거로 삼았겠는가? 대개 공자는 역사서를 보존할 수 없어서 『춘추』를 지었으니, 『춘추』는 정사正史의 잘못을 드러낸 것이다. 요즘 사람들은 본래 육경에 유의하지 않기 때문에 역사서에서 도리를 구하는데, 이 때문에 배움이 넓어지면 넓어질수록 도는 더욱 멀어진다. 만약 경술經術[經學]이 밝아지면 저절로 공부할 것이 없게 된다. 가령 공부가 미칠 일이 있다면 차례차례 한 가지 일을 제기하여 판결할 수 있을 것이니 무엇 때문에 식별할 수 없는 것을 근심하겠는가?"

[54-2-10]
朱子曰 : "讀六經時, 只如未有六經, 只就自家身上討道理, 其理便易曉."[99]

. . . .
97 張載, 『張子全書』 권6
98 楊時, 『龜山集』 권11
99 『朱子語類』 권11, 87조목

주자가 말했다. "육경을 읽을 때 다만 마치 육경이 없는 것처럼 오직 자신에게서 나아가 도리를 찾는다면, 그 도리는 곧 쉽게 이해할 수 있을 것이다."

[54-2-11]

"人惟有私意, 聖賢所以留千言萬語, 以掃滌人私意. 使人人全得惻隱羞惡之心, 六經不作可也. 裏面著一點私意不得."[100]

(주자가 말했다.) "사람은 오직 사사로운 생각을 가지고 있기 때문에, 성현들이 천 마디 만 마디의 말을 남겨서 사람들의 사사로운 생각을 쓸어내고 씻어내려고 한 것이다. 가령 모든 사람들이 전부 측은히 여기는 마음과 부끄러워하고 미워하는 마음을 얻었다면, 육경은 짓지 않아도 괜찮았을 것이다. 마음속에 한 점의 사사로운 생각이라도 두어서는 안 된다."

[54-2-12]

"看經書與看史書不同. 史是皮外物事沒緊要, 可以劄記問人. 若是經書有疑, 這箇是切己病痛. 如人負痛在身, 欲斯須忘去而不可得, 豈可比之看史遇有疑則記之紙邪?"[101]

(주자가 말했다.) "경서를 보는 것은 역사서를 보는 것과 다르다. 역사는 외부적인 것으로 긴요한 것이 없기 때문에 기록해 두었다가 사람들에게 물어 볼 수가 있다. 만약 경서에 의문이 생기면 이것은 자신에게 절실한 병통이다. 예컨대 사람이 자기 몸에 통증을 느끼고 있으면 이것을 즉각 잊어버리려고 해도 그렇게 할 수 없는 것과 같으니, 어찌 그것을 역사서를 보다가 의문이 생기는 곳을 만나면 그것을 종이에 기록하는 것에 비교할 수 있겠는가?"

[54-2-13]

問 : "爲學只是看六經 ·『語』·『孟』, 其他史書雜學皆不必看, 如何?"[102]

曰 : "如此卽不見古今成敗, 便是荊公之學. 書那有不可讀者? 只怕無許多心力讀得. 六經是三代以上之書, 曾經聖人手, 全是天理. 三代以下文字有得失, 然而天理却在這邊自若也. 要有主, 覷得破, 皆是學."[103]

. . . .

100 『朱子語類』 권11, 89조목
101 『朱子語類』 권11, 96조목
102 爲學只是看六經 ·『語』·『孟』, … 如何? : 『朱子語類』 권11, 97조목에는 "趙書記云, '自有見後, 只是看六經 ·『語』·『孟』, 其他史書雜學皆不必看.' 其說謂買金須問賣金人, 雜賣店中那得金銀? 不必問也.(조서기가 '스스로 자신의 견해를 가진 뒤에는 다만 6경과『論語』·『孟子』만 보면 되지, 그 외에 역사서나 잡학서는 전혀 볼 필요가 없다.'고 했습니다. 그의 주장은, 금을 살 때는 반드시 금을 파는 사람에게 물어 보면 되니, 잡다한 것을 판매하는 가게에서 어떻게 금은을 얻을 수 있겠는가? 하는 것이니, 물을 필요는 없다는 것입니다.)"라고 되어 있다.
103 『朱子語類』 권11, 97조목

물었다. "학문을 할 때는 다만 육경과 『논어』·『맹자』만 보면 되지, 그 외에 역사서나 잡학서는 전혀 볼 필요가 없다고 하는 것이 어떻습니까?"

(주자가) 대답했다. "이와 같이 하면 곧 옛날과 지금의 성공과 실패에 대해서는 알지 못할 것이니, 곧 형공荊公王安石의 학문이다.[104] 책 중에 어찌 읽어서는 안 되는 것이 있겠는가? 다만 읽을 수 있는 마음과 힘이 많지 않을까 두려울 뿐이다. 육경은 삼대 이전의 책인데, 일찍이 성인의 손을 거쳤기 때문에 전부 천리天理에 부합한 것이다. 삼대 이후의 글에는 얻는 것도 있고 잃는 것도 있지만, 천리는 도리어 그곳에도 변함없이 그대로 있다. 장을 세워서 그 잘못들을 깨뜨려 낼 수 있으면 모두가 학문이다."

[54-2-14]

"看經傳有不可曉處, 且要旁通. 待其浹洽, 則當觸類而可通矣."[105]

(주자가 말했다.) "경전을 볼 때 이해할 수 없는 곳이 있으면, 우선 그 주변을 통하고자 해야 한다. 그리하여 푹 젖어들기를 기다리면 유사한 것을 만날 때마다 통할 수 있을 것이다."

[54-2-15]

"治經者必因先儒已成之說而推之. 借曰未必盡是, 亦當究其所以得失之故, 而後可以反求諸心而正其繆. 此漢之諸儒所以專門名家, 各守師說, 而不敢輕有變焉者也. 但其守之太拘, 而不能精思明辨以求眞是, 則爲病耳. 然以此之故, 當時風俗終是淳厚. 近年以來, 習俗苟偸, 學無宗主, 治經者不復讀其經之本文與夫先儒之傳註. 但取近時科擧中選之文, 諷誦摹倣, 擇取經中可爲題目之句, 以意扭捏, 妄作主張, 明知不是經意, 但取便於行文, 不暇恤也."[106]

(주자가 말했다.) "경서를 연구하는 자는 반드시 선대의 학자들이 이미 이루어 놓은 주장에 따라서 유추해야 한다. 설령 그것들이 다 옳지는 않다고 하더라도 역시 마땅히 그 옳고 그른 까닭을 탐구한 다음에 자기 마음에 돌이켜 구하여 그 잘못을 바로잡아야 한다. 이것이 한漢대 여러 학자들이 유명한 학파를 전문적으로 연구하고, 각각 그 스승의 주장을 지키면서 감히 경솔하게 변경시키지 않았던 이유이다.

----

104 옛날과 지금의 … 학문이다. : 주희는 『朱子語類』 권130, 8조목에서 왕안석의 학문을 다음과 같이 평가하고 있다. "선생님께서는 형공의 학문이 잘못된 까닭을 논하였는데, 도리를 본 것이 철저하지 않았기 때문이었다. 이어서 말했다. '통찰이 오래되면 도리를 보는 것이 철저하지 않을 수 없게 되고, 말하고 행하는 것에 잘못이 없게 된다. 다만 할 만한 힘이 없어 중간에 그치게 되면 그 해는 적다. 예를 들어 평범한 의사가 병을 알지 못하고 긴요하지 않은 약을 아무렇게 처방해도 사람을 죽이는 데까지 이르지는 않는다. 형공의 무리 같은 경우 그들은 한쪽만을 보고 갔으니 예를 들어 병의 증상을 알지도 못한 채 대황과 부자 같은 약을 처방해서 사람을 죽이는 데 이른 것과 같다.'(先生論荊公之學所以差者, 以其見道理不透徹. 因云, '洞視千古, 無有見道理不透徹, 而所說所行不差者. 但無力量做得來, 半上落下底, 則其害淺. 如庸醫不識病, 只胡亂下那沒緊要底藥, 便不至於殺人. 若荊公輩, 他硬見從那一邊去, 則如不識病證, 而便下大黃, 附子底藥, 便至於殺人!)"

105 『朱子語類』 권11, 99조목

106 『朱文公文集』 권69 「學校貢擧私議」

다만 그들이 그 스승의 주장을 지키는 데에 너무 구애되어, 정밀하게 생각하고 분명하게 분별해서 참되고 옳은 것을 구할 수 없었던 것이 병폐였을 뿐이다. 그러나 이렇게 했기 때문에 당시의 풍속은 끝내 두터울 수 있었다. 근년 이래로 습속이 구차하게 안일해지고 배움에도 권위 있는 대표학자가 없어서, 경서를 연구하는 사람들은 다시는 그 경서의 본문과 선대 학자들이 주석한 전(傳)이나 주(注)를 읽지 않는다. 단지 최근 과거에 출제된 문장을 취하여 외우고 모방하며, 경서 속에서 과거시험 제목이 될 만한 구절을 선택해서 자신의 생각대로 견강부회하여 함부로 주장을 만드는 것이 경서의 뜻이 아니라는 것을 분명히 알면서도, 다만 글을 짓는 데에 편리한 것만 고르느라 고려할 겨를이 없다."

[54-2-16]
"大抵所讀經史, 切要反復精詳, 方能漸見旨趣. 誦之宜舒緩不迫, 令字字分明. 更須端莊正坐, 如對聖賢, 則心定而義理易究. 不可貪多務廣, 涉獵鹵莽, 纔看過了, 便爲已通. 小有疑處, 卽便思索.[107] 思索不通, 卽置小冊子逐日抄記, 以時省閱, 俟後日逐一理會. 切不可含糊護短, 恥於資問, 而終身受此黯暗以自欺也."[108]

(주자가 말했다.) "대개 경서와 사서(史書)를 읽을 때는 꼭 반복해서 정밀하고 상세하게 읽어야만 비로소 점차 깊은 맛을 볼 수 있을 것이다. 암송을 할 때에는 마땅히 느긋하게 급박하지 않도록 해서 매 글자마다 분명하도록 해야 한다. 게다가 반드시 단정하고 장중하게 바로 앉아서 성현을 마주 대하는 듯이 하면, 마음이 안정되어 의리를 쉽게 탐구할 수 있을 것이다. 많은 분량을 탐하여 광범위한 것에 힘쓰거나, 과정을 뛰어넘어 거칠게 대충 보고서도, 한 번 막 보자마자 바로 이미 통했다고 해서는 안 될 것이다. 조금이라도 의심나는 곳이 있으면 즉시 사색해야 한다. 사색해도 통하지 않으면, 곧 작은 책자를 비치해 놓고 매일 베껴서 적어두고 수시로 살펴보아 나중에 하나하나 이해하기를 기다려야 한다. 결코 모호하게 자신의 단점을 감싸면서 자문하기를 부끄러워하여 평생토록 이처럼 어리석은 생각으로 스스로를 속여서는 안 된다."

"今之談經者, 往往有四者之病. 本卑也而抗之使高, 本淺也而鑿之使深, 本近也而推之使遠,, 本明也而必使至於晦, 此今日談經之大患也."[109]

(주자가 말했다.) "요즘 경서를 담론하는 사람들은 종종 네 가지의 병폐가 있다. 본래 낮은 것인데 들어 올려 높이는 것과, 본래 얕은 것인데 천착하여 깊게 하는 것과, 본래 가까운 것인데 미루어서 고원하게 하는 것과, 본래 분명한 것인데 굳이 그것을 그윽하여 분명하지 않도록 하는 것이다. 이것이 오늘날 경서를 담론하는 데에 큰 우환거리이다."

---

107 卽便思索. : 『朱文公文集』 권39 「與魏應仲」에는 "卽更思索.(곧 더욱 사색해야 한다.)"이라고 되어 있다.
108 『朱文公文集』 권39 「與魏應仲」
109 『朱子語類』 권11, 122조목

[54-2-17]

“六經浩渺, 乍難盡曉, 且見得路逕後, 各自立得一箇門庭.”

問: “如何是門庭?”

曰: “是讀書之法. 如讀此一書, 須知此書當如何讀. 伊川教人看『易』, 以王輔嗣・胡翼之・王介父三人『易』解看, 此便是讀書之門庭. 緣當時諸經都未有成說, 學者乍難捉摸, 故教人如此.”

或問: “如『詩』是吟詠情性, 讀『詩』者便當以此求之否?”

曰: “然.”[110]

(정이가 말했다.) “육경은 크고 아득해서 갑자기 다 이해하기가 어려우니, 우선 읽어가는 과정을 알고 난 뒤에 각자 하나의 방법을 세울 수 있다.”[111]

물었다. “어떻게 하는 것이 방법입니까?”

(주자가) 대답했다. “독서를 하는 방법이다. 예컨대 이 한 책을 읽을 때는 반드시 이 책을 어떻게 읽어야 하는지를 알아야 하는 것과 같다. 이천伊川[程頤]이 사람들에게 『역』을 보라고 가르칠 때, 왕보사王輔嗣[王弼]와 호익지胡翼之[胡瑗]와 왕개보王介父[王安石] 세 사람의 『역』에 대한 풀이를 가지고 보도록 했는데,[112] 이것이 바로 독서하는 방법이다. 당시에는 여러 경서에 대해 모두 확정된 학설이 없어서 배우는 사람들이 갑자기 모색하기가 어려웠기 때문에 사람들에게 이와 같이 하도록 가르쳤다.”

어떤 사람이 물었다. “예컨대 『시詩』는 성정性情을 읊은 것이니 『시』를 읽는 사람들은 곧 마땅히 성정으로 『시』의 의미를 구해야 한다는 것입니까?”

(주자가) 대답했다. “그렇다.”

[54-2-18]

“讀書只就一直道理看, 剖析自分曉, 不必去偏曲處看. 『易』有箇陰陽, 『詩』有箇邪正, 『書』有箇治亂, 皆是一直路逕可見, 別無嶢崎.”[113]

(주자가 말했다.) “독서를 할 때는 다만 한결같이 도리에서 보면 분석이 저절로 분명하게 이해될 것이니, 치우치고 애매하게 볼 필요가 없다. 『역』에는 음과 양이 있고, 『시』에는 사악함과 바름이 있으며, 『서』에는 다스려짐과 어지러움이 있다는 것은, 모두 하나의 곧은 과정을 볼 수 있는 것이니 별도로 높고 험준한 것이 없다.”

---

110 『朱子語類』 권96, 3조목

111 “육경은 크고 … 있다.”: 『河南程氏遺書』 권22上

112 伊川[程頤]이 사람들에게 … 했는데: 『河南程氏文集』 권9 「與金堂謝君書」에서 “만약 『역』을 연구하려고 하면 먼저 깊이 연구하여 익숙해지도록 한 다음에 다만 王弼・胡先生(胡瑗)・王安甫(王安石) 세 사람의 글을 보고 관통하도록 해야 한다. 다른 사람들의 『역』 해설은 취할 만한 것이 없다.(若欲治『易』, 先尋繹令熟, 只看王弼・胡先生・王介甫三家文字, 令通貫. 餘人『易』說無取.)”라고 하였다.

113 『朱子語類』 권11, 88조목

"學者只是要熟, 工夫純一而已. 讀時熟, 看時熟, 玩味時熟. 如『孟子』·『詩』·『書』, 全在讀
時工夫. 『孟子』每章說了, 又自解了, 蓋他直要說得盡方住, 其言一大片. 故後來老蘇亦拖他
來做文章說. 須熟讀之, 便得其味. 今觀『詩』, 旣未寫得『傳』, 且除了「小序」而讀之. 亦不要將
做好底看, 亦不要將做惡底看, 只認本文語意, 亦須得八九."[114]

(주자가 말했다.) "배우는 사람은 다만 익숙해져야 공부가 순수하고 한결같아진다. 읽을 때도 익숙하고,
볼 때도 익숙하며, 음미할 때도 익숙해야 한다. 예컨대 『맹자』와 『시』와 『서』는 전적으로 읽을 때의
공부에 달렸다. 『맹자』는 매 장章마다 말을 하고서 또 스스로 풀이를 붙여, 그는 말하고 싶은 것을 다
말해야 비로소 그만두기 때문에 그의 말은 분량이 많다. 그러므로 뒤에 노소老蘇蘇洵도 그것을 끌어다가
문장을 지었다. 반드시 그것을 숙독해야만 곧 그 맛을 알게 된다. 요즘 『시』를 보는 경우, 『모전毛傳』을
베껴 쓰지도 않을 뿐만 아니라 「소서小序」도 제외하고 읽는다. 좋은 마음으로 보려고도 말고, 또한
나쁜 마음으로 보려 하지도 말아야 하니, 다만 본문의 말뜻을 인식하기만 해도 반드시 80~90%는 얻게
될 것이다."

"聖人作經, 以詔後世, 將使讀者誦其文, 思其義, 有以知事理之當然, 見道義之全體, 而身力
行之以入聖賢之域也. 其言雖約, 而天下之故, 幽明巨細, 靡不該焉. 欲求道以入德者, 舍此爲
無所用其心矣. 然去聖旣遠, 講誦失傳, 自其象數名物·訓詁凡例之間, 老師宿儒尙有不能知
者, 況於新學小生, 驟而讀之, 是亦安能遽有以得其大指要歸也哉? 故河南程夫子之敎人, 必
先使之用力乎『大學』·『論語』·『中庸』·『孟子』之書, 然後及乎六經. 蓋其難易遠近大小之
序固如此而不可亂也."[115]

(주자가 말했다.) "성인이 경서를 지어 후세에 알려준 것은 장차 그것을 읽는 사람들에게 그 글을 외우고
그 뜻을 생각하여, 그것으로써 사리事理의 당연함을 알고 도의道義의 온전한 체體를 깨달아서, 몸소 힘껏
실천하여 성현의 경지에 들어가도록 하려는 것이었다. 그 말은 비록 간략하지만, 천하의 일 가운데 감춰
지거나 드러나며 크거나 작은 것들이 갖춰지지 않음이 없다. 도를 구하여 덕에 들어가려는 사람은 이를
내팽개치고는 그 마음을 쓸 곳이 없게 된다. 그러나 성인과의 시간적 거리가 이미 멀어져 강론과 통독이
실전되어 상수象數와 명물名物, 훈고와 범례에 대해 노숙한 스승과 선비도 오히려 알 수 없는 것이 있는
데, 하물며 초학자들이 급하게 읽어가니 또한 어찌 갑자기 그 큰 뜻과 요체를 이해할 수 있겠는가?
그러므로 하남 정부자河南程夫子(程顥·程頤)가 사람을 가르칠 때에, 반드시 먼저 『대학』·『논어』·『중용』·
『맹자』에 힘을 쏟도록 한 뒤에 육경에 미치도록 했다. 대개 그 쉽고 어려움, 멀고 가까움, 크고 작음의
차례는 본디 이와 같이 해서 혼란하지 않도록 해야 한다."

· · · · · · · · · · · · · · · · · · · ·

114 『朱子語類』 권11, 92조목
115 『朱文公文集』 권82 「書臨漳所刊四子後」

[54-2-21]

問看『易』.

曰: "未好看,『易』自難看. 『易』本因卜筮而設, 推原陰陽消長之理, 吉凶悔吝之道. 先儒講解失聖人意處多. 待用心力去求, 是費多少時光, 不如且先讀『論語』."

『역』을 읽는 것에 대해 물었다.

(주자가) 대답했다. "읽기가 어려우니, 『역』은 본래 읽기가 어렵다. 『역』은 본디 점치기 위해 준비한 것으로 음양 소장消長의 원리와 길흉화복의 도를 본원으로부터 추구한 것이다. 선배 학자들의 강론과 해석도 성인의 뜻을 잃어버린 곳이 많다. 마음을 쏟아 힘써 탐구해가려면 많은 시간이 소모되니, 먼저 『논어』를 읽는 것만 못하다."

又問讀『詩』.

曰: "『詩』固可以興, 然亦自難. 先儒之說, 亦多失之. 某枉費許多年工夫, 近來於『詩』・『易』略得聖人之意. 今學者不如且看『大學』・『語』・『孟』・『中庸』四書, 且就見成道理, 精心細求, 自應有得. 待讀此四書精透, 然後去讀他經, 却易爲力."[116]

또 『시』를 읽는 것에 대해 물었다.

(주자가) 대답했다. "『시』는 참으로 흥기할 수 있지만, 역시 본래 어렵다. 선배 학자들의 학설 역시 대부분 본지를 잃었다. 내가 그것을 공부하는 데에 여러 해를 허비해서 근래에 『시』와 『역』에서 성인의 뜻을 대략 터득했다. 이제 배우는 사람들은 『대학』・『논어』・『맹자』・『중용』의 사서四書를 보고, 그이미 갖추어진 도리에서 정밀한 마음으로 상세하게 탐구하면 응당 저절로 터득할 것이다. 이 사서를 정밀하고 투철하게 읽고 난 뒤에 다른 경서를 읽으면 또한 힘쓰기가 쉬울 것이다."

[54-2-22]

問: "近看胡氏『春秋』, 初無定例, 止說歸忠孝處, 便爲經義, 不知果得孔子意否."

曰: "某嘗說, 『詩』・『書』是隔一重兩重說, 『易』・『春秋』是隔三重四重說. 『春秋』義例, 『易』爻象, 雖是聖人立下, 今說者用之, 各信己見, 然於人倫大綱皆通, 但未知曾得聖人當初本意否. 且不如讓渠如此說, 且存取大意, 得三綱五常不至廢墜足矣. 今欲直得聖人本意不差, 未須理會經, 先須於『論語』・『孟子』中專意看他, 切不可忙; 虛心觀之, 不須先自立見識; 徐徐以俟之, 莫立課程."[117]

물었다. "근래에 호씨胡氏[胡安國]의 『춘추』를 보니 애초에 정해진 체제가 없고 단지 충효로 귀의하는 곳이 곧 경經의 뜻이라고 말했는데, 과연 공자의 뜻을 얻은 것인지 모르겠습니다."

---

116 『朱子語類』 권115, 30조목
117 『朱子語類』 권104, 12조목

(주자가) 대답했다. "나는 일찍이 『시』와 『서』는 한 겹 두 겹으로 간격을 두고 말한 것이며, 『역』과 『춘추』는 세 겹 네 겹으로 간격을 두고 말한 것이라고 말한 적이 있다. 『춘추』의 의례義例와 『역』의 효爻와 상象은 비록 성인이 세웠으나 지금 말하는 사람들이 그것을 사용하여 각각 자기의 견해로 확신하고 있다. 그러나 인륜의 큰 벼리에 모두 통하지만, 단지 성인의 애당초 본래 뜻을 얻었는지는 모르겠다. 또한 그에게 이와 같이 꾸짖어 말하는 것이, 우선 대의大義를 보존하고 취하여 삼강三綱과 오상五常이 폐하고 타락함에 이르지 않음으로 훌륭함을 삼음만 못할 것이다. 지금 바로 성인의 본의를 어긋나지 않게 얻으려고 하면 경經을 이해할 필요가 없이, 먼저 반드시 『논어』와 『맹자』에 전념하여 그것을 보아야지 결코 조급하게 해서는 안 되고, 마음을 비우고 보아야지 먼저 스스로 식견을 세울 필요가 없으며, 천천히 기다려야지 과정을 세우지 말아야 한다."

[54-2-23]

問『左傳』疑義.

曰: "公不求之於六經『語』·『孟』之中, 而用功於『左傳』, 且『左傳』有甚麼道理?[118] 只看聖人所說, 無不是這簡大本. 如云'天高地下, 萬物散殊, 而禮制行矣 ; 流而不息, 合同而化, 而樂興焉.' 不然, 子思何故說簡'天命之謂性, 率性之謂道, 修道之謂敎?' 此三句是怎如此說? 是乃天地萬物之大本大根, 萬化皆從此出. 人若能體察得, 方見得聖賢所說道理, 皆從自己胷襟流出, 不假他求."

『좌전』의 의심나는 뜻에 대해 물었다.

(주자가) 대답했다. "그대는 육경과 『논어』·『맹자』에서 구하지 않고 『좌전』에 힘을 쓰니 또한 『좌전』에 무슨 도리가 있는가? 다만 성인이 말한 것을 보면 큰 근본이 아닌 것이 없다. 예컨대 '하늘은 위에 있고 땅은 아래에 있으며 그 중간에 만물이 산재하여 예의가 행해지고 있다. 만물은 흘러 쉬지 않으며 화합하기도 하고 분화하기도 하여 거기서 음악이 생겨난다.'[119]라는 것과 같다. 그렇지 않으면 자사子思가 무엇 때문에 '하늘이 명령한 것을 성性이라 하고, 성을 따르는 것을 도道라 하며, 도를 닦은 것을 가르침敎이라고 한다.'[120]라고 했겠는가? 이 세 구절은 무엇 때문에 이렇게 말했는가? 이것은 곧 천지만물의 큰 근본이고 큰 뿌리이니, 만물의 변화는 모두 여기에서부터 나온다. 사람이 만약 체찰體察할 수 있다면 비로소 성현이 말한 도리가 모두 자신의 가슴속에서 흘러나온 것이지 다른 곳에서 구할 필요가 없다는 것을 알 수 있을 것이다."

---

118 且『左傳』有甚麼道理? : 주희, 『朱子語類』 권121, 75조목에는 이 구절 뒤에 "縱有, 能幾何? 所謂'棄却甛桃樹, 緣山摘醋梨!' 天之所賦於我者, 如光明寶藏, 不會收得, 却上他人門敎化一兩錢, 豈不哀哉?(설령 있다고 하더라도 얼마나 되겠는가? 이른바 '달콤한 복숭아나무는 버려두고 산 따라 신 배를 따는구나!'라고 하는 것이다. 하늘이 내게 부여한 것은 예컨대 밝은 빛을 보물처럼 숨겨두고 거두어들일 수 없으면서 도리어 다른 사람의 문하의 교화 한두 푼 어치에 오른 것과 같으니, 어찌 슬프지 않겠는가?)"라는 말이 더 있다.

119 '하늘은 위에 … 생겨난다.' : 『禮記』「樂記」

120 '하늘이 명령한 … 한다.' : 『中庸』 제1장

又曰：“人須是於大原本上看得透，自然心胷開闊，見世間事皆瑣瑣不足道矣.”

又曰：“每日開眼，便見這四箇字在面前. 仁義禮智,[121] 這四箇字若看得熟，於世間道理，沛然若決江河而下，莫之能禦矣. 若看得道理透，方見得每日所看經書，無一句一字·一點一畫不是此理之流行，見天下事無大無小·無一名一件不是此理之發見. 如此，方見得這箇道理渾淪周遍，不偏枯，方見得所謂‘天命之謂性’底全體. 今人只是隨所見而言，或見得一二分，或見得二三分，都不曾見那全體，不曾到那極處，所以不濟事.”[122]

(주자가) 또 말했다. “사람은 반드시 큰 근본에서 투철하게 보아야, 자연스럽게 가슴속이 활짝 열려 세속의 일은 모두 자질구레하게 말할 것이 없음을 보게 될 것이다.”

(주자가) 또 말했다. “매일 눈을 뜨면 곧 이 네 글자가 눈앞에 있는 것을 본다. 인의예지 이 네 글자를 만약 익숙하게 보면, 세간의 도리에 대해 이해하는 것이 마치 강물을 터뜨려 내려가게 하는 것처럼 그 왕성함을 막을 수가 없을 것이다. 만약 도리를 꿰뚫어볼 수만 있다면, 비로소 매일 보는 경서가 한 구절 한 글자 점 하나 획 하나도 이 도리의 유행이 아닌 것이 없음을 알 수 있고, 천하의 일에 크고 작은 것 없이 한 명 한 건이 이 도리의 발현이 아닌 것이 없음을 알게 될 것이다. 이렇게 하면 비로소 이 도리가 혼륜하게 두루 미쳐 한쪽으로 치우치지 않음을 볼 수 있고, 비로소 이른바 ‘하늘이 명령한 것을 성이라고 한다.’는 온전한 체體를 볼 수 있을 것이다. 지금 사람들은 다만 본 것에 따라 말하는데, 어떤 사람은 10~20%를 보고 어떤 사람은 20~30%를 볼 뿐 전혀 그 온전한 체體를 본 적이 없고, 그 최고의 극점에 이른 적이 없기 때문에 일을 이루지 못한다.”

[54-2-24]

“學者觀書，先須讀得正文，記得註解，成誦精熟. 註中訓釋文意，事物名義，發明經指，相穿紐處，一一認得，如自己做出來底一般，方能玩味反復，向上有透處. 若不如此，只是虛設議論，如擧業一般，非‘爲己之學’也. 曾見汪端明說，‘沈元用問和靖，「伊川『易傳』何處是切要？」尹云，「體用一源，顯微無間，此是切要處.」’ 後擧似李先生. 先生曰，‘尹說固好. 然須是看得六十四卦·三百八十四爻，都有下落，方始說得此話. 若學者未曾子細理會，便與他如此說，豈不誤他？’ 某聞之悚然，始知前日空言無實，不濟事，自此讀書益加詳細云.”[123]

(주자가 또 말했다.) “배우는 사람이 책을 볼 때는 먼저 반드시 본문을 읽고 주석과 해설을 기억하여 암송을 할 수 있을 정도로 정밀하고 익숙해져야 한다. 주석 가운데 글의 뜻을 풀이한 곳, 사물의 이름과 의미를 풀이한 곳, 경서의 요지를 드러내 밝힌 곳, 서로 꿰뚫어 의미를 연결한 곳을 하나하나 인식하여 마치 자기가 지어낸 것과 마찬가지가 되어야, 비로소 반복적으로 음미해서 향상하여 투철한 곳이 생길

----

121 仁義禮智：『朱子語類』 권121, 75조목에는 이 구절 뒤에 “只趲着脚指頭便是.(다만 발가락에서 뛰어다니는 것이 바로 이것이다.)”라는 말이 더 있다.

122 『朱子語類』 권121, 75조목

123 『朱子語類』 권11, 106조목

수 있을 것이다. 만약 이렇게 하지 않고 다만 헛되이 의론을 세운다면, 마치 과거시험 공부와 마찬가지가되니 '자기를 위한 학문[爲己之學]'[124]이 아니다. 일찍이 왕단명汪端明이 다음과 같이 말한 것을 보았다. '심원용沈元用[沈晦]이 화정和靖[尹焞]에게 「이천伊川[程頤]의 『역전』에서 어느 곳이 절실하고 중요합니까?」라고 묻자, 윤화정의 「체體와 용用은 근원이 하나이고, 드러난 것과 은미한 것에는 틈이 없다는 이 대목이 절실하고 중요하다.」고 대답했다.' 나중에 이선생李先生[李侗]에게 이 말을 했더니, 이 선생이 말했다. '윤화정의 설명이 참으로 좋다. 그러나 반드시 64괘·384효를 보고서 모두 그 귀결점이 있어야 비로소이런 말을 할 수 있다. 만약 배우는 사람이 아직 자세하게 이해한 적도 없는데 곧 그에게 이와 같은말을 해준다면, 어찌 그를 잘못되게 하는 것이 아니겠는가!' 나는 그 말을 듣고 두려워서 비로소 예전의공허한 말이 실질적인 것이 없어서 일을 이루어내지 못했다는 것을 알았고, 이로부터 책을 읽을 때는더욱더 상세하게 읽었다."

[54-2-25]

魯齋許氏曰 : "講究經旨, 須是且將正本反復誦讀, 求聖人立言指意, 務於經內自有所得. 若反復讀誦至於二三十遍, 以至五六十遍, 求其意義不得, 然後以古註證之. 古註訓釋不明, 未可通曉, 方攷諸家解義, 擇其當者取一家之說以爲定論, 不可汎汎莫知所適從也."[125]

노재 허씨魯齋許氏[許衡][126]가 말했다. "경서의 요지를 강론하여 탐구할 때는 반드시 우선 원문을 반복적으로 소리 내어 읽어서 성인이 말한 취지를 구하고, 경서 속에서 스스로 터득하는 것이 있도록 힘써야한다. 만약 반복적으로 소리 내어 읽기를 20~30번에 이르고 50~60번에 이르러도 그 의미를 찾아내지못했다면, 그런 뒤에 옛 주석으로 증험해 보아야 한다. 옛 주석의 해석이 분명하지 않아 확실하게 이해하지 못했을 때에야 비로소 여러 학자들의 의미 해석을 살펴보아, 그 가운데 적당한 것을 선택해서 한학자의 이론을 취하여 정론定論으로 삼아야지, 범범하게 따를 것을 몰라서는 안 된다."

[54-2-26]

"誦經習史, 須是專志屛棄外物, 非有父母師長之命, 不得因他而輟."[127]

(노재 허씨가 말했다.) "경서를 암송하고 역사서를 익힐 때는 반드시 뜻을 오로지하여 바깥 사물을 물리쳐야 하니, 부모나 스승의 명령이 있지 않으면 다른 요인 때문에 그 일을 그쳐서는 안 된다."

124 '자기를 위한 학문[爲己之學]' : 『論語』「憲問」에서 "공자가 말했다. '옛날에 배우는 사람들은 자신을 위한 학문을 했는데, 지금에 배우는 자들은 남을 위한 학문을 한다.'(曰, '古之學者, 爲己 ; 今之學者, 爲人.')"라고하였다.
125 陳德秀, 『西山讀書記』권21
126 許衡(1209~1281) : 자는 仲平이고 호는 魯齋이며, 시호는 文正이다. 원대 懷州河內(현 하남성 焦作市沁陽)사람이다. 經學, 역사, 禮樂名物, 星曆, 兵刑, 食貨, 水利에 널리 통달했다. 특히 원대 程朱學을 발전시킨공로가 커서, 劉因과 함께 원대 두 大家라고 불렸다. 世祖 때 벼슬에 나아가 國子祭酒, 中書左丞을 지냈다.저서에 『讀易私言』·『魯齋心法』·『魯齋遺書』등이 있다.
127 包恢, 『敝帚稿畧』권2

程子曰：“凡解文字，但易其心自見理. 理只是義理,[128] 甚分明，如一條平坦底道路. 且如隨卦言‘君子向晦入宴息’，解者多作‘遵養時晦’之晦.”

或問：“作甚晦字?”

曰：“此只是隨時之大者，向晦則宴息也. 更別無甚義?”

或曰：“聖人之言，恐不可以淺近看他.”

曰：“聖人之言，自有近處，自有深處. 如近處，怎生强要鑿教深遠得.”[129] 以下論解經.

정자程子[程顥·程頤]가 말했다. “무릇 글을 해석할 때는 다만 그 마음을 편안하게 하면 저절로 그 리理를 알 수 있다. 리理는 다만 의리義理일 뿐이라 매우 분명해서 마치 한 가닥의 평탄한 길과 같다. 예컨대 『역』수隨괘에서 ‘군자가 날이 어둠을 향하거든 방 안에 들어가 편안히 쉰다.’라고 하였는데, 여기에서 ‘어둡다晦’라는 글자를 해석하는 사람은 대부분 ‘도를 따라 힘을 길러 때로 숨는다.’[130]라고 할 때의 ‘숨는다晦’로 보는 것과 같다.”

어떤 사람이 물었다. “‘회晦’자를 어떻게 보아야 합니까?”

(정자가) 대답했다. “이것은 다만 때를 따르는 큰 것이니, 어둠을 향하면 방 안에 들어가 쉰다는 것이다. 이에 별도로 다시 무슨 의미가 없다.”

어떤 사람이 물었다. “성인의 말은 아마도 그렇게 평이하게 보아서는 안 될 것 같습니다.”

(정자가) 대답했다. “성인의 말은 본래 비근한 곳도 있고, 본래 심원한 곳도 있다. 예컨대 비근한 곳을 어떻게 억지로 심원한 것으로 천착하도록 할 수 있겠는가?” 이 아래는 경의 풀이에 대해 논하였다.

[54-3-2]

“漢儒之談經也，以三萬餘言明「堯典」二字，可謂知要乎? 惟毛公·董相有儒者氣象. 東京士人尙名節，加之以明禮義，則皆賢人之德業矣.”[131]

(정자가 대답했다.) “한漢대 학자들이 경서를 담론한 것 가운데, 3만 여 글자로 「요전堯典」이라는 두 글자를 설명하고 있는데, 요점을 알았다고 할 수 있겠는가? 오직 모공毛公[毛萇][132]과 동상董相[董仲舒][133]만

128　理只是義理：『河南程氏遺書』권18에는 “理只是人理.(리는 다만 사람의 리일 뿐이다.)”라고 되어 있다.

129　『河南程氏遺書』권18

130　‘도를 따라 … 숨는다.’：『詩』「周頌·酌」에서, “아, 성대한 王師여 도를 따라 힘을 길러 때로 숨는다.(於鑠王師, 遵養時晦.)”라고 하였다.

131　『二程粹言』권上「論書篇」

132　毛萇：서한시기 趙(현 하북성 邯鄲市 雞澤縣) 땅 사람으로, 古文詩學인 毛詩學의 전수자이다. 일찍이 河間獻王(劉德)의 博士를 지냈다. 그는 毛亨에게서 詩學을 전수받았고, 현존하는 『詩經』은 바로 모형과 모장이 주석한 『毛詩』이다. 공자가 산정한 『詩經』이 자하에게 전해졌고, 자하는 曾申에게 전했으며, 증신은 李克에게 전했고, 이극은 孟仲子에게 전했으며, 맹중자는 根牟子에게 전했고, 근모자는 荀卿에게 전했으며, 순경은 모형에게 전했다고 한다. 경서를 해석하는 것이 선진의 전적과 서로 합치하였고, 그 훈고가 질박하고 정확하

이 유학자의 기풍이 있었다. 동경東京[東漢]의 선비들이 명예와 절조節操를 숭상하였는데, 거기에다 예의를 밝히는 것을 보탰으면 모두 현인의 덕업을 이룰 수 있었을 것이다."

[54-3-3]
朱子曰 : "經之有解, 所以通經. 經旣通, 自無事於解, 借經以通乎理耳. 理得, 則無俟乎經. 今意思只滯在此, 則何時得脫然會通也? 且所貴乎簡者, 非謂欲語言之少也, 乃在中與不中爾. 若句句親切, 雖多何害? 若不親切, 愈少愈不達矣. 某嘗說讀書須細看得意思通融後, 都不見註解, 但見有正經幾箇字在, 方好."[134]

주자가 말했다. "경서에 해설이 있는 것은 경서에 통달하기 위해서이다. 경서에 이미 통달했으면 저절로 해설이 필요 없으니 경서를 빌려 도리에 통할 뿐이다. 도리를 터득했다면 경서를 기다릴 필요가 없다. 지금 생각이 다만 여기에 얽매여있다면 언제 자유롭게 구속받지 않고 훤히 통할 수 있겠는가? 또 간략함을 소중히 여긴다는 것은 말을 적게 하려는 것이 아니라, 바로 적절한지 적절하지 않은지에 달려 있을 뿐이다. 만약 구절마다 친밀하고 절실하다면 비록 말이 많더라도 무엇이 해롭겠는가? 만약 친밀하고 절실하지 않다면 말이 적으면 적을수록 더욱 통달하지 못할 것이다. 나는 일찍이 독서를 할 때는 반드시 자세하게 보아서 의미가 융회하여 관통한 다음에는 주석과 해설을 전혀 보지 않고 원래 경서 원문의 몇 글자만 보아도 좋다고 말한 적이 있다."

[54-3-4]
"聖經字若簡主人, 解者猶若奴僕. 今人不識主人, 且因奴僕通名, 方識得主人, 畢竟不如經字也."[135]

(주자가 말했다.) "성인의 경문은 주인과 같고, 해석은 또한 마치 노복奴僕과 같다. 요즘 사람들은 주인을 알고 있지 못해 우선 노복을 통해 통성명을 해야 비로소 주인을 알게 되니, 결국 경서의 글만 못하다."

. . . .

며 간명하여 전습하는 데 편리하였다. 이 때문에 『毛詩』만이 후대까지 전하게 되었다고 한다.

133 董仲舒(B.C.179~B.C.104) : 西漢 때의 유학자로서 今文經學에 밝았으며, 하북성 廣川縣 사람이다. 일찍부터 公孫弘과 『春秋公羊傳』을 익혔으며 景帝 때는 박사가 되었다. 帳幕을 치고 제자를 가르쳤기 때문에 그의 얼굴을 모르는 제자도 있었다고 한다. 3년 동안이나 정원에 나가지 않았을 정도로 그는 학문에 정진하였다. 武帝가 즉위하여 크게 인재를 구하므로 賢良對策을 올려 天人感應·大一統의 학설과 '모든 학파를 몰아내고, 오직 유가만을 존중[擺黜百家獨尊儒術]'할 것을 주장하여 인정을 받았고, 이후로 유가는 독존의 지위를 차지하게 되었다. 그러나 동중서는 『春秋公羊傳』에 의거하여 유가철학을 음양오행설과 결합시켜 공맹유학을 변질시켰다는 평가를 받고 있다. 저서에 『董子文集』·『春秋繁露』 등이 있다.

134 『朱子語類』 권11, 109조목

135 『朱子語類』 권11, 118조목

[54-3-5]

"解經當如破的."[136]

(주자가 말했다.) "경서를 해석할 때는 마땅히 과녁에 적중시키는 것처럼 해야 한다."

[54-3-6]

"經書有不可解處, 只得闕. 若一向去解, 便有不通而謬處."[137]

(주자가 말했다.) "경서에 해석할 수 없는 곳이 있으면, 빠뜨려 두어야 한다. 만약 줄곧 해석해 나가면 곧 통하지 않고 잘못된 곳이 생기게 될 것이다."

[54-3-7]

"後世之解經者有三. 一儒者之經, 一文人之經, 東坡·陳少南輩是也. 一禪者之經, 張子韶輩是也."[138]

(주자가 말했다.) "후세에 경서를 풀이했던 사람은 세 부류가 있다. 하나는 유학자가 경서를 해석한 것이고, 또 하나는 문학가가 경서를 해석한 것으로 동파東坡[蘇軾]와 진소남陳少南[陳鵬飛][139]의 무리가 이들이다. 나머지 하나는 선승禪僧이 경서를 해석한 것으로 장자소張子韶[張九成]의 무리가 이들이다."

[54-3-8]

"解經, 須先還他成句, 次還他文義. 添無緊要字却不妨, 添重字不得. 今人新添者, 恰是重字."[140]

(주자가 말했다.) "경서를 해석할 때는 먼저 그 전체 구절을 돌이켜 보고, 다음에는 그 의미를 돌이켜 보아야 한다. 긴요하지 않은 글자를 첨가하는 것은 무방하지만, 중요한 글자를 첨가해서는 안 된다. 요즘 사람들이 새로 첨가하는 것은 꼭 중요한 글자이다."

[54-3-9]

"某解書, 如訓詁一二字等處, 多有不必解處, 只是解書之法如此. 亦要教人知得, 看文字不可忽略."[141]

(주자가 말했다.) "내가 책을 해석할 때 예컨대 한 두 글자로 훈고한 곳은 꼭 해석하지 않아도 되는

----

136 『朱子語類』 권11, 120조목
137 『朱子語類』 권11, 121조목
138 『朱子語類』 권11, 123조목
139 陳鵬飛(1099~1148) : 자는 少南이고, 북송대 溫州永嘉(현 절강성 溫州) 사람이다. 高宗 紹興 12년(1142) 진사에 급제하여, 벼슬은 太學博士, 崇政殿說書, 禮部員外郎 등을 역임했다. 秦檜의 미움을 받아서 惠州로 유배를 가서 4년 뒤 그곳에서 죽었다. 저서에 『管見集』과 『羅浮集』 등이 있다.
140 『朱子語類』 권11, 124조목
141 『朱子語類』 권105, 3조목

곳이 많이 있는데, 다만 책을 해석하는 방법이 이와 같을 뿐이다. 이것은 또한 사람들이 글자를 볼 때 소홀하게 해서는 안 된다는 것을 알도록 하려는 것이다."

[54-3-10]

問 : "解經有異於程子說者, 如何?"

曰 : "程子說, 或一句自有兩三說, 其間必有一說是, 兩說不是. 理一而已, 安有兩三說皆是之理? 蓋其說或後嘗改之, 今所以與之異者, 安知不曾經他改來? 蓋一章而衆說叢然, 若不平心明目, 自有主張, 斷入一說, 則必無衆說皆是之理."[142]

물었다. "경서를 해석한 것이 정자程子의 주장과 다름이 있는 것은 무엇 때문입니까?"

(주자가) 대답했다. "정자의 주장은 간혹 한 구절에 본래 두세 가지 주장이 있는데, 그 사이에 반드시 하나의 주장은 옳고 나머지 두 가지 주장은 옳지 않다. 리理는 하나일 뿐이니, 어찌 두세 가지 주장이 모두 옳은 리理일 수 있겠는가? 그 주장들 가운데 어떤 것은 뒤에 고친 적이 있으니, 지금 정자의 주장과 다른 것은 일찍이 그것을 바꾸었던 것인지를 어떻게 알겠는가? 대개 한 장章에 대해 여러 가지 주장이 무성한 경우, 만약 마음을 평온하게 하여 눈을 밝게 뜨고 스스로 주장을 내세워 단연코 한 가지 주장에 빠져들어가지 않으면, 반드시 여러 가지 주장이 모두 옳은 리理일 수는 없을 것이다."

[54-3-11]

"程先生經解, 理皆在解語內. 某集註『論語』, 只是發明其辭, 使人玩味經文, 理皆在經文內. 『易傳』不看本文, 亦自成一書. 杜預『左傳解』, 不看傳經文, 亦自成一書. 鄭箋不識經大旨, 故多隨句解."[143]

(주자가 말했다.) "정선생程先生(程顥·程頤)의 경서 해석은 이치가 모두 해석한 말 속에 있다. 내가 『논어』를 집주한 것은 다만 그 말을 분명하게 드러내어 사람들에게 경문經文을 음미하도록 한 것일 뿐이니, 이치는 모두 경문 속에 있다. 『역전易傳』은 본문을 보지 않아도, 별도로 한 권의 책이 된다. 두예杜預[144]의 『춘추좌씨경전집해春秋左氏經傳集解』는 『춘추』의 전傳이나 경문을 보지 않아도, 별도로 한 권의 책이

----

142 『朱子語類』 권105, 6조목
143 『朱子語類』 권19, 69조목
144 杜預(222~284) : 자는 元凱이며, 京兆杜陵(현 섬서성 長安縣) 사람이다. 중국 晉代의 학자·정치가이며 벼슬은 河南尹, 秦州刺史, 鎮南大將軍 등을 역임하였다. 유일하게 삼국시대의 명맥을 유지하고 있던 吳나라를 공격하여 평정(280년)하였으며 뛰어난 군사전략가로서 실력을 발휘하였다. 만년에는 학문과 저술에 힘을 기울였다. 저서에 『春秋左氏經傳集解』·『春秋釋例』 등이 있는데, 특히 『春秋左氏經傳集解』는 종래 별개의 책이었던 『春秋』의 經文과 『左氏傳』을 한 권의 책으로 정리하여, 경문에 대응하도록 『左氏傳』의 문장을 분류하여 春秋義例說을 확립하고, 춘추학으로서의 좌씨학을 집대성하였다. 또한 훈고에서도 선대 유학자들의 학설의 좋은 점을 모아 『左氏傳』을 춘추학의 정통적 지위에 올려놓았다. 이 저서는 현재에도 가장 기본적인 주석으로 꼽힌다.

된다. 정현鄭玄[145]의 『모시전전毛詩傳箋』은 경서의 큰 요지를 알지 못했기 때문에 구절에 따라 해석한 것이 많다."

[54-3-12]

"解經不必做文字, 止合解釋得文義通, 則理自明, 意自足. 今多去上做文字, 少間說來說去, 只說得他自一片道理, 經意却蹉過了. 要之, 經之於理, 亦猶傳之於經. 傳, 所以解經也, 旣通其經, 則傳亦可無. 經, 所以明理也, 若曉得理, 則經雖無亦可."[146]

(주자가 말했다.) "경서를 해석할 때에는 굳이 글을 지을 필요가 없으니, 다만 문장의 의미가 통하도록 적절하게 해석해 낼 수 있으면 이치가 저절로 밝아지고 뜻이 저절로 만족스럽게 될 것이다. 지금 대부분 거기에 글을 지어 얼마 지나지도 않아 이리저리 말하는데, 다만 그 스스로 한쪽의 도리만을 말할 뿐이니 경서의 뜻이 도리어 잘못되었다. 요컨대 경서의 이치에 대한 관계는 또한 마치 전傳이 경서에 대한 관계와 같다. 전傳은 경서를 해석한 것이니, 이미 그 경서를 통달했다면 전傳은 또한 없어도 된다. 경서는 이치를 밝힌 것이니, 만약 이치를 깨달았다면 경서가 비록 없을지라도 또한 괜찮다."

[54-3-13]

"解經已是不得已, 若只就註解上說, 將來何濟? 如畫那人一般, 畫底却識那人, 別人不識, 須因這畫去求那人, 始得. 今便以畫喚做那人, 不得."[147]

(주자가 말했다.) "경서를 해석하는 것이 이미 그만둘 수 없는 일이지만, 만약 다만 주석과 해설만으로 설명한다면 장차 무슨 도움이 되겠는가? 예컨대 어떤 사람을 그리는 것과 마찬가지로 화공은 그 사람을 알고 있지만 다른 사람들은 그 사람을 알지 못하니, 반드시 그 그림에 의거하여 그 사람을 구해야 된다. 그렇지만 그 그림을 바로 그 사람이라고 할 수는 없다."

[54-3-14]

"凡學者解書, 切不可與他看本. 看本, 則心死在本子上. 只教他恁地說, 則他心便活, 亦且不

145 鄭玄(127~200) : 자는 康成이며, 北海(현 산동성 高密) 사람이다. 後漢 말기의 대표적 유학자로서 시종 재야 학자로 지냈으며, 제자들에게는 물론 일반인들에게서도 훈고학·경학의 시조로 깊은 존경을 받았다. 젊었을 때부터 학문에 뜻을 두었고, 경학의 今文과 古文 외에 天文·曆數에 이르기까지 광범한 지식을 갖추었다. 처음에 鄕嗇夫라는 지방의 말단관리가 되었으나 그만두고, 洛陽에 올라가 태학에 입학하여, 馬融 등에게 배웠다. 그가 낙양을 떠날 때, 마융이 "나의 학문이 정현과 함께 동쪽으로 떠나는구나!" 하고 탄식하였을 만큼 학문에 힘을 쏟았다. 그는 고문·금문에 모두 정통하였으며, 가장 옳다고 믿는 설을 취하여 『周易』·『尙書』 ·『毛詩』·『周禮』·『儀禮』·『禮記』·『論語』·『孝經』 등 경서에 주석을 하였고, 『儀禮』·『論語』 교과서의 定本을 만들었다. 그의 저서 가운데 완전하게 현존하는 것은 『毛詩』의 箋과 『周禮』·『儀禮』·『禮記』의 주해뿐이고, 그 밖의 것은 단편적으로 남아 있다.
146 『朱子語類』 권103, 47조목
147 『朱子語類』 권11, 40조목

解失忘了."148

(주자가 말했다.) "무릇 배우는 사람이 책을 해석할 때는 결코 그에게 책을 보게 해서는 안 된다. 책을 보게 되면 마음이 책에 고정될 것이다. 다만 그에게 자기 하고픈 대로 말하도록 하면, 그의 마음은 생동감이 있게 되고 또 잃어버리거나 잊지 않을 것이다."

[54-4-1]

程子曰 : "某每讀史到一半, 便掩卷思量, 料其成敗, 然後却看有不合處, 又更精思, 其間多有幸而成, 不幸而敗. 今人只見成者便以爲是, 敗者便以爲非, 不知成者煞有不是, 敗者煞有是底."149 以下讀史.

정자程子(程顥·程頤)가 말했다. "나는 역사서를 읽을 때 매번 절반을 읽으면 책을 덮고 생각하여 그 성공과 실패를 헤아려 보고서 다음에, 맞지 않음이 있게 되면 또 다시 자세히 생각하였는데 그 사이에는 대부분 요행이 있어 성공하거나 불행히도 실패한 것들이었다. 요즘 사람들은 다만 성공한 사람을 곧 옳다고 여기고 실패한 사람을 곧 그르다고 여기는 것을 알 뿐, 성공한 사람이 매우 옳지 않은 점이 있고 실패한 사람이 매우 옳은 점이 있다는 것을 알지 못한다." 아래는 역사서를 읽는 것에 대한 것이다.

[54-4-2]

"讀史須見聖賢所存治亂之機, 賢人君子出處進退, 便是格物. 今人只將他見成底事便做是使, 不知煞有誤人處."150

(정자가 말했다.) "역사서를 읽을 때는 반드시 성현이 남긴 치란治亂의 기틀과 현인·군자의 벼슬에 나아가는 것과 물러나 숨는 것에 대해 알아야 하니, 이것이 바로 사물의 이치를 궁구하는 것이다. 요즘 사람들은 다만 그 이미 이루어진 일을 곧 그렇게 하도록 시킨 것으로 여길 뿐, 사람들에게 해를 끼치는 것이 있다는 것을 알지 못한다."

[54-4-3]

"凡讀史, 不徒要記事跡, 須要識治亂安危·興廢存亡之理. 且如讀高帝一紀, 便須識得漢家四百年, 終始治亂, 當如何, 是亦學也."151

(정자가 말했다.) "무릇 역사서를 읽을 때는 다만 일의 자취만을 기억하지 말고 반드시 다스려짐과 혼란함, 안정됨과 위험함, 흥성과 패망, 존속과 멸망의 이치를 알아야 한다. 예컨대『한서漢書』「고제기高帝紀」를 읽으면 반드시 한漢나라 400년 동안의 처음과 끝, 다스려짐과 혼란함이 마땅히 어떠할 것이라는 것을

---

148 『朱子語類』권11, 127조목
149 『河南程氏遺書』권19
150 『河南程氏遺書』권19
151 『河南程氏遺書』권18

알아야 하니, 이렇게 하는 것도 역시 배우는 것이다."

[54-4-4]

朱子曰: "今人讀書未多, 義理未至融會處, 若便去看史書, 攷古今治亂, 理會制度典章. 譬如作陂塘以漑田, 須是陂塘中水已滿, 然後決之, 則可以流注滋殖田中禾稼. 若是陂塘中水方有一勺之多, 遽決之以漑田, 則非徒無益於田, 而一勺之水亦復無有矣. 讀書旣多, 義理已融會, 胷中尺度一一已分明, 而不看史書, 攷治亂, 理會制度典章, 則是猶陂塘之水已滿而不決以漑田. 若是讀書未多, 義理未有融會處, 而汲汲焉以看史爲先務, 是猶決陂塘一勺之水以漑田也, 其涸也可立而待也."152

주자가 말했다. "요즘 사람들은 독서를 많이 하지 않아서 의리가 두루 통달하는 경지에 이르지 못했는데도, 이같이 곧바로 역사서를 읽어서 예로부터 지금까지의 다스려짐과 혼란함을 고찰하고, 제도와 법률을 이해하려고 한다. 이것은 비유를 들면 저수지를 만들어서 전답에 물을 대는 것과 같으니, 반드시 먼저 저수지에 물을 가득 채운 뒤에 그것을 터놓으면 물이 전답에 흘러 들어가 전답의 곡식을 자라게 할 수 있다. 만약 저수지에 한 국자 정도의 물이 있는데 갑자기 그것을 터서 전답에 물을 댄다면, 한갓 전답에 보탬이 없을 뿐만 아니라 한 국자의 물마저 없어지게 된다. 독서를 한 것이 이미 많고 의리도 이미 두루 통하여 가슴속에 기준이 하나하나 매우 분명해졌는데도, 역사서를 읽어서 다스려짐과 혼란함을 고찰하고 제도와 법률을 이해하려고 하지 않는다면, 이것은 마치 저수지의 물이 이미 가득 찼는데도 그것을 터서 전답에 물을 대지 않는 것과 같다. 만약 독서를 한 것이 아직 많지 않고 의리에도 아직 두루 통하지 않았는데 조급하게 역사서를 보는 것을 급선무로 삼는다면, 이것은 마치 저수지에 한 국자 정도의 물만 있는데 그것을 터서 전답에 물을 대는 것과 같으니, 그 물이 말라 없어지는 것은 서서도 기다릴 수 있을 것이다."153

[54-4-5]

"讀史當觀大倫理 · 大機會 · 大治亂得失."154

---

152 『朱子語類』 권11, 130조목
153 그 물이 … 것이다. :『孟子』「離婁下」에서 "徐子가 물었다. '仲尼(孔子)가 자주 물을 칭찬하면서 「물이여! 물이여!」라고 하였는데, 무엇 때문에 물을 취했습니까?' 맹자가 대답했다. '근원이 좋은 물이 混混히 흘러서 밤낮을 그치지 아니하여 구덩이가 가득 찬 뒤에 전진하여 四海에 이르니, 학문에 근본이 있는 자가 이와 같다. 이 때문에 취한 것이다. 만약 근본이 없다면 7 · 8월에 빗물이 모여서 도랑이 모두 가득 차지만, 그 물이 말라 없어지는 것은 서서도 기다릴 수 있다. 그러므로 명성이 실제보다 지나침을 군자는 부끄러워한다.'(徐子曰, '仲尼亟稱於水曰, 「水哉! 水哉!」, 何取於水也?' 孟子曰, '原泉混混, 不舍晝夜, 盈科而後進, 放乎四海, 有本者如是. 是之取爾. 苟爲無本, 七八月之間, 雨集溝澮皆盈, 其涸也可立而待也. 故聲聞過情, 君子恥之.')"라고 하였다.
154 『朱子語類』 권11, 137조목

(주자가 말했다.) "역사서를 읽을 때는 큰 윤리와 큰 기회, 큰 다스려짐과 혼란함의 득실을 보아야 한다."

[54-4-6]

"凡觀書史, 只有箇是與不是. 觀其是, 求其不是; 觀其不是, 求其是, 然後便見得義理."[155]

(주자가 말했다.) "대체로 역사서를 보면, 다만 옳음과 옳지 않음이 있을 뿐이다. 옳은 것을 보면서는 옳지 않은 점을 찾고, 옳지 않은 것을 보면서는 옳은 점을 찾아서, 그런 다음에 의리를 알 수 있다."

[54-4-7]

"史且如此看讀去, 待知首尾稍熟後, 却下手理會. 讀書皆然."[156]

(주자가 말했다.) "역사서는 우선 이와 같이 읽어 가서 일의 시작과 끝이 조금 익숙하게 알아지기를 기다린 다음에 또한 이해하는 일을 착수해야 한다. 독서를 하는 것은 모두 그렇다."

[54-4-8]

"讀史有不可曉處, 劄出待去問人, 便且讀過. 有時讀別處, 撞著有文義與此相關, 便自曉得."[157]

(주자가 말했다.) "역사서를 읽다가 이해할 수 없는 곳이 있으면 적어 두어서 다른 사람에게 물어볼 것을 대비하고, 우선 읽고 지나가야 한다. 어떤 때는 다른 곳을 읽다가 글의 뜻이 그것과 서로 관련되는 곳을 맞닥뜨리게 되면 저절로 이해할 수 있을 것이다."

[54-4-9]

"先看『語』·『孟』·『中庸』, 更看一經, 却看史, 方易看. 先讀『史記』, 『史記』與『左傳』相包. 次看『左傳』, 次看『通鑑』, 有餘力則看全史. 只是看史, 不如今之看史有許多嶢崎, 看治亂如此, 成敗如此, '與治同道罔不興, 與亂同事罔不亡', 知得次第."[158]

(주자가 말했다.) "먼저 『논어』·『맹자』·『중용』을 보고, 다시 다른 경서 한 종류를 보고 나서 역사서를 보면 비로소 보기가 쉽다. 먼저 『사기』를 읽어야 하니, 『사기』와 『좌전』은 서로 포괄하고 있기 때문이다. 다음에는 『좌전』을 보고, 그 다음에 『통감通鑑[資治通鑑]』을 보며, 남은 힘이 있다면 전체 역사서를 보면 된다. 다만 역사서만 읽는 것은 지금 역사에 수많은 기이한 일들이 있는 것을 보는 것만 못하다. 다스려짐과 혼란함이 이와 같고, 성공과 실패가 이와 같으니, '잘 다스리는 사람과 도를 같이하면 흥하지 않을 수 없고, 어지럽히는 사람과 일을 같이하면 망하지 않을 수가 없다.'[159]는 것을 보면, 순서를 알 수 있다."

· · · · · · · · · · · · · · · · · · · ·

155 『朱子語類』 권11, 138조목
156 『朱子語類』 권11, 139조목
157 『朱子語類』 권11, 140조목
158 『朱子語類』 권11, 131조목
159 '잘 다스리는 … 없다.' : 『商書』 「太甲下」

[54-4-10]

"凡讀書, 先讀『語』·『孟』, 然後觀史, 則如明鑑在此, 而妍醜不可逃. 若未讀徹『語』·『孟』·『中庸』·『大學』, 便去看史, 胷中無一箇權衡, 多爲所惑."160

(주자가 말했다.) "독서를 할 때는 먼저 『논어』와 『맹자』를 본 다음에 역사서를 보면, 마치 밝은 거울이 여기에 있어서 아름다운 것과 추한 것이 숨을 수 없는 것과 같다. 만약 『논어』·『맹자』·『중용』·『대학』을 철저하게 읽지 않고, 곧바로 역사서를 보면, 가슴속에 기준이 없어서 대부분 미혹 당하게 된다."

[54-4-11]

"讀史之法, 先讀『史記』及『左氏』, 却看『西漢』·『東漢』及『三國志』, 次看『通鑑』. 溫公初作編年起於威烈王, 後又添至共和, 後又作『稽古錄』, 始自上古. 然共和以上之年, 已不能推矣. 獨邵康節却推至堯元年, 『皇極經世書』中可見. 溫公又作『大事記』. 若欲看本朝事, 當看『長編』. 若精力不及, 其次則當看『國紀』, 『國紀』只有『長編』十分之二耳."161

(주자가 말했다.) "역사서를 읽는 방법은, 먼저 『사기』와 『좌전』을 읽고, 또 『서한서[漢書]』·『동한서[後漢書]』 및 『삼국지』를 보고 난 다음에 『자치통감』을 보아야 한다. 온공溫公[司馬光]162은 처음에 편년체로 지으면서 주周나라 위열왕威烈王에서 시작하였고, 나중에 또 공화共和163까지 첨가하였으며, 그 뒤에 또 『계고록稽古錄』을 지으면서 비로소 상고시대부터 시작했다.164 그러나 공화 이전의 연대는 이미 미루어 짐작할 수 없다. 유독 소강절邵康節[邵雍]165만이 또한 요임금 원년까지 미루었는데, 『황극경세서』에서 볼 수 있다. 온공은 또 『대사기大事記』를 지었다. 만약 본조本朝(송나라)의 일을 보려고 한다면, 마땅히 『장편長編[續資治通鑑長編]』을 보아야 한다. 만약 정력이 미치지 못하면, 차선책으로 『국기國紀』를 보아야

· ·

160 『朱子語類』 권11, 132조목

161 『朱子語類』 권11, 133조목

162 司馬光(1019~1086) : 자는 君實이고, 호는 迂夫와 만년의 迂叟이며, 시호는 文正이다. 세칭 司馬太師·溫國公·涑水先生이라 한다. 송대 夏縣 涑水鄕(현 산서성 夏縣) 사람으로 翰林侍讀·權御使中丞·門下侍郎 등을 역임하였다. 왕안석의 신법에 반대하여 퇴출되었다가 재상으로 복직하여 신법을 폐지하였다. 저서는 『文集』과 『資治通鑑』·『稽古錄』·『易說』·『潛虛』 등이 있다.

163 共和 : 西周의 厲王이 실정하여 鎬京을 떠난 다음부터 宣王이 정권을 잡을 때까지의 14년간을 가리키는 말이다. B.C.841년부터 B.C.828년 사이인데, 중국에서는 이때부터 역사상 확실한 연대가 시작되었다.

164 또 『稽古錄』을 … 시작했다. : 사마광이 이 책에서 伏羲시대부터 송대 英宗 治平 말기까지의 역사를 20권으로 기록했다.

165 邵雍(1011~1077) : 자는 堯夫이고, 호는 安樂先生이며, 蘇文山 百源 가에 은거하여 百源先生이라고도 불리었다. 시호는 康節이다. 송대 范陽(현 하북성 涿縣) 사람으로 만년에는 洛陽에 거주하였는데, 이때 司馬光·呂公著·富弼 등이 그를 존경하여 함께 교류하면서 대저택을 증여하였다. 李之才에게 圖書先天象數學을 배웠다고 한다. 그는 도가사상의 영향을 받고 유가의 易哲學을 발전시켜 독특한 數理哲學을 완성하였다. 易이 음과 양의 二元으로서 우주의 모든 현상을 설명하고 있음에 대하여, 그는 陰·陽·剛·柔의 四元을 근본으로 하고, 4의 倍數로서 모든 것을 설명하였다. 그의 易學은 朱熹에게 큰 영향을 주었다. 저서는 『皇極經世』·『伊川擊壤集』·『漁樵問答』 등이 있다.

하니, 『국기』는 다만 『속자치통감장편』의 20%만 있을 뿐이다."

[54-4-12]

"史亦不可不看. 看『通鑑』固好, 然須看正史一部, 却看『通鑑』. 一代帝紀, 更逐件大事立簡綱目, 其間節目疏之于下, 恐可記得."[166]

(주자가 말했다.) "역사서는 또한 보지 않을 수 없다. 『통감』을 보는 것은 참으로 좋지만, 반드시 정사正史 한 종류를 보고 나서 『자치통감』을 보아야 한다. 한 왕조의 제기帝紀마다 다시 큰 사건에 따라 강목綱目을 세우고, 그 사이의 세부 목차를 아래에다 소疏로 달면 아마도 기억할 수 있을 것이다."

[54-4-13]

"『通鑑』難看, 不如看『史記』·『漢書』. 『史記』·『漢書』事多貫穿, 「紀」裏也有, 「傳」裏也有, 「表」裏也有, 「志」裏也有. 『通鑑』是逐年事, 逐年過了, 更無討頭處." 一云, '更無蹤跡.'

問: "『通鑑』歷代具備, 看得大槩, 且未免求速耳."

曰: "求速, 却依舊不曾看得. 須用大段有記性者, 方可. 且如東晉以後, 有多少小國夷狄姓名, 頭項最多. 若是看正史後, 却看『通鑑』, 見他姓名, 却便知得他是某國人. 某舊讀『通鑑』, 亦是如此, 且草草看正史一上, 然後却來看他."[167]

(주자가 말했다.) 『통감通鑑資治通鑑』은 보기가 어려우니, 『사기』와 『한서』를 보는 것만 못하다. 『사기』와 『한서』에 나오는 사건들은 대부분 연결되어 있어서, 「기紀」 안에도 있고, 「전傳」 안에도 있으며, 「표表」 안에도 있고, 「지志」 안에도 있다. 『자치통감』은 연도별로 사건을 기록한 것이므로 연도가 지나가 버리면 더 이상 언급하지 않아 그 두서를 찾을 곳이 없다." 어떤 기록에는 '더 이상 자취가 없다.'라고 되어 있다.

물었다. "『통감』에는 역대의 일들이 갖추어져 있어 대략적으로 보게 되니, 빨리 읽으려는 폐단을 면하지 못하겠습니다."

(주자가) 대답했다. "빨리 읽으려는 것은 또한 애당초 본 적이 없는 것과 다름없다. 반드시 대단히 기억력이 좋은 사람이어야 빨리 읽는 것이 가능하다. 또 예컨대 동진東晉 이후에는 수많은 작은 나라들과 오랑캐의 이름들이 있는데, 항목이 정말 많다. 만약 정사正史를 본 뒤에 『통감』을 보면 그 성명을 보고 바로 그가 어느 나라 사람인지를 알 수 있을 것이다. 내가 예전에 『통감』을 읽을 때도 역시 이와 같았으니, 우선 정사正史를 대충 한번 훑어본 뒤에 그것을 보아야 한다."

[54-4-14]

"觀史, 只是以自家義理斷之. 大槩自漢以來, 只是私意, 其間有偶合處爾. 只如此看他, 已得

---

166 『朱子語類』 권11, 134조목
167 『朱子語類』 권11, 135조목

大槩. 范『唐鑑』亦是此法, 然稍踈, 更看得密如他, 尤好. 然得似他, 亦得了."[168]

(주자가 말했다.) "역사서를 읽는 것은 다만 자신의 의리로 역사를 판단하는 것일 뿐이다. 대개 한漢나라 이래로는 다만 사사로운 생각만 있었으니, 그 사이에 우연히 도리와 합치되는 것이 있었을 뿐이다. 다만 이와 같이 역사서를 보면 이미 대략적인 것을 얻은 것이다. 범조우范祖禹[169]의 『당감唐鑑』 역시 이러한 방법을 쓴 것이지만 조금 소략하니, 그보다 더 엄밀하게 볼 수 있다면 더욱 좋았을 것이다. 그러나 그 사람처럼만 터득해도 또한 충분히 터득한 것이다."

[54-4-15]

問陳芝: "史書記得熟否? 蘇丞相頌看史, 都在手上輪得, 他那資性直是會記."

芝曰: "亦緣多忘."

曰: "正緣如此, 也須大約記得某年有甚麼事, 某年有甚麼事. 纔記不起, 無緣會得浹洽."

芝曰: "正緣是不浹洽."

曰: "合看兩件, 且看一件. 若兩件是四百字, 且看二百字, 有何不可?"[170]

(주자가) 진지陳芝(주자 문인)에게 물었다. "역사서를 익숙하게 기억할 수 있는가? 승상 소송蘇頌[171]은 역사서를 볼 때, 언제나 손바닥 위에 올려놓고 돌려가며 보듯이 하였는데, 그는 그 자질이 그야말로 기억할 수 있었기 때문이다."

진지가 대답했다. "또한 분량이 많기 때문에 잊어버립니다."

(주자가) 말했다. "바로 이와 같기 때문에 또한 반드시 대략이라도 몇 년에는 무슨 일이 있었고, 몇 년에 무슨 일이 있었는지를 기억해야 한다. 기억하지 못하면 푹 젖어들어 이해할 수 있는 방도가 없다."

진지가 말했다. "바로 이것 때문에 푹 젖어들지 못합니다."

(주자가) 말했다. "두 가지를 보아야 한다면 우선 한 가지를 보면 된다. 만약 두 가지가 4백 자인데 우선 2백 자를 보면, 어찌 안 될 것이 있겠는가?"

---

168 『朱子語類』 권11, 141조목

169 范祖禹(1041~1098): 자는 淳甫 또는 夢得이고 호는 화양선생이며, 송대 成都華陽(현 사천성 成都) 사람이다. 시호는 正獻이다. 嘉祐 8년에 진사에 급제하여, 試校書郎, 知龍水縣 등을 지냈다. 15년간 사마광이 『資治通鑑』을 편찬하는 데 참여했으며, 사마광의 추천으로 秘書省正字에 임명되고 철종 때에는 給事中을 역임하였다. 저서는 『詩解』・『古文孝經說』・『祭儀』・『三經要語』・『唐鑑』・『范太史集』 등이 있다.

170 『朱子語類』 권11, 143조목

171 蘇頌(1020~1101): 자는 子容으로, 송대 同安(현 복건성 소속) 사람이다. 慶曆 2년(1042) 진사에 급제하여 벼슬은 集賢校理, 右仆射, 刑部尚書, 吏部尚書 등을 역임하고 哲宗 때에는 재상에 임명되었다. 제반 학문 분야에 고루 출중했는데, 특히 천문학과 의학 방면으로 업적이 뛰어나다. 저서에는 『圖經本草』・『新儀象法要』・『蘇魏公文集』 등이 있다.

[54-4-16]

"人讀史書, 節目處須要背得, 始得. 如讀『漢書』, 高祖辭沛公處, 義帝遣沛公入關處, 韓信初說漢王處, 與史贊「過秦論」之類, 皆用背得, 方是. 若只是略踔看過, 心下似有似無, 濟得甚事? 讀一件書, 須心心念念只在這書上, 令徹頭徹尾讀敎精熟, 這說是如何, 那說是如何, 這說同處是如何, 不同處是如何, 安有不長進?"[172]

(주자가 말했다.) "사람들이 역사서를 읽을 때는 관건이 되는 부분을 반드시 암송해야만 한다. 예컨대 『한서』를 읽을 때, 고조高祖가 패공沛公에게 사양하는 곳, 의제義帝가 패공을 관중關中으로 들여보내는 곳, 한신韓信이 처음으로 한왕漢王에게 유세하는 곳, 그리고 사찬史贊과 「과진론過秦論」[173] 같은 것은 모두 암기해야만 옳다. 만약 다만 대충 보고 지나간다면, 마음에 있는 듯 없는 듯 할 것이니 무슨 소용이 있겠는가? 한 가지 책을 읽을 때는 반드시 모든 마음과 생각을 다만 그 책에 두어, 처음부터 끝까지 완전히 투철하게 여기에서 말하는 것은 어떤 것이고 저기에서 말하는 것은 어떤 것이며, 여기에서 말하는 것과 같은 것은 어떤 것이고 다른 것은 어떤 것인지를 정밀하고 익숙하게 읽도록 한다면, 어찌 큰 진보가 없겠는가?"

[54-4-17]

楊至之患讀史無記性, 須三五遍方記得, 而後又忘了.

曰: "只是一遍讀時, 須用功作相別計, 止此更不再讀, 便記得. 有一士人讀『周禮』疏, 讀第一板訖則焚了, 讀第二板則又焚了, 便作焚舟計. 若初且草讀一遍, 準擬三四遍讀, 便記不牢."[174]

양지지楊至之[楊至][175]는 역사서를 읽을 때 기억력이 없어서 반드시 세 번 다섯 번 반복해서 읽어야 겨우 기억할 수 있었는데, 나중에 또 잊어버린다고 걱정하였다.

(주자가) 말했다. "다만 한번 읽을 때 반드시 힘을 쏟아 다시 읽지 않은 계책을 세운다면, 거기에서 그치고 다시 두 번 읽지 않아도 기억할 수 있을 것이다. 어떤 선비가 『주례周禮』의 소疏를 읽을 때, 첫 번째 쪽을 다 읽으면 태워 버리고 두 번째 쪽을 읽으면 또 태워 버렸는데, 바로 '타고 갈 배를 불태워 버리는 방법'[176]을 쓴 것이다. 만약 처음에 우선 대충 한번 읽고 서너 번 더 읽을 것을 생각한다면, 기억이

....

172 『朱子語類』 권11, 144조목

173 「過秦論」: 漢나라 賈誼가 지은 명문장이다. 그 주요 내용은 秦나라 孝公 시대부터 시황이 천하를 통일하기까지와 통일 이후에 펼친 시책 및 關中을 지키기 위한 전략 등을 거론하고, 시황이 죽은 뒤 陳涉의 봉기로 진나라가 멸망에 이른 과정을 평론하였다. 여기서 가의는 秦나라가 법률을 너무 엄하게 다스리고 仁義를 닦지 않았기 때문에 겨우 二世에 멸망한 일을 비판하였다.

174 『朱子語類』 권11, 145조목

175 楊至: 자는 至之이고 송대 晉江(현 복건성 진강시) 사람이다. 주희에게 사사할 때 蔡元定이 그를 특별하게 생각하여 딸을 시집보냈다고 한다. 저서에 『天道至德』과 『天道至敎』라는 두 개의 그림이 있다.

176 '타고 갈 … 방법': 『春秋左傳』 「文公 3년」에 "秦나라 穆公이 晉나라를 칠 때 강을 건너고는 배를 태워 퇴로를 막았다.(秦伯伐晋, 济河焚舟.)"라고 하였다. 필사의 각오로 싸움에 임한다는 의미이다.

확실할 수 없을 것이다."

[54-4-18]

"士居平世, 處下位, 視天下之事意若無足爲者. 及居大位, 遭事會, 便覺無下手處. 信乎義理之難窮, 而學問之不可已也! 病中信手亂抽得『通鑑』一兩卷看, 正値難處置處, 不覺骨寒毛聳, 心膽墮地. 向來只作文字看過, 却全不自覺, 眞是枉讀了他古人書也."[177]

(주자가 말했다.) "선비가 태평한 세상에 살면서 낮은 지위에 처하면, 천하의 일을 보기를 마치 할 만한 것이 못 되는 것같이 생각한다. 그러다가 높은 지위에 자리 잡게 되어 일의 기회를 만나면, 곧 손쓸 곳이 없다고 느낀다. 참으로 의리는 궁구하기 어려워 학문을 그만둘 수 없다! 병중에 손이 닿는 대로 『통감』 한두 권을 마구 뽑아 보는데, 바로 해결하기 어려운 곳을 만나서 깨닫지 못하는 사이에 등골이 서늘하고 털이 바로 서서 심장과 쓸개가 땅에 떨어지는 것 같았다. 지금까지 다만 글로만 보아오고 또한 전혀 스스로 깨닫지 못하였으니, 진실로 옛사람의 책을 왜곡되게 읽은 것이다."

[54-4-19]

"「匡衡傳」, 司馬溫公『史論』·『稽古錄』, 范『唐鑑』, 不可不讀."[178]

(주자가 말했다.) "『한서』의 「광형전匡衡傳」[179]과 사마온공司馬溫公[司馬光]의 『사논史論』·『계고록稽古錄』과 범조우范祖禹의 『당감唐鑑』은 읽지 않으면 안 된다."

[54-4-20]

南軒張氏曰 : "觀史工夫, 要當考其治亂興壞之所以然, 察其人之是非邪正, 至於幾微節目, 與夫疑似取舍之間, 尤當三復也. 若以博聞見, 助文辭, 抑末矣."[180]

남헌 장씨南軒張氏[張栻]가 말했다. "역사서를 보는 공부는 그 다스려짐과 혼란함, 흥성과 쇠퇴의 근거를 관건이 되는 것과 고찰하고, 그 사람의 옳음과 그름, 잘못됨과 바름을 살펴서, 그 기미의 절목節目과 유사한 것에서 취하고 버리는 것에 이르기까지 더욱 마땅히 반복해야 한다. 만약 견문을 넓히고 문장 표현을 보태는 것은 도리어 말단이다."

· ·

177 『朱文公文集』 권29 「答趙尙書」
178 『朱子語類』 권134, 38조목
179 匡衡 : 자는 稚圭이고, 前漢 시대 東海郡承(현 산동성 임기시 蘭陵縣) 사람이다. 後蒼을 좇아 『齊詩』를 배워서 『詩』에 정통했다. 宣帝 때 射策甲科에 합격하여 太常掌故, 平原文學, 郎中, 博士, 給事中, 光祿勳, 御史大夫 등을 역임하였다. 元帝 建昭 3년(B.C.36)에 丞相이 되어 樂安侯에 봉해졌다. 六經 외에도 『論語』와 『孝經』을 숭상했으며, 師丹과 伏理, 滿昌 등에게 학문을 전수하여 匡氏齊詩學을 개창했다.
180 張栻, 『南軒集』 권25 「答胡季履」

“于定國爲廷尉, 天下無寃民, 史氏將誰欺? 趙蓋韓楊之死, 皆在定國之手, 寃莫大焉. 大凡看史不可被史官謾過. 張釋之爲廷尉, 有驚乘輿馬者, 上欲誅之, 釋之以爲當罰金, 且曰, ‘法者天下之公共也, 且方其時, 上使誅之則已, 今已下廷尉, 廷尉天下之平也.’ 釋之知廷尉爲天下之平, 而不知人君爲天下之平.”

(남헌 장씨가 말했다.) “우정국于定國[181]이 정위廷尉가 되었을 때 천하에 원망하는 백성이 없었다고 했는데,[182] 사관이 누구를 속일 것인가? 조趙·갑蓋·한韓·양楊의 죽음[183]이 모두 우정국의 손에 달려 있었으니, 원망함이 그보다 클 수 없었다. 대개 역사서를 볼 때는 사관에게 기만되어서는 안 된다. 장석지張釋之[184]가 정위廷尉가 되었을 때 황제의 말을 놀라게 한 사람이 있었는데, 황제가 그를 죽이려고 하자 장석지는 벌금형에 해당한다고 하였고, 또 ‘법은 천하의 공공의 것이니 바로 그때 황제께서 그를 죽이도록 했으면 그만이지만, 지금 이미 정위에게 내려왔고 정위는 천하의 공평한 것입니다.’[185]라고 말했다. 장석

· · · · · · · · · · · · · · · · · · ·

181 于定國(?~B.C.40) : 자는 曼倩이고, 後漢 시대 東海郯縣(현 산동성 郯城) 사람이다. 어릴 때 아버지 于公에게 法에 대해 배웠다. 처음에 獄史와 郡決曹가 되었다가 거듭 승진해서 御史中丞과 廷尉가 되었다. 廷尉를 맡은 뒤 18년 동안 訟事를 처리하는 것이 아주 신중해서 백성들 가운데 원망하거나 억울해 하는 사람이 없었다고 한다. 宣帝 甘露 3년(B.C.51) 丞相으로 발탁되고 西平侯에 봉해졌다.

182 于定國이 廷尉가 … 했는데 : 『漢書』「雋疏于薛平彭傳」 가운데 〈于定國傳〉에 있는 말이다.

183 趙·蓋·韓·楊의 죽음 : 이들은 모두 宣帝 때 억울하게 죽은 사람들이니, 趙廣漢·蓋寬饒·韓延壽·楊惲이다. 조광한은 霍光을 도와 선제를 옹립한 공으로 關內侯에 봉해졌다. 京兆尹에 거듭 재임하며 權貴를 가리지 않고 법을 적용하다가 탄핵을 받아 허리가 잘리는 형벌을 당했다.(『漢書』 권76) 갑관요는 司隸校尉로 재직하며 가리지 않고 잘못을 직언하다가 선제의 의심을 사서 하옥되자 자살하였다.(『漢書』 권77) 한연수는 諫大夫, 東郡太守, 左馮翊의 벼슬을 거치며 가는 곳마다 선정을 베풀어 민심을 샀다. 어사대부 蕭望之의 무고로 조정에서 죄가 논의되고 선제의 미워함이 겹쳐 棄市刑에 처해졌다. 형장에 나가는 그를 시민 수천 명이 전송하며 술과 안주를 바쳐 거의 1섬의 술을 마시고 형장에서 죽어갔다.(『漢書』 권76) 양운은 司馬遷의 외손자이다. 곽씨의 모반을 고발하여 左曹에서 中郞將에 오르고 平通侯에 봉하여졌다. 남의 잘못을 말하기 좋아하다가 庶人으로 강등되었고 서인으로 강등된 뒤 孫會宗에게 답한 편지에 원한 섞인 말이 많았는데 이를 본 선제가 노하여 대역무도죄를 적용하여 허리가 잘렸다. 이를 기록한 『資治通鑑』 권27 漢紀, 宣帝 五鳳 4년의 기사에서 司馬光은 평론하기를, “선제의 현명함과, 魏相과 丙吉이 승상으로 재직하고, 우정국이 정위로 있었건만 趙·蓋·韓·楊의 죽음은 뭇사람들의 마음에 흡족하지 않았다.(以孝宣之明, 魏相·丙吉爲丞相, 于定國爲廷尉, 而趙·蓋·韓·楊之死, 皆不厭衆心)”라고 하였다.

184 張釋之 : 자는 季이고, 前漢 南陽堵陽(현 하남성 方城) 사람이다. 文帝 때 騎郞이 되고, 10년 동안 승진하지 못했는데, 나중에 謁者와 謁者僕射, 公車令을 지냈다. 태자가 梁王과 함께 수레를 타고 입조했는데 司馬門에서 내리지 않자 두 사람이 탄 수레를 정지시키고 불경함을 탄핵했다. 문제가 이 일로 기이하게 보아 中大夫에 임명했다. 나중에 廷尉가 되었는데, 형벌의 집행이 공정하고 후덕하다는 평을 들었다. 景帝가 즉위하자 淮南王相이 되었다.

185 ‘법은 천하의 … 것입니다.’ : 『史記』 권102 「張釋之·馮唐列傳」에서, 장석지는 정위로 있으면서 문제의 거동에 말을 놀라게 한 죄로 잡혀 들어온 자에게 벌금만 물린 일로 문제의 노여움을 사자 “법은 천자와 천하 사람들의 공공의 것입니다. 지금 법이 이렇게 되어 있는데 다시 더 높인다면 백성들이 법을 믿으려 하지 않을 것입니다. 또 그때에 폐하께서 그 자리에서 죽였다면 끝났을 것입니다. 지금 정위에게 이미 내려졌

지는 정위가 천하의 공평한 것임을 알았지만, 군주가 천하의 공평한 것임을 몰랐다."

[54-4-22]
問讀『通鑑』之法.
曰："治亂得失源流, 人才邪正是非, 財賦本末, 用兵法制, 嘉言善行, 皆當熟究之."
『통감』을 읽는 방법에 대해 물었다.
(남헌 장씨가) 대답했다. "다스려짐과 혼란함, 얻음과 잃음의 원류와 인재의 잘못됨과 바름, 옳음과 그름, 재화와 부세賦稅의 본말本末, 병사를 운용하는 법제, 훌륭한 말과 선행 등을 모두 익숙하게 궁구해야 한다."

[54-4-23]
東萊呂氏曰："觀史先自『書』始, 然後次及『左氏』·『通鑑』, 欲其體統源流相承接耳."[186]
동래 여씨東萊呂氏[呂祖謙]가 말했다. "역사서를 보는 것은 먼저 『서書』로부터 시작한 뒤에 그 다음으로 『춘추좌전』과 『통감』에 미쳐서, 그 체계와 원류가 서로 이어나가도록 할 뿐이다."

[54-4-24]
范陽張氏曰："如看唐朝事, 則若身預其中, 人主情性如何, 所命相如何, 當時在朝士大夫孰爲君子·孰爲小人, 其處事孰爲當·孰爲否, 皆令歷次曉然, 可以口講而指畫, 則機會圓熟, 他日臨事必過人矣. 凡前古可喜可愕之事, 皆當蓄之於心, 以此發之筆下, 則文章不爲空言矣."
범양 장씨范陽張氏[張九成]가 말했다. "만약 당唐나라 때의 일을 보려면, 마치 자신이 그 가운데에 참여하는 것같이 하여, 군주의 성정性情이 어떠한지, 재상에게 명령을 내리는 것이 어떠한지, 당시에 조정의 사대부 가운데 누가 군자이고 누가 소인인지, 그들이 일을 처리하는 가운데에 누가 합당하고 누가 그렇지 않은지 등을 모두 가슴속에 분명히 이해하여 말로 강론하고 손으로 가리킬 수 있도록 하면, 그 관건이 되는 것이 원숙해져서 나중에 일에 임할 때 반드시 남들보다 뛰어날 것이다. 무릇 옛날의 기뻐할 만하거나 놀랄 만한 일들을 모두 마음속에 쌓아두어야만, 이것을 드러내어 글로 쓰면 문장이 공허한 말이 되지 않을 것이다."

고, 정위는 천하 공평의 상징이라서 한번 기울면 천하의 법 집행이 모두 높아지거나 낮아지게 되니 백성들이 어느 곳에 손과 발을 놓겠습니까?(法者天子所與天下公共也. 今法如此而更重之, 是法不信於民也. 且方其時, 上使立誅之則已. 今既下廷尉, 廷尉天下之平也. 一傾而天下用法皆爲輕重, 民安所錯其手足?)"라고 하자 문제가 정위의 말이 옳다 하고 받아들였다.

186 呂祖謙, 『東萊集』(別集) 권7

[54-4-25]

魯齋許氏曰: "閱子史必須有所折衷, 六經 · 『語』 · 『孟』, 乃子史之折衷也. 譬如法家之有律 · 令 · 格 · 式, 賞功罰罪合於律 · 令 · 格 · 式者爲當, 不合於律 · 令 · 格 · 式者爲不當. 諸子百家之言合於六經 · 『語』 · 『孟』者爲是, 不合於六經 『語』 · 『孟』者爲非. 以此夷考古之人而去取之, 鮮有失矣."[187]

노재 허씨魯齋許氏許衡가 말했다. "제자諸子의 서적과 역사서를 보려면 반드시 절충하는 것이 있어야하니, 6경과 『논어』 · 『맹자』가 바로 제자諸子의 서적과 역사서의 절충이다. 비유컨대 법가法家에 율 · 령 · 격 · 식이 있는 것과 같으니, 공로에 상을 주고 죄에 벌을 주는 것이 율 · 령 · 격 · 식에 부합한 것은 합당한 것이 되고, 율 · 령 · 격 · 식에 부합하지 않는 것은 부당한 것이 된다. 제자백가의 말이 6경과 『논어』 · 『맹자』에 부합한 것은 옳은 것이 되고, 6경과 『논어』 · 『맹자』에 부합하지 않는 것은 그른 것이된다. 이것으로써 옛사람을 고찰하여 취하거나 버리면 잘못이 드물 것이다."

[54-4-26]

"閱史必且專意於一家, 其餘悉屛去, 候閱一史畢, 歷歷黙記, 然後別取一史而閱之. 如此有常不數年諸史可以備記. 苟閱一史未了, 雜以他史, 紛然交錯於前, 則皓首不能通一史矣. 惟是讀三傳當參以『史記』,[188] 讀『史記』當參以『前漢』. 文辭繁要, 亦各有法, 不可不知."[189]

(노재 허씨가 말했다.) "역사서를 볼 때는 반드시 우선 한 학자의 책에 전념하고 그 나머지는 모두 물리쳐서, 그 하나의 역사서 읽기가 끝마치기를 기다려 하나하나 묵묵히 기억한 뒤에 따로 다른 하나의 역사서를 취하여 읽어야 한다. 항상 이와 같이 할 수 있으면, 몇 년 안 되어 여러 역사서를 모두 기억할 수있을 것이다. 만약 하나의 역사서 읽기를 아직 끝마치지 않았는데 다른 역사서를 뒤섞어서 눈앞에서난잡하게 교착하면, 백발이 되어도 하나의 역사서를 통달할 수 없을 것이다. 오직 『춘추』 3전三傳(『公羊傳』 · 『穀梁傳』 · 『左氏傳』)을 읽을 때는 마땅히 『사기史記』를 참조해야 하고, 『사기』를 읽을 때는 마땅히 『전한서前漢書』를 참조해야 한다. 문장 표현이 중복되고 중요한 것이 역시 각각 법도가 있으니 알지 않을 수없다."

[54-4-27]

"看史書當先看其人之大節, 然後看其細行, 善則效之, 惡則以爲戒焉, 所以爲吾躬行之益. 徒記其事而誦其書, 非所謂學也."[190]

187 許衡, 『魯齋遺書』 권1
188 惟是讀三傳當參以『史記』: 허형의 『魯齋遺書』 권1에는 "又必讀『左傳』當參以『史記』.(또 반드시 『春秋左傳』을 읽을 때는 마땅히 『史記』를 참조해야 한다.)"라고 되어 있다.
189 許衡, 『魯齋遺書』 권1
190 許衡, 『魯齋遺書』 권1

(노재 허씨가 말했다.) "역사서를 볼 때에는 마땅히 그 사람의 큰 절개를 먼저 본 뒤에 그의 자잘한 행위를 보아, 선하면 본받고 악하면 경계해야 할 것으로 삼아서 내가 몸소 실천하는 데에 보탬이 되어야 한다. 다만 그 일을 기억하고 그 책을 외우는 것은 배움이라고 할 수 없다."

學十三 학 13

史學 사학

[55-1-1]

程子曰 : "古者諸侯之國各有史記, 故其善惡皆見於後世, 自秦罷侯置守令, 則史亦從而廢矣.
其後自非傑然有功德者或記之循吏, 與夫凶忍殘殺之極者以酷見傳, 其餘則泯然無聞矣. 如
漢唐之有天下皆數百年, 其間郡縣之政, 可書者宜亦多矣. 然其見書者率纔數十人, 使賢者之
政不幸而無傳, 其不肖者復幸而得蓋其惡, 斯與古史之意異矣."[1]

정자程子가 말했다. "옛날에 제후국諸侯國들은 각각 역사 기록이 있었으므로, 그 선악이 모두 후세에 드러
났으나, 진秦나라가 제후를 없애고 수령守令을 두면서부터는 역사 기록 역시 따라서 폐기되었다.[2] 그
뒤로 걸출하게 공덕이 있어 혹은 순리循吏(성실한 관리)로 기록되거나 매우 흉악 잔인한 살인자가 혹독함
으로 전기傳記에 보이는 경우가 아니면 그 나머지는 사라져 전해지지 않았다. 예컨대 한漢・당唐이 천하
를 차지한 지 몇 백 년 사이에 군현郡縣 제도의 정치에 기록할 만한 것이 또한 많다. 그러나 기록에
볼 만한 것은 몇 십 명뿐이어서 현명한 사람의 정치는 불행하게도 전해지지 않고 못난 사람은 다시
요행으로 자기 악행을 가리게 하였으니 이는 옛 역사 기록의 뜻과 다른 것이다."

[55-1-2]

"司馬遷爲近古, 書中多有前人格言. 如作紀本『尙書』, 但其間有曉不得書意, 有錯用却處."

1 『二程文集』 3권 「明道文集三・記・晉城縣令書名記」
2 秦나라가 제후를 … 폐기되었다. : 周나라는 魯・齊・衛・秦 등 수많은 제후국을 두어 封建 정치를 하였으나,
  秦始皇은 중국을 통일하고서 전국을 36개 郡으로 편성하여 군 밑에 縣을 두는 郡縣制를 시행하고, 군에는
  郡守와 현에는 縣令을 두어 다스렸다. 이에 따라 세습하는 領地가 아니고 수령이 바뀌기 때문에 역사 기록이
  폐기된 것이다.

李嘉仲問: "項籍作紀如何?"

曰: "紀只是有天下方可作."

又問: "班固嘗議遷之失如何?"

曰: "後人議前人固甚易."[3]

(정자程子가 말했다.) "사마천司馬遷[4]은 근고近古 사람인데 글 중에 과거 인물의 격언格言이 많다. 예건대 본기本紀는 『상서尙書』에 근본하여 지었으나 그 속에는 『상서』의 뜻을 터득하지 못한 곳도 있고 잘못 사용한 곳도 있다."

이가중李嘉仲[5]이 물었다. "항적項籍을 본기에 지어 넣은 것은 어떻습니까?"

(정자가) 말했다. "본기는 다만 천하를 차지한 사람이라야 지어 넣을 수 있다."

(이가중이) 또 물었다. "반고班固가 사마천의 잘못을 논의한 것[6]은 어떻습니까?"

(정자가) 말했다. "뒷사람이 이전 사람을 논의하는 것은 원래 매우 쉬운 것이다."

[55-1-3]

"史遷云'天與善人, 伯夷善人非也?' 此以私意度天道也. 必曰'顏何爲而夭, 跖何爲而壽?' 指一人而較之, 非知天者也."[7]

(정자程子가 말했다.) "태사령太史令 사마천司馬遷이 이르기를 '하늘이 착한 사람을 돕는데, 백이와 숙제는 착한 사람이 아니겠는가?'[8]라고 하였으니 이는 사사로운 뜻으로 천도天道를 헤아린 것이다. 반드시 '안회顏回는 어찌하여 요절하였으며 도척盜跖은 어찌하여 장수하였는가?'[9]라고 한 사람을 가리켜 비교한 것은 하늘을 아는 이가 아니다."

[55-1-4]

君實脩資治通鑑至唐事. 正叔問曰: "敢與太宗肅宗正簒名乎?"

3 『二程外書』 10권 「大全集拾遺」

4 司馬遷: 漢나라 사람. 『史記』의 저자

5 李嘉仲: 程子의 門人. 이름은 處遯. 洛陽 사람. 관직은 中書舍人을 지냈다. 維揚에서 물에 빠져 죽었다.(『伊洛淵源錄』 권14

6 班固가 사마천의 … 것: 黃老를 우선하고 六經을 뒤로 한 것(班固論遷之失, 首在先黃老, 而後六經.)을 말한다.(『古史』 「提要」) 班固는 後漢 사람으로, 『漢書』의 저자이다.

7 『二程粹言』 하권 「天地篇」

8 '하늘이 착한 … 아니겠는가?': 『史記』 「伯夷列傳」의 "천도는 사사로이 친함이 없어서 항상 착한 사람을 돕는데, 백이와 숙제와 같은 이는 착한 사람이라고 말할 수 없을 것인가?(天道無親, 常與善人, 若伯夷叔齊可謂善人者非耶?)"에서 줄여 쓴 것이다.

9 顏回는 어찌하여 … 장수하였는가?': 善人으로 제시된 인물 안회는 春秋 魯나라 사람으로 孔子의 수제자인데 32세로 요절하였다. 惡人으로 제시된 인물 도척은 역시 춘추 노나라 사람으로 柳下惠의 아우인데 목숨대로 살다 죽었다.(『史記』 「伯夷列傳」)

曰：“然.”

又曰：“敢辨魏徵之罪乎?”

曰：“何罪?”

“魏徵事皇太子, 太子死, 遂忘戴天之讎而反事之. 此王法所當誅, 後世特以其後來立朝風節而掩其罪, 有善有惡, 安得相掩?”

曰：“管仲不死子糾之難而事桓公, 孔子稱其能不死. 曰‘豈若匹夫匹婦之爲諒也, 自經於溝瀆而莫之知也’. 與徵何異?”[10]

군실君實(사마광司馬光의 자)이 『자치통감資治通鑑』을 편수하였는데 당唐나라 기사에 대하여 정숙正叔[程頤]이 물었다.

“감히 태종太宗·숙종肅宗이 찬탈[11]했다는 이름을 바르게 썼습니까?”

(군실이) 대답했다. “그렇소.”

(정숙이) 또 물었다. “위징魏徵의 죄를 밝혔습니까?”

(군실이) 말하였다. “무슨 죄가 있단 말이오?”

(정숙이 물었다.) “위징魏徵은 황태자皇太子[李建成]을 섬기다가 황태자가 죽자 마침내 불구대천不俱戴天의 원수怨讎를 잊고 도리어 태종을 섬겼으니[12] 이것은 왕법王法에 당연히 주살해야 할 일입니다. 후세에 특별히 그가 후일 조정에서 기강을 세운 것으로 그의 죄를 덮어주는데 선행과 악행이 어찌 서로 덮어질 수 있겠습니까?”

(군실이) 말하였다. “관중管仲이 자규子糾의 난에 죽지 않고 환공桓公을 섬겼는데 공자孔子는 ‘관중이 죽지 않은 것을 칭찬하여 ‘어찌 필부필부들이 조그마한 신의信義를 위하여 스스로 도랑에서 목매어 죽어 알아주는 이가 없는 것과 같이 하겠소!’[13]라고 하였으니 위징과 어찌 다르겠소?”

曰：“管仲之事與徵異. 齊侯死, 公子皆出, 小白長而當立, 子糾少亦欲立. 管仲奉子糾奔魯.

---

10 『二程遺書』 권2上

11 太宗·肅宗이 찬탈 : 태종은 형 太子 李建成과 알력이 생겨 玄武門의 변을 일으켜 태자를 살해하고 곧이어 高祖의 禪位를 받아 황제에 즉위하였다. 숙종은 아버지 玄宗이 安祿山의 난에 몽진할 때 馬嵬에 이르러 太子(숙종)에게 선위하였고 태자가 靈武에서 즉위하였는데, 태자가 선위의 명이 도착한 뒤에 즉위하였는지의 여부가 논란이 되어 찬탈이라는 논의가 일어나게 되었다. 숙종은 즉위하면서 현종을 上皇天帝로 높이고 兩京을 수복하고 나서 蜀 땅으로 들어가 현종을 맞이하였다.(『新唐書』 권2「太宗本紀」；『新唐書』 권6「肅宗本紀」)

12 魏徵은 皇太子[李建成]을… 섬겼으니 : 위징(580~643)은 唐初의 名臣이며 直諫으로 유명하여, 태종의 貞觀之治를 이룩하는 데에 결정적 역할을 한 인물이다. 젊어서 빈곤하게 살다가 道士가 되었다. 隋나라 말기에 李密과 竇建德에게 귀순했다가 당나라에 귀순하여 高祖의 황태자 이건성의 측근이 되었다. 이건성이 동생 李世民(太宗)과의 경쟁에서 패했을 때, 이세민은 위징의 인격을 흠모하여 기용하였다. 위징의 입장에서 볼 때 태종은 원수였으므로, 태종의 밑에 들어간 것이 원수를 섬긴 결과가 된 것이다.

13 『論語』「憲問」. 管仲이 자신이 섬기던 公子 糾를 따라 죽지 않고 오히려 원수였던 桓公을 섬긴 것을 孔子는 나무라지 않고 관중의 공을 칭찬한 것이다.

小白入齊, 旣立, 仲納子糾以抗小白, 以少犯長, 又所不當立, 義已不順. 旣而小白殺子糾. 管仲以所事言之, 則可死. 以義言之, 則未可死. 故春秋書'齊小白入于齊', 以國繫齊, 明當立也. 又書'公伐齊, 納糾', 糾去'子', 明不當立也. 至'齊人取子糾殺之', 此復係'子'者, 罪齊大夫旣盟而殺之也, 與徵之事全異."[14]

(정자가) 말하였다. "관중의 일은 위징과 다릅니다. 제후齊侯(양공襄公)가 죽고 공자公子들이 모두 출국하여 맏이인 소백小白(환공)이 마땅히 즉위할 것이었는데 자규는 작은 아들이면서도 즉위하려고 하였습니다. 관중은 자규를 받들고 노魯나라로 망명하였습니다. 소백이 제齊나라로 들어가 즉위한 뒤에 관중이 자규를 들여보내 소백과 대항하게 하였으니 작은 아들로서 맏이를 침범한 것이고, 또 마땅히 즉위할 사람도 아니며, 의리도 이미 순하지 않았습니다. 이윽고 소백이 자규를 죽였습니다. 관중은 섬기던 것으로 말하면 죽어야 할 것이고 의리로 말하면 아직 죽어야 할 것은 아닙니다. 그러므로 『춘추春秋』(장공莊公 9년)에 '제나라 소백이 제나라로 들어갔다.'라고 기록하여 나라를 제나라로 연계시켜서 당연히 즉위해야 함을 밝혔습니다. 또 '장공이 제나라를 공격하여 규糾를 들여 넣었다.'라고 기록하여 규糾에 '자子'를 제거하여 당연히 즉위하지 않아야 할 것을 밝혔습니다. '제나라 사람들이 자규子糾를 잡아서 죽였다.'에서는, 여기에 다시 '자子'를 붙인 것은 맹약을 맺고 나서 자규를 죽인 제나라 대부들을 죄준 것이니,[15] 위징의 일과는 전혀 다릅니다."

[55-1-5]

客有見伊川者, 几案間無他書, 惟印行唐鑑一部. 曰[16] : "近方見此書. 三代以後無此議論."[17]

이천伊川을 찾아온 방문객이 있었는데 책상에는 다른 책이 없고 오직 인쇄된 『당감唐鑑』[18] 한 부部만 있었다. 이천 선생이 말하였다.

"근래 한창 이 책을 보는데 삼대三代 이후로 이러한 논의는 없었다."

[55-1-6]

涑水司馬氏曰 : "李延壽之書, 亦近世之佳史也. 雖於禨祥詼嘲小事無所不載, 然叙事簡徑, 比於南北正史, 無煩冗蕪穢之辭. 竊謂陳壽之後, 唯延壽可以亞之. 但恨延壽不作志, 使數代制度沿革皆沒不見耳."[19]

- -

14 『二程遺書』 권2上

15 맹약을 맺고 … 것이니 : 『春秋』 莊公 9년에는 魯나라에서 자규를 제나라에 들여 넣기 전에 "노나라 莊公이 旣에서 맹약하였다.(公及齊大夫盟于旣)"라고 하여, 장공이 제나라 대부들과 맹약하였으나, 자규가 제나라에 들어가려고 한 전쟁에 패하자 제나라에서는 자규를 죽였다. 이에 대하여 공자는 子糾라고 子를 붙여 우대하였는데, 결국 이는 맹약하고서 자규를 죽인 제나라 대부를 나무라는 표현이 된 것이다.

16 曰 : 『二程外書』 권12에는 "先生曰"로 되어 있다.

17 『二程外書』 권12

18 『唐鑑』 : 宋나라 范祖禹가 지은 책. 당나라 高祖부터 昭宗까지의 역사 대강을 논평한 史書이다.

속수 사마씨涑水司馬氏(사마광司馬光)가 말하였다. "이연수李延壽의 책[20]은 또한 근세의 훌륭한 역사서이다. 비록 복을 빌며 우스개로 말한 작은 일까지도 기록하지 않은 것이 없으나 사실을 서술한 것이 간명하여 남북조南北朝의 정사正史(『송서宋書』·『남제서南齊書』 등)에 비하여 번잡하거나 거친 말이 없다. 생각해보니 진수陳壽[21] 이후로 오직 이연수만이 그 다음이 될 수 있다. 다만 한스럽게도 이연수는 지志를 짓지 않아[22] 몇 대代의 제도 연혁이 파묻혀 볼 수 없게 된 것이다."

[55-1-7]
和靖尹氏曰: "太史公不明理, 只是多聞, 如伯夷序傳引盜跖是也. 若孔子雖顔子之夭, 只說不幸短命死, 則知盜跖乃罔之生也幸而免者也."

화정 윤씨和靖尹氏[尹焞]가 말하였다. "태사공太史公(사마천)은 이치에 밝지 못하고 다만 견문이 많을 뿐이니, 예컨대 「백이열전伯夷列傳」을 서술하는데 도척盜跖을 끌어넣은 것이 그것이다.[23] 공자孔子가 비록 안자顔子의 요절함과 같은 경우에도 다만 '불행하게도 명이 짧아 죽었다.'[24]라고 했을 뿐이니, 도척은 '바르지 못하면서도 살아 있던 것은 요행히 죽음을 면한[25] 자임을 알겠다."

[55-1-8]
元城劉氏問馬永卿, "近讀何書?"
對曰: "讀西漢到酷吏傳."
曰: "班氏特恕杜張, 何也?"
曰: "太史公時, 湯周之後未顯. 至班氏獨以爲有子孫以贖父罪, 故入列傳."[26]

원성 유씨元城劉氏[劉安世][27]가 마영경馬永卿[28]에게 물었다.

---

19 『傳家集』 권63 「書啓 6·貽劉道原」
20 李延壽의 책: 『南史』와 『北史』를 말한다. 南北朝時代(420~589)의 正史 『宋書』·『南齊書』·『梁書』·『陳書』·『魏書』·『北齊書』·『周書』가 불공정하다고 여겨 李大師(570~628)가 편찬을 시작하여 아들 이연수가 완성하였다.
21 陳壽(233~297): 西晉의 역사가. 『三國志』를 저술하였다.
22 이연수는 志를 … 않아: 『南史』와 『北史』에는 「律曆志」·「禮志」·「樂志」·「天文志」 등의 志가 없음을 말한다.
23 太史公(사마천)은 이치에 … 그것이다.: 淸白한 「伯夷列傳」을 서술하는데 악인의 대명사 盜跖의 일을 소개하여 서술한 것을 말한다.
24 『論語』「雍也」
25 『論語』「雍也」
26 『元城語錄解』「卷中」
27 元城劉氏[劉安世]: 송나라 사람. 자는 器之, 시호는 忠定. 司馬光의 제자. 熙寧 연간의 진사. 벼슬은 諫議大夫. 강직하여 殿上虎라고 불렸다. 章惇의 무리에게 몰려 오랜 귀양살이를 하였다. 학자들이 元城先生이라 불렀다. 저서로 『盡言集』이 있다.(『宋史』 권345; 『宋元學案』 권20)
28 馬永卿: 송나라 揚州 사람. 자는 大年. 大觀 연간의 進士. 벼슬은 永城主簿, 夏縣令. 亳州에 귀양 온 유안세에

"근래에 무슨 책을 읽는가?"

(마영경이) 대답하였다. "『한서漢書』의 「혹리전酷吏傳」까지 읽었습니다."

(원성 유씨가) 물었다. "반고班固[29]가 두주杜周와 장탕張湯을 특별히 용서한 것[30]은 무엇 때문인가?"

(마영경이) 물었다. "태사공太史公[司馬遷] 당시에는 장탕과 두주의 후손이 아직 출세하지 않았습니다. 반고의 시대에 와서는 다만 자손이 조상의 죄를 씻었다고 여겨서 열전에 넣었습니다."

曰 : "孟子云'名之曰幽厲, 雖孝子慈孫百世不能改也', 而班氏固輒沒其酷吏之名, 何也?"

曰 : "世之論者, 以謂二人皆有意. 太史公之意, 欲以教後世人臣之忠 ; 班氏之意, 欲以教後世人子之孝."

曰 : "此固然也. 然班固於此極有深意. 張湯之後, 至後漢猶盛, 有恭侯純者, 雖王莽時亦不失爵, 至建武中, 歷位至大司空, 故班固不使入酷吏傳, 以張純之故也."

曰 : "是時杜氏之絕已久, 而亦不入酷吏傳, 何也?"

曰 : "杜張, 一等人也. 若獨令張湯入列傳, 則世得以議己, 故幷貸杜周, 此子産立公孫洩之義也."[31]

(원성 유씨가) 물었다. "맹자孟子가 말하기를 '유幽와 여厲라고 이름이 붙여지면 아무리 효자孝子·자손慈孫이라 할지라도 백대百代를 가도 감히 고치지 못한다.'[32]라고 하였는데, 반고가 굳이 그 혹리의 호칭을 묻어둔 것은 무엇 때문인가?"

(마영경이) 말하였다. "세상에서 논의하는 이들은 두 사람이 모두 의도를 가지고 있다고 합니다. 태사공의 의도는 후세 신하들에게 충성을 가르치려는 것이고, 반고의 의도는 후세 자손들에게 효도를 가르치려는 것입니다."

(원성 유씨가) 말하였다. "이것은 진실로 그러하다. 그러나 반고는 이 점에 매우 깊은 의도를 두었다. 장탕의 후손은 후한後漢까지 여전히 번성하여 공후恭侯 장순張純이 왕망王莽 시대까지도 관작을 잃지

. . . .

게 26년간 가르침을 받았다. 저서로 『元城語錄』·『懶眞子』가 있다.(『宋元學案』 권20)

29 班固 : 後漢 사람. 『漢書』의 저자

30 班固가 杜周와 … 것 : 班固가 『漢書』에서 杜周와 張湯을 「酷吏列傳」에 넣지 않고 각각 일반 列傳에 넣어 우대한 것을 말한다. 이 두 사람은 『史記』에는 「酷吏列傳」에 들어 있다.

· 杜周는 漢나라 때의 酷吏로, 張湯과 더불어 법을 각박하게 적용하기로 이름 높았던 인물이다. 두주는 장탕의 뒤를 이어 廷尉가 되어 황제의 뜻에 따라 혹독한 법으로 사람들을 다스렸으므로 황제의 총애를 얻어 부귀영화를 누렸다.(『史記』「酷吏列傳」)

· 張湯도 漢나라 때의 酷吏로, 형옥을 맡은 관원이 되어 陳皇后의 巫蠱獄과 淮南王의 모반 사건 등을 처리하면서 법을 아주 각박하게 적용하여 사람들의 죄를 다스렸으므로 혹리의 대명사가 되었다. 御史大夫로 있을 때에 지나치게 각박하고 혹독한 형벌을 집행하다가 朱買臣 등의 모함을 받자, 자살하였다.(『史記』「酷吏列傳」)

31 『元城語錄解』「卷中」

32 '幽와 厲라고… 못한다.' : 『孟子』「離婁上」

않았고, 건무建武(후한 광무제光武帝 연호) 연간에 와서는 여러 벼슬을 거쳐 대사공大司空에 이르렀다. 그러므로 반고가 장탕을 혹리열전에 넣지 않은 것은 장순 때문이었다."

(마영경이) 물었다. "이때 두씨杜氏는 끊어진 지가 이미 오래되었는데도 혹리열전에 넣지 않은 것은 무엇 때문입니까?"

(원성 유씨가) 말하였다. "두주와 장탕은 동급 인물이다. 만약 장탕만 열전에 넣으면 세상에서 자기를 비평하게 될 것이므로 두주도 아울러 용서한 것이다. 이것은 자산子産이 공손설公孫洩을 세운 대의大義이다."[33]

永卿退而檢『左氏』. 鄭卿良霄字伯有, 旣死爲厲, 國人大懼. 子産以謂鬼有所歸, 乃不爲厲, 乃立公孫洩良止以止之. 公孫洩, 子孔之子也；良止, 良霄之子也. 鄭殺子孔, 子孔雖不爲厲, 故亦立之. 且伯有以罪死, 立後, 非義也, 恐惑民, 故立洩, 使若自以大義存誅絶之後, 不因其爲厲也.[34]

영경이 그 자리에서 물러나서 『춘추좌씨전春秋左氏傳』을 찾아보았다. 정鄭나라 경卿 양소良霄는 자가 백유伯有인데 죽은 뒤에 여귀厲鬼가 되니 나라 사람들이 매우 두려워하였다. 자산子産은 귀신이 돌아갈 곳이 있으면 여귀가 되지 않을 것이라고 생각하여 공손설公孫洩·양지良止를 (대부大夫로) 세워서 여귀 출현을 중지시켰다. 공손설은 자공子孔의 아들이고, 양지는 양소良霄의 아들이다. 정나라가 자공을 죽였는데 자공은 여귀가 되지 않았는데도 일부러 또한 그 아들을 (대부로) 세운 것이다. 한편 백유는 죄를 받아 죽었으니 그 후손을 세우는 것은 대의가 아니었으나, 백성들을 의혹케 할까 우려되었으므로 공손설도 세워서 마치 본래 대의로 주멸된 후손들을 보존해주는 것이지 여귀가 되는 것 때문이 아닌 듯이 한 것이다.[35]

[55-1-9]

"『新唐書』叙事好簡略其辭, 故其事多鬱而不明, 此作史之弊也. 且文章豈有繁簡也？意必欲多, 則冗長而不足讀, 必欲其簡, 則僻澁令人不喜讀. 假令『新唐書』載卓文君事, 不過止曰, '少嘗竊卓氏以逃'. 如此而已. 班固載此事, 乃近五百字, 讀之不覺其繁也. 且文君之事, 亦何補於天下後世哉？然作史之法, 不得不如是, 故可謂之文. 如風行水上, 出於自然也. 若不出於自然而有意於繁簡, 則失之矣. 『唐書』進表云, '其事則增於前, 其文則省於舊'. 且『新唐書』所以不及兩漢文章者, 其病正在此兩句也. 又反以爲工, 何哉？然新舊唐史各有長短, 未易優劣也."[36]

. . . .

33 子産이 公孫洩을 … 大義이다. : 이 내용은 『春秋左氏傳』 昭公 7년에 아래 설명과 함께 보인다.

34 『元城語錄解』「卷中」

35 공손설도 세워서 … 것이다 : 이를 요약하면 백유의 여귀만 다스리면 될 것인데, 여귀가 아닌 자공까지 우대하여, 여귀를 다스림이 아니라 주멸된 후손들을 보존해 주는 대의를 베푼 것으로 포장하였다는 것이다.

(원성 유씨가 말하였다.) "『신당서新唐書』는 기사를 서술한 것이 그 말을 간략하게 하기를 좋아하였으므로 그 기사가 대부분 답답하여 명확하지 않으니 이것은 역사 편찬의 폐단이다. 또 문장에 어찌 번잡함과 간략함이 있겠는가? 반드시 많이 쓰려는 의도를 두면 잡되게 길어서 읽기에 부족하고, 반드시 간략히 하려는 의도를 두면 편벽되고 껄끄러워서 사람들이 즐겨 읽지 않게 된다. 가령 『신당서』에 탁문군卓文君[37]의 일을 신게 되었다면 불과 다만 '젊어서 일찍이 탁씨卓氏를 꼬여서 도망했다.'라고 할 뿐이었을 것이다. 반고班固가 이 일을 수록한 것이 500자에 가까운데도[38] 읽는 데에 번잡한지 느끼지 못하겠다. 또 탁문군의 일은 또한 천하 후세에 무슨 도움이 되는가? 그러나 역사를 편수하는 방법은 이와 같이 하지 않을 수 없으니 그러므로 글이라고 할 수 있는 것이다. 바람이 물 위를 지나듯이 자연스러움에서 나와야 한다. 만약 자연스러움에서 나오지 않고 번다하거나 간략함에 뜻을 두게 되면 잘못된다. 『신당서』를 올리는 표문表文에 이르기를 '그 일은 이전보다 많은데 그 글은 예전보다 적다.'[39]라고 했다. 또 『신당서』가 양한兩漢 문장에 못 미치는 것은 그 결점이 바로 이 두 구절에 있는데도, 또한 도리어 뛰어난 문장으로 여기는 것은 무엇인가? 그러나 『신당서』와 『구당서』는 각각 장단점이 있어서 우열을 두기가 쉽지 않다."

[55-1-10]
朱子曰: "司馬遷才高, 識亦高, 但粗率."[40]
주자朱子가 말하였다. "사마천司馬遷은 재주도 높고 식견도 높으나 다만 거칠다."

[55-1-11]
"太史公書踈爽; 班固書密塞."[41]
(주자가 말했다.) "태사공太史公(사마천)의 글은 트여 시원하고, 반고班固의 글은 오밀조밀한 데에 막혔다."

[55-1-12]
"或謂五帝紀所取多古文尚書及大戴禮爲主,[42] 爲知所考信者. 然伏羲神農見易大傳, 乃孔聖之言, 而八卦列於六經, 爲萬世文字之祖, 不知史遷何故乃獨遺而不錄, 遂使史記一書, 如人

---

36 『元城語錄解』 卷下
37 卓文君: 漢나라 臨邛의 부호인 卓王孫의 딸. 일찍이 과부가 되어 집에 있을 때 司馬相如가 그 집 잔치에 가서 거문고를 타며 음률을 좋아하는 탁문군의 마음을 유혹하자 탁문군이 거문고 소리에 반하여 밤중에 집을 빠져 나와 사마상여의 아내가 되었다.(『史記』 권117 「司馬相如列傳」)
38 班固가 이 … 가까운데도: 반고가 지은 『漢書』 「司馬相如列傳」 권57에 탁문군의 일이 500자나 많은 글자로 쓰였는데도 읽기에 편의함을 말한다.
39 '그 일은 … 적다.': 송나라 曾公亮(999~1078)이 지은 표문 내용의 일부분이다.
40 『朱子語類』 권134, 1조목
41 『朱子語類』 권134, 2조목
42 或謂: 『朱文公文集』 권48에는 '所謂'로 되어 있다.

有身而無首. 此尙爲知所考信耶?"43

(주자가 말했다.) "어떤 사람이 말한 「오제기五帝紀」는 취한 것이 『고문상서古文尙書』 및 『대대례大戴禮』를 주로 하였으니, 상고하여 믿을 줄을 안 것이다. 그러나 복희伏羲·신농神農이 『역대전易大傳』에 보이는 것은 공성孔聖(공자)의 말이고,44 팔괘八卦가 『육경六經』에 열거된 것45은 만대萬代 문자의 시초가 되었는데, 사마천은 유독 누락시켜 기록하지 않아 마침내 『사기史記』 한 책이 마치 사람에게 몸통은 있는데 머리가 없는 듯하게 만든 까닭을 알지 못하겠다. 이러고서도 상고하여 믿을 줄을 안 것인가?"

[55-1-13]

"司馬子長動以孔子爲證, 不知是見得, 亦且是如此說. 所以呂伯恭發明得非細, 只恐子長不敢承領爾."46

(주자가 말했다.) "사마자장司馬子長(자장은 사마천의 자)은 자주 공자孔子로 증명하였는데 알고서 또한 이와 같은 말을 했는지 알지 못하겠다.47 그래서 여백공呂伯恭(백공은 여조겸의 자)이 밝혀낸 것이 자잘하지 않으나 다만 사마자장이 감히 받아들이지 않을까 우려될 뿐이다."

[55-1-14]

"『史記』亦疑當時不曾得刪改脫藁. 「高祖紀」記迎太公處, 稱高祖, 此樣處甚多. 高帝未崩, 安得高祖之號? 『漢書』盡改之矣. 『左傳』只有一處云, '陳桓公有寵於王.'"48

(주자가 말했다.) "『사기史記』는 또한 당시에 산삭刪削 개정하여 탈고하지 못했던 것 같다. 「고조기高祖紀」에 태공太公(고조의 아버지)을 맞이함을 기록한 곳에 고조高祖라고 일컬었으니 이러한 곳은 매우 많다. 고제高帝高皇帝 劉邦가 아직 서거하지 않았는데 어떻게 고조高祖의 호칭이 있을 수 있겠는가?49 『한서漢書』

---

43 『朱文公文集』 권48 「答呂子約」
44 伏羲·神農이 … 말이고: 伏羲·神農이라는 말이 『周易』「繫辭下」 2장 등에 보이는데 이것은 공자가 한 말이다.
45 八卦가 『六經』에 … 것: 팔괘의 의미가 육경에 들어 있는 것을 말한다. 『鼓山先生文集』 권4 「答尹景章憲求」에 "'八卦列於六經'은 본문으로 살펴보면 다만 『易經』의 卦畫이 『書經』·『詩經』·『春秋』·『禮經』·『樂經』 5가지와 모두 나열되어 『六經』이 되었다는 뜻이지, 그 괘가 『六經』에 나열되어 있음을 말하는 것이 아니다. (八卦列於六經云云. 以本文考之, 只是易之卦畫, 與書·詩·春秋·禮·樂五者, 並列爲六經之意, 非謂其卦義布列於六經也.)"라고 하였다.
46 『朱子語類』 권134, 3조목
47 알고서 또한 … 못하겠다.: 이를 『朱子語類考文解義』 제35에는 "공자의 도를 알고서 그러하였는가? 알지 못하고서 이와 같이 말하였는지 알지 못하겠다.(謂不知是能見得孔子之道而然乎? 是不見得而且如此爲說耳.)"라고 설명하였다.
48 『朱子語類』 권134, 4조목
49 高帝高皇帝 劉邦가 아직 … 있겠는가?: 한나라를 건국한 유방이 죽은 뒤에 여러 신하들이 의논하여 廟號를 太祖라고 하고 諡號를 高皇帝라고 하여 이에 의해 高祖라는 말이 생겼으므로 생전에는 '高祖'라는 호칭이 없었다는 것이다.

는 모두 고쳐 썼던 것이다.[50] 『좌전左傳』에는 다만 한 곳에 ‘진환공陳桓公이 왕에게 총애를 받았다.’[51]라고 하였다.’”

[55-1-15]

“或謂‘史遷不可謂不知孔子’, 然亦知孔子之粗耳. 歷代世變, 即六國表序是其極致, 乃是俗人之論, 知孔子者固如是耶? 正朔服色, 乃當時論者所共言. 如賈生公孫臣新垣平之徒皆言之, 豈獨遷也?”[52]

(주자가 말했다.) “어떤 이가 말하기를 ‘사마천은 공자를 알지 못했다고 말할 수 없다.’라고 하지만 또한 공자의 대강만 알았을 뿐이다. 역대歷代의 시대 변화 즉 「육국표서六國表序」가 매우 정치하다고 하지만 이는 세속 사람의 논의일 뿐이지 공자를 아는 자도 진실로 이와 같이 말할 것인가? 정삭正朔과 복색服色은 당시에 논의하는 이들이 공동으로 말한 바이다. 예컨대 가의賈誼[53] · 공손신公孫臣[54] · 신원평新垣平[55]과 같은 이들이 모두 그것을 말하였으니 어찌 사마천뿐이랴?”

[55-1-16]

問: “「伯夷傳」‘得孔子而名益彰.’”[56]

曰[57]: “伯夷當初何嘗指望孔子出來發揮他!”

又問[58]: “‘黃屋左纛, 朝以十月, 葬長陵’. 此是大事, 所以書在後.”

曰: “某嘗謂『史記』恐是簡未成底文字, 故記載無次序, 有疎闊不接續處, 如此等是也.”[59]

· ·

50 『漢書』는 모두 … 것이다. : 고쳤다고 했으나 현재 전하는 『漢書』에는 그대로 ‘高祖’로 되어 있다.

51 ‘陳桓公이 왕에게 … 받았다.’ : 『春秋左氏傳』隱公 4년에 “陳桓公이 바야흐로 왕에게 총애를 받았다.(陳桓公方有寵於王.)”라고 하여, 桓公이라는 시호가 살아 있는 사람에게 쓰인 예를 든 것이다.

52 『朱文公文集』 권44 「答蔡季通」

53 賈誼 : 前漢 文帝 때의 문신이다. 20세에 문제의 깊은 신임을 얻어 太中大夫로 발탁되어 正朔을 고치고 服色을 바꾸며 법도를 제정하고 禮樂을 일으킬 것을 주장하였으나, 周勃과 灌嬰 등에게 미움을 사서 長沙王의 太傅로 좌천되어 33세의 젊은 나이로 죽었다.(『漢書』 卷48 「賈誼列傳」)

54 公孫臣 : 전한 文帝 때의 문신이다. 『史記』「郊祀志」에, “魯나라 사람 공손신이 상서하기를, ‘… 토덕의 보응으로 황룡이 나타났으니 정삭을 고치고 옷의 빛깔은 황색을 숭상해야 마땅합니다.’라고 하였다.(魯人公孫臣書曰, ‘…土德之應黃龍見, 宜改正朔, 服色上黃.’)”라고 하였다.

55 新垣平 : 전한 文帝 때의 사람이다. 天氣를 잘 본다는 미명 아래, 文帝를 만나보고, 長安 동북에 神氣가 있으니 上帝에게 제사를 지내야 한다고 달래서, 五帝廟를 짓게 하였다. 이때 신원평은 상대부의 높은 관직에 이르고 수천금의 하사를 받기까지 하였으나, 뒤에 사기술이 발각되어 三族을 멸하는 죄를 받았다.(『漢書』「郊祀志」)

56 問: “「伯夷傳」: 『朱子語類』 권134, 5조목에는 “曹器遠說伯夷傳”이라고 하여, 발화자가 曹器遠으로 제시되어 있다.

57 曰: 『朱子語類』 권134, 5조목에는 “先生曰”이라고 하여, 발화자가 朱子로 제시되어 있다. 뒤의 ‘曰’도 같다.

58 問: 『朱子語類』 권134, 5조목에는 “云”으로 되어 있다.

59 『朱子語類』 권134, 5조목

물었다. "「백이열전伯夷列傳」에서 '백이가 공자의 평가를 얻어 이름이 더욱 빛났다.'[60]라고 하였습니다."

(주자가) 대답했다. "백이가 당초에 어찌 공자가 나와서 자신을 밝혀줄 것을 바랐겠는가!"

또 물었다. "'황옥좌독黃屋左纛을 쓰고 10월에 조회를 받고 장릉長陵(한 고조 능)에 장사 지냈다.'[61]는 것은 큰 행사이므로 뒤쪽에 기록하였습니다."[62]

(주자가) 대답했다. "나는 일찍이 생각하기를 『사기史記』는 아마 미완성 글이기 때문에 기록에 차례가 없고 엉성하여 이어지지 않는 곳이 있다고 했는데 이런 것이 그것이다."

[55-1-17]

"「伯夷傳」辨許由事固善, 然其論伯夷之心, 正與'求仁得仁'者相反. 其視蘇氏之『古史』, 孰爲能考信於孔子之言耶?"[63]

(주자가 말했다.) "「백이열전伯夷列傳」에서 허유許由의 일을 변별한 것은 진실로 훌륭하지만,[64] 백이의 마음을 논한 것은 '인을 구하여 인을 얻었다.'와 서로 반대된다.[65] 소씨蘇氏(소철蘇轍)의 『고사古史』[66]와

. . . .

60 '백이가 공자의 … 빛났다.' : 『史記』「伯夷列傳」에 "백이·숙제가 비록 현명하지만 공자를 얻어 이름이 더욱 드러났다.(伯夷叔齊雖賢, 得夫子而名益彰.)"라고 하고, 그「正義」에 "백이·숙제가 비록 현명한 행실이 있었지만 공자의 칭찬을 얻어 이름이 더욱 드러났다.(伯夷叔齊雖有賢行, 得夫子稱揚而名益彰著.)"라고 설명하였다.

61 '黃屋左纛을 쓰고 … 장사 지냈다.' : 『史記』「高祖本紀」의 끝부분에 실린 글이다.
  · 黃屋左纛: 천자의 車服을 말한다. 황옥은 수레의 지붕을 겉은 파랗게 안은 누렇게 비단으로 장식한 것이고, 좌독은 쇠꼬리로 장식한 큰 旗로서 수레 왼쪽에 꽂아 천자의 수레임을 나타낸 것이다.
  · 10월에 조회를 받고 : 秦나라는 亥月(동지 전달)을 연도의 시작으로 삼았는데, 한나라가 되어서도 아직 고치지 않았으므로 10월에 제후들에게 조회를 받았던 것이다.

62 큰 행사이므로 … 기록하였습니다. : 이에 대하여는 『朱子語類考文解義』제35에는 "뒤[後]는 「高祖本紀」 뒤의 太史公 贊을 말한다. 이는 큰 紀事이므로 本紀 중에 섞어 기재하지 않고 총괄 제요를 뒤쪽의 贊 속에 두었으나 실제는 기재가 엉성하여 차례가 없기 때문이지 특별히 뒤쪽에 놓아 드러내려고 한 것이 아님을 말한다.(後, 謂「高祖本紀」後太史贊也. 言此大事, 故不渾載本紀中, 總提在後贊中, 然實則記載無踈闊無次序故耳, 非其特留在後以表章之也.)"라고 설명하였다.

63 『朱文公文集』권48 「答呂子約」

64 「伯夷列傳」에서 許由의 … 훌륭하지만 : 『史記』「伯夷列傳」에서 司馬遷은 堯임금이 허유에게 천하를 물려주자 받지 않고 부끄러워하여 숨은 것을 제시한 뒤에 이르기를, "내가 기산에 올랐는데 꼭대기에 허유의 무덤이 있었다고 한다. 공자가 옛날의 仁人·聖人·賢人을 서열화하면서 吳의 泰伯이나 백이와 같은 무리들을 자세하게 논의하였다. 내가 들은 바로는 허유·務光은 의리가 매우 높다고 한다.(余登箕山, 其上蓋有許由冢云. 孔子序列古之仁聖賢人, 如吳太伯伯夷之倫詳矣. 余以所聞由光義至高.)"라고 하여, 허유의 의리를 높게 평가한 것을 말한다.

65 백이의 마음을 … 반대된다. : 「伯夷列傳」에서 司馬遷은 공자의 말을 제시하고 반대 의견을 내어 "공자가 이르기를, '백이와 숙제는 과거의 악행을 생각하지 않았으므로, 원망이 이 때문에 적다. 仁을 구하여 인을 얻었으니, 또 무엇을 원망하랴!'라고 하였다. 나는 백이의 뜻을 서글퍼하면서 逸詩(『詩經』에 들지 않은 시)를 살펴보고는 그것과 다르다고 느꼈다.(孔子曰, '伯夷叔齊不念舊惡, 怨是用希, 求仁得仁, 又何怨乎!' 余悲伯夷之意, 睹軼詩可異焉.)"라고 하여, 백이가 지은 일시를 들어 인을 얻지 않은 것으로 설명하였다. 이를 해설한 『史記索隱』권17에서는 "그 일시에 말하기를 '나 어디로 돌아가야 할 것인가, 아, 죽을 때가 되었구나! 명이

비교하면 어느 것이 공자의 말에서 믿을 만한 것을 고찰한 것인가?"[67]

[55-1-18]

"或以史遷能貶卜式與桑弘羊爲伍, 又能不與管仲李克, 爲深知功利之爲害. 不知「六國表」所謂 '世異變, 成功大, 議卑易行, 不必上古'.[68] 「貨殖傳」譏'長貧賤而好語仁義爲可羞'者, 又何謂耶?"[69]

(주자가 말했다.) "어떤 사람이 사마천은 복식卜式[70]을 깎아내려 상홍양桑弘羊[71]과 동렬로 만들고, 또 관중管仲[72]과 이극李克[73]과는 어울리지 않게 하였으니 공리功利가 해로움이 됨을 잘 알았기 때문이었다. 「육국표六國表」에서 말한 '세상이 달라지는 대로 공을 이룩함이 커지고 주장이 낮아야 행하기 쉬우니 반드시 옛날을 숭상할 것은 없다.'는 것과 「화식전貨殖傳」에 '오래도록 가난하면서 인의를 말하기를 좋아하는

．．．．．．．．．．．．．．．．．．．

　　　쇠하였도다.'라고 하였다. 이는 원망한 가사이므로 '그것과 다르다고 느꼈다.'라고 하였다.(今其詩云, '我安適歸矣, 于嗟徂兮! 命之衰矣.' 是怨詞也, 故云可異焉.)"라고 하여, 일시를 원망한 가사로 풀이하였다.

66　『古史』: 송나라 蘇轍이 지은 史書. 司馬遷의 『史記』에 의하여 위로 『詩經』・『書經』을 살피고 아래로 『春秋』 및 秦漢의 雜錄을 살펴서 伏義・神農으로부터 秦始皇帝까지 7本紀, 16世家, 37列傳으로 편성하였다. 紹聖 2년(1095) 3월에 완성하였다.(『玉海』 권46)

67　蘇氏[蘇轍]의 『古史』와 … 것인가?: 『古史』 권24「伯夷列傳」에는 "백이와 숙제가 나갈 적에 父子 사이에 반드시 말이 있었을 것이고, 몸을 빼어내 어지러움에서 멀어져 망할 지경에도 편안하였고, 과거의 악행으로 원망하지 않았으므로, 무릇 백이가 원망하지 않음을 말하는 것은 나라를 양보한 것으로 말한다.(伯夷叔齊之出也, 父子之間, 必有間言焉, 而能脫身以遠於亂, 安於喪亡, 不以舊惡爲怨, 故凡言伯夷之不怨以讓國言之也.)" 라고 하여, 원망하지 않은 것으로 사마천과 다르게 풀이하였다.

68　'世異變 成功大 … 不必上古.': 『史記』 권15「六國表」의 "然戰國之權變亦有可頗采者, 何必上古? 秦取天下多暴, 然世異變, 成功大. 傳曰, 法後王. 何也? 以其近己而俗變相類, 議卑而易行也."에서 축약 變文하고 선후를 바꾸어 인용한 것이다.

69　『朱文公文集』 권48「答呂子約」

70　卜式: 漢武帝 때 사람. 양을 길러 모은 돈 중에서 20만 錢을 河南太守에게 바쳐 백성을 돕겠다고 하자, 무제가 그를 中郎에 임명하고 左庶長의 작위를 주었으며, 元鼎 연간에 그를 다시 御史大夫로 삼고 關內侯의 작위를 내렸다.(『史記』 권30「平準書」; 『漢書』 권58「卜式傳」)

71　桑弘羊: 漢武帝 때 사람. 大農丞이 되어 천하의 鹽鐵을 관장하고 平準法을 만들고, 뒤에 御史大夫로서 霍光과 함께 무제의 遺詔를 받아 昭帝를 보좌하였다. 국가의 재정을 풍부하게 확보하기 위해 鹽鐵과 술의 專賣를 처음으로 시행하였으나, 뒤에는 이익을 독점하고 백성의 사정은 아랑곳하지 않았다. 당시에 날이 가물자 무제가 백관에게 비를 청하게 하였는데, 卜式이 상홍양을 미워하여 "홍양을 삶아 죽여야만 하늘이 비로소 비를 내릴 것입니다.(烹弘羊, 天乃雨.)"라고 上奏하기도 하였다.(『漢書』 권58「卜式傳」)

72　管仲: 춘추 시대 齊나라 사람. 賢相으로 桓公을 도와 富國强兵에 전력하여, 환공이 제후를 규합하고 천하를 바로잡아 다스려서 五霸의 으뜸이 되게 하였다.(『史記』「管晏列傳」)

73　李克: 춘추 시대 魏나라의 재상. 魏文侯가 정승을 뽑을 적에 魏成을 추천하였는데, 이에 반감을 품은 翟璜이 항의하였다. 이극은 위성이 추천한 卜子夏・田子方・段干木은 임금이 모두 스승으로 삼았으나, 그대가 추천한 다섯 명은 임금이 모두 신하로 삼았다고 하자, 적황은 절하고 말하기를, "저는 비루한 사람이라 잘못 대답을 했으니, 죽을 때까지 제자가 되겠습니다."라고 굴복하였다.(『史記』「魏世家」)

것은 부끄러워할 만한다.'라고 비판한 것은 또 무엇을 말하는 것인지 모르겠다."

[55-1-19]

"或謂遷言公孫弘以儒顯,[74] 爲譏弘之不足爲儒, 不知果有此意否? 彼固謂'儒者博而寡要, 勞而少功, 是以其事難盡從',[75] 然則彼所謂儒者, 其意果何如耶?"[76]

(주자가 말했다.) "어떤 사람이 말하기를 사마천이 공송홍은 유자儒者로 빛났다라고 한 말은 공손홍이 유자가 되기에는 부족하다고 비난한 것이니 과연 이러한 뜻이 있었는지 알지 못하겠습니다. 저 사람(사마천)이 과연 진실로 '유자는 박학만 하고 요약이 적으며, 노고만 하고 공효가 적으므로, 그 일은 모두 따르기가 어렵다.'라고 했다면 저 사람이 말하는 유자는 그 뜻이 과연 어떠한 것입니까?"

[55-1-20]

"班固作『漢書』, 不合要添改『史記』字, 行文亦有不識當時意思處. 如七國之反, 『史記』所載甚踈略, 却都是漢道理; 班固所載雖詳, 便却不見此意思, 呂東萊甚不取班固. 如載文帝建儲詔云, '楚王, 季父也, 春秋高, 閱天下之義理多矣, 明於國家之大體. 吳王於朕, 兄也, 惠仁以好德. 淮南王, 弟也, 秉德以陪朕. 豈不爲豫哉!' 固遂節了吳王一段, 只於'淮南王'下添'皆'字云, '皆秉德以陪朕'. 蓋'陪'字訓'貳', 以此言弟則可, 言兄可乎! 今『史記』中却載全文."

(주자가 말했다.) "반고班固가 『한서漢書』를 지으면서 『사기史記』의 문장을 더해 고쳐야 할 것은 아니었고, 쓰인 글도 당시의 의미를 모른 곳도 있다. 칠국七國 반란[77]과 같은 것은 『사기史記』에 기록된 것이 매우 소략하지만 모두 한나라의 입장이었고,[78] 반고가 기록한 것은 비록 자세하지만 이 의미를 알지 못하였다. 그래서 여동래呂東萊[呂祖謙]는 반고를 별로 채택하지 않았다. 예컨대 문제文帝가 태자太子를 세우는 조서를 기록한 것에는 '초왕楚王은 계부季父이고 나이가 많으며 천하의 의리를 살펴본 것이 많아 국가의 대체大體에 대해 명백히 안다. 오왕吳王은 짐에게 형이고 인仁을 은혜로이 베풀어 덕을 좋아한다. 회남왕淮南王은 아우이고 덕을 지녀서 짐에 다음가니 어찌 미리 세우지 않을 것이랴!'라고 하였다. 반고는 오왕의 한 단락을 줄였고[79] 다만 '회남왕淮南王' 다음에 '모두[皆]' 자를 더하여 '모두 덕을 지녀서 짐에

---

74 公孫弘以儒顯: 『史記』 권130 「太史公自序」의 글임.

75 儒者博而寡要 … 是以其事難盡從: 『史記』 권130 「太史公自序」의 글임.

76 『朱文公文集』 권48 「答呂子約」

77 七國 반란: 漢景帝 3년에 있었던 변란. 경제가 鼂錯의 말에 따라 제후의 封地를 깎으려 하자, 吳王인 濞가 주동하여 7국의 제후들이 조조를 죽이라고 반란을 일으켰다. 그래서 경제는 조조를 죽이고, 한편 周亞夫 등을 보내 난을 진압하고 오왕을 참수하자, 다른 제후들은 모두 자살하였다. 칠국은 吳 및 楚·趙·膠西·膠東·菑川·濟南이다.(『漢書』 권5 「景帝紀」)

78 한나라의 입장이었고: 이에 대하여 『朱子語類考文解義』 제35에는 "자세하지 않다. 통틀어 거론하고 자세하게 말하지 않아 높이는 체통을 얻은 것을 말한다.(未詳. 蓋謂統擧而不細說, 得尊大之體也.)"라고 설명하였다.

79 반고는 … 줄였고: 『史記』 권10 「孝文本紀」에는 오왕에 대하여 "吳王於朕兄也, 惠仁以好德."이라고 하였으

다음간다.[皆秉德以陪朕]⁸⁰라고 하였다. '배陪' 자는 '다음간다[貳]'로 풀이하는데, 이것을 아우에게 말하면 되지만 형에게 말할 수 있겠는가! 지금 『사기』 속에는 또한 (조서) 전체 글이 실려 있다."

又曰: "屛山却云, '固作漢紀, 有學『春秋』之意', 其「叙傳」云, '爲春秋考紀'."
又曰: "遷史所載, 皆是隨所得者載入, 正如今人草藁. 如酈食其踞洗, 前面已載一段, 末後又載, 與前說不同. 蓋是兩處說, 已寫入了, 又據所得寫入一段耳."⁸¹

(주자가) 또 말했다. "병산屛山[劉子翬]이 말하였다. '반고가 지은 『한서漢書』 본기本紀는 『춘추春秋』를 배우려는 뜻이 있으니 「서전叙傳」에 이르기를 「춘추고기春秋考紀[本紀]를 지었다.」라고 하였다'.⁸²"

(주자가) 또 말했다. "사마천이 기록한 것은 모두 수집한 것에 따라 기록해 넣었으니 바로 지금 사람의 초고草藁와 같다. 예컨대 역이기酈食其에 대해 걸터앉아 발을 씻는 것이 앞부분에 이미 한 단락 기록되었는데 끝부분에 또 수록하였으나 앞부분의 말과 같지 않다.⁸³ 아마 이렇게 두 곳에 말한 것은 이미 써 넣었다가 또 수집한 것에 근거하여 한 단락을 써 넣은 것인가 한다."

[55-1-21]
"『漢書』有秀才做底文章, 有婦人做底文字, 亦有載當時獄辭者. 秀才文章便易曉, 當時文字

<hr>

나, 반고의 『漢書』권4「文帝紀」에는 "吳王於朕兄也" 뿐이어서 '惠仁以好德'이 생략되어 있다.

80 '모두 덕을 … 다음간다.[皆秉德以陪朕]': 『史記』「孝文本紀」권10에는 회남왕에 대하여 "秉德以陪朕."이라고 하였으나, 반고의 『漢書』「文帝紀」권4에는 "皆秉德以陪朕"이라고 하여 '모두[皆]' 자가 더 있다.

81 『朱子語類』권134, 6조목

82 '반고가 지은 … 하였다.': 이에 대하여 『漢書』권100하「敍傳」에는 "太初(한 무제 연호) 이후는 (『史記』에 본기가) 누락하여 기록하지 않았으므로, 이전의 기록을 찾아 짓고 들은 것을 엮어 모아 『漢書』를 서술하였다. 高祖에서 시작하여 孝平皇帝 그리고 王莽의 주륙에서 마쳤는데, 12世, 230년 동안 그 시행한 기사를 종합하고 널리 『五經』을 관통하며 위아래를 두루 통하여 春秋考紀·表·志·傳을 지으니 모두 100篇이다.(太初以後, 闕而不錄, 故探篡前記, 綴輯所聞, 以述『漢書』. 起于高祖, 終于孝平王莽之誅, 十有二世, 二百三十年, 綜其行事, 旁貫『五經』, 上下洽通, 爲春秋考紀·表·志·傳, 凡百篇.)"라고 하였다. 그리고 이 글의 顔師古 注에는 "춘추고기는 帝紀(本紀)를 말한다.(春秋考紀, 謂帝紀也.)"라고 하였다.

83 酈食其에 대해 … 않다.: 역이기가 유방을 만나는 장면이 두 번 제시되었는데 그 내용이 서로 같지 않음을 말한다. 『史記』권97「酈生陸賈列傳」에는 "酈生(역이기)이 와서 들어가 뵙자 沛公(劉邦)은 한창 상에 걸터앉아 두 여자를 시켜 발을 씻고 있다가 역생을 만났다. … 역생이 '반드시 무리를 모아 의리를 규합하여 무도한 진나라를 주륙하려 한다면 걸터앉아 어른[長者]을 만나는 것은 마땅치 않소.'라고 하였다.(酈生至, 入謁, 沛公方倨牀使兩女子洗足, 而見酈生. … 酈生曰, '必聚徒合義兵誅無道秦, 不宜倨見長者.')"라고 되어 있다. 이와 같이 역생이 유방을 나무랐으나, 끝부분에 이것이 또 묘사되었는데 "역생이 들어와서 패공에게 읍하고 '족하께서는 옷을 햇볕에 그을리고 관에 이슬을 맞으면서 군대를 이끌고 楚(項羽)를 도와서 불의한 자를 토벌하니 족하께서는 어찌 스스로 기쁘지 않겠습니까? 臣은 일로 뵙고자 합니다.(酈生入, 揖沛公曰, '足下甚苦, 暴衣露冠, 將兵助楚討不義, 足下何不自喜也? 臣願以事見.)"라고 하여, 역이기의 자칭이 長者에서 臣으로 바뀌는 등 다른 모습을 보이고 있다.

多碎句難讀. 『尚書』便有如此底, 『周官』只如今文字, 太齊整了."[84]

(주자가 말했다.) "『한서漢書』는 수재秀才가 지은 문장도 있고 부인婦人이 지은 문장도 있으며,[85] 또 당시에 옥사獄辭를 기록한 것도 있다.[86] 수재의 문장은 알기 쉬웠는데 당시의 글은 대부분 글귀가 자질구레하여 읽기에 어려웠다. 『상서尚書』도 이와 같은 것이 있으나 「주관周官」[87]만은 지금의 문자처럼 매우 잘 정리되어 있다."

[55-1-22]

"孔明治蜀, 不曾立史官. 陳壽檢拾而爲蜀志, 故甚略. 孔明極是子細者, 亦恐是當時經理王業之急, 有不暇及此."[88]

(주자가 말했다.) "제갈공명諸葛孔明이 촉蜀을 다스릴 때 사관史官 제도를 둔 적이 없었다. 진수陳壽[89]가 자료를 모아서 「촉지蜀志[蜀書]」를 지었으므로 매우 소략하다. 제갈공명은 매우 세심한 사람이었으나 또한 당시에 왕업王業의 시급한 일을 다스리느라고 이것에 미칠 겨를이 없었을 것이다."

[55-1-23]

"『晉書』皆爲許敬宗胡寫入小說, 又多改壞了. 東坡言, '「孟嘉傳」陶淵明之自然, 今改云「使然」, 更有一二處.' 一作此類甚多 東坡此文亦不曾見."
包揚因問 : "『晉書』說得晉人風流處好."
曰 : "『世說』所載說得較好, 今皆改之矣."[90]

(주자가 말했다.) "『진서晉書』는 모두 허경종許敬宗[91]이 어지러이 자질구레한 말을 써 넣었고 또 고쳐 무너뜨린 것이 많다. 동파東坡[蘇軾]가 말하기를 '「맹가전孟嘉傳」은 도연명陶淵明의 자연스러운 것인데,[92]

84 『朱子語類』 권134, 8조목
85 『漢書』는 秀才가 … 있으며 : 秀才는 班固이고 婦人은 반고의 여자 아우 班昭이다. 『漢書』는 班彪가 저술하기 시작하여 그의 아들 반고가 이어서 저술하다가 반고가 죽자 반소가 이어서 저술하고 馬續의 보완으로 완성되었다.
86 또 당시에 … 있다. : 『漢書』에 「刑法志」가 있음을 말한다. 『史記』에는 없던 것이다.
87 「周官」 : 『尚書』의 편명
88 『朱子語類』 권136, 18조목
89 陳壽(233~297) : 晉나라의 학자. 『三國志』의 저자. 『三國志』는 「魏書」, 「蜀書」, 「吳書」로 이룩되어 있다.
90 『朱子語類』 권134, 14조목
91 許敬宗 : 당나라 사람. 벼슬은 著作郎・禮部尚書. 則天武后에게 붙어 褚遂良을 내쫓고, 長孫武忌를 죽였으며, 자기 뜻대로 高祖・太宗의 實錄을 조작하여 고쳤다.(『新唐書』 권223 ; 『舊唐書』 권82)
92 「孟嘉傳」은 陶淵明의 … 것인데 : 이에 대하여 『東坡全集』 권93 「外曾祖程公逸事」에는 "紹聖 2년(1095) 3월 9일에 소식이 惠州에 있을 때 陶潛이 지은 「外祖孟嘉傳」을 읽고 『詩經』 「邶風・凱風」 시의 寒泉(시원한 샘물이라는 뜻으로, 어버이를 섬기려는 마음을 말함.)의 사모함이 실로 그 마음을 기울였다.'라고 하고, 마음이 서글프게 슬퍼하면서 공의 숨겨진 일들을 기록하여 程氏에게 남겨주었으니 도연명의 마음을 접근해 보려는 것이었다.(紹聖二年三月九日, 軾在惠州, 讀陶潛所作「外祖孟嘉傳」, 云, '凱風寒泉之思, 實鍾厥心.' 意悽然悲

지금 고쳐서 (自然을)「그렇게 하게 되었다使然.」라고 하여 고친 곳이 한두 군데 있다.' 어느 본에는
'이러한 부류가 매우 많다.'로 되어 있다. 라고 하였으나, 동파의 이 글은 또한 본적이 없다."
포양包揚이 이어서 물었다. "『진서晉書』는 진나라 사람들의 풍류를 말한 곳이 아름답습니다."
(주자가) 대답했다. "『세설신어世說新語』[93]에 실린 말들이 비교적 아름다운데 지금 모두 고쳤다."

[55-1-24]

"「載記」所紀夷狄祖先之類特甚, 此恐其故臣追記而過譽之."[94]

(주자가 말했다.) "「재기載記」[95]에 기록된 이적夷狄 조상의 부류는 특히 심하게 칭찬하였는데, 이는 아마
과거에 신하였던 이들이 추후 기록하면서 지나치게 칭찬한 것인가 한다."

[55-1-25]

問: "班史『通鑑』二氏之學如何?"

曰: "讀其書自可見."

又曰: "溫公不取孟子取揚子, 至謂王伯無異道. 夫王伯之不侔, 猶碔砆之於美玉, 故荀卿謂
'粹而王, 駁而伯'. 孟子與齊梁之君力判其是非者,[96] 以其有異也."[97]

물었다. "반고의 『한서漢書』와 『자치통감資治通鑑』의 두 분 저술자의 학문은 어떻습니까?"
(주자가) 대답했다. "그 글을 읽어보면 절로 알 수 있다."
또 말하였다. "온공溫公司馬光은 맹자孟子를 채택하지 않고 양자揚子揚雄를 채택하고 심지어 왕도王道와
패도霸道는 도道가 다르지 않다[98]고까지 말하였다. 왕도와 패도가 같지 않은 것은 무부碔砆(옥 비슷한 돌)에
미옥美玉을 견주는 것과 같으므로, 순경荀卿이 '순수하면 왕王이고 잡되면 패伯이다.'[99]라고 하였다. 맹자

· · · · · · · · · · · · · · · ·

之, 乃記公之逸事, 以遺程氏, 庶幾淵明之心也.)"라고 설명하였다.

93 『世說新語』: 南朝 宋의 劉義慶이 지은 책. 後漢 말에서 東晉 말까지 약 200년간 실존했던 제왕과 고관 귀족을
　비롯하여 문인·학자·현자·스님·부녀자 등 700여 명에 달하는 인물들의 독특한 언행과 일화 1,130조를,
　「德行」편부터 「仇隙」편까지 36편에 주제별로 수록해 놓은 이야기 모음집이다. 내용은 상당히 방대하여 당시
　의 문학·예술·정치·학술·사상·역사·사회상·인생관 등 인간생활의 전반적인 면모를 담고 있다. 따라
　서 중국 중고 시대의 문화를 총체적으로 이해하는 데 무척 중요한 필독서이다. 梁나라 劉孝標의 註는 나중에
　없어진 史料를 풍부하게 인용하여 六朝 때의 同類의 주석인 송나라 裴松之의 『三國志注』, 北魏 鄭道元의
　『水經注』와 함께 존중된다. 그 밖에 明나라 王世貞의 『世說新語補』 등이 있다.

94 『朱子語類』 권134, 15조목

95 「載記」: 正統이 아닌 정권에 대한 傳記를 말함. 正史의 世家에 해당되는 것으로, 本紀나 列傳 등과 구별하여
　이르는 말이다. 『晉書』에 「載記」 30권이 뒷부분에 실려 있다.

96 與: 『朱子語類』 권134, 19조목에는 '爲'로 되어 있다.

97 『朱子語類』 권134, 19조목

98 王道와 霸道는 … 않다: 『資治通鑑』 권27 五鳳 4년

99 '순수하면 王이고 … 伯이다.': 『荀子』 권7 「王霸篇」

가 제齊·양梁나라 임금을 위하여 그 옳고 그름을 힘써 판별한 것도 다른 것이 있기 때문이다."

[55-1-26]

"『史記』「功臣表」與『漢史』「功臣表」, 其戶數先後及姓名多有不同. 二史各有是非, 當以傳實證之, 不當全以『史記』所傳爲非眞也. 如淮陰爲連敖典客, 『漢史』作票客, 顏師古謂'其票疾而以賓客之禮禮之'. 夫淮陰之亡, 以其不見禮於漢也, 蕭何追之而薦於漢王, 始爲大將. 若已以賓禮禮之, 淮陰何爲而亡哉? 此則『史記』之所載爲是.

(주자가 말했다.) "『사기史記』「공신표功臣表」와 『한서漢書』「공신표功臣表」는 공신이 받은 호수戶數와 선후와 성명에 같지 않은 것이 많다. 두 가지 역사서는 각각 옳고 그른 것이 있으니 전해진 실제대로 증명해야 할 것이고, 오로지 『사기』에 전해진 것을 진실이 아니라고 해서는 안 될 것이다. 예컨대 회음후淮陰侯[韓信]가 연오連敖(초나라 관직 이름) 전객典客[100]으로서 빈객을 담당하였는데 『한서』에서는 표객票客이라고 하였고, 안사고顏師古는 주석하기를 '그가 재빨라서 빈객의 예절로 예우하는 일을 하였다.'[101]라고 하였다. 회음후가 도망한 것은 한나라에서 예우를 받지 못했기 때문이니 소하蕭何가 한신을 뒤쫓아 가서 한왕漢王[劉邦]에게 추천하자 비로소 대장大將이 되었다.[102] 만약 일찍 빈객의 예절로 예우하였다면 회음후가 무엇 때문에 도망했겠는가? 이것은 『사기』에 기록된 것이 옳다.

「三代表」是其疎謬處, 無可疑者, 蓋他說行不得. 若以爲堯舜俱出黃帝, 是爲同姓之人, 堯固不當以二女嬪于虞, 舜亦豈容受堯二女而安於同姓之無別? 又以爲湯與王季同世. 由湯至紂凡十六傳, 王季至武王纔再世爾. 是文王以十五世之祖事十五世孫紂, 武王以十四世祖而伐之, 豈不甚謬戾耶?

『사기』의 「삼대세표三代世表」가 엉성하게 틀린 곳은 의심할 수 없는 것이니, 그 해설은 시행될 수 없는 것이다. 만약 요堯와 순舜이 모두 황제黃帝에게서 나왔다면[103] 이는 같은 성姓 사람이니 요는 진실로

---

100 連敖(초나라 관직 이름) 典客: 連敖는 典客의 다른 명칭임. 『史記』 권92 「淮陰侯列傳」 集解에 "連敖는 典客이다.(連敖, 曰典客也.)"라고 하였고, 『漢書』 권19上 「百官公卿表」에 "전객은 진나라 관직으로, 귀순해 온 여러 이민족을 담당하는데 丞이 있다. 景帝 中六年에 大行令으로 이름을 바꾸고, 武帝 太初 元年에 大鴻臚라고 이름을 바꾸었다.(典客, 秦官, 掌諸歸義蠻夷, 有丞. 景帝中六年, 更名大行令, 武帝太初元年, 更名大鴻臚.)"라고 하였다.

101 '그가 재빨라서 … 하였다.': 『史記』 권18 「考證」에 "살펴보니 『漢書』 表에 票客이라고 썼으므로, 顏師古는 음을 頻과 妙의 반절이라고 하고, 주석에 '어떤 이는 그가 재빨라서 빈객을 예우하였으므로 표객이라고 하였다.'라고 하였다.(按漢表, 作票客, 故師古音頻妙反, 注云, '或者以其票疾, 而賓客禮之, 故云票客也'.)"라고 하였다.

102 蕭何가 한신을 … 되었다.: 韓信이 項羽를 떠나 劉邦에게 왔으나 알아주는 사람이 없었고 蕭何만 기특해하였다. 얼마 뒤 한신이 도망을 가자 소하는 한신이 도망했다는 소문을 듣고, 미처 유방에게 보고하지도 못하고 직접 쫓아가서 데리고 돌아와 추천하여, "천하를 쟁취하려면 한신이 아니고는 안 된다."고 하였고, 이에 의해 壇을 쌓아 그 위에 올라가서 대장으로 삼는 의식을 하였다.(『史記』 권92 「淮陰侯列傳」)

103 堯와 舜이 … 나왔다면: 『史記』「三代世表」에는 "堯屬, 黃帝生. 舜屬, 黃帝生."이라고 하여, 모두 '黃帝生'으

두 딸을 우순虞舜[舜]에게 시집보내지 않았을 것이고, 순도 어찌 요임금의 두 딸을 받아들여 같은 성끼리 분별없이 편안한 혼인을 받아들이겠는가? 또 탕湯과 왕계王季가 같은 대代라고 하였다.[104] 탕에서 주紂까지 모두 16번 전해졌고 왕계에서 무왕武王까지 겨우 두 대뿐이다. 이는 문왕文王이 15대조代祖로서 15대손代孫 주왕紂王을 섬긴 것이고, 무왕이 14대조로서 주왕을 정벌한 것이 되니, 어찌 매우 잘못되지 않았는가?

『通鑑』先後之不同者, 却不必疑. 史家叙事, 或因時而記之, 或因事而見之. 田和遷康公, 『通鑑』載於安王十一年, 是因時而紀之也. 『史記』載於安王十六年, 是因事而見之也, 何疑之有? 只有伐燕一節, 『史記』以爲湣王, 『通鑑』以爲宣王, 『史記』却是攷他源流來, 『通鑑』只是憑信『孟子』. 溫公平生不喜『孟子』, 到此又却信之, 不知其意如何. 張敬夫說『通鑑』有未盡處', 似此一節, 亦是可疑."[105]

『자치통감資治通鑑』에 선후가 같지 않은 것은 의심할 필요가 없다. 역사가들이 기사를 서술할 적에 혹은 시기에 의하여 기록한 것도 있고 혹은 사실에 의하여 보인 것이 있다. 제齊나라 전화田和가 강공康公을 추방한 것[106]을 『자치통감』에는 안왕安王 11년(기원전 391년)에 기록하였는데 이는 시기에 의하여 기록한 것이고, 『사기』에는 안왕 16년(기원전 386년)에 기록하였는데, 이는 사실에 의하여 보인 것이니 무엇을 의심할 것이 있겠는가? 다만 연燕나라를 공격한 한 가지 일을 『사기』에서는 민왕湣王 때라고 하였으나 『자치통감』에서는 선왕宣王 때라고 하였는데, 『사기』는 그 원류를 고찰하였으나 『자치통감』에서는 『맹자』만 의거해 믿었던 것이다.[107] 온공은 평생토록 『맹자』를 좋아하지 않는데 이것은 또한 믿었으니 그 뜻이 어떠한지 모르겠다. 장경부張敬夫가 '『자치통감』은 완전하지 못한 곳이 있다.'라고 하였는데, 이 한 대목이 또한 의심스러운 듯하다."

[55-1-27]

"遷固之史, 大槩只是計較利害. 范曄更低, 只主張做賊底, 後來他自做却敗. 溫公『通鑑』, 凡涉智數險詐底事, 徃徃不載, 却不見得當時風俗.

. . . .

로 표현되어 있다.

104 또 湯과 王季가 … 하였다. : 『史記』「三代世表」의 世代가 위계가 같은 난에 "主癸生天乙, 是爲殷湯.", "亶父生季歷, 季歷生文王昌."이라고 하여, 湯과 季歷(王季)이 같은 세대로 잘못 제시되어 있다. 이러한 제시는 탕에서 紂까지 모두 16번 전해졌는데, 탕과 같은 위계인 文王이 15代祖로서 15代孫 紂王을 섬긴 것이고, 무왕이 14代祖로서 주왕을 정벌한 것이 되는 잘못된 世表인 것이다.

105 『朱文公文集』 권44 「答曺子野」

106 齊나라 田和가 … 것 : 전화는 이 사건을 벌이고 곧 齊侯가 되어 제나라를 찬탈하였는데, 이는 姜姓의 제나라인 姜齊에서 田氏의 제나라인 田齊가 된 것이다.

107 燕나라를 공격한 … 것이다. : 『孟子』「梁惠王下」에 "제나라 사람들이 연나라를 쳐서 승리하였는데 선왕이 말하였다.(齊人伐燕勝之, 宣王問曰, …)"를 의거하여 『資治通鑑』에서 그대로 서술한 것을 말한다.

(주자가 말했다.) "사마천司馬遷과 반고班固의 역사서는 대개 이해만 따졌다. 범엽范曄[108]은 더욱 저급해서 해치는 것만 주장하였고 뒤에 그는 스스로 해치는 짓을 하다가 패망하였다. 온공溫公의 『자치통감』은 지혜와 술수의 험악하고 속이는 일에 관련되는 것을 이따금 기록하지 않아 당시의 풍속을 알지 못한다.

如陳平說高祖間楚事, 亦不載上一段, 不若全載了, 可以見當時事情, 却於其下論破乃佳. 又如亞夫得劇孟事. 『通鑑』亦節去, 意謂得劇孟不足道, 不知當時風俗事勢, 劇孟輩亦係輕重. 如周休且能一夜得三萬人, 只緣吳王敗後各自散去, 其事無成. 溫公於此事, 却不知不覺載之, 蓋以周休名不甚顯, 不若劇孟耳. 想溫公平日旴耐劇孟, 不知溫公爲將, 設遇此人, 奈得他何否. 又如論唐太宗事, 亦殊未是. 呂氏大事記, 周赧後添繫秦,[109] 亦未當, 當如記楚漢事, 並書之, 項籍死後, 方可專書漢也."[110]

진평陳平이 고조高祖[劉邦]를 설득하여 초楚[項羽]를 이간시킨 일은 역시 앞부분의 한 단락을 기록하지 않았으니[111] 모두 기록하여 당시의 사정을 볼 수 있게 하고서 그 아래에서 모두 설명하는 것의 훌륭함만 못하다. 또 주아부周亞夫[112]가 극맹劇孟[113]을 얻은 일을 『자치통감』에서는 역시 삭제하였는데, 극맹을

108 范曄: 『後漢書』의 저자. 南朝 宋나라 사람. 經史를 널리 섭렵하고 문장을 잘 지었으며 음률에 밝았다. 벼슬은 太子左衛將軍에 이르렀다. 魯國의 孔熙先과 반역을 도모하다가 주륙당하였다.(『宋書』 권69 ; 『南史』 권33)

109 添: 『朱子語類』 권83, 32조목에는 '便'으로 되어 있다.

110 『朱子語類』 권83, 32조목

111 陳平이 高祖[劉邦]를 … 않았으니: 『資治通鑑』 권56 「漢紀2・太祖高皇帝上之下 3년」에는 "漢王謂陳平曰, '天下紛紛何時定乎?' 陳平曰, '項王骨鯁之臣, 亞父・鍾離昧・龍且・周殷之屬, 不過數人耳. 大王誠能捐數萬斤金, 行反間, 間其君臣, 以疑其心, 項王爲人, 意忌信讒, 必內相誅, 漢因擧兵而攻之, 破楚必矣.' 漢王曰, '善.' 乃出黃金四萬斤與平, 恣所爲, 不問其出入."이라고 하여, 진평이 유방에게 항우의 君臣 사이에 틈이 벌어지도록 이간책을 쓰라고 설득한 내용이 소개되어 있다. 이 부분이 『史記』 권56 「陳丞相世家」에는 "漢王謂陳平曰, '天下紛紛何時定乎?' 陳平曰, '項王爲人恭敬愛人, 士之廉節好禮者多歸之. 至於行功爵邑重之, 士亦以此不附. 今大王慢而少禮, 士廉節者不來, 然大王能饒人以爵邑, 士之頑鈍嗜利無恥者亦多歸漢. 誠各去其兩短, 襲其兩長, 天下指麾則定矣. 然大王恣侮人, 不能得廉節之士, 顧楚有可亂者, 彼項王骨鯁之臣, 亞夫・鍾離昧・龍且・周殷之屬, 不過數人耳. 大王誠能出捐數萬斤金, 行反間, 間其君臣, 以疑其心, 項王爲人, 意忌信讒, 必內相誅, 漢因擧兵而攻之, 破楚必矣. 漢王以爲然, 乃出黃金四萬斤與陳平, 恣所爲, 不問其出入."이라고 추가 기술되어 있는데 이를 『資治通鑑』에서는 생략한 것이다. 그 내용은 항우와 유방의 장단점을 들고 나서 유방의 두 가지 단점(거만하며 禮가 적음, 청렴한 인사들이 귀순하지 않음)을 버리고 두 가지 장점(爵邑을 줌, 둔하고 이익을 즐기고 염치없는 인사들이 귀순함)을 발휘하여 천하를 평정하라고 권하고 있다. 朱熹는 이 윗부분을 모두 실었으면 『資治通鑑』이 보다 훌륭한 서술이 되었을 것이라고 논평하고 있다.

112 周亞夫: 漢나라 漢文帝・景帝 때 사람. 絳侯 周勃의 아들. 文帝 때 주아부가 細柳에 군영을 두고 있었는데, 그의 군영에는 군령이 대단히 엄격하였으므로, 문제가 일찍이 여러 군영을 두루 시찰하고 나서 유독 주아부를 참된 장군(眞將軍)이라고 칭찬했다. 경제 때는 吳・楚 등 7국의 반란을 평정하여 丞相이 되었다. 그 뒤 경제가 참소하는 말을 믿고 廷尉에게 형벌을 주라고 내려주자 5일 동안 음식을 먹지 않다가 드디어 피를 토하고 죽었다.(『史記』 권57 「絳侯周勃世家」)

얻은 일은 말할 것이 못된다고 생각해서일 것이니, 당시의 풍속과 사세에서 극맹 등이 또한 중시되었음을 알지 못했던 것이다. 주휴周休는 또한 하룻밤에 3만 군인을 얻었는데 오왕吳王(유방의 조카 劉濞)이 패한 뒤에 각자 흩어져 떠나갔기 때문에 그 일이 이룩되지 못하였다. 온공은 이 일에 대해 부지불식간에 기록했던 것이니 주휴는 이름이 크게 드러나지 않아 극맹만 못했던 것이다. 생각건대 온공은 평일에 극맹을 용인할 수 없었으니 온공이 만일 장군이 되어 이 사람을 만난다면 이 사람을 어떻게 얻을지 모르겠다. 또 당 태종唐太宗의 일을 논한 것도 매우 옳지 않다.[114] 여씨呂氏[呂祖謙]『대사기해제大事記解題』[115] 에 주周나라 난왕赧王 이후에 진秦나라를 연속시킨 것[116]은 또한 온당하지 않으니 마땅히 초楚와 한漢의 일을 기록하면서 병렬하여 쓰고 항적項籍이 죽은 이후에 한을 독단으로 쓰는 것처럼 해야 할 것이다.”

[55-1-28]

“『通鑑』文字有自改易者, 仍皆不用『漢書』上古字, 皆以今字代之. 『南北史』除了『通鑑』所取者, 其餘只是一部好笑底小說.”[117]

(주자가 말했다.) “『자치통감資治通鑑』 글자는 스스로 고친 것이 있으니, 그것은 『한서漢書』에 쓴 고자古字를 모두 쓰지 않고 모두 금자今字로 대신한 것이다. 『남사南史』와 『북사北史』는 『자치통감資治通鑑』에서 채택한 것을 제외하면 그 나머지는 다만 한 부部의 웃는 잔소리일 뿐이다.”

----

113 劇孟 : 漢나라 景帝 때 사람. 남의 어려움을 구제해 주기를 좋아해서 의협심이 강한 사람으로 칭송을 받았다. 吳楚 七國이 반란을 일으키자 周亞夫가 하남에 이르러 그를 만나고는 기뻐하면서 오초칠국이 반란이라는 대사를 일으키면서 극맹을 찾지 않았으니, 이는 그들이 무능한 증거라고 하였다. 어머니가 돌아가시자 먼 곳에서 조문을 하겠다고 찾아온 사람이 수천 명에 이르렀다. 죽었을 때 집안에는 단돈 10金의 재산도 없었다.(『史記』 권124 「游俠列傳」)

114 唐太宗의 일을 … 않다. : 사마광이 당 태종을 비난한 것을 말하는 듯하다. 『資治通鑑』 권192 太宗文武大聖大廣孝皇帝上之上 貞觀 2년 사마광의 논평에는 “태종이 갑자기 말하기를 ‘다스림의 성패는 음악에 말미암지 않는다.’고 하니 얼마나 말을 쉽게 한 것인가? … 군자는 알지 못하는 것에 대하여 제쳐두어야 하는 것이거늘 애석하구나!(太宗遽云, ‘治之隆替, 不由於樂.’ 何發言之易? … 君子於其不知, 蓋闕如也, 惜哉!)”라고 하고, 또 권197 太宗文武大聖大廣孝皇帝中之下 정관 17년 사마광의 논평에는 “왕자는 말을 하고 명령을 내릴 적에 삼가지 않을 수 있는가!(王者發言出令, 可不慎哉!)”라고 하였다.

115 『大事記解題』 : 宋 呂祖謙 지음. 권12 周敬王 39년(기원전481) 庚申부터 漢孝武皇帝 征和 3년(기원전 90)까지 역사의 큰 사건을 기록하였다.

116 呂氏[呂祖謙] … 것 : 『大事記解題』 권5에는 “주 난왕 59년 … 난왕이 진나라로 들어가 주나라의 땅을 모두 바쳤다.(周赧王五十九年, … 赧王入秦, 盡獻其邑.)”라고 하여 마치고, 그 다음 권6에는 “秦昭王五十二年”으로 시작되어 주나라는 연속되지 않았다. 이에 대해 주자는 다음 구절에서 주나라와 진나라를 병렬하여 기술했다가 주나라의 여운이 완전히 사라진 뒤에 오로지 진나라로 기술해야 한다는 주장을 하고 있다. 楚와 漢의 일을 병렬하여 기록한 것은 『大事記解題』 권8에 秦나라 二世皇帝가 살해된 뒤에 바로 漢紀로 하지 않고 項籍과 劉邦의 기사를 번갈아가며 제시하다가 권9에 항적이 죽으면서 한기로 한 것을 말한다.

117 『朱子語類』 권134, 20조목

[55-1-29]

"胡明仲看節『通鑑』. 文定問, ‘當是溫公節否?’ 明仲云, ‘豫讓好處, 是不以死生二其心, 故簡子云, 「眞義士也!」今節去之, 是無見識, 必非溫公節也.’"[118]

(주자가 말했다.) "호명중胡明仲[119]이 절요節要한 『자치통감資治通鑑』 절요본節要本을 보았다. 문정文定(胡安國의 시호)이 묻기를 ‘온공溫公이 절요한 것인가?’라고 하니 명중이 ‘예양豫讓의 아름다운 곳은 죽으나 사나 두 마음을 품지 않은 것입니다. 그러므로 간자簡子가 「참으로 의로운 인사로구나!」라고 하였는데 줄여 없앴으니[120] 이것은 식견이 없는 것이라, 반드시 온공이 절요한 것이 아닙니다.’라고 하였다."

[55-1-30]

"『通鑑』例, 每一年或數次改年號者, 只取後一號. 故石晉冬始篡, 而以此年繫之. 曾問呂丈, 呂丈曰, ‘到此亦須悔. 然多了不能改得.’ 某只以甲子繫年, 下面注所改年號."[121]

(주자가 말했다.) "『자치통감資治通鑑』의 규례는 해마다 혹은 수차 연호를 바꾼 나라들은 뒤의 한 개 연호만 채택하였다. 그러므로 석진石晉은 겨울에 비로소 찬탈하였는데 이 해에 연호를 기록하였다.[122] 일찍이 여장呂丈(呂祖謙)에게 물었는데, 여장이 말하기를 ‘이 지경이 되어서는 또한 후회가 됩니다. 그러나 너무 많아서 고칠 수는 없습니다.’라고 하였다. 나의 것에는 다만 갑자甲子로만 연대를 기록하고 아래에는 고친 연호로 주를 내었다."[123]

....

118 『朱子語類』 권134, 21조목
119 胡明仲(1098~1156) : ‘明仲’은 胡寅의 자. 胡安國의 조카이다.
120 ‘豫讓의 아름다운 … 없앴으니 : 예양은 戰國 晉나라 義士. 智伯의 臣下였는데 지백이 趙襄子와 전투하여 죽자 지백의 원수를 갚으려고 자객이 되어 칼을 품고 잠입하였다가 붙잡히자, 조양자는 "진정 의로운 사람이다. 내가 삼가하여 그를 피할 뿐이다.(眞義士也, 吾謹避之耳.)"라고 하고 놓아 주었다. 簡子(조양자의 아버지)는 襄子의 잘못된 기록이다. 예양은 주인의 복수를 위해 옻칠을 하여 문둥병자처럼 위장하고 숯불덩이를 삼켜 벙어리가 되었는데 친구가 고생한다고 하자, "내가 하는 것은 지극히 어려운 것이나, 이것을 하는 까닭은 장차 천하·후세에 신하가 되어 두 마음을 품는 자를 부끄럽게 하려는 것이오.(凡吾所爲者極難耳, 然所以爲此者, 將以愧天下後世之爲人臣懷二心者也.)"라고 하여 두 마음을 품지 않겠다고 하였다. 그리고 예양은 다리 밑에 숨어 조양자를 죽이려고 하다가 잡혀서 죽임을 당하였다. 『資治通鑑』 권1 威烈王 23년의 記事인 ‘眞義士也’를 줄여 없앴다고 한 本은 어느 節要本을 가리키는 것인데, 우리나라에 통용되는 본(『少微通鑑節要』(3冊), 學民文化史, 春坊藏板, 1999. 影印本)에는 ‘義士也’로 되어 있어 이와 다른 본임을 알 수 있다.
121 『朱子語類』 권134, 23조목
122 石晉은 겨울에 … 기록하였다 : 石晉은 石敬塘이 세운 五代 시대 後晉의 이칭으로, 서기 936년에서 946년까지 존속했던 나라이다. 연호 등에 대한 것은 『資治通鑑』 권218 「後晉紀」1 高祖聖文章武明德孝皇帝上之上에는 "天福 元年"이라 하고, 그 胡三省 註에 "이해(936) 11월에 비로소 연호를 바꾸고 즉위하였다.(是年十一月, 方改元即位.)"라고 하였다. 11월 이전에는 後唐의 潞王 淸泰를 사용하였는데 『資治通鑑』에서는 청태를 버리고 천복을 사용한 것이다.
123 여장이 말하기를 … 내었다. : 이에 대해 『朱子語類考文解義』 제35에는 "呂丈은 伯恭(여조겸)이다. 여장은 일찍이 『大事記解題』를 지었는데 또한 『資治通鑑』의 규례를 따랐으므로 다음에 ‘뉘우친다悔, 다만 이러한

[55-1-31]

“或謂溫公舊例,[124] 年號皆以後改者爲正, 此殊未安. 如漢建安二十五年之初, 漢尚未亡, 今便作魏黃初元年, 奪漢太速, 與魏太遽, 大非『春秋』存陳之意, 恐不可以爲法. 此類尚一二條, 不知前賢之意果如何爾.”[125]

(주자가 말했다.) “어떤 이가 말하기를 온공溫公의 과거의 규례는 연호를 모두 뒤에 바꾼 것으로 바로잡았는데 이것은 매우 온당하지 못하다. 예컨대 한나라 건안建安 25년(220) 초에는 한나라가 아직 망하지 않았는데 바로 위魏나라 황초黃初 원년元年(220)으로 기록하였으니[126] 한나라 연호는 너무 빨리 빼앗고 위나라 연호는 너무 급히 주어 『춘추春秋』에서 진陳나라를 보존시켜 준 뜻[127]이 아니어서 아마 법으로 삼을 수 없을 듯하다. 이러한 부류는 아직도 한두 조목이 있는데 선현先賢들의 뜻은 과연 어떠하였는지 알지 못하겠다.”

[55-1-32]

問: “溫公論才德如何?”

曰: “他便專把朴者爲德, 殊不知聰明 · 果敢 · 正直 · 中和, 亦是才, 亦是德.”[128]

물었다. “온공이 재주와 덕성을 논한 것은 어떻습니까?”

(주자가) 말했다. “그는 오로지 질박함을 지닌 이를 덕으로 여겼지, 총명聰明 · 과감果敢 · 정직正直 · 중화中和가 또한 재주이고 또한 덕인지 아주 몰랐다.”

[55-1-33]

“才有好底, 有不好底; 德有好底, 有不好底. 德者得之於己; 才者能有所爲. 如溫公所言, 才是不好底. 旣才是不好底, 又言‘才德兼全謂之聖人’, 則聖人一半是不好底! 溫公之言多說得

부류로 쓴 것이 너무 많아서 고칠 수가 없다.’라고 하였다. 某는 先生(朱熹)의 『資治通鑑綱目』의 규례를 가리킨다.(呂丈, 盖伯恭也. 呂嘗作大事記, 亦因『通鑑』之例, 故下曰‘悔, 而但以此類所書者已多, 而不能改也’. 某, 指先生『綱目』例.)”라고 설명하였다. 『資治通鑑綱目』의 규례는 甲子를 앞에 놓고 연호 표기를 뒤에 놓았는 바, 예컨대 『資治通鑑綱目』 권21에는 晉 穆帝 升平 4년에 “四年, 庚申, 秦甘露二, 燕幽帝慕容暐建熙元年.”이라고 하여 ‘四年, 庚申.’을 첫머리에 놓고 여러 나라의 연호와 연도를 주석으로 기록하였다.

124 或謂溫公舊例: 『朱文公文集』 권33 「答呂伯恭」에는 “如溫公舊例”로 쓰여 ‘或謂’가 없이 朱子의 말로 되어 있다.

125 『朱文公文集』 권33 「答呂伯恭」

126 한나라 建安 … 기록하였으니: 건안 25년 10월에 한나라가 위나라에 선위하였는데 『資治通鑑』 권69에는 魏文帝의 연호인 黃初만 쓰고 건안은 쓰지 않은 것을 말한다.

127 『春秋』에서 陳나라를 … 뜻: 『春秋』에서 멸망한 나라를 글에 현존한 것처럼 기술해 준 뜻을 말함. 『穀梁傳』 昭公 8년 10월에 楚나라가 陳나라를 멸망시켰는데, 9년 經文에 “여름 4월에 陳나라에 화재가 났다.(夏四月, 陳火.)”라고 하여 진나라가 존재한 것으로 표현하였고, 그 傳에 “진나라를 가여워하여 보존시켜 준 것이다.(閔陳而存之也.)”라고 설명하였다.

128 『朱子語類』 권4, 77조목

偏. 謂之不是則不可."129

(주자가 말했다.) "재주는 좋은 것도 있고 좋지 않은 것도 있으며, 덕은 좋은 것도 있고 좋지 않은 것도 있다. 덕은 자신에게 얻어진 것이고, 재주는 해낼 수 있는 것이다. 온공溫公이 말한 대로라면 재주는 좋지 않은 것이다. 이미 재주는 좋지 않은 것이라고 하였는데 또 '재주와 덕이 겸전한 이를 성인聖人이라 한다.'130라고 말하였으니, 성인은 반쯤이 좋지 않은 것이 되겠구나! 온공의 말은 편벽한 쪽으로 많이 말했으나 그것을 옳지 않다고 하면 안 된다."

[55-1-34]

問 : "溫公言, '聰察彊毅之謂才'. 聰明恐只是才, 不是德."

曰 : "溫公之言便是有病. 堯舜皆曰'聰明', 又曰'欽明', 又曰'文明', 豈可只謂之才! 如今人不聰明, 更將何者喚作德也?"131

물었다. "온공이 '잘 듣고 살피며 강하고 굳센 것을 재주라 한다.'132고 하였습니다. 잘 듣고 잘 보는 것은 아마 재주일 뿐이지 덕이 아닐 것입니다."

(주자가) 말했다. "온공의 말은 바로 이러한 결점이 있다. 요·순이 모두 '잘 듣고 잘 본다.'133라고 하였고, 또 '공경하고 밝다.'134라고 하였고, 또 '빛나고 밝다.'135라고 하였으니, 어찌 재주만을 말한 것이라고 할 수 있는가! 지금 사람이 총명하지 않다면 다시 무엇을 가지고 덕이라고 부를 수 있겠는가?"

[55-1-35]

問 : "溫公以正直中和爲德, 聰明彊毅爲才."

曰 : "皆是德也. 聖人以仁智勇爲德, 聰察便是智, 彊毅便是勇."136

물었다. "온공은 정직正直·중화中和를 덕이라고 하고, 총명聰明·강의彊毅를 재주라고 하였습니다."137

---

129 『朱子語類』 권134, 28조목

130 '재주와 덕이 … 한다.' : 『資治通鑑』 권1 「周紀」 1 威烈王 23년 '臣光曰' 부분에 "재주와 덕이 완전히 지극한 이를 聖人이라 한다.(才德全盡謂之聖人.)"를 변형하여 인용한 것이다.

131 『朱子語類』 권134, 29조목
    更 : 『朱子語類』에는 '便'으로 되어 있다.

132 『資治通鑑』 권1 「周紀」 1 威烈王 23년 '臣光曰' 부분에 있는 말임

133 '잘 듣고 … 본다.' : 『書經』 「虞書·舜典」에 "사방의 눈을 밝히고 사방의 귀를 통하게 하였다.(明四目, 達四聰.)"라고 하였다.

134 '공경하고 밝다.' : 『書經』 「虞書·堯典」에 "공경하고 밝으며 빛나고 생각함이 편안하고 편안하다.(欽明文思安安.)"라고 하였다.

135 '빛나고 밝다.' : 『書經』 「虞書·舜典」에 "깊고 명철하며 빛나고 밝다.(濬哲文明.)"라고 하였다.

136 『朱子語類』 권134, 30조목

137 正直·中和를 … 하였습니다. : 『資治通鑑』 권1 「周紀」 1 威烈王 23년 '臣光曰' 부분의 "夫聰察彊毅之謂才, 正直中和之謂德."에서 유래한 것이다.

(주자가) 말했다. "모두 덕이다. 성인은 인仁·지智·용勇을 덕이라고 하였는데, 잘 듣고 살피는 것은 바로 지이고, 강하고 굳센 것은 바로 용이다."

[55-1-36]

問諸儒才德之說.

曰："合下語自不同. 如說'才難', 須是那有德底才. 高陽氏才子八人, 這須是有德而有才底. 若是將才對德說, 則如'周公之才之美'樣, 便有是才更要德, 這箇合下說得自不同."

又問智伯五賢.

曰："如說射御足力之類, 也可謂之才."[138]

여러 학자들의 재덕才德의 주장을 물었다.

(주자가) 말했다. "원래 말은 절로 같지 않다. '재주 있는 사람을 얻기가 어렵다.'[139](라는 말)에는 반드시 그 덕이 있는 재주를 말한다. 고양씨高陽氏의 재주 있는 아들 여덟 명[140]은 반드시 덕도 있고 재주도 있는 것이다. 만약 재주로 덕을 상대하여 말하면 '주공周公의 재능의 훌륭함'[141]과 같은 것은 재주가 있고 다시 덕이 요구되는 것이니 이것은 원래 말한 것이 그 자체가 같지 않다."

또 지백智伯의 다섯 가지 잘난 것[142]을 물었다.

(주자가) 말했다. "활을 잘 쏘고 말을 잘 몰며 기운이 넘치는 것들은 재주라고 말할 수 있다."

· ·

138 『朱子語類』 권134, 31조목

139 '재주 있는 … 어렵다.': 『論語』 「泰伯」에 "재주 있는 사람을 얻기가 어렵다!(才難, 不其然乎!)"라고 하였다.

140 高陽氏의 재주 … 명: 蒼舒·隤敳·檮戭·大臨·尨降·庭堅·仲容·叔達로, 이들을 八元이라고 한다.(『春秋左傳』 「文公」 18년)

141 '周公의 재능의 훌륭함': 『論語』 「泰伯」에 "주공 같은 훌륭한 재능이 있다고 할지라도 교만하고 인색하다면 그 나머지는 볼 만한 것이 없다.(如有周公之才之美, 使驕且吝, 其餘不足觀也已.)"라고 하였다.

142 智伯의 다섯 … 것: 智伯은 戰國 晉나라 사람 智襄子(智瑤)를 말함. 智宣子(智申)가 아들 지양자를 후계자로 삼으려고 할 때 智果가 지양자는 다섯 가지 잘난 것을 지니고 어질지 못하므로 후계자가 되면 지씨가 멸망할 것이라고 말해 주었는데, 뒤에 지양자는 趙襄子(趙無恤) 등에게 땅을 달라고 했다가 조양자 등에게 과연 지씨가 멸망되었다. 다섯 가지 잘난 것 등에 대하여 지과는 "지요가 남들보다 잘난 것은 다섯 가지이고 못 미치는 것은 한 가지입니다. 귀밑머리가 아름답고 장대한 것은 남들보다 잘난 것이고, 활을 잘 쏘고 말을 잘 몰며 기운이 넘치는 것은 남들보다 잘난 것이고, 기예가 모두 넉넉한 것은 남들보다 잘난 것이고, 문장이 교묘하고 지혜가 민첩한 것은 남들보다 잘난 것이고, 굳세고 과감한 것은 남들보다 잘난 것입니다. 이와 같으면서 매우 어질지 못한 데다 이 다섯 가지 잘난 것으로 남들을 깔보고 어질지 않게 행동하니 누가 용납해주겠습니까? 만약 지요를 후계자로 세운다면 지씨 종족이 반드시 멸망하리라는 것을 미리 알 수 있겠습니다.(瑤之賢於人者五, 其不逮者一也. 美鬢長大則賢, 射御足力則賢, 伎藝畢給則賢, 巧文辯慧則賢, 彊毅果敢則賢. 如是而甚不仁, 以其五賢陵人, 而以不仁行之, 其誰能待之? 若果立瑤也, 知宗必滅.)"라고 설명하였다.(『國語』 「晉語」 9)

[55-1-37]

"『通鑑』, '告姦者與斬敵首同賞, 不告姦者與降敵同罰'. 『史記』商君議更法, 首便有斬敵首降敵兩條賞罰, 後面方有此兩句比類之法. 其實秦人上戰功, 故以此二條爲更法之首. 温公却節去之, 只存後兩句比類之法, 遂使讀之者不見來歷. 温公脩書, 凡與己意不合者, 卽節去之, 不知他人之意不如此. 『通鑑』此類多矣."[143]

(주자가 말했다.) "『자치통감資治通鑑』에는 '간악한 자를 고하면 적의 머리를 벤 것과 똑같이 상주고, 간악한 자를 고하지 않으면 적에게 항복한 것과 똑같이 벌주었다.'[144]라고 하였는데, 『사기史記』에는 상군商君(상앙)이 변법變法을 논의할 적에 맨 앞에 '적의 머리를 벤 것'과 '적에게 항복한 것' 두 조항의 상벌을 두고,[145] 후면에 이 두 구절의 비류比類(전례에 의거함)하는 법을 두었던 것이다. 그 실상은 진秦나라 사람들이 전쟁의 공적을 숭상하였으므로 이 두 가지 조항으로 변법의 맨 처음에 두었던 것이다. 온공은 이를 제거하고 다만 이 두 구절의 비류하는 법만 두어 마침내 읽는 사람들이 내력을 알지 못하게 되었던 것이다. 온공이 책을 저술할 적에는 자기의 뜻과 맞지 않는 것을 바로 제거하였으니 다른 사람들의 뜻이 이와 같지 않은지 모른 것이다. 『자치통감』에는 이러한 부류가 많다."

[55-1-38]

問: "温公『通鑑』不信四皓輔太子事, 謂只是叔孫通諫得行. 意謂子房如此, 則是貴其父."

물었다. "온공은 『자치통감資治通鑑』에서 사호四皓가 태자太子를 도운 일[146]을 믿지 않았으니 다만 숙손통叔孫通의 간언이 쓰인 것[147]이라고 생각하였습니다. 의미는 자방子房(張良)이 이와 같이 했다면 아버지(고

・・・・・・・・・・・・・・・・・・・・

143 『朱子語類』 권134, 24조목

144 '간악한 자를 … 벌주었다.': 秦나라 孝公이 商鞅(衛鞅)의 건의를 받아들여 정한 變法令 중의 일부분이다. (『資治通鑑』 권2 「周紀」 2 顯王 10년)

145 『史記』에는 商君이… 두고: 『朱子語類考文解義』 권35에는 "『史記』에는 두 조항의 상벌을 준다는 글을 두지 않고 다만 「索隱」에 보충해 보였는데 여기에서 그렇게 말한 것은 자세히 알지 못하겠다.(史記無先設兩條賞罰之文, 只索隱補見, 而此云然, 未詳.)"라고 하였다. 그리고 『史記索隱』「商君列傳」에는 '告奸者與斬敵首同賞'에 대해 "살펴보니 간사한 한 사람을 고하면 작위 한 계급을 얻게 되었으므로 '적의 머리를 벤 것과 똑같이 상 준다.'라고 하였다.(按, 謂告奸一人, 則得爵一級, 故云與斬敵首同賞也.)"라고 하였고, 또 '匿奸者與降敵同罰'에 대해서는 "살펴보니 법률에 적에게 항복한 자는 그 자신을 죽이고 그 집안을 몰수한다. 지금 간사한 자를 숨겨주면 그와 똑같이 죄준다.(按, 律降敵者, 誅其身, 沒其家. 今匿奸者, 與之同罪也.)"라고 하였다.

146 四皓가 太子를 … 일: 漢高祖가 태자를 廢位하고 戚夫人 소생인 趙王 如意를 태자로 세우려 하다가, 張良이 계책을 내어 商山四皓를 불러들여 太子(후일의 惠帝)를 侍衛하게 하자, 고조가 뜻을 바꾸어 태자를 폐위하지 않았다. 사호는 秦나라 말기에 난리를 피하여 商山에 은거한 네 노인, 즉 東園公・綺里季・夏黄公・甪里先生을 말한다.(『漢書』 권40 「張良傳」)

147 叔孫通의 간언이 … 것: 高帝(劉邦)가 태자를 바꾸려고 하자, 張良이 간언하였으나 듣지 않으니, 叔孫通이 간언하기를 "晉나라 獻公이 麗姬 때문에 太子를 폐위하고 奚齊를 세웠다가 晉나라가 어지럽게 된 것이 수십 년이었으며, 秦나라가 일찍 扶蘇를 태자로 정하지 않았다가, 趙高가 속임수로 胡亥를 세울 수 있도록 하여 스스로 제사를 끊어 나라를 망치게 하였으니, 이는 폐하께서 친히 보신 것입니다. 지금 태자가 어질고 효성

제_{高帝})를 협박했다고 생각한 것입니다."[148]

曰 : "子房平生之術, 只是如此. 唐太宗從諫, 亦只是識利害, 非誠實. 高祖只是識事機, 明利害. 故見四人者輔太子,[149] 便知是得人心, 可以爲之矣. 叔孫通嫡庶之說, 如何動得他! 又謂高祖平生立大功業過人, 只是不殺人. 溫公乃謂高祖殺四人甚異. 事見『考異』 其後一處所在, 又却載四人. 又不信劇孟事, 意謂劇孟何以爲輕重. 然又載周休,[150] 其人極無行, 自請於吳, 去呼召得數萬人助吳.[151] 如子房劇孟, 皆溫公好惡所在. 然著其事而立論以明之可也, 豈可以有無其事爲褒貶? 溫公此樣處議論極純."

(주자가) 대답했다. "자방의 평생 술책은 이와 같았을 뿐이다. 당 태종_{唐太宗}이 간언을 따른 것[152]도 역시 이해_{利害}만 알았을 뿐이지 성실함이 아니었다. 고조_{高祖}(유방)는 일의 기미를 알고 이해에만 밝았다. 그러므로 네 사람이 태자를 돕는 것을 보고 바로 인심_{人心}을 찾아 태자가 될 만하다는 것을 알았다. 속손통의 적자_{嫡子}와 서자_{庶子}(맏아들이 아닌 아들)의 말이 어찌 고제의 마음을 움직일 수 있었겠는가! 또 고조가 평생토록 큰 공로를 세운 것이 남보다 뛰어난 것은 다만 사람을 죽이지 않은 것이라고 생각하였는데, 온공은 고조가 네 사람을 죽일 것이라고 생각하였으니 매우 이상하다. 이 사실은『자치통감고이_{資治通鑑考異}』에 보인다.[153] 그 뒤 한 곳에다 또 이 네 사람을 실었다. 또 극맹_{劇孟}의 일을 믿지 않았으니 극맹이 무엇이 대단한가라고 생각했던 것이다. 그러나 또 주휴_{周休}를 실었는데 그 사람은 좋은 행실이 매우 없었으나

스러운 것은 천하가 모두 들어 알고 있는데, 폐하께서 꼭 嫡子(태자)를 폐위하고 少子(조왕)를 세우려고 하신다면 신은 먼저 사형을 받아 목의 피로 땅을 더럽히겠습니다.(陛下必欲廢適而立少, 臣願先伏誅, 以頸血汗地.)"라고 하니, 고제가 말하기를 "내가 다만 농담했을 뿐이오!"라고 하자, 숙손통이 말하기를 "태자는 천하의 근본입니다. 근본이 한번 흔들리면 천하가 진동하는데, 어찌 천하를 가지고 농담을 할 수 있습니까!"라고 하였다. 당시 대신들 중에 강경하게 간쟁하는 사람이 많아 고제는 여러 신하들의 마음이 모두 조왕을 따르지 않다는 것을 알고, 마침내 중지하고 태자로 세우지 않았다.(『資治通鑑』권12「漢紀 4·太祖高皇帝」12년)

148 子房[張良]이 … 것입니다. : 이에 대해『資治通鑑考異』권1「漢紀上」에는 "만약 사호가 실로 고조를 제어하여 태자를 감히 폐하지 않게 하였다면 이는 留侯(장량)가 당파를 세워서 그 아버지를 제어한 것이다. 유후가 어찌 이 짓을 하였겠는가! 이는 다만 논의하기 좋아하는 자들이 사호의 일을 과장하였으므로 그렇게 말한 것이다.(若四叟實能制高祖, 使不敢廢太子, 是留侯爲子立黨, 以制其父也. 留侯豈爲此哉! 此特辯士欲夸大四叟之事, 故云然.)"라고 설명하였다.

149 人 :『朱子語類』권134, 32조목에는 '皓'로 되어 있다.

150 休 :『朱子語類』권134, 32조목에는 '丘'로 되어 있다.『史記』·『資治通鑑』 등에는 '周丘'로 쓰여 있다.

151 去 :『朱子語類』권134, 32조목에는 '云去'로 되어 있어 '云'이 더 있다.

152 唐太宗이 간언을 … 것 : 이에 대해『朱子語類考文解義』제35에는 "당 태종이 간언을 따른 것은 부득이해서였다.(唐太宗從諫, 不得已.)"라고 설명하였다.

153 이 사실은 … 보인다. : 이에 대해 사마광이 찬한『資治通鑑考異』권1「漢紀上」에는 "어찌 산림 중의 네 노인의 몇 마디 말로 황급하게 그 일을 막을 수 있겠는가! 가령 네 노인이 실제로 그 일을 막았다면 불과 고조의 몇 치 되는 칼날에 피를 묻힐 뿐일 것이다.(豈山林四叟片言, 遽能柅其事哉! 借使四叟實能柅其事, 不過汚高祖數寸之刃耳.)"라고 설명하였다.

자신이 오吳나라에 청하려고 가서는 수만 명 군인을 불러 모아 오나라를 도왔다.[154] 자방·극맹과 같은 이는 모두 온공이 좋아하거나 싫어하는 이였으나, 그 일을 드러내어 논의를 거쳐 밝히는 것이 옳았으니 어찌 그 사실이 있다 없다고 하는 것으로 포폄할 수 있겠는가? 온공의 이러한 곳은 논의가 매우 순진하다."

因論章惇言溫公義理不透曰: "溫公大處占得多. 章小黠, 何足以知大處!"[155]

이어서 장돈章惇[156]이 온공의 의리가 밝지 못하다고 말한 것을 논의하였다. "온공은 대체를 얻은 곳이 많다. 장돈은 조금 교활하니 어찌 대체를 알 수 있으랴!"

[55-1-39]

"胡致堂云, 『通鑑』久未成書. 或言溫公利餐錢, 故遲遲. 溫公遂急結末了,[157] 故唐五代多繁冗.'" 見『管見』後唐莊宗六月甲午條下[158]

(주자가 말했다.) "호치당胡致堂[胡寅]이 말했다. '『자치통감資治通鑑』은 오래도록 이루지 못했던 것이다.[159] 어떤 사람이 말하기를 온공이 찬전餐錢을 이로워하였으므로[160] 질질 끌었다고 하였다. 온공은 마침내 시급히 결말을 지었으므로 당唐·오대五代 부문에는 대부분 번잡하였다.'"『독사관견讀史管見』[161]의 후당後唐 장종莊宗 6월 갑오甲午 조목 아래에 보인다.

. . . .

154 周休를 실었는데 … 도왔다. : 한나라 景帝 때 七國이 반란을 일으켰는데 周丘는 행실이 좋지 않아 吳王에게 쓰이지 못하자 자청하여 下邳로 가서 돕겠다고 하고 떠나가서 하룻밤에 3만 명을 모집하고, 陽城에 이르자 10여만 명이 되었다.(『資治通鑑』 권16 「漢紀 8·孝景皇帝下」 前三年)

155 『朱子語類』 권134, 32조목

156 章惇 : 송나라 사람. 字는 子厚. 학식이 풍부하고 문장을 잘하여 王安石이 무척 사랑했다. 尙書僕射兼門下侍郞에 있으면서 자기의 당이었던 蔡京·蔡卞 등 소인을 등용하여 新法을 다시 사용하고 司馬光 등 명현들을 배척하였다.(『宋史』 권471 「章惇傳」)

157 末 : 『朱子語類』 권134, 34조목에는 '束'으로 되어 있다.

158 『朱子語類』 권134, 34조목

159 『資治通鑑』은 오래도록 … 것이다. : 『資治通鑑』은 宋 英宗의 명으로 편찬을 治平 3년(1066)에 시작하여 신종 元豐 7년(1084)까지 19년 만에 사마광의 나이 66세에 완성되었다.

160 온공이 餐錢을 이로워하였으므로 : 이에 대해 『朱子語類考文解義』 제35에는 "온공이 『資治通鑑』을 지으라는 명을 받고 書局을 열어 고전을 널리 아는 사람 劉恕 등을 불러 僚屬으로 삼고 관청에서 비용을 지급받았기 때문에 이렇게 말한 것이다.(溫公作『通鑑』命, 開書局, 招博古人劉恕等爲僚屬, 自官給費故云.)"라고 하였다. 餐錢은 '식사 값'이다.

161 『讀史管見』 : 책 이름. 30권 송나라 胡寅 撰. 司馬光의 『資治通鑑』이 사실은 두루 갖추어져 있으나 議論을 세운 것이 實이 적다고 하여 『春秋』 대의에 입각하여 자세히 논평한 史評集이다. 王應麟·朱直 등에게 의론이 너무 각박하다는 평을 받았다.(『四庫全書總目提要』 권84 「史部 史評類存目」)

[55-1-40]

"溫公之言, 如桑麻穀粟. 且如『稽古錄』, 極好看. 常思量教太子諸王, 恐『通鑑』難看, 且看一部『稽古錄』. 人家子弟若先看得此, 便是一部古今在肚裏了."[162]

(주자가 말했다.) "온공의 말은 뽕·삼·곡식[163]과 같다. 『계고록稽古錄』[164]과 같은 것은 매우 보기에 좋다. 태자와 제왕諸王들을 가르칠 것을 늘 생각하였으나 『자치통감』을 보기에 어려울까 우려되어 우선 『계고록』 한 책을 보게 하였다. 일반 자제들이 우선 이 책을 보게 된다면 바로 고금의 역사 전체가 뱃속에 들어있게 되는 것이다."

[55-1-41]

"『稽古錄』有不備者, 當以『通鑑』補之. 溫公作此書, 想在忙裏做成, 原無義例.[165]"[166]

(주자가 말했다.) "『계고록』에 미비된 것은 『자치통감』으로 보충해야 한다. 온공溫公이 이 책을 지었을 때는 아마 바쁜 중에 지어서 원래 의례義例(기준)가 없었을 것이다."

[55-1-42]

"『稽古錄』一書, 可備講筵宮僚進讀.[167] 小兒讀六經了, 令接續讀去亦好. 末後一表, 其言如蓍龜, 一一皆驗. 宋莒公歷年通譜與此書相似, 但不如溫公之有法也."[168]

(주자가 말했다.) "『계고록稽古錄』은 경연經筵의 관료가 황제께 읽어 올릴 책으로 삼을 만하다. 어린이들이 육경六經을 읽고 나서 이어서 읽어가게 하는 것도 좋다. 끝에 표表[169] 하나는 그 기록이 시귀蓍龜[170]처럼 일일이 모두 검증이 된다. 송거공宋莒公[171]의 『역년통보歷年通譜』가 이 책과 비슷하나 다만 온공의 법도가 있는 것만은 못하다."

---

162 『朱子語類』 권134, 35조목

163 뽕·삼·곡식 : 일용에 매우 절실한 것임을 말한다.

164 『稽古錄』: 司馬光이 지은 책. 『資治通鑑』의 姉妹篇이다. 上古로부터 송나라 英宗까지 역사의 큰 사건을 간명하게 정리한 역사 독본이다.

165 原 : 『朱子語類』 권134, 36조목에는 '元'으로 되어 있다.

166 『朱子語類』 권134, 36조목

167 宮 : 『朱子語類』 권134, 37조목에는 '官'으로 되어 있다.

168 『朱子語類』 권134, 37조목

169 表 : 『稽古錄』 끝인 권20에 실려 있다. 慶歷 원년(1041)부터 英宗 治平 4년(1067)까지의 기사를 연도별로 제시하였다.

170 蓍龜 : 사실이 모두 검증됨을 말함. 蓍는 주역 점을 치는 풀이고, 龜는 거북점을 치는 껍질이다.

171 宋莒公(996~1066) : 송나라 사람 宋庠을 말함. 莒國公에 봉해져서 莒公이라고 부른다. 관직은 兵部侍郎同平章事에 이르렀다. 문학으로 저명하였다.

[55-1-43]

"『唐鑑』欠處多, 看底辨得出時好."[172]

(주자가 말했다.) "『당감唐鑑』[173]은 결점이 많으니, 읽을 때 잘 분별해내야 괜찮다."[174]

[55-1-44]

"『唐鑑』多說得散開無收殺. 如姚崇論擇十道使患未得人, 他自說得意好, 不知范氏何故却貶其說."[175]

(주자가 말했다.) "『당감唐鑑』은 대부분 설명이 산만하고 요령이 없다. 예컨대 요숭姚崇[176]이 10도道의 사使를 택하는 데에 적임자를 얻지 못한 것에 대한 논의를 한 그의 말뜻은 좋은데, 범씨范氏[范祖禹]가 무슨 까닭으로 그 말을 폄하하였는지 알지 못하겠다."

[55-1-45]

或謂'史贊唐太宗,[177] 止言其功烈之盛. 至於功德兼隆, 則傷夫自古未之有.'[178]

曰: "恐不然. 史臣正贊其功德之美, 無貶他意. 其意亦謂除隋之亂是功, 致治之美是德. 自道學不明, 故言功德者如此分別.[179] 以聖門言之, 則此兩事不過是功, 未可謂之德."[180]

어떤 이가 말하기를 '역사에서 당 태종太宗을 찬양한 것은 공렬의 성대함만 말할 뿐이었다. 공덕功德이 겸하여 융성한 것에 대하여는 예부터 없던 것을 서글퍼한다.'라고 하였습니다.

(주자가) 대답했다. "아마 그렇지 않을 것이다. 사신史臣은 바로 그 공덕의 아름다움을 찬양하였지 그를 폄하할 뜻은 없었다. 그 뜻은 역시 수隋나라의 난리를 제거한 것이 공이고 치적의 아름다움을 이룬 것이 덕이라고 한 것이다. 도학道學이 밝지 않았으므로 공덕을 말한 것이 이와 같이 분별되었다. 성인 문하로 말하면 이 두 가지 일은 공에 불과한 것이지 덕이라고 말할 수는 없다."

---

172 『朱子語類』 권134, 40조목

173 『唐鑑』: 송나라 范祖禹가 당나라 역사를 추려서 자기의 비평을 가하여 지은 책.

174 읽을 때 … 괜찮다. : 이에 대해 『朱子語類考文解義』 제35에는 "이 책을 보는 이가 그 결점을 잘 구별해내면 좋다.(看此書者, 能辨出其失則好.)"라고 설명하였다.

175 『朱子語類』 권134, 41조목

176 姚崇(650~721): 당나라 사람. 자는 元之. 본명은 元崇이었으나 玄宗의 연호를 피해 요숭으로 바꾸었다. 則天武后에게 발탁되어 관직에 오른 이래 中宗, 睿宗과 현종 초기에 걸쳐 여러 번 재상의 직에 올라 국정을 숙정하고 민생의 안정에 힘썼으며, 716년에 은퇴하였다. 宋璟과 함께 開元의 명재상으로 숭앙되어 '姚宋'은 당의 名相의 대명사가 되었다. 불교와 도교가 존숭되던 시대임에도 불구하고 승려나 도사를 부르지 말라고 유언하였다는 유명한 일화를 남겼다.(『新唐書』 권124 「姚崇列傳」)

177 唐: 『朱子語類』 권136, 58조목에는 '唐'이 없다.

178 之: 『朱子語類』 권136, 58조목에는 '知'로 되어 있다.

179 言: 『朱子語類』 권136, 58조목에는 '曰'로 되어 있다.

180 『朱子語類』 권136, 58조목

[55-1-46]

“范『唐鑑』首一段, 專是論太宗本原, 然亦未盡. 太宗後來做處儘好, 只爲本領不是, 與三代便別.”

問 : “歐陽以‘除隋之亂, 比迹湯武 ; 致治之美, 庶幾成康’贊之, 無乃太過?”

曰 : “只爲歐公一輩人, 尋常亦不曾理會本領處, 故其言如此.”[181]

(주자가 말했다.) “범조우范祖禹의『당감唐鑑』첫머리 한 단락은 오로지 태종의 본원을 논하였으나 역시 미진하다. 태종이 뒤에 시행한 것은 진실로 좋으나 다만 본령이 옳지 않기 때문에 삼대三代와 다르다.” 물었다. “구양수歐陽脩가 ‘수나라의 난리를 제거한 것은 자취를 탕왕湯王·무왕武王에 견주고, 치적을 이룬 아름다움은 성왕成王·강왕康王에 가깝다.’[182]라고 찬양한 것은 너무 지나치지 않습니까?” (주자가) 대답했다. “다만 구양공歐陽公[歐陽脩]과 같은 사람은 평소에 또한 본령을 이해한 적이 없었기 때문에 그 말이 이와 같았다.”

[55-1-47]

“范氏以武王釋箕子, 封比干事, 比太宗誅高德儒. 此亦據他眼前好處恁地比並, 也未論到他本原處. 似此樣, 且寬看. 若一一責以全, 則後世之君不復有一事可言.”[183]

(주자가 말했다.) “범조우는 무왕武王이 기자箕子를 석방하고 비간比干을 봉해준 일을 태종太宗이 고덕유高德儒[184]를 주살한 것에 비유하였다.[185] 이는 또한 그의 안목으로 좋은 것에 의거하여 이와 같이 비교한 것이지 또한 그 본원을 논의하지 못하였다. 이와 같은 곳은[186] 또한 관대하게 보았다. 만약 일일이 완전하기를 요구하면 후세의 임금들은 한 가지 일도 말할 만한 것이 없게 된다.”

181 『朱子語類』권134, 43조목

182 ‘수나라의 난리를 … 가깝다.’ : 歐陽脩가 편찬한『新唐書』권2「太宗本紀」의 贊에 실린 글이다.

183 『朱子語類』권134, 44조목

184 高德儒(?~617) : 隋나라의 親衛校尉. 洛陽 西苑에서 孔雀을 보고 난새의 상서로움을 보았다고 하자, 隋煬帝가 朝散大夫에 임명하였다. 뒤에 西河郡丞이 되었을 때 李世民(당태종)이 서하를 정벌하고 고덕유의 죄를 들어 주살하였다.

185 武王이 箕子를 … 비유하였다. : 범조우는 무왕이 조처한 기자·비간의 일과 태종이 고덕유를 처형한 것에 대해 “윗사람의 행위를 따르고 상나라의 오염된 풍속을 없애며 주나라의 아름다운 교화를 입힌 것이 물이 아래로 달려가며 풀이 바람을 따라 쓰러지듯 하였다. 태종이 처음 군대를 일으켜 간사한 한 사람을 주륙함으로써 백성들이 좋아하고 미워할 것을 알게 하였으니 이와 같으면 누군들 충성하면서 간사한 짓을 하지 않으려고 하지 않겠는가?(以聽上之所爲, 去商之汙俗, 被周之美化, 如水之走下, 草之從風也. 太宗始起兵, 而戮一佞人, 民知所好惡矣. 如是則誰不欲爲忠而不爲佞)라고 하였다.(『唐鑑』권1「高祖上」)

186 이와 같은 곳은 : 『朱子語類考文解義』제35에는 “似此樣은 이와 같은 곳을 말한다.(似此樣, 謂如此等處.)”라고 풀이하였다.

[55-1-48]

"范『唐鑑』第一段, 論守臣節處不圓. 要做一書補之, 不曾做得. 范此文草草之甚. 其人資質渾厚, 說得都如此平正, 只是踈, 多不入理. 終守臣節處, 於此亦須有此些處置, 豈可便如此休了! 如此議論, 豈不爲英雄所笑!"[187]

(주자가 말했다.) "범조우의 『당감唐鑑』의 첫째 단락에 신하가 절개를 지킴을 논한 것이 원만하지 못하다. 글 한 편을 지어 보충하려 하였으나 짓지 못하였다.[188] 범조우의 이 글은 매우 소략하다. 그 사람은 자질이 혼후하여 해설하는 것도 이렇게 평정하기만 하여 소략하고 이치에 맞지 않는 것이 많았다.[189] 끝까지 신하의 절개를 지킨 일에 대해서는 역시 조금이라도 평가가 있어야 하는데 어찌 이처럼 그만둘 수 있는가! 이러한 논의는 어찌 영웅들에게 비웃음을 받지 않겠는가!"

[55-1-49]

"『唐鑑』白馬之禍, 歐公論不及此."[190]

(주자가 말했다.) "『당감唐鑑』에 기록된 백마역白馬驛의 참화[191]는 구양공歐陽公이 이것을 언급하지 못하였다."

[55-1-50]

"『唐鑑』意正有踈處. 孫之翰唐論精練, 說利害如身處親歷之, 但理不及『唐鑑』耳."[192]

(주자가 말했다.) "『당감唐鑑』은 뜻이 정말 소략한 곳이 있다. 손지한孫之翰[193]의 『당론唐論』[194]은 세련되

· · · · · · · · · · · · · · · · · · ·

187 『朱子語類』 권134, 42조목

188 글 한 … 못하였다. : 『朱子語類考文解義』 제35에는 "그것이 원만하지 못하였으므로, 주자가 다시 글 한 편을 지으려 하였으나 하지 못한 것을 말한다. 혹은 '범조우가 지으려 하였으나 하지 못하였다.'라고 하였다. (謂以其不圓滿, 故先生欲更作一書而未能也. 或曰, '范公欲做而未能也.')"라고 설명하였다.

189 이치에 맞지 … 많았다. : 『朱子語類考文解義』 제35에는 "'多不入理'는 이치에 맞지 않는 것이 많음을 말한다.(多不入理, 言不中理者多.)"라고 설명하였다.

190 『朱子語類』 권134, 45조목

191 『唐鑑』에 기록된 … 참화 : 『唐鑑』 권20 「昭宣帝」 조항에 실려 있다.
· 白馬驛의 참화는 唐의 마지막 황제인 昭宣帝 天祐 2년(905)에 재상 柳璨이 朱全忠의 뜻에 영합하여 大臣인 裴樞 등 朝士 30여 명을 모함해서 滑州 白馬驛에 집결시켜 하루저녁에 다 죽이고 그 시체를 黃河에 던져 넣은 사건을 말한다. 당초 주전충의 佐吏였던 李振이 進士試에 여러 번 응시하였으나 합격하지 못하자 조사들을 매우 미워하여 주전충에게 말하기를 "이 조사들은 늘 스스로 淸流라고 하니, 黃河에 던져서 영원히 濁流가 되게 하시오." 하니, 주전충이 그 말을 따랐다. 청류는 덕행이 고결한 선비를 뜻한 것인데, 황하는 흐리므로 탁류라 한 것이다.(『新唐書』 권240 「裴樞傳」)

192 『朱子語類』 권134, 47조목

193 孫之翰(998~1057) : 孫甫. 之翰은 자. 進士에 급제하고 관직이 刑部郞中·天章閣待制·河北都轉運使를 지냈다. 文集 7권을 남겼고, 『唐史記』·『唐史論斷』을 저술하였다.

194 『唐論』 : 『唐史論斷』의 약칭. 송나라 孫甫가 찬한 책. 3권. 당나라 史實에 小題目을 붙여 논평한 것이다.

어서 이해관계를 설명한 것이 마치 자신이 그곳에서 직접 경험한 것 같이 하였으나 다만 조리가 『당감』
에 미치지 못할 뿐이다."

[55-1-51]

"呂伯恭晩年謂人曰, '孫之翰『唐論』勝『唐鑑』.' 要之, 也是切於事情, 只是大綱却不正了. 『唐
鑑』也有緩而不精確處. 如言租·庸·調及楊炎二稅之法, 說得都無收殺. 只云'在於得人, 不
在乎法.' 有這般苟且處. 審如是, 則古之聖賢徒法云爾.[195] 他也是見熙寧間詳於制度, 故有激
而言. 要之, 只那有激, 便不平正."[196]

(주자가 말했다.) "여백공呂伯恭[呂祖謙]이 만년에 사람들에게 말하기를 '손지한의 『당론』이 『당감唐鑑』보
다 낫다.'고 하였다. 요컨대 또한 사정에 절실하였으나 다만 대강大綱이 바르지 않았다. 『당감』은 느슨하
여 정확하지 않은 곳이 있다. 예컨대 조租·용庸·조調[197] 및 양염楊炎의 양세법兩稅法[198]을 설명한 것이
도무지 요령이 없다. 다만 '사람을 얻는 데에 있고 법에 있지 않다.'고 하였으니 이렇게 구차한 점이
있다. 과연 이와 같다면 옛날의 성현은 한갓 법도를 말했을 뿐이다.[199] 그는 또한 희녕熙寧(1068~1077)
무렵의 제도에 상세했던 것을 보았으므로 격동되어 말한 것이다.[200] 요컨대 다만 이렇게 격동됨이 있어
서 평정하지 못했다."

[55-1-52]

"五代舊史, 溫公『通鑑』用之, 歐公蓋以此作文, 因有失實處. 如宦者張居翰, 當時但言緩取一

> 예컨대 卷上「高祖」에는 「건성을 세워 태자를 삼다.(立建成爲太子.)」라고 소제목을 달고 "논평한다. '태자를
> 세움은 반드시 적장자라야 한다.'(論曰, '立太子, 必嫡長者…')"라고 하였다.

195 法: 『朱子語類』 권134, 48조목에는 '善'으로 되어 있다.

196 『朱子語類』 권134, 48조목

197 租庸調: 唐高祖 武德 7년(624)에 반포된 부역 제도. 男丁 1인당 1頃의 토지를 받고 해마다 일정량의 곡식을
국가에 바치는 것을 租라고 하고, 해마다 일정량의 비단과 면포를 바치거나 銀兩을 대신 바치는 것을 庸이라
고 하고, 해마다 20일씩 服役을 하거나 하루당 비단 3尺을 바치는 것을 調라고 하였다.

198 楊炎의 兩稅法: 德宗 建中 원년(780)에 楊炎이 정승일 때 만든 세법. 여름과 가을 두 번 거두는 세금이므로
일컫는 말이다. 여름 납기는 6월을 넘기지 못하고 가을 납기는 11월을 넘기지 못하는데, 兩稅使를 두어서
총괄하도록 하였다. 조용조의 세법은 이 兩稅法에 의해 폐지되었다.(『新唐書』「楊炎傳」)

199 옛날의 성현은 … 뿐이다. : 이에 대해 『朱子語類考文解義』 제35에는 "옛 성현 중에 법도를 말한 이가 많으므
로 이를 말한 것이다.(古聖賢有言法度者多故云.)"라고 설명하였다. '徒法'은 『孟子』「離婁上」의 "한갓 善心만
가지고는 정사를 할 수 없으며, 한갓 法(制度)만 가지고는 스스로 행해질 수 없다.(徒善不足以爲政, 徒法不
能以自行.)"라고 하였다.

200 다만 '사람을 … 것이다. : 그他는 范祖禹를 말한다. 이에 대해 『近思錄』 권3 『唐鑑』을 논한 茅星來의 「集註」
에서 "다만 '사람을 얻는 데에 있고 법에 있지 않으니 법이 또한 어찌 구차할 수 있겠는가?' 범조우는 熙寧
무렵의 변경을 보았으므로 격동되어 말한 것이다.(只云'在于得人, 不在於法.' 法亦豈可苟者? 蓋范氏見熙寧間
變更, 故有激而言.)"라고 설명하였다. 희녕의 변법은 王安石의 新法을 말한다.

日則一日固, 二日則二日固. 歐公直將作大忠, 說得太好了."[201]

(주자가 말했다.) "『구오대사舊五代史』를 온공溫公(사마광)의 『자치통감資治通鑑』에서 사용하였고, 구양공歐陽公(구양수)은 이것으로 작문을 함으로 해서 사실을 그르친 곳이 있다. 예컨대 환자宦者(내시) 장거한張居翰은 당시에 다만 '늦추기를 하루 하면 하루가 견고해지고 이틀 하면 이틀이 견고해진다.'고 하였다. 구양공은 곧바로 대충大忠이라고 썼으니 말한 것이 너무 좋았다."

[55-1-53]

"致堂『管見』方是議論. 『唐鑑』議論弱, 又有不相應處. 前面說一項事, 末又說別處去."[202]

(주자가 말했다.) "호치당胡致堂[胡寅]의 『독사관견讀史管見』은 바르게 논의된 것이다. 『당감唐鑑』은 논리가 빈약해서 또 서로 맞지 않는 곳도 있다. 앞에서 한 가지 일을 말하고서 끝에서는 또 다르게 말하였다."

[55-1-54]

"子由『古史』,「舜紀」所論三事. 其一, 許由者是已. 然當全載史遷本語, 以該卞隨·務光之流, 不當但斥一許由而已也. 然太史公又言箕山之上有許由冢, 則又明其實有是人, 亦當世之高士, 但無堯讓之事耳. 此其曲折之意, 蘇子亦有所未及也.

(주자가 말하였다.) "자유子由[蘇轍]의 『고사古史』는「순기舜紀」[203]에서 세 가지 일을 논의하였다. 그 한 가지는 허유許由의 일이다. 그러나 당연히 사마천司馬遷의 본래 글을 모두 기록하여 변수卞隨·무광務光을 포함해야 할 것이지, 허유 한 사람만 배척할 것이 아니다.[204] 그러나 태사공太史公(사마천)은 또한 기산箕山 위에 허유의 무덤이 있다고 말하였으니 또한 실제 그러한 사람이 있었음을 증명한 것이지만 또한 당시에 고상한 선비였던 것이고 다만 요임금이 그에게 선양禪讓한 일은 없었다. 이러한 곡절의 의미를 소자蘇子(소철)는 또한 언급하지 못했던 것이다.

其一, 瞽·象殺舜, 蓋不知其有無, 今但當知舜之負罪引慝, 號泣怨慕, 象憂亦憂, 象喜亦喜, 與夫小杖則受, 大杖則走, 父母欲使之, 未嘗不在側, 欲求殺之, 則不可得而已爾, 不必深辨瞽·象殺舜之有無也.

그 한 가지는 고수瞽瞍·상象이 순舜을 죽이려 한 것은 그 사실 여부를 알지 못하겠으나 지금 다만 순임금은 죄를 떠맡고 악을 자신에게 돌리고는 울부짖어 원망하며 사모하였으며,[205] 상의 근심을 역시 근심하

----

201 『朱子語類』 권134, 18조목
202 『朱子語類』 권134, 39조목
203 「舜紀」: 『古史』 권2「五帝本紀」의 舜에 대한 記事를 말한다.
204 당연히 司馬遷의 … 아니다. : 사마천의 『史記』 권61「伯夷列傳」에는 許由와 卞隨·務光을 다루었으나 소철의 『古史』 권2「五帝本紀」에는 허유가 堯임금이 주는 천하를 사양한 것만 다루고는 이를 배척하여 "천하를 전하는 것이 이와 같이 어려운데 허유를 어찌하여 일컬었는가?(傳天下, 若斯之難, 而許由何以稱焉?)"라고 하였다.

고 상의 기쁨을 역시 기뻐하였으며,[206] 작은 매는 맞고 큰 매는 도망하였으며,[207] 부모가 시키려는 일이 있을 때에는 곁에 있지 않은 적이 없었고 자신을 죽이려고 할 때에는 어찌할 수 없던 것을 알아야 할 것이고, 고수·상이 순을 죽이려 한 사실 여부를 깊이 변별할 필요는 없는 것이다.

其一, 舜·禹避丹朱·商均而天下歸之, 則蘇子慮其避之足以致天下之逆. 至益避啓而天下歸啓, 則蘇子又譏其避之爲不度而無恥. 於是凡孟子·史遷之所傳者, 皆以爲誕妄而不之信. 今固未暇質其有無, 然蘇子之所以爲說者, 類皆以世俗不誠之心度聖賢, 則不可以不之辨也. 聖賢之心淡然無欲, 豈有取天下之意哉!

그 한 가지는 순·우가 단주丹朱(요의 아들)·상균商均(순의 아들)을 피하자 천하 사람들이 순·우에게 의귀하였는데 소자蘇子(소동파)는 그들의 피한 것이 천하 사람들의 거역을 초래하게 될 것이라고 우려하였다. 익益(순의 신하)이 계啓(우의 아들)를 피하자 천하 사람들이 계에게 의귀하였는데[208] 소자는 또한 피한 것이 법도에 맞지 않아 염치가 없었다고 비판하였다. 이에 맹자孟子·사마천司馬遷이 전한 것은 모두 허망한 것이 되어 믿지 못하게 되었다. 지금 진실로 그 사실 여부를 질정할 겨를이 없으나 소자가 말한 것은 모두 세속의 성실하지 않은 마음으로 성현을 헤아린 것이니 분변하지 않을 수 없다. 성현의 마음은 담담하게 욕심이 없으니 어찌 천하를 취할 마음이 있겠는가!

顧辭讓之發, 則有根於所性而不能已者. 苟非所據, 則雖厄酒豆肉猶知避之, 況乎秉權據重而天下有歸己之勢, 則亦安能無所愓然於中, 而不遠引以避之哉? 避之而彼不吾釋, 則不獲已而受之, 何病於逆? 避之而幸其見舍, 則固得吾本心之所欲, 而又何恥焉? 唯不避而强取之, 乃爲逆. 偃然當之而彼不吾歸, 乃可恥耳.

. . . .

205 순임금은 죄를 … 사모하였으며 : 『書經』「虞書·大禹謨」에 "帝舜이 처음 歷山에 살면서 밭에 가시어 날마다 하늘과 부모에게 울부짖으시어 죄를 떠맡고 악을 자신에게 돌리시어 공경히 일하여 고수를 뵙되 삼가서 공경하고 두려워하시니, 고수 또한 믿고 따랐습니다.(帝初于歷山, 往于田, 日號泣于旻天于父母, 負罪引慝, 祗載見瞽瞍, 夔夔齊慄, 亦允若.)"에 의거한 것이다.
206 상의 근심을 … 기뻐하였으며 : 『孟子』「萬章上」. 상은 순의 이복동생이다.
207 작은 매는 … 도망하였으며 : 『後漢書』「崔寔傳」
208 순·우가 … 의귀하였는데 : 이에 대한 것은 『孟子』「萬章上」에 "옛적에 舜이 禹를 하늘에 천거한 지 17년 만에 舜이 붕어하거늘, 3년 상을 마치고 우가 순의 아들(상균)을 피하여 陽城으로 가 있었는데, 천하의 백성들이 따라오기를 요가 붕어한 뒤에 요의 아들(단주)을 따르지 않고 순을 따르듯이 하였다. 우가 益을 하늘에 천거한 지 7년 만에 우가 붕어하거늘, 3년 상을 마치고 익이 우의 아들(계)을 피하여 箕山의 북쪽으로 가 있었는데, 조회하고 송사하는 자들이 익에게 가지 않고, 계에게 가며 말하기를, '우리 임금님의 아들이다.' 하였으며, 덕을 謳歌하는 자들이 익을 구가하지 않고, 계를 구가하며 말하기를 '우리 임금님의 아들이다.' 하였다.(昔者, 舜薦禹於天十有七年, 舜崩, 三年之喪畢, 禹避舜之子於陽城. 天下之民從之, 若堯崩之後, 不從堯之子而從舜也. 禹薦益於天七年, 禹崩, 三年之喪畢, 益避禹之子於箕山之陰, 朝覲訟獄者, 不之益而之啓曰, '吾君之子也', 謳歌者不謳歌益而謳歌啓曰, '吾君之子也'.)"라고 설명하였다.

사양辭讓의 발현을 돌아보면 본성에 뿌리를 두어 그칠 수 없는 것이다. 만약 근거한 것이 없다면 비록 한 술잔의 술과 한 그릇의 고기라도 오히려 피할 줄 알거늘 하물며 정권을 잡고 요직에 근거하여 천하 사람들이 자기에게 의귀하는 형세가 있게 되면 어찌 마음에서 두려워하여 멀리 가서 피하지 않을 수 있겠는가? 피하였는데 백성들이 나를 풀어주지 않는다면 할 수 없이 받는 것이니 어찌 거역을 괴로워할 것인가? 피하였는데 행여 놓아줌을 받는다면 진실로 내 본심에 바라는 것을 얻거늘 또한 무엇을 부끄러워하겠는가? 오직 피하지 않고 억지로 취하는 것이 바로 거역이다. 강경하게 그것을 당하고 백성들이 나에게 의귀하지 않는 것이 바로 부끄러워할 만한 것이다.

如蘇子之言, 則是凡世之爲辭讓者, 皆陰欲取之而陽爲遜避, 是以其言反於事實至於如此, 則 不自知其非也. 舜禹之事, 世固不以爲疑, 今不復論. 至益之事, 則亦有不能無惑於其說者. 殊 不知若太甲賢而伊尹告歸, 成王冠而周公還政, 宣王有志而共和罷, 此類多矣. 當行而行, 當 止而止, 而又何恥焉? 蘇子蓋賢共和,[209] 而尙何疑於益哉?

소자蘇子의 말은 무릇 세상의 사양을 하는 이들이 모두 속으로는 취하려 하면서 겉으로는 겸손하게 피하는 척하므로 그 말이 사실과 반대되어 이 같은 지경에 이르게 되었으면서도 자신이 그 잘못을 몰랐던 것이다. 순舜과 우禹의 일은 세상에서 진실로 의심하지 않으니 지금 다시 논의하지 않겠다. 익益의 일은 또한 그 말에 의혹이 없을 수 없다. 태갑太甲이 현명하게 되자 이윤伊尹[210]이 은퇴하였는지, 성왕成王이 관례를 하자 주공周公[211]이 정무를 되돌려드렸는지, 선왕宣王이 뜻을 두어 공화共和[212] 정치를 끝냈는지는 알지 못하겠으니 이러한 부류가 많다. 행해야 할 것을 행하고 그쳐야 할 것을 그쳤으니 또 무엇을 부끄러워할 것인가? 소자는 공화 정치를 현명해하면서 어찌 익을 의심하는가?

若曰受人之寄, 則當遂有之而不可歸, 歸之則爲不度而無恥, 則是王莽·曹操·司馬懿父子之 心, 而楊堅夫婦所謂騎虎之勢也. 乃欲以是而語聖賢之事, 其亦誤矣."[213]

---

209 和:『朱文公文集』권72「雜著·本紀」에는 '伯'으로 되어 있다.

210 伊尹: 商나라 湯王을 도와 夏나라 桀王을 멸망시키고 난세를 평정한 뒤에 선정을 베푼 商나라의 명상이다. 뒤에 탕왕의 적장손인 太甲이 포학하게 굴자 桐宮으로 축출했다가 그가 개과천선하자 3년 뒤에 다시 영입하여 복위시켰다.

211 周公: 周나라 文王의 아들이요 武王의 동생으로서, 무왕을 도와 殷나라를 멸망시키고 천하를 통일한 뒤에 禮樂과 文物을 정비하였다. 또 成王을 보좌하고 管叔과 蔡叔이 武庚과 함께 반란을 일으키자, 왕명을 받들고 東征하여 평정하였다.

212 共和: 周厲王이 죽자 宣王이 어리므로 周公·召公이 함께 정사를 행한 칭호. 周厲王이 무도한 정치를 하다가 난리를 만나 彘로 피해 갔을 때, 共伯和가 제후의 권유로 14년간 천자의 일을 攝行하였다. 共和는 공경들이 서로 화합하여 함께 정사를 보는 것을 말하는데,『史記』에는 "周公·召公이 협의하여 정사를 행하였다."고 되었으나 사실에 맞지 않는다는 설이 있다. 주 선왕이 그 뒤를 이어 즉위하여 주나라를 중흥시켰다.(『史記』권4「周本紀」)

213 『朱文公文集』권72「雜著·本紀」

만약 남의 기탁을 받는다면 마침내 소유하여 돌려줄 수 없게 될 것이고, 돌려주면 법도에 맞지 않으며 부끄러워함도 없을 것이니, 이는 왕망王莽·조조曹操·사마의司馬懿 부자父子의 마음[214]이고, 양견楊堅[隋文帝] 부부가 말한 호랑이를 탄 형세라는 것이다.[215] 이것으로 성현의 일을 말하려고 한다면 또한 잘못이다.”

[55-1-55]

“『古史』言‘馬遷淺陋而不學,[216] 疎略而輕信’, 此二句最中馬遷之失, 呂伯恭極惡之. 『古史』序云, ‘古之帝王, 其必爲善, 如火之必熱, 水之必寒 ; 其不爲不善, 如騶虞之不殺, 竊脂之不穀.’ 此語最好. 某嘗問伯恭, ‘此豈馬遷所能及?’ 然子由此語雖好, 又自有病處. 如云, ‘帝王之道以無爲爲宗’之類, 他只說得箇頭勢大, 下面工夫又皆空疎. 亦猶馬遷「禮書」云, ‘大哉禮樂之道! 洋洋乎鼓舞萬物, 役使群動.’ 說得頭勢甚大, 然下面亦空疎, 却引『荀子』諸說以足之.

(주자가 말했다.) “『고사古史』에서 ‘사마천司馬遷은 천박하고 학문하지 않아 소략하고 가벼이 믿었다.’라고 한 이 두 구절은 사마천의 잘못을 가장 잘 맞추었고, 여백공伯恭呂祖謙은 그것을 매우 싫어하였다. 『고사』 서문에 ‘옛날의 제왕은 반드시 선을 행하기를 불이 반드시 뜨거워지듯이 하며 물이 반드시 차가워지듯이 하였고, 착하지 않은 행동은 하지 않기를 추우騶虞[217]가 죽이지 않듯이 하며 절지竊脂[218]가 곡식을 쪼아 먹지 않듯이 한다.’라고 하였는데 이 말이 가장 좋다. 내가 일찍이 여백공에게 묻기를 ‘이것이 어찌 사마천이 미칠 수 있는 것이겠습니까?’라고 하였다. 그러나 소자유의 이 말은 비록 좋지만 또 본래 결점이 있다. 예컨대 ‘제왕의 도는 무위無爲를 으뜸으로 삼는다.’는 따위이니, 그는 다만 말한 것이 첫머리 기세는 크지만 그 다음 공부는 또한 모두 소략했던 것이다. 이는 또한 사마천이 「예서禮書」에서 말한 ‘크구나, 예악의 도여! 충만하게 만물을 고무시키고 많은 생물들을 부리게 한다.’[219]라고 하였는데, 이

. . . .

214 王莽·曹操·司馬懿 父子의 마음 : 국가를 찬탈한 사람의 마음을 말한다. 왕망은 漢나라를, 조조는 東漢을, 사마의와 그의 아들 司馬昭는 魏나라를 찬탈하였다.

215 楊堅(隋文帝) … 것이다. : 이에 대하여 『資治通鑑』 권174 「陳紀 8·高宗宣皇帝下之上」 太建 12년에는 “양견이 묵묵히 오래 있다가 말하기를 ‘진실로 그대의 말과 같소.’ 하자, 독고부인 역시 양견에게 말하기를 ‘큰일이 이미 그렇게 되어 호랑이를 탄 형세라, 반드시 내려올 수 없으니 노력하십시오.’ 하였다.(堅黙然久之曰, ‘誠如君言.’ 獨孤夫人亦謂堅曰, ‘大事已然, 騎虎之勢必不得下, 勉之.’)”라고 하고, 이 글의 胡三省 注에 “독고부인은 양견의 비이다. 호랑이를 탔다가 내려오면 반드시 물린다.(獨孤夫人, 堅妃也. 騎虎而下, 必爲所噬.)”라고 설명하였다.

216 『古史』: 『朱子語類』 권122, 16조목에는 “子由『古史』”로 되어 있어 ‘子由’가 더 있다.

217 騶虞 : 모양이 白虎와 비슷한데 검정 무늬가 있으며 꼬리가 몸보다 긴 짐승으로, 살아 있는 짐승을 잡아먹지 않고 살아 있는 풀을 먹지 않는다 하여 기린과 함께 仁獸로 알려져 있다. 周나라 文王 때 이 짐승이 나타났다고 한다.(『詩經』 「召南·騶虞」)

218 竊脂 : 콩새. 일명 桑扈. 이 새가 기름만을 훔쳐 먹고 곡식을 먹지 않은 데서 붙여진 이름이다.

219 ‘크구나, 예악의 … 한다.’ : 이에 대해 『史記』 권23 「禮書」에는 “태사공이 말하기를 ‘충만하게 아름다운 덕이여! 만물을 제재하고 많은 사람들을 부리게 하니 어찌 사람의 힘이겠는가!(太史公曰, ‘洋洋美德乎! 宰制萬物, 役使羣衆, 豈人力也哉!’)”라고 하였다.

말은 첫머리 기세가 매우 크지만 그 다음 공부는 또한 모두 소략했던 것이니, 『순자荀子』의 여러 가지 말로 채웠던 것이다.

又如「諸侯年表」, 盛言形勢之利, 有國者不可無, 末却云, '形勢雖强, 要以仁義爲本.' 他上文 本意主張形勢, 而其末却如此說者, 蓋他也知仁義是箇好底物事, 不得不說, 且說敎好看. 如「禮書」所云, 亦此意也. 伯恭極喜渠此等說, 以爲遷知'行夏之時, 乘殷之輅, 服周之冕', 爲得聖 人爲邦之法, 非漢儒所及. 此亦衆所共知, 何必馬遷? 然遷嘗從董仲舒游, 『史記』中有'余聞之 董生云', 此等語言, 亦有所自來也.

또 『사기史記』의 「제후연표諸侯年表」에는 형세의 유리함을 성대하게 말하여 국가를 소유한 이는 없어서 는 안 되는 것인데, 끝에 말하기를 '형세가 비록 강하더라도 인의仁義로 근본을 해야 한다.'라고 하였다. 그의 윗글의 본래 뜻은 형세를 주장하였는데 그 끝에 도리어 이렇게 말한 것은 그 역시 인의仁義가 좋은 일임을 알아서 말하지 않을 수 없어 또한 말을 좋게 하였던 것이다. 「예서禮書」에서 말한 것도 이 뜻이다. 여백공은 그의 이러한 말을 매우 좋아하여 사마천이 '하夏나라의 책력을 쓰며, 은殷나라의 수레를 타며, 주周나라의 면류관을 쓴다.'[220]는 성인의 나라를 다스리는 법을 터득했다고 알아주어서 한漢나라 유학자가 미칠 것이 아니라고 하였다. 이는 또한 여러 사람들이 함께 아는 바이니 하필 사마천 뿐이겠는가? 그러나 사마천은 일찍이 동중서董仲舒[221]와 종유從遊하여 『사기』 중에 '나는 동중서에게 들 었다.'라고 하였으니 이러한 말들은 또한 유래가 있는 것이다.

遷之學, 也說仁義, 也說詐力, 也用權謀, 也用功利, 然其本意却只在於權謀功利. 孔子說伯夷 '求仁得仁, 又何怨?', 他一傳中首尾皆是怨辭, 盡說壞了伯夷! 子由『古史』皆刪去之, 盡用孔 子之語作傳. 豈可以子由爲非, 馬遷爲是?[222] 聖賢以六經垂訓, 炳若丹靑, 無非仁義道德之說. 今求義理, 不於六經, 而反取踈略淺陋之子長, 亦惑之甚矣."[223]

사마천의 학설에는 역시 인의仁義를 말하고, 역시 사력詐力(거짓·무력)을 말하였으며, 역시 권모權謀를 쓰고 역시 공리功利를 썼으나, 그 본래 뜻은 다만 권모·공리에 있었다. 공자孔子가 백이伯夷를 '인을 구하여 인을 얻었으니 또한 어찌 원망하였는가?'[224]라고 말하였으나, 그의 「백이열전伯夷列傳」 중에는 처음부터 끝까지 모두 원망하는 말이어서 모든 백이를 헐뜯어 말한 것이겠는가! 소자유의 『고사古史』에

220 '夏나라의 책력을 … 쓴다.' : 『論語』「衛靈公」

221 董仲舒 : 前漢 武帝 때의 학자. 처음엔 江都王의 相이 되었으나 公孫弘에게 미움을 받아 膠西王의 相으로 좌천되고, 나중에 벼슬을 그만두고 저술에 힘쓰다 일생을 마쳤다. 『春秋』에 밝아 『春秋繁露』를 지었다. 무제에게 상주하여 유교를 國敎로 정하게 하였다.

222 馬遷爲是? : 『朱子語類』 권122, 16조목에는 "可惜子約死了, 此論至死不曾明?"이 더 있다.

223 『朱子語類』 권122, 16조목

224 '인을 구하여 … 원망하였는가?' : 『史記』「伯夷列傳」

는 모두 깎아버려 공자의 말을 모두 써서 열전列傳[225]을 지었다. 그러니 어찌 소자유를 그르다고 하고 사마천을 옳다고 할 수 있겠는가? 성현은 육경六經으로 훈계를 내려서 밝기가 단청과 같은데 인의도덕의 말이 아닌 것이 없다. 지금 의리義理를 구하면서 육경에서 하지 않고 도리어 소략하고 천박한 자장子長(사마천의 자)에게서 취한다면 또한 매우 미혹된 것이다."

[55-1-56]

"溫公『通鑑』以魏爲主, 故書'蜀丞相亮寇何地', 從『魏志』也, 其理都錯. 某所作『綱目』以蜀爲主, 後劉聰石勒諸人, 皆晉之故臣, 故東晉以君臨之. 至宋後魏諸國, 則兩朝平書之, 不主一邊, 年號只書甲子."[226]

(주자가 말하였다.) "온공溫公의 『자치통감資治通鑑』은 위魏나라를 위주하였으므로 '촉승상蜀丞相 량亮[諸葛亮]이 어느 지역을 노략질하였다.'[227]라고 하여 『위지魏志』를 따랐으니 그 정리가 도무지 엇갈린 것이다. 내가 지은 『자치통감강목資治通鑑綱目』은 촉蜀나라를 위주로 하고,[228] 뒤의 유총劉聰·석륵石勒 등 인물들은 모두 진晉나라의 옛 신하였으므로 동진東晉을 임금으로 나타냈다. 송宋·후위後魏 등 여러 나라는 두 조정을 평등하게 써서 한 편을 위주로 하지 않게 하여 연호年號에는 갑자甲子만 썼다."[229]

[55-1-57]

問: "正統之說, 自三代以下, 如漢唐亦未純乎正統, 乃變中之正者; 如秦西晉隋, 則統而不正者; 如蜀東晉, 則正而不統者."

曰: "何必恁地論? 只天下爲一, 諸侯朝覲, 獄訟皆歸, 便是得正統. 其有正不正, 又是隨他做, 如何恁地論? 有始不得正統而後方得者, 是正統之始; 有始得正統而後不得者, 是正統之餘. 如秦初猶未得正統, 及始皇并天下, 方始得正統; 晉初亦未得正統, 自泰康以後, 方始得正統; 隋初亦未得正統, 自滅陳後, 方得正統; 如本朝至太宗幷了太原, 方是得正統. 又有無統時, 如三國南北五代, 皆天下分裂, 不能相君臣, 皆不得正統. 一作此時便是無統 某嘗作『通鑑綱目』,

---

225 列傳: 『古史』 권24 「伯夷列傳」을 말한다.

226 『朱子語類』 권105, 56조목

227 '蜀丞相 亮[諸葛亮]이 … 노략질하였다.' : 예를 들면 『魏志』 권3 「明帝」에 "蜀 대장 제갈량이 변방을 노략질 하였는데, 천수·남안·안정 3군의 관리와 백성들이 반란하여 제갈량에게 응하였다.(蜀大將諸葛亮寇邊, 天水南安安定三郡吏民叛應亮.)"라고 한 것이다. 이는 蜀을 비정통으로 기술한 것이다.

228 蜀나라를 위주로 하고: 삼국 시대 기술에 朱子의 『資治通鑑綱目』에서 촉나라 昭烈帝의 연호 章武 등을 사용한 것을 말한다. 司馬光의 『資治通鑑』에는 위나라 文帝의 연호 黃初 등을 사용하였다.

229 宋·後魏 … 썼다. : 중국이 통일되지 않고 여러 국가가 병립한 경우 『資治通鑑綱目』의 규례는 甲子를 앞에 놓고 연호 표기를 뒤에 놓았는 바, 예컨대 『資治通鑑綱目』 권26上에는 "辛卯, 宋元嘉二十八年, 魏太平眞君十二年."이라고 하여 '辛卯'(甲子)를 앞에 놓고 그 뒤에 宋의 연호 元嘉와 魏의 연호 太平眞君을 작은 글자로 하여 두 줄 병렬 주석으로 기록하였다.

有無統之說, 此書今未及脩, 後之君子必有取焉. 溫公只要編年號相續, 此等處須把一箇書帝書崩, 而餘書主書殂. 旣不是他臣子, 又不是他史官, 只如旁人立看一般, 何故作此尊奉之態? 此等處合只書甲子, 而附註年號於其下, 如魏黃初幾年, 蜀章武幾年, 吳青龍幾年之類, 方爲是."[230]

물었다. "정통正統의 주장은 삼대三代 이후로 예컨대 한漢·당唐은 역시 정통에 순수하지 못하여 변통變通 중의 정당한 것이었고, 진秦·서진西晉·수隋는 통일統一하였으나 정당하지 않은 것이었고, 촉蜀·동진東晉은 정당하였으나 통일하지 못한 것입니다."

(주자가) 대답하였다. "하필 이렇게 논하는가? 다만 천하가 통일되고 제후들이 조근朝覲하고 옥송獄訟이 모두 귀결되면 바로 정통을 얻은 것이다. 정당함과 정당하지 않음이 있는 것은 그가 한 것에 따르는데 어떻게 이렇게 논하는가? 처음에 정통을 얻지 못했다가 뒤에 얻는 것은 정통의 시작이고, 처음에 정통을 얻었다가 뒤에 얻지 못하는 것은 정통의 나머지이다. 예컨대 진秦 초기에는 정통을 얻지 못했으나 시황始皇이 천하를 합병하게 되자 비로소 정통을 얻었고, 진晉 초기에는 정통을 얻지 못했으나 태강泰康 이후로 비로소 정통을 얻었고,[231] 수隋 초기에는 역시 정통을 얻지 못했으나 진陳이 멸망한 이후로 비로소 정통을 얻었고, 우리 송宋나라는 태종太宗 때에 태원太原을 합병하여 비로소 정통을 얻었다. 또 통일이 없는 때가 있으니 예컨대 삼국三國·남북조南北朝·오대五代는 모두 천하가 분열되어 서로 임금과 신하 노릇을 하지 않아서 모두 정통을 얻지 못하였다. 어느 본에는 '이때에 통일이 없었다.'로 되어 있다. 내가 일찍이『통감강목通鑑綱目』[232]을 지었는데, 통일이 없다는 주장은 이 책에 아직 미처 정리하지 못하였으나 뒷날 학자들이 반드시 채택함이 있을 것이다. 온공溫公은 다만 연호年號만 편집하여 이어 놓았으니 이러한 곳에는 반드시 한 글자 제帝와 붕崩을 써야 할 것이고, 나머지는 주主와 조殂[233]를 써야 할 것이다. 이미 그의 신하가 아니고 또 그의 사관史官도 아니어서 다만 옆 사람이 서서 일반적으로 보는 것과 같으니 무슨 까닭으로 떠받드는 태도를 할 것인가? 이러한 곳은 마땅히 갑자甲子만 쓰고 연호를 그 아래에 주注로 달아, 예컨대 위魏 황초黃初 몇 년, 촉蜀 장무章武 몇 년, 오吳 청룡青龍 몇 년처럼 하는 것이 옳겠다."

又問: "南軒謂漢'後當以蜀漢年號繼之'. 此說如何?"

曰: "如此亦得. 他亦以蜀漢是正統之餘. 如東晉亦是正統之餘也."

又問: "東周如何?"

230 『朱子語類』권105, 55조목

231 晉 초기에는 … 얻었고: 晉 武帝가 稱帝한 265년에는 三國이 병립하였으나 280년 태강 원년에 吳를 멸망시킴으로써 통일하게 된 것을 말한다.

232 『通鑑綱目』:『資治通鑑綱目』의 약칭. 朱熹가 지은 중국의 역사책. 司馬光의『資治通鑑』을 綱과 目으로 나누어 편찬한 것이다. 주희가 직접 만든 범례 한 권에 의해 그 문인 趙師淵 등이 전편 59권을 작성하였다. 더 줄여『綱目』이라고도 한다.

233 帝와 崩을 … 殂: 통일 국가 임금의 호칭을 帝라 하고 서거를 崩이라 하는 반면 비통일 국가 임금의 호칭을 主라 하고 서거를 殂라고 해야 한다는 것이다.

曰: "畢竟周是天子."

又問: "唐後來多藩鎭割據 一云: '唐末天子不能有其土地, 亦可謂正統之餘否?' 則如何?"

曰: "唐之天下甚闊, 所不服者, 只河北數鎭之地而已. 一云: '安得謂不能有其土地?.'"[234]

또 물었다. "남헌南軒(張栻의 호)이 '한漢 이후는 마땅히 촉한蜀漢 연호를 이어 써야 한다.'라고 하니 이 주장은 어떻습니까?"

(주자가) 대답했다. "이렇게 하는 것도 옳다. 그는 또한 촉한을 정통의 계승으로 한 것이다. 동진 역시 정통의 계승이다."

또 물었다. "동주東周는 어떻습니까?"

(주자가) 대답했다. "필경 주周는 천자이다."

또 물었다. "당唐 후반부는 번진藩鎭들의 할거割據가 많았으니 어느 곳에는 말하기를 '당 말기에 천자가 토지를 소유하지 못하였으니 역시 정통의 계승이라고 말할 수 있습니까?'라고 하였다. 어떻습니까?"

(주자가) 대답했다. "당의 영토는 매우 넓었고, 복속하지 않은 것은 다만 하북河北의 몇 개 번진뿐이었다. 어느 곳에는 말하기를 '어찌 토지를 소유하지 못했다고 말할 수 있는가?'라고 하였다."

[55-1-58]

問: "宋齊梁陳正統如何書?"

曰: "自古亦有無統時. 如周亡之後, 秦未帝之前, 自是無所統屬底道理. 南北亦只是並書."

又問: "東晉如何書?"

曰: "宋齊如何比得東晉?"

又問: "三國如何書?"

曰: "以蜀爲正, 蜀亡之後, 無多年便是西晉, 中國亦權以魏爲正."

又問: "後唐亦可以繼唐否?"

曰: "如何繼得?"[235]

물었다. "송宋·제齊·양梁·진陳의 정통은 어떻게 씁니까?"

(주자가) 대답했다. "예부터 역시 통일이 없을 때도 있었다. 예컨대 주周가 망한 이후 진秦이 황제가 되기 이전에 본래 통속統屬될 도리가 없었다. 남북조南北朝도 또한 나란히 쓴다."

또 물었다. "동진東晉은 어떻게 씁니까?"

(주자가) 대답했다. "송·제를 어떻게 동진에 견줄 수 있겠는가?"

또 물었다. "삼국三國은 어떻게 씁니까?"

(주자가) 대답했다. "촉을 정당한 것으로 하면 촉이 망한 이후에 몇 년 안 되어 바로 서진이 되었으니, 중국中國(중원의 여러 나라)은 역시 임시로 위魏를 정당한 것으로 해야 한다."

<hr />

234 『朱子語類』 권105, 55조목
235 『朱子語類』 권105, 58조목

또 물었다. "후당後唐 역시 당唐을 계승했다고 할 수 있습니까?"
(주자가) 대답했다. "어떻게 계승할 수 있겠는가?"

[55-1-59]
問: "綱目主意."
曰: "主在正統."
問: "何以主在正統?"
曰: "三國當以蜀漢爲正, 而溫公乃云, '某年某月諸葛亮入寇', 是冠屨倒置, 何以示訓? 緣此遂欲起意成書. 推此意, 脩正處極多. 若成書, 當亦不下『通鑑』許多文字. 但恐精力不逮, 未必能成耳. 若度不能成, 則須焚之."[236]
물었다. "『통감강목通鑑綱目』의 주요한 뜻을 말씀해 주십시오."
(주자가) 대답했다. "주요한 뜻은 정통正統에 있다."
물었다. "어찌하여 주요한 뜻이 정통에 있습니까?"
(주자가) 대답했다. "삼국三國은 마땅히 촉한蜀漢을 정통으로 해야 하는데, 온공溫公은 말하기를 '몇 년 몇 월에 제갈량諸葛亮이 침입하여 도적질했다.'[237]라고 하여 본말이 뒤바뀌었으니 어떻게 훈계를 보이겠는가? 이에 따라 마침내 뜻을 내어 책을 만들려고 한다. 이 뜻을 미루어나가면 수정할 곳이 매우 많다. 만약 책이 만들어지면 마땅히 『자치통감資治通鑑』의 여러 문자보다 못하지 않을 것이다. 다만 정력이 미치지 못해 반드시 만들 수는 없을 것이다. 만약 만들 수 없을 것으로 짐작되면 반드시 불태워야 하겠다."

[55-1-60]
"綱目於無正統處, 並書之, 不相主客. 『通鑑』於無統處, 須立一箇爲主. 某又參取史法之善者, 如權臣擅命, 多書以某人爲某王某公, 范曄却書'曹操自立爲魏公.' 綱目亦用此例."[238]
(주자가 말했다.) "『통감강목通鑑綱目』은 정통이 없는 곳에는 나란하게 써서 주객主客이 없다. 『자치통감』은 통일이 없는 곳에 반드시 하나의 주인을 세웠다. 나는 또한 사법史法의 훌륭한 것을 참고해 취하였으니 예컨대 권신權臣이 명命을 제멋대로 하였을 때에는 대부분 '어느 사람이 어느 왕王 어느 공공이 되었다.'라고 썼는데 범엽范曄도 '조조曹操가 스스로 즉위하여 위공魏公이 되었다.'[239]라고 썼다. 『통감강목』도 이러한 규례를 사용하였다."

236 『朱子語類』 권105, 57조목
237 '몇 년 … 도적질했다.': 司馬光의 『資治通鑑』 권72 「魏紀 4·烈祖明帝中之上」 太和 5년에 "제갈량이 여러 군대를 인솔하여 들어와 도적질하여 기산을 포위하였다.(亮帥諸軍, 入寇, 圍祁山.)"라고 한 것을 말한다. 제갈량을 '入寇'라고 하여 정당하지 않게 표현한 것이다.
238 『朱子語類』 권105, 59조목
239 『後漢書』 권9 「獻帝紀」 제9

[55-1-61]

"揚雄荀彧二事, 按溫公舊例, 凡莽臣皆書死, 如太師王舜之類. 獨於揚雄匿其所受莽朝官稱
而以卒書, 似涉曲筆, 不免却按本例書之曰, '莽大夫揚雄死.' 以爲足以警夫畏死失節之流, 而
初亦未改溫公直筆之正例也. 荀彧却是漢待中光祿大夫而參丞相軍事, 其死乃是自殺, 故但
據實書之曰, '某官某人自殺', 而系於曹操擊孫權至濡須之下, 非故以彧爲漢臣也. 然悉書其
官, 亦見其實漢天子近臣, 而附賊不忠之罪, 非與其爲漢臣也. 此等處, 當時極費區處, 不審竟
得免於後世之公論否. 胡氏論彧爲操謀臣, 而劫遷九錫二事, 皆爲董昭先發, 故欲少緩九錫之
議, 以俟他日徐自發之, 其不遂而自殺, 乃劉穆之之類, 而宋齊丘於南唐事亦相似'. 此論竊謂
得彧之情."[240]

(주자가 말했다.) "양웅揚雄·순욱荀彧의 두 가지 일은 온공溫公의 옛 규례를 살피면 무릇 왕망王莽의 신하
는 모두 '사死'라고 썼으니 예컨대 태사太師 왕순王舜의 부류와 같은 것이다. 다만 양웅에게만은 왕망의
조정에서 제수받은 칭호를 감추고서 '졸卒(죽었다)'이라고 쓴 것은 잘못된 표현인 듯하니 본례本禮를 살펴
'망 대부 양웅이 죽었다.[莽大夫揚雄死.]'[241]라고 쓸 것을 벗어나지 않게 하여, 죽음을 두려워하며 절개를
잃는 무리들을 경계시키고 애초 온공溫公의 바른 필법의 정례正例를 고치지 않아야 하는 것이다. 순욱은
한漢 시중侍中 광록대부光祿大夫로서 참승상군사參丞相軍事였는데, 그의 죽음은 자살自殺이었으므로 다만
사실에 근거하여 쓰기를 '어느 관원 어느 사람이 자살했다.[某官某人自殺.]'라고만 하여 조조曹操가 손권孫
權을 공격하여 유수濡須에 도달했다는 그 아래에다 기록하였으니 일부러 순욱을 한漢의 신하로 하지
않은 것이다. 그러나 그 관직을 모두 써서 또한 실제로 한 천자의 근신으로서 역적에게 붙은 불충한
죄를 보여서 한나라 신하가 됨을 편들어주지 않은 것이다. 이러한 곳은 당시 조치에 갖은 힘을 다 기울였
으나, 후세의 공론을 끝내 모면할지 알지 못하겠다. 호씨胡氏가 논하기를 '순욱은 조조의 참모 신하가
되어 천자를 겁주어 천도하고 구석九錫[242]을 주게 한 일이 모두 동소董昭[243]가 먼저 발언한 것이기 때문에
(순욱은) 구석의 논의를 조금 늦추어 뒷날을 기다려 천천히 자신이 발언하려고 하였으나 이루지 못하고
자살하였으니 유목지劉穆之[244]의 부류이고, 송제구宋齊丘[245]가 남당南唐에서 한 일과 서로 비슷하다.'고

⋯⋯⋯⋯⋯⋯⋯⋯⋯⋯⋯⋯

240 『朱文公文集』 권37 「答尤延之」

241 주자가 지은 『通鑑綱目』 권8上의 戊寅 天鳳 5년의 글이다.

242 九錫: 天子가 공로가 있는 신하에게 내리는 아홉 가지 恩典. 곧 車馬·衣服·樂器·朱戶·納陛(中陛로 올라
갈 수 있음)·虎賁(從者 1백 명)·弓矢·鈇鉞·秬鬯(검은 기장과 향초를 섞어 빚은 술)이다. 순욱은 후한
獻帝 때 曹操 밑에서 벼슬하였는데, 뒤에 董昭 등의 大臣이 조조가 난리를 평정한 공이 많다는 이유로 九錫
을 하사하고 國公에 봉하여야 한다고 주장하였다. 이에 조조가 이 일에 대해 순욱에게 은밀히 물었는데,
순욱이 충의의 도리에 입각하여 그러한 일은 온당치 못하다는 의견을 개진하자 조조가 불쾌하게 여겼다.
그 뒤에 조조가 濡須로 진격했을 때 순욱은 병으로 壽春에 남아 있다가 울화병에 걸려 죽었다.(『三國志』
권10 「魏書 10·荀彧」 裴注) 그러나 『後漢書』 권70 「荀彧列傳」에는 순욱이 약을 먹고 자살하였다고 기록되
어 있다.

243 董昭: 三國 魏나라 文帝·明帝 때 사람. 자는 公仁, 시호는 定이다. 벼슬은 太僕·衛尉를 거쳐 司徒에 이르
렀다.(『三國志』 권14 「魏書·董昭傳」)

하였다. 이 논의는 적이 생각해 보니 순욱의 실정을 얻은 것이다."

[55-1-62]

因說『通鑑』提綱例, 凡逆臣之死, 皆書曰死. 至狄仁傑, 則甚疑之, 李氏之復, 雖出於仁傑, 然畢竟是死於周之大臣. 不奈何, 也教相隨入死例, 書云, '某年月日狄仁傑死也'.[246]

(주자가) 이어서 말했다. "『자치통감資治通鑑』 제강提綱 규례는 반역 신하가 죽었을 때에 모두 '사死'라고 썼다. 적인걸狄仁傑에 있어서는 매우 의심되는데 이씨李氏가 회복된 것이 비록 적인걸에게서 나왔지만[247] 끝내 주周의 대신으로 죽었다. 어찌하지 못하겠으면 또한 '사死'의 규례를 따라 들이게 하여 '몇 년 몇 월 며칠에 적인걸이 죽었다.[某年月日狄仁傑死也.]'라고 써야 할 것이다."

[55-1-63]

"伯恭大事記辨馬遷班固異同處最好. 渠一日記一年, 渠大抵謙退, 不敢任作書之意. 故『通鑑』·『左傳』已載者, 皆不載. 其載者皆『左傳』·『通鑑』所無者耳. 有太纖巧處. 如指出公孫弘張湯姦狡處, 皆說得羞愧人. 伯恭少時被人說他不曉事, 故其論事多指出人之情僞, 云'我亦知得.'[248]

· · · · · · · · · · · · · · · · · · ·

244 劉穆之: 南朝 宋나라 名臣. 자는 道和. 武帝를 따라 안으로는 조정의 정사를 총괄하고 밖으로는 軍政을 맡아 벼슬이 尙書右僕射에 이르렀다. 조정의 일과 군사에 관한 일을 물 흐르듯이 결단하고 빈객을 좋아하여 南康郡公에 追封되었고 시호는 文宣이다.(『宋書』 권42 「劉穆之列傳」)

245 宋齊丘: 五代 南唐 사람. 자는 超回, 改字는 子嵩. 관직은 左丞相·司空을 역임하였다.(『五代史』 권62 「南唐世家」)

246 『朱子語類』 권105, 61조목

247 李氏가 회복된 … 나왔지만 : 적인걸(630~700)은 唐나라의 文臣으로, 則天武后(624~705)에게 발탁되어 재상에 올랐다. 高宗 때에 大理丞, 侍御史, 度支郎中 등을 역임하며 강직하고 공정하다는 평가를 받아 고종의 신임을 얻었다. 683년에 고종이 죽자 측천무후가 정권을 장악하여, 684년에 자신의 아들인 中宗을 폐위한 뒤에 房州에 유폐하고 넷째 아들인 睿宗을 제위에 앉혔다가, 690년에 스스로 황제로 즉위하여 국호를 周로 바꾸고 武氏의 七廟를 건립하였다. 적인걸은 무후가 정권을 잡은 이후로 寧州刺史, 江南巡撫使, 豫州刺史, 地部侍郎을 역임하고, 691년에 同鳳閣鸞臺平章事에 올라 재상이 되었다. 693년에는 酷吏로 유명했던 來俊臣의 무고를 받아 모반의 혐의를 받았으나, 가까스로 모면하고 彭澤令으로 좌천되었다. 이후에 다시 재상에 복귀하였는데, 698년에 이르러 무후가 조카인 武承嗣를 태자로 세우려고 하자, 자식과 조카의 차이를 가지고 조카가 고모를 사당에 모시지 않는다고 무후를 설득하여 중종을 다시 불러들여 태자로 세우게 하였다. 이 때문에 후대에 당나라를 다시 일으킨 인물로 평가를 받았으나, 한편으로 당나라를 무너뜨린 무후의 재상이 되어 섬기면서 적극적으로 당나라의 회복을 위해 힘쓰지 않았다는 비난을 받기도 하였다. 적인걸의 사후인 705년에 그가 천거하여 재상에 오른 張柬之가 무후가 병든 틈을 타 중종을 복위시켜 당나라 李氏 황실을 회복시켰다. 司馬光은 『資治通鑑』 207권 「唐紀 23·則天順聖皇后下」 久視 元年(700) 9월에서 적인걸의 죽음을 "신축일에 서거하였다.(辛丑薨)"라고 하여 제후의 예인 '薨'으로 표현하였으나, 朱子는 『資治通鑑綱目』 권42上 17년 庚子 周武氏久視元年에서 "사공 양문혜공 적인걸이 졸하였다.(司空梁文惠公狄仁傑卒.)"라고 하여 大夫의 예인 '卒'로 표현하였고, 그리고 본문에서는 '死'로 표현해야 한다는 견해를 제기하고 있다.(『新唐書』 권115 「狄仁傑列傳」)

有此意思不好."249

(주자가 말했다.) "백공伯恭[呂祖謙]『대사기해제大事記解題』에는 사마천司馬遷과 반고班固의 다르며 같음을 분별한 곳이 가장 아름답다. 백공은 하루에 1년씩 기록하였는데, 백공은 대개 겸손하여 글을 짓는다는 마음을 감히 자임自任하지 못하였다. 그러므로 『자치통감資治通鑑』·『좌전左傳』에 이미 기록된 것은 모두 싣지 않아서, 기록한 것은 모두 『좌전』·『자치통감』에 없는 것일 뿐이다.250 너무 섬세하고 교묘한 곳이 있으니 예컨대 공손홍公孫弘251·장탕張湯252의 간교한 곳을 끄집어내어 모두 부끄러운 사람들을 해설한 것이다. 백공은 젊었을 적에 남으로부터 일을 잘 알지 못한다는 말을 들었으므로, 그 일을 논의한 것이 대부분 남의 진정과 거짓을 지적해 내고 말하기를 '나 역시 이를 알아냈다.'라고 하였다. 이러한 뜻은 아름답지 않다."

[55-1-64]

東萊呂氏曰 : "史官者, 萬世是非之權衡也. 禹不能褒鯀, 管蔡不能貶周公, 趙盾不能改董狐之書, 崔氏不能奪南史之簡. 公是公非, 擧天下莫之能移焉. 自古有國家者皆設史官, 典司言動, 凡出入起居, 發號施令, 必九思三省, 奠而後發. 兢兢慄慄, 恐播於汗簡, 貽萬世之譏, 是豈以王者之利勢而下制於一臣哉! 亦以公議所在, 不得不畏耳. 漢紹堯運, 置太史令以紀信書, 而司馬氏仍父子纂其職, 軼材博識爲史臣首. 遷述黃帝以來, 至于麟止, 勒成一家, 世號實錄. 武帝乃惡其直筆, 刊落其書, 嗚呼, 亦惑矣! 公議之在天下, 抑則揚, 塞則決, 窮則通. 縱能削一史官之書, 安能盡枙天下之筆乎!"253

동래여씨東萊呂氏[呂祖謙]가 말하였다. "사관史官은 만대萬代 시비是非의 저울이다. 우禹가 곤鯀을 포상할 수 없고,254 관숙管叔·채숙蔡叔이 주공周公을 깎아내릴 수 없으며,255 조돈趙盾이 동호董狐의 사서史書를

248 我亦知得. : 『朱子語類』 권122, 20조목에는 "我亦知得此"로 되어 있어 '此'가 더 있다.

249 『朱子語類』 권122, 20조목

250 백공은 하루에 … 뿐이다. : 이에 대하여 宋 馬廷鸞의 『碧梧玩芳集』 권21 「制作通説」에는 "呂成公大事記通釋解題, 本起春秋, 迄五代. 凡左氏·通鑑已載者, 皆不書, 惟著其所不載者. 創始自淳熙七年, 以一日記一年, 越明年絶筆於漢武帝征和之三年而已, 不及竟矣."라고 하여 조금 더 자세하게 설명되어 있다.

251 公孫弘 : 漢나라 사람. 武帝 때 對策으로 발탁되어 丞相까지 지냈다. 평소 신하 된 자가 검소하지 않은 것을 큰 병통으로 여겨, 베 이불을 덮고 상에는 고기반찬을 두 가지 이상 놓지 않았으며, 故人과 賓客들에게 녹봉을 모두 나누어 주어 집안에 남은 것이 없었다. 그러나 성품이 남을 해치려는 뜻이 많고 겉으로는 관대한 듯하면서도 실제로는 각박하여, 자신과 틈이 있는 자는 어떤 방법으로든지 끝내 화를 입혔으므로 소인이라는 평을 받았다.(『漢書』 권58 「公孫弘傳」)

252 張湯 : 漢武帝의 신하. 酷吏로 이름 높은 사람이다. 刑獄을 맡은 관원이 되어 陳皇后의 巫蠱獄과 淮南王의 모반 사건 등을 처리하면서 법을 아주 각박하게 적용하여 사람들의 죄를 다스렸으므로 혹리의 대명사가 되었다. 뒤에 가서는 그도 朱買臣 등의 모함에 걸려 자살하고 말았다.(『史記』 권122 「張湯列傳」)

253 『東萊外集』 권3 「漢太史箴」

254 禹가 鯀을 … 없고 : 곤은 禹의 아버지로 四凶 중의 한 사람이다. 홍수가 있어 사방이 물에 잠기자, 舜임금이

고칠 수 없고,[256] 최씨崔氏가 남사씨南史氏의 죽간竹簡을 빼앗을 수 없다.[257] 공인된 시비是非는 온 천하 사람들이라도 고칠 수가 없다. 예부터 국가를 소유한 이들은 모두 사관史官을 두어 말과 행동을 맡아 기록하게 하여 모든 출입 기거起居와 명령 발표에 반드시 아홉 번 생각하며 세 번 살피게 하고 정해진 뒤에 발표하게 하였다. 두려워 조심하면서 죽간竹簡에 전파되어 만대에 비판을 남기게 될까 우려하니 이것이 어찌 왕자王者의 이익과 권세로 아래의 한 명 사신史臣에게 제어되는 것이겠는가! 또한 공론이 있는 곳에 두려워하지 않을 수 없는 것이다. 한漢은 요堯의 운수를 이어서[258] 태사령太史令을 두어 실록實錄을 기록하였는데 사마씨司馬氏가 그대로 아버지와 아들로 그 직책을 이어서 뛰어난 재주와 해박한 지식으로 사신의 으뜸이 되었다. 사마천司馬遷이 황제黃帝 이래로 인지麟止까지 서술하여[259] 일개 저술을 편집해 이룩하였으니 세상에서는 실록實錄이라고 한다. 한漢 무제武帝는 직필直筆을 싫어하여 그 책을 삭제하였으니,[260] 아, 미혹되었구나! 공론은 천하 사람들에게 있어서 억제하면 일어나고 막으면 터지고

. . . .

곤에게 물길을 다스리도록 명했으나 9년 동안 공적을 이루지 못하였다. 순임금은 鯀을 羽山에 가두어 죄주었다. 『書經』「舜典」에 이것이 기록되었는데 아들 우가 뒤에 임금이 되었으나 이 기록을 고쳐 아버지를 포상할 수 없다는 것이다.

255 管叔·蔡叔이 … 없으며: 武王이 殷나라 紂王을 치고 나서 周나라 王國을 세우고서 주왕의 아들 武庚을 그 나라에 봉하고 管叔·蔡叔, 霍叔을 시켜 감독하게 하였다. 무왕이 죽고 어린 成王이 즉위하여 周公이 섭정을 하였는데, 이 세 사람이 주공이 성왕을 해칠 것이라는 유언비어를 퍼뜨렸다가 발각되자 무경을 충동질하여 淮夷와 함께 반란을 일으켰다. 이에 주공이 이들을 주벌하고, 대신 微子를 宋에 봉하였다. 管叔 등의 반란 사건이 史筆에 주공을 격하시킬 수 없다는 것이다.(『書經』「金縢」)

256 趙盾이 董狐의 … 없고: 董狐는 춘추 晉나라의 史官. 晉靈公이 趙盾을 죽이려 하자 조돈이 도망갔다가, 趙穿이 영공을 죽인 뒤에 조돈이 돌아오자, 동호가 "조돈이 그 임금을 죽였다.(趙盾弑其君.)"고 기록하여 조정에 보였다. 조돈이 자기가 죽이지 않았다고 강변하자, 동호가 "그대는 일국의 정경으로 도망을 하면서 국경을 넘지도 않았고, 돌아와서는 역적을 토벌하지도 않았으니, 그대가 죽인 게 아니고 누구인가.(子爲正卿, 亡不越境, 反不討賊, 非子而誰?)"라고 하였다. 이 일에 대하여 孔子가 "동호는 옛날의 훌륭한 사관이었다. 그의 서법은 숨기는 일이 없었다.(董狐, 古之良史也, 書法不隱.)"라고 칭찬하였다.(『春秋左氏傳』「宣公」2년)

257 崔氏가 南史氏의 … 없다. : 崔氏는 춘추 제나라의 권력자 崔杼, 南史氏는 춘추 제 나라의 사관. 최저는 제나라 莊公을 세웠는데, 장공이 자신의 아내와 사통하는 것을 알게 되자 원한을 품고 있다가 병문안하러 온 장공을 자신의 집에서 사람을 시켜 시해하였다. 제나라의 太史는 史冊에 말 그대로 "최저가 그 임금을 시해하였다.(崔杼弑其君.)"라고 써 놓았다. 최저가 그 사관을 죽이자, 태사의 아우가 또 쓰니 또 죽였으나, 막내아우가 또 썼는데 그는 죽이지 않았다. 南史氏(제나라 지방의 사관)는 사관들이 다 죽었다는 소식을 듣고 竹簡을 들고 왔다가 사실대로 기록하였다는 말을 듣고서 돌아갔다. 최저가 남사씨의 直筆하려는 의도를 저지하지 못한다는 것이다.(『春秋左氏傳』「襄公」25년)

258 漢은 堯의 … 이어서: 『漢書』「敍傳下」에 "한은 요의 운수를 이어서 제왕의 사업을 세웠다.(漢紹堯運, 以建帝業.)"라고 하였다.

259 司馬遷이 黃帝 … 서술하여: 사마천이 『史記』를 쓸 때 상한선은 黃帝로 잡고, 漢武帝 元狩 원년(B.C.122) 10월에 무제가 雍州에 가서 흰 기린을 잡은 것으로 하한선을 잡았으니, 공자가 『春秋』를 쓰면서 獲麟에서 붓을 그친 것과 같은 의미이다. 『史記』「太史公自序」에, "이에 마침내 陶唐 이후로 인지까지 서술하였다.(於是卒述陶唐以來, 至於麟止.)"라고 하였다.

260 漢 武帝는 … 삭제하였으니: 『史記』 권12 「考證」에 "太史公(司馬遷)이 「景帝紀」를 지으면서 그 단점과

곤궁하면 통한다. 비록 한 명 사관史官의 책을 삭제하더라도 어찌 천하 사람들의 붓을 다 막을 수 있겠는가!"

[55-1-65]

問 : "馬遷旣漢武時人, 必能詳記武帝故實. 及觀「武紀」, 止言封禪禱祠神仙方士等事, 他全不及. 至八書中固有略及武帝者, 然「封禪書」不過又述武紀所言, 「平準書」又何獨詳述武帝生財法? 至「律書」言兵, 又言文帝而不及武帝. 遷謂夫子『春秋』, 於定哀也則微, 亦須略舉宏綱, 而或詳載或不載, 旣自不同. 若「武紀」猶可疑者."

물었다. "사마천司馬遷은 한 무제武帝 때 사람이어서 반드시 무제의 전고典故를 자세하게 기록할 수 있었을 것이다. 그러나 『사기史記』의 「무제기武帝紀」를 살펴보니 다만 봉선封禪·도사禱祠(기도 제사)·신선神仙·방사方士 등 일만 말하고 다른 것은 전혀 언급하지 않았다. 8권의 서書[261]에는 무제를 간략히 언급한 것이 있으나 「봉선서封禪書」에는 「무제기」에 말한 것을 또 기술한 데에 불과하였고, 「평준서平準書」에는 또 어찌 무제의 재산 증식하는 법만을 자세하게 기술하였는가? 심지어 「율서律書」에서 군사를 말하고 또 문제文帝를 말하면서 무제를 언급하지 않았다. 사마천은 공자孔子의 『춘추春秋』를 말하면서 정공定公·애공哀公에는 은미하게 하였고 또한 대강大綱을 간략히 들었으나 혹은 자세하게 기록하고 혹은 기록하지 않아 본래 같지 않다. 「무제기」와 같은 것은 여전히 의심스러워할 만한 것이다."

潛室陳氏曰 : "『史記』不專爲漢史, 乃歷代之史. 故其紀漢事略於『漢書』, 而紀武帝事獨詳. 若「封禪」「平準」二書, 雖謂之南史家風可也."[262]

잠실 진씨潛室陳氏[陳埴][263]가 말했다. "『사기』는 한漢나라 역사만 전적으로 쓴 것이 아니고 역대歷代의 역사이다. 그러므로 한나라 일을 기록한 것이 『한서漢書』보다 간략한데, 무제의 일을 기록한 것만은 자세하다. 「봉선서」·「평준서」2서書와 같은 것은 비록 남사가풍南史家風(직필을 쓰는 역사가 기풍)이라고 해도 될 것이다."

[55-1-66]

問 : "漢史上自「天文」·「地理」, 下至「溝洫」·「刑法」, 皆爲立志. 而選士之法最爲近古, 何乃不爲立志?"

. . . .
　　武帝의 과실을 많이 말하니 무제가 노하여 삭제하였다.(太史公作景紀, 極言其短及武帝過, 武帝怒而削去.)"
라고 하였다.
261　8권의 書:『史記』에는 「禮書」·「樂書」 등 書가 8권으로 편성되어 있다.
262　『木鍾集』권11 史
263　陳埴:자는 器之이고, 호는 木鍾이며, 潛室先生이라고 한다. 송대 永嘉(현 절강성溫州) 사람으로 通直郎을 역임하였다. 어려서는 葉適에게 배우고 나중에는 주희에게 배웠다. 저서는 『木鍾集』·『禹貢辨』·『洪範解』 등이 있다.

曰 : "『漢書』缺典處, 兵無志, 選舉無志. 爲太史公未作得此書, 故孟堅因陋就簡."[264]

물었다. "『한서漢書』는 위로 「천문지天文志」·「지리지地理志」부터 아래로 「구혁지溝洫志」·「형법지刑法志」까지 모두 지志를 만들었습니다. 그러나 선사選士의 법은 가장 고법에 가까운데 어찌하여 지志를 만들지 않았습니까?"

(잠실 진씨潛室陳氏[陳埴]가) 말했다. "『한서』의 결함된 곳은 「병지兵志」와 「선거지選舉志」가 없는 것이다. 태사공太史公이 이 글을 짓지 않았기 때문에 반맹견班孟堅(『한서』 저자 班固)이 좁은 소견에 의해 간략히 했던 것이다."

[55-1-67]

問 : "太史公作『史記』, 上自唐虞, 而八書之作, 止言漢事. 班孟堅作漢史合紀漢一代事, 而乃作「古今人表」, 何耶?"[265]

曰 : "八書未必皆言漢事. 獨「平準書」專言武帝, 其賛却說古今. 漢志雖爲一代作, 然皆自古初述起, 獨「古今人表」專說古而不說今. 自悖其名, 先輩嘗譏之. 中間科等分別人物, 又煞有可議. 此却班史之賛, 畫蛇添足."[266]

물었다. "태사공太史公이 『사기史記』를 지은 것은 위로 당·우唐虞로부터 하였는데 8서書의 저작은 한漢나라 일만 말하였습니다. 반맹견班孟堅이 『한서漢書』를 지으면서 한나라 한 시대 일을 합해 기록하여 「고금인표古今人表」를 지은 것은 어떻습니까?"

(잠실 진씨潛室陳氏[陳埴]가) 말했다. "8서書는 반드시 한나라 일만 모두 말한 것이 아니다. 다만 「평준서平準書」는 오로지 무제武帝만 말하였으나 그 찬賛에는 고금을 설명하였다. 『한서』의 지志는 비록 한 시대를 위한 저작이지만 모두 예부터 기술하기 시작하였는데 다만 「고금인표」에는 오로지 옛 것만 말하고 지금 것을 말하지 않았다. 그 명칭이 스스로 어긋나서 선배들이 비판한 적이 있었다. 중간에 등급을 먹여 인물을 분별한 것은 또한 매우 비평할만한 것이다. 이는 도리어 반맹견 역사의 찬賛이 뱀을 그리는 데에 발을 보탠 격이다."

字學　자학

[55-2-1]

程子曰 : "某寫字時甚敬. 非是要字好, 只此是學."[267]

---

264 『木鍾集』 권11 「史」
265 何耶? : 『木鍾集』 권11 「史」에는 이 두 글자가 없다.
266 『木鍾集』 권11 「史」

정자程子가 말하였다. "나는 글자를 쓸 때 매우 경건히 한다. 글자를 아름답게 하려는 것이 아니라, 다만 이것이 배움이기 때문이다."

[55-2-2]

問: "張旭學草書, 見擔夫與公主爭道, 及公孫大娘舞劒, 而後悟筆法, 莫是心常思念, 至此而感發否?"

曰. "然. 須是思, 方有感悟處. 若不思, 怎生得如此? 然可惜張旭留心於書, 若移此心於道, 何所不至?"[268]

물었다. "장욱張旭이 초서草書를 배운 것은 짐꾼이 공주公主와 길을 다투는 것과 공손대랑公孫大娘이 칼춤을 추는 것을 본 이후에 필법을 깨달았다고 하는데,[269] 마음에 항상 생각하면 이러한 경우에 이르러 감발하는 것입니까?"

(정자程子가) 대답했다. "그렇다. 반드시 생각하여야 느껴 깨닫는 것이 있게 된다. 만약 생각하지 않으면 어떻게 이와 같은 것을 낼 수 있겠는가? 그러나 애석하게도 장욱은 글씨에 마음을 두었으니 만약 이 마음을 도道로 옮겨갔다면 어느 경지인들 이르지 않았겠는가?"

[55-2-3]

張子曰. "草書不必近代有之. 必自筆劄已來便有之. 但寫得不謹便成草書, 其傳已久, 只是法備於右軍, 附以己書爲說. 旣有草書, 則經中之字, 傳寫失其眞者多矣. 以此『詩』·『書』之中, 字儘有不可通者."[270]

장자張子(張載)가 말하였다. "초서草書가 꼭 근대近代에 있던 것은 아니다. 반드시 필차筆劄[筆記]가 있은 이래로 바로 있었다. 다만 글씨 쓰기를 신중히 하지 않아 바로 초서를 이룩하고 그 전수함이 오래 되었는데 다만 서법書法이 우군右軍[王羲之]에게서 완비되고 자기의 글씨로 해설을 부쳤다. 초서가 생겨난 이후에는 경전經典의 글자를 전하여 옮겨 쓰는 데에 진실을 그르친 것이 많았다. 이 때문에 『시경詩經』·『서경書經』에서 글자가 통하지 않는 것이 있게 되었다."

---

267 『二程遺書』권3

268 『二程遺書』권18

269 張旭이 草書를 … 하는데 : 『新唐書』권202 「張旭列傳」에 "장욱이 스스로 말하기를 '과거에 공주와 짐꾼이 길을 다투는 것을 보고, 또 북소리와 피리소리를 듣고 필법의 뜻을 터득하였으며, 공손이 劍器로 춤추는 것을 보고 그 신묘함을 터득하였다.'(旭自言, '始見公主擔夫爭道, 又聞鼓吹而得筆法意, 觀倡公孫舞劍器, 得其神.')라고 하였다. 대랑은 唐나라 開元 연간에 살았던 敎坊의 저명한 舞妓였다. 공손대랑의 검무에 대해서는 杜甫의 「觀公孫大娘弟子舞劍器行」이란 시가 있다.

270 『張子全書』권7 「學大原下」

[55-2-4]

問 : "蒼頡作字, 亦非細人."

朱子曰 : "此亦非自撰出, 自是理如此. 如心性等字, 未有時, 如何撰得? 只是有此理, 自流出."[271]

물었다. "창힐蒼頡은 글자를 만들었으니 또한 일반 백성이 아닙니다."

주자朱子가 대답했다. "이는 또한 본래 지어서 나온 것이 아니라 본래 이치가 이와 같다. 예컨대 심心·성性 등의 글자가 없을 적에 어떻게 지어낼 수 있겠는가? 다만 이 이치가 있어서 본래 흘러나온 것이다."

[55-2-5]

"二王書, 某曉不得, 看著只見俗了. 今有箇人書得如此好俗. 法帖上王帖中亦有寫唐人文字底, 亦有一釋名底, 此皆僞者."[272]

(주자朱子가 말했다.) "이왕二王[273]의 글씨는 내가 이해하지 못하겠으니 살펴보면 다만 저속해 보인다.[274] 지금 사람들이 이렇게 글씨를 쓰는 것은 속된 글씨를 좋아해서이다.[275] 법첩法帖에서 왕첩王帖 중에는 역시 당唐나라 사람이 쓴 문장도 있고 『석명釋名』[276]을 쓴 것도 있으니 이것은 모두 위작한 것이다."

[55-2-6]

"字被蘇黃胡亂寫壞了. 近見蔡君謨一帖, 字字有法度, 如端人正士, 方是字."[277]

(주자朱子가 말했다.) "글자는 소식蘇軾·황정견黃庭堅의 혼란을 받아 파괴되었다. 근래 채군모蔡君謨[278]의 서첩書帖 하나를 보았는데 글자마다 법도가 있어 단정한 사람과 바른 선비라야 비로소 이 글자와 같을 것이다."

---

271 『朱子語類』 권140, 76조목

272 『朱子語類』 권140, 92조목

273 二王 : 晉나라 서예가 王羲之와 그의 아들 王獻之를 말함

274 저속해 보인다. : 원문 '俗了'에 대해 『朱子語類考文解義』 제38에는 "그 서법이 속되어 우아하지 못함을 본다.(俗了, 見其書法, 陋俗不雅.)"라고 하였다.

275 속된 글씨를 좋아해서이다. : 원문 '好俗'에 대해 『朱子語類考文解義』 제38에는 "속된 글씨를 좋아함을 말한다.(好俗, 言好是俗書也.)"라고 하였다.

276 『釋名』 : 『朱子語類考文解義』 제38에는 "문자의 명의를 해석한 것이니 『爾雅』·『釋名』 따위이다.(釋名, 解釋名義文字, 『爾雅』·『釋名』之類也.)"라고 하였다.
· 『釋名』은 한나라 劉熙가 찬한 것으로, 모두 8권이다. 訓詁字書의 하나로, 『逸雅』라고도 한다. 「釋天」, 「釋地」 등 27類로 나누어 기술하였다.

277 『朱子語類』 권140, 94조목

278 蔡君謨 : 宋나라 사람. 이름은 襄, 君謨는 자이다. 저명한 書法家·政治家였다. 시호는 忠惠. 저서로는 『蔡忠惠集』 등이 있다.(『宋史』 권320)

"山谷不甚理會得字, 故所論皆虛 ; 米老理會得, 故所論皆實. 嘉祐前前輩如此厚重. 胡安定於
義理不分明, 然是甚氣象!"[279]

(주자朱子가 말했다.) "산곡山谷(黃庭堅의 호)은 글자를 매우 잘 이해한 것은 아니므로 논의한 것이 모두
공허하지만, 미로米老[280]는 이해하였으므로 논의한 것이 모두 알차다. 가우嘉祐(宋 仁宗 연호. 1056~1063)
이전에는 선배들이 이와 같이 후중하였다. 호안정胡安定胡瑗은 의리義理에 분명하지 못하였으나 어떠한
기상氣象인가!"

[55-2-8]

"南海諸蕃書, 然有好者, 字畫遒勁, 如古鐘鼎款識. 諸國各不同, 風氣初開時, 此等事到處皆
有開其先者, 不獨中國也."
或問 : "古今字畫多寡之異."
曰 : "古人篆籒筆畫雖多,[281] 然無一筆可減. 今字如此簡約, 然亦不可多添一筆. 便是世變自
然如此."[282]

(주자朱子가 말했다.) "남해南海의 변방국邊方國들의 글자도 매우 아름다운 것이 있는데 글자 획이 굳세어
옛날의 종정관지鐘鼎款識[283]와 비슷하다. 여러 나라들이 각각 다른데 풍기風氣가 처음 시작되었을 때 이
들 일이 도처에서 모두 그 이전에 시작된 것이 있었지 중국中國만 그런 것이 아니다."
어떤 사람이 물었다. "금자今字와 고자古字의 자획字畫 수효가 다릅니다."
(주자朱子가) 대답했다. "옛사람들의 전서篆書와 주서籒書는 필획이 비록 많지만 하나의 필획도 뺄 수가
없다. 금자는 이와 같이 간략하지만 또한 하나의 필획도 늘려 더할 수가 없다. 이것은 세태 변화의
자연스러움이 이와 같이 한 것이다."

[55-2-9]

問 : "何謂書窮八法?"
曰 : "只一點一畫皆有法度. 人言'永字體具八法.'"
蔡行夫問 : "張于湖字, 何故人皆重之?"
曰 : "也是好. 但是不把持, 愛放縱. 本朝如蔡忠惠以前皆有典則. 及至米元章黃魯直諸人出

---

279 『朱子語類』 권140, 97조목
280 米老 : 宋나라 때의 서화가인 米芾의 존칭. 그는 특히 古書畫를 매우 좋아하여 고서화를 대단히 많이 수집하
　　였으므로, 그를 米家書畫船이라고 일컬었다.
281 籒 : 『朱子語類』 권140 102조목에는 '刻'으로 되어 있다.
282 『朱子語類』 권140, 102조목
283 鐘鼎款識 : 鐘鼎·石器 따위에 새겨진 문자로, 陰刻한 글자를 款, 陽刻한 글자를 識라 한다.

來, 便不肯恁地. 要之, 這便是世態衰下. 其爲人亦然."[284]

물었다. "어째서 글씨에는 팔법八法[285]을 다해야 한다고 합니까?"

(주자朱子가) 대답했다. "다만 한 점과 한 획에 모두 법도가 있다. 사람들은 '영永 글자 체體에 팔법이 갖추어져있다.'고 한다."

채행부蔡行夫가 물었다. "장우호張于湖[286]의 글씨는 무슨 까닭으로 사람들이 모두 중시합니까?"

(주자朱子가) 대답했다. "그것도 좋다. 다만 서법을 지키지 않고 방종放縱(자유스러움)을 좋아하였다. 우리 송나라에는 채충혜蔡忠惠(蔡襄)[287] 이전에 모두 전칙典則이 있었다. 미원장米元章[288]·황노직黃魯直(黃庭堅) 등 여러 사람들이 나와서는 이렇게 하기를 즐겨하지 않았다. 요컨대 세태가 쇠퇴한 데다가 사람 역시 그렇게 된 것이다."

[55-2-10]

問 : "明道先生云, '某寫字時甚敬, 非是要字好, 只此是學', 意謂此正在勿忘勿助之間也. 今作字忽忽, 則不復成字, 是忘也. 或作意令好, 則愈不能好, 是助也. 以此知持敬者, 正'勿忘勿助'之間也."

曰 : "若如此說, 則只是要字好矣, 非明道先生之意也."[289]

물었다. "명도明道 선생이 말하기를 '나는 글자를 쓸 때 매우 경건히 한다. 글자를 아름답게 하려는 것이 아니라, 다만 이것이 배움이기 때문이다.'라고 하였으니 생각해보면 바로 '잊지도 말고 조장하지도 말라.[勿忘勿助]'[290]는 사이에 있습니다. 지금은 글자를 쓰는 데에 빨리하면 다시 글자를 이루지 못하는데 이것이 망忘이고, 혹은 아름답게 쓰려고 하면 더욱 아름답게 되지 않는데 이것이 조助입니다. 이것에 의해 경건을 유지하는 이는 바로 '잊지도 말고 조장하지도 말라.'는 사이에 있는 것을 알겠습니다."

284 『朱子語類』 권140, 103조목

285 八法 : 永字八法. '永' 자 하나의 글자에 들어 있는 여덟 가지의 필법을 이른다. 즉, 맨 위의 점인 側, 가로획인 勒, 세로획인 努, 갈고리인 趯, 치켜 올리는 策, 삐침인 掠, 짧은 삐침인 啄, 파임인 磔을 말한다.

286 張于湖(1132~1170) : 송나라 張孝祥을 말함. '于湖'는 호이다. 남송의 저명한 문학가·書法家이다.

287 蔡忠惠(蔡襄, 1012~1067) : 송나라 仁宗 때 사람. 忠惠는 시호. 樞密直學士로 있다가 福州를 거쳐 泉州를 다스리면서 萬安渡에 큰 돌다리를 놓아 안전하게 건너다닐 수 있도록 하고 700리에 소나무를 심어 도로를 감싸 보호하도록 하니, 사람들이 비석을 세워 공덕을 기록하였다고 한다. 시문에 뛰어나고 역사에 밝았으며 글씨를 잘 썼다. 저서로는 『蔡忠惠集』 등이 있다.(『宋史』 권320)

288 米元章 : 송나라 米芾을 말함. '元章'은 자이다. 호는 海嶽外史·鹿門居士로 글씨와 그림에 뛰어났으며 禮部員外郞 등의 벼슬을 역임하였다. 『書史』·『畫史』 등 많은 저서가 있다.(『宋史』 권440)

289 『朱文公文集』 권58, 「答鄧衛老」

290 '잊지도 말고 … 말라.(勿忘勿助)' : 孟子가 사람이 의리를 쌓는 데 있어 급하게 서두르지 말고 하나하나 차근차근 쌓아 가라는 뜻에서 "반드시 하는 일이 있어야 하되, 결과를 미리 기약하지 말아서, 마음에 잊지도 말고 빨리 자라도록 돕지도 말라.(必有事焉而勿正, 心勿忘勿助長也.)"라고 한 데서 온 말이다.(『孟子』 「公孫丑上」)

(주자朱子가) 대답했다. "만일 이와 같이 말한다면 다만 글자를 아름답게 하려는 것이지 명도 선생의 뜻이 아니다."

[55-2-11]

問: "禮・樂・射・御・書・數, 書, 莫只是字法否?"

曰: "此類有數法; 如'日・月'字, 是象其形也; '江・河'字, 是諧其聲也; '考・老'字, 是假其類也. 如此數法, 若理會得, 則天下之字皆可通矣."[291]

물었다. "예禮・악樂・사射・어御・서書・수數에서 서書는 다만 글자 쓰는 법이 아닙니까?"

(주자朱子가) 대답했다. "이러한 부류는 몇 가지 방법이 있다. 예컨대 '일日・월月' 글자는 그 모양을 본떴고, '강江・하河' 글자는 그 소리를 어울리게 하였고, '고考・로老' 글자는 그 부류를 빌린 것이다.[292] 이와 같은 몇 가지 법으로 만일 이해한다면 천하의 글자를 다 통할 수 있다."

[55-2-12]

臨川吳氏曰: "聲音用三十六字母尚矣, 俗本傳訛而莫或正也. 群當易以芹, 非當易以威, 知徹娘四字宜廢, 圭缺群危四字宜增. 樂安陳晉翁以指掌圖爲之節要, 卷首有切韻須知. 於照穿娘下註曰, '已見某字母下.' 於經堅輕牽榮虔外, 別出扁涓傾圈瓊拳, 則宜廢宜增, 蓋已瞭然矣."[293]

임천 오씨臨川吳氏[吳澄][294]가 말했다. "성음聲音이 36자모三十六字母[295]를 사용한 지 오래되었는데 세속 책

---

291 『朱子語類』 권7, 25조목
292 '日・月' 글자는 … 것이다. : 漢字의 구조와 응용의 六書에서 象形・形聲・假借 세 가지를 제시한 것이다. 指事인 '上・下', 會意인 '武・信', 가차인 '令・長'은 제시되지 않았다. 주자는 가차를 '考・老'로 제시하였으나 許愼의 『說文解字』에서는 '考・老'를 轉注로, '令・長'을 가차로 제시하였다.
293 『吳文正集』 권17 「切韻指掌圖節要序」
294 吳澄(1249~1333) : 자는 幼淸이고, 이른바 草廬先生으로 불린다. 宋元 교체기 崇仁(현재 강서성) 사람으로 國子監司業翰林學士를 역임하였다. 시호는 文正이다. 그의 학문은 주로 주희와 육구연의 사상을 절충하는 경향이 있으며, 특히 주희 이래의 道統을 은연중에 자임하고 있다. 저서는 『學記』・『學統』・『書』・『易』・『春秋』・『禮記纂言』・『吳文正公集』・『孝經章句』 등이 있다.
295 等韻三十六母는 다음과 같다.(『欽定續通志』 권96 「七音略」 4)

牙　　見溪郡疑
舌頭　端透定泥
舌上　知徹澄孃
重脣　幫滂並明
輕脣　非敷奉微
齒頭　精清從心邪
正齒　照穿狀審禪
喉　　曉匣影喻

은 잘못 전해져서 바로잡지 못하고 있다. 군群은 마땅히 근芹으로 바꾸어야 할 것이고, 비非는 마땅히 위威로 바꾸어야 할 것이고, 지知·철徹·상牀·랑娘 4글자는 폐기해야 할 것이고, 규圭·결缺·군群·위危 4글자는 늘려야 할 것이다. 낙안樂安 진진옹陳晉翁이 『절운지장도절요切韻指掌圖節要』[296]를 지었는데, 책머리에 「절운수지切韻須知」를 놓았다. 소照·천穿·상牀·랑娘의 주석에 '이미 어느 자모子母에 보였다.' 라고 하고, 경經·견堅·경輕·견牽·경檠·건虔 이외에 별도로 경局·연涓·경傾·권圈·경瓊·권拳을 별도로 낸 것은 마땅히 폐기하거나 늘릴 것이 이미 명료한 것이다."

[55-2-13]

"倉頡字世謂之古文, 其別出者謂之古文奇字. 自黃帝以來, 至于周宣王, 二千年間, 中國所通行之字, 惟此而已. 史籒始略變古法謂之大篆, 李斯又略變籒法謂之小篆. 小篆·大篆·古文, 名則三, 實則小異而大同. 今世字書, 惟許氏『說文』最先. 然所篆皆秦小篆爾, 古文·大篆僅存一二. 宋薛氏集古鐘鼎之文爲『五聲韻』, 雖其所據有可信者, 有不可信者, 然使學者因是頗見三代以前之遺文, 其功實多."[297]

(임천 오씨臨川吳氏[吳澄]가 말했다.) "창힐蒼頡의 글자를 세상에서 고문古文이라 하고 별도로 나온 것을 고문기자古文奇字라고 한다. 황제黃帝 이래로 주 선왕周宣王까지 2천년 동안 중국에서 통용된 글자는 이것 뿐이었다. 사주史籒[298]가 처음으로 고문을 간략히 변경하였는데 이를 대전大篆이라 하고, 이사李斯[299]가 또 주서籒書를 간략히 변경하였는데 이를 소전小篆이라 한다. 소전·대전·고문이 명칭은 셋이지만 사실은 조금 다르면서 크게 같다. 지금 시대에 문자서文字書는 오직 허신許愼의 『설문해자說文解字』를 가장 우선시한다. 그러나 편집한 것은 모두 진秦나라 소전일 뿐이고 고문·대전은 겨우 열에 하나 둘을 남겼다. 송宋나라 설상공薛尙功[300]이 옛 종정문鐘鼎文을 수집하여 『오성운五聲韻』을 지었는데 비록 근거한 것이 믿을 만한 것과 믿을 만하지 못한 것이 있어도 학자들이 이것으로 말미암아 삼대三代 이전의 남긴 글을 상당히 보게 되었으니 그 공이 진실로 많다."

[55-2-14]

"秦丞相斯燔滅聖經, 負罪萬世, 而能損益倉史二家文字爲篆書, 至今與日月相曷煥, 是固不可

半舌 來
半齒 日

296 『切韻指掌圖節要』: 책 이름. 元 陳晉翁 撰. 宋 司馬光이 찬한 『切韻指掌圖』를 줄인 것이다. 『切韻指掌圖』의 原本은 잃어버리고 『永樂大全』에 수록되었다.

297 『吳文正集』 권16 「增廣鐘鼎韻序」

298 史籒: 周宣王 때 太史. 大篆을 만들어 15편의 『史籒篇』을 지었는데, 그 글씨체가 古文과 같은 것도 있고 다른 것도 있었다. 이로 인하여 이 글씨체를 籒書라고 하였다.(『晉書』 권36 「衛瓘列傳」)

299 李斯: 秦나라 사람. 小篆의 서체를 개발했다고 전해 온다.

300 薛尙功: 南宋 사람. 金石學者. 자는 用敏. 저술에 『歷代鍾鼎彝器款識法帖』 등이 있다.

以罪掩其功也. 斯誅之後, 工其書以名世者誰歟? 七八百年厪見唐李陽冰, 又二百年僅見宋初徐鉉而已. 宋人能者多於唐, 而表表者不一二, 噫. 何其孤也哉! 蓋亦有其故矣. 秦人苟簡煩碎峻迫以爲治, 壹惟刀筆吏是任, 至以衡石程其書. 厭篆書繁難, 省徑爲隷, 以便官府. 人惟便之趨, 則孰肯背時所向而甘心繁難者哉! 篆學之孤, 殆其勢之所必至. 噫, 篆之興繇於秦. 而篆之廢實亦繇於秦. 推所從來, 任吏之過也."301

(임천 오씨臨川吳氏[吳澄]가 말했다.) "진秦 승상丞相 이사李斯는 성경聖經을 불살라서 죄를 만대에 지었는데 창힐蒼頡·사주史籒 두 학자의 문자를 줄이거나 늘려서 전서篆書만들어서 지금까지 해·달과 서로 빛나지만 이는 진실로 죄를 그 공으로 덮어씌울 수 없는 것이다. 이사가 주살된 뒤에 그 글씨를 솜씨 부려서 세상에 이름이 난 이는 누구인가? 7백~8백년 만에 겨우 당唐나라 이양빙李陽冰302을 보고, 또 2백년 만에 겨우 송宋나라 초기의 서현徐鉉303을 볼 뿐이다. 송나라 사람 중에 능한 이는 당나라보다 많았고 특출한 이들도 하나둘이 아니었으나, 아, 얼마나 외로운 것인가! 또한 그 까닭이 있었던 것이다. 진秦나라 사람들은 구차하게 간략하며 번잡하고 엄준하며 압박함으로 다스렸고, 한결같이 도필리刀筆吏(문서를 처리하는 아전)에게 맡기고, 심지어 저울로 문서의 무게를 재어 다스렸다.304 전서篆書의 번잡하며 어려운 것을 싫어하고 생략하여 예서隷書를 만들에 관청에 편케 사용하였다. 사람들은 편리한 쪽을 향하니 누가 당시에 숭상하는 것을 기꺼이 저버리고 번잡하며 어려운 것을 마음에 달가워하겠는가! 전서 학풍의 외로움은 거의 그 형세에 필연적으로 올 것이었다. 아, 전서가 일어난 것이 진나라에 말미암았는데 전서가 폐기된 것도 실로 또한 진나라에 말미암았던 것이다. 그 유래를 추구해 보면 도필리에게 맡긴 과오이다."

[55-2-15]

"自隷興於秦, 而篆廢於漢, 其初不過圖簡便以適己而已. 漢隷之流爲晉隷, 則又專務姿媚以悅人, 妍巧千狀, 見者無不愛. 學者竭其精力以模擬之, 而患不似也. 夫字者, 所以傳經載道, 述史記事, 治百官, 察萬民, 貫通三才, 其爲用大矣. 縮之以簡便, 華之以姿媚, 偏旁點畫, 浸浸失眞, 弗省弗顧, 惟以悅目爲姝, 何其小用之哉! 漢晉而後, 若唐若宋, 聲明文物之盛, 各三百年, 頗有肯尋斯籒之緒, 上追科斗鳥迹之遺者, 視漢晉爲優, 然亦間見爾, 不易得也. 就二代而論, 唐之能者超於宋, 宋之能者多於唐."305

(임천 오씨臨川吳氏[吳澄]가 말했다.) "예서隷書가 진秦나라에서 일어나고 전서篆書가 한漢나라에서 폐기되

---

301 『呉文正集』 권34 「贈尹國壽序」
302 李陽冰 : 당 나라 때의 명필. 자는 蘇溫. 특히 玉筯體를 잘 썼다. 옥저체는 李斯가 만든 서체로서 小篆 중의 하나이다.(『全唐文』 권437)
303 徐鉉 : 송나라 사람. 자는 鼎臣. 벼슬이 散騎常侍에 이르렀다. 아우 徐鍇와 함께 文字學 및 篆隷에 밝았다.(『宋史』 권441 「徐鉉傳」)
304 저울로 문서의 … 다스렸다. : 秦始皇은 모든 업무를 직접 처결하였는데, 문서가 너무 많아서 저울에 무게를 달아 하루에 처리할 분량을 미리 정해 두고, 정량을 채우지 못하면 휴식하지 않았다.(『史記』 권6 「秦始皇本紀」)
305 『呉文正集』 권34 「贈番易吳岫雲序」

었는데 그 초기에는 간편하여 자기에게 맞게 하는 것을 꾀하는데 불과할 뿐이었다. 한나라 예서가 전하여 진晉나라 예서가 되니 또한 오로지 아름다움만 힘써 남을 기쁘게 하여 천태만상으로 교태를 부려 보는 이들이 좋아하지 않음이 없었다. 학자들은 정력을 다하여 본뜨면서 같지 않을까 우려하였다. 글자는 경전經典을 전하고 도道를 실으며 역사를 기술하고 일을 기록하며 백관을 다스리며 만민을 살펴서 삼재三才를 관통하는 것이니 그 쓰임이 크다. 간편함으로 압축하고 아름다움으로 빛내서 편방偏旁(한자의 상하좌우로 나뉜 획)과 점획點畫이 점차 참됨을 잃어가도 살피지 않고 돌아보지 않으면서 오직 보기에 기쁘도록 아름다움만 꾀하니 얼마나 작게 쓰이는 것인가! 한漢·진晉 이후로 당唐과 송宋은 교화와 문물의 성대함이 각각 3백 년이었는데, 이사李斯와 사주史籒의 단서를 기꺼이 찾고 위로 과두문자蝌蚪文字[306]·조충서鳥蟲書[307]의 남은 것을 추구한 것이 상당히 있어 한·진에 비하여 우월하지만 또한 간간히 볼 뿐이어서 쉽게 얻지 못한다. 두 시대에 대하여 논의하면 당이 능한 것은 송보다 뛰어나고 송이 능한 것은 당보다 많다."

科擧之學   과거지학

[55-3-1]

程子曰 : "漢策賢良, 猶是人舉之. 如公孫弘者, 猶强起之, 乃就對. 至如後世賢良, 乃自求舉耳. 若果有曰, '我心只望廷對, 欲直言天下事', 則亦可尚矣. 若志在富貴, 則得志便驕縱, 失志則便放曠與悲愁而已."[308]

정자程子가 말하였다. "한漢나라가 현량賢良[309]으로 책문策文과거를 보았으나 오히려 남이 천거한 것이다. 공손홍公孫弘 같은 이도 남들이 억지로 일으켜서 대책對策을 했던 것이다. 후세의 현량과에서는 자신이 천거해 줄 것을 요구하였다. 만약 이 중에 '내 마음이 다만 조정에서 대책하기를 바라서 천하의 일에 대해 직언하고 싶다.'고 하는 이가 있다면 또한 숭상할 만하다. 만약 뜻이 부귀에 있다면, 뜻만 얻으면 바로 교만하고 방종해지며, 뜻을 잃으면 바로 방종 활달하거나 비탄 수심에 빠질 뿐이다."

[55-3-2]

人有習他經, 旣而舍之, 習戴記. 問其故. 曰 : "決科之利也."

某曰[310] : "汝之是心, 已不可入於堯舜之道矣. 夫子貢之高識, 曷嘗規規於貨利哉? 特於豐約

306　蝌蚪文字 : 자획이 올챙이 모양처럼 생긴 오래된 古文字. 科斗는 곧 蝌蚪文字이다.
307　鳥蟲書 : 벌레와 새를 형상한 문자. 깃발이나 符信에 사용하는 글씨이다.(『說文解字』 권15上)
308　『二程遺書』 권1
309　賢良 : 漢文帝 때부터 시작된 과거 제도. 策文을 통해 직언과 極諫을 잘하는 사람을 뽑았는데, 賢良文學 혹은 賢良方正이라고도 하였다.

之間, 不能無留情耳. 且貧富有命, 彼乃留情於其間, 多見其不信道也. 故聖人謂之'不受命'. 有志於道者, 要當去此心, 而後可語也." 一云,[311]"明道知扶溝縣事, 伊川侍行. 謝顯道將歸應舉, 伊川曰, 「何不止試於太學?」顯道對曰, 「蔡人尠習『禮記』,[312]決科之利也.」先生因云,[313]顯道乃止."[314]

어느 사람이 다른 경서經書를 학습하다가 조금 뒤에 버리고 『대기戴記』(『예기禮記』를 뜻함)를 학습하였다. 그 까닭을 묻자 대답하기를 "과거 합격이 유리하기 때문입니다." 하였다.

선생이 말하였다. "너의 이 마음이 이미 요·순堯舜의 도에 들어가지 못하게 되었다. 자공子貢[315]의 높은 식견으로 어찌 재리財利를 구차하게 구했을까마는, 다만 넉넉하고 부족한 데에 마음을 두지 않을 수 없었을 뿐이다. 또 가난함과 부유함은 명이 있는 것인데, 그가 그 속에 마음을 두었으니 도를 믿지 않은 것을 알 수 있다. 그러므로 성인이 그를 '명을 받지 아니하였다.'고 하였다. 도道에 뜻을 둔 자는 마땅히 이 마음을 버린 뒤에라야 도를 말할 수 있다." 어느 본에는 말하기를 "명도明道가 지부-구현사知扶溝縣事일 적에 이천伊川이 모시고 갔다. 사현도謝顯道謝良佐가 장차 돌아가서 과거에 응시하려 하자, 이천이 '어찌하여 태학太學에 머물러 시험보지 않는가?'라고 하였다. 사현도가 '상채上蔡 사람들이 『예기禮記』를 적게 학습하는 것은 과거 합격이 유리하기 때문입니다.'라고 대답하자, 선생이 이어 설명하니, 사현도가 그쳤다."라고 하였다.

[55-3-3]

"人多說某不敎人習舉業, 某何嘗不敎人習舉業也? 人若不習舉業而望及第, 却是責天理而不脩人事. 但舉業, 旣可以及第即已, 若更去上面盡力求必得之道, 是惑也."[316]

(정자程子가 말하였다.) "사람들은 대부분 내가 사람들에게 과거 학업을 가르치지 않는다고 말하는데, 내가 어찌 사람들에게 과거 학업을 가르치지 않은 적이 있었는가? 사람들이 만약 과거 학업을 익히지 않고 급제하기를 바란다면 바로 천리天理를 구하면서 사람의 일을 수련하지 않는 것이다. 다만 과거 학업은 급제하고 나면 즉시 그칠 수 있으니 만약 다시 위를 향하여 힘을 다해 반드시 얻을 도를 구한다면 미혹된 것이다."

[55-3-4]

"或謂科擧事業奪人之功, 是不然. 且一月之中, 十日爲舉業, 餘日即可爲學.[317] 然人不志於

· ·

310 某曰:『二程遺書』권4에는 '先生曰'로 되어 있다.

311 一云:『二程遺書』권4에는 '一本云'으로 되어 있다.

312 尠:『二程遺書』권4에는 '鮮'으로 되어 있다.

313 因云:『二程遺書』권4에는 '云云'으로 되어 있다.

314 『二程遺書』권4

315 子貢: 孔子의 제자. 재물을 많이 모았다. 공자는 "賜(子貢)는 천명을 받지 않고 재화를 늘렸으나 헤아리면 자주 적중하였다.(賜不受命, 而貨殖焉, 億則屢中.)"라고 하였다.(『論語』「先進」)

316 『二程遺書』권18

317 即:『二程外書』권11에는 '足'으로 되어 있다.

此,[318] 必志於彼. 故科擧之事, 不患妨功, 惟患奪志."[319]

(정자程子가 말하였다.) "어떤 이가 과거 학업은 사람들의 공부를 빼앗는다고 말하는데, 그렇지 않다. 또 한 달 중에서 열흘만 과거 학업을 하면 남는 날에 바로 학업을 할 수 있다. 그러나 사람들은 후자에 뜻을 두지 않고 전자에 뜻을 둔다. 그러므로 과거 학업은 공부에 방해될까 염려하지 말고 오직 뜻을 빼앗길까 염려해야 한다."

[55-3-5]
龜山楊氏曰: "試敎授宏辭科, 乃是以文字自售. 古人行己, 似不如此. 今之進士, 使豪傑者出, 必不肯就. 然以謂舍此則仕進無路, 故爲不得已之計. 或是爲貧. 或欲緣是少試其才. 旣得官矣, 又以儌求榮達, 此何義哉!"[320]

구산 양씨龜山楊氏가 말하였다. "교수敎授 굉사과宏辭科[321]를 시험보는 것은 문자文子로 자신을 팔아먹는 것이다. 옛사람의 자기의 행위는 이와 같지 않았을 것이다. 지금의 진사進士는 호걸들을 나오게 한다면 반드시 즐겨 응시하지 않을 것이다. 그러나 생각해 보면 이를 버리면 벼슬에 나아갈 길이 없기 때문에 어쩔 수 없는 계책이 되는 것이다. 혹은 가난 때문에 하며[322] 혹은 이에 따라 조금 그 재주를 시험해 보려고 하는 것도 있다. 이미 관직을 얻고 나서도 또 요행으로 영달을 구하니 이는 무슨 의리인가!"

[55-3-6]
朱子曰: "今來專去理會時文, 少間身己全做不是, 這是一項人. 又有一項人, 不理會時文, 去理會道理, 少間所做底事, 却與所學不相關. 又有依本分, 就所見定是要躬行, 也不須去講學. 這箇少間只是做得會差, 亦不至大狼狽. 只是如今這般人, 已是大段好了."[323]

주자가 말하였다. "오늘날은 오로지 시속 글時文(科文)만 이해하여 잠깐 동안에 자신을 완전히 옳지 않게 하는 한 가지 부류의 사람들이 있다. 또한 어떤 부류의 사람들은 시속 글도 이해하지 못하면서 도리道理를 이해하려 하여 잠깐 동안에 행하는 일이 배운 것과 서로 관련되지 않는다. 또한 본분에 따라 아는 것[見定][324]을 몸소 시행하려 하면서 강학을 하지 않는다. 그러한 사람은 잠깐 동안에 착오가 날 수 있지

---

318 於: 『二程外書』 권11에는 '於' 글자가 없다.
319 『二程外書』 권11
320 『龜山集』 권10
321 宏辭科: 制科의 하나. 宏詞科라고도 한다. 唐에서 시작하여 宋·金에도 이어졌다. 『新唐書』 권45 「選擧志下」에 "인재를 선발할 때 기한이 차지 않았어도 시문 3편을 잘 지으면 그것을 굉사라고 하였다.(選未滿而試文三篇, 謂之宏辭.)"라고 하였다. 제과는 임시로 설치한 고시 과목을 가리킨다.
322 혹은 가난을 … 하며: 『孟子』 「萬章下」에 "벼슬함은 가난 때문이 아니지만, 때로는 가난 때문에 하는 경우가 있다.(仕非爲貧也, 而有時乎爲貧.)"라고 하였다.
323 『朱子語類』 권13, 139조목
324 아는 것[見定]: 이에 대해 『朱子語類考文解義』 제4에는 "見定은 見成과 같으니, 이미 이루고 이미 정한 규모

만 또한 큰 낭패에 이르지 않을 것이다. 단지 오늘날의 이러한 사람은 이미 매우 훌륭하게 되었다."

[55-3-7]

"義理人心之所同然, 人去講求, 却易爲力. 舉業乃分外事, 倒是難做. 可惜舉業壞了多少人."[325]
(주자가 말하였다.) "의리義理는 사람 마음에 똑같이 옳다고 여기는 것이니[326] 사람이 이것을 강구한다면 또한 쉽게 힘을 쓸 수 있다. 과거 학업은 본분 이외의 일이니 도리어 공부하기가 어렵다. 과거 학업이 많은 사람들을 망친 것이 애석하다."

[55-3-8]

"士人先要分別科舉與讀書兩件孰輕孰重. 若讀書上有七分志, 科舉上有三分, 猶自可 ; 若科舉七分, 讀書三分, 將來必被他勝却, 况此志全是科舉! 所以到老全使不著, 蓋不關爲己也. 聖人教人, 只是爲己."[327]
(주자가 말하였다.) "선비는 먼저 과거와 독서 두 가지에서 어느 것이 경미한지 어느 것이 소중한지 분별해야 한다. 만약 독서에 70%의 뜻을 두고 과거에 30%의 뜻을 두면 오히려 괜찮지만, 과거에 70%의 뜻을 두고 독서에 30%의 뜻을 두면 장차 반드시 그 과거에 정복당할 것이거늘 하물며 뜻이 온통 과거에만 있는 경우야 말할 것이 있으랴! 늙어서 전혀 쓸모없게 되는 까닭은 자신을 위하는 공부와 관계가 없기 때문이다. 성인이 사람들에게 가르치는 것은 다만 자기를 위하는 공부일 뿐이다."

[55-3-9]

或以不安科舉之業請敎.
曰 : "道二, 仁與不仁而已', 二者不能兩立. 知其所不安, 則反其所不安, 以就吾安爾. 聖賢千言萬語, 只是敎人做人而已. 前日科舉之習, 蓋未嘗不談孝弟忠信, 但用之非爾. 若擧而反之於身, 見於日用, 則安矣."[328]
어떤 사람이 과거 학업에 편안하지 못하여[329] 가르침을 청했다.
(주자가) 대답하였다. "도는 두 가지이니 인仁과 불인不仁뿐이다.'[330]라고 하였는데, 두 가지는 양립兩立할

....

를 말한다.(見定, 猶見成, 謂所已成已定之規模.)"라고 하였다.

325 『朱子語類』 권13, 140조목
326 義理는 사람 … 것이니 : 『孟子』 「告子上」에 "마음에 똑같이 옳게 여긴다는 것은 어떤 것인가? 理와 義를 말한다.(心之所同然者, 何也? 謂理也義也.)"라고 하였다.
327 『朱子語類』 권13, 141조목
328 『朱子語類』 권13, 142조목
329 어떤 사람이 … 못하여 : 이에 대해 『朱子語類考文解義』 제4에는 "과거 학업을 버려서 마땅히 제거하려 하는 것이다.(欲屛棄科擧, 宜除去.)"라고 하였다.
330 '도는 두 … 不仁뿐이다.' : 『孟子』 「離婁上」

수 없는 것이다. 편안하지 않은 것을 알았으면 그 편안하지 않은 것을 돌이켜서 내가 편안한 것으로 해야 한다. 성현의 수많은 말은 다만 사람을 가르쳐 사람이 되게 할 뿐이다. 지난날의 과거 학습은 효도·공경·충성·신의를 말하지 않은 적이 없었지만 다만 쓰임이 잘못되었을 뿐이다. 만약 과거 학업을 하면서 그것을 자신에게 돌이켜서 일상생활에 나타나게 하면 편안해진다."

[55-3-10]

"專做時文底人, 他說底都是聖賢說話. 且如說廉, 他且會說得好; 說義, 他也會說得好. 待他身做處, 只自不廉, 只自不義, 緣他將許多話只是就紙上說. 廉是題目上合說廉; 義是題目上合說義, 都不關自家身己些子事."[331]

(주자가 말하였다.) "오로지 시속 글을 짓는 사람도 그가 말하는 것은 모두 성현의 말이다. 가령 청렴함을 말하면 그는 설명이 아름답고, 의로움을 말하면 그는 설명이 아름답다. 그러나 그 자신의 행하는 것을 기다려보면 본래 청렴하지 못하고 본래 의롭지도 못하니, 그가 수많은 말씀을 다만 종이에다 쓰기만 했기 때문이다. 청렴함은 제목에서만 청렴해야 한다고 말하고, 의로움은 제목에서만 의로워야 한다고 말하니, 도무지 자기 자신의 일과 조금도 관련이 없다."

[55-3-11]

告或人曰: "看今人心下自成兩樣. 如何却專向功名利祿底心去, 却全背了這箇心, 不向道理邊來? 公今赴科擧是幾年? 公文字想不爲不精, 以公之專一理會做時文, 宜若一擧便中高科, 登顯仕都了. 到今又却不得, 亦可自見得失不可必如此. 若只管沒溺在裏面, 都出頭不得, 下梢只管衰塌. 若將這箇自在一邊, 須要去理會道理是要緊, 待去取功名, 却未必不得."[332]

(주자가) 어떤 사람에게 말하였다. "오늘날 사람들의 마음을 살펴보면 본래 두 가지 양태를 이루고 있다. 어찌하여 오로지 공로, 명예, 이익, 녹봉으로만 마음이 향하고 이 마음을 완전히 등져서 도리를 향하지 않는가? 귀하가 지금 과거에 응시한 것이 몇 년인가? 귀하의 저술은 생각건대 정밀하지 않은 것이 아니니, 귀하가 시속 글을 전념하여 이해한 것으로는 한 번 응시에 바로 높은 등급으로 합격하여 빛나는 벼슬에 올랐어야 할 것이다. 지금까지 그렇게 되지 못했으니 또한 성공과 실패를 장담할 수 없는 것이 이와 같음을 알 수 있다. 만약 그 속에 빠져 들어갈 뿐이면 도무지 헤어날 수가 없어 결국 추락할 뿐이다. 만약 과거 학업을 한쪽에다 두고 도리를 이해하기를 요긴하게 하고 명성을 얻기를 기다린다면 반드시 터득하지 못하지는 않을 것이다."

[55-3-12]

"專一做擧業工夫, 不待不得後枉了氣力, 便使能竭才去做, 又得到狀元時, 亦自輸却這邊工夫

331 『朱子語類』 권13, 143조목
332 『朱子語類』 권13, 144조목

了. 人於此事, 從來只是强勉, 不能捨命去做, 正似今人强勉來學義理. 然某平生窮理, 惟不敢自以爲是."[333]

(주자가 말하였다.) "전념하여 과거 공부를 하는 경우 합격하지 못한 후에 기력을 완전히 소진해서는 안 되고, 바로 재능을 다해 공부하여 또한 장원狀元[334]으로 과거에 합격하였을 때는 또한 스스로 이 과거 공부에 헌신한 것이다. 사람들은 과거 공부에 지금까지 억지로 힘썼을 뿐 목숨을 걸고 노력하지 않았으니, 바로 오늘날 사람들이 억지로 의리를 배우려고 힘쓰는 것과 비슷하다. 그러나 나는 평소 이치를 연구하여 감히 스스로 옳다고 하지 않았다."

"士人亦有略知向者, 然那下重掉不得, 如何知此下事? 如今凝神靜慮, 積日累月如此, 尚只今日見得一件, 明日見得一件, 未有廓然貫通處. 况彼千頭萬緖支離其心, 未嘗一日用其力於此者耶?"[335]

(주자가 말하였다.) "선비 중에도 역시 어느 정도 학문을 향할[336] 줄 아는 사람들이 있으나, 과거 공부[337]가 소중해 움직이지 못하니, 어떻게 우리의 학문[338]을 알 수 있겠는가? 지금 정신을 집중하고 생각을 침착하게 하고 많은 세월을 이렇게 하여도 오히려 다만 오늘 한 가지를 깨닫고 내일 한 가지를 깨달을 뿐이고 넓게 하나로 꿰뚫지 못한다. 하물며 천만 가지로 마음을 번잡하게 하면서 하루도 여기에 힘쓴 적이 없는 경우야 말할 것이 있으랴?"

[55-3-13]
"科擧累人不淺, 人多爲此所奪. 但有父母在, 仰事俯育, 不得不資於此, 故不可不勉爾. 其實甚奪人志."[339]

(주자가 말하였다.) "과거 공부는 사람을 구속함이 적지 않아 사람들이 대부분 이것에 의지를 꺾인다. 다만 부모가 살아 있으면 부모를 모시고 처자를 양육하기 위해 할 수 없이 이것에 의지해야 하므로, 힘쓰지 않을 수 없다. 그러나 사실은 사람의 의지를 심하게 빼앗는다."

---

333 『朱子語類』 권13, 146조목

334 狀元: 1등. 시험지 중에서 으뜸이라는 뜻이다. 한국에서는 壯元으로 쓴다.

335 『朱子語類』 권13, 149조목

336 학문을 향할: 원문 '向'에 대해 『朱子語類考文解義』 제4에는 "向은 학문을 향함이다.(向, 向學.)"라고 하였다.

337 과거 공부: 원문 '那下'에 대해 『朱子語類考文解義』 제4에는 "'那下'는 과거를 가리킨다.(那下, 指科擧.)"라고 하였다.

338 우리의 학문: 원문 '此下事'에 대해 『朱子語類考文解義』 제4에는 "'此下事'는 우리 학문을 가리킨다.(此下事, 指吾學.)"라고 하였다.

339 『朱子語類』 권13, 152조목

[55-3-14]

"以科擧爲爲親, 而不爲爲己之學, 只是無志. 以擧業爲妨實學, 不知曾妨飮食否, 只是無志也."[340]

(주자가 말하였다.) "과거 학업을 부모를 위해 한다고 하면서 자신을 위한 공부를 하지 않는 것은 다만 의지가 없는 것이다. 과거 학업이 진실한 학문을 방해한다고 생각하는 것은 음식이 방해하는 것을 모르는 것이니, 다만 의지가 없을 뿐이다."

[55-3-15]

或以科擧作館廢學自咎者.

曰 : "不然. 只是志不立, 不曾做工夫爾. 孔子曰, '不怨天, 不尤人', 自是不當怨尤, 要做甚耶? 伊川曰, '學者爲氣所勝, 習所奪, 只可責志,' 正爲此也. 若志立, 則無處無工夫, 而何貧賤患難與夫夷狄之間哉!"[341]

어떤 사람이 과거 시험과 관청 일[342]로 학문을 그만두었다고 자신을 허물하는 이가 있었다.

(주자가) 말하였다. "그렇지 않다. 다만 의지가 확립되지 않고 공부를 해본 적이 없을 뿐이다. 공자孔子는 '하늘을 원망하지 않고 남을 탓하지 않는다.'[343]라고 하였다. 자신이 하늘을 원망하거나 남을 탓하지 않아야 한다면 어떻게 행해야 하겠는가? 이천伊川이 '배우는 사람이 기질에 정복되고 습관에 빼앗기면 다만 의지를 나무랄 뿐이다.'[344]라고 하였는데, 바로 이것을 두고 한 말이다. 만약 의지가 확립된다면 어느 곳이건 공부 못할 것이 없으니 어찌 빈천 환난과 오랑캐가 있어 이를 가로막겠는가!'

[55-3-16]

"擧業亦不害爲學. 前輩何嘗不應擧? 只緣今人把心不定, 所以有害. 纔以得失爲心, 理會文字, 意思都別了."[345]

(주자가 말하였다.) "과거 학업도 학문을 하는 데에 해롭지 않다. 선배들이 어찌 과거에 응시하지 않은 적이 있었던가? 다만 요즈음 사람들은 마음을 잡음이 안정되지 못하기 때문에 해롭게 되는 것이다. 합격하고 떨어지는 데에 마음을 두자마자 글을 이해하는 데에 생각이 전혀 다르게 된다."

. . . .

340 『朱子語類』 권13, 154조목
341 『朱子語類』 권13, 155조목
342 관청 일 : 원문 '作館'에 대해 『朱子語類考文解義』 제4에는 "作館은 아마 관청에서 일함을 말하는 듯하다.(作館, 疑謂作館舍.)"라고 하였다.
343 '하늘을 원망하지 … 않는다.' : 『論語』 「憲問」
344 '배우는 사람은 … 뿐이다.' : 『二程遺書』 권15
345 『朱子語類』 권13, 156조목

[55-3-17]

嘗論科舉云 : “非是科舉累人, 自是人累科舉. 若高見遠識之士, 讀聖賢之書, 據吾所見而爲文以應之, 得失利害置之度外, 雖日日應舉, 亦不累也. 居今之世, 使孔子復生, 也不免應舉, 然豈能累孔子耶! 自有天資不累於物, 不須多用力以治之者. 某於科舉, 自小便見得輕, 初亦非有所見而輕之也. 正如人天資有不好啖酒者, 見酒自惡, 非知酒之爲害如何也. 又有人天資不好色者, 亦非是有見如何, 自是他天資上看見那物事無緊要. 若此者, 省得工夫去治此一項. 今或未能如此, 須用力勝治方可.”[346]

(주자가) 일찍이 과거를 논의하였다. “과거가 사람을 얽매는 것이 아니라, 스스로 사람이 과거에 얽매이는 것이다. 만약 높은 견해와 큰 학식을 가진 선비가 성현의 책을 읽고 자신의 견해에 근거하여 글을 지어 과거에 응시하면서 이해득실을 생각하지 않는다면, 비록 날마다 과거에 응시한다고 하더라도 또한 얽매이지 않는다. 지금 세상에서는 공자孔子가 다시 태어나더라도 역시 과거시험을 피할 수 없을 텐데 그러나 어찌 공자를 얽맬 수 있겠는가! 본래 타고난 바탕이 외물에 얽매이지 않아서 많이 노력할 필요 없이 다스릴 수 있는 사람이 있다. 나는 과거시험에 대해 어려서부터 경시했지만 애초에 견해가 있어서 경시한 것은 아니다. 바로 타고난 바탕에 술을 마시기를 좋아하지 않는 사람은 술을 보기만 해도 저절로 싫어하게 되니, 술의 폐해가 알아서 하는 것이 아니다. 또한 타고난 바탕에 여색을 좋아하지 않는 사람은 또한 어떠한 소견이 어떠한지에 있어서가 아니라, 절로 타고난 바탕이 그 사물을 긴요하게 보지 않기 때문이다. 이와 같은 사람은 공부를 하여 이 한 가지를 다스려야 한다. 지금 이와 같은 것을 못한다면 반드시 힘써 다스려야 비로소 가능하다.”

[55-3-18]

問 : “許叔重太貪作科舉文字.”

曰 : “旣是家貧親老, 未免應舉, 亦當好與他做舉業. 舉業做不妨, 只是先以得失橫置胷中, 却害道.”[347]

물었다. “허숙중은 과거 시험 문장 짓기를 너무 탐닉합니다.”

(주자가) 대답하였다. “집이 가난하고 부모가 연로하시면 과거응시를 피할 수 없으니, 또한 그에게 과거 학업을 하게 하는 것이 좋을 것이다. 과거 학업을 하는 것은 해롭지 않으니, 다만 미리 합격과 불합격을 가슴속에 엇갈려 둔다면 바로 도를 해치게 된다.”

[55-3-19]

或問科舉之學.

曰 : “做舉業不妨. 只是把格式, 隄栝自家道理, 都無那追逐時好·回避·忌諱底意思, 便好.”[348]

---

346 『朱子語類』 권13, 157조목
347 『朱子語類』 권13, 158조목

어떤 사람이 과거 학업을 물었다.

(주자가) 대답하였다. "과거 학업을 하는 것은 해롭지 않다. 다만 과거의 격식을 가지고 자신의 도리를 바로잡아서, 전혀 당시의 유행을 따르고 회피하고 꺼리는 마음이 없으면 좋다."

[55-3-20]

北溪陳氏曰: "聖賢學問, 未嘗有妨於科擧之文. 理義明, 則文字議論益有精神光采. 躬行心得者有素, 則形之商訂時事敷陳治體, 莫非溢中肆外之餘. 自有以當人情中物理, 藹然仁義道德之言, 一一皆可用之實也."[349]

북계 진씨北溪陳氏[陳淳]가 말하였다. "성현의 학문은 과거 글에 해로운 적이 없었다. 이의理義가 밝으면 문자의 논의는 더욱 정신적 광채가 있게 된다. 몸소 시행하여 마음에 터득한 것이 평소에 있으면 형체가 시사時事를 헤아려 정정하고 정치 요체를 펼쳐서 표현함이 마음에서 넘쳐나서 밖으로 베풀지 않는 것이 없다. 저절로 사람의 정이 사물 이치에 맞아서 성대하게 인의도덕仁義道德의 말이 하나하나 모두 사용할 수 있는 실상이다."

[55-3-21]

潛室陳氏曰: "應擧求合程度, 此乃道理當爾. 乃若不合程度而萌僥倖之心; 不守尺寸而起冒爲之念, 此則妄矣. 應擧何害義理? 但克去此等妄念, 方是眞實擧子."[350]

잠실 진씨潛室陳氏[陳埴]가 말했다. "과거 응시에 합격기준을 맞추려고 하는 것이 도리에 마땅한 것이다. 합격기준을 맞추지 않고 요행스러운 마음을 내거나 조금도 지켜나가는 것이 없이 무릅쓰고 할 생각을 일으키면 이것은 허망한 것이다. 과거 응시가 어찌 의리義理에 해로운가? 다만 이러한 허망한 생각을 제거해야 비로소 진실한 응시자인 것이다."

[55-3-22]

雙峯饒氏曰: "義理與擧業初無相妨. 若一日之間, 上半日將經傳討論義理, 下半日理會擧業, 亦何不可? 況擧業之文, 未有不自義理中出者! 若講明得義理通透,[351] 則識見高人,[352] 行文條暢, 擧業當益精. 若不通義理, 則識見凡下, 議論淺近, 言語鄙俗, 文字中十病九痛, 不自知覺, 何緣做得好擧業? 雖沒世窮年從事於此, 亦無益也."[353]

· ·

348 『朱子語類』 권13, 160조목

349 『北溪大全集』 권15 「似學之辨」

350 『木鍾集』 권10

351 若講明得義理通透: 『雙橋隨筆』 권4에는 '若講明通透'로 되어 있어 '得義理'가 없다.

352 高人: 『雙橋隨筆』 권4에는 '高明'으로 되어 있다.

353 『雙橋隨筆』 권4

쌍봉 요씨雙峯饒氏[354]가 말하였다. "의리義理와 과거 학업은 애초에 서로 해침이 없었다. 만약 하루 중에 오전 반나절은 경전經傳의 의리를 토론하고, 오후 반나절은 과거 학업을 하면 또한 어찌 옳지 않겠는가? 하물며 과거 학업의 글은 의리에서 나오지 않은 것이 없지 않겠는가! 만일 강론해 밝혀서 의리가 통하게 되면 식견이 고명해지고 지은 글이 창달하게 되어 과거 학업이 더욱 정밀하게 될 것이다. 만약 의리가 통하지 못하게 되면 식견이 낮아지고 논의가 천근해지며 언어가 비속해져서 문자 중에 온통 결함이 있어도 스스로 깨닫지 못하니 무엇에 말미암아 훌륭한 과거 학업을 할 수 있겠는가? 비록 죽을 때까지 나이가 다하도록 여기에 종사해도 또한 유익함이 없을 것이다."

· · · · · · · · · · · · · · · · ·

354 雙峯饒氏: 饒魯. 남송의 성리학자이다. 자는 伯興 또는 仲元, 시호는 文元이다. 쌍봉은 그의 호이고 江西省 饒州 餘干 사람이다. 주희의 문인 黃榦과 李燔을 사사하였으며, 朋來館과 石洞書院을 세워 후학을 양성하였다.

해제解題

성리대전 권47 「학 5學五 : 지경持敬, 정靜, 성찰省察」 해제

　　권47에서는 권46에 이어서 존양存養의 문제 가운데 지경持敬과 정靜을 다루고 이어서 성찰省察의 문제를 다루고 있다. 먼저 지경持敬에 대하여 장남헌, 황면재黃勉齋, 진북계陳北溪, 진서산眞西山, 위학산魏鶴山, 허노재, 오임천, 주자의 말이 보이고, 이어서 성찰省察에 대해서는 장횡거, 주자, 장남헌, 황면재黃勉齋와 허노재許魯齋의 말이 보인다.

　　장남헌張南軒 또한 배움에서 경을 강조하지만 조장해서는 안 된다는 점을 말하고 있다. "만약 경敬을 하나의 사물로 생각하여 하나의 사물로 하나의 사물을 다스린다면, 무익할 뿐 아니라 오히려 해가 될 뿐이다. 맹자가 말한 반드시 일삼으면서 효과를 기대하려고 하는 것으로 결국에는 조장하는 병통이 될 뿐이다."(若謂敬爲一物, 將一物治一物, 非惟無益而反有害. 乃孟子所謂必有事焉而正之, 卒爲助長之病)

　　황면재黃勉齋는 "경은 허령지각虛靈知覺을 묶는 것"이라고 말하고 그것을 횃불은 단단히 묶었을 때 불길이 위로 타오르고, 꼭 묶지 않으면 흩어져 꺼지는 것과 같다는 말로 비유하고 있다. 그는 주로 '경敬을 두려워하는 것에 가깝다고 말한다. 두려움이 곧 경이니, 경敬할 수 있다면 정제엄숙할 수 있고, 정제엄숙하면 경할 수 있고, 경하면 어두워지지 않고 혼란스럽지 않게 된다는 의미이다.

　　진북계陳北溪는 경을 리理와 관련해서 말한다. "마음이 여기에 있으면 모든 리理가 그 속에 가득하게 되니, 옛사람들이 '경敬은 덕이 모이는 것이다.'라고 한 것이 바로 이것이다."(心纔在這裏, 則萬理森然於其中, 古人謂敬德之聚, 正如此.)라고 말한다. 그래서 격물치지格物致知하는 데에도 경敬해야 하고, 정심성의正心誠意하는 데에도 경해야 한다. 또한 가정을 다스리고 나라를 다스리고 천하를 화평하게 하는 데에도 경해야 한다. 그러므로 "경敬이라는 것은 하나의 마음의 주재이고 모든 일의 근본이다."이라고 한다.

　　진서산眞西山은 진한秦漢 이래 유학자들은 모두 경敬이 학문의 근본임을 알지 못하였는데 정자程子에 이르러 비로소 이를 말했고, 이어서 주자가 그 뜻을 밝힌 공이 크다고 말한다. 진서산은 "지난 옛날 수백의 성인이 서로 전했으니, 경敬이라는 한 글자가 실제로 그 심법心法이다. 천하의 리理는 오직 중中이 지극히 올바르고, 오직 성誠만이 지극히 궁극적이다. 그러나 경敬이 중中할 수 있는 근거이니, 경敬하지 않으면 중中이 없다. 경敬한 뒤에 성誠할 수 있고, 경敬하지 않으면 성誠할 수 있는 것이 없다."고 하였다.

　　임천오씨臨川吳氏도 이정형제가 이미 끊어진 데에서 성인이 전한 것을 이어받고서, 경敬이라는 한 글자를 성인이 되는 계단으로 삼았는데, 이것을 한당漢唐 시대 유학자들이 알지 못한 것이라고 말한다. 또 주자가 그것을 계승하여 직접 이것을 가리켜서 한 마음의 주재이고 모든 일의 근본이라고 했으니 배우는 사람들에게 보여준 것이 절실하다고 하였다.

그리고 정靜과 정좌의 문제를 다루고 경敬은 동정動靜을 관통하여 이루어야한다고 말하고 있다. 고요함과 정좌靜坐에 대한 물음에 대해 주자는 학문을 닦고 일에 임했을 때 효력을 얻지 못한 것은 진실로 그 고요함 가운데의 공부가 부족하기 때문이라고 말한다. "그러나 움직임을 버리고 고요함을 구하려고 하면 또 그렇게 될 리는 없다. 대체로 사람의 몸과 마음에는 움직임과 고요함이라는 두 가지가 순환하며 반복하고 있으니 그렇지 않은 때가 없다. 다만 항상 그 마음을 보존하여 잊고 잃어버리지 않도록 해야 하니, 그렇게 하면 움직임에 따르고 고요함에 따라서 힘써야 하지 않을 곳이 없다."고 하고 여기에서 그는 "결국에는 역시 하나의 경敬일 뿐이다."고 하였다.

계속해서 황면재黃勉齋(黃榦)와 진잠실陳潛室(陳塤) 등의 마음의 고요함에 대한 말이 간략하게 소개되어 있다. 진잠실은 "사물을 보고 내면을 이해하는 것은 고요한 자만이 능할 수 있으니, 분명 성인이 이와 같다. 그러나 내 마음이 어찌 이 경계를 보지 못할 수 있겠는가? 고요함은 성현을 구분하지 않는다."고 하여 누구라도 고요함의 경계를 볼 수 있음을 말하고 있다.

그리고 성찰省察의 문제를 말한다. 성찰에 대해 주자는 사단四端과 관련하여 말하고 있다. 왜냐하면 사람들은 측은지심과 수오지심 등이 발현되는 곳을 가지고 있으면서 성찰하지 않고 있기 때문이다. 만약 일상생활 속에서 이 사단을 성찰하여 그것을 잡아 보존하고 함양해 나가는 것이 중요하다는 말이다.

성찰은 진실하지 못한 자기기만을 피하는 일과 관련된다. 그래서 주자는 사람들이 물욕에 빠지거나 자신이 가진 병통을 알지 못하는 것은 성찰하지 않았기 때문이라고 말한다. 그는 인간은 고명하지만, "물욕에 얽매이므로 고명함에 가려짐이 있다. 만약 항상 스스로 성찰하고 경계하여 깨달으면 고명함과 광대함이 항상 그러하여 덧붙이고 덜어내는 것이 있지 않다."고 한다.

주자는 성찰의 문제와 경敬을 연결시켜 말하고 있다. "고요한 가운데서 사사로운 뜻이 멋대로 생겨나는데, 이것은 배우는 사람들의 공통된 근심이다. 스스로 이것을 성찰省察하는 것은 쉽게 얻을 수 없다. 마땅히 경敬을 위주로 하고, 사사로운 뜻이 싹트는 것이 대부분 무슨 일 때문인지를 깊이 살펴, 그 중요한 곳에 나아가서 징계하여 막아 나가기를, 오래도록 순수하고 익숙하게 하면 저절로 마땅히 효과를 보게 된다."(靜中私意橫生, 此學者之通患. 能自省察至此, 甚不易得. 此當以敬爲主, 而深察私意之萌多爲何事, 就其重處痛加懲窒, 久之純熟, 自當見效.)고 하여 경을 바탕으로 하여 하나하나 단계적으로 자신을 경계하고 사욕을 막아 나가야 하는 것에 대해 말하고 있다.

주자는 계속해서 '불러 깨우는喚醒' 공부에 대해서 말하고 있다. 주자는 "배우는 사람의 공부는 단지 불러 깨우는 데에 있다." 어떤 사람이 "사람이 방심하여 늘어질 때 스스로 수렴하면 불러 깨우는 것입니까?" 하고 묻자 주자는 "방심하여 늘어지는 것은 어둡기 때문이다. 불러 깨울 수 있다면 저절로 어둡지 않다. 어둡지 않다면 저절로 방심하여 늘어지지 않는다."고 대답하였다. 또 주자는 "마음은 단지 하나의 마음이지 하나의 마음으로 하나의 마음을 다스리는 것은 아니다. 보존한다는 것이나 수렴한다는 것은 단지 불러 깨우는 것이다."라고 하여 잠자고 있는 마음을 불러 깨우는 것의 중요성에 대해 말하고 있다.

성찰의 문제는 사사로움을 극복하는 일이기도 하다. 어떤 제자가 평상시에 사사로운 뜻이 생겨 나서 즉시 깨닫고 통렬하게 억누르지만, 결국에는 아무런 일도 일어나지 않게 할 수 없어서 괴롭 다는 말에 주자는 다음과 같이 답한다. "오직 이 마음에 주재가 없기 때문에 사사로운 뜻이 이기게 된다. 만약 항상 성찰省察하여 양심이 항상 있게 하면 이 사사로운 뜻이 밖에서 들어오는 것을 간파할 수 있다. 설령 발하여 움직이는 것이 있을지라도, 단지 주인이 손님을 대하고, 편안함이 수고로움을 대하듯이 하여 자신이 여기에서 또한 그것을 허용하지 않게 된다. 이 일은 반드시 평상시에 공부해야 하지, 그것이 일어난 뒤에 성찰하면, 해결할 수가 없다."(惟其此心無主宰, 故爲 私意所勝. 若常加省察, 使良心常在, 見破了這私意只是從外面入. 縱饒有所發動, 只是以主待客, 以逸待勞, 自家這裏亦容他不得. 此事須是平日著工夫, 若待他起後方省察, 殊不濟事.)

장남헌은 끊임없는 성찰省察에 대해 말하고 있다. 그는 "성찰한 후에 극복한다. 극복하고서 또 성찰한다. 마땅히 순환하는 것이다."라고 하여 성찰을 통하여 사념을 극복하고 또 성찰하여야 하는 순환을 말하고 있다. 왜냐하면 성찰하여 극복하였다고 하여도 연이어 또 다른 사념이 발생하 기 때문이다.

연이어 황면재黃勉齋와 허노재許魯齋의 말이 나온다. 황면재는 "리의理義의 정미함과 심술心術의 은미함에 매우 미세하더라도, 천리天理와 인욕人欲의 구분과 군자와 소인의 판별은 이로부터 결정 되니, 성찰하지 않을 수가 없다."(理義之精微, 心術之隱奧, 所差甚微, 而天理人欲之分, 君子小人 之判, 自此而決, 不可不察也.)고 하여 성찰의 중요성을 강조한다.

허노재는 "보통사람의 눈은 이로움을 보면서 해로움은 보지 못하고, 얻음을 보면서 잃음을 보지 못하여, 감정을 따르고 욕심을 극대화하는 것을 자신에게 유익하다고 생각하고 마음을 보존하고 성性을 기르는 것을 질곡이라고 여겨서, 덕을 잃고 몸을 잃지 않으면 그치지 않는다. 오직 군자만 이 미세한 것을 보고 드러난 것을 알 수 있고, 인욕人欲이 싹트려는 것을 막을 수 있다."(庸人之目, 見利而不見害, 見得而不見失, 以縱情極欲爲益已, 以存心養性爲桎梏, 不喪德殞身而不已. 惟君子 爲能見微而知著, 遏人欲於將萌.)고 하였다. 여기에서 허노재는 인욕人欲이 싹트려는 것을 볼 줄 아는 눈을 기르는 것이 중요하다고 역설한다.

성리대전 권48 「학 6學六 : 지행知行, 언행言行, 치지致知」 해제

권48은 앎과 행동에 대해 말하고 언행言行의 문제를 덧붙이고 있다. 먼저 정자는 "지식이 행위하는 것 앞에 있어야 한다. 비유하자면 길을 걸을 때 반드시 빛을 비추어야 하는 것과 같다."(須是識在所行之先. 譬如行路, 須得光照.)고 하여 앎의 중요성을 말하고 있다.

정자는 올바르게 아는 자는 반드시 그 아는 것을 실천한다고 말한다. 이 때문에 그는 "알면서도 행할 수 없는 자는 없으니, 알고서 행할 수 없는 자는 앎이 지극하지 않기 때문이다."(未有知之而不能行者, 謂知之而未能行, 是知之未至也.)라고 말한다. 앎을 온전하게 하여야 올바름을 지키는 것이 견고해 질 수 있다고 말한다.

주자도 앎과 행함의 관계에 대해 말하고 있다. "앎과 행함은 항상 서로 의지하니 눈은 다리가 없으면 갈 수 없고, 다리는 눈이 없으면 볼 수 없는 것과 같다. 선후를 논하자면 앎이 먼저이지만, 경중을 논하자면 행함이 중하다."(知行常相須, 如目無足不行, 足無目不見. 論先後, 知爲先, 論輕重, 行爲重.)고 하여 지행知行을 선후와 경중으로 나누고 있다.

주자는 지행의 문제를 궁리窮理와 함양涵養의 관점에서 말하고 있다. "함양 가운데에 본래 궁리의 공부가 있으니, 그 함양하는 이치를 궁리한다. 궁리 가운데에는 본래 함양의 공부가 있으니, 그 궁리한 이치를 함양한다."(涵養中自有窮理工夫, 窮其所養之理. 窮理中自有涵養工夫, 養其所窮之理.)고 하여 이 두 가지 사항은 결코 서로 떨어질 수 없다고 말한다.

그래서 하였다. 주자는 경敬과 리理를 아는 것은 상호 영향의 관계에 있다. "배우는 사람의 공부는 오직 경敬에 자리하고 리理를 궁리하는 것에 있으니 이 두 가지 일은 서로 발현된다. 리理를 궁리할 수 있으면 경敬에 자리하는 공부는 날마다 더욱 증진된다. 경에 자리할 수 있으면 리理를 궁리하는 공부는 날마다 더욱 치밀해진다."(學者工夫, 唯在居敬窮理, 此二事互相發. 能窮理, 則居敬工夫日益進. 能居敬, 則窮理工夫日益密.)

주자는 앎에 이르는 것致知, 경敬과 자기를 극복하는 것克己 이 세 가지를 한 집안으로 비유하여 말하고 있다. 경敬이란 문을 지키는 사람이고, 자신을 극복하는 것은 도둑을 막는 것이고, 앎에 이르는 것은 자신과 밖에서 온 일을 미루어 살피는 것이라고 비유한다. 또한 함양과 극기의 문제를 비유하여 함양은 휴식을 취하는 것과 같고, 자신을 극복하는 것은 약을 복용해서 병을 물리치는 것과 같다고 한다.

주자는 함양과 실천의 문제를 소학과 대학과 관련하여 말하고 있다. 앎이 먼저이고 행함이 나중인 것은 각각 그 순서가 있는 것이다. 즉 소학의 완성을 바탕으로 해서 대학으로 나아가려고 한다면, 함양과 실천의 바탕이 있어야만 한다는 것이다. 이에 대해 주자는 비록 대학이 격물格物과 치지致知를 공부의 처음으로 삼고 있지만, 애초부터 함양涵養하거나 실천하지 말고 곧 바로 이것에 힘쓰라는 말이 아님을 강조하고 있다.

장남헌 또한 앎이 먼저라고 강조한다. "앎에는 정밀하고 조야함이 있고, 행함에는 얕고 깊음의 차이가 있다. 그러나 앎이 항상 먼저이니, 알면서 행할 수 없는 경우는 있지만, 알지 못하면서 행할 수 있는 경우는 없다."고 하여 알면 반드시 행해야 함을 말한다. 구체적으로 그는 "또한 부모님께 효도하는 한 가지 일로 논하자면, 그 조야한 것부터 겨울에는 따뜻하게 하고 여름에는 시원하게 하고 저녁에는 잠자리를 살피고 새벽에는 문안을 여쭙는 것을 아는 것이니, 알면 알수록 나아가는 바가 있다."고 하여 앎에 이르는 것과 힘써 행하는 것, 두 가지 공부는 상호 증진하는 관계에 있다고 말한다.

장남헌은 치지致知와 역행力行은 반드시 가까운 곳으로부터 시작하여 차근차근 실제적인 일로부터 시작해야지 고원한 것을 성급하게 탐욕하고 욕심낸다면 결국에는 아무런 유익함이 없다고 하면서 실제적인 일로부터 배움을 이루어야 한다고 역설하고 있다.

장남헌은 배움의 모델로 안자를 꼽으면서 "안자는 성인이 그를 가르침에 문文으로 넓히고 예禮로 집약했을 뿐이다. 문으로 넓히는 것이 앎에 이르는 것이고, 예로 집약하는 것이 힘써 행하는 것이다."(顔子爲人, 聖人敎之不過博文約禮. 博文, 所謂致知也, 約禮, 所謂力行也.)라고 하였다. 이보다 한 등급 높은 것에 대해 묻자 산에 오르는 것에 비유하면서 답하고 있다. 즉 단지 여기에서부터 가는 것이라고 말할 수 있으니, 이 산의 정상에 오르는 것은 사람의 노력에 달려 있을 뿐이라고 말하였다.

황면재는 앎과 행함은 학문의 도철塗轍이고, 앎에 이르고 진실하게 하는 것은 학문의 귀결처라고 정의하면서 정밀함과 집중함을 강조한다. "배우고 묻는 도리는 앎과 행함일 뿐이다. 옛날부터 성인이 하늘을 잇고 기준점을 세우는 데에 앎이라고 말하지 않고 정밀함이라고 했고, 행함이라고 하지 않고 하나로 집중함이라고 했다. 아는 데에 정밀하지 못하고, 행하는 데에 하나에 집중하지 못하면 오히려 알지 못하고 행하지 않는 것과 같다."

황면재는 또한 성인이 남긴 말 한마디 한마디를 실천하는 것을 강조하고 있다. "성현의 한 마디 한 글자는 모두 모범으로 본받을 만하다. 따르면 길하고 어기면 흉하다. 중요한 것은 단지 돈독하게 믿고 힘써 행하는 것일 뿐이다."(聖賢一言一字皆可師法. 從之則吉. 違之則凶. 緊要一著, 只要信得篤行得力耳.)라고 하여 성인이 남긴 말 한마디를 실천하는 것이 바로 공부라고 하였다.

허노재는 "성인이 사람들을 가르치는 데에는 두 가지 글자이다. '배우고 때로 익힌다.'는 말로 시작했으니, 앎과 행함이라는 두 글자를 말했을 뿐이다."라고 하여 성인이 사람들에게 가르친 내용은 알면 실천하라는 것이라고 말한다.

이어서 언행言行에 대해서 논하고 있다. 언어 습관에 관한 정자의 말을 소개하고 있다. 급박하게 말하는 것은 습관화된 언어로 저절로 느긋해질 때 기질이 변한다고 말한다. 기질이 변할 정도가 되어야 한다는 것이다. "학문은 기질이 변화해야 비로소 공이 있다."(學至氣質變, 方是有功)

또한 정자는 말과 행위가 일치해야 함을 강조한다. "말하고 행하지 않는 것은 스스로를 기만하는 것이니, 무엇이 이것보다 심하겠는가?"(言而不行, 自欺孰甚焉.) 그리고 말과 행함이 성誠에 이르지 않는다면 사람들을 감동시키기에는 부족하다고 하면서 말과 행위에 성誠이 근본해야 함을 강조한다.

호오봉胡五峯(胡宏)은 "도를 먼저하고 말을 뒤로 하므로 믿지 않는 말이 없고, 의義를 먼저 하고 행함을 나중에 하므로 과감하지 않은 행함이 없다."는 말을 하고 있다. 또 오임천吳臨川은 "말은 마음의 소리이다. 그러므로 말을 아는 자는 말을 보고서 그 마음을 안다."라고 하였다. 이처럼 위의 학자들의 말에 대한 언급들은 현대인들 누구나 들으면 곧바로 이해할 수 있는 의미들을 매우 명료하게 표현하고 있다.

다음은 치지致知에 대해서 논하고 있다. 궁리窮理와 격물格物의 문제와 함께 논하고 있다. 예를 들어 사상채는 궁리와 격물과 지천과 옳음을 찾는 것을 연결해서 말하고 있다. "배우는 사람은 반드시 우선 리理를 궁구해야만 하니 모든 사물마다 리理가 있어서 리理를 궁구하면 천天이 하는 일을 알 수가 있다. 천天이 하는 일을 알게 되면 천天과 하나가 된다. 천天과 하나가 되면 하는 일마다 리理가 아닌 것이 없다. 리理를 궁구하는 것은 옳음을 찾는 것이다."(學者須是且窮理, 物物皆有理, 窮理則能知天之所爲. 知天之所爲, 則與天爲一. 與天爲一, 無往而非理也. 窮理則是尋箇是處.)

주자도 궁리와 격물과 함양과 의義의 문제를 함께 다루고 있다. 리를 궁구하는 것과 의를 축적하는 것에 대한 물음에 "궁구하는 것은 사물에 있는 리理를 궁구하는 것이고, 축적하는 것은 사물에 대처하는 의義를 축적하는 것이다."라고 답하고 있다.

또한 리理를 궁구한다는 것이 자신을 반성하여 마음에서 구하는 것인지 오직 사물에 나아가 사물에서 구하는 것인지에 대한 질문에 대해서 사물과 마음의 리가 분리되어 있는 것이 아니라고 답하고 있다. 궁리는 소이연과 소당연을 아는 것이라고 하면서 다음과 같이 말하고 있다. "리理를 궁구하는 것은 사물의 소이연所以然과 그 소당연所當然을 알려고 하는 것일 뿐이다. 그 소이연을 알기 때문에 뜻이 미혹되지 않고, 그 소당연을 알기 때문에 행함이 어긋나지 않는다."(窮理者, 欲知事物之所以然, 與其所當然而已. 知其所以然, 故志不惑, 知其所當然, 故行不謬.)

허노재는 소이연과 소당연을 모두 리라고 하고 소이연은 본원本原이고 소당연은 말류末流이며 소이연은 명命이고 소당연은 의義로 구별한다. 모든 일들과 모든 사물에는 반드시 소이연과 소당연이 있는 것이다.

성리대전 권49 「학 7學七 : 역행力行, 극기克己, 개과改過, 잡논처심입 사雜論處心立事」 해제

권49는 역행, 즉 실천의 문제에 대해 말하고 있다. 유가에게 있어 학문이란 개인의 인격을 도야하고 이것을 기본으로 삼아 구체적 상황 속에서 응용할 수 있어야한다. 단순히 경문을 암송하고 문자적인 이해에만 매달린다면 이것은 유가가 추구하는 학문이라 할 수 없다. 유가의 학문은 지식적인 측면에서 박학함을 추구하거나 몇몇 사건들의 시비를 구별하는 것에만 제한되지 않는다.

정자는 "잘못을 알면 고칠 수 있고, 선을 들으면 쓸 수 있으며, 자기의 사욕을 이겨서 의를 따르면, 강직하고 밝은 자일 것이다"(知過而能改, 聞善而能用, 克己以從義, 其剛明者乎.)라고 하여 실천함이 마땅히 이치에 들어맞아야 한다고 주장한다.

사상채는 진심眞心을 강조한다. 실천은 어떠한 인위적인 조작을 통해 실현되는 것이 아니라 인간의 자연스러운 상태를 드러내는 것이다. 그래서 사상채는 인간의 자연스러운 상태를 드러내기 위해서는 진심을 깨닫는 것을 강조한다. "사람은 반드시 그 참마음眞心을 알아야 한다. 어린아이가 우물로 빠지려 하는 것을 볼 때의 마음이 참마음眞心이니, 생각을 해서 얻는 것도 아니고, 애써서 적중하는 것도 아니다."라고 말한다.

주자는 실천이라는 것이 어려운 문제임을 인정하면서 이것이 하루아침에 완성되는 것이 아니라는 점을 고백한다. 주자는 실천이라는 것이 점진적으로 이루어 나아가는 것이라고 생각하기 때문이다. 그는 "학문에는 또한 한 번에 초월하여 곧장 들어가는 이치가 없으니, 끊임없이 조금씩 축적하여 가는 것이다."라고 말한다. 주자가 하학의 중요성을 강조하는 것은 바로 이런 점에 있다. 주자는 주변의 문제에서부터 접근하여 점진적인 수양과 실천을 쌓음으로써 어느 순간에 활연관통하게 되고 세계를 둘러싸고 있는 이치를 깨닫는데 한걸음 더 나아갈 수 있다고 보기 때문이다.

이처럼 주자에 의하면 학문의 완성이란 계단을 올라가듯이 하나하나의 단계를 밟아야만 이루어지는 것이다. 물론 선천적으로 잘 하는 이와 그렇지 않은 이의 구분은 있을 수 있다. 하지만 학문의 완성을 추구한다는 점에서 모두가 걷고 있는 길은 다를 수 없다. 설령 개개인이 품부 받은 역량의 차이로 인해 잘하지 못하는 것이 있다고 하더라도 "오랫동안 행하면, 날마다 변화하여 자신도 모르는 사이에 드디어 일상적인 일처럼 해나가게 된다."는 것처럼 하나의 습관으로 자리잡아 어긋남이 없는 데에 도달할 수 있다.

실천하는데 있어서 가장 걸림돌이 되는 것은 사사로운 욕심이다. 성리학의 여러 구호들 중하나가 "존천리거인욕存天理去人欲"인 것을 생각한다면, 성리학에 있어서 개인의 사욕이라는 말은 반드시 짚고 넘어가야할 문제이다. 사욕을 극복하기 위해서 성리학에서 말하는 것은 바로 극기이다. 여기서 기己는 자기의 몸과 마음을 전부 포괄하는 개념이다. 사람의 육체적 욕망은 말할 것도 없고 사람의 마음 역시 사소한 걱정이나 주위의 유혹으로 인하여 안정을 찾기가 대단히 어렵다.

따라서 정자는 "이기기 어려운 것은 자신의 사사로움만 한 것이 없다."고 했다. 극기란 실천하기에 지극히 어려운 내용이긴 하지만 만일 극기를 제대로 할 수만 있다면 나머지 것에 대해서는 큰 힘을 들이지 않고도 제자리를 찾아갈 수 있다.

사상채는 자긍심을 점검함으로써 극기에 다가가려 한다. 그가 보기에 자랑하고 싶어 하는 마음은 군자의 길을 추구하는 데 있어 문제가 된다. 윤화정은 극기 이전에 먼저 자신이 좋아하는 것을 알고 마음의 동요가 없는 연후에야 극기를 실행할 수 있다고 한다. 자신이 좋아하는 것만을 추구하다보면 유혹에 넘어가기 십상이고 이것은 학문을 하는데 있어 큰 걸림돌이 되기 마련이다. 자신이 좋아하는 것마저도 이겨낼 수 있어야 진정한 의미에서의 극기를 이루었다고 볼 수 있다.

한편 호오봉은 스스로를 용납하지 않으려는 태도를 극기의 중요한 한 측면이라고 생각한다. 이것이 바로 자기반성이다. 철저한 자기반성은 학문을 수양하고 인격을 도야하는데 있어 밑거름이 되고 다른 사람과의 관계를 형성하는데 큰 도움이 될 수 있다.

주자는 극기에도 선후가 있다고 본다. 주자는 "이미 이 성을 회복했으면, 바로 성대로 행한다. … 인욕人欲이 아니면 곧 천리天理이고, 천리가 아니면 곧 인욕이다."라고 하여 인간 내면에 숨어있는 순수한 마음을 회복하고서 곧바로 이것을 실천하는 것을 주장한다. 즉 천리를 밝혀 올바른 마음을 얻은 후에 불철주야로 노력하는 것이다.

허노재는 "자기를 나무라는 자는 남의 선함을 완성시켜줄 수 있다. 남을 나무라는 자는 자기의 악함을 키울 뿐이다."(責己者可以成人之善. 責人者適以長己之惡.)라고 한다. 다른 사람을 비판하는 데는 까다롭고 자신을 비판하는 데는 너그러움을 경계해야 한다고 말한다. 사람들은 스스로의 기준에 대해서는 낮추어 판단하지만 다른 사람들의 기준에 대해서는 스스로의 기준보다 높여서 평가하는 버릇이 있다. 하지만 자기 자신에게 관대한 사람치고 극기의 관문을 통과한 이는 드물 것이다.

자신의 허물을 고치는 것은 대단히 어려운 문제이다. 성인을 제외하고서 인간은 허물이 없을 수 없다. 이것은 자그마한 실수로 말미암아 나타난 것일 수도 있고 근본적으로 비뚤어진 성정으로 말미암아 나타난 것일 수도 있다. 허물의 크고 작음을 막론하고 허물이 있다고 생각이 든다면 하루 속히 고치도록 노력하여야 한다.

정자는 "잘못이 있으면 반드시 고쳐야 하니, 자기를 탓하는 것이 옳다"라고 하여 허물을 바로잡는 것을 긍정하지만 "항상 부족해하고 뉘우치는 마음을 가지면 도리어 마음에 해가 된다."라고 하여 허물에 지나치게 집착해서는 안 된다고 말한다.

허물을 고치는데 있어서 그 까닭을 따져 묻는 것은 어리석은 일이다. 허물이 있다면 마땅히 고치면 그 뿐이다. 주자는 이와 같은 어리석은 일을 "나귀를 타고서 나귀를 찾는 격"이라고 대답한다. 또한 허물이 있다면 반드시 한 번에 고치되 한 번의 실수를 영원히 마음속에 담아둘 필요가 없다. 사람은 누구나 허물이 없을 수는 없지만 한 번 저지른 실수에 너무 매여서 더욱 큰 이치를 놓쳐서도 안 된다.

따라서 주자는 "후회될 때 알았다면, 두 번째에는 그렇게 하지 않으면 그만이지, 항상 마음속에 담아 둘 필요는 없다."라고 말한다. 단지 이후에 지난번의 허물과 비슷한 경우를 만났을 때, 곧바로 마음을 경계하고 집중하여 같은 잘못을 반복하지 않으면 될 뿐이다. 주자는 허물을 어떻게 바로잡을 것인가 하는 것보다 지난번의 과오를 다시 반복하느냐 않느냐에 더욱 주의를 기울이고 있다.

권49의 중반부에서부터 마지막까지는 마음을 확립하는 것과 일을 처리하는 문제에 대한 격언들이 실려 있다. 비록 분량이 많고 마음과 일이라는 포괄적인 주제를 다루고 있지만 학문을 대하는 성리학자들의 태도가 잘 집약되어 있다. 성리학의 관점에서 마음이 안정되지 않으면 자신의 선한 본성이 가리어지게 되고 중심을 잃게 되어 일을 처리하는데 있어서도 막힘이 있을 수밖에 없다. 이런 측면에서 본다면 마음과 일은 표리관계라고 할 수 있다. 마음을 어떻게 수양하는가가 일을 어떻게 처리하는가를 규정짓는다. 따라서 자신의 내면을 충실하게 하여 실천을 행함에 어긋남이 없도록 노력해야 한다.

정자는 우선 마음가짐에 있어 독실할 것을 주문한다. 독실한 마음가짐이 있어야만 어떠한 상황에서도 흔들리지 않기 때문이다. 흔들리지 않는 마음가짐을 외면으로 나타내는 것, 이것이야말로 정자가 추구하는 방향이었다.

그러나 인간은 외부로부터 발생되는 길흉화복과 부귀빈천에 대해서 자유로울 수 없다. 정자는 그것을 명命이라고 부르며, 군자는 마땅히 이 명을 알고서 행동해야 한다고 말한다. 이것은 사람의 의지로 좌우할 수 없는 속성의 것이다. 따라서 정자는 "사람이 환난에서 다만 한 가지의 처치만 있다. 사람의 지략을 다하고 나서는 도리어 태연히 대처해야 한다."고 말한다. 내가 할 수 없는 것에 대해서는 마음을 편안히 하고 받아들여야 한다.

사량좌는 명예에 대한 쓸데없는 집착이 학문을 하는데 있어서 큰 장애가 된다는 점을 지적한다. 양시 역시 이런 점을 문제 삼는다. 그는 "선비는 이름이 없는 것을 근심하지 않고 실질이 (그 이름에) 이르지 못하는 것을 근심 한다."라고 말한다.

유가에서 학문을 한다는 것은 스스로의 인격을 밝히기 위한 것이지 명예를 추구하는데 목적이 있지 않다. 명예란 학문을 통해 마음을 독실하게 하다보면 따라 오는 것이지 명예를 얻었다고 해서 반드시 그의 인품이 훌륭하다는 것을 가리키지 않는다.

주자의 말은 다방면에 걸쳐서 진행되고 있으나 그의 주된 논의는 마음과 실천에 있다. 마음과 실천은 기본적으로 표리관계에 있다. 마음가짐이 이치에 합당하다면 그 실천 역시 이치에 합당할 수 있다.

길흉화복과 부귀빈천은 주자에게 있어서도 큰 문제였다. 수양을 통해 올바른 마음을 얻었다고 할지라도 이것이 곧바로 길과 복, 부와 귀로 직결되는 것이 아니기 때문이다. 이 문제의 해결을 위하여 주자 역시 정자의 뜻을 이어받아 이것을 명命의 영역으로 인식하고, 인간이 피할 수 없는 성질의 것이라고 본다. 때문에 그는 명의 영역을 제쳐두고 우선 "반드시 다시 의義의 측면에서, 마땅히 구해야 할 것과 구해서는 안 될 것, 마땅히 피해야할 것과 피해서는 안 될 것을 보아야 한다."라고 말하여 의리의 영역에 힘써서 매진할 것을 요구한다.

성리대전 권50 「학 8學八 : 역행力行 논출처論出處」 해제

  권50의 전반부와 중반부는 리理와 욕欲, 의義와 이익, 군자와 소인이라는 주제를 중심으로 학문하는 사람이 이 가운데서 어떠한 선택을 해야만 하는가를 중점적으로 소개하고 있다. 유가는 사람은 모두 참된 본성을 가지고 태어나며, 참된 본성을 따라서 생활한다면 아무런 문제가 되지 않는다고 생각한다. 하지만 사람에게는 본성 외에도 인욕이라고 하는 사사로운 욕망이 존재하고 있다. 이 때문에 사람은 그 참된 본성을 온전히 드러내지 못하는 것이다.

  정자는 인욕과 천리를 구별하여 사사로운 사욕에 천리가 가려지는 상태를 경계한다. 이런 상태는 인간이 유혹에 빠지기 쉬워 그릇된 행동을 하기 쉽다. 천리와 인욕 사이의 관계가 정립되고 나면 의와 이익의 관계 정립은 더욱 쉽다. 정자는 "성인은 의를 이익이라고 여기니, 의가 편안한 곳을 곧 이익으로 삼는다."라고 말한다.

  정이는 이익을 추구했을 때 남을 해치고 원망을 받는 것을 경계한다. "이익이란 일반 사람들이 동일하게 바라는 것이다. 오로지 자기를 이롭게 하려고만 하면, 그 해로움이 크다. 탐내는 것이 심하면 어두워지고 가려져서 의리를 잊게 된다. 구하는 것이 지극하면, 다투어 빼앗아 원망 가득한 원수를 맺게 된다."(利者, 衆人之所同欲也. 專欲益己, 其害大矣. 貪之甚, 則昏蔽而忘理義. 求之極, 則爭奪而致怨仇.)

  사량좌는 우물에 빠지려는 어린아이를 볼 때, 순간적으로 측은한 마음이 발동되어 곧장 행동에 임하게 되는 것을 천리의 발현이라고 생각한다. 이것은 남에게서 칭찬을 듣거나 어린아이의 부모에게서 사례를 바랄 생각에 나온 것이 아니다. 이러한 것들은 모두 인욕이다. 사량좌는 천리와 인욕이 서로 대립관계에 있다고 본다. "천리와 인욕은 서로 상대되는 것이다. 한 푼의 인욕이 있으면, 한 푼의 천리가 소멸되고, 한 푼의 천리를 보존하면 한 푼의 인욕을 이기게 된다."(天理與人欲相對. 有一分人欲, 卽滅却一分天理; 存一分天理, 卽勝得一分人欲.)

  윤돈은 학문하는 데에 이익과 손해를 따져서는 안 된다는 점을 강조한다. 호굉은 군자와 소인을 구별한다. 군자는 천리에 순응하고 이것을 따르는 삶을 살아가지만 소인은 그렇지 못하다. 군자는 이익을 백안시하지만 소인은 이익을 중요시하기 때문이다. 따라서 군자의 마음은 항상 중中의 경지에 있을 수 있고 그 행동은 화和할 수 있지만 소인은 중을 얻을 수 없어 항상 경거망동하게 된다.

  주자는 천리와 인욕이 서로 대립되는 관계라고 생각한다. 천리와 인욕은 "천리와 인욕은 미세한 기미의 사이에 있지만" 천리와 인욕 사이에 타협과 협상은 결코 있을 수 없다. 천리가 보존되면 인욕이 사라지고 인욕이 인간을 잠식하면 천리가 사라지기 때문이다. 따라서 인간은 하늘로부터 부여받은 천리를 계발하고 인욕을 제거하는데 힘써야만 인간은 하늘로부터 부여받은 그 직분을 다하는 것이 된다.

천리를 보존하고 인욕을 제거하기 위해서는 경敬 공부를 통하여 마음속의 올바름을 기르는 것이 가장 좋은 방법이 될 수 있다. 경이란 그저 생각만으로 경敬을 떠올리는 것이 아니라 항상 구체적 행위를 할 때에도 경의 마음가짐을 놓치지 않아야 한다. 경의 마음가짐이 마음속을 꽉 채우고 있다면 인욕은 자연스레 마음속으로 들어올 수 없게 된다.

주자는 후반부에서 앞서 언급했던 천리와 인욕에 대한 내용에서 더 나아가 천리와 인욕을 각각 선과 악에 대비한다. 이것은 그의 "천하의 이치理는 옳음과 그름 두 끝에 불과할 뿐이다. 옳음을 따르면 선이 되고, 그름을 따르면 악이 된다." "선악은 다만 손바닥을 뒤집는 것과 같으니, 한 번 뒤집으면 곧 악이다."라고 하는 말에서 살펴볼 수 있다.

즉 이치를 따르면 선이 되고 이치를 벗어나면 악이 된다는 것이다. 주자에 의하면 세상에는 하나의 리, 다시 말해 선만이 있을 뿐인데, 리理와 반대 방향에 있는 것은 모두 인욕이 되고 악이 된다. 몸과 마음을 지극한 부분에까지 단련해야한다는 점을 잘 드러낸다. 학문을 하는 것이 이와 같아야 중中을 얻을 수 있어 어떠한 경우에도 막힘없이 삶을 영위할 수 있을 것이다.

황간은 올바른 이치가 인간의 마음속에 모두 갖추어져 있는데, 경계하는 마음이 약간이라도 흩어지게 되면 인욕이 끼어들게 된다고 생각한다. 황간 역시 천리를 보존하고 인욕을 제거하여 인간의 마음이 하늘로부터 부여받은 선한 상태를 유지하려고 하는 선배 학자들의 노선을 답습한다. 그는 수양의 방법으로서 경과 의를 제기한다. "하나를 위주로 하는 것을 경이라고 하고, 마땅함에 부합하는 것을 의라고 한다."(主一之謂敬, 合宜之謂義.)

진식은 요순과 같은 성인과 걸주와 같은 악인들도 생리적인 욕구는 모두 같다는 점을 인정한다. 인간이 살아가면서 생리적 욕구를 무시할 수는 없다. 생리적 욕구가 같은데 어째서 한쪽은 성인이 되고 한쪽은 악인이 되는 것인가? 바로 생리적 욕구를 추구할 때 이치에 맞게 추구 했는가 아닌가가 관건이 된다. 생리적 욕구를 추구하면서도 이치에 합당하기만 한다면 그것은 곧 천리를 보존하는 것이 된다. 따라서 진식은 "다만 리理에 들어맞고 절도에 들어맞는 것은 바로 천리가 되고, 리가 없고 절도가 없는 것은 바로 인욕이 된다."(但中理中節, 卽爲天理; 無理無節, 卽爲人欲.)라고 말한다.

권50 마지막 부분에서는 관직에 대한 논의가 펼쳐진다. 여기서는 관직에 올라 경세를 펼치고자 하였던 인물들의 말들이 정리되어 있다. 학문의 성숙이 일정 수준에 이르게 되면 자의든 타의든

간에 관직과도 어느 정도 연계가 된다. 예로부터 관직에 올라 생계를 유지하는 것은 선비들에게 대단히 큰 문제였다. 생산 활동에 종사하지 않는 선비들의 특성상 생계를 도모하는 방법은 그다지 많지 않았기 때문이다. 그러므로 관직에 올라 나라로부터 일정량의 녹봉을 정기적으로 받는 것은 가장 효율적이고 확실한 생계유지의 방법이라 할 수 있다.

관직에 들어가는 도리는 정자의 말이 가장 좋다. "인재를 가려서 등용하는 것은 군주에게 달렸지만, 몸을 나라에 허락하는 것은 자기에게 달렸다. 도道에 합한 뒤에 나아가서 바름을 얻으면 길할 것이다. 급급하게 등용되기를 구하면 결국에는 필시 자신을 그르칠 것이니, 군자의 자중하는 도리가 아니다."(擇才而用, 雖在君, 以身許國則在己. 道合而後進, 得正則吉矣. 汲汲以求遇者, 終必自失, 非君子自重之道也.)

한 명의 선비로서 가장 이상적인 삶의 형태란 관직에 있을 때는 이윤伊尹을 배우고 관직에서 물러났을 때는 안자의 학문태도를 본받는 것이다. 관직에 있을 때는 마땅히 그 방면으로 해야 할 일이 있고 물러났을 때는 내면의 수양에 힘써야한다. 이러한 태도를 견지해나간다면 관직 생활에서 그 맡은 바의 소임을 다 할 수 있고, 물러났을 때도 유자儒者로서의 맡은 바 본분을 다 할 수 있게 된다.

성리대전 권51 「학 9學九 : 교인敎人」 해제

권51은 '교인敎人'에 대한 성리학자들의 어록을 수집하여 정리한 내용이다. 교인敎人이란 자신의 입장에서 타인을 가르치는 것을 말한다. 여기서는 이정二程, 장재, 남전 여씨藍田呂氏(呂大臨), 상채 사씨上蔡謝氏(謝良佐), 광평 유씨廣平 游氏(游酢), 화정 윤씨和靖 尹氏(尹焞), 동래 여씨東萊呂氏(呂祖謙), 주희朱熹, 남헌 장씨南軒張氏(張栻), 면재 황씨勉齋黃氏(黃榦), 잠실 진씨潛室陳氏(陳埴), 서산 진씨西山眞氏(眞德秀), 노재 허씨魯齋許氏(許衡) 등의 관련 어록을 수록하고 있는데, 분량 면에서는 주자의 어록이 많은 비중을 차지하고 있다.

사람을 가르치는 일은 인도하거나 거절하는 경우 모두 부족한 점을 알려주는 일이다. 정자는 이점을 강조한다. "군자는 남을 가르침에 있어서 이끌어줄 때도 있고 받아들이지 않을 때도 있지만, 각기 그 부족한 바에 따라 이루어줄 뿐이다."(君子之敎人, 或引之, 或拒之, 各因其所虧者成之而已.)

주희朱熹는 가르침이 효孝‧제弟‧충忠‧신信을 일상에서 항상 행하는 것임을 강조한다. 그러나 순서와 차례가 있음을 말한다. 평상시에 성찰하다가 오래 익히면 자연스럽게 활연관통하게 된다. "성인의 가르침은 차근차근 순서가 있으니, 사람들이 돌이켜 지극히 가깝고 지극히 자잘한 일들 가운데서 구하도록 했을 뿐이다."(故聖人之敎循循有序, 不過使人反而求之至近至小之中.)

교인敎人의 원칙에 대해서 주희는 인륜을 강조하면서 오륜五倫, 극기복례克己復禮, 사물四勿 등을 내용으로 하여 구체적으로 언급하고 있다. 교인의 목적은 성인의 가르침을 더욱 분명히 하고 넓게 전하는 것이고 자기를 미루어 남에게 미치는推己及人 일이다. 성인이 가르침을 베푼 이유는 성인의 경지에 이르는 것이다.

교인의 방법에 대해서 피교육자의 수준을 고려한 가르침을 강조하고 교육 목적에 따라서 방법을 다르게 사용하는 유연성을 말한다. 정자는 "배우는 사람에게 이해하지 못할 이치를 말해준다면, 들어도 잘 알지 못할 뿐만 아니라, 도리어 이치를 얕잡아보게 될 것이다."라고 하여 상대에 따라 다르게 교육해야 함을 강조한다.

교인의 내용에 대해서, 동래 여씨東萊呂氏는 덕기德氣를 키우도록 했고 면재 황씨勉齋黃氏는 성정性情의 체제를 알아서 허령虛靈한 본체를 알아야 하고 재능과 기개를 크게 하고 다시 세밀하게 공부하여 인재가 되어야 한다고 했다. 노재 허씨魯齋許氏는 부끄러움을 배워야 한다고 하면서 부끄러움을 아는 마음을 보살펴 키워서 감독하고 책망하여 두려움을 갖도록 가르쳐야 한다고 했다.

심성을 올바로 기르기 위해서는 경敬의 태도를 가르쳐야 한다. 주희와 장남헌은 모두 거경居敬과 궁리窮理를 강조했다. 장남헌은 "거경에 힘이 있으면 궁구하는 것도 더욱 정밀해진다. 궁리가 차츰 밝아지면 경에 머무는 것도 더욱 토대를 갖추게 된다. 두 가지는 진실로 서로를 불러일으키는 것이다."라고 하였다.

한편, 권51에서는 교인教人과 관련한 성리학자들의 어록이외에도 「백록동규白鹿洞規」와 「증손여씨향약增損呂氏鄕約」을 수록하고 있으며, 특히, 주희朱熹가 맏아들 수지受之에게 보내는 편지글은 열심히 노력하라는 '부지런히 삼간다勤謹'는 글귀와 함께 스승에게 가르침을 구하는 방법 등을 주요 내용으로 하고 있다. 향약의 네 조목은 상당히 많은 분량을 할애하여 설명하고 있다.

성리대전 권52 「학 10學十 : 인륜人倫, 사우師友」 해제

　권52는 인륜人倫과 사우師友에 대한 성리학자들의 어록을 수집하여 정리하였다. 먼저, 인륜에서는 오륜五倫을 중심으로 내용이 구성되어 있다. 여기서는 이정二程, 사마광司馬光, 형양 여씨滎陽呂氏(呂希哲), 남전 여씨藍田呂氏(呂大鈞), 예장 나씨豫章羅氏(羅從彦), 위재 주씨韋齋朱氏(朱松), 주자朱子(朱熹), 남헌 장씨南軒張氏(張栻), 면재 황씨勉齋黃氏(黃榦), 서산 진씨西山眞氏(眞德秀), 노재 허씨魯齋許氏(許衡) 등의 어록을 수록하고 있다.

　인륜人倫의 근본인 부모에 대해한 효를 정자는 이렇게 설명한다. "지금 사대부가 군주에게 직무를 받으면 그 직무를 다 발휘하기를 기대한다. 더구나 부모에게 몸을 받았는데 어찌 그 도를 다 발휘하지 않을 수 있겠는가?" 효란 하늘로부터 받은 어떤 직무와도 같은 일이다.

　주희는 인륜을 총론적으로 설명한다. 오륜五倫이 천륜天倫이지만 부자와 형제 관계만이 천륜이고 나머지는 다른 사람과의 관계라는 말이다. 그러나 부부관계 역시 천륜으로 맺어진 것으로 이어지고 군신관계는 천륜으로 맺어진 것에 의지해서 온전해지며, 친구관계는 천륜으로 맺어진 것에 의지해서 바르게 된다고 해서 모두 천륜과 관계해서 말한다. 그러나 결론은 "무릇 인륜은 다섯 가지가 있지만 그 이치는 하나이다."라고 했다.

　장남헌은 "천지가 제자리를 잡고 사람이 그 가운데 생겨났다. 거기에서 사람이 되는 까닭으로서의 도道는 부자父子관계의 친함과 장유長幼관계의 질서와 부부夫婦관계의 분별이 있으며, 또 군신君臣관계의 의리와 친구관계의 사귐이 있다. 이 다섯 가지는 천天이 명한 것이지 사람이 할 수 있는 것이 아니다. 성인은 그 성性을 다 발휘하므로 인륜의 지극함이 되고, 보통 사람들은 가려져서 뺏기고 빠져서 잃어버림이 있게 된다. 그러나 성인의 가르침이 있기 때문에 그 욕망을 변화시켜서 그 애초의 상태로 되돌릴 수 있다. 사람이 성인이 될 수 있는 근거와 성현이 사람을 가르치는 내용은 모두 이 다섯 가지이다."라 하였으며, 다음으로 구체적인 오륜의 내용이 진술되고 있는데, 첫째는 어버이와 자식 간의 관계이다. 정자는 독특하게 부모를 섬기는 데에 의술을 배우는 것이 중요하다고 강조하고 있다. 왜냐하면 의술을 완전히 알지 못하더라도 어떻게 처리하는 것이 옳은지를 판단할 수 있기 때문이다. 부모가 병들었을 때 의사에게 전적으로 맡기지 않고 상의하면서 처리할 수 있기 때문이다.

　남전 여씨藍田呂氏는 군자의 도道 가운데 효보다 큰 것이 없다고 한다. 주희는 이 효를 "성인이 천지에 대한 관계는 마치 자식이 부모에 대한 관계와 같다"고 비유하고 "부모의 자식 사랑은 당연한 천리天理이지만, 사랑이 끝도 없어 자식이 총명하고 성공하기를 바란다면 이는 그릇된 것으로 인욕人欲이다."이라고 말한다. 이 말은 현대에서도 정확하게 맞는 말이다.

둘째, 군신 간의 관계이다. 이정二程과 사마광은 군신 관계를 부자관계와 유사하게 말하고 있다. 사마광은 "자식으로서의 효도와 신하로서의 충성은 다른 사람의 은혜를 입고 차마 저버리지 않는 공통된 점이 있다."고 하였다.

주희의 아버지인 위재 주씨韋齋朱氏는 "어버이와 자식은 은혜를 위주로 하며, 군주와 신하는 의리를 위주로 한다."고 하였으며, 주희는 "부자 관계의 큰 윤리는 군신 관계에서와 마찬가지로 하늘의 법도와 땅의 의리이니, 이른바 백성의 떳떳한 도리이다."라고 하여 군신관계와 부자관계를 천륜의 도리로 설명한다.

셋째, 부부 간의 관계이다. 이정二程은 아내가 어질지 않으면 내쫓아야 한다고 주장한다. 아내의 악을 숨겨서 몰래 도와주어 불선을 양성케 한다면 해롭기 때문이다. 그러나 아내를 내쫓을 때는 큰 악으로 내쫓지는 않고 미세한 죄로 내쫓았다. 이는 "아내를 내쫓을 때는 아내가 시집을 갈 수 있도록 해주었다."라는 옛말과 관련되기 때문이다.

넷째, 형제간의 관계이다. 이정二程은 "형을 섬길 때에는 예禮를 다하고 경敬과 효를 해야 하며, 아우를 대할 때에는 우애의 도리를 다하여야 한다."고 하였고, 노재 허씨魯齋許氏(許衡)는 "형제는 똑 같이 부모의 하나의 기氣를 받아서 생겨나니 골육 가운데서도 지극히 가까운 것이다."라고 하였다.

다섯째, 친구 간의 관계이다. 이정二程은 "친구는 그 결합이 올바르게 되어야만 오래도록 헤어지지 않게 된다."고 하였고, 주희朱熹는 "친구 간의 의리는 우애로 이루어지며, 불변하는 중요한 오륜五倫 가운데 하나이다. 비록 친구가 선善하지 않아 절교를 하게 되더라도 매섭게 할 필요까지는 없으니, 이른바 '친한 사람은 그 친함을 잃지 말아야 하고, 오래된 벗은 그 벗됨을 잃지 말아야 한다.'라고 하는 것이다."라고 하였다.

인륜人倫에 이어 첨부된 '사우師友'에서는 스승과 벗에 관한 내용이 수록되어 있다. 정자는 스승은 리理와 의義라고 말하고 있다. 아마도 리와 의를 배울 수 있는 사람이라면 누구나 스승이 될 수 있다는 의미일 것이다.

배움에서 스승의 역할은 매우 중요한데 오륜五倫에서 스승을 언급하지 않은 것은 무엇인가? 주희朱熹는 "인륜에서 스승을 언급하지 않은 것은, 친구는 많고 스승은 적으니 많은 것을 가지고 말한 것이다."라고 하였다. 주희는 "스승은 친구와 같은 부류이지만 권위는 임금이나 아버지와 동등하니, 오직 그들이 있는 곳이라면 목숨을 바친다."라고 하여 스승의 권위를 높이 샀다.

육상산은 "천하에 만약 진지한 스승과 친구가 없다면, 각기 자신의 견해에 집착하거나 감정과 욕망에 방종할 것이다."라고 하였는데 친구 간의 교우에도 권선勸善이 위주가 된다. 정자는 "친구와 강습함에는 서로 살펴보고 선하도록 하는 공부가 많은 것보다 나은 것이 없다."고 하여 친구 사이의 배움을 중시했다.

주희는 "친구를 사귐에 선善을 질책하는 것은 나의 정성을 다하는 것이고, 선을 취하는 것은 나의 덕을 보태는 것이지, 서로 은덕을 베푸는 것이 아니다. 그러나 각기 그 도를 다하여 구차한 것이 없으면, 혜택이 보태지는 것이 저절로 그만둘 수 없을 것이다."라고 하여 친구 사이에는 은혜 관계가 아님을 강조하고 있다.

성리대전 권53 「학 11學十一 : 독서법讀書法」 해제

　　권53은 '독서법讀書法'에 대한 성리학자들의 어록을 수집하여 정리한 내용이다. 여기서는 이정二程, 장자張子(張載), 상채 사씨上蔡謝氏(謝良佐), 구산 양씨龜山楊氏(楊時), 화정 윤씨和靖尹氏(尹焞), 연평 이씨延平李氏(李侗), 주자朱子(朱熹) 등의 관련 어록을 수록하고 있는데, 내용이나 분량 면에서 주자의 어록이 중요한 부분을 차지하고 있다.

　　학문은 진실로 마음에서 깨닫고 몸에서 체득하려고 하는 것이다. 단지 장구의 말단에 얽매이는 것은 학문이 아니다. 정자는 이를 강조한다. "독서는 그것을 통하여 이치를 궁구하고, 쓰임에 다 적용되도록 해야 한다. 지금 혹시라도 장구章句의 말단에 골똘하면 쓸데가 없다. 이것이 배우는 자들의 큰 우환이다."(讀書將以窮理, 將以致用也. 今或滯心於章句之末, 則無所用也. 此學者之大患.)

　　주희는 독서하는 사람이 적은 이유를 과거 시험을 위한 시문時文(과거 시험의 답안에 쓰이던 문체)의 폐단 때문이라고 했다. 주희의 입장은 독서만이 학문은 아니다. 그러나 독서가 아니면 학문으로 들어갈 수 없다고 강조한다. 주희는 "독서하는 사람은 전일專一한 것을 귀하게 여기고 넓은 것을 귀하게 여기지 않는다. 오직 전일해야 그 의미를 알아서 그 쓰임을 얻을 수 있지만, 한갓 넓기만 하면 도리어 난잡스럽게 겉핥기 하는 데에 지쳐서 소득이 없을 것이다."라고 해서 깊이 있게 독서 하기를 권한다.

　　주희는 독서를 격물格物하는 일로 여긴다. "독서를 하는 것은 곧 일을 하는 것이다. 무릇 일을 할 때는 옳은 것과 그른 것이 있으며, 얻는 것과 잃는 것이 있다. 일을 잘 처리한다는 것은 그것의 경중을 헤아리는 것에 지나지 않을 뿐이다. 독서를 해서 그 의리를 강구하고 그 옳음과 그름을 판별하면, 일에 임하는 것도 곧 이러한 이치이다."라고 하였다.

　　정자는 독서를 장구의 말단에 신경쓰는 일과는 다른 것으로 여긴다. 그것은 모든 일의 이치를 궁구하는 것이고 일상생활의 쓰임에 적용하는 일이다. 화정 윤씨和靖尹氏는 "여헌가呂獻可는 '독서는 많이 할 필요가 없으니, 한 글자를 읽고 한 글자를 실천하면 된다.'고 말한 적이 있다. 이천伊川도 '한 척尺이나 되는 분량을 읽더라도 한 촌寸을 실천하는 것만 못하니, 실천하는 것이 바로 독서를 할 줄 아는 것이다.'고 말한 적이 있다. 두 사람의 뜻이 꼭 같다."(呂獻可嘗言'讀書不須多, 讀得一字, 行取一字.' 伊川亦嘗言'讀得一尺, 不如行得一寸, 行得便是會讀書.' 二公之意正同.)라고 하여, 학문으로서의 독서의 의미가 격물을 통한 실천에 있다는 점을 강조하였다.

이렇듯이, 독서의 목적은 덕을 쌓는 일이고 일상생활에서 도리를 실천하는 일과 관련되어 있다. 주희가 "독서를 하는 것은 그것으로써 도를 구하려는 것이다. 그렇지 않다면 읽은 것을 어디에 쓰겠는가? 요즘 사람들은 이 점에서 도리를 이해하지 않고, 모두 두루 섭렵하여 해박한 것을 잘하는 것으로 여기기 때문에 도학道學과 속학俗學의 구별이 생겨났다."고 언급하였듯이, 독서는 덕을 쌓는 것이요 도道를 구하는 것이다.

독서하는데 있어서 유의할 점은 필자의 의도를 고려하여 문맥을 파악하는 것이다. 장재張載는 "책을 볼 때는 반드시 그 말을 총괄해서 필자의 의도를 찾아야 할 것이다."라고 하였다. 둘째, 자신의 능력으로 이해할 수 없는 구절 등의 자구에 구애되지 않아야 한다. 주희는 "이해할 수 없는 곳에서 의심스러운 것은 빼놓고 그 나머지를 반복해서 읽으면, 거의 성인의 뜻을 얻고 사리事理의 참됨을 알게 되어 그 이해할 수 없는 것은 문제가 되기에 충분하지 않을 것이다."라고 하여 의심스러운 곳은 넘기라고 한다.

독서는 배우는 사람이 독서를 할 때는 반드시 몸을 가다듬어 바르게 앉고, 느긋하게 보면서 나지막하게 읊조리며, 마음을 비워서 깊이 있게 이해하고, 자신에게 절실한 것에서 성찰해야 한다. 한 구절 한 구절 자세하게 음미해야 한다.

그래서 "이 한 구절 한 글자가 어떤 도리인지 또 성현이 무엇 때문에 이와 같이 말했는지를 보아서, 힘을 쏟아서 분명하게 이해해야 한다. 그런 다음에 그것을 가지고 음미해야 비로소 의미를 다 알아낼 수 있을 것이다." 때문에 글자에 얽매이는 것이 아니라 몸소 체득하는 것이 중요하다.

주희는 "독서를 하는 데에는 오로지 지면에서만 의리를 구해서는 안 되니, 반드시 돌이켜 자신의 몸에서 추구해야 한다."고 한다. 자신의 몸에서 체험하기 위해서는 반드시 자신의 학문적 역량을 고려하여야 한다. 이에 대하여 주희朱熹는 "독서를 할 때는 많이 읽으려고 욕심내서는 안 되니, 항상 스스로의 역량에 여유가 있도록 해야 한다."고 하였다.

또한 숙독熟讀, 구중독口中讀, 암송誦 등을 강조하고 있다. 숙독은 정면으로도 보고 배면으로도 보며, 왼쪽으로 보기도 하고 오른쪽으로 보는 것으로 반복해서 음미하는 것이다. 숙독하면 저절로 터득하는 것이 생긴다. 구중독은 소리내어 읽는 것으로 소리내어 읽으면 마음이 한가해져서 의리가 저절로 나온다. 암송은 정통하고 능숙하게 된다. 만약 문장의 의미를 이해하지 못하더라도 다만 외우기만 한다면 얼마 안 있어 자기도 모르는 사이에 저절로 서로 촉발하여 이 의리를 이해하게 된다고 한다.

성리대전 권54 「학 12學十二 : 독서법讀書法, 독제경법讀諸經法, 논해경 論解經, 독사讀史」 해제

권54는 '독서법讀書法'과 경전을 읽는 방법, 경전을 해석하는 것, 역사서를 읽는 방법에 대한 성리학자들의 어록을 수집하여 정리한 내용이다. 여기서는 주로 이정二程과 주희, 남헌 장씨, 동래 여씨 등의 관련 어록을 수록하고 있는데, 내용이나 분량 면에서 주자의 어록이 중요한 부분을 차지하고 있다.

먼저 주희는 학문의 순서와 범위를 말하고 있다. 사서四書를 강조하고 있는데 『대학』이 덕에 들어가는 문으로 배우는 자가 마땅히 먼저 배워 익혀 학문하는 순서와 범위를 알아야 『논어』·『맹자』·『중용』을 읽을 수 있다고 한다. 주희는 사서를 매우 중시하는데 『대학』·『논어』·『맹자』·『중용』을 먼저 읽어야 한다고 강조한다.

또한 사서를 읽는 순서를 말하기도 한다. 먼저 힘을 써서 『대학』을 보고, 『논어』를 보며, 또 힘을 써서 『맹자』를 보고 나서 『중용』을 보아야 한다. 읽는 것은 순서가 있어서 쉬운 것을 빠뜨리고 도리어 먼저 어려운 것을 연구해서는 안 된다. 이것이 '아래로 사람의 일을 배우는 것下學'에서 '위로 천리天理에 도달하는 것上達'이다.

주희는 글을 읽을 때에 지켜야할 원칙을 말한다. 첫째는 적게 보더라도 숙독하는 것이고 둘째는 천착해서 주장을 세우려고 하지 말고 다만 반복해서 몸소 증험하려고 하는 것이며, 셋째는 몰두해서 이해하려고 하지 효과를 구하려고 하지 않는 것이다. 세 가지는 배우는 사람들이 마땅히 지켜야 하는 것이다.

지켜야할 원칙이 셋이라면 병폐는 둘이다. 첫째는 성품이 둔한 사람인데, 이전에 본 적이 없고 읽어도 생소하여 급박해도 보아 낼 수 없는 것이다. 둘째는 민첩하고 예민한 사람인데, 대부분 자세히 보려고 하지 않고 소홀히 하려는 생각을 쉽게 갖게 되는 경우이다. 글을 읽을 때 급박하게 보아도 안 되고 소홀히 해서도 안 된다.

이후로 글을 읽는 방법을 다양하게 말하고 있다. 예를 들어 글을 볼 때는 스스로 노력해서 먼저 이미 절실하고 지극해져야 의심나는 것을 친구와 강론할 수 있고, 근본이 되는 구절에 나아 가야 옛사람의 본뜻을 알 수 있고, 여러 학자들 주장의 다른 점과 같은 점을 보아야 하며 정밀하고 분명하게 보아야 한다.

또한 편파적인 데에 빠져서는 안 되니, 반드시 두루 보아야 한다. 중요한 점은 먼저 그 글의 뜻을 알고 난 다음에 그 의미를 구해야 한다는 점이다. 뜻을 크게 하고 반복하여 익숙하게 본다면 그 정당한 도리가 저절로 용솟음쳐 나온다. 작은 주관과 사적인 식견을 가지고 그것을 끊어놓고 어지럽혀서는 안 된다. 강조할 점은 글을 볼 때는 반드시 옛사람들이 그 글자를 쓴 의도가 무엇인지를 보아야 한다. 예컨대 선배들이 지은 글에서 반드시 그의 의도가 어디에 있는지를 보아야 한다.

면재 황씨勉齋黃氏(黃榦)는 학문하는 데에 경敬으로 자신을 지켜서 사려가 평안하고 고요하게 해야 한다고 주장한다. 이는 독서를 할 때 평안한 마음과 안정된 기운으로 단정하고 엄숙하여, 반드시 내 마음으로 성현의 말을 묵묵히 살펴보아 성현의 뜻이 항상 저절로 내 마음에 들어오도록 해야 한다는 것이다.

다음은 경전을 읽는 방법을 말하고 있다. 정자程子는 경전에도 읽는 방법이 있다고 하면서『시』·『역』·『춘추』는 한 구절 한 구절씩 보아서는 안 되고,『상서』와『논어』는 한 구절 한 구절씩 볼 만하다고 평가한다.

주희는 경서를 공부하는 것은 실질적인 학문이라고 평가한다. 경서를 보는 것은 역사서를 보는 것과 달라서 역사는 기록해 두었다가 사람들에게 물어 볼 수가 있다. 그러나 경서에 의문이 생기면 이것은 자신에게 절실한 병통이다.

주희는 경서를 말하는 사람의 병폐를 말하는데 오늘날에서 참조할 만하다. 첫째 본래 낮은 것인데 들어 올려 높이는 것과 둘째 본래 얕은 것인데 천착하여 깊게 하는 것과 셋째 본래 가까운 것인데 미루어서 고원하게 하는 것과 넷째 본래 분명한 것인데 굳이 그것을 그윽하여 분명하지 않도록 하는 것이다. 이것이 큰 우환거리이다.

주희는 성인이 경서를 지어 후세에 알려준 것은 사람들에게 그 글을 외우고 그 뜻을 생각하여, 그것으로써 사리事理의 당연함을 알고 도의道義의 온전한 체體를 깨달아서 몸소 힘껏 실천하여 성현의 경지에 들어가도록 하려는 것이었다고 하면서 경전의 중요성을 말한다. 이어서『시』,『역』,『춘추』 등을 읽는 방법을 말하고 있다.

노재 허씨魯齋許氏는 경서를 강론하여 탐구할 때는 반드시 우선 원문을 반복적으로 소리 내어 읽어서 성인이 말한 취지를 구하고, 경서 속에서 스스로 터득하는 것이 있도록 힘써야 한다고 강조한다. 또한 경서를 암송하고 역사서를 익힐 때는 반드시 뜻을 이해해야 한다고 한다. 암송을 강조하고 있다.

다음은 역사서를 읽는 방법에 대해서 말한다. 정자程子는 역사서를 읽을 때 그 성공과 실패를 헤아려 보는데 요행이 있으면 성공하고 요행이 없으면 실패한다고 생각한다. 그리고 요즘 사람들은 다만 성공한 사람을 곧 옳다고 여기고 실패한 사람을 곧 그르다고 여기는 것을 알 뿐, 성공한 사람이 매우 옳지 않은 점이 있고 실패한 사람이 매우 옳은 점이 있다는 것을 알지 못한다고 비판하고 있다.

주희는 "역사서를 읽을 때는 큰 윤리와 큰 기회, 큰 다스려짐과 혼란함의 득실을 보아야 한다."(讀史當觀大倫理 · 大機會 · 大治亂得失.)고 하면서 역사서를 보면 다만 옳음과 옳지 않음이 있을 뿐이라고 주장하고 있다. 또『논어』·『맹자』·『중용』·『대학』을 철저하게 읽지 않고, 곧바로 역사서를 보면 가슴속에 기준이 없어서 미혹 당한다고 하여 경전을 기준으로 역사적 사실을 판단해야 한다고 주장한다. "역사서를 읽는 것은 다만 자신의 의리로 역사를 판단하는 것일 뿐이다."

주희는 역사서를 읽는 방법으로 먼저『사기』와『좌전』을 읽고, 또『서한서』·『동한서』및『삼국지』를 보고 난 다음에『자치통감』을 보아야 한다고 주장한다. 만약 본조本朝(송나라)의 일을 보려고 한다면 마땅히『장편長編(續資治通鑑長編)』을 보아야 하고 힘이 미치지 못하면 차선책으로『국기國紀』를 보아야 한다고 했다.

장남헌은 역사서를 보는 공부는 그 다스려짐과 혼란함, 흥성과 쇠퇴의 근거를 고찰하고, 그 사람의 옳음과 그름, 잘못됨과 바름을 살펴서, 그 기미의 절목節目과 유사한 것에서 취하고 버리는 것에 이르기까지 더욱 반복해서 통독해야 한다고 하면서 단지 견문을 넓히고 문장 표현을 보태는 것은 도리어 말단적인 공부라고 평가한다.

마지막으로 허형은 역사서를 볼 때에는 마땅히 그 사람의 큰 절개를 먼저 본 뒤에 그의 자잘한 행위를 보아, 선하면 본받고 악하면 경계해야할 것으로 삼아서 내가 몸소 실천하는 데에 보탬이 되어야 한다고 하여 역사서도 도덕적 실천을 위한 모범적 자료로 이해하고 있다.

성리대전 권55 「학 13學十三 : 사학史學 자학字學 과거지학科擧之學」 해제

　권55는 사학史學 자학字學 과거지학科擧之學에 대한 성리학자들의 어록을 수집하여 정리한 내용이다. 사학史學 부분은 이정二程, 속수 사마씨涑水司馬氏, 화정 윤씨和靖尹氏, 원성 유씨元城劉氏(劉安世), 주희朱熹, 동래여씨東萊呂氏(呂祖謙), 잠실 진씨潛室陳氏(陳埴) 등의 어록이 수록되어 있다.

　여기에는 역사가에 대한 인물평이 기록되어 있는데 주된 내용은 사마천에 관한 것이다. 이정二程은 사마천을 높이 평가하지는 않는다. 『상서』의 뜻을 터득하지 못한 곳도 있고 잘못 사용한 곳도 있다고 평하거나 백이숙제에 관해서 사사로운 뜻으로 천도天道를 헤아린 것이라고 평가하고 안회와 도척을 비교한 것을 가지고 한 사람을 가리켜 비교한 것은 하늘을 아는 이가 아니라고 평가한다.

　화정 윤씨和靖尹氏도 사마천이 이치에 밝지 못하고 다만 견문이 많을 뿐이라 혹평하고 있다. 주희는 사마천의 식견과 글재주를 인정하면서도 거칠다고 폄하한 것은 공자를 잘 알지 못했기 때문이다. 주희는 사마천이 인의仁義를 말하지만 사력詐力(거짓·무력)을 말하였으며, 권모權謀와 공리功利를 썼다고 비판한다.

　주희는 사마광司馬光을 긍정적으로 평가하지만 맹자가 아니라 양웅을 채택하고 왕도와 패도를 구별하지 않은 점을 비판하면서 사마광의 학설과 논점의 오류를 구체적으로 지적하고 있다.

　다음은 역사가와 관련한 역사서에 관한 평가 부분이다. 주희는 사마천과 반고班固의 역사서는 대개 이해만 따졌다고 비판하고 『후한서後漢書』를 지은 범엽范曄은 더욱 저급하다고 비판하고 사마광의 『자치통감』은 지혜와 술수의 험악하고 속이는 일에 관련되는 것을 이따금 기록하지 않아 당시의 풍속을 알지 못한다고 비판했다.

　이처럼 역사서에 대한 평가는 대부분 구체적인 저술 내용이나 풀이를 예로 들어 장단점이나 우열을 가리고 있으나, 대부분 오류를 수정하는 내용이다. 특히, 서적 간의 비교 등은 매우 풍부하게 제시되고 있으나 구체적으로 일일이 다 열거할 수 없으므로 전체적인 측면에서 간략히 소개하고자 한다.

　사마광은 이연수李延壽의 책 『남사南史』와 『북사北史』에 대하여 훌륭한 역사서로 칭찬하고 『삼국지三國志』를 지은 진수陳壽 이후로 가장 훌륭한 역사서라고 평가한다. 원성 유씨元城劉氏는 『신당서新唐書』에 대하여 간략하지만 명확하지 않아서 역사 편찬의 폐단이라고 비판한다.

『사기史記』에 대하여 주희는 『사기』를 미완성 글이기 때문에 기록에 차례가 없고 엉성하여 이어지지 않는 곳이 있다고 평가한다. 『한서漢書』에 대하여 주희는 『한서漢書』가 반고가 지은 문장도 있고 부인인 반소班昭가 지은 문장도 있어 자질구레하여 읽기 어렵다고 평가한다.

사마광司馬光의 또 다른 역사서인 『계고록稽古錄』에 대하여 주희朱熹는 매우 보기 좋다고 평가하고 『계고록』에 미비된 것은 『자치통감』으로 보충해야 한다고 평가하면서 『계고록』은 경연經筵의 관료가 황제께 읽어 올릴 책으로 삼을 만하고 어린이들이 육경六經을 읽고 나서 이어서 읽어가게 하는 것도 좋다고 한다. 주희는 자신이 지은 『통감강목通鑑綱目』의 주요한 뜻은 정통正統에 있다고 강조한다.

다음은 자학字學을 논한다. 자학은 글자를 배우는 것으로, 이 부분은 이정二程, 장자張子, 주희朱熹, 임천 오씨臨川吳氏 등의 어록이 수록되어 있으며, 사학史學과 과거지학科擧之學에 비해 상대적으로 분량이 소략하다.

우선, 글자를 쓰는 것에 대하여, 이정二程은 "나는 글자를 쓸 때 매우 경건히 한다. 글자를 아름답게 하려는 것이 아니라, 다만 이것이 배움이기 때문이다."라고 하여, 글자를 배우는 것은 글씨에 마음을 두는 것이 아니라 이 마음을 도道로 옮겨가는 것이라고 한다. 따라서 글자마다 법도가 있어야 한다.

금자今字와 고자古字의 자획字畫 수효의 차이에 대하여, 주희는 "옛 사람들의 전서篆書와 주서籀書 필획이 비록 많지만 하나의 필획도 뺄 수가 없다. 금자는 이와 같이 간략하지만 또한 하나의 필획도 늘려 더할 수가 없다. 이것은 세태 변화의 자연스러움이 이와 같이 한 것이다."라고 하였다.

과거지학科擧之學 부분은 이정二程, 구산 양씨龜山楊氏, 주희朱熹, 북계 진씨北溪陳氏, 잠실 진씨潛室陳氏, 쌍봉 요씨雙峯饒氏 등의 어록이 수록되어 있다.

우선 과거 공부는 시험을 잘 보기 위한 것으로 의리義理와 덕성을 함양하는 본질적인 공부와는 차별이 된다. 주희朱熹는 과거 공부를 부모가 살아계셔서 부모를 모시고 처자를 양육하기 위해 할 수 없이 힘써야 하는 일이지만 도를 향한 뜻을 망친다고 평가한다. 과거의 학업이 많은 사람을 망친 것을 애석해 하고 있다.

물론 과거 공부는 부모를 모시고 처자를 양육하기 위한 중요한 방편이자 학문을 하는데 해롭지 않은 것이다. 그러나 다만 미리 합격과 불합격을 마구 가슴 속에 둔다면 바로 도를 해치게 된다. 과거 공부만이 아니라 의지를 갖고 자신을 위한 공부를 게을리 하지 말아야 한다.

정자程子는 자신을 위한 공부를 하겠다는 의지를 보다 강조하여 "어떤 이가 과거 학업은 사람들의 공부를 빼앗는다고 말하는데, 그렇지 않다. 또 한 달 중에서 열흘만 과거 학업을 하면 남는 날에 바로 공부를 할 수 있다. 그러나 사람들은 후자에 뜻을 두지 않고 전자에 뜻을 둔다. 그러므로 과거 학업이 공부에 방해될까 염려하지 말고 오직 뜻을 빼앗길까 염려해야 한다."고 하였다.

그러므로 주희는 총괄적으로 과거가 사람을 얽매는 것이 아니라, 스스로 사람이 과거에 얽매이는 것이라고 하면서 만약 높은 견해와 큰 학식을 가진 선비가 성현의 책을 읽고 자신의 견해에 근거하여 글을 지어 과거에 응시하면서 이해득실을 생각하지 않는다면, 비록 날마다 과거에 응시한다고 하더라도 또한 얽매이지 않는다고 했다.

性理大全 研究飜譯 役割 分擔表

卷	書名/大主題	飜譯	校閱	潤文	解題
	序・表	金在烈			尹用男, 金暎鎬
1	太極圖	尹用男			郭信煥
2~3	通書	李哲承			郭信煥
4	西銘	李哲承			李基鏞
5	正蒙 1	李哲承			李基鏞
6	正蒙 2	金炯錫			李基鏞
7~13	皇極經世書	沈義用			洪元植
14~17	易學啓蒙	尹元鉉			李善慶
18~21	家禮	秋琦淵			李迎春
22~23	律呂新書	尹元鉉			李善慶
24~25	洪範皇極內篇	秋琦淵			李迎春
26~27	理氣	李致億			李致億, 金演宰
28	鬼神	尹元鉉			李致億, 金演宰
29~31	性理 1~3	尹元鉉			李致億, 鄭相峯
32~34	性理 4~6	沈義用	共同研究員 李忠九	鄭修卿	李致億, 鄭相峯
35~37	性理 7~9	金炯錫			李致億, 鄭相峯
38	道統・聖賢	尹元鉉			沈義用, 金演宰
39~40	諸儒 1~2	金炯錫			沈義用, 金演宰
41~42	諸儒 3~4	沈義用			沈義用, 金演宰
43~45	學 1~3	李致億			沈義用, 鄭炳碩
46~48	學 4~6	沈義用			沈義用, 鄭炳碩
49~50	學 7~8	金炯錫			沈義用, 鄭炳碩
51	學 9	金昡旲			沈義用, 池俊鎬
52~54	學 10~12	尹元鉉			沈義用, 池俊鎬
55~56	學 13~14	李忠九			沈義用, 池俊鎬
57~58	諸子	金在烈			李忠九, 李相益
59~64	歷代	金在烈			李忠九, 李相益
65	君道	金在烈			李忠九, 李相益
66~69	治道	金在烈			李忠九, 李相益
70	詩・文	金在烈			李忠九, 池俊鎬

性理大全 研究飜譯 研究陣

▌研究責任者

　尹用男　성신여자대학교

▌共同研究員

　郭信煥　숭실대학교
　金演宰　공주대학교
　李基鏞　연세대학교
　李相益　부산교육대학교
　李善慶　조선대학교
　李迎春　국사편찬위원회
　鄭炳碩　영남대학교
　鄭相峯　건국대학교
　池俊鎬　서울교육대학교
　洪元植　계명대학교

▌專任研究員

　李忠九　단국대학교
　金在烈　단국대학교
　尹元鉉　고려대학교
　秋琦淵　성신여자대학교
　李哲承　조선대학교
　沈義用　숭실대학교
　金炯錫　경상대학교
　李致億　성균관대학교
　金眩炅　한국외국어대학교

▌研究補助員

　鄭修卿　성신여자대학교
　宣昌坤　성신여자대학교
　金洙廷　성신여자대학교
　金炫在　한국고전번역원
　朴智惠　서울노일중학교
　權處隱　성균관대학교
　徐政嬅　동방문화대학원대학교

완역 성리대전 ❽

초판 인쇄 2018년 7월 15일
초판 발행 2018년 8월 10일

역 주 자 | 윤용남·이충구·김재열·윤원현·추기연
　　　　　이철승·심의용·김형석·이치억·김현경
펴 낸 이 | 하운근
펴 낸 곳 | 學古房

주　　소 | 경기도 고양시 덕양구 통일로 140 삼송테크노밸리 A동 B224
전　　화 | (02)353-9908 편집부(02)356-9903
팩　　스 | (02)6959-8234
홈페이지 | http://hakgobang.co.kr/
전자우편 | hakgobang@naver.com, hakgobang@chol.com
등록번호 | 제311-1994-000001호

ISBN　　978-89-6071-768-8 94150
　　　　978-89-6071-760-2 (세트)

값 : 800,000원 (전10책)